J. RIZZI

DER BROCKHAUS IN FÜNFZEHN BÄNDEN

DER BROCKHAUS

in fünfzehn Bänden

Erster Band

A – Bau

F. A. BROCKHAUS
Leipzig · Mannheim

Redaktionelle Leitung: Marianne Strzysch, Dr. Joachim Weiß

In Band 15 ist die Redaktion vollständig genannt.

Einbandgestaltung: James Rizzi

Einbandtypographie: Jürgen Sauerhöfer

Herstellung: Günter Schwab

Typographische Konzeption: Norbert Wessel

Satz: Bibliographisches Institut & F. A. Brockhaus AG
(PageOne Siemens Nixdorf)
und Mannheimer Morgen Großdruckerei
und Verlag GmbH

Druck: Neue Stalling GmbH, Oldenburg

Bindearbeit: Großbuchbinderei Lachenmaier, Reutlingen

Papier: 120 g/m^2 holzfrei, mattgestrichen, chlorfrei
der Papierfabrik Aconda Paper S. A., Spanien

Die Deutsche Bibliothek – CIP-Einheitsaufnahme
Der **Brockhaus**: in 15 Bänden /
[red. Leitung: Marianne Strzysch; Joachim Weiß]. –
Leipzig; Mannheim: Brockhaus.
Bd. 1. A – Bau. – 1999
ISBN 3-7653-2351-9

ISBN für das Gesamtwerk 3-7653-2350-0
Band 1: 3-7653-2351-9

Printed in Germany

Vorwort

Nach der überaus positiven Aufnahme der LIMITIERTEN KÜNSTLER-EDITIONEN der Brockhaus Enzyklopädie in Gestaltungen von Friedensreich Hundertwasser und André Heller setzt der Verlag zur Jahrtausendwende mit der vorliegenden Rizzi-Ausgabe des Brockhaus in 15 Bänden einen neuen Standard: jung, lebendig, urban und ausdrucksstark. In RIZZIS VERSION von New York, der Stadt der Städte, spiegelt sich die ganze Buntheit und Vielfalt der menschlichen Existenz, wie sie zwischen den Bucheinbänden in Text und Bild eingefangen ist.
James Rizzi, 1950 in Brooklyn / USA geboren, ist weltweit bekannt geworden als urbaner Naiver, der auf der Basis der Pop- und Comic-Kultur eine direkte und vitale Bildsprache für die Jetztzeit gefunden hat. Als Vorbilder schauen ihm Künstler von Bosch bis Miró, von Rousseau bis Keith Haring über die Schultern und staunen, wie er ganze Flugzeuge bemalt, die Welt des Sportes für die Olympischen Spiele in Atlanta auf eindrücklichste Weise eingefangen und jetzt unseren Brockhaus gestaltet hat.

Der neue BROCKHAUS IN FÜNFZEHN BÄNDEN vereinigt in alphabetischer Reihenfolge aktuelles wie traditionelles Wissensgut aus allen Gebieten der Naturwissenschaft und Technik, aus Geschichte, Politik, Kunst und Kultur, Recht, Wirtschaft, Sport und Alltag. 7200 spannende Seiten voller Wissenswertem laden zum Erkunden und Entdecken ein. Rund 140 000 Stichwörter bieten sachkundige, präzise und anschauliche Informationen. Etwa 15 000 Abbildungen sowie zahlreiche Grafiken, Tabellen und Übersichten illustrieren, vertiefen und erweitern das im Text Gesagte. Darüber hinaus stehen bei vielen Stichwörtern Infokästen mit interessantem Hintergrundwissen, aber auch mit Anekdoten, Zitaten und Kuriosem.

Und natürlich sind alle Texte nach den Regeln der neuen deutschen Orthographie verfasst.

Mannheim, im Sommer 1999 F. A. BROCKHAUS

Altsemitisch | Altgriechisch | Römische Kapitalschrift | Unziale und karoling. Minuskel

A

a, A, 1) Vokal (→Laut); der 1. Buchstabe des dt. Alphabets und vieler anderer Alphabete.

2) Abk. **A, a** oder **A., a.** für **A**nno, **a**nno (→Jahr); **A** oder **A.** bei röm. Namen für den Vornamen **A**ulus oder **A**ugustus; **A** auf mechan. Uhren für **a**vancer [frz. »vorstellen«], Richtung zum Schnellerstellen.

3) *Einheitenzeichen:* **a** für →Ar und →Jahr; **A** für →Ampere.

4) *Formelzeichen: A* für →Arbeit, →Flächeninhalt; ***a*** für →Beschleunigung.

5) *Münzwesen:* **A,** Zeichen für die wichtigste Prägestätte eines Landes, z.B. Berlin, Wien, Paris.

Druckschriftvarianten des Buchstabens **A**

6) *Musik:* **A,** der 6. Ton der C-Dur-Tonleiter; das eingestrichene a (a^1) ist der Stimmton (→Kammerton). **a,** Zeichen für **a**-Moll; **A,** Zeichen für **A**-Dur.

7) *Vorsatzzeichen:* **a** für Atto, z.B. 1 am = 10^{-18} m.

a... [grch.], vor Vokal **an...,** nicht..., un..., ...los: *amorph,* gestaltlos, ungestaltet; *anorganisch,* nicht organisch.

à [frz.], je, das Stück zu: *à 10 DM.*

ä, Ä, Umlaut des A, entstanden aus a mit übergeschriebenem e, Buchstabe u.a. der dt., schwed. und finn. Schrift mit dem Lautwert [ɛ].

å, Å, Buchstabe in skandinav. Alphabeten mit den Lautwerten [ɔ, o].

Å, Einheitenzeichen für →Ångström.

aa, auf Rezepten: Abk. für →ana.

Aa (Aach, Ache) [ahd. aha »Wasser«] *die,* Name vieler Flüsse und Bäche, z.B. Radolfzeller Aach.

AA, Abk. für →**A**uswärtiges **A**mt.

A. A., Abk. für →**A**nonyme **A**lkoholiker.

Aachen, 1) Kreis im RegBez. Köln, NRW, 547 km², (1996) 302 400 Ew.

2) kreisfreie Stadt und Verw.sitz des Kreises A., RegBez. Köln, NRW, 247 900 Ew. A. liegt nahe der belg. und niederländ. Grenze (in einer Euregio) an den nördl. Ausläufern des Hohen Venn, 180 m ü.M.; Bahnknotenpunkt und Industriestadt; Heilbad mit heißen (bis 74 °C) schwefelhaltigen Kochsalzquellen. Maschinenbau, Textil- (Tuche), Gummi-, Glas-, elektrotechn. Ind., Stahlbau, Süßwarenherstellung (u.a. Aachener Printen). – Kath. Bischofssitz, Rheinisch-Westfäl. TH (seit 1965 philosoph. und medizin. Fakultät), Fachhochschule, kath. Fachhochschule, Staatl. Hochschule für Musik, Theater, Museen, Bibliotheken. Die Stadt verleiht den →Karlspreis. Jährlich findet ein internat. Reitturnier (CHIO) statt. – Gotisches Rathaus (1333–76); →Aachener Münster.

Aachen 2)
Stadtwappen

Geschichte: A. hieß als röm. Badeort **Aquae Granni,** nach dem kelt. Heilgott Grannus. Karl d. Gr. errichtete in A., damals Mittelpunkt des Fränk. Reiches, die 769 bezeugte Pfalz. Die Pfalzkapelle war 936–1531 Krönungsort der Röm. (dt.) Könige; seit stauf. Zeit Reichsstadt. 1794 wurde A. frz., 1815 preußisch. – Das Bistum A. bestand 1802–21 (zum Erzbistum Mecheln) und wurde 1930 als Suffraganbistum von Köln neu errichtet.

Aachener Friede, 1) von 1668, beendete den →Devolutionskrieg.

2) von 1748, beendete den →Österreichischen Erbfolgekrieg.

Aachener Kongrẹss, der 1. Kongress der →Heiligen Allianz.

Aachener Mụnster, Bischofskirche in Aachen; ihren Kern bildet die von Odo von Metz erbaute, um 800 geweihte Pfalzkapelle Karls d. Gr., ein achteckiger Zentralbau mit sechzehneckigem, zweigeschossigem Umgang. Im O die 1355 begonnene got. Hochchorhalle, im W karoling. Vorhalle (Westwerk) und got. Turm (im 19. Jh. erneuert). Im A. M. wurden Karl d. Gr. und Otto III. beigesetzt. Bedeutender Domschatz (Karlsschrein 1215). Seit 1238 (seit 1349 alle sieben Jahre) Aachener Heiligtumsfahrt, Pilgerfahrt zu den Reliquien. Die UNESCO erklärte das A. M. zum Weltkulturerbe.

Aachener und Münchener Versicherungsgruppe, Aachen, gegr. 1825, betreibt die Sach-, Lebens-, Haftpflicht-, Unfall-, Kraftverkehrs- und Rückversicherung; Beteiligungsgesellschaften: u. a. Badenia Bausparkasse, Central Krankenversicherung, Thuringia und Volksfürsorge.

Aaiún, El-, Hauptort von Westsahara, am Saguia al-Hamra, 96 800 Ew.; nahebei Phosphatlager; Hafen, Flugplatz.

Aakjær ['ɔ:kɛ:r], Jeppe, eigtl. J. Jensen, dän. Schriftsteller, *Åkjær (bei Skive) 10. 9. 1866, †Hof Jenle (bei Skive) 22. 4. 1930; schrieb Lieder, oft in jütländ. Mundart, und sozialkrit. Romane.

Alvar Aalto

Äakus, *grch. Mythos:* →Aiakos.

Aalartige Fische (Anguilliformes), Ordnung der Knochenfische mit lang gestrecktem, meist schuppenlosem Körper; u. a. →Aale und →Muränen.

Aalborg ['ɔlbɔr], dän. Stadt, →Ålborg.

Aale (Echte A., Aalfische, Anguillidae), räuber. Knochenfische mit kleinen Schuppen und vielen Schleimzellen in der Haut. Die A. ernähren sich von Mücken, Larven, Regenwürmern, Muscheln, kleinen Fischen. Bekannteste Arten: **Flussaal (Europ. A.,** Anguilla anguilla) und **Amerikan. Aal** (Anguilla rostrata). Beide Arten leben zeitweise im Süßwasser; die Eiablage erfolgt in der Sargassosee. Die 10 mm großen, weidenblattähnl. A.-Larven wandern, größer werdend, mit dem Florida- und Golfstrom nach NW oder NO. Die der europ. Art erreichen nach drei Jahren den Kontinentalsockel Europas. Die Larven verwandeln sich im 2. oder 4. Jahr unter Abnahme ihrer Länge in die drehrunden, durchsichtigen **Glasaal.** Die Männchen wachsen in 3–8 Jahren auf 40–50 cm, die Weibchen in 5–20 Jahren auf 100–150 cm heran. Nach Erreichen eines bestimmten Reifegrades **(Blank-** oder **Silber-A.)** stellen sie die Nahrungsaufnahme ein, wandern wahrscheinlich in die Sargassosee zurück, laichen dort und sterben. – Durch A.-Leitern und Fischpässe (→Fischwege) erleichtert die Fischereiwirtschaft die Überwindung der Stauwehre in Flüssen. Zum A.-Fang dienen A.-Säcke, A.-Kästen, Reusen, elektr. Fanggeräte; A.-Gabeln sind verboten. A.-Blut enthält das Nervengift Ichthyotoxin, das durch Kochen oder Räuchern zerstört wird. Der A. ist ein beliebter Speisefisch.

Aarau
Stadtwappen

Aargau
Kantonswappen

Aalen, Krst. des Ostalbkreises, RegBez. Stuttgart, Bad.-Württ., Große Krst., 66 300 Ew., am NO-Rand der Schwäb. Alb, am oberen Kocher, 430 m ü. M. – Gut erhaltener Stadtkern mit Fachwerkhäusern (16.–18. Jh.); Limes-, Schubart-Museum; Metall-, Maschinen-, Textil-, opt. u. a. Industrie. – A., ehem. röm. Siedlung (bed. Ausgrabungen: u. a. röm. Reiterkastell, ziviles Dorf), war 1360–1803 freie Reichsstadt.

Aachener Münster: Die Pfalzkapelle Karls des Großen und der ab 1355 erbaute gotische Chor (Ansicht von Süden)

Aalmolche (Amphiumidae), Familie aalähnl. Schwanzlurche mit wenig entwickelten Gliedmaßen im SO Nordamerikas.

Aalmutter (Zoarces viviparus), lebend gebärender Dorschfisch, 20–40 cm langer europ. Küstenfisch der Nord- und Ostsee.

Aalrutte (Aalquappe, Quappe, Lota lota), zu den Dorschen gehörender Süßwasserraubfisch, bis 1 m lang.

Aalst (frz. Alost), Stadt in der belg. Prov. Ostflandern, 76 300 Ew., an der Dender, 14 m ü. M.; Textil-, Gummi-, chem., Maschinenind., Brauereien, Hopfenhandel, Schnittblumenzucht.

Aalstrich, dunkler Rückenstreifen bei Säugetieren.

Aalto, Alvar, finn. Architekt, *Kuortane (Prov. Vaasa) 3. 2. 1898, †Helsinki 11. 5. 1976; einer der Hauptvertreter der →organischen Architektur. Sein letzter Bau in Dtl. ist das Opernhaus in Essen (1983–88).

Aaltonen, Väinö, finn. Bildhauer, *Karinainen 8. 3. 1894, †Helsinki 30. 5. 1966; schuf Denkmäler und Bildnisbüsten.

AAM, Abk. für →**a**ngeborener **A**uslöse**m**echanismus.

a. a. O., Abk. für **a**m **a**ngeführten **O**rt (in bibliograph. Angaben).

Aar [ahd.], poetisch für: Adler.

Aarau, Hptst. des Kt. Aargau, Schweiz, 388 m ü. M., an der Aare, 15 700 Ew.; Elektro-, Präzisions- und Schuhindustrie, Glockengießerei; Kunsthaus, Stadtmuseum. – Spätmittelalterl. Stadtbild. – A., um 1250 von den Grafen von Kyburg gegr., teilt die Geschichte des →Aargaus.

Aare *die,* linker Nebenfluss des Rheins, in der Schweiz, 295 km, entspringt in den Aargletschern, durchfließt das Haslital, den Brienzer, Thuner und Bieler See und mündet unterhalb von Koblenz (Kt. Aargau); Kraftwerke.

Aargau, Kanton im N der Schweiz, im dt.sprachigen Gebiet, 1404 km^2, (1995) 523 100 Ew.; Hptst.: Aarau; umfasst die Bezirke Aarau, Baden, Bremgarten, Brugg, Kulm, Laufenburg, Lenzburg, Muri, Rheinfelden, Zofingen, Zurzach. Der von der Aare durchflossene Kanton hat im SO Anteil am Schweizer Mittelland, im NW umfasst er Teile des Tafel- und Kettenjuras (bis 950 m). Im Mittelland intensive Landwirtschaft, im Jura Viehwirtschaft und Getreideanbau; Maschinen-, Elektro- und Textilind., Tabakverarbeitung; Schwefelthermen in Baden, Schinznach Bad und Zurzach.

Geschichte: Das von Helvetiern besiedelte Gebiet wurde im 1. Jh. v. Chr. von den Römern besetzt (im 1. Jh. n. Chr. Anlage von →Vindonissa), im 5. Jh. von Alemannen besiedelt und kam im 6. Jh. an das Frankenreich (Name 763 erstmals belegt). Der Ober-A. fiel im 14. Jh. an Bern; der Unter-A. kam 1264 von den Grafen von Kyburg an die Habsburger und wurde 1415 von den Eidgenossen erobert. Die Reformation drang bes. in den von Bern beherrschten Teilen des A. durch. Mit dem Umsturz von 1798 wurde der A. selbstständig, der heutige Kt. wurde 1803 gebildet, 1831 eine liberale Verf. eingeführt. Ein Aufstand des kath. Landvolks 1841 führte zur Aufhebung der Klöster **(Aargauer Klosterstreit)** und zum Sonderbundkrieg.

Aargletscher, Gletschergruppe, →Finsteraarhorn.

Aaron (Aron, hebr. Aharon), ältester Bruder und Rivale des Moses, der erste Hohepriester Israels (2. Mos. 4,14; 4. Mos. 12).

Aas, verwesende Tierleiche.

Aasblume, nach Aas riechende Blüte, →Stapelie.

Aasen ['o:sən], Ivar, norweg. Sprachforscher und Schriftsteller, *Sunnmøre (VerwBez. Møre og Romsdal) 5. 8. 1813, †Kristiania (heute Oslo) 23. 9. 1896; schuf aus den norweg. Dialekten eine neunorweg. Schriftsprache, das Landsmål (jetzt Nynorsk).

Aasfliegen, Fliegen, die sich z. B. in Kadavern, eiternden Wunden und Lebensmitteln entwickeln. Zu den A. gehören v. a. die →Fleischfliegen und die →Schmeißfliegen.

Aaskäfer (Silphidae), Käferfamilie mit keulenförmigen Fühlern. Aasfresser sind besonders die **Totengräber** (Necrophorus). Die **Rüben-A.** (Blitophaga opaca und Blitophaga undata) sind Pflanzenschädlinge.

AAV, Abk. für **a**deno-**a**ssoziierte **V**iren, →Parvoviren.

ab... [lat.], weg..., los...

AB, Abk. für **A**ktie**b**olag, schwed. Bez. für Aktiengesellschaft.

Aaskäfer: Totengräber

Aba (Abajeh) [arab.] *die,* ärmelloser, mantelartiger Umhang der Araber.

Abaco, Evaristo Felice dall', italien. Komponist und Cellist, →Dall' Abaco.

Abadan, Hafenstadt in Iran, nahe der Mündung des Schatt al-Arab in den Pers. Golf, 84 800 Ew.; Pipelines aus Khusistan, Erdölraffinerien, Erdölausfuhr; Inst. für Technologie.

Abaddon [hebr. »Untergang«], **1)** im A. T. Hölle, Unterwelt; gelegentlich auch personifiziert (z. B. Hiob 28,22).

2) in Offb. 9,11 der Engel des Verderbens.

Alvar Aalto: Konzert- und Kongresshaus Finlandia in Helsinki (1962–71)

Abakan, 1) *der,* linker Nebenfluss des Jenissei, 514 km.

2) Hptst. von Chakassien, Russ. Föderation, oberhalb der Mündung des A. in den Jenissei, 154 000 Ew.; Eisenerzbergbau, Waggonbau.

Abakanowicz [-tʃ], Magdalena, poln. Künstlerin, *Falenty (bei Warschau) 20. 6. 1930; gestaltet Wandteppiche, Plastiken, Environments, auch fragmentar. Abformungen des nackten Menschen, v. a. aus Sisal, Hanf und Kokosfasern, und seit den 1970er-Jahren auch Arbeiten in Bronze. BILD S. 10

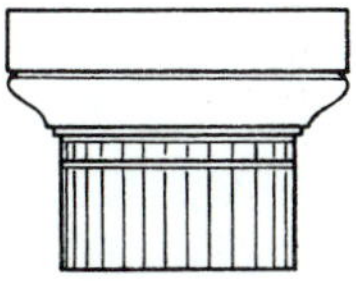

Abakus 1)

Abakus [lat.] *der,* **1)** *Architektur:* Deckplatte des Säulenkapitells.

2) *Mathematik:* bereits im Altertum verwendetes Rechenbrett, auf dem mithilfe auf einer Schiene frei bewegl. Steine bes. Additions- und Subtraktionsaufgaben gelöst werden können.

Magdalena Abakanowicz: Katharsis, Bronze (1985)

Abälard, Peter (Abaelardus, Petrus), frühscholast. Philosoph, *Le Pallet (bei Nantes) 1079, †Kloster St. Marcel (bei Chalon-sur-Saône) 21. 4. 1142; lehrte Logik und Dialektik; einflussreicher Lehrer u. a. der späteren Päpste Alexander III. und Cölestin II.; bemerkenswert ist seine Liebesbeziehung mit Heloise (von A. fingierter Briefwechsel). – A. vertrat im →Universalienstreit die These, Allgemeinbegriffe besäßen nur subjektiven Bedeutungsgehalt, dem nichts Wirkliches entspräche, wirklich sei allein das individuelle Einzelding. In der Ethik räumt A. der Gesinnung den Vorrang vor der Tat ein; die sündige Handlung sei »substanzlos«.

Claudio Abbado

📖 Podlech, A.: *A. u. Heloisa oder die Theologie der Liebe. München u. a. 1994.*

Abänderungsklage, gerichtl. Klage mit dem Ziel, bereits wirksame Urteile, gerichtl. Vergleiche oder vollstreckbare Urkunden, die künftig wiederkehrende Leistungen betreffen, abzuändern, wenn die für die Verpflichtung maßgebenden Umstände sich wesentlich geändert haben (§ 323 ZPO).

Abandon [abãˈdɔ̃, frz.] *der,* Verzicht auf ein Recht zur Entlastung von einer damit verbundenen Pflicht, z. B. a) im Gesellschaftsrecht: bei einer GmbH die Hingabe des Geschäftsanteils, um sich von der Nachschusspflicht zu befreien; b) in der Seeversicherung: Abtretung des Eigentums an dem versicherten Gegenstand, etwa dem verschollenen Schiff, gegen Empfang der Versicherungssumme.

Ernst Abbe

Abano Terme, Heilbad in Venetien, Prov. Padua, Italien, 17 700 Ew.; radioaktive Kochsalzquellen (87 °C), Schwefelquellen, Schlammbäder.

abarischer Punkt, kräftefreier Punkt zw. zwei Massen, in dem ihre Gravitationskräfte entgegengesetzt gleich sind; im System Erde–Mond liegt er in einer Entfernung von $1/9$ des Abstandes Erde–Mond vom Mondmittelpunkt.

Abartigkeit, anlagebedingte oder erworbene Abweichung von der körperl., geistigen oder charakterl. Norm.

Abasie [grch.] *die, Medizin:* die Unfähigkeit zu gehen.

Abaton (Adyton) [grch.] *das,* das nur Priestern und Eingeweihten zugängl. Allerheiligste des antiken Tempels.

Abba [aramäisch »Vater«], alte Anrede Gottes im Gebet, v. a. gebraucht von Jesus und im Urchristentum (Mk. 14, 36; Röm. 8, 15); später auch Anrede von Klostervorstehern (Abt).

Abbach, Bad, →Bad Abbach.

Abbadiden, span.-islam. Dynastie (1023–91) in Sevilla, unter der Sevilla vom Kalifat Córdoba unabhängig wurde und die dies 1068 eroberte; wurde von den Almoraviden abgelöst.

Abbado, Claudio, italien. Dirigent, Pianist und Komponist, *Mailand 26. 6. 1933; 1986–91 Musikdirektor der Wiener Staatsoper, seit 1990 künstler. Leiter der Berliner Philharmoniker.

Abbas, 1) A., Onkel Mohammeds, *Mekka um 565, †Medina um 653; Ahnherr der →Abbasiden.

Peter Abälard und Heloise (Miniatur aus dem »Roman de la Rose«)

2) A. I., der Große, Schah von Persien (1587 bis 1629), *27. 1. 1571, †in der Prov. Masandaran 19. 1. 1629; aus der Dynastie der Safawiden (→Iran, Geschichte); erweiterte sein Reich durch Feldzüge gegen die Osmanen und Usbeken.

3) A. II. Hilmi, Vizekönig von Ägypten (seit 1892), *Alexandria 14. 7. 1874, †Genf 20. 12. 1944; von den Briten 1914 abgesetzt.

ABB Asea Brown Boveri AG [- braʊn -], Zürich, durch Zusammenschluss der schwed. ASEA AB (Allmänna Svenska Elektriska A. B.), Stockholm, und der schweizer. Brown Boveri AG (BBC, gegr. 1891), Baden, 1988 entstandener Konzern der Elektroindustrie; seit 1996 ABB AG; Hauptaktionäre: die Familien Wallenberg und Schmidheiny; Sitz der dt. Tochtergesellschaft ist Mannheim.

Abbasiden, muslim. Herrschergeschlecht, das auf Abbas (*um 565, †um 653), den Onkel Mohammeds, zurückgeht; stellte 750–1258 die Kalifen in Bagdad, dann bis 1517 die von Kairo.

Abbate (Abate), Niccolò dell' A., italien. Maler, →Dell'Abate.

Abbau, 1) *Bergbau:* Gewinnung nutzbarer Bodenschätze im Rahmen eines bergbaul. Betriebes über oder unter Tage.

2) *Biologie:* Zersetzungsvorgänge (→Stoffwechsel).

3) *Chemie:* Zerlegung komplizierter Verbindungen in einfachere Reaktionsprodukte.

4) *Psychologie:* die Abnahme der geistigen Fähigkeiten und Reduktion der Gesamtpersönlichkeit im Zusammenhang mit Beeinträchtigungen des Zentralnervensystems, z. B. im Alter.

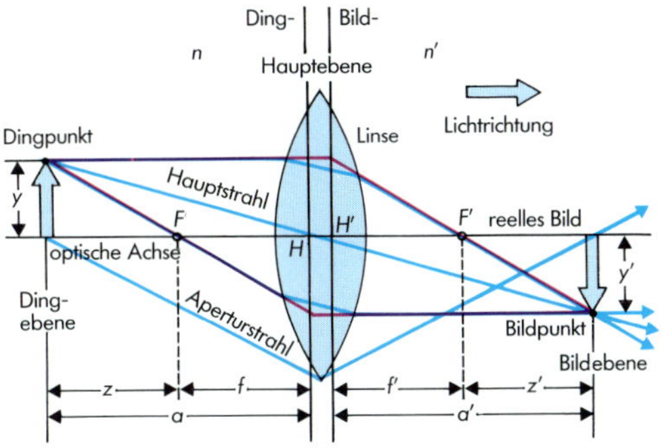

Abbildung 2): Reelle optische Abbildung durch eine bikonvexe Linse. Bildkonstruktion mithilfe der Hauptebenen (*H, H'*) und der Brennpunkte (*F, F'*). Es sind: *f* die ding-, *f'* die bildseitige Brennweite, *a* die Ding-, *a'* die Bildweite, *z* die dingseitige und *z'* die bildseitige Brennpunktweite, *n, n'* die Brechungszahlen

Abbaugerechtigkeit, die Befugnis zum Abbau von Bodenschätzen im Bergbau.

Abbazia, italien. Name von →Opatija.

Abbe, Ernst, Physiker und Sozialreformer, *Eisenach 23. 1. 1840, †Jena 14. 1. 1905; schuf 1873 mit seiner Theorie der opt. Abbildung die wiss. Grundlagen für den Bau opt. Instrumente. A. wurde 1888 Alleininhaber der Zeisswerke und übertrug diese auf die von ihm gegründete →Carl-Zeiss-Stiftung.

📖 *E. A. Sein Nachwirken an der Jenaer Univ., bearb. v.* J. Wittig. *Jena 1989.*

Abbé [a'be; frz. »Abt«] *der,* in Frankreich Titel des Weltgeistlichen.

Abbeizen, das Erweichen eines trockenen Anstrichs mit alkal. (Ablaugmittel), sauren oder neutralen Mitteln und Entfernen vom Untergrund.

Abberufung, *Völkerrecht:* die Beendigung der Mission eines diplomat. Vertreters durch den Entsendestaat, entweder aus Gründen, die in der Person des Vertreters liegen, oder beim Abbruch der diplomat. Beziehungen.

Abbeville [ab'vil], industriereiche Stadt im nordfrz. Dép. Somme, 24 900 Ew., nahe der Sommemündung; Hafen für kleinere Schiffe; got. Kirche St. Vulfran.

Abbevillien [abvil'jɛ̃; nach der Stadt Abbeville] *das,* Kulturstufe der →Altsteinzeit, gekennzeichnet bes. durch roh bearbeitete Faustkeile.

Abbildtheorie, *Philosophie:* auf Demokrit zurückgehende Auffassung des Erkenntnisvorganges als Abbildung der Wirklichkeit im Bewusstsein. Naiv-realist. und krit. Varianten der **Widerspiegelungstheorie** steht die **Isomorphietheorie** gegenüber, der zufolge nur strukturelle Eigenschaften abgebildet werden.

Abbildung, 1) *allg.:* gedrucktes Bild (Illustration). Wiss., künstler. und techn. A. (Darstellungen) genießen den Schutz des Urheberrechts.

2) *geometrische Optik:* die Erzeugung eines Bildes von einem Gegenstand durch wirkl. oder scheinbare Vereinigung der von den Punkten des Gegenstandes (Gegenstands-, Ding- oder Objektpunkte) ausgehenden Strahlen durch ein opt. System von Linsen, Spiegeln u. Ä. in entsprechenden Bildpunkten. Bei einem auf einem Schirm auffangbaren **reellen Bild** vereinigen sich die Strahlen wirklich, bei einem **virtuellen Bild** in ihrer gedachten rückwärtigen Verlängerung. Das Bild kann vergrößert oder verkleinert sein; das Verhältnis von Bild- zu Gegenstandsgröße heißt linearer **A.-Maßstab** (Lateralvergrößerung). Grundlage der geometr. Optik ist die **A.-Theorie,** mit deren Hilfe der Strahlenverlauf abbildender Systeme berechnet wird. Für die A. durch paraxiale Strahlen (gaußsche Dioptrik) gelten die **A.-Gleichungen,** z. B.:

$$f/a + f'/a' = 1 \quad \text{(allgemeine A.-Gleichung)}$$

Lichtstrahlen lassen sich durch Brechung in Linsen oder Reflexion an gekrümmten Spiegeln wieder vereinigen, Elektronen- und Ionenstrahlen durch elektr. und magnet. Linsen.

📖 *Lehrbuch der Experimentalphysik, begr. v.* L. Bergmann *u.* C. Schaefer, *Bd. 3: Optik, hg. v.* H. Niedrig. *Berlin u. a.* [9]*1993.*

3) *Mathematik:* die eindeutige Zuordnung f, bei der jedem Element x einer Menge X (Definitionsbereich) genau ein Element $f(x)$ einer Menge Y (Bild- oder Wertebereich) entspricht. Für eine solche A. oder →Funktion f von X in Y schreibt man $f\colon X \to Y$.

Abbildungsfehler (Aberration), *geometrische Optik:* Abweichung von der fehlerfreien →Abbildung. Die wichtigsten A. sind: a) Öffnungsfehler (sphär. Aberration) mit schlechter Vereinigung achsensymmetr. Lichtbündel großer Öffnung; b) Asymmetriefehler (Koma) mit einseitiger Verzerrung von Bildpunkten bei schräg einfallenden Bündeln; c) Astigmatismus mit schlechter Vereini-

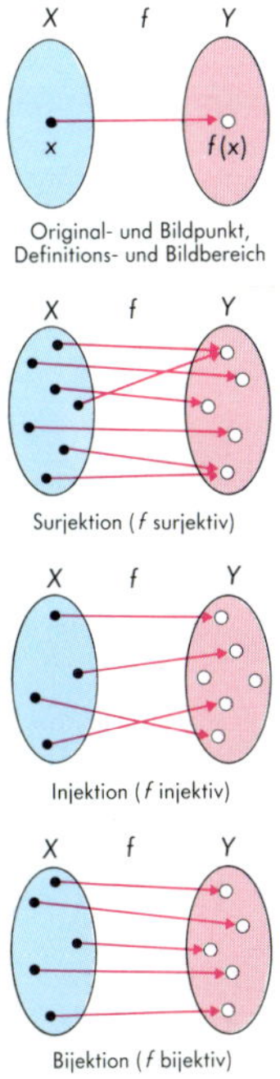

Abbildung 3)

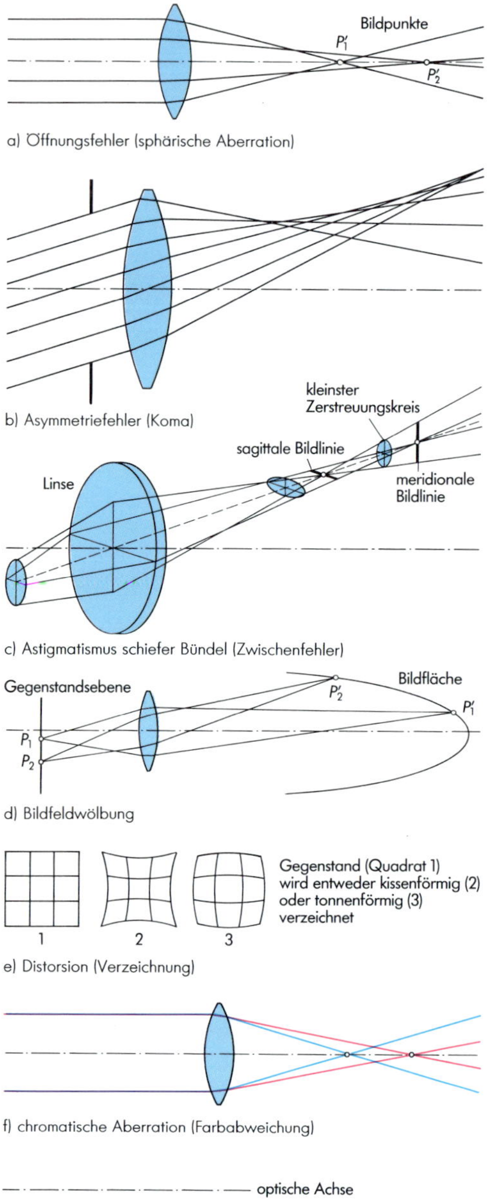

Abbildungsfehler

gung sagittaler und meridionaler Lichtbündel; d) Bildfeldwölbung; e) Verzeichnung (Distorsion), kissen- oder tonnenförmige Verzerrung mit Vergrößerungsunterschieden bei unterschiedl. Achsenentfernungen; f) Farbabweichung (chromat. Aberration) mit schlechter Vereinigung von Strahlen unterschiedlicher Wellenlänge. Durch spezielle Linsenformen, Blenden und Kombinationen von mehreren Linsen aus unterschiedl. Materialien können die A. reduziert werden.

Abbinden, 1) *Chemie:* das Festwerden von →Bindemitteln, bei Klebstoffen die Verfestigung dieser in sich und die der Verbindung mit den Klebeflächen.

2) *Medizin:* das Zusammendrücken von Blutgefäßen zur Blutstillung.

Abbiss, Wiesenstaude mit kurzem Wurzelstock, z. B. der →Teufelsabbiss.

Abblendlicht, Beleuchtung eines Kfz, die die Blendung Entgegenkommender vermeidet. A. kann asymmetrisch abgestrahlt werden. Beim Fahren bei Dunkelheit oder anderer Sichtbehinderung (z. B. Nebel, Schneefall) ist es vorgeschrieben.

Abbot ['æbət], Charles Greeley, amerikan. Astrophysiker, * Wilton (N. H.) 31. 5. 1872, † Riverdale (Md.) 17. 12. 1973; arbeitete bes. über die Strahlung der Sterne und der Sonne, untersuchte den Einfluss der Sonnenstrahlung auf das Wetter.

Abbrand, 1) *Kerntechnik:* die infolge des Reaktorbetriebs bewirkte Umwandlung von Atomkernen. Der spezifische A. ist die Energie, bezogen auf die Gewichtseinheit des Brennstoffs, meist angegeben in Megawatt-Tag je Tonne (1 MWd/t).

2) *Metallurgie:* a) beim Schmelzen von Metallen entstehender Verlust durch Oxidation oder Verflüchtigung; b) Röstprodukt sulfid. Erze.

3) *Raketentechnik:* Verbrennung von Festtreibstoffen.

Abbreviaturen [zu lat. brevis »kurz«], **1)** *Musik:* Zeichen in der Notenschrift, durch die auf ein vollständiges Ausschreiben des Notentextes verzichtet werden kann, z. B. bei gleichen Tönen, Tonfolgen, Takten. Auch Bez. für die Art des Vortrags (z. B. f = forte, p = piano) und für Instrumente (z. B. B. c. = Basso continuo).

2) *Sprachwissenschaft:* →Abkürzungen.

Abbruchblutung, Hormonentzugsblutung aus der Gebärmutterschleimhaut durch Abfall von Östrogenen oder Gestagenen (Menstruation, Absetzen von Hormonbehandlung).

Abc, →Alphabet.

ABC-Abwehrtruppen, Waffengattung der Bundeswehr zum Entstrahlen, Entseuchen und Entgiften eigener Truppen.

Abc-Buch, →Fibel.

A-, B-, C-, D-Teile, beim Kunstturnen Schwierigkeitswerte für Teile der Kürkombination (A geringster, D höchster Wert).

Abchasen, Volk im westl. Kaukasus, etwa 96 000 Menschen; vorwiegend Sunniten, auch Orthodoxe.

Abchasien, autonome Republik in Georgien, am Schwarzen Meer, 8 600 km², (1993) 506 000 Ew. (1989: 46 % Georgier, 18 % Abchasen, 15 % Armenier, 14 % Russen); Hptst. und Hafen: Suchumi.

Vom 8. bis 10. Jh. Königreich, im 10. Jh. mit Georgien vereint; im 15./16. Jh. in türk. Abhängigkeit (teilweise Islamisierung); ab 1810 russ. Protektorat, 1864 ins Zarenreich eingegliedert; 1921 eigenständige Sowjetrep., wurde 1931 autonome Rep. innerhalb Georgiens. A. erklärte im Juli 1992 einseitig seine Unabhängigkeit. Die kurz darauf einmarschierenden georg. Truppen wurden in blutigen Kämpfen von abchas. Milizen (unterstützt von anderen kaukas. Freischärlern mit zeitweiliger russ. Hilfe) bis Ende Sept. 1993 zurückgedrängt (Flucht von rd. 250000 Georgiern; 1994 Waffenstillstand, Stationierung einer Friedenstruppe). Ende 1994 verabschiedete das abchas. Parlament eine neue Verfassung.

ABC-Schutzmaske (früher Gasmaske), Atemschutzmaske für Soldaten.

ABC-Staaten, Bez. für die Staaten **A**rgentinien, **B**rasilien, **C**hile, die seit Ausgang des 19. Jh. auf vertragl. Basis wirtschaftlich und politisch zusammenarbeiten.

ABC-Waffen, Sammelbez. für **a**tomare, **b**iolog. (bakteriolog.) und **c**hem. Waffen und Kampfmittel; die Pariser Verträge von 1954 verbieten der Bundesrep. Dtl. deren Herstellung.

Atomwaffen (Kern-, A-, Nuklearwaffen): So werden Geschosse, Raketen, Bomben, Minen und Torpedos mit Sprengladungen aus Kernsprengstoff bezeichnet. A-Waffen unterteilt man in solche, die auf der Kernspaltung von Uran 235 oder Plutonium 239 beruhen **(A-Bombe),** und solche, bei denen eine Verschmelzung leichter Atomkerne (z. B. Deuterium, Tritium) zu Helium eintritt **(Wasserstoff- oder H-Bombe).** Schwerste Waffen sind die **Dreiphasenbomben** mit einem Zünder aus Uran 235, Lithiumdeuterid als Fusionsmaterial und Uran 238, das die größten Anteile der Explosions- und Strahlungsenergie liefert. Die Sprengenergie der A-Waffen wird im Vergleich mit herkömml. Sprengstoff angegeben: 1 Kilotonne (kt) entspricht dem Energieinhalt von 1000 t Trinitrotoluol (TNT); 1 Megatonne (Mt) = 1000000 t TNT.

Von der Gesamtwirkung einer A-Bombe entfallen rd. 50% auf Druck, 35% auf Wärme, und 15% auf radioaktive Strahlung. Bei ihrer Detonation entsteht ein Atompilz, in dessen Zentrum ungeheure Drücke und Temperaturen von 15 bis 20 Mio. °C herrschen. Von ihm breiten sich Wärmestrahlen und ein großer Teil der radioaktiven Strahlen mit Lichtgeschwindigkeit über einen vom Explosionsort und von der Sprengenergie abhängigen Bereich aus. Für die zerstörende Wirkung der Druckwelle ist nicht allein ihr dynam. Druck maßgeblich, sondern auch die an festen Hindernissen reflektierten Druckwellen sowie der etwas später eintretende negative Druck (Sog). Radioaktives oder aktiviertes Material kann durch Luftströmungen über weite Strecken fortgetragen werden. Diese als Fall-out bezeichneten Partikel schweben langsam zu Boden und verursachen hier je nach ihrer Verweilzeit in der Atmosphäre eine mehr oder minder starke radioaktive Verseuchung. – Die ersten A-Bomben wurden von den USA erprobt und gelangten 1945 über Hiroshima (90000 bis 200000 Tote) und Nagasaki (25000 bis 75000 Tote) zum bisher einzigen militär. Einsatz (12,5 und 22 kt Sprengkraft). 1952 erprobten die USA die erste Wasserstoffbombe. Die UdSSR verfügte seit 1949 über A- und seit 1953 über H-Bomben; Großbritannien seit 1952 (1957); Frankreich seit 1960 (1968); China seit 1964 (1967); Indien zündete seine erste A-Bombe 1974; Pakistan führte 1998 unterird. A-Waffen-Tests durch. Von weiteren Staaten wird angenommen, dass sie über die techn. Voraussetzungen zum Bau von A-Waffen verfügen (so genannte Schwellenmächte).

Die Waffenentwicklung in den 1960er-Jahren führte zunächst zur Vergrößerung der Sprengkraft

ABC-Waffen: Detonationswolke (»Atompilz«) einer Atombombe

einzelner Bomben. Darauf wurden v.a. kleine A-Waffen **(takt. A-Waffen)** gebaut, die einzeln auf dem Gefechtsfeld eingesetzt oder mit einer Rakete mit Mehrfachsprengkopf über gegner. Gebiet geschossen werden können, von wo aus sie sich auf mehrere Ziele zubewegen **(strateg. A-Waffen).** Seit den 50er-Jahren wird an A-Waffen **(Neutronenwaffen)** gearbeitet, die eine relativ geringere Druck- und Hitzewelle bei der Detonation freigeben und dafür 80% ihrer Energie als radioaktive Strahlung freisetzen. Aufgrund des Zerfalls der

UdSSR gelangten auch Weißrussland, Kasachstan und die Ukraine in den Besitz von A-Waffen, auf die sie wegen entsprechender Abrüstungsvereinbarungen inzwischen verzichtet haben. Bemühungen, die A-Waffenbestände und -entwicklung zu reduzieren, wurden v.a. von der UdSSR bzw. Russland und den USA mit den SALT- sowie START-Verträgen und dem INF-Vertrag entfaltet (→Abrüstung). Der →Kernwaffensperrvertrag soll die Weiterverbreitung von A-Waffen verhindern.

ABC-Waffen: Amerikanische Flugzeuge versprühen das chemische Entlaubungsmittel Agent Orange über den Regenwäldern Südvietnams (1966)

Emil Abderhalden

Abe Kōbō

Biologische Waffen (B-Waffen): Biolog. oder bakteriolog. Waffen und Kampfmittel (z.B. Erreger von Enzephalitis, Milzbrand, Pest, Typhus) verseuchen Menschen, Tiere und Pflanzen. Da sie von Flugzeugen oder Raketen aus versprüht werden (Bakterienkrieg), unterliegt ihr Wirkungsbereich den Zufälligkeiten von Windrichtung und -geschwindigkeit. B-Waffen wurden bisher nicht eingesetzt; ihre Anwendung gegen die Zivilbevölkerung ist völkerrechtswidrig.

Chemische Waffen (C-Waffen): Chemische Kampfstoffe werden aus tragbaren oder fahrbaren Behältern abgeblasen oder versprüht, aus Geschützen oder Minenwerfern verschossen oder von Raketen und Flugzeugen über dem Zielgebiet abgeworfen. Um die Risiken bei Transport und Lagerung zu verringern, wurden **binäre Kampfstoffe** entwickelt, bei denen der extrem giftige Kampfstoff erst nach Abschuss der Granate oder Rakete bzw. nach Abwurf der Bombe durch chem. Reaktion aus zwei geringgiftigen Vorprodukten entsteht. – Erstmals wurden C-Waffen im 1. Weltkrieg (Gaskrieg) eingesetzt, im 2. Weltkrieg nicht; im 1. Golfkrieg (1980–88) setzte Irak C-Waffen gegen Iran ein. Man unterscheidet Augen- (»Tränengase«), Nasen- und Rachenreizstoffe, Lungen-, Haut- und Nervengifte. Das weltweite Verbot der Entwicklung, Herstellung, Lagerung und des Einsatzes chem. Waffen und deren Vernichtung wurden 1993 in Paris vertraglich beschlossen.

📖 Kiper, M. *u.* Streich, J.: *Biolog. Waffen. Die geplanten Seuchen, Gene, Gifte u. Mikroben gegen Menschen. Reinbek 12.–16. Tsd. 1991.* – Martinetz, D.: *Vom Giftpfeil zum Chemiewaffenverbot. Zur Gesch. der chem. Kampfmittel. Thun u. a. 1995.*

Abd [arab. »Knecht«], häufig in arab. Eigennamen: **A. Allah,** Knecht Gottes.

Abdallah, 1) Abd Allah, der Vater Mohammeds, † um 570 (vor dessen Geburt).

2) A. Ibn Ali, Onkel der beiden ersten Abbasidenkalifen, * um 712, † (ermordet) 764; besiegte 750 die Omaijaden, unterlag al-Mansur.

3) A. II. (Abdullah, A. ibn al-Husain), König von Jordanien, * 1962; Berufsoffizier; trat 1999 die Nachfolge seines Vaters, Husains II., an.

Abdampf, aus einer Kraftmaschine (z.B. Dampfturbine) nach verrichteter Arbeit austretender Dampf; eine Form der →Abwärme.

Abd ar-Rahman [-rax'ma:n], omaijad. Herrscher in Spanien:

1) A. I. (756–788), Begründer des arab. Emirats (seit 929 Kalifat) von Córdoba, * Damaskus 731, † Córdoba 30. 9. 788; kämpfte 778 gegen Karl den Großen.

2) A. III., Emir (seit 912) und 1. Kalif von Córdoba (929–961), * 889, † Córdoba 15. 10. 961; unter ihm Blütezeit des arab. Spanien.

Abdecker, *veraltet:* Person, die gewerbsmäßig Tierleichen beseitigte; heute: →Tierkörperverwertung.

Abd el-Krim, Mohammed, marokkan. Emir, * Aghdir um 1880, † Kairo 6. 2. 1963; führte 1920–26 den Aufstand der Rifkabylen gegen Spanien, 1925 auch gegen Frankreich. Von diesem 1926 besiegt, wurde er nach Réunion verbannt (bis 1947).

Abderhalden, Emil, Physiologe, * Oberuzwil (Kt. St. Gallen) 9. 3. 1877, † Zürich 5. 8. 1950; erforschte bes. Stoffwechsel, Hormone und Enzyme; entdeckte die Abwehrfermente.

Werke: Hb. der biolog. Arbeitsmethoden (1920–39); Lb. der Physiologie, 4 Bde. (1925–27); Vitamine und Vitamintherapie (1948).

Abderiten, Bewohner der antiken Stadt **Abdera** in Thrakien, die als skurril und beschränkt galten; im Sinne der dt. Schildbürger gebraucht von C. M. Wieland (»Die Abderiten«).

Abdias (Obadja), einer der →Kleinen Propheten im Alten Testament.

Abdingbarkeit, *Recht:* die Zulässigkeit von Vereinbarungen (Abreden), die von Rechtsvorschriften abweichen, bes. im Zivilrecht. Abdingbares Recht (nachgiebiges, dispositives Recht) steht im Ggs. zum zwingenden Recht; z. B. § 550 b BGB, Mietkautionobergrenze.

Abdomen [lat.] *das,* **1)** *Anatomie:* Unterleib, Bauch, Hinterleib der Gliederfüßer.

2) *Medizin:* (akutes A., akuter Bauch) Zustandsbild bei akuten Erkrankungen von Bauchorganen, das v. a. durch plötzlich auftretende starke Schmerzen und eine zunehmende Bauchdeckenspannung gekennzeichnet ist. Das akute A. erfordert aufgrund der lebensbedrohlichen Situation immer ein schnelles ärztl. Eingreifen.

Abdrift (Drift, Abtrift), seitliche Versetzung eines Wasser- oder Luftfahrzeugs vom gewünschten Kurs über Grund durch Wind, Strom oder Seegang. Die Größe des Driftwinkels, gemessen zw. Längsachse des Fahrzeugs (Steuerkurs) und dem tatsächl. Kurs über Grund, hängt von der Relativgeschwindigkeit des Fahrzeugs gegenüber seinem Medium (Luft oder Wasser) ab.

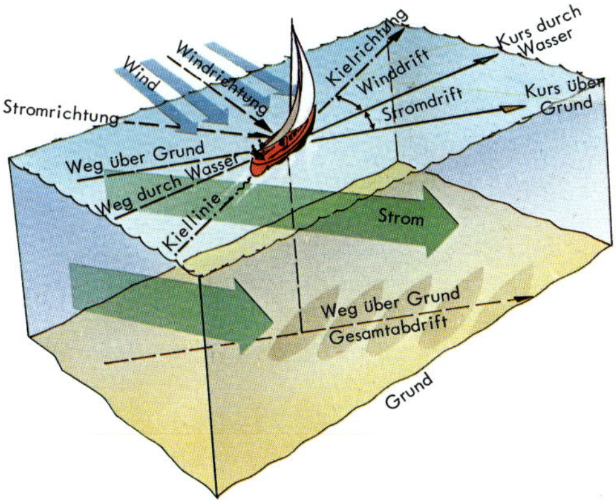

Abdrift

Abdruck, der von einer Druckform durch Übertragung von Druckfarben oder färbenden Substanzen hergestellte Druck. Der A. von urheberrechtlich geschützten Werken oder Werkteilen ist ohne Genehmigung des Urhebers oder Verlegers grundsätzlich verboten. A. von Zeitungsartikeln in anderen Zeitungen ist unter bestimmten Voraussetzungen frei, sofern sie nicht mit einem Vorbehalt der Rechte versehen sind.

Abduktion [lat.] *die,* das Wegführen (Abduzieren) eines Gliedes von der Körperlängsachse. **Abduktoren,** die diese Bewegung ausführenden Muskeln.

Abe, Kōbō, japan. Schriftsteller, *Tokio 7. 3. 1924, †ebd. 21. 1. 1993. Seine Romane schildern Menschen in der Isolation oder in ausweglosen Situationen (»Die vierte Zwischeneiszeit«, 1959; »Die Frau in den Dünen«, 1962; »Die Arche Sakuramaru«, 1984).

Abegg, Richard, Chemiker, *Danzig 9. 1. 1869, †Tessin (heute Cieszyn, Wwschaft Koszalin) 3. 4. 1910; führte u. a. den Begriff der Elektroaffinität (→Elektronenaffinität) ein und stellte 1904 die Regel auf, dass die höchste positive und höchste negative Elektrovalenz eines Elements zusammen die Zahl 8 ergeben **(A.-Valenzregel)**.

Abel [hebr. »Hauch«], zweiter Sohn Adams; Hirte (→Kain).

Abel, 1) Niels Henrik, norweg. Mathematiker, *Findø (bei Stavanger) 5. 8. 1802, †Eisenwerk Froland (bei Arendal) 6. 4. 1829; bewies die Nichtauflösbarkeit algebraischer Gleichungen 5. und höheren Grades durch elementare Operationen **(abelscher Satz)**; begründete die Integraltheorie algebraischer Funktionen.

Niels Henrik Abel

2) Wilhelm, Agrarwissenschaftler, *Bütow (heute Bytów) 25. 8. 1904, †Göttingen 27. 4. 1985; Arbeitsgebiete: Agrarpolitik, Agrar- und Wirtschaftsgeschichte.

abelsche Gruppe, *Mathematik:* →Gruppe.

Abendgymnasium, →Abendschulen.

Abendland, 1) Bez. für die westl. Länder Europas (von Italien aus gesehen), der **Okzident,** im Ggs. zum Morgenland, dem **Orient.**

2) Bez. für den west- und mitteleurop. Kulturkreis, der sich seit dem MA. herausbildete (→Europa, Geschichte).

Abendmahl, 1) das letzte Mahl Jesu mit seinen Jüngern, bei dem er ihnen Brot und Wein als seinen Leib und sein Blut reichte (1. Kor. 11, 23 ff.; Mk. 14, 22 ff.; Mt. 26, 26 ff.; Lk. 22, 15 ff.). – In der *Kunst* blieb die Darstellung des A. (seit dem 5. Jh.) bis um 1000 selten. Die Spannung zw. Einsetzung des Sakraments und Augenblick des Verrats führte Leonardo da Vinci zu einem Höhepunkt.

2) die als Gedächtnismahl (1. Kor. 10 f.) gefeierte Wiederholung des A. 1), die in fast allen christl. Glaubensgemeinschaften als Höhepunkt des Gottesdienstes gilt; sie heißt in den Kirchen der Reformation ebenfalls A., in der kath. und Ostkirche wird sie in der →Messe gefeiert. Die kath. Lehre von der →Transsubstantiation wurde auf der 4. allg. Lateransynode (1215) und auf dem Tridentin. Konzil (1551) als Glaubenssatz festgelegt. Die orth. Kirche nahm die Transsubstantiationslehre im 17. Jh. an. Die Reformatoren verwarfen die kath. A.-Lehre, kamen aber zu keiner einheitl. Auffassung (Marburger Religionsgespräch 1529). Luther betonte die wirkl. Gegenwart des Leibes und Blutes Jesu im A., für Zwingli waren Brot und Wein nur Zeichen des Leibes und Blutes, für Calvin waren diese geistig im A. gegenwärtig. Pietismus und Aufklärung haben diese Unterschiede in der Auffassung gemildert. Die A.-Gespräche der Gegenwart (Interkommunion) versuchen einen weiteren Ausgleich. Die kath. Kirche teilt das A. den Laien meist nur in der Gestalt des Brotes aus, das nach ihrer Lehre als eucharist. Leib das Blut

Abendmahl 1): Duccio, »Das letzte Abendmahl«, Tafel der »Maestà« (1308–11; Siena, Dommuseum)

Christi einschließt (→Laienkelch); seit dem 2. Vatikan. Konzil gibt es Ausnahmeregelungen. Die prot. Kirche reicht das A. in beiderlei Gestalt.

📖 DITTMER, U.: *Im Blickpunkt: A. Theolog. Informationen für Nichttheologen. Berlin (Ost) ³1989.*

Abendmahlsbulle, die Bulle →In coena Domini.

Abendrot, Rotfärbung des westl. Himmels nach Sonnenuntergang (entsprechend vor Sonnenaufgang am östl. Himmel das **Morgenrot**). Die kurzwelligen blauen Anteile des Sonnenlichts werden beim bes. langen abendl. (morgendl.) Weg durch die Atmosphäre stärker gestreut (und gelangen zu einem geringeren Anteil zum Beobachter) als die langwelligen roten Strahlungsanteile. Bei der Streuung durch Dunstteilchen wird die Vorwärtsrichtung stark bevorzugt, sodass der rote Strahlungsanteil vorwiegend in Richtung der untergegangenen (der noch nicht aufgegangenen) Sonne wahrzunehmen ist.

A̲bendroth, 1) Hermann, Dirigent, *Frankfurt am Main 19. 1. 1883, †Jena 29. 5. 1956; tätig in Köln, Leipzig (Gewandhauskapellmeister 1934–45), Weimar und Berlin (Ost).

2) Walter, Musikkritiker und -schriftsteller, Komponist, *Hannover 29. 5. 1896, †Hausham (Kr. Miesbach) 30. 9. 1973; schuf Orchesterwerke (u. a. Sinfonien), Kammermusik und Lieder.

3) Wolfgang, Politologe, *Elberfeld (heute zu Wuppertal) 2. 5. 1906, †Frankfurt am Main 15. 9. 1985; Prof. in Jena, seit 1951 in Marburg; beschäftigte sich auf marxist. Grundlage mit dem Völker- und Staatsrecht und der polit. Soziologie.

»Der **Aberglaube** *ist die Poesie des Lebens; deswegen schadet's dem Dichter nicht, abergläubisch zu sein.«*
Goethe, Maximen und Reflexionen

»Je weniger Aberglaube, desto weniger Fanatismus, und je weniger Fanatismus, desto weniger Unheil.«
Voltaire, Philosophisches Wörterbuch

Abendschulen, Fortbildungsstätten für Berufstätige. Neben den Abendkursen der Volkshochschulen gibt es die Einrichtungen des zweiten Bildungsweges **Abendgymnasien** (Ziel: Hochschulreife), **Abendrealschulen** (Ziel: mittlere Reife), ferner **Abendtechnikerschulen, Abendmeisterschulen** u. a.

Abendstern (Hesperos), der helle Planet Venus abends am Westhimmel, morgens als **Morgenstern** (dann auch Phosphoros oder Luzifer gen.) am Osthimmel.

Abendweite, *Astronomie:* der Winkel am Horizont zw. dem Untergangspunkt eines Gestirns und dem Westpunkt.

Åbenrå [ɔbənˈrɔː], dän. Stadt, →Apenrade.

A̲bensberg, Stadt im Kr. Kelheim, Bayern, 11 500 Ew.; Textilind., Brauereien; got. Karmeliterkirche (Klostergründung 1389/91), spätgot. Rathaus.

Abenteuerroman, Gattung des Romans, bei der meist eine Folge abenteuerl. Episoden nur durch die Figur des Helden verbunden sind; Blütezeit im 17. und 18. Jh. (Schelmenroman, Robinsonade, Reise-, Räuberroman). Auch viele Romane des 19. und 20. Jh. haben Züge des A., z. B. die Romane von A. Dumas, J. F. Cooper, F. Gerstäcker, C. Sealsfield, K. May, J. Conrad, J. London, B. Traven, ferner die Wildwestromane (→Western), utop. Romane und die Sciencefiction.

📖 KLOTZ, V.: *Abenteuer-Romane. Sue, Dumas, Ferry, Retcliffe, May, Verne. München u. a. 1979. – Lexikon der Reise- u. Abenteuerlit., hg. v.* F. SCHEGK, *Losebl.-Ausg. Meitingen 1988 ff.*

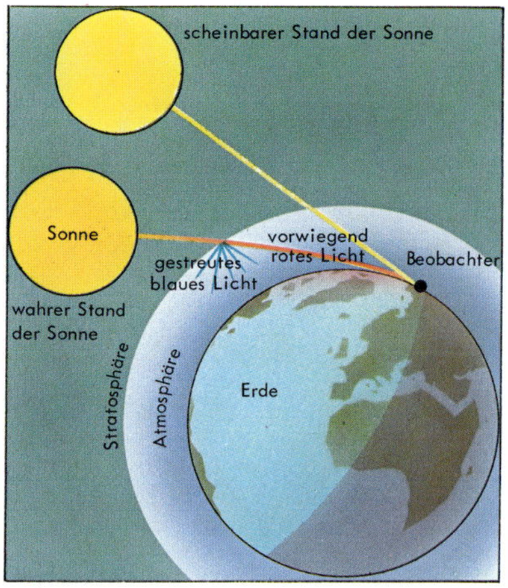

Abendrot: Entstehung durch Lichtstreuung

Abeok̲uta, Hptst. des nigerian. Bundesstaates Ogun, 386 800 Ew.; Handel (Kakao) und Industrie.

Aberdare [æbəˈdeə], Industriegemeinde in der Cty. Mid Glamorgan, Wales, 31 700 Ew.; Kohlenbergbau, Eisen-, Elektrokabel-, Metallindustrie.

Aberdeen [æbə'di:n], Stadt in Schottland, zw. den Mündungen von Dee und Don; bildet die Local Authority A. City (186 km²), 218 000 Ew.; Fischerei- und Handelshafen; Univ., got. Kathedrale; Versorgungs- und Verw.zentrum für die Gewinnung des schott. Nordsee-Erdöls; Maschinen- und Schiffbau, Granitschleifereien; Flughafen.

Aberdeen: Saint Machar's Cathedral (begonnen 1424) mit den beiden festungsartigen Türmen

Aberdeenshire [æbə'di:nʃɪə], Local Authority in Schottland, 6 318 km², 223 600 Ew., umfasst das Hinterland von Aberdeen.

Aberglaube, erstarrte, leblos gewordene Beziehung zum Heiligen (→heilig, →Glaube). Er äußert sich in Magie, Aneignungs- und Abwehrzauber, Wahrsagerei und →Mantik.

Ab|erkennung, rechtskräftiges Absprechen, z. B. der Amtsfähigkeit, der Wählbarkeit, des Stimmrechts (§ 45 StGB, § 27 österr., Art. 51 schweizer. StGB).

Aberli, Johann Ludwig, schweizer. Maler und Radierer, *Winterthur 14. 11. 1723, †Bern 17. 10. 1786; schuf v. a. getuschte oder kolorierte Schweizerlandschaften.

Ab|erration [lat. »Abirrung«] *die,* **1)** *Astronomie:* scheinbare Ortsveränderung der Gestirne infolge der Erdbewegung und der endl. Lichtgeschwindigkeit. Die **tägl. A.** beruht auf der Erdrotation, die **jährl. A.** auf der Bewegung der Erde um die Sonne und die **säkulare A.** auf der Bewegung des Sonnensystems relativ zu den umgebenden Sternen. Die A. wurde 1728 von J. Bradley entdeckt.

2) *Biologie:* morphologische, nichterbliche Abweichung von der Art.

3) *Genetik:* Veränderung von Anzahl oder Struktur der →Chromosomen.

4) *geometr. Optik:* →Abbildungsfehler.

Abersee, See in Österreich, →Sankt Wolfgang im Salzkammergut.

Aberystwyth [æbə'rɪstwɪθ], Stadt (seit 1872) in der Cty. Dyfed, Wales, 8 700 Ew.; College der University of Wales, Nationalbibliothek von Wales; Seebad.

Abessini|en, früherer Name von →Äthiopien.

Wolfgang Abendroth

Abfackeln, das Verbrennen von überschüssigen Gasen oder technisch nicht nutzbaren Abgasen in offener Flamme.

Abfahrtslauf (Abfahrt), Disziplin des alpinen Skisports: Eine längere Abfahrtsstrecke mit Kontrolltoren ist in kürzester Zeit zu durchfahren.

Abfall, →Abfallstoffe, →Abfallbeseitigung.

Abfallbeseitigung, Maßnahmen und Methoden zur Verringerung, Ablagerung, Umwandlung oder Weiter- und Wiederverwendung von →Abfallstoffen. Nach dem dt. Abfall-Ges. vom 27. 8. 1986 umfasst die A. die Erfassung, Behandlung, Zwischenlagerung, Vernichtung und Deponierung der Abfälle; die Behandlung erfolgt durch Zerkleinern, Verdichten, Entwässern, Kompostieren und Verbrennen. Zunehmend wandelt sich die konventionelle A. in eine **Abfallwirtschaft,** die Abfälle nicht nur beseitigt, sondern die Reststoffe als Sekundärrohstoffe in den Wirtschaftskreislauf zurückführt. Die in den letzten Jahren erlassenen Rechtsvorschriften zum Abfallgesetz und freiwillige Selbstverpflichtungen der Industrie markieren diesen Übergang von der A. zur Abfallwirtschaft. Eine der wichtigsten VO ist die Verpackungs-VO aus dem Jahr 1991, die für Transport-, Verkaufs- und Umverpackungen eine weitgehende stoffl. Verwertung vorschreibt und die zur Gründung des →dualen Systems durch Handel und Industrie geführt hat. Mit dem →Kreislaufwirtschaftsgesetz, das am 7. 10. 1996 in Kraft getreten ist, wurde der endgültige Wandel von der A.-Politik hin zur A.-Wirtschaft vollzogen.

Aberdeen Stadtwappen

📖 *Entsorgungs-Wegweiser. Der große Katalog der Abfallstoffe mit allen Lagerungs- u. Entsorgungsvorschriften, bearb. v.* M. Engler *u.* H. Suchomel, *Loseblatt-Ausg. Kissing 1993 ff.* – Bilitewski, B., Härdtle, G. *u.* Marck, K.: *Abfallwirtschaft. Eine Einführung. Berlin u. a. ²1994.*

Abfallbörse, von den Industrie- und Handelskammern betriebenes Vermittlungssystem für Produktionsrückstände und andere Abfallstoffe.

abfallen, den Kurs eines Segelschiffes nach →Lee ändern; Ggs.: anluven.

Abfallstoffe (Abfälle), Rückstände, Nebenprodukte oder Altstoffe wie Müll, Abwässer, radioak-

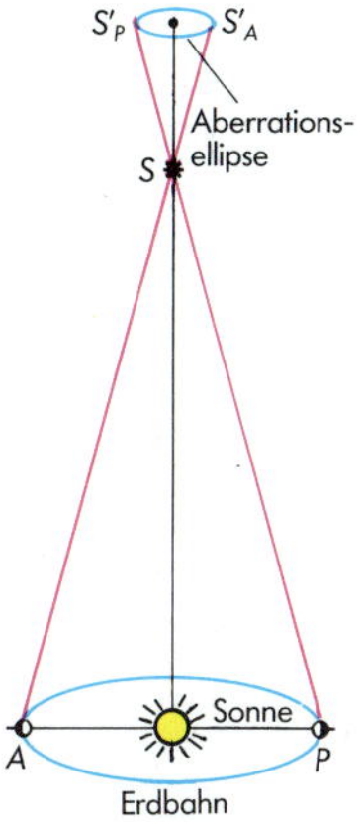

Aberration 1): Die jährliche Aberration eines Sterns *S* auf der Himmelskugel (*A* Aphel, *P* Perihel)

tive Abfälle, Abgase und Sonderabfälle (→Sondermüll), die bei Produktion, Konsum und Energiegewinnung entstehen. A., die wieder verwendet werden können (z.B. bestimmte Kunststoffe, Papier), werden auch als Sekundärrohstoffe oder Wertstoffe bezeichnet.

Abfallverwertung, →Recycling.

Abfallwirtschaft, aus umweltpolit. Sicht die Summe aller Maßnahmen zur Abfallvermeidung, Abfallvermarktung, Abfallverwertung und geordneten und umweltverträgl. Abfallbeseitigung. Betriebswirtschaftlich ist die A. Teil einer kostenorientierten Materialwirtschaft, bei der die in der Produktion entstehenden Reststoffe (im eigenen Unternehmen) im Sinne einer Kreislaufwirtschaft wieder verwertet werden sollen. Der Wirtschaftszweig der Recycling- und Entsorgungsindustrie wird auch als A. bezeichnet.

Abfangjäger (engl. Interceptor), Kampfflugzeug mit hoher Steigleistung zur Luftverteidigung, das gegner. Flugzeuge frühzeitig vernichten oder abdrängen soll.

abfasen, eine Kante abschrägen.

Abfeimen, das Abziehen von Schaum und Unreinheiten von Glasschmelzoberflächen.

Abfindung (Abgeltung, Ablösung), Tilgung vermögensrechtlicher Ansprüche durch einmalige Leistung. Anstelle einer Rente als Schadensersatz kann nach § 843 BGB eine A. verlangt werden. Auch in der Sozialversicherung können laufende Leistungen abgefunden werden. Im Arbeitsrecht sind A. bei Beendigung eines Arbeitsverhältnisses, z.B. im Rahmen eines Sozialplanes, gebräuchlich und bei Beträgen zw. 24000 DM und 36000 DM steuerfrei, darüber hinausgehend mit dem halben Steuersatz belastet (Stand April 1997). A. können z.T. auf das Arbeitslosengeld angerechnet werden.

Abfluss, das Abströmen von Flüssigkeiten unter dem Einfluss der Schwerkraft; auch die hierzu dienenden Einrichtungen.

Abflussgebiet, →Einzugsgebiet.

Abformmassen (Abgussmassen), plastische Materialien zum Abformen von Natur- und Kunstgegenständen sowie von Zähnen (→Abguss).

Abführmittel (lat. Laxantien), Mittel zur Förderung der Darmentleerung. Die A. lassen sich nach ihrer Wirkung einteilen in **Quell-** und **Füllmittel** (z.B. Agar Agar, Leinsamen), die eine Quellung (Volumenvergrößerung) des Darminhaltes bewirken, **salinische A.** (z.B. Glaubersalz, Karlsbader Salz), **Gleitmittel** (z.B. Paraffinöl) und **schleimhautreizende A.** (z.B. Rizinusöl, Sennesblätter). Ständiger Gebrauch von A. kann der Gesundheit schaden (Verlust von Elektrolyten und lebenswichtigen Spurenstoffen, unter Umständen Schädigung der Darmwand).

Abfüllmaschinen, automatische Maschinen, die fließ- oder schüttfähiges Füllgut, meist nach Volumen dosiert, hygienisch einwandfrei in Behältnisse (Tüten, Beutel, Tuben, Gläser, Flaschen u.a.) füllen.

Abgaben, Geldleistungen, die der Staat oder andere öffentlich-rechtl. Körperschaften kraft öffentl. Rechts von Bürgern oder jurist. Personen fordern. A. sind: Steuern und Zölle (ohne Gegenleistung), Gebühren und Beiträge (mit Gegenleistung der die A. erhebenden Körperschaft). Das Verhältnis von Steuern und Sozial-A. zum Bruttosozialprodukt ist die volkswirtsch. A.-Quote.

Abgabenordnung, Abk. **AO,** in Dtl. grundlegendes Gesetzeswerk (Ges. vom 16. 3. 1976) für das allg. Steuerschuld-, das Steuerverfahrens- sowie das Steuerstraf- und das Steuerordnungswidrigkeitenrecht. Ausgenommen bleiben das Gesetz über die Finanzverwaltung und die Finanzgerichtsordnung. Vorläuferin war die Reichs-AO von 1919.

Abgase, bei techn. oder chem. Prozessen (bes. bei Verbrennungsvorgängen) entstehende Gase, die feste oder flüssige (meist dampfförmige) Bestandteile (z.T. schädlich) enthalten können. So enthalten A. von Ottomotoren an schädl. Bestandteilen Kohlenmonoxid, CO, unverbrannte Kohlenwasserstoffe, HC, Stickoxide, NO_x, Blei (→Antiklopfmittel); beim Dieselmotor NO_x, Ruß. A. aus Industrieanlagen enthalten an bes. schädlichen Bestandteilen Kohlenmonoxid, CO, Schwefeldioxid, SO_2, Schwefelwasserstoff, H_2S, Stickoxide, NO_x, Chlor, Cl, Chlorwasserstoff, HCl, Fluorwasserstoff, HF. Maßnahmen zur **Abgasreinigung** oder **Abgasentgiftung** sind z.B. katalyt. Nachverbrennung, Filtern, Auswaschen, konstruktive Änderungen an Verbrennungsmotoren und Einbau von Entstaubungsanlagen. **Abgas-Ges.** und **-VO** wie das Bundes-Immissionsschutz-Ges. i.d. F. v. 14. 5. 1990 und das Benzinblei-Ges. vom 18. 12. 1987 legen die Höchstgrenzen der zulässigen Schadstoffemissionen fest. Zur Verringerung der Emissionswerte bei Kfz erfolgt nach dem Beschluss des EU-Umweltrates die Anpassung der europ. an die US-amerikan. **Abgasnormen,** was seit Ende 1992 für alle Pkw den Einbau von geregelten →Katalysatoren erfordert. Seit 1. 10. 1996 sind die Abgasgrenzwerte für Kfz erneut verschärft worden.

📖 FRITZ, W. *u.* KERN, H.: *Reinigung von Abgasen. Gesetzgebung zum Emissionsschutz, Maßnahmen zur Verhütung von Emissionen. Würzburg ³1992.* – RICHLY, W.: *Meß- u. Analyseverfahren für feste Abfallstoffe, für Schadstoffe in Abwasser u. Abgasen. Würzburg 1992.*

Abgasturbine, Turbine, die die im Abgas eines Verbrennungsmotors durch unvollständige Expansion noch vorhandene Energie ausnutzt. Der **Abgasturbolader** (»Turbo«) besteht aus einer A. und einem Aufladegebläse, die auf einer gemeinsamen Welle sitzen; er dient zur →Aufladung von Verbrennungsmotoren.

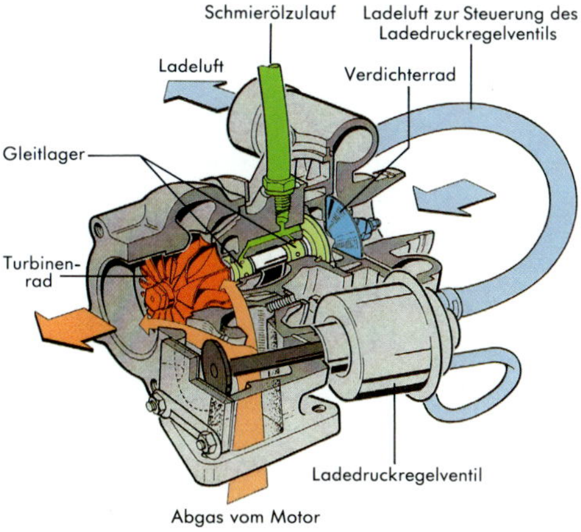

Abgasturbine: Abgasturbolader

Abgasuntersuchung, Abk. **AU** (früher Abgassonderuntersuchung, Abk. ASU), Kfz-Untersuchung, bei der der Gehalt an Kohlenmonoxid (CO) im Abgas beim Leerlauf des Motors, der Luftüberschuss (λ), die Leerlaufdrehzahl und der Zündzeitpunkt geprüft werden; die AU ist durch eine Fahrzeugplakette sowie eine Prüfbescheinigung nachzuweisen (§ 47a Straßenverkehrs-Zulassungs-Ordnung, durch Gesetz vom 20. 12. 1984). Bei Dieselfahrzeugen wird v. a. der Partikelausstoß überprüft. Die AU gilt seit 1. 12. 1993 neben Pkw ohne bzw. mit ungeregeltem Katalysator, für diese war bereits die ASU Pflicht, auch für Pkw mit geregeltem Katalysator sowie Dieselfahrzeuge. I. d. R. ist die AU alle zwei Jahre durchzuführen, für Neufahrzeuge sowie Dieselnutzfahrzeuge über 3,5 Tonnen gilt eine besondere Regelung.

ABGB, Abk. für das österr. →**A**llgemeine **B**ürgerliche **G**esetz**b**uch.

Abgeltung, *Recht:* die →Abfindung.

Abgeordnetenhaus, 1) in Preußen 1855–1918 die Zweite Kammer des Landtags.

2) 1950–90 die gesetzgebende Versammlung in Berlin (West), seit 1990 in (ganz) Berlin.

Abgeordneter, das gewählte Mitglied eines Parlaments, i. w. S. auch eines kommunalen Vertretungsorgans. Die rechtl. Stellung des A. ist durch die Verf. bestimmt, in internat. oder supranat. Organisationen durch zwischenstaatl. Abkommen.

📖 *Abgeordnete u. ihr Beruf, bearb. v.* W. J. PATZELT. *Berlin 1995.*

Abgesang, →Aufgesang und Abgesang.

abgeschlossene Menge, *Mathematik:* Teilmenge eines metr. oder topolog. Raumes, die alle ihre Häufungspunkte enthält.

abgeschlossene Schale, →magische Zahlen.

abgeschlossenes System, physikal. →System, das mit seiner Umgebung weder Energie noch Masse austauscht.

abgesonderte Befriedigung, *Recht:* der Anspruch bestimmter Gläubiger, sich aus einzelnen Gegenständen der Konkursmasse vorzugsweise zu befriedigen. Die a. B. setzt ein dingl. Recht der Gläubiger an diesen Gegenständen voraus (z. B. Hypothek, Sicherungseigentum).

Abgleichen, *Elektrotechnik:* das Einstellen von Kenngrößen elektr. Schaltungen (z. B. Resonanzfrequenz, Filterkurve, Spannung) auf ihren Sollwert durch Variation von Bauelementgrößen (Kapazität, Induktivität, Widerstand).

Abgottschlange, eine →Boaschlange.

Abgrenzung, →Rechnungsabgrenzung.

Abguss, Abformung eines Gegenstandes in einer flüssigen oder weichen, später erhärtenden Masse wie Gips, Wachs, Ton. Die so gewonnene Hohlform **(Negativform)** wird mit dem gewünschten Gussmaterial (Kunststeinmasse, Zement u. a.) ausgefüllt und so der eigentl. A. **(positive Form)** gewonnen. Beim A. mit verlorener Form wird die Negativform zerschlagen; beim A. mit erhaltener Form (hierbei besteht die Form aus mehreren zusammensetzbaren Teilformen) sind mehrere A. möglich.
A. in Bronze, →Bronzekunst.

abhanden gekommene Sachen, Gegenstände, die ihrem rechtmäßigen Besitzer gestohlen wurden, verloren gegangen oder abhanden gekommen sind. Bei a. g. S. gibt es keinen gutgläubigen Eigentumserwerb, außer bei Geld, Inhaberpapieren oder auf einer öffentl. Versteigerung erworbenen Sachen (§ 935 BGB).

Abhängigkeit, 1) *allg.:* Zustand, in dem der Einzelne in seinem Dasein durch andere Menschen, Institutionen, Dinge oder Vorstellungen wesentlich bestimmt ist, z. B. die A. des Kindes von den Eltern.

2) *Mathematik:* →Funktion.

3) *Medizin:* →Rauschgifte.

4) *Statistik:* (stochastische A., statistische A.) →Korrelation.

Abhängigkeitsgrammatik, →Dependenzgrammatik.

Abhängling, herabhängender Schlussstein bei got. Gewölben, oft als rosettenartiger Knauf ausgeformt.

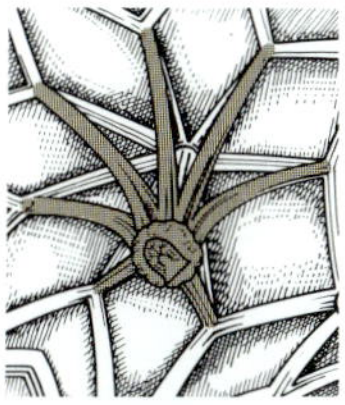

Abhängling

Abhärtung, Steigerung der Anpassungsfähigkeit an veränderte Umwelt- und Lebensbedingungen: Gewöhnung an äußere Belastungen (Kälte, Entbehrungen, Anstrengungen).

abholzig, *Forstwirtschaft:* nach oben stark verjüngt (Baumstämme).

Abhorchen, *Medizin:* die →Auskultation.

Abhörgerät (Wanze), hoch empfindl., versteckt angebrachtes Mikrofon mit drahtloser Sendeeinrichtung zum Mithören oder Aufzeichnen (Mitschneiden) von Gesprächen (auch Telefongesprächen). – Der unerlaubte Einbau von A. ist strafbar (§ 201 StGB); zur Abwehr von drohenden Gefahren für die freiheitlich-demokrat. Grundordnung oder die Sicherheit Deutschlands können A. eingesetzt werden (→Brief-, Post- und Fernmeldegeheimnis). Zur Bekämpfung schwerer Kriminalität ist das Abhören von Gesprächen außerhalb von →Wohnungen zulässig (§ 100 c StPO).

Abidjan
Stadtwappen

Abidjan [-dʒ-], wichtigste Industrie- und Hafenstadt der Rep. Elfenbeinküste, 1,9 Mio. Ew.; Ausfuhr von Kakao, Kaffee, Baumwolle, Bananen; Univ. (gegr. 1964); internationaler Flughafen Port-Bouët. – 1934–84 Hptst. des Landes (jetzt →Yamoussoukro).

Abidjan: Das moderne Geschäftszentrum Plateau, eingebettet in die Lagune Ébrié

Abietinsäure [zu lat. abies »Tanne«], zu den Terpenen gehörende Harzsäure, Hauptbestandteil des Kolophoniums.

Abigail, *im A.T.:* **1)** Frau Davids (1. Sam. 25).

2) Schwester Davids (1. Chr. 2,16).

Abildgaard ['abilgɔ:r], Nicolai, dän. Maler, getauft Kopenhagen 11. 9. 1743, †Frederiksdal 4. 6. 1809; malte Historienbilder und Allegorien.

A-Bild-Verfahren (A-Bild-Methode, A-Scan) [A = Abk. für Amplitude], Verfahren der →Ultraschalldiagnostik.

Abimelech, *im A.T.:* **1)** König von Gerar (1. Mos. 20/26).

2) König von Sichem (Ri. 9).

abiotisch [grch.], unbelebt, ohne Leben.

Abisko, Siedlung an der Lapplandbahn, Schweden, umfasst die Bahnstation **A. Östra** (Station der schwed. Akademie der Wiss.) sowie die **A. Turiststation** (Hochgebirgshotel); unweit der **A.-Nationalpark** mit dem Cañon des Flusses Abiskojokk.

Abitur [nlat.] *das* (Reifeprüfung, Matura, Maturität), in Dtl. Abschluss der gymnasialen Oberstufe. Das A. als Befähigungsnachweis für ein Hochschulstudium wurde 1788 in Preußen an den humanist. Gymnasien eingeführt. Das A.-Zeugnis enthält eine Beurteilung der Leistungen in der A.-Prüfung, in den Leistungs- und in den Grundkursen. Es werden insgesamt 20 Grund-, sechs Leistungskurse und eine Facharbeit (oder ähnl. Nachweis) und das A. selbst (drei Fächer schriftlich und ggf. mündlich, ein 4. Fach nur mündlich) zusammengerechnet. Das A. gilt als bestanden, wenn in jedem der drei Bereiche von möglichen 300 Punkten mindestens je 100 erreicht werden. Diskutiert wurde die Angleichung der i.d.R. 13-jährigen an die 12-jährige Schulzeit wie in Sachsen und Thüringen bzw. in anderen europ. Staaten. Für Nichtschüler besteht die Möglichkeit der Externenprüfung. Mit dem Maastrichter Vertrag wird die EU ausdrücklich für die Bildungungspolitik für zuständig erklärt, ohne dass davon die Verantwortung der Mitgliedstaaten für Lehrinhalte und Gestaltung des Bildungswesens berührt wird.

Abkanten, das Biegen von Blech um gerade Kanten zur Formung bestimmter Profile mit der **Abkantmaschine** oder **-presse**.

Abkippen, plötzl. Rollbewegung eines Flugzeugs infolge Abreißens der Strömung an einer Flügelhälfte.

Abklingen, die zeitl. Abnahme einer physikal. Größe, z.B. der Amplitude einer Schwingung oder der Strahlung einer radioaktiven Substanz (→Dämpfung).

Abklopfen, *Medizin:* die →Perkussion.

Abkochung (Absud, Dekokt), *Pharmazie:* Auszug von Pflanzenteilen mit Wasser.

Abkomme (Abkömmling, Deszendent), Nachkomme, Verwandter in absteigender Linie.

Abkühlung, Abnahme der Temperatur eines Körpers durch Wärmeleitung, Konvektion oder Strahlung.

Abkürzungen, 1) *Musik:* →Abbreviaturen.

2) *Sprachwissenschaft:* (Abbreviaturen) gekürzte Formen häufig vorkommender Wörter und Wortverbindungen, z.B. Akronyme, Kurzwörter, Sigles. In der Paläographie werden Wortkürzungen auf Inschriften, in Handschriften und alten Drucken sowie auf Münzen als A. bezeichnet.

Ablagerung, 1) *Geologie:* (Sedimentation) das Absetzen von Lockermassen wie Schutt, Geröll, Kies, Sand, Schlamm, Staub, Lava, Asche, organ. Stoffe in stehenden Gewässern **(marine A.** auf Meeresböden, **limnische A.** in Binnenseen und Lagunen), durch fließende Gewässer **(fluviatile A.),** Wind **(äolische A.),** Gletscher **(glaziale A.)** oder Anhäufung von Schnee **(nivale A.),** ferner durch Vulkane, Bergstürze, Lebewesen. **Akkumu-**

lation ist die örtlich verstärkte A. (Moränen, Schotter, Dünen).

2) *Medizin:* krankhafte Ansammlung von Stoffen im Körper, z. B. Harnsäure bei Gicht.

Ablaktation [lat.] *die,* das →Abstillen.

Ablaktieren, eine Methode der →Veredelung.

ablandig, Luftbewegung vom Land zum Meer; Ggs.: auflandig.

Ablass (lat. Indulgentia), nach kath. Lehre der außersakramentale Nachlass zeitlicher Sündenstrafen (seit 1968 ohne Zeitbestimmungen), der dem entsprechend disponierten Gläubigen von der kirchl. Autorität durch Zuwendung der →Genugtuung Christi und der Heiligen (Kirchenschatz) gewährt wird. – Die Missstände im A.-Wesen des Spät-MA. (→Beichtbrief) gaben Luther (1517) den äußeren Anlass zur Reformation (→Tetzel).

Ablation [lat.] *die,* **1)** *Geographie:* das Abschmelzen oder Verdunsten von Eis (Gletscher, Inlandeis, Eisberg) und Schnee durch Sonneneinstrahlung, Luftwärme, Wind und Regen.

2) *Medizin:* Ablösung (z. B. der Netzhaut).

3) *Physik:* Materialabtrag durch Aufheizung.

Ablationskühlung (Schmelzkühlung), Kühlverfahren zum Schutz vor unzulässiger Aufheizung, bes. bei in die Atmosphäre zurückkehrenden Raumflugkörpern. Durch endotherme Zersetzung, Abschmelzung und Verdampfung von Schutzschichten **(Hitzeschild)** wird dabei die durch Luftreibung entstehende Wärme verbraucht; weitere Anwendung in chem. Raketentriebwerken. **Ablationswerkstoffe** sind u. a. Graphit, Beryllium und faserverstärkte Kunststoffe.

Ablativ [lat. casus ablativus »Wegtragefall«] *der,* Kasus der Trennung und Absonderung in indogerman. Sprachen; im Lateinischen außerdem mit Funktionen des Lokativs und des Instrumentalis. Der **Ablativus absolutus** ist eine syntakt. Konstruktion mit Satzwert; er besteht aus einem Subjekt-A. und einem Partizip im gleichen Kasus.

Ablauf, 1) *Bau:* Einrichtung zum Einleiten von Schmutz- und Niederschlagswasser in das Rohrsystem der Kanalisation (z. B. für Balkon, Dach, Hof u. a. Flächen).

2) *Chemie:* bei der Destillation im unteren Teil einer Rektifikationskolonne stetig abströmender, hochsiedender Anteil des Ausgangsgemisches.

Ablaufberg, merkliche Erhöhung eines Gleises in Rangierbahnhöfen, von der aus von der Rangierlok hinaufgeschobene Güterwagen einzeln durch Schwerkraft in ein ihrem Ziel entsprechendes Richtungsgleis rollen, wodurch sie zu neuen Zügen zusammengestellt werden.

Ablaufplan (Programm-A., Flussdiagramm), Diagramm zur Veranschaulichung logischer Abhängigkeiten in einem Computerprogramm (→Programm).

Ablaut, *Sprachwissenschaft:* von J. Grimm geprägte Bez. für den gesetzmäßigen Vokalwechsel in der Stammsilbe etymologisch zusammengehörender Wörter; er tritt im Deutschen in der Konjugation und bei der Wortbildung auf: *laufen – lief; wachsen – wuchs; gehen – ging – gegangen, der Gang; brechen – brach – gebrochen, der Bruch.*

Ablass: Jörg Breu, »Verkündigung des Ablasses«, Holzschnitt (um 1530)

Ableger, 1) zur Vermehrung waagerecht in die Erde gelegter bzw. im Bogen in die Erde gesenkter **(Absenker)** Gehölztrieb, der nach Bewurzelung abgetrennt und als Jungpflanze verwendet wird.

2) →Steckling.

Ablehnung, Zurückweisung. In Zivil- und anderen Gerichtsprozessen hat jede Partei das Recht, einen Richter, Rechtspfleger, Urkundsbeamten oder Sachverständigen abzulehnen, wenn ein gesetzl. Ausschließungsgrund vorliegt oder die Besorgnis der Befangenheit besteht. Im Strafprozess haben Beschuldigter, Staatsanwaltschaft und Privatkläger das gleiche Recht gegenüber Richtern, Schöffen, Urkundsbeamten, Sachverständigen und Dolmetschern (§§ 42–49, 406 ZPO, § 10 Rechtspfleger-Ges., § 24–31 StPO).

Ableitung, 1) *Elektrotechnik:* der Wirkleitwert *G* (reziproker Widerstand) eines Isolators.

2) *Mathematik:* der Differenzialquotient (→Differenzialrechnung).

3) *Medizin:* A. der Aktionsströme von Organen (z. B. →Elektroenzephalogramm, →Elektrokardiogramm).

4) *Philosophie:* →Deduktion.

5) *Sprachwissenschaft:* Bildung neuer Wörter aus einem Wort, auch mithilfe von Vor- und Nachsilben (A.-Silben): *klug – Klugheit; höflich – unhöflich.*

Ablenkung, 1) *Navigation:* →Deviation.

2) *Optik:* Änderung der Ausbreitungsrichtung des Lichts (→Reflexion, →Brechung, →Beugung).

3) *Physik, Technik:* Richtungsänderung einer Bewegung durch eine senkrecht zur Bewegungsrichtung wirkende Kraftkomponente (z.B. der Einstellrichtung einer Magnetnadel durch ein zusätzl. Magnetfeld). Die A. elektrisch geladener Teilchen durch elektr. und magnet. Felder wird z.B. in Elektronenstrahlröhren (bes. in Fernsehbildröhren), in Elektronenmikroskopen oder bei Teilchenbeschleunigern ausgenutzt.

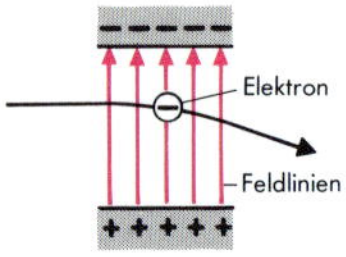

Ablenkung eines Elektronenstrahls im elektrischen Feld eines Plattenkondensators

Ablösesumme, im Berufssport Geldbetrag, den ein Verein einem anderen Verein zahlt, von dem er einen Spieler unter Vertrag nimmt.

Ablösung, *Strömungslehre:* das Abdrängen der Grenzschicht von der Oberfläche eines umströmten Körpers (→Grenzschichtbeeinflussung).

Abluft, die aus einem Raum abfließende Luft, i.w.S. die bei industriellen, gewerbl. und häusl. Prozessen anfallende staub-, gas- oder lösungsmittelhaltige Luft.

ABM, Abk. für →**A**rbeits**b**eschaffungs**m**aßnahmen.

Abmagerung, Minderung der Körpersubstanz, bes. durch Schwund des Unterhautfettgewebes als Folge von Unterernährung oder Krankheit (Infektionskrankheiten, Tumoren, Überfunktion der Schilddrüse u.a.) oder von seel. Vorgängen. Über extreme A. →Kachexie, →Magersucht.

Abmahnung, Aufforderung zu vertrags- oder gesetzmäßigem Verhalten, z.B. bei der Miete. Im Arbeitsrecht hat einer verhaltensbedingten Kündigung i.d.R. eine A. vorauszugehen; in der A. sind Rechtsfolgen für den Fall weiterer Vertragsverletzungen anzudrohen, andernfalls liegt keine A., sondern bloße Ermahnung vor. A. sind nicht mitbestimmungspflichtig; sie können mit Rechtsmitteln angegriffen werden. **Abmahnverein,** →unlauterer Wettbewerb.

ab ovo

Der römische Dichter Horaz lobt in seiner »Ars poetica« (Vers 147) Homers »Ilias« als gutes Beispiel dafür, wie der Anfang eines epischen Gedichts zu gestalten sei. Homer führt den Leser nämlich rasch mitten in das Geschehen hinein und »beginnt den Trojanischen Krieg nicht mit dem doppelten Ei« (nec gemino bellum Troianum orditur ab ovo). Damit bezieht sich Horaz auf die Sage von Leda und dem Schwan; nach ihrer Verbindung mit Zeus in der Gestalt des Schwans gebar Leda ein Ei, aus dem Helena und Polydeukes hervorgingen. Die Entführung Helenas war später der Anlass für die Kämpfe um Troja. – Auch heute wird »ab ovo« noch im Sinne von »sehr weitschweifig, von den allerersten Anfängen an« gebraucht.

ABM-System [Abk. für **A**nti-**B**allistic-**M**issile-System] (Abfangflugkörper-System), System zur Abwehr ballist. Interkontinentalraketen, besteht aus den gelenkten Abfangflugkörpern, deren Abschussvorrichtungen und dem Frühwarnsystem; sollte in den USA durch →SDI ersetzt werden.

Abmusterung, →Heuerverhältnis.

Abnabeln, das Abtrennen der Nabelschnur nach der Geburt.

Abnahme, 1) *Kaufrecht:* die körperl. Entgegennahme der gekauften Sache durch den Käufer; sie befreit den Verkäufer von der →Gefahr, nicht aber von der Gewährleistungspflicht.

2) *Werkvertragsrecht:* die Entgegennahme des bestellten Werks durch den Besteller und die gleichzeitige Anerkennung als vertragsmäßig hergestellt.

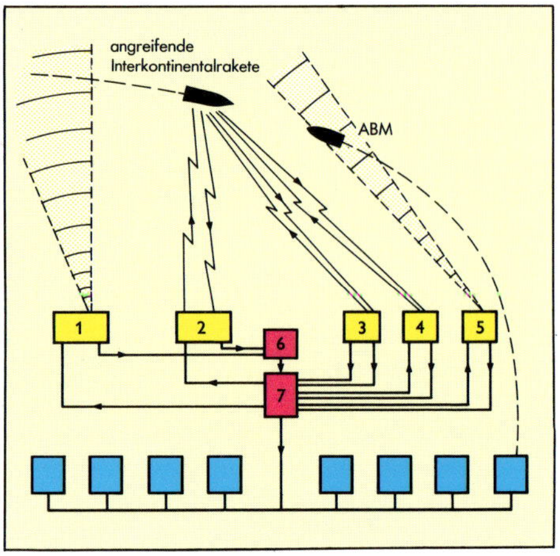

ABM-System: 1 Langstrecken-Überwachungsradar, 2 Zielerfassungsradar, 3 Gefechtskopf-Köder-Unterscheidungsradar, 4 Zielverfolgungsradar, 5 ABM-Kontroll- und Lenkradar, 6 Auswertung mit Datenverarbeitungsanlage, 7 Kommandozentrale, ABM-Abschusssilos (blau)

Abnahmepflicht, im Kauf- und Werkvertragsrecht die Pflicht (im Sinne einer Obliegenheit) des Käufers bzw. Bestellers, die ihm ordnungsgemäß angebotene Leistung an sich zu nehmen (§§ 433, 640 BGB), andernfalls er in (Gläubiger- bzw. Annahme-)Verzug gerät.

ABN-AMRO Bank N.V., niederländ. Großbank; Sitz: Amsterdam; entstanden 1991 durch Fusion der Algemene Bank Nederland (ABN, gegr. 1964) und der Amsterdam-Rotterdam Bank (AMRO, gegr. 1964).

abnorm [lat.], von der Norm abweichend, regelwidrig, krankhaft.

abnorme Persönlichkeit, →Psychopathie.

Åbo ['o:bu:], schwed. Name der finn. Stadt →Turku.

Abodriten (Abotriten, Obotriten), ehem. slawische Stämme im westl. Mecklenburg und östl. Holstein (Wagrien), die vorübergehend im 10. Jh. unter Heinrich I. und Otto d. Gr., dann im 12. Jh. durch Heinrich den Löwen unterworfen wurden und in der dt. Bevölkerung aufgingen.

Abolition [lat. »Abschaffung«] *die,* **1)** Abschaffung der Sklaverei; die dafür seit dem 18. Jh. eintretende Bewegung (**Abolitionismus**) erreichte die gesetzl. A. 1833 im brit. Kolonialreich und 1863/65 in den USA.

2) Niederschlagung eines Strafverfahrens, als Einzelmaßnahme unzulässig. Generelle A. (Amnestie) bedarf eines Gesetzes.

Abomey [abɔ'mɛ], Stadt im Küstengebiet von Benin, 65 700 Ew. – Gut erhaltene Palastanlage (der früheren Hptst. des Königsreichs A.) mit Bauten v. a. des 18./19. Jh. (UNESCO-Weltkulturerbe).

Abonnement [abɔnə'mã, frz.] *das,* durch Vorauszahlung erworbenes Anrecht auf dauernden Bezug (Zeitung) oder Miete (Theatersitz).

Aborigines [æbɔ'rɪdʒɪni:z, engl.] (Aboriginals), →Australier.

Abort [eigtl. »abgelegener Ort«] *der,* →Toilette.

Abort (lat. Abortus) *der,* beim Menschen: die →Fehlgeburt; **Abortus artificialis,** der →Schwangerschaftsabbruch; bei Tieren: das →Verwerfen.

abortiv [lat.], **1)** auf früher Entwicklungsstufe verblieben, fehlgebildet.

2) eine Fehlgeburt bewirkend.

3) zeitlich verkürzt und leicht verlaufend (von Krankheiten).

Abortiva [lat.], Mittel, die bei Schwangeren eine vorzeitige Ausstoßung der Frucht herbeiführen sollen.

ab ovo [lat. »vom Ei (an)«], von allem Anfang an.

Abplattung, *Astronomie:* die bei schnell rotierenden Himmelskörpern infolge der Zentrifugalkraft bewirkte relative Verkürzung des Poldurchmessers gegenüber dem des Äquators, definiert durch das Verhältnis $f = (a - c)/c$ mit a = Äquatorradius, c = Polradius. Die A. der Erde beträgt 1:298,257, die des Uranus 1:50, die des Jupiter 1:15,9, die des Saturn 1:9,2.

Abrabanel, →Abravanel.

Abraham, erster der bibl. Patriarchen (1. Mos. 12–25) und Stammvater der Israeliten (1. Mos. 12,2). Gott gehorsam, war er bereit, seinen Sohn Isaak zu opfern. Im N. T. Gegenstand christlicher Spekulation (Röm. 4,9; Gal. 3,6; Luk. 16,22, »A.s Schoß«). Der bibl. Gestalt A. mag ein Hirte A. in Hebron historisch zugrunde liegen.

Abraham, Paul, ungar. Komponist, *Apatin (bei Sombos in der Wojwodina) 2. 11. 1892, †Hamburg 6. 5. 1960; schrieb Operetten (u. a. »Victoria und ihr Husar«, 1930; »Die Blume von Hawaii«, 1931; »Ball im Savoy«, 1932) und Filmmusiken.

Abraham a Sancta Clara, eigtl. Johann Ulrich Megerle, *Kreenheinstetten (heute zu Leibertingen, Kr. Sigmaringen) 2. 7. 1644, †Wien 1. 12. 1709; Augustiner-Barfüßer, hielt in Augsburg, Graz, Wien (1677 Kaiserl. Prediger) volkstüml., drastische, durch Witze und Wortspiele belebte Predigten: »Mercks Wienn« (1680), »Auf, auf ihr Christen« (1683; Schillers Vorlage zur Kapuzinerpredigt in »Wallensteins Lager«), ferner »Judas, der Erzschelm« (1686–95).

Abraham ben David, jüd. Scholastiker, *Narbonne 1120, †Posquières 1198; neigte als einer der ersten jüd. Gelehrten im MA. zur Mystik.

Abraham ibn Daud, span.-jüd. Historiker, *Córdoba 1110, †(als jüd. Märtyrer) Toledo zw. 1170 und 1180; erster jüd. Aristoteliker vor Maimonides (»Sefer Ha-Kabbala«, Buch der Überlieferung).

Abrakadabra, vielleicht auf →Abraxas zurückgehendes Zauberwort; diente, in Dreiecksform geschrieben, häufig als Amulett.

Abrasio [lat.] *die, Medizin:* die →Ausschabung.

Abrasion *die,* **1)** *Geologie, Geographie:* die abtragende Wirkung der Meeresbrandung (A.-Küste). Sie schafft das →Kliff, vor dem die A.-Platte (→Schorre) liegt.

2) *Medizin:* (Abrasio) →Ausschabung.

Abraum, beim Tagebau das die Lagerstätte des nutzbaren Minerals überdeckende taube Gebirge; wird ebenfalls im Tagebau abgeräumt.

Abraumsalze, früher im Steinsalzbergbau anfallende Kalirohsalze; wurden als wertlos auf Halde gekippt, heute sind sie als Düngemittel wirtschaftlich bedeutend.

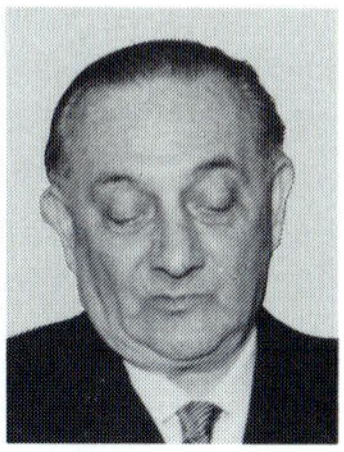

Paul Abraham

Abraham a Sancta Clara

An **Abraham,** *den Urvater des Volkes Israel, ergeht die Verheißung Gottes (I. Mose 17,4–7): »Das ist mein Bund mit dir: Du wirst Stammvater einer Menge von Völkern. Man wird dich nicht mehr Abram nennen. Abraham (Vater der Menge) wirst du heißen; denn zum Stammvater einer Menge von Völkern habe ich dich bestimmt. Ich mache dich sehr fruchtbar und lasse Völker aus dir entstehen; Könige werden von dir abstammen. Ich schließe meinen Bund zwischen mir und dir samt deinen Nachkommen, Generation um Generation, einen ewigen Bund: Dir und deinen Nachkommen werde ich Gott sein«.*

Abravanel (Abrabanel, Abarbanel), **1)** Jizchack (Isaak), portugies.-jüd. Gelehrter und Staatsmann, *Lissabon 1437, †Venedig 1508, Vater von 2); suchte einen Ausgleich zw. der Tradition und den Lehren des Maimonides und erhoffte im Sinne des Messianismus einen jüd. Staat im Hl. Land.

2) Leo Hebräus, portugies.-jüd. Arzt und Philosoph, *Lissabon um 1465, †Neapel um 1525, Sohn von 1); Vertreter der neuplaton. Renaissancephilosophie.

Abraxas, auf Gemmen, Amuletten oder Siegelringen geschriebene Zauberformel; sie wird gewöhnlich auf den Gnostiker Basilides zurückgeführt. Seine Zauberkraft sollte teils auf der Siebenzahl seiner Buchstaben; teils auf dem in ihnen verschlüsselten Zahlenwert 365 (Summe der Zahlenwerte der griech. Buchstaben: $\alpha = 1$, $\beta = 2$, $\rho = 100$, $\xi = 60$, $\sigma = 20$) beruhen.

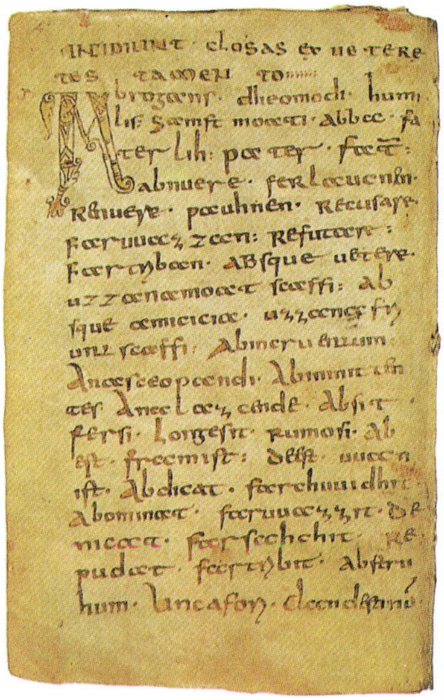

Abrogans: Ausschnitt der ersten Seite des Deutschen Abrogans (etwa Mitte des 18. Jh.; Sankt Gallen, Stiftsbibliothek)

abreagieren [lat.], i. w. S. ein Gefühl, einen Affekt, eine innere Spannung sich lösen lassen (z. B. durch Gebärden, Spiele, Aggressionen); i. e. S. Bez. für die Entladung **(Abreaktion)** von aufgestauten, meist verdrängten Affekten, die zu einer Neurose geführt haben.

Abrechnung, rechner. Ermittlung und Rechenschaftslegung über die Ergebnisse einer wirtsch. Tätigkeit. Besondere Formen der A. sind →Clearing und →Skontration.

Abrechnungsverkehr, Verrechnung von gegenseitigen Forderungen und Verbindlichkeiten zw. einem begrenzten Teilnehmerkreis, wobei jeder Teilnehmer nur einen Spitzenbetrag (Saldo) zu begleichen hat. Den A. zw. den Kreditinstituten nehmen in Dtl. die Landeszentralbanken vor, in Österreich u. a. die Wiener Abrechnungsstelle; Abrechnungsstellen in Großbritannien heißen **Clearing House** (→Clearing, →Giroverkehr).

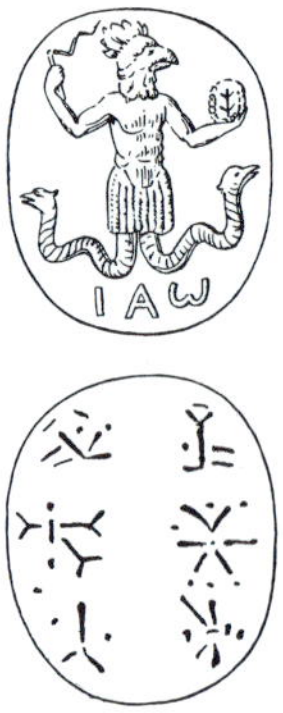

Abraxas: Abraxasgemme (Vorder- und Rückseite)

Abreibung, 1) graf. Verfahren, →Frottage.

2) *Medizin:* Verfahren zur Durchblutungs- und Stoffwechselsteigerung: Die Haut wird mit einem feuchtkalten Leinentuch bedeckt, auf dem mit der flachen Hand gerieben wird.

Abri [frz. »Obdach«] *der,* Felsschutzdach, Felsüberhang (→Balme); in vorgeschichtl. Zeit und später häufig von Menschen bewohnt (z. T. Felszeichnungen).

Abrichtung, Zähmung und Schulung von Tieren, Dressur.

Abrieb, bei Reibung auftretender Verschleiß, z. B. Gummi-A. von Fahrzeugreifen.

Abriss, Übersicht, knappe Darstellung; kurz gefasstes Lehrbuch.

Abrogans [lat.] *der,* spätlat. Synonymenlexikon, benannt nach seinem ersten lat. Stichwort, um 765 verdeutscht; das älteste bekannte Schriftwerk in dt. Sprache.

Abrogation [lat.] *die,* Aufhebung eines Gesetzes; Ggs. Derogation.

Abruf, 1) *Handel:* Anweisung eines Käufers an den Verkäufer, die gekauften Waren in gleichen Teilmengen innerhalb einer vereinbarten Zeitspanne zu liefern »auf Abruf«.

2) *Informatik:* Anweisung an einen Speicher oder ein Programm zur Abgabe von Informationen.

Abrüstung, i. e. S. der Abbau oder die Verminderung von Waffenbestand und/oder Truppenzahl; i. w. S. auch Maßnahmen der Rüstungskontrolle. A. kann von einem Staat einseitig (freiwillig oder – nach einem verlorenen Krieg – unfreiwillig) vorgenommen werden oder durch Verhandlungen zulasten aller Beteiligten zustande kommen. Ziel der A. ist v. a. die →Entspannung und die →Friedenssicherung.

Mit den →Haager Friedenskonferenzen setzte vor dem 1. Weltkrieg eine internat. A.-Diskussion ein. Die einseitige A. Dtl.s (→Versailler Vertrag) nach dem 1. Weltkrieg sollte der erste Schritt zu einer allg. A. sein. Die Genfer A.-Konferenz von 1932 scheiterte. Nach dem 2. Weltkrieg wurde A. angesichts der →ABC-Waffen zu einem zentralen Thema der Diplomatie. 1962 trat die Genfer A.-Konferenz der 18 Mächte zus. (später organisiert als Genfer A.-Ausschuss). 1963 kam es zum Abschluss des →Teststoppabkommens, 1968 des →Kernwaffensperrvertrages, 1972 des →B-Waffen-Abkommens, 1972 des SALT-I-Vertrages; der SALT-II-Vertrag von 1979 (→SALT) trat nicht in Kraft.

1984 begannen mit der Stockholmer →Konferenz über Vertrauensbildung und Abrüstung in Europa, 1985 mit den amerikanisch-sowjet. Verhandlungen in Genf über Nuklear- und Weltraumwaffen neue A.-Gespräche. 1987 unterzeichneten die USA und die UdSSR einen Vertrag über den Abbau von nuklearen Mittelstreckenraketen (→INF). 1987–89 fanden in Wien Verhandlungen zw. NATO und Warschauer Pakt statt, die zur Einberufung von →Verhandlungen über konventionelle Streitkräfte in Europa (VKSE) führten; die seit 1973 tagende Konferenz über beiderseitige und ausgewogene Truppenreduzierungen in Mitteleuropa (MBFR) wurde daraufhin beendet. Auf dem Gipfeltreffen der Konferenz über Sicherheit und Zusammenarbeit in Europa (→KSZE; seit 1995 →OSZE) in Paris wurde 1990 der Vertrag über konventionelle A. in Europa (KSE-Vertrag) unterzeichnet. Zwischen den USA und der Sowjetunion wurde 1991 der Abbau ihrer Interkontinentalraketen beschlossen (→START); die USA vereinbarten mit Russland, Weißrussland, der Ukraine und Kasachstan, den Atomwaffen besitzenden Nachfolgestaaten der (1991 aufgelösten) Sowjetunion, ein Protokoll über die Umsetzung des START-Vertrages. Als gesamtdt. Beitrag zur A. wurde die dt. Truppenstärke bis Ende 1994 auf 370000 Mann reduziert.

1992 unterzeichneten die Staaten der NATO und des ehem. (1991 aufgelösten) Warschauer Paktes einen Vertrag über die gegenseitige Luftüberwachung (→Open Skies). Nach langjährigen Verhandlungen schlossen 1993 die Vertreter von 130 Staaten den Vertrag über das weltweite Verbot der Entwicklung, Herstellung, Lagerung und des Einsatzes chemischer Waffen und über die Vernichtung solcher Waffen. Dieser kann in Kraft treten, sobald 65 Staaten ihre Ratifikationsurkunden hinterlegt haben (im Frühjahr 1996 erst 47). Auf einer Überprüfungskonferenz 1995 beschlossen die Signatarstaaten des Kernwaffensperrvertrages diesen zunächst auf 25 Jahre begrenzten Vertrag unbefristet zu verlängern, zugleich mit der Maßgabe, 1996 ein Abkommen über einen generellen Kernwaffenteststopp anzuschließen. Nach mehr als zwei Jahre dauernden Verhandlungen beschlossen Repräsentanten aus 57 Vertragsstaaten der UNO-Waffenverbotskonvention 1996 verschärfte Bestimmungen über den Einsatz von Antipersonenminen.

Abrüstung: Verschrottung von Panzern der Bundeswehr im Rahmen der Verhandlungen über konventionelle Streitkräfte in Europa (VKSE)

📖 STORCH, K.: *Schritt zurück vom Abgrund. Die USA u. die atomare Abrüstung. Frankfurt am Main 1995.* – WALLNER, J. H.: *Konventionelle Rüstungskontrolle u. Fernerkundung in Europa. Baden-Baden 1995.*

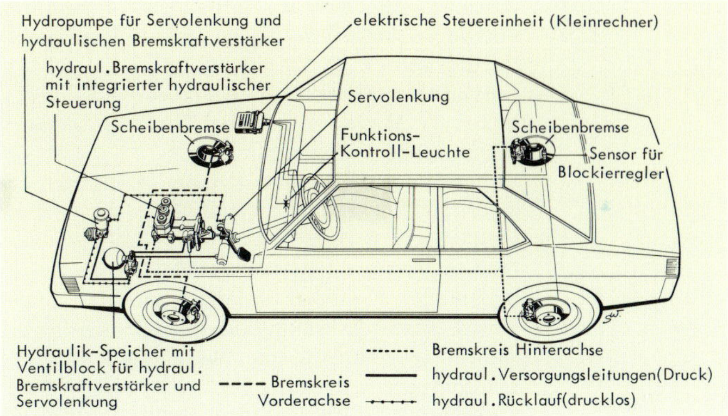

ABS: Aufbau des Antiblockiersystems bei einem Personenkraftfahrzeug

Abruzzen *Pl.,* **1)** (italien. Abruzzi), höchster Gebirgsteil des Apennin, im Gran Sasso d'Italia im O mit Corno Grande (2914 m ü. M.) und La Maiella im SO (im Monte Amaro 2795 m ü. M.). Enge Längstäler (Aterno), Karstebenen (Piani) und die Becken von L'Aquila, Sulmona und Avezzano gliedern das aus Kalksteinmassiven aufgebaute Gebirge. Straßen erschließen den Campo Imperatore (2130 m ü. M.) für Wintersport, den Stausee von Campotosto und den Nationalpark der A. (292 km² mit Buchen- und Tannenwäldern); bed. Fremdenverkehr.

2) (italien. Abruzzo) Region in Italien, 10795 km², (1995) 1,268 Mio. Ew.; Prov.: Chieti, L'Aquila, Pescara, Teramo; Hptst.: L'Aquila.

Abs, Hermann Josef, Bankfachmann, *Bonn 15. 10. 1901, †Bad Soden am Taunus 5. 2. 1994; seit 1938 Vorstandsmitgl., 1957–67 Sprecher des Vorstands, 1967–76 Aufsichtsratsvors., seit 1976 Ehrenvors. der Deutschen Bank AG; organisierte 1948 die Kreditanstalt für Wiederaufbau.

Hermann Josef Abs

ABS, Abk. für **A**nti**b**lockier**s**ystem, eine Regeleinrichtung im Bremssystem von Kfz, die selbsttätig das Blockieren von Rädern verhindert und die Seitenführung aufrechterhält.

Absalom, *im A. T.:* dritter Sohn Davids, der sich gegen seinen Vater erhob; wurde entgegen dessen Befehl von Joab getötet (2. Sam. 13–19).

Absam, Industriegemeinde bei Hall in Tirol, Österreich, 632 m ü. M., 5400 Ew.; Holzverarbeitung, pharmazeut., opt. Werke. – Spätgot. Wallfahrtskirche.

Absättigung, *Chemie:* Zustand der Bindung der größtmögl. Zahl von Atomen an ein anderes Atom oder Molekül.

Absatz, Gesamtheit der Tätigkeiten eines Unternehmens (Anbieter), um die hergestellten oder gekauften Leistungen (Sachgüter und Dienste) potenziellen Abnehmern (Nachfragern) zuzuführen und gegen Entgelt zu überlassen; darüber hinaus das Ergebnis dieser Tätigkeiten, gemessen in Mengeneinheiten (Verkaufsmenge) oder in Werteinheiten (A.-Menge × A.-Preis = Umsatz) für einen bestimmten Zeitraum.

Der A. vollzieht sich auf einem **A.-Markt,** der durch die Art des abgesetzten Gutes, durch Zahl, Größe und Verhaltensweise der Anbieter und Nachfrager (einschließlich A.-Mittler) im zu betrachtenden A.-Gebiet und durch die Art, wie der Tausch zustande kommt (Marktorganisation) bestimmt wird. Durch die Wandlung vieler A.-Märkte von einem Verkäufermarkt zu einem Käufermarkt sind Unternehmen häufig gezwungen, ihre gesamte Unternehmenspolitik im Sinne einer absatzorientierten Unternehmensführung an den Verhältnissen des A.-Marktes auszurichten und als Teil des →Marketings zu verstehen. Die Höhe des A., seine Zusammensetzung nach Güterarten, Kundengruppen u.a. sowie seine zeitl. Verteilung können mithilfe einer Vielzahl **absatzpolit. Instrumente** (Produkt-, Sortiments-, Preis-, Distributions-, Kommunikationspolitik) beeinflusst werden. Die **A.-Kette** (A.-Weg) bezeichnet die Folge aller Stufen von Absatzorganen (Groß- und Einzelhandelsbetriebe, Kommissionäre, Handelsvertreter, die sog. Absatzmittler), die ein Wirtschaftsgut regelmäßig durchläuft, um vom Hersteller auf den Endabnehmer überzugehen.

📖 EVERS, M. *u.* SCHULZ, GERHARD: *Beschaffung, Produktion, A. Magdeburg u.a. 1993.* – POHMER, D. *u.* BEA, F. X.: *Produktion u. A. Göttingen* [3]*1994.*

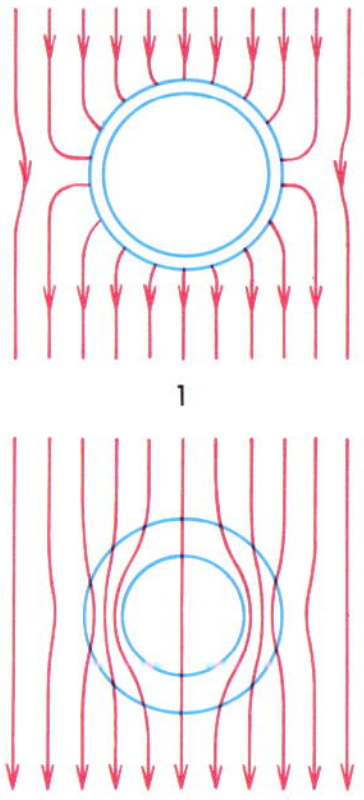

Abschirmung:
1 Elektrische Abschirmung;
2 Magnetische Abschirmung

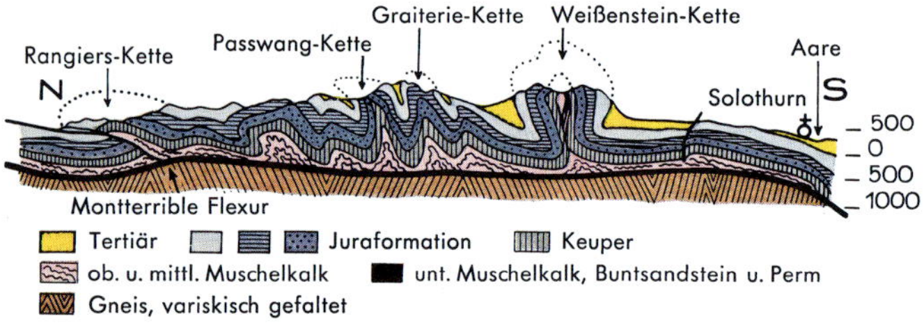

Abscherung: Schematische Darstellung einer gefalteten Abscherungsdecke am Beispiel des Schweizer Jura

Absatzgenossenschaft, Genossenschaft zum gemeinsamen Verkauf von Waren, bes. im landwirtsch. Bereich.

Abschattung, *Elektrotechnik:* Behinderung der Ausbreitung von elektromagnet. Wellen auf dem direkten Weg zw. Sender und Empfänger.

Abscheiden, das Abtrennen von flüssigen oder festen Stoffen aus Gasen und Dämpfen oder von festen Stoffen aus Flüssigkeiten.

Abscheren, das Trennen eines Werkstoffs oder -stücks (z.B. mit Schnittwerkzeug) durch Schub- oder Scherkräfte, die in Richtung seines Querschnitts wirken und größer als die Scherfestigkeit des Werkstoffes sind.

Abscherung, tektonischer Vorgang, bei dem sich ein Gesteinsverband von seiner Unterlage gelöst hat und auf ein anderes Gestein aufgeschoben wurde.

Abschiebung, *Recht:* →Ausländer.

Abschied, 1) Entlassung aus dem Dienst (Beamte, Militär).

2) im altdt. *Verfassungsrecht* der →Reichsabschied.

Abschilferung, *Medizin:* die →Abschuppung.

Abschirmung, in Physik und Technik das Fernhalten oder Einschließen elektromagnetischer Felder bzw. Strahlung von oder in einem Gebiet; in der Kern- und Röntgentechnik Schutzmaßnahme gegen ionisierende Strahlung (→Strahlenschutz).

Abschlag, 1) *Vorgeschichte:* ein vom Menschen, v.a. der →Altsteinzeit, von einem Kern abgeschlagenes Stück aus kieseligem Gestein (Silex); unterschiedl. A.-Techniken (z.B. →Levalloistechnik) ergaben unterschiedl. Abschlagformen.

2) *Wirtschaft:* vorzeitig ausgezahlter Teilbetrag; im Handel Vergütung durch Gewichtsverluste der Ware (beim Sortieren u.a.); im Bankwesen das →Disagio.

Abschlagsverteilung, Teilausschüttung aus der Konkursmasse an die Gläubiger vor der Schlussverteilung.

Abschöpfung, Abgabe, durch die der Preis einer Ware bei der Einfuhr dem im Inland festgelegten oder angestrebten Preis angeglichen wird. Den Differenzbetrag zum niedrigeren Weltmarktpreis zahlt der Importeur an der Einfuhrstelle. Die A. in den Agrarmarktordnungen der EU sind aufgrund der GATT-Vereinbarungen durch Zölle ersetzt worden.

Abschrecken, sehr schnelles Abkühlen eines erhitzten oder verflüssigten Materials durch Einbringen in ein geeignetes Kühlmittel (z.B. Wasser, Öl, auch Kaltluft), um ihm bestimmte Werkstoffeigenschaften zu geben.

Abschreckungstheorie, →Prävention.

Abschreibung, 1) *betriebswirtschaftlich* und *steuerrechtlich* die rechner. Erfassung von Wertminderungen betriebl. Vermögensgegenstände entweder durch Herabsetzung des Wertes des abzuschreibenden Gegenstandes auf der Aktivseite der Bilanz (direkte A.) oder durch Ansatz eines Wertberichtigungsbetrages auf der Passivseite (indirekte A.). Die A. dient der richtigen Verteilung von Ausgaben auf die Perioden, in denen der Wert des angeschafften Gutes verzehrt wurde. A. sind somit Aufwand im Rahmen der Erfolgsrechnung und Kosten im Rahmen der Kosten- und Ergebnisrechnung. Ursachen der A. sind: Zeitablauf: Ablauf der Mietzeit für ein Grundstück, auf dem eine Anlage steht, Ablauf von Patenten u. Ä.; Verschleiß: ruhender Verschleiß, der unabhängig von der tatsächl. Inanspruchnahme erfolgt; nutzungsbedingter Verschleiß (Substanzverringerung); Fortschritt/Entwicklung: Nachfrageverschiebungen z.B. durch Änderungen der Mode, der Lebensgewohnheiten der Verbraucher u.a.; Zufallsereignisse: Katastrophen, wirtschaftl. Zusammenbrüche von Schuldnern, Verlust von Absatzmärkten.

Planmäßige A. (bei Zeitablauf, Verschleiß, u. U. techn. Fortschritt) erfolgen bei abnutzbarem, mehr als ein Jahr verwendbarem Anlagevermögen (Bauten, Betriebseinrichtungen, Fahrzeuge), wobei A.-Dauer und jährl. A.-Betrag im Vorhinein festgelegt werden. Grundstücke unterliegen grundsätzlich keiner planmäßigen A., ebenso wenig das Umlaufvermögen. In der Steuerbilanz sind außer den durch tatsächl. Wertminderungen verursachten **Absetzungen für Abnutzung** (AfA, § 7 Einkommensteuer-Ges.) noch verschiedene planmäßige Sonder-A. aus wirtschafts- und sozialpolit. Gründen zulässig. – Die grundlegenden A.-Methoden sind die degressive A. (A.-Beträge werden mit zunehmender A.-Dauer immer kleiner) und die lineare A. (A.-Beträge bleiben immer gleich). Daneben gibt es noch die Varianten der arithmetisch- und der geometrisch-degressiven A., die progressive A. sowie die A. nach der Leistung.

📖 BREIDERT, U.: *Grundsätze ordnungsmäßiger Abschreibungen auf abnutzbare Anlagegegenstände. Düsseldorf 1994.* – FRANK, M.: *Bewertung u. A. Stuttgart u. a. [5]1994.*

2) *Grundbuch:* Übertragung eines Grundstückteils als selbstständiges Grundstück auf ein neues Grundbuchblatt.

Abschuppung (Desquamation), **1)** *Geologie:* das Absprengen von Gesteinsschalen an Felswänden, bes. in ariden und semiariden Gebieten, bedingt v.a. durch den starken Temperaturwechsel zw. Tag und Nacht, Salzsprengung und Druckentlastung.

2) *Medizin:* (Abschilferung) ständige, unmerkl. Abstoßung der obersten Hornschicht der Haut; kann bei Hautkrankheiten (z.B. Schuppenflechte) gestört sein.

Abschuss, regulierendes Schießen von Wild.

Abschussrampe (Abschussbasis), mobile oder ortsfeste Startanlage für Raketen.

Absehen von Strafe, gerichtl. Verzicht auf Strafe (allerdings nur bei Freiheitsstrafen bis zu einem Jahr, § 60 StGB), wenn die Folgen der Tat, die den Täter getroffen haben, so schwer sind, dass die Verhängung einer Strafe offensichtlich verfehlt wäre (z.B. schwere eigene Verletzung bei verschuldetem Verkehrsunfall).

Abseilen, *Alpinismus:* Absteigen mithilfe eines Seils, um Stellen zu überwinden, die durch freies Klettern nur schwer oder gar nicht zu bewältigen wären.

Abseite, *Textiltechnik:* Unterseite eines beidseitig verwendbaren Gewebes.

Abseits, Regelverstoß in Ballsportarten, z.B. Fußball, Hockey, Rugby. So ist ein Fußballspieler (mit Ausnahmen) im A., wenn er in dem Augenblick, in dem der Ball gespielt wird, der gegner. Torlinie näher ist als zwei Abwehrspieler des Gegners.

Absence [ap'sã:s; frz. »Abwesenheit«] *die, Medizin:* kurze (sekundenlange) Bewusstseinstrübung bei Epilepsie.

Absenker, *Botanik:* →Ableger.

Absentismus, 1) Fehlzeiten in einem Betrieb, die keine medizin. (Krankheit, Mutterschutz) oder vertragl. Ursache (Urlaub, Freistellung) haben, sondern motivationsbedingt sind.

2) Abwesenheit der Großgrundbesitzer von ihren Gütern, die sie lediglich als Rentenquelle betrachten und durch Gutsbeamte verwalten lassen oder verpachten; in vielen Ländern durch Agrarrevolutionen und -reformen beseitigt.

Absetzbecken, Sammelbecken zur Sedimentation von ungelösten absetzbaren Stoffen.

Absetzer, auf Raupen oder Schienen fahrender Bandförderer zum Anschütten von Abraumkippen im Braunkohlentagebau. Der von Zügen herangefahrene Abraum gelangt auf den Förderbändern über den bis 100 m langen Abwurfausleger des A. auf die Kippe.

Absetzung für Abnutzung, Abk. **AfA,** *Steuerrecht:* die →Abschreibung.

Absicht, besondere Form des Vorsatzes, die Zielvorstellung des Täters bzw. des Handelnden; im Strafrecht Element der Schuld, im Zivilrecht des Verschuldens.

Absichtssatz, der →Finalsatz.

Absiedelung, *Medizin:* die →Metastase.

Absinth [grch.] *der,* ein aus Wermut hergestellter Likör oder Trinkbranntwein mit Anis- und Fenchelzusatz; führt bei Missbrauch infolge seines Gehaltes an Thujon (Gift des äther. Wermutöls) zu Gesundheitsschäden; Herstellung in Dtl. u.a. europ. Staaten verboten.

Absolues [absɔ'ly, frz.], die alkohollösl. Anteile der aus Pflanzenteilen extrahierten Blütenöle; für Duftstoffe verwendet.

Absolute *das, Philosophie:* das Unbedingte, nur durch sich selbst Bedingte, eine metaphys. Annahme, die eine Erklärung der Welt durch Rückführung auf den Grund oder das Ganze der Welt geben will. Die grch. Philosophie schloss auf eine oberste, transzendente Bedingung alles Bedingten: die Idee des an sich Guten bei Platon, der unbe-

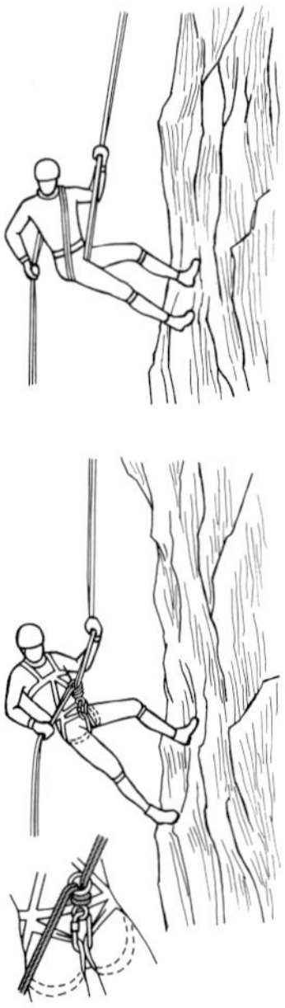

Abseilen
im Dülfersitz (oben) und mit Abseilachter (unten)

wegte Beweger bei Aristoteles, das Eine bei Plotin. Im MA. wurde der Gottesbegriff mit der Bedeutung des A. verbunden. In der neuzeitl. Philosophie wird das A. z.B. als Idee der Totalität aller Bedingungen (Kant), absolutes Ich (Fichte), absoluter Geist (Hegel), Identität von Natur und Geist (Schelling) und Wille (Schopenhauer) gedacht. Für den Materialismus ist die Materie das A., für den anthropologischen Materialismus (Feuerbach) der Mensch, für den dialekt. Materialismus die gesellschaftl. Praxis bzw. Arbeit.

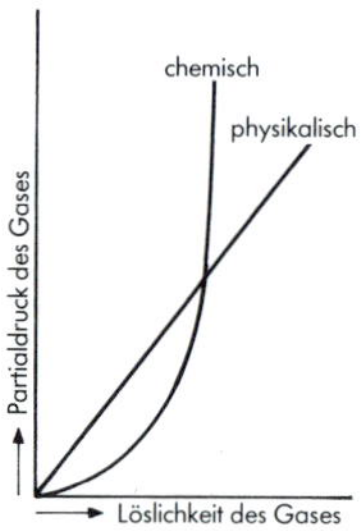

Absorption 2): Gleichgewichtskurven für physikalische und chemische Absorption bei konstanter Temperatur

absolute Dichtung, →Poésie pure, →abstrakte Dichtung.

absolute Helligkeit, Formelzeichen *M,* die in →Größenklassen ausgedrückte →scheinbare Helligkeit eines Himmelskörpers in einer Standardentfernung von 10 Parsec.

absolute Höhe, die Höhe eines Punktes der Erdoberfläche über →Normalnull.

absolute Malerei, die →abstrakte Kunst.

absolute Mehrheit, mehr als 50% der abgegebenen Stimmen oder der Zahl der gesetzl. Mitglieder (→Wahlrecht).

absolute Musik, um die Mitte des 19. Jh. geprägter Begriff für reine Instrumentalmusik, die frei von außermusikal. Inhalten (z.B. von Texten, Sujets, Programmen) bzw. von angestrebten Funktionen (z.B. Tanz, Geselligkeit) ist. Ihm stand Mitte des 19. Jh. →Programmmusik gegenüber.

absoluter Nullpunkt, der Nullpunkt der thermodynam. Temperaturskala, festgelegt als 0 K (→Kelvin), 0 K = –273,15 °C; ist nach dem nernstschen Wärmetheorem nicht erreichbar (→Tieftemperaturphysik).

absolutes Gehör, die Fähigkeit, Töne in ihrer tatsächl. Lage ohne vorgegebenen Bezugston zu erkennen und zu bestimmen.

absolutes Recht, ein gegenüber jedermann wirkendes, unabhängig von einseitiger Anerkennung bestehendes Recht (z.B. Recht auf Leben, die Ehre, das Eigentum); Ggs.: relatives Recht.

absolute Temperatur, vom →absoluten Nullpunkt aus in Kelvin gemessene Temperatur.

Absolution *die, kath. Kirche:* die Lossprechung von Sünden und Kirchenstrafen im Sakrament der Buße (→Beichte).

Absolutismus *der,* Regierungsform der Monarchie, in der der Herrscher die von Mitwirkungs- und Kontrollorganen nicht eingeschränkte Herrschaftsgewalt innehat. Der Fürst steht dabei als Träger der Souveränität über den Gesetzen, bleibt aber an die Gebote der Religion, an das Naturrecht und die Staatsgrundgesetze gebunden (nicht in der →Despotie und im →Totalitarismus). Die absolute Monarchie des 17. und 18. Jh. setzte sich nach einer Phase des **Früh-A.** (15./16. Jh.) angesichts der Erschütterung der staatl. und gesellschaftl. Ordnung in den Religionskriegen des 16. Jh. durch. In der zweiten Hälfte des 18. Jh. bildete sich der **aufgeklärte A.** (Friedrich d. Gr., Joseph II.) aus (→Aufklärung). Der A. wurde theoretisch durch Machiavelli begründet, von J. Bodin und T. Hobbes formuliert. Kernbegriffe waren die Ideen der Souveränität und der Staatsräson sowie die Lehre vom Gesellschaftsvertrag, in der Wirtschaftspolitik der →Merkantilismus. Seit der Frz. Revolution wurde der A. durch liberale Verfassungen abgelöst. – Die geschichtl. Bedeutung des A. besteht v.a. darin, dass er versuchte, die Macht der privilegierten Stände (Adel und Klerus) zu brechen.

📖 ANDERSON, P.: *Die Entstehung des absolutist. Staates. A. d. Engl. Frankfurt am Main ²1984.* – DUCHHARDT, H.: *Das Zeitalter des A. München ²1992.* – GARBER, J.: *Spätabsolutismus u. bürgerl. Gesellschaft. Studien zur dt. Staats- u. Gesellschaftstheorie im Übergang zur Moderne. Frankfurt am Main 1992.* – GESTRICH, A.: *A. u. Öffentlichkeit. Polit. Kommunikation in Deutschland zu Beginn des 18. Jahrhunderts. Göttingen 1994.*

Absonderung 1): Basaltsäulen an der nordirischen Küste (Giant's Causeway)

Absonderung, **1)** *Geologie:* Zerteilung eines Gesteins durch Schichtung, Schrumpfung, Spannungsausgleich, Klüftung, Schieferung u.a. in charakterist. Weise, z.B. plattige oder bankige A. bei Sandstein, säulig bei Basalt.

2) *Medizin:* die →Isolierung von Kranken.

3) *Physiologie:* die nervöse oder hormonal ausgelöste Abgabe flüssiger oder gasförmiger Stoffe aus Drüsen (→Sekretion) sowie die Ausscheidung von Abbauprodukten (→Exkretion).

4) *Recht:* →abgesonderte Befriedigung.

Absorber [engl.] *der,* i.w.S. ein absorbierender (aufnehmender) Stoff, i.e.S. Bestandteil einer Absorptionskältemaschine (→Kältemaschine).

Absorberstab, *Physik:* Stab aus Neutronen absorbierendem Material zur Regelung **(Regelstab, Steuerstab)** und Beendigung **(Abschaltstab)** des Neutronenflusses im Kernreaktor.

Absorption [lat.] *die,* **1)** *Physik:* die Abschwächung einer Teilchen- oder Wellenstrahlung beim Eindringen in Materie. Die Energie der absorbierten Strahlung wird dabei in andere Formen, z. B. in Wärme, umgewandelt. Bei konstantem A.-Koeffizient spricht man von linearer A., hängt er dagegen von der Intensität der einfallenden Strahlung ab, liegt nichtlineare A. vor. Bei der A. von Licht gehen die Moleküle der durchstrahlten Materie z. T. in angeregte Energiezustände über; dabei werden, abhängig vom Material, stets nur bestimmte Wellenlängen absorbiert. Aus den dunklen Linien und Banden in einem **A.spektrum** kann man daher auf die Beschaffenheit der Materie schließen.

2) *physikal. Chemie:* das gleichmäßige Eindringen von Gasen (sog. Absorbaten) in Flüssigkeiten oder Feststoffe (Absorptionsmittel, Absorbens); Ggs.: Desorption. Bei der **physikal. A.** gilt das Henry-Gesetz, nach dem bei konstanter Temperatur die Löslichkeit eines Gases proportional zu dessen Druck in der Gasphase ansteigt. Bei der **chem. A.** findet zw. Gas und Absorbens eine meist reversible chem. Reaktion statt. Die A. wird technisch z. B. für die Gasreinigung ausgenutzt.

3) *Physiologie:* Aufsaugung der von außen zugeführten Gase und Flüssigkeiten durch Haut und Schleimhäute (→ Resorption).

Absorptionsfilter, ein → Lichtfilter.

Abspannen, die Sicherung von Masten, Gerüsten u. a. mit Halteseilen zur Erhöhung der Standfestigkeit.

Absperrorgane, zusammenfassende Bez. für → Ventil, → Schieber, → Klappe, → Hahn.

ABS-Polymerisate, Abk. für **A**crylnitril-**B**utadien-**S**tyrol-Polymerisate, thermoplast. Kunststoffe von hoher Schlagfestigkeit; verwendet im Kfz- und Haushaltsgerätebau sowie für Schutzhelme.

Abspülung, flächenhafte Abschwemmung feiner Gesteinsteile von der Erdoberfläche durch Regenwasser.

Abstammung, die Herkunft aus ununterbrochener leibl. Kindschaft. Rechtlich unterscheidet man **eheliche A.** und **nichteheliche Abstammung.**

Abstammungslehre (Evolutionstheorie, Deszendenzlehre), die Lehre, dass alle auf der Erde lebenden Organismen im Verlauf der erdgeschichtl. Entwicklung aus primitiver organisierten Vorfahren entstanden sind. Die A. wurde durch J. B. A. P. de Lamarck 1809 wiss. begründet und 1859 durch C. Darwin vertieft und verbreitet. Beweise für die A. liefern Funde ausgestorbener Lebewesen, die Entwicklungsgeschichte, Einheitlichkeiten im Körperbau und die Tier- und Pflanzengeographie. Die heutige A. erkennt allgemein die Mutations-Selektions-Theorie an und zeigt, dass die Evolu-

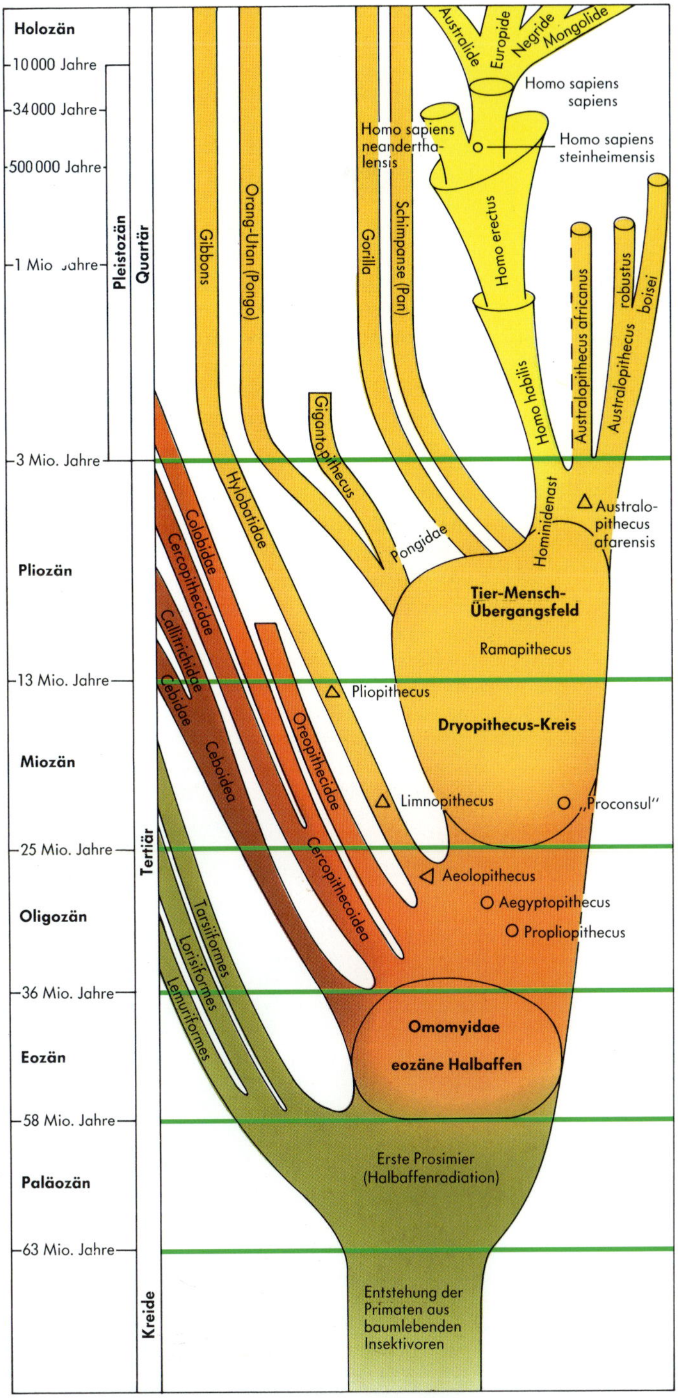

Abstammungslehre: Zeitliches Auftreten der verschiedenen Menschen- und Vormenschenarten sowie der Menschenaffen. Die genauen Abstammungslinien im Übergang von den Australopithecus-Arten zu den Homo-Arten und der genaue geographische Ursprung des Homo sapiens sapiens sind weiterhin unklar.

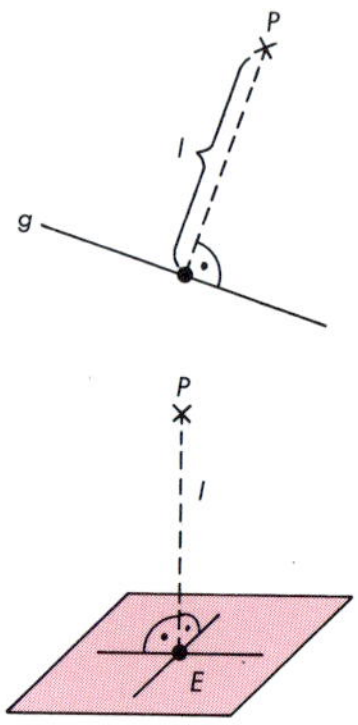

Abstand 1): Abstand *l* eines Punktes *P* von einer Geraden *g* (oben) und von einer Ebene *E* (unten)

tion in kleinen Schritten erfolgt. Als stammesgeschichtl. Ausgangspunkt für die Menschenartigen gelten kurzarmige Menschenaffen (Dryopithecus) aus dem unteren bis mittleren Miozän.

📖 DARWIN, C.: *Die Abstammung des Menschen, übers. v.* J. V. CARUS. *Wiesbaden ²1992 (engl. Originalausgabe 1871).* – FEUSTEL, J.: *Abstammungsgeschichte des Menschen. Jena ⁶1992.* – JUNKER, R.: *Stammt der Mensch von Adam ab? Die Aussagen der Bibel u. die Daten der Naturwissenschaft. Neuhausen-Stuttgart ³1995.* – BRUNNER, R. G.: *Wie das Leben entstand oder das Geheimnis des Lebens. Berlin 1996.*

Abstammungsnachweis, Ahnen- und Leistungsnachweis von Zuchttieren.

Abstand, 1) *Mathematik:* Entfernung zw. zwei Punkten bzw. von einem Punkt zu einer Kurve oder einer Fläche.

2) *Recht:* Zahlung für das Überlassen einer Sache oder eines Rechts.

Abstandswarngerät, →Auffahrwarngerät.

absteigende Linie, →Deszendenz.

Absterben, *Medizin:* **1)** (Fruchttod) das A. des Kindes während der Schwangerschaft; häufige Ursache einer Fehlgeburt.

2) (Gewebstod) das A. von Zellen, Organen oder Körperteilen, die →Nekrose.

3) das Gefühlloswerden von Gliedmaßen.

abstrakte Kunst: Antoine Pevsner, »Konstruktion im Ei«, Bronze (1943; Privatbesitz)

Absterbeordnung, Teil der →Sterbetafel.

Abstich, 1) *Hüttentechnik:* das Ablassen **(Abstechen)** der Schmelze aus metallurg. Öfen; auch die Öffnung dafür **(Eisen-Schlacken-A.).**

2) Trennung des Fassweins vom Bodensatz.

Abstillen (Ablaktation), das Entwöhnen des Säuglings von der Muttermilch.

Abstimmung, 1) Verfahren zur Ermittlung des Willens einer Gesamtheit von Personen oder Staaten über einen Antrag, einen Vorschlag oder eine Frage, z.B. in Vereinen oder Gesellschaften, vor Gericht, beim Parlament, in internat. Organisationen, in Volksversammlungen, bei →Volksentscheid oder →Volksbegehren. Die A. kann geheim sein durch Abgabe von Stimmzetteln oder →Ballotage oder öffentlich durch Zuruf (→Akklamation), Handaufheben, Aufstehen, durch →Hammelsprung oder namentl. Stimmabgabe.

2) die Einstellung eines elektrischen Schwingkreises auf die Frequenz des zu empfangenden Senders.

Abstimmungsgebiete, dt. und österr. Grenzgebiete, in denen aufgrund der 1919 geschlossenen Verträge von Versailles (→Versailler Vertrag) und →Saint-Germain eine Volksabstimmung über die staatl. Zugehörigkeit entscheiden sollte. Folgende Gebiete waren betroffen: in Dtl. Saargebiet (→Saarland), →Eupen-Malmedy, →Nordschleswig, →Ostpreußen, →Westpreußen, Oberschlesien (→Schlesien); in Österreich Südkärnten (→Kärnten) und →Burgenland.

Abstinenz [lat.] *die,* Enthaltsamkeit, v.a. Verzicht auf Alkohol.

Abstoß, *Fußball:* Beförderung des ruhenden Balles vom Torraum ins Spielfeld.

Abstoßungsreaktion, durch das Immunsystem bewirkte normale biolog. Abwehrreaktion des Körpers nach Übertragung von körperfremden Geweben oder Organen (→Transplantation).

abstrahieren [lat.], zum Begriff verallgemeinern, das Wesentliche vom Zufälligen sondern.

abstrakt, rein begrifflich, unanschaulich, von der Wirklichkeit abgetrennt; Ggs.: konkret.

abstrakte Dichtung, Dichtung ohne bestimmten »Inhalt«, die aus alogischen bis völlig sinnfreien Wort- oder Buchstabenzusammenstellungen besteht. Sie tritt auch als »konkrete Dichtung« auf, wenn sie sich auf den konkreten Materialcharakter einer Sprache stützt. Vertreter waren v.a. Dadaisten (H. Arp, K. Schwitters) und russ. Futuristen (W. Chlebnikow), in neuerer Zeit in Dtl. H. Heißenbüttel, F. Mon, E. Jandl u.a. A. D., auch →experimentelle Dichtung, hat wesentlich experimentellen Charakter (Konstellationen; Spiel mit Klang- und Bedeutungsassoziationen). Der modernen, stark intellektuellen a. D. geht im 19. Jh., im Zusammenhang mit der Bewegung des L'art pour l'art, die **absolute Dichtung,** die Poésie pure, voraus. In ihrer Nachfolge stehen die von G. Benn erstrebten Formen des absoluten Gedichts und der absoluten Prosa. Manche absoluten Dichtungen (z.B. die S. Mallarmés), in denen schließlich jeder

Bezug zur Wirklichkeit getilgt wird, können i. w. S. auch als a. D. gelten.

📖 HARTUNG, H.: *Experimentelle Lit. u. konkrete Poesie. Göttingen 1975.*

abstrakte Kunst (gegenstandslose Kunst, gegenstandsfreie Kunst), eine Phase der →modernen Kunst, die dem Stil oder Gefüge der reinen Farben und Formen Wirkungen abgewinnt, die ohne den Verzicht auf Gegenstandsabbilder nicht erreicht werden können. I. w. S. gehören auch Werke zur a. K., die Dingliches noch in stark abgewandelter Form erkennen lassen. Die Vielfalt der a. K. zw. etwa 1910 und den 1950er-Jahren lässt sich auf die beiden Linien ihrer Entstehung zurückführen: die aus dem Expressionismus kommende frei maler. Richtung (von W. →Kandinsky begründet, vorbereitet von Jugendstilkünstlern wie M. K. Čiurlionis und H. Obrist), die im →abstrakten Expressionismus und der →informellen Kunst endete, und die fast gleichzeitig (um 1910–13) vom →Kubismus ausgehende geometrisierende Richtung (u. a. F. Kupka, K. Malewitsch, P. Mondrian), die zum →Konstruktivismus, zur Gruppe De →Stijl, zur →konkreten Kunst u. a. führte.

abstrakte Kunst: Wassily Kandinsky, »Durchgehender Strich« (1923)

abstrakter Expressionismus: Franz Kline, »Gelb, Rot, Grün, Blau« (1956; Baltimore, Museum of Art)

📖 MORRIS, J.: *Warum ist das Kunst? Eine illustrierte Einführung in das Kunstverständnis, in die Moderne Kunst u. die zeitgenössischen Stile. A. d. Amerikan., München 1971. – Die neue Wirklichkeit. Abstraktionen als Weltentwurf. Ausst.-Kat. Wilhelm-Hack-Museum Ludwigshafen am Rhein, hg. v.* R. W. GASSEN *u.* B. HOLECZEK. *Ludwigshafen am Rhein 1995.*

abstrakter Expressionismus, erstmals für Ausdrucksgebärden des Expressionismus in den 1920er-Jahren verwendet (bes. für Bilder von W. Kandinsky). A. H. Barr übertrug den Begriff auf die automat. Umsetzung von Gestaltungs- und Erlebnisimpulsen ohne rationale Kontrolle in der amerikan. Malerei der 1940er- und 1950er-Jahre (W. de Kooning, R. Motherwell, F. Kline, M. Tobey u. a.), sie steigerte sich im →Actionpainting von J. Pollock. Der a. E. war weltweit verbreitet, auch unter der Bez. →informelle Kunst.

abstraktes Rechtsgeschäft, ein Rechtsgeschäft, das nicht notwendig erkennen lässt, aus welchem Rechtsgrund (causa) es geschlossen wird, und das von diesem unabhängig ist; z. B. kann dem a. R. der Eigentumsübertragung ein Kaufvertrag oder eine Schenkung zugrunde liegen.

Abstraktion *die,* dem Wortsinn nach ein »Abziehen«, Herauslösen von Teilgehalten, Aspekten, Merkmalen aus einem konkreten Ganzen durch Denken; Resultat des A.-Prozesses ist der →Begriff.

Abstraktum *das,* Begriffswort zur Bezeichnung nichtgegenständl. Erscheinungen (z. B. Freundschaft, Erkenntnis, Trauer).

Abstreifreaktion (Strippingreaktion), Kernreaktion, bei der ein mit einem Deuteron beschossener Atomkern dessen Neutron oder Proton absorbiert und das andere Nukleon streut.

Abstrich, 1) *Medizin:* Probeentnahme von Absonderungen der Schleimhaut zur bakteriolog. oder zytolog. Untersuchung, z. B. Rachen-A. bei Verdacht auf Diphtherie. (→Zytodiagnostik)

2) *Musik:* bei Streichinstrumenten die ziehende Bewegung des Bogens auf den Saiten, vom Griffende (→Frosch) bis zur Spitze; in der Notenschrift: ⊓. Ggs.: Aufstrich.

Abu Dhabi 1)
Wappen

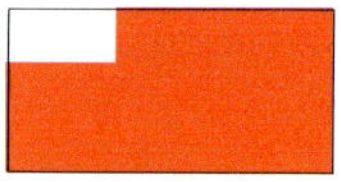

Abu Dhabi 1)
Flagge

abstrus [lat.], dunkel, verworren.

Abstumpfen, 1) *Chemie:* das Vermindern der Konzentration von Wasserstoff- oder Hydroxidionen durch →Puffer.

2) *Psychologie:* die Abnahme der Gefühlsansprechbarkeit, tritt v.a. bei psych. Übersättigung, Erschöpfung u.Ä. auf.

Absturz, 1) *Informatik:* Zusammenbruch eines laufenden Programms infolge eines Fehlers oder Defekts.

2) *Wasserbau:* (Sohlabsturz) Konstruktionselement zur Längsschnittgestaltung eines Wasserlaufs.

Absud, die →Abkochung.

absurdes Theater (absurdes Drama), Drama, das durch absurde Handlungen und absurde Dialoge die Situation des Menschen in einer sinnentleerten Welt, in der auch die zwischenmenschl. Kommunikation verkümmert ist, enthüllen will. Wegbereiter waren u.a. A. Jarry und G. Apollinaire; bed. Vertreter: E. Ionesco, S. Beckett, J. Tardieu, A. Adamov, F. Arrabal; Züge des a. T. zeigen auch Werke von W. Gombrowicz, S. Mrożek, H. Pinter, E. Albee, P. Handke und V. Havel.

🕮 DAUS, R.: *Das Theater des Absurden in Frankreich. Stuttgart 1977.* – ESSLIN, M.: *Das Theater des Absurden von Beckett bis Pinter. Reinbek 79.-81. Tsd. 1991.*

absurdes Theater: Szene aus Samuel Becketts »Endspiel«, Aufführung der Berliner Festwochen 1967

Abszess [lat.] *der,* durch Bakterien hervorgerufene, örtlich umschriebene, eingekapselte Entzündung im Körpergewebe mit zentraler Einschmelzung und Eiterbildung; meist mit Rötung, Schwellung, Erwärmung und Schmerzen beim **akuten** oder **heißen A.** Der **kalte A.** entsteht durch chron., meist tuberkulöse Entzündung.

Abszisse [lat.] *die,* erste →Koordinate (i. Allg. die *x*-Koordinate) eines Punktes im ebenen kartes. Koordinatensystem; die zugehörige Koordinatenachse heißt A.-Achse.

Abt [zu Abba], Vorsteher eines Klosters der älteren kath. Orden und in der Ostkirche. Er besitzt als regierender A. ordentl. Gerichtsbarkeit über die Angehörigen seiner Abtei **(Regular-A.)** oder auch über ihr Gebiet (**A. nullius,** bis 1977). Ohne kirchl. Amtspflichten, aber im Besitz der Privilegien des A. (→Pontifikalien) ist der **Titular-A.** Die Wahl eines A. erfolgt durch den Ordenskonvent. **A.-Präses, Erz-A., General-A.,** der Vorsteher einer monast. Kongregation. **A.-Primas,** der Generalobere des Benediktinerordens. **Kommendatar-A., Laien-A.,** früher: ein Weltgeistlicher, dem die Einkünfte einer Abtei unter Befreiung von kirchl. Amtspflichten übertragen waren.

Abtragung 1): Durch Abtragung im Moränenschutt der Durance-Gletscher entstandene Erdpyramiden »Demoiselles coiffées« bei Pontis im Embrunais, französische Alpen

Abtasten, punktweises Aufnehmen von Informationen mittels elektr., magnet., opt. u.a. Methoden; in der Nachrichtenverarbeitung die Entnahme von Momentanwerten eines Signals zu bestimmten Zeitpunkten.

Abtasttheorem (Samplingtheorem), in der Informationstheorie die Möglichkeit, ein Analogsignal mittels diskreter Signalpulse abzutasten (»digitalisieren«), zu übertragen und wieder zu rekonstruieren.

Abtei [aus mlat. abbatia], unter einem →Abt oder einer Äbtissin stehendes Kloster.

Abteilung, 1) *allg.:* in sich geschlossener Teil(bereich) einer größeren organisator. oder systemat. Einheit.

2) *Biologie:* (Divisio) systemat. Kategorie des Pflanzen- und Tierreichs, die in einzelne Stämme zerfällt.

3) *Forstwesen:* abgegrenzte Waldfläche, →Distrikt, →Jagen.

4) *Geologie:* Unterabschnitt eines →geologischen Systems.

5) *Recht:* Untergliederung des Grundbuchblatts, →Grundbuch.

Abteufen [von mhd. teufe »Tiefe«], *Bergbau:* das Herstellen eines senkrecht stehenden Grubenraumes (z.B. Schacht, Bohrloch).

Äbtissin, Vorsteherin eines Frauenklosters mit Benediktinerregel und bei den Klarissen.

Abtragung, **1)** *Geologie:* Gesamtheit aller Vorgänge, die zum Erniedrigen und Einebnen der Erdoberfläche führen; →Abrasion, →Erosion, →Solifluktion.

2) *Werkstoffkunde:* therm. oder chem. Bearbeitungsverfahren zum Werkstoffabtragen, z.B. Ätzen, Elysieren, Erodieren.

Abtreibung, im herkömml. Sinn der rechtswidrige, umgangssprachlich jeder →Schwangerschaftsabbruch.

Abtretung (Zession), **1)** *Völkerrecht:* die vertragl. Überlassung eines Staatsgebiets (nur unter Beachtung des Selbstbestimmungsrechts der Völker zulässig), im Unterschied zur →Besetzung und zur →Annexion.

2) *Zivilrecht:* die Übertragung von Rechten durch Rechtsgeschäft, z.B. Forderungs-A. (→Forderungsübergang), A. des Herausgabeanspruchs.

Abtrieb, **1)** *Forstwirtschaft:* der →Kahlhieb.

2) *Landwirtschaft:* Taltrieb des Viehs von der Alm zur winterl. Stallfütterung.

3) *Maschinenbau:* das Glied eines Getriebes, an dem die (umgeformte) Energie abgenommen wird, z.B. Abtriebswelle.

Abtrift, →Abdrift.

Abu [arab. »Vater«], vor arab. Personen-, Ehren- und Ortsnamen: »Vater des (der) ...«, auch übertragen »der mit dem (der) ...«, z.B. »A. Bakr« (Vater des Bakr), »A. l'Makarim« (der mit den edlen Eigenschaften).

Abu Bakr, erster Kalif, *Mekka um 573, †Medina 23. 8. 634; Vater der →Aischa; Anhänger Mohammeds, legte den Grund zu den islam. Eroberungen (634/651).

Abu Dhabi, **1)** Scheichtum der →Vereinigten Arabischen Emirate, 73548 km², (1991) 798000 Einwohner.

2) Hptst. von 1) und des gesamten Landes, Altstadt auf einer Insel (Brücke zum Festland) vor der SO-Küste des Pers. Golfes, 363000 Ew.; petrochem. Ind.; internat. Flughafen.

Abuja [-dʒ-], seit 1979 im Aufbau befindl. neue Hptst. von Nigeria, im Landesinnern, (1991) 378700 Ew.; internat. Flughafen.

Abukir, Seebad bei Alexandria, Ägypten. Mit dem Sieg des brit. Admirals Nelson am 1. 8. 1798 bei A. über die frz. Flotte, die den Feldzug Napoleon Bonapartes nach Ägypten deckte, gewann Großbritannien die Herrschaft im Mittelmeer.

Abuladse, Tengis, georg. Filmregisseur, *Kutaissi 31. 1. 1924, †Tiflis 6. 3. 1994; drehte poet. Filmallegorien (»Magdanas Esel«, 1956; »Großmutter, Iliko und Illarion und ich«, 1963) sowie eine Trilogie über Schuld und Sühne: »Das Gebet« (1968), »Baum der Wünsche« (1977), »Reue« (1984).

Abulie [grch.] *die,* krankhafter Zustand der Willen- oder Entschlusslosigkeit.

Abundanz [lat.] *die,* **1)** *Biologie:* durchschnittl. Individuenzahl einer Pflanzen- oder Tierart in einer bestimmten Flächen- oder Raumeinheit.

2) *Sprache:* Fülle des Ausdrucks; →Redundanz.

ab urbe condita [lat.], Abk. **a. u. c.,** »seit Gründung der Stadt (Rom)«, d.h. seit 753 v. Chr.

Abu Simbel, zwei Felsentempel am westl. Nilufer zw. der ersten und zweiten Stromschnelle, die Ramses II. (1290–1224 v. Chr.) anlegen ließ; der große Tempel wurde 63 m tief in den Felsen gebaut; vor den Fassaden Sitz- und Standbilder des Königs und der Königin. Der ursprüngl. Standort liegt heute im Nassersee. Die Tempel wurden deshalb 1964–68 auf Initiative der UNESCO in 1036 Blöcke zersägt und in gleicher Lage auf der Hochfläche 60 m höher unter zwei armierten Betongewölben wieder aufgebaut (UNESCO-Weltkulturerbe).

Abu Simbel: Die auf einem höher gelegenen Standort wieder aufgebauten Felsentempel

Abusir, Name mehrerer Orte und Ruinenstätten in Ägypten; der bedeutendste Ort liegt in der Prov. Giseh, mit Pyramiden und Tempeln von vier Pharaonen der 5. Dynastie.

Tengis Abuladse

Abwärme (Abhitze), als Nebenprodukt anfallende Restwärme in Flüssigkeit (Kühlwasser), Dampf oder Gas nach Austritt aus Kraftmaschinen oder Apparaten nach Hochtemperaturprozessen. Sie wird z.B. genutzt zur Kühlung, zur Heizung, zur Vorwärmung von Kesselspeisewasser oder zur Erzeugung mechan. Energie (→Kraft-Wärme-Kopplung). A. kann Gewässer erwärmen und das Klima belasten.

Abwasser, das durch häusl., gewerbl. und industriellen Gebrauch verunreinigte Wasser **(Schmutzwasser)** sowie das Niederschlagswasser. Der Grad der Belastung des A. **(A.-Last)** kann u.a.

durch den →biochemischen Sauerstoffbedarf (BSB), den →chemischen Sauerstoffbedarf (CSB) und den Anteil an absetzbaren Stoffen ausgedrückt werden.

Abwasserabgabe, Abgabe, die durch den Einleiter von verschmutzten Abwässern in Gewässer nach dem A.-Ges. i. d. F. v. 3. 11. 1994 zu entrichten ist, d. h. bes. durch Unternehmen, Gemeinden und Abwasserverbände. Bemessungsgrundlage bilden Schadeinheiten, die jährlich ermittelt werden. Die Höhe der A. richtet sich i. d. R. nach der Schädlichkeit des Abwassers: Der Abgabensatz ist von 12 DM (1981) stufenweise auf 70 DM (1997) je Schadeinheit gestiegen; er vermindert sich um bis zu 75 % bei Einhaltung wasserrechtl. Mindestanforderungen. Das Aufkommen der A. ist für Maßnahmen, die der Erhaltung oder Verbesserung der Wassergüte dienen, zweckgebunden.

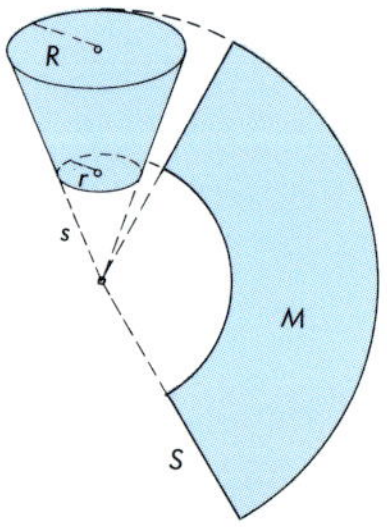

$M = \pi[(S+s)R - sr]$

abwickelbare Fläche: Abwicklung eines Kegelstumpfmantels; *M* Fläche des Mantels des Kegelstumpfes, *S* Länge der Mantellinie des Kegelstumpfes, *s* Länge der Mantellinie des abgeschnittenen Kegels, *R* und *r* Radien der Grund- und Deckfläche

Abwasserreinigung, die Reinigung der Abwässer in Kläranlagen vor ihrer Einleitung in einen Wasserlauf (Vorfluter). Städt. Abwässer enthalten außer Sandbeimengungen grobe schwimmende Schmutzstoffe, faulende Stoffe, Schlamm bildende Schwebstoffe, gelöste organ. Stoffe und Bakterien. Bei der **mechan. A.** werden die ungelösten Stoffe abgeschieden. Grobe Verunreinigungen werden durch Rechen zurückgehalten, der Sand im Sandfang, der Schlamm im Klär- oder Schlammabsatzbecken ausgeschieden. Vorklärbecken dienen der Entfernung von Sinkstoffen aus dem Abwasser. Die nach der mechan. A. noch enthaltenen gelösten, fäulnisfähigen organ. Stoffe werden bei der **biolog. A.** durch die im Abwasser befindl. Bakterien abgebaut. In Tropfkörperanlagen rieselt das Abwasser über Brockenmaterial, das mit Bakterien bedeckt ist. Beim **Belebtschlammverfahren** wird das Abwasser mit Bakterienschlamm versetzt, der durch Gebläse belüftet wird und im Nachklärbecken sedimentiert. Der anfallende Schlamm muss in Faulräumen bei etwa 35 °C ausgefault werden. Das dabei entstehende Methan (→Biogas) wird als Heiz- oder Treibgas nutzbar gemacht. – Bei der Reinigung industrieller Abwässer können zusätzl. Reinigungsstufen wie Neutralisation oder Fällung erforderlich sein.

Rechtliches: Die Abwasserbeseitigung ist gesetzlich geregelt (Wasserhaushalts-Ges. i. d. F. v. 23. 9. 1986). Durch die Abwasserschädlichkeits-VO vom 8. 11. 1979 wird eine ständige Kontrolle der Umweltbelastung durch Abwässer vorgeschrieben. (→Abwasserabgabe)

📖 BISCHOFSBERGER, W. *u.* HEGEMANN, W.: *Lexikon der Abwassertechnik. Essen* [5]*1993. – Abwassertechnologie, hg. v.* E. BLITZ *u. a. Berlin u. a.* [2]*1994.*

Abwasserteich, Anlage zur natürl. biologischen Abwasserreinigung durch Sedimentation und mikrobiolog. Abbauvorgänge. Eine Steigerung der Reinigungswirkung kann durch Fischbesatz **(Abwasserfischteich)** erreicht werden.

Abwehr, 1) *Biologie:* Verhaltensweisen, durch die ein Mensch oder ein Tier Gefahren oder Bedrohungen von sich abzuwenden sucht.

2) militär. Handlungen, um Angriffe des Feindes zurückzuweisen.

Abwehrenzyme (Abwehrfermente), von E. Abderhalden geprägte Bez. für Proteinasen (Eiweiß spaltende Enzyme), die bei Infektionen, Geschwülsten u. a. im Blutserum verstärkt auftreten.

Abwehrmechanismen, *Psychoanalyse:* Techniken des Ich, Konflikten infolge vom Überich nicht gebilligter Triebregungen auszuweichen.

Abwehrzauber, Zauber, der vor bösen Geistern, Toten, Hexen, Krankheit und Unheil schützen soll, z. B. durch ein Amulett.

Abwehrzeichen, ein →Warenzeichen, das i. d. R. nicht benutzt wird, aber zur Abwehr von Annäherungen an ein benutztes Warenzeichen dient; seine Zulässigkeit ist umstritten.

Abweichung, 1) *Astronomie:* die →Deklination.

2) *Mathematik:* →Fehler.

3) *Statistik:* a) die Differenz zw. beobachteten und erwarteten (oder hypothetischen) Werten; b) die Differenz zw. dem Einzelwert einer statist. Reihe und deren Mittelwert (Varianz, Dispersion; →Streuung).

Abwerbung, die Verleitung von Arbeitskräften, Kunden, Verbandsmitgliedern u. a. zur Abwanderung in andere Betriebe, Körperschaften; sie ist zulässig, darf aber nicht gegen die guten Sitten verstoßen.

Abwertung (Devalvation), Rückgang des Außenwerts einer Währung; Ggs.: Aufwertung (Revalvation). Der Wechselkurs der Währung sinkt (eine Einheit der inländ. Währung ist weniger Einheiten fremder Währung wert), d. h., es steigen die Devisenkurse (für den Kauf fremder Währung müssen mehr Einheiten der abgewerteten Währung aufgewendet werden). Bei flexiblen Wechselkursen folgt die A. aus einem Überangebot der Währung am Devisenmarkt, welches auf ein Defizit in der Zahlungsbilanz (aufgrund eines Inflations-, Wachstums- oder Zinsgefälles) des betreffenden Landes zurückzuführen ist. Bei festen Wechselkursen ist die A. eine i. d. R. bei anhaltendem Zahlungsbilanzdefizit ergriffene Maßnahme der Notenbank.

Auswirkungen: Heimische Güter werden relativ zu den Importgütern, aber auch im Ausland billiger, was die Exporttätigkeit anregt. Der Gesamtnachfrageanstieg führt in einer vollbeschäftigten Wirtschaft zu Preisanhebungen. In einer unterbeschäftigten Wirtschaft werden auch Produktion und Beschäftigung angeregt. Versuchen in einem

System fester Wechselkurse mehrere Länder, durch eine A. die Beschäftigung zu verbessern, kann es zu einem A.-Wettlauf kommen (»Beggar-my-Neighbour-Policy«). Internat. Währungsabkommen (z. B. das Europ. Währungssystem) wirken dem entgegen, indem die Teilnehmerstaaten A. nur im gegenseitigen Einvernehmen vornehmen dürfen.

Abwesenheit, **1)** *Medizin:* die →Absence.

2) *Recht:* A. kann verschiedene Wirkungen haben, im bürgerl. Recht z. B. Bestellung eines Pflegers zur Regelung von Vermögensangelegenheiten (§ 1 911 BGB), im Zivilprozess Erlass eines Versäumnisurteils, im Strafrecht bei A. in der Hauptverhandlung Vorführung (§ 230 StPO) u. a.; im Wehrstrafrecht →eigenmächtige A.

abwickelbare Fläche, räuml. Fläche, die sich faltenlos auf einer Ebene ausbreiten lässt, z. B. ein Zylinder- oder Kegelmantel.

Abwicklung, *Recht:* die →Liquidation. Darüber hinaus im Zuge der dt. Vereinigung entstandene Bez. für die ersatzlose Auflösung einer Beschäftigungsstelle im Bereich des ostdt. öffentl. Dienstes; hierfür bildet Art. 13 des Einigungsvertrages (»Übergang und A.«) die Grundnorm.

abwracken, ein Schiff verschrotten (in verwertbare Teile und Materialien zerlegen).

Abydos 1): Relief an der Außenmauer des Tempels König Sethos' I.

Abydos, **1)** (ägypt. Abodu) alte oberägypt. Stadt am westl. Nilufer, mit Tempelresten aus der Zeit Sethos' I. und Ramses' II.; Hauptkultort und vermeintl. Begräbnisplatz des Osiris.

2) antike Stadt im kleinasiat. Mysien, bekannt durch den Brückenbau des Xerxes (480 v. Chr.) über den Hellespont und die Sage von Hero und Leander.

Abyssal [grch.] *das,* Bereich der Tiefsee (etwa unterhalb 1 000 m Tiefe). **abyssisch,** aus der Tiefe der Erde oder des Meeres stammend, in der Tiefsee befindlich.

abzählbare Menge, eine (unendl.) Menge, die sich umkehrbar eindeutig auf die Menge der natürl. Zahlen abbilden lässt.

Abzahlungsgeschäft, →Verbraucherkreditgesetz.

Abzinsung (Diskontierung), finanzmathematisch die Verminderung eines zukünftigen Kapitalbetrages um Zinsen, die vom Jetzt bis zur Zahlung berechnet werden. (→Zinseszins)

Abzug, **1)** *Chemie:* (Kapelle, Digestor) mit einem Schiebefenster verschließbarer und mit einem Ableitungsrohr versehener Experimentierraum in chem. Laboratorien.

2) *Waffenkunde:* Vorrichtung zum Abfeuern bei Schusswaffen.

Abzweigung, Anschluss und Verbindung von elektr. Leitungen in **Abzweigmuffen, -klemmen, -kästen** und **-dosen.**

a c., Abk. für →**a c**onto.

à c., Abk. für →**à c**ondition.

a. c., Abk. für lat. **a**nni **c**urrentis, des laufenden Jahres.

Ac, chem. Symbol für →Actinium.

AC, Abk. für **A**lternating **C**urrent, engl. Bez. für Wechselstrom.

Académie française [- frãˈsɛ:z, frz.], die älteste Akademie des →Institut de France.

Académie Goncourt [- gɔ̃ˈku:r, frz.], →Goncourt.

Acajou [akaˈʒu:, frz.], westind. Mahagonihölzer.

Acajoubaum [akaˈʒu:-], der →Nierenbaum.

a cappella [italien. »nach Kapellenart«], *Musik:* um die Mitte des 17. Jh. geprägte Bez. für mehrstimmige Vokalmusik (meist für Sopran, Alt, Tenor, Bass), bei der eventuell mitwirkende Instrumente mit den Vokalstimmen zusammengehen. Seit Anfang des 19. Jh. auch Bez. für jede nicht durch Instrumente begleitete Chormusik.

Acapulco (amtl. A. de Juárez), Hafenstadt im Staat Guerrero, Mexiko, am Pazif. Ozean, 592 000 Ew.; einer der besten Naturhäfen; bed. Seebad.

Accardo, Salvatore, italien. Violinist und Dirigent, * Turin 26. 9. 1941. Sein umfangreiches Repertoire reicht von A. Vivaldi und J. S. Bach über N. Paganini bis zu Werken zeitgenöss. Komponisten.

accelerando [attʃe-, italien.], *Musik:* schneller werdend.

Accent aigu [aksãtɛˈgy], **A. grave** [-ˈgra:v], **A. circonflexe** [-sirkɔ̃ˈflɛks], frz. Namen für die Akzente Akut (´), Gravis (`) und Zirkumflex (^).

Accentus [lat.] *der, Musik:* Bez. für die rezitierend vorgetragenen liturg. Gesänge; Ggs.: →Concentus.

Accessoires [aksɛˈswa:rs, frz.], modisches Zubehör (Tuch, Modeschmuck, Gürtel, Handschuhe u. a.).

Accius, Lucius, röm. Dichter, * Pisaurum (heute Pesaro) 170 v. Chr., † um 86 v. Chr.; galt als Vollender der lat. Tragödie.

Abydos 1): Kalksteinstele mit dem als Falken dargestellten Gott Horus und der Schlange als Bildsymbol für den Pharao (um 2 900 v. Chr.; Paris, Louvre)

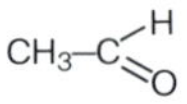
Acetaldehyd

Aceton

$HC\equiv CH$
Acetylen

Acco, israel. Stadt, →Akko.

Accompagnato [akkɔmpaˈɲa:to; italien. »begleitet«] *das,* Sprechgesang (→Rezitativ) mit ausgeführter Orchesterbegleitung.

Acconci [-tʃi], Vito, amerikan. Künstler, *New York 24. 1. 1940; befasst sich in Aktionen, Filmen und Videobändern u.a. mit phys. und psych. Problemen der Menschen, schrieb »Catalogue of headlines and images, Stedelijk Museum Amsterdam« (1978).

Accoramboni, Vittoria, *Gubbio 15. 2. 1557, †(ermordet) Padua 22. 12. 1585; berühmt durch ihre Schönheit und ihr wechselvolles Schicksal; Drama von J. Webster (1608), Roman von L. Tieck (2 Tle., 1840).

Accountmanagement [əˈkaʊntmænɪdʒmənt, engl.] *das, Wirtschaft:* auf spezielle Kunden oder Kundengruppen ausgerichtete Organisationsform, bes. von Werbeagenturen und Dienstleistungsunternehmen (Banken, Versicherungen).

Accra (Akkra), Hptst. von Ghana, 1,7 Mio. Ew. (städt. Agglomeration); Kultur-, Handels- und Ind.zentrum; Univ. (gegr. 1961); internat. Messe; internat. Flughafen.

Accursius, Franciscus, italien. Jurist, *Impruneta (bei Florenz) um 1185, †Bologna 1263; lehrte ebd. schon vor 1221, verfasste um 1230 die »Glossa ordinaria« zum Corpus Iuris civilis.

Accra: Stadtmitte, im Vordergrund ein Gebäude aus der Kolonialzeit

accusativus cum infinitivo [lat.], Abk. **a.c.i.,** Satzkonstruktion: ein mit einem Infinitiv verbundener Akkusativ (z.B.: Er sah »ihn eilen«).

Aceh [-tʃ-] (Atjeh, Acin, Atjin), autonomer Distrikt in NW-Sumatra, Indonesien, 55 392 km^2, (1990) 3,42 Mio. Ew., Hptst.: Banda Aceh; meist Bergland; Erdölvorkommen. – Die Bev., meist jungmalaiische **Aceh,** treibt Landwirtschaft (Reis, Zuckerrohr, Kopra, Kautschuk, Pfeffer), Fischfang. Die Aceh bildeten früh ein bis heute eigenständiges islam. Zentrum. Sie waren Gegner der niederländ. Kolonialregierung, bes. in den **A.-Kriegen** (1875–1904).

Acetaldehyd *der* (Äthanal, Ethanal), farblose, brennbare Flüssigkeit, Siedepunkt 21 °C, Zwischenprodukt der alkohol. Gärung; verwendet zur Herstellung von Essigsäure und Essigsäureanhydrid. Technisch durch Oxidation von Ethylen in wässriger Lösung gebildet.

Acetale [nlat.], farblose, angenehm riechende Flüssigkeiten, die durch Reaktion von Aldehyden mit Alkoholen entstehen. A. kommen in Duftstoffen und im Bukett alkohol. Getränke vor.

Acetat (Azetat) *das,* Salz bzw. Ester der Essigsäure.

Acetessigester (Acetessigsäureäthylester, Acetessigsäureethylester), farblose, fruchtig riechende Flüssigkeit, gewonnen aus Diketen (→Ketene) und Äthanol; wichtiges Zwischenprodukt bes. für Farbstoff- und Arzneimittelsynthesen.

Acetessigsäure, 3-Oxobuttersäure, saure Flüssigkeit, entsteht beim Fettsäureabbau im Organismus; patholog. Stoffwechselprodukt im Harn von Zuckerkranken.

Acetin *das,* Essigsäureester des Glycerins, dient als Lösungsmittel, zur Gerbmittel- und Dynamitherstellung.

Aceton *das* (Dimethylketon, Propanon), einfachstes, aber technisch bedeutendstes →Keton. Farblose, brennbare Flüssigkeit, Siedepunkt 56 °C; technisch gewonnen durch Oxidation von Propylen an Katalysatoren, Dehydrierung von Isopropylalkohol und als Nebenprodukt bei der Phenolherstellung. A. ist Lösungsmittel für Lacke, Fette, Harze, Acetylen (Dissousgas) und Grundstoff für chem. Synthesen.

A. ist bei Mensch und Tieren ein Zwischenprodukt des Stoffwechsels; bei Hungerzuständen und Krankheit (v.a. bei Diabetes mellitus) wird es mit anderen →Ketonkörpern verstärkt gebildet und kann vermehrt in Blut **(Ketonämie),** Urin **(Ketonurie)** und Atem auftreten.

Acetylcellulose, ein →Celluloseester.

Acetylcholin *das,* Überträgersubstanz, die Nervenimpulse an den Nervenschaltstellen (Synapsen) des Sympathikus und Parasympathikus und von Parasympathikus und motor. Nerven auf die Erfolgsorgane weiterleitet. Da die Wirkung von A. infolge schnellen Abbaus nur kurz ist, finden als Medikamente dem A. ähnl. Substanzen mit längerer Wirkungsdauer Verwendung.

Acetylen *das* (Äthin, Ethin), ungesättigter, gasförmiger Kohlenwasserstoff, erstes Glied der →Al-

Achaimeniden: Palast mit reliefverzierter Treppenanlage und in den Himmel ragenden Säulen der Vorhalle

kine; als reines A. fast geruchlos, giftig, mit hell leuchtender, sehr heißer Flamme brennend, unter Druck stehend und im Gemisch mit Luft hochexplosiv. A. wird durch Zersetzen von Calciumcarbid mit Wasser hergestellt, heute großtechnisch durch Hochtemperaturpyrolyse von Kohlenwasserstoffen, z.B. von Erdgas. A. wird als Brenngas zum autogenen Schweißen und Schneiden verwendet. Die Bedeutung von A. als Ausgangsstoff für chem. Stoffe ist stark zurückgegangen, seit andere Verfahren auf der Basis von Äthylen oder Propylen für A.-Folgeprodukte entwickelt wurden. Der Grund dafür liegt in der schwierigen Handhabung des A. und dem hohen Energieverbrauch bei seiner Erzeugung.

Achad Haam, eigtl. Zwi Ascher Ginzberg, jüd. Schriftsteller und Philosoph, *Skwyra (Gebiet Kiew) 5. 8. 1856, †Tel Aviv 2. 1. 1927; vertrat in zahlr. Essays (u.a. »Am Scheidewege«, 1895) die Utopie von einem auf dem gemeinsamen Kulturerbe (und weniger auf polit. Aspekten) gegründeten jüd. Staat.

Achaia, grch. Küstenlandschaft im NW der Peloponnes, gebirgig, nur im W eben; auch Name Griechenlands als röm. Provinz. Im heutigen Griechenland bildet A. einen Verwaltungsbezirk mit 3271 km² und (1991) 300100 Ew.; Hptst.: Patras.

Achaier (Achäer, Achiver), altgrch. Volksstamm in Thessalien und in der Peloponnes, wurde durch die dor. Wanderung in die nach ihm benannte Landschaft →Achaia verdrängt; bei Homer Name für die Gesamtheit der Griechen. Die A. gelten als Träger der myken. Kultur.

Achaiischer Bund, altgrch. Städtebund gegen Makedonien (280–146 v. Chr.), der zeitweise fast die ganze Peloponnes beherrschte, bis er 146 v. Chr. im röm. Weltreich aufging.

Achaimeniden (Achämeniden), auf Achaimenes (um 700 v. Chr.) zurückgeführtes altpers. Herrschergeschlecht, das die Herrschaft über ganz Iran, Vorderasien und Ägypten erlangte. Die Dynastie erlosch 330 v. Chr. mit Dareios III.

Achalasie [grch.] *die* (früher Kardiospasmus), neuromuskuläre Erkrankung der Speiseröhre; gekennzeichnet durch gestörten Speisentransport aufgrund ungenügender oder fehlender Erschlaffung des unteren Speiseröhrenteils während des Schluckakts. Medikamentöse oder Dehnungsbehandlung, evtl. operative Maßnahmen, sind erforderlich.

Achalm *die,* Zeugenberg vor dem Trauf der Schwäb. Alb bei Reutlingen, 707 m ü. M., mit Burgruine.

Achäne [grch.] *die,* einsamige Schließfrucht der Korbblütler (z.B. Sonnenblume, Löwenzahn).

Achard [aˈʃaːr], **1)** Franz Carl, Physiker und Chemiker, *Berlin 28. 4. 1753, †Kunern (heute Konary; Schlesien) 20. 4. 1821; entwickelte die industrielle Gewinnung von Zucker aus Rüben und gründete 1801 die erste Zuckerfabrik.

2) Marcel, frz. Dramatiker, *Sainte-Foy-lès-Lyon 5. 7. 1899, †Paris 4. 9. 1974; schrieb witzige Komödien für das Boulevardtheater (»Jan der Träumer«, 1929; »Die aufrichtige Lügnerin«, 1960).

Achat [grch., nach dem Fluss Achates auf Sizilien] *der,* ein aus dünnen Schichten wechselnder Struktur und Färbung aufgebauter →Chalcedon; meist in Hohlräumen von Ergussgesteinen **(A.-Mandeln).** Die A. werden als Schmucksteine verwendet und zu diesem Zweck häufig künstlich gefärbt.

Achatschnecken, Bez. für zwei nicht miteinander verwandte Familien meist in den Tropen vorkommender Landlungenschnecken. A. tragen gestreckt-eiförmige Gehäuse; Überträger von Pflanzenkrankheiten.

Achdar (Djebel al-A.), der zentrale, höchste Teil der Gebirgsketten von Oman, Arabien, bis 3107 m ü. M.

Ache *die,* kleiner Fluss, →Aa.

Carl Franz Achard

Marcel Achard

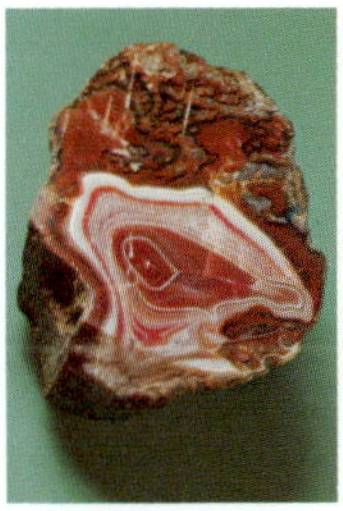

Achat
(angeschliffen)

Chinua Achebe

Anna Andrejewna Achmatowa

Achebe [-tʃ-], Chinua, nigerian. Schriftsteller engl. Sprache, *Ogidi (bei Onitsha) 15. 11. 1930; Romane: »Okonkwo oder Das Alte stürzt« (1958), »Obi« (1960), »Der Pfeil Gottes« (1964) u. a.; ferner »Nigerian Topics« (Essays, 1988).

Acheiropoieta (Acheropita) [grch. »nicht von Händen gemacht«], Christus-, Marien- oder Heiligenbilder, die auf übernatürl. Weise entstanden sein sollen, etwa das Schweißtuch der hl. Veronika.

Acheloos (ngrch. Aspropotamos) *der,* wasserreicher Fluss in W-Griechenland, 220 km, entspringt im Pindos, mündet ins Ion. Meer; Wasserkraftwerke.

ACHEMA, →DECHEMA.

Achenbach, 1) Andreas, Maler, *Kassel 29. 9. 1815, †Düsseldorf 1. 4. 1910, Bruder von 2). Seine Seestücke und Landschaften zeichnen sich durch genaue Beobachtungen der Natur und gezielte Lichtführung aus.

2) Oswald, Maler, *Düsseldorf 2. 2. 1827, †ebd. 1. 2. 1905, Bruder von 1); malte farblich effektvolle Landschaftsbilder aus Italien sowie Genrebilder.

Achensee, größter See Tirols, Österreich, zw. Karwendel- und Rofangebirge, 929 m ü. M., 9 km lang, bis 133 m tief. Das Wasser des A. und der Nebentäler wird zur Energiegewinnung dem A.-Kraftwerk in Jenbach (80 MW) zugeführt (früher durch den Achenbach zur Isar). Die Straße über den **Achenpass** (941 m ü. M.) verbindet Oberbayern mit dem Inntal.

Achern, Stadt im Ortenaukreis, Bad.-Württ., 20 500 Ew., 147 m ü. M.; Glashütte, Papier- und Maschinenfabriken, Sägewerk; Wein- und Obstbau. 1050 erstmals erwähnt, seit 1808 Stadt.

Acheron *der,* Fluss in Griechenland, im südl. Epirus, mündet ins Ion. Meer. Nach antiker Vorstellung war hier ein Eingang zur Unterwelt. A. heißt im grch. Mythos der Fluss der Unterwelt.

Achill: Achill (links) und Aias der Große beim Brettspiel, Vasenmalerei des Exekias auf einer Bauchamphora (550–525 v. Chr.; Rom, Vatikanische Sammlungen)

Acheson [ˈætʃɪsn], Dean Gooderham, amerikan. Politiker (Demokrat), *Middletown (Conn.) 11. 4. 1893, †Sandy Springs (Md.) 12. 10. 1971; seit 1941 im State Department, wo er am Aufbau des →Lend-lease-Systems beteiligt war; 1949–53 Außenminister.

Acheuléen [aʃøleˈɛ̃; nach dem frz. Fundort Saint-Acheul] *das,* Kulturstufe der →Altsteinzeit, gekennzeichnet durch sorgfältig bearbeitete Faustkeile und Abschlaggeräte.

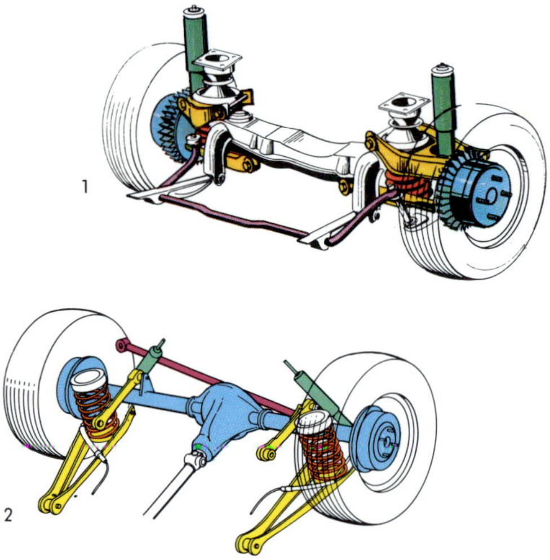

Achse 7): 1 Doppel-Querlenkerachse mit Schraubenfedern und Torsionsstabilisator (Vorderradachse); 2 Starrachse mit Panhardstab und Schraubenfedern (Hinterradachse)

Achill (grch. Achilleus, lat. Achilles), der tapferste grch. Held vor Troja, Sohn des Königs Peleus (daher der »Pelide«) und der Meergöttin Thetis. Aus Groll gegen Agamemnon hielt er sich vom Kampf fern, bis sein Freund Patroklos von Hektor getötet wurde. Er erschlug dann Hektor und fiel selbst durch Paris, dessen Pfeil, von Apoll gelenkt, seine Ferse durchbohrte. Durch ein Bad im Styx war er, bis auf die Ferse, unverwundbar geworden.

Achillea *die,* die Korbblütlergatt. →Schafgarbe.

Achilles, *Astronomie:* Planetoid der Gruppe der Trojaner.

Achillesferse, verwundbare Stelle, schwacher Punkt.

Achillessehne, am Fersenbein ansetzende starke Sehne des dreiköpfigen Wadenmuskels; der **A.-Reflex** dient der Erkennung neurolog. u. a. Störungen.

Achim, Stadt im Kr. Verden, Ndsachs., südöstl. von Bremen, 30 100 Ew.; Maschinenbau, Aluminiumwerk, Brotfabrik.

Achiver [lat.], die →Achaier, bei den röm. Dichtern die (homer.) Griechen.

Achleitner, Friedrich, österr. Schriftsteller und Architekt, *Schalchen (OÖ) 23. 5. 1930; seit 1968 Prof. für Architekturgeschichte in Wien; gehörte zur Wiener Gruppe; schrieb »prosa, konstellationen, montagen, dialektgedichte, studien« (1970)

sowie den handlungsarmen »Quadratroman« (1973), ferner Architekturkritiken.

Achmadulina, Bella (Isabella) Achatowna, russ. Lyrikerin, *Moskau 10. 4. 1937; schreibt emotionale Gedichte (»Struna«, 1962; »Musikstunden«, 1969; »Taina«, 1983) und Poeme (»Skaska o doschde«, 1975) mit liedhafter Sprachmelodie.

Achmatowa, Anna Andrejewna, eigtl. A. A. Gorenko, russ. Lyrikerin, *Bolschoi Fontan (heute zu Odessa) 23. 6. 1889, †Domodedowo (bei Moskau) 5. 3. 1966; wichtige Vertreterin der Akmeisten, deren Stil von zarter Empfindung und lakonisch knapper, scheinbar distanzierter Darstellung geprägt ist (»Poem ohne Held«, 1960; »Requiem«, 1963). 1946 von A. Schdanow als »bourgeois« verurteilt, später rehabilitiert.

Achmim, Stadt in Oberägypten, am rechten Nilufer, etwa 50000 Ew.; liegt im Ruinenfeld des alten Chemmis oder Panopolis. Die in den Klöstern bei A. übersetzten christl. Schriften zeigen den **achmim. Dialekt** des Koptischen.

Acholi [a'tʃo:li] (Atjoli), Volk mit nilot. Sprache zw. Bergnil, Victorianil und Asua (N-Uganda); etwa 500000 Menschen.

Acholie [grch.] *die,* verminderte Bildung oder Ausscheidung von Galle in den Darm, erkennbar an der grauweißen Farbe des Stuhls; verursacht durch Leber- oder Gallenwegerkrankungen.

a. Chr. (n.), Abk. für **a**nte **Chr**istum (**n**atum) [lat.], vor Christus, vor Christi Geburt.

Achroit [grch.] *der,* farbloser →Turmalin.

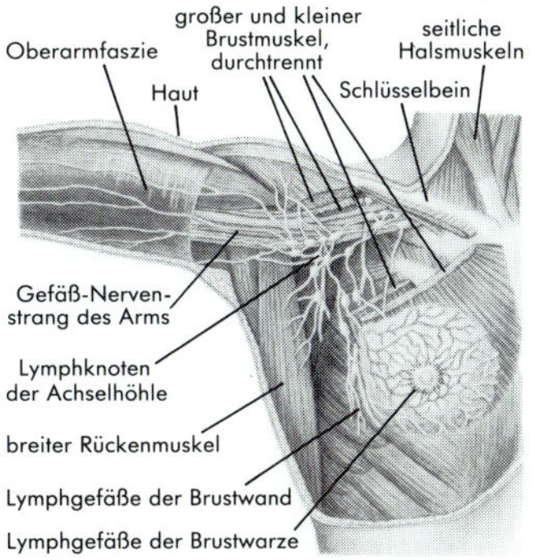

Achsel 1): Geöffnete Achselhöhle nach Entfernen der Brustmuskeln

Achromasie [grch.] *die* (Achromatismus), Freiheit von Farbfehlern bei opt. Systemen; wird durch Linsensysteme **(Achromat)** oder Prismen aus Glasarten mit unterschiedl. Dispersion erreicht.

Achse, 1) *Architektur:* Mittellinie von Gebäuden, Räumen und Öffnungen.

2) *Botanik:* der die Blätter tragende Teil des Sprosses (Stängel, Stamm), auch der Wurzelstock als unterird. Abschnitt der Achse.

3) *Kristallographie:* die Koordinaten-A., Symmetrie-A. und opt. A. der Kristalle.

4) *Mathematik:* eine durch besondere Eigenschaften ausgezeichnete Gerade (Symmetrie-, Dreh-, Koordinaten-A.).

5) *Optik:* (optische A.) Gerade, die durch die Krümmungsmittelpunkte der Linsen und Spiegel eines opt. Systems verläuft.

6) *Physik:* gedachte gerade Linie, um die sich ein Körper oder ein System dreht **(Dreh-** oder **Rotationsachse).**

7) *Technik:* stabförmiger Maschinenteil, meist zur Aufnahme von Rädern, Rollen, Scheiben, deren Belastungskräfte er auf die Lager überträgt, beim Kraftwagen als **Starr-A., Pendel-A., Lenker-A.** Im Ggs. zur Welle überträgt die A. kein Drehmoment.

Achse Berlin–Rom, die durch die Absprache Hitlers und Mussolinis (25. 10. 1936) begründete Zusammenarbeit zw. dem nat.-soz. Dtl. und dem faschist. Italien; wurde zum förml. Bündnis durch den →Stahlpakt (1939); mit dem →Dreimächtepakt (1940) zur **Achse Berlin–Rom–Tokio** erweitert, nachdem sich Italien bereits 1937 dem →Antikominternpakt angeschlossen hatte.

Achsel, 1) *Anatomie:* Übergangsgebiet von Rumpf und Hals zum Oberarm. Die Haut der **A.-Grube** ist behaart und enthält Schweiß-, Talg- und Duftdrüsen. **A.-Höhle,** Spaltraum zw. seitl. Brustwand und Schultergelenk mit Blutgefäßen und Nerven zur Versorgung des Arms und der regionären Lymphknoten.

2) *Botanik:* Blattwinkel. **achselständig,** im Blattwinkel wachsend.

Achselklappe, *Militärwesen:* die →Schulterklappe.

Achselstück, *Militärwesen:* das →Schulterstück.

Achsenmächte, zunächst Bez. für die in der Achse Berlin–Rom, im 2. Weltkrieg für die im →Dreimächtepakt verbündeten Staaten (v.a. Dtl., Italien, Japan). Den A. stand 1941–45 die →Anti-Hitler-Koalition gegenüber.

Achskilometer, Abk. **Achskm,** Maßeinheit für die von einer Eisenbahnwagenachse durchlaufenen Kilometer.

Achslast, der auf jede der Fahrzeugachsen entfallende Anteil des zulässigen Gesamtgewichts.

Achsschenkel, schwenkbares Achsteil eines Kfz, mit dem ein gelenktes Rad eingeschlagen wird (→Lenkung).

Achsstand, bei zweiachsigen Schienenfahrzeugen der Abstand zw. den Achsmitten der beiden Radsätze; bei mehrachsigen unterscheidet man zw. **Gesamt-A.** (Abstand der äußersten Achsmitten) und **Einzel-A.** aufeinander folgender Achsen. Bei Kfz →Radstand.

acht [ahd. ahto], als Ziffer: **8,** galt aufgrund ihrer arithmet. Eigenschaften im Altertum als vollkommene Zahl (8 Himmelsrichtungen, 8 Welt-

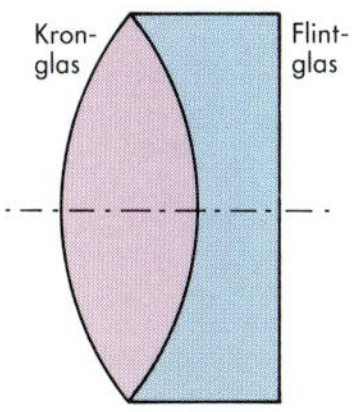

Achromasie: Einfacher Achromat aus einer Kronglas-Sammellinse und einer Flintglas-Zerstreuungslinse mit jeweils verschiedener Dispersion

Herbert Achternbusch

Robert van Ackeren

Ackerrettich

sphären, die 8 Unsterblichen des Daoismus); im N. T. Symbol für den 8. Schöpfungstag (Auferstehung Christi) und der Taufe, daher oft oktogonale Kirchenbauten. Die →Oktave als Grundlage des abendländ. Tonsystems spiegelt nach Pythagoras die Harmonie des Kosmos.

Acht [ahd. ahta »Verfolgung«] (Ächtung), Ausstoßung aus der Gemeinschaft. – Im *german. Recht* bedeutete A. die Ausstoßung des Rechtsbrechers aus der Rechts- und Friedensgemeinschaft **(Friedlosigkeit, Friedloslegung);** jeder durfte ihn bußlos töten. Der Geächtete konnte sich aus der A. lösen, indem er sich dem Gericht stellte und sich dessen Urteil unterwarf. Das mittelalterl. Recht sah die A. nur noch als Strafe für den Bruch des Landfriedens vor. Eine mildere Form der A. war die **Verfestung,** bei der jedermann den Verfesteten gefangen nehmen und an den Richter abliefern oder bei Widerstand töten konnte. Die A. erstreckte sich zunächst nur auf den Bez. des Gerichts, konnte aber als **Landes-A.** auf das ganze Land ausgedehnt werden. Die **Reichs-A.** konnte nur der Kaiser aussprechen; ihre Folgen erstreckten sich über das ganze Reich, sie traf selbst mächtige Fürsten, z. B. Heinrich den Löwen.

achter [niederdt. Form von after], *seemännisch:* hinter-, z. B. das **Achterdeck,** das hintere Deck. **achtern,** hinten.

Achter, größtes Rennruderboot für acht Ruderer und Steuermann (-frau).

Achterbahn, Berg-und-Tal-Bahn mit mehreren Schleifen in Form einer 8, oftmals auch mit Looping, z. B. auf Jahrmärkten.

Achtermannshöhe, Berg im Harz, südwestl. vom Brocken, 926 m ü. M.; Aussichtspunkt.

Achternbusch, Herbert, Schriftsteller, *München 23. 11. 1938; vom herkömml. Erzählschema abweichende zugleich subjektive und sozialkrit. Prosa (»Das Gespenst«, 1982; »Ab nach Tibet«, 1993; »Stades«, 1994) und Dramen (»Ella«, 1978); ferner Filme (»Heilt Hitler«, 1986).

Achtflächner, *Mathematik:* das →Oktaeder.

Achtkampf, Mehrkampf im Frauenturnen; besteht aus je einer Pflicht- und Kürübung im Pferdsprung, am Stufenbarren, am Schwebebalken und im Bodenturnen.

Achtuba *die,* linker Mündungsarm der Wolga, zweigt 21 km oberhalb von Wolgograd ab, 537 km lang.

Achylie [grch.] *die, Medizin:* das Fehlen eines Verdauungssaftes (z. B. Magensaft) infolge Untätigkeit der betreffenden Drüsen.

a. c. i., Abk. für →**a**ccusativus **c**um **i**nfinitivo.

Acidimetrie (Azidimetrie) [lat.-grch.] *die, Chemie:* Verfahren der →Maßanalyse zur Bestimmung der Säurekonzentration durch (genau eingestellte) Laugen.

Acidität (Azidität) [lat.] *die, Chemie:* Maß für Säuregehalt oder -stärke einer Lösung, ausgedrückt durch Konzentrationsmaße (z. B. Normalität, Molarität) für die Säure oder den pH-Wert der Lösung.

Acidum [lat.] *das,* **1)** Säure.

2) Arzneimittel zum Ansäuern des Magensafts bei Salzsäuremangel.

Acireale [-tʃ-], Hafenstadt und Kurort auf Sizilien, am SO-Fuß des Ätna, 47 400 Ew.; radioaktive Thermen.

Acker [ahd. ackar, urspr. »Viehweide«], altes Feldmaß verschiedener Größe (0,22–0,65 ha).

Ackerbau, Nutzung des landwirtsch. Bodens, i. w. S. einschließlich der Nutzung natürl. Grünlandes, der Viehhaltung, bei intensiver Ausgestaltung auch der landwirtsch. Nebenbetriebe; i. e. S. beschränkt auf den Anbau von Kulturpflanzen zur Gewinnung von Pflanzenerträgen. Die Ertragsbildung der Pflanzen (Pflanzenproduktion) ist abhängig vom Zusammenwirken der in enger Wechselbeziehung stehenden Faktoren des Klimas, des Bodens sowie des Pflanzenbestandes mit den in der Pflanze je nach Art und Sorte verschieden wirkenden inneren Wachstumsfaktoren. Nach den verwendeten Geräten unterscheidet man **pfluglosen A.** (→Hackbau) und **Pflugbau.** Größte Bevölkerungskonzentrationen auf landwirtsch. Grundlage konnten dort entstehen, wo Dauerfeldbau möglich ist und mehr als eine Ernte im Jahr eingebracht werden kann (z. B. Monsun-Asien). – Entwicklung und Organisation des A. stehen in engstem Zusammenhang mit der Ausbildung früher Hochkulturen (Ägypten, Babylonien, China, Indien). Früheste Formen des A. finden sich im 9. Jt. v. Chr. in Vorderasien.

📖 *A. u. Umweltschutz. Für Neugierige u. Nachdenkliche, hg. vom Industrieverband Agrar e. V. Frankfurt am Main 1991. – A. unter veränderten Bedingungen. Neue Techniken zur Kosteneinsparung, hg. v.* M. Estler *u. a. Freising 1994.*

Ackerbürger, Stadtbürger mit Landbesitz in der Stadtgemarkung, den er selbst nutzt, vom MA. bis ins 18. Jh. die Mehrzahl der Bürger der europ. Landstädte **(A.-Städte).**

Ackeren, Robert van, Filmregisseur niederländ. Herkunft, *Berlin 22. 12. 1946; drehte Kurzfilme, seit 1971 (»Blondies number one«) Spielfilme, u. a. »Die Reinheit des Herzens« (1980), »Die flambierte Frau« (1983), »Die Venusfalle« (1987).

Ackerkrume, oberste, bis 30 cm tiefe Schicht des Ackerbodens, angereichert durch Zersetzungsprodukte bes. der Wurzeln oder der organ. Düngung.

Ackermann aus Böhmen, →Johannes von Tepl.

Ackermann, **1)** Anton, eigtl. Eugen Hanisch, Politiker (KPD, SED), *Thalheim/Erzgeb. 25. 12. 1905, †Berlin (Ost) 4. 5. 1973; 1946 führend an der Gründung der SED beteiligt, vertrat bis 1948 die Doktrin vom »besonderen dt. Weg zum Sozialismus«. 1954 aus dem ZK der SED ausgeschlossen, 1956 rehabilitiert.

2) Konrad Ernst, Schauspieler und Bühnenleiter, *Schwerin 1. 2. 1712 (1710?), †Hamburg 13. 11. 1771; wirkte mit seiner Truppe seit 1764 in Hamburg. Seine Frau Sophie Charlotte A., geb. Biereichel, (*1714, †1792) sowie die Töchter Dorothea und Charlotte waren bed. Schauspielerinnen.

Ackernahrung, landwirtsch. Betrieb, dessen Größe (abhängig von Bodenqualität, Standortbedingungen, Verkehrslage u. a.) zum Unterhalt einer Familie ausreicht; heute durch die Bez. »bäuerl. Familienbetrieb« ersetzt.

Ackerrettich (Hederich, Raphanus raphanistrum), Kreuzblütler, in Europa und den Mittelmeerländern auf Äckern und Brachen häufiges Unkraut mit blaugrünem Stängel, gelbl. Blüte und perlschnurartiger Schote; ähnelt dem →Ackersenf.

Ackerröte (Sherardia arvensis), Rötegewächs, häufiges Getreideunkraut auf Kalk- und Tonboden mit liegendem, ästigem Stängel, lanzettl. Blättchen und helllilafarbigen, trichterförmigen Blüten.

Ackerschachtelhalm, →Schachtelhalm.

Ackerschlepper, →Traktor.

Ackerschnecke, bis 6 cm lange Nacktschnecke; Pflanzenschädling.

Ackersenf (Sinapis arvensis), Kreuzblütler, Acker- und Gartenunkraut mit goldgelber Krone und waagerecht abstehenden Kelchblättern, fiederlappigen oder buchtigen Blättern; Schoten.

Acnidaria [grch.], *Zoologie:* die →Rippenquallen.

Aconcagua, der höchste Berg Gesamtamerikas, in den Anden Argentiniens, 6959 m ü. M., aus vulkan. Gesteinsmaterial (Überschiebungsdecke) über gefaltetem mesozoischem Sockel.

à condition [a kɔ̃diˈsjɔ̃, frz.], Abk. **à. c.,** vorbehaltlich der Rückgabe; bes. im Buchhandel (→Konditionsgut).

Aconitin (Akonitin) [lat.], hochgiftiges Alkaloid aus Aconitum napellus (Blauer Eisenhut); gehört zu den stärksten Pflanzengiften.

Aconitum [grch.], Hahnenfußgewächs, →Eisenhut.

a conto [italien.], Abk. **a c.** oder **a/c.,** auf Rechnung von ... **A-conto-Zahlung,** →Akontozahlung.

Acosta (da Costa), Gabriel (Uriel), jüd. Religionsphilosoph, *Porto um 1585, †(Freitod) Amsterdam April 1640; aus einer kath. gewordenen jüd. Familie, kehrte er 1620 zum jüd. Glauben zurück; wurde wegen Irrlehren zweimal mit dem rabbin. Bann belegt; Autobiographie »Exemplar humanae vitae« (hg. 1687).

Acqui Terme, Badeort in Piemont, Prov. Alessandria, Italien, 20400 Ew.; Bischofssitz; heiße Schwefel- und Jodquellen.

Acre [ˈeɪkə, engl.] *der,* in den angloamerikan. Ländern noch gebräuchl. nichtmetr. Flächeneinheit für Flurstücke.

Ursprünglich verstand man unter einem **Acre** *eine Fläche, die an einem Tag unter den Pflug zu nehmen war. Da das eine ziemlich variable Größe ist, legte man während der Regierungszeit Heinrichs VIII. (1509–47) fest, dass ein Acre 160 Square Rods (bzw. 40 mal 4 Poles) betragen solle. Diese Einheit ist, da nach aktuellem Standard ein Rod 16,5 Feet entspricht, leicht auf 43560 Square Feet umzurechnen. Aber ein Mysterium bleibt: Ein Acre in Großbritannien entspricht 4046,8494 m², das amerikanische Acre hingegen 4046,8726 m²!?*

Acre [ˈakri], **1)** (Rio A., Rio Aquiri) *der,* rechter Nebenfluss des Purús in W-Brasilien, rd. 700 km.

2) Staat im südwestl. Randgebiet Amazoniens, Brasilien, 153698 km², (1991) 417100 Ew.; Hptst.: Rio Branco am Rio A.; bedeutende Forstwirtschaft. – Das Gebiet war lange Streitobjekt zw. Bolivien und Brasilien; 1903 kam der größte Teil zu Brasilien.

Acridin [lat.] *das,* schwache, aromat. Base; Ausgangsstoff für A.-Farbstoffe und Pharmazeutika. A. ist hautreizend.

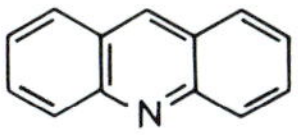

Acridin

Acrolein *das* (Propenal), farblose, sehr giftige Flüssigkeit von stechendem Geruch; entsteht beim Überhitzen von Fett und wird durch katalyt. Oxidation von Propylen hergestellt. Verwendet zur Herstellung von Glycerin und Methionin.

Acrylglas, organische Kunstgläser aus →Polymethacrylaten.

Acrylharze, →Polyacrylharze.

Acrylnitril (Acrylsäurenitril), wichtiger Rohstoff für Acrylfasern, Kunststoffe und Kautschuk, katalyt. hergestellt aus Propylen mit Ammoniak und Sauerstoff. Das Atemgift A. zählt zu den Krebs erzeugenden Arbeitsstoffen.

$CH_2{=}CH{-}CN$

Acrylnitril

Acrylnitril-Butadien-Styrol-Polymerisate, →ABS-Polymerisate.

Acrylsäure, die einfachste ungesättigte Carbonsäure. Wichtiger Rohstoff für Anstriche und Klebstoffe.

Act [ækt, engl.] *der, angloamerikan. Recht:* Gesetz, Beschluss, aber auch Rechtshandlung, Willenserklärung.

Acta Apostolicae Sedis [lat.], das Amtsblatt des Päpstl. Stuhls (seit 1909).

Acta Apostolorum [lat.], die →Apostelgeschichte.

Acta Eruditorum [lat.], erste gelehrte Zeitschrift Deutschlands, 1682 in Leipzig von O. Mencke gegründet, ab 1732 u. d. T. »Nova Acta Eruditorum«, 1782 eingestellt (117 Bde.).

Actionpainting: Jackson Pollock, Nummer 12 (1952; Privatsammlung)

Acta Sanctorum [lat.], Sammlungen von oft legendar. Nachrichten über Märtyrer und Heilige der kath. Kirche, v. a. die des Jesuiten Johannes Bolland (*1596, †1665), seiner Mitarbeiter und Nachfolger, der Bollandisten.

ACTH, Abk. für **a**dreno**c**ortico**t**ropes **H**ormon (Corticotropin), Hormon des Vorderlappens der Hirnanhangdrüse, regelt die Bildung und Ausschüttung von Hormonen der Nebennierenrinde; Protein aus 39 Aminosäuren; es ist synthetisch herstellbar.

Actiniden, veraltet für →Actinoide.

Actinium *das,* **Ac,** radioaktives metall. Element aus der Gruppe 3A des Periodensystems. Ordnungszahl 89, rel. Atommasse 227,0278 g/cm^3, Dichte 10,07, Schmelzpunkt 1050 °C, Siedepunkt ca. 3000 °C; chemisch dem Lanthan ähnlich; das längstlebige Isotop ^{227}Ac ist Zerfallsprodukt von Uran-235, ^{228}Ac kommt in der Thoriumreihe vor; es sind 26 Isotope mit Massenzahlen von 209 bis 232 bekannt.

Actinoide, die chem. Elemente 89 bis 103, chemisch den Lanthanoiden verwandt. Die meisten Transurane sind A.

Actinomycine [grch.], Antibiotika mit zytostat. Wirkung; Verwendung bei bestimmten Geschwulstkrankheiten.

Actio [lat.] *die,* im röm. Recht die gesetzl. oder vom Prätor gegebene Klageformel zur Durchsetzung eines Anspruchs.

Actio libera in causa [lat. »bei der Ursachensetzung freie Handlung«], *Strafrecht:* mit Strafe bedrohte Handlung, die zwar im Zustand der Schuldunfähigkeit verübt wird, bei der jedoch der Täter, als er sich in diesen Zustand versetzte, damit rechnete oder rechnen konnte, eine bestimmte Straftat auszuführen, sodass sich der Täter nicht auf seine Schuldunfähigkeit berufen kann.

Action ['ækʃn, engl.] *die,* dramat. Vorgang, ereignisreiche Handlung. **Actionfilm,** Bez. für bes. handlungsreiche Filme, meist Western, Abenteuer-, Kriminal-, Horror-, Kriegsfilme.

Action française [aks'jɔ̃ frɑ̃'sɛ:z] *die,* frz. politische Gruppe, entstand 1898 unter Führung der Schriftsteller C. Maurras und L. Daudet um die gleichnamige Zeitung; nationalistisch, antisemitisch und royalistisch ausgerichtet. Zu ihr gehörte der 1907 gegr. Wehrverband der »Camelots du roi«; 1936 aufgelöst.

Actionpainting ['ækʃnpeɪntɪŋ, engl.] *das,* 1950 geprägter Begriff, der im →abstrakten Expressionismus als Bez. für eine prozesshafte Malmethode erscheint, bei der das Bild zum Dokument eines spontanen Malvorganges wird; Hauptvertreter: J. Pollock.

actio = reactio, das newtonsche Reaktions-, Gegenwirkungsprinzip der Mechanik (→newtonsche Axiome).

Acton ['æktn], John Emerich Edward Dalberg, Baron A. (seit 1869), brit. Historiker, *Neapel 10. 1. 1834, †Tegernsee 19. 6. 1902; 1859–65 als Liberaler im Unterhaus, seit 1869 im Oberhaus; Vertrauter von Premiermin. W. Gladstone; Gründer der modernen histor. Schule in Cambridge, Hg. der »Cambridge Modern History«.

a. D., Abk. für **a**ußer **D**ienst.

A. D., Abk. für lat. **A**nno **D**omini, im Jahre des Herrn.

ADA (Ada), Programmiersprache, ben. nach Augusta Ada Byron (*1815, †1852). Wegen des modularen Aufbaus ist A. bes. gut zur Programmierung komplexer Probleme geeignet sowie für Echtzeitanwendungen und zur Lösung numer. Aufgaben.

ad absurdum führen [lat.-dt.], die Unsinnigkeit (einer Behauptung) beweisen.

ADAC, Abk. für →**A**llgemeiner **D**eutscher **A**utomobil-**C**lub e. V.

adagio [a'da:dʒo, italien.], *Musik:* langsam. **Adagio,** langsamer Satz einer Sonate, Sinfonie.

Adahandschrift, Prachtevangeliar der Hofschule Karls d. Gr., um 800 (Stadtbibliothek zu Trier), für die Äbtissin Ada, angeblich eine Schwester Karls des Großen.

Adaktylie [grch.] *die,* angeborenes Fehlen von Fingern oder Zehen.

Adalbert, Prinz von Preußen, *Berlin 29. 10. 1811, †Karlsbad 6. 6. 1873; Neffe Friedrich Wilhelms III., trug 1848 zur Schaffung der ersten dt. Kriegsflotte bei, war 1849–71 Oberbefehlshaber der preuß. Marine, veranlasste die Gründung von Wilhelmshaven.

Adalbert von Prag, eigtl. Vojtěch, Apostel der Preußen (seit 996), *Libice um 956, †(erschlagen) am Frischen Haff 23. 4. 997; wurde 983 Bischof von Prag. Heiliger, Tage: 23. 4. und 25. 8.

Adam [hebr. »Mensch«] und **Eva** [hebr. »Leben«], nach der Bibel (1. Mos. 1–4) das erste Menschenpaar und Stammeltern aller Menschen. Urspr. im Paradies, aßen sie vom Baum der Erkenntnis und wurden vertrieben. Bei Paulus (Röm. 5, 14; 1. Kor. 15, 45) tritt der erste Mensch als Urheber der Sünde und des Todes in Ggs. zu Christus, dem zweiten A., dem Urheber des Lebens, auf. Im Schrifttum des MA. ist die Geschichte von A. und Eva oft behandelt worden, z. B. in Mysterienspielen. Die bildende Kunst stellte bes. die Erschaffung, den Sündenfall und die Vertreibung dar (Hildesheimer Bronzetür, Adamspforte des Bamberger Doms, Fresken von Masaccio und Michelangelo, Stich von Dürer u. a.).

Adahandschrift: Miniatur des heiligen Matthäus (um 800; Trier, Stadtbibliothek)

Adam von Bremen, Chronist, † zw. 1081 und 1085; seit 1066 Domherr in Bremen, schrieb eine »Geschichte der Hamburg. Kirche« (zw. 1072 und 1076) mit Berichten über die nord. Völker und einem Lebensbild des Erzbischofs Adalbert von Hamburg-Bremen (*um 1000, †1072).

Adam, 1) [a'dã], Adolphe Charles, frz. Komponist, *Paris 24. 7. 1803, †ebd. 3. 5. 1856; schrieb im Stil der Opéra comique die Spielopern »Der Postillon von Lonjumeau« (1836), »Wenn ich König wär'« (1852) u. a., ferner Ballette, z. B. »Giselle« (1841).

2) [a'dã], François-Gaspard, frz. Bildhauer, *Nancy 23. 5. 1710, †Paris 1761; schuf für Friedrich d. Gr. Bildwerke in Potsdam und Sanssouci.

3) [a'dã], Henri-Georges, frz. Bildhauer, *Paris 18. 1. 1904, †Perros-Guirec (Dép. Côtes-d'Armor) 27. 8. 1967; schuf monumental wirkende abstrakte Plastiken in klarer Linienführung; auch Radierungen und Entwürfe für Wandteppiche.

4) Karl, Rudertrainer, *Hagen 2. 5. 1912, †Bad Salzuflen 18. 6. 1976; war 1964–76 Leiter der Ruderakademie in Ratzeburg, trainierte u. a. den Dtl.-Achter.

5) ['ædəm], Robert, schott. Architekt, *Kirkcaldy 3. 7. 1728, †London 3. 3. 1792; schuf mit seinem Bruder James (*1732, †1794) Bauwerke in klassizist. Stil **(Adam-Style).**

6) Theo Siegfried, Sänger (Bassbariton), *Dresden 1. 8. 1926; als Opern- (bes. Wagner), Lied- und Oratoriensänger sehr geschätzt; wirkt auch als Regisseur.

Adolphe Charles Adam

Theo Siegfried Adam

Adamaua [nach dem Fulbe-Herrscher Adama, um 1830], Bergland in Mittelkamerun, ein welliges Grashochland (mittlere Höhen um 1000 m ü. M.), aus dem schroffe Granitmassive und Inselberge aufsteigen; mächtige Bauxitlager; bewohnt von den Fulbe.

Adamclisi (Adamklissi), rumän. Dorf in der südl. Dobrudscha mit den Resten eines 109 n. Chr. von Trajan errichteten Siegesdenkmals, ein zylindr. Bau von 30 m Durchmesser.

Adam de la Halle [a'dã də la'al], frz. Dichter und Komponist, *Arras um 1237, †Neapel (?) um 1288 oder 1306; verfasste und komponierte Chansons, Rondeaus, Motetten, Streitgedichte, eine Ballade und die ältesten frz. Singspiele (»Le jeu de Robin et de Marion«, 1283).

Adamellogruppe, Gebirgsgruppe in den Südalpen, Italien, südl. des Ortlers, in der Presanella 3564 m ü. M., im Adamello 3554 m ü. M.

Adamiten (Adamianer), in der Kirchengeschichte nicht sicher bezeugte Sondergemeinschaften, die ihren Gottesdienst angeblich zur Darstellung paradies. Unschuld nackt feierten.

Adamov, Arthur, frz. Dramatiker russisch-armen. Herkunft, *Kislowodsk (Region Stawropol) 23. 8. 1908, †(Freitod) Paris 15. 3. 1970; lebte dort seit 1924, Avantgardist des frz. Nachkriegstheaters, u. a. »Ping Pong« (1955), »Paolo Paoli« (1957), »Off limits« (1969).

Arthur Adamov

Adams ['ædəmz], **1)** Ansel, amerikan. Fotograf, *San Francisco 20. 2. 1902, †Monterey Peninsula (Calif.) 22. 4. 1984. Seine Fotos amerikan. Landschaften errangen internat. Anerkennung.

2) John, 2. Präs. der USA (1797–1801), *Braintree (jetzt Quincy, Mass.) 30. 10. 1735, †ebd. 4. 7. 1826; schloss 1783 den Frieden mit Großbritannien. Sein Sohn John Quincy (*1767, †1848) war der 6. Präs. der USA (1825–29), dessen Enkel Henry (*1838, †1918) ein bed. Historiker und Geschichtsphilosoph.

Ansel Adams: Felsen und Dünung, Big Sur Coast, Kalifornien (um 1951)

Adamsapfel, hervortretender Teil des Schildknorpels am →Kehlkopf, beim Mann stärker ausgebildet.

Adamsbrücke, rd. 86 km lange Kette von Inseln und Sandbänken zw. Ceylon (Sri Lanka) und Südindien; Perlenfischerei.

Adam's Peak ['ædəmz pi:k], Gneisberg auf Ceylon (Sri Lanka), 2243 m ü. M., mit einer als Fußabdruck Adams bzw. Shivas oder Buddhas gedeuteten Vertiefung; Wallfahrtsort.

Adamsspiel, das älteste erhaltene geistliche Drama in altfrz. Sprache (12. Jh.), behandelt den Sündenfall, Kains Brudermord und die Weissagungen der Propheten.

Adams-Stokes-Syndrom ['ædəmz-'stəʊks-; nach den brit. Ärzten R. Adams, *1791, †1875, und W. Stokes, *1804, †1878], lebensbedrohendes Krankheitsbild mit hochgradig verlangsamtem Puls und kurzer Bewusstlosigkeit bei mangelhafter Durchblutung des Gehirns infolge von Herzrhythmusstörungen.

Adana, Hptst. der türk. Prov. A., 972 300 Ew.; Baumwollverarbeitung, Baustoff-, Nahrungsmittelind.; Kraftwerk am Seyhan; Univ. (gegr. 1973); Flughafen. In der Altstadt u. a. die Große Moschee Ulu Camii (Anfang 16. Jh.).

Adapazarı, Hptst. der türk. Prov. Sakarya in NW-Anatolien, 174 400 Ew.; Tabak-, Zucker-, Nahrungsmittelind.; Traktoren- und Eisenbahnwerk.

Adaptation (Adaption) [lat.] *die,* **1)** *Biologie:* die biolog. →Anpassung, z. B. des Auges an die jeweilige Helligkeit.

2) *Literatur:* svw. →Bearbeitung.

3) *Medizin:* (Adaptationssyndrom) →Selye.

Adapter [engl.] *der,* Zusatzteil, das den Anwendungsbereich eines Gerätes erweitert, indem es den Übergang zw. Vorrichtungen versch. Systeme ermöglicht; z. B. Verbindungsstück für Kamera und Objektive versch. Fabrikate, für Steckverbinder bei elektrotechn. Geräten **(A.-Stecker, A.-Kabel),** für den Kopplungsteil von Raumfahrzeugen.

adaptierte Milch, industriell auf Kuhmilchbasis hergestellte Milch zur Säuglingsernährung, der Muttermilch ähnlich zusammengesetzt.

adaptive Optik (aktive Optik), Verfahren zur Korrektur von Abbildungs- und Phasenfehlern bei der opt. Abbildung durch optoelektron. Formveränderung von opt. Bauelementen, insbesondere von Spiegeln; Anwendung v. a. bei Großteleskopen und Hochleistungslasern.

Adaptronik [Kw. aus **adap**tiv und Elek**tronik**], interdisziplinäres Forschungsgebiet, das sich mit multifunktionellen techn. Strukturen und Systemen beschäftigt. Die adaptiven Systeme sind in der Lage, sich wechselnden Betriebsbedingungen aktiv anzupassen; man spricht daher auch von adaptiven oder »intelligenten« Systemen. Ein großes Einsatzpotenzial für adaptive Systeme wird in der Sicherheitstechnik, der Schwingungsdämpfung, der adaptiven Optik und der Medizin gesehen. Wichtige Impulse für die A. kommen v. a. aus der Werkstoffforschung, die Materialien mit geeigneten Eigenschaften entwickelt (z. B. Memorylegierungen, Polymer- und Keramikwerkstoffe mit Gedächtniseffekten, piezoelektr. Materialien).

📖 NEUMANN, D.: *Bausteine »intelligenter« Technik von morgen. Funktionswerkstoffe in der A. Darmstadt 1995.*

adäquat [lat.], angemessen, passend, entsprechend.

ADAV, Abk. für **A**llgemeiner **D**eutscher **A**rbeiter**v**erein, →Sozialdemokratie.

ADC, Abk. für **A**nalog-**d**igital-**C**onverter, →Analog-digital-Umsetzer.

ad calendas graecas [lat. »bis zu den grch. Kalenden«], niemals (da die Griechen keine →Kalenden hatten).

Adcock ['ædkɔk; nach dem brit. Erfinder F. Adcock], Peilantenne für stationäre Anlagen.

Adda *der* oder *die* (lat. Addua), linker Nebenfluss des Po, Italien, 313 km, entspringt in den Zentralalpen, durchströmt das Veltlin und den Comer See, mündet oberhalb von Cremona; zahlreiche Kraftwerke.

Addams ['ædəmz], **1)** Chas, eigtl. Charles Samuel A., amerikan. Karikaturist, *Westfield (N. Y.) 7. 1. 1912, †New York 5. 10. 1988; seit 1935 Mitarbeiter der Zeitschrift »The New Yorker«, beispielgebend für den angelsächs. »schwarzen Humor«.

Chas Addams: Zeichnung aus der Folge »Monster Rally«

2) Jane, amerikan. Sozialreformerin, *Cedarville (Ill.) 6. 9. 1860, †Chicago 21. 5. 1935; setzte sich für Frauenwahlrecht, Jugendschutz, Armenpflege und den Friedensgedanken ein; 1915 Mitbegründerin, dann Präsidentin der Women's International League for Peace and Freedom; Friedensnobelpreis 1931 (mit N. M. Butler).

Addis Abeba [»neue Blume«], Hptst. und wirtsch. Zentrum von Äthiopien, in der Mitte des Landes auf einer Hochfläche, 2420 m ü. M., 1,7 Mio. Ew.; Sitz eines kopt. Patriarchen sowie der UN-Wirtschaftskommission für Afrika (ECA); Univ., TH, Goethe-Inst., Nationalmuseum, vielfältige Ind., internat. Flughafen; Eisenbahnlinie nach Djibouti.

Addison ['ædɪsn], Joseph, engl. Staatsmann, Schriftsteller, *Amesbury (Wiltshire) 1. 5. 1672, †London 17. 6. 1719; war Unterstaatssekretär, seit 1717 Minister. In seinen Beiträgen zu den ersten →Moralischen Wochenschriften schilderte er liebevoll den bürgerl. Alltag und bereitete so dem Roman des 18. Jh. den Weg.

Addison-Krankheit ['ædɪsn-; nach dem brit. Arzt T. Addison, *1793, †1860] (Bronzehautkrankheit), seltene, auf mangelnder Hormonbildung der Nebennierenrinde (meist infolge einer →Autoimmunkrankheit) beruhende Erkrankung; Kennzeichen sind u. a. Übelkeit, Abmagerung, Muskelschwäche, Pigmentierung von Haut und Schleimhäuten.

Addition [lat.] *die,* **1)** eine der Grundrechnungsarten, bei der mindestens zwei **Summanden** zusammengezählt werden; das Ergebnis heißt **Summe.** Die A. gehorcht dem Assoziativgesetz, dem Kommutativgesetz und löst die Gleichung $a+x=b$ für beliebige Zahlen a und b stets eindeutig.

2) in der organ. Chemie eine Reaktion, bei der Atome oder Atomgruppen an ein Molekül mit Doppel- oder Dreifachbindung angelagert werden.

Additive, qualitätsverbessernde und die Verarbeitung erleichternde Zusätze zu Kraft- und Kunststoffen, Lacken, Schmierölen, Waschmitteln u. a., z. B. Antiklopfmittel, Füllstoffe, Weichmacher usw. Bei Lebensmitteln →Zusatzstoffe.

Adduktion [lat.] *die,* das seitl. Heranführen **(Adduzieren)** eines Gliedes an die Körperlängsachse. **Adduktoren,** die diese Bewegung ausführenden Muskeln.

Adebar [ahd. odebero, eigtl. »Segenbringer«, wohl umgedeutet aus dem german. Wort für »Sumpfgänger«] *der, niederdt.* und *volkstümlich:* Storch.

Adel [ahd. adal »Geschlecht«, »Abstammung«], ein ehem. sozial, rechtlich und politisch privilegierter Stand, gegründet auf Geburt, Besitz oder (meist krieger.) Leistung, gekennzeichnet durch besondere Lebensformen und ein ausgeprägtes Standesethos.

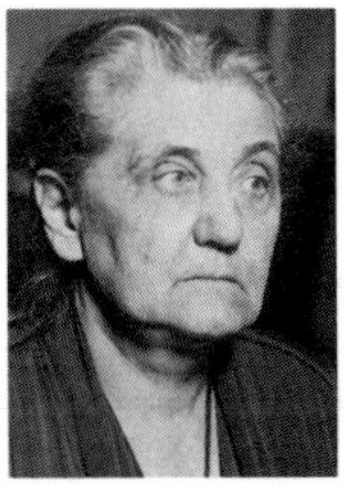

Jane Addams

Geschichte: Mit der Entstehung der Hochkulturen bildete sich eine aristokrat., bevorrechtete Schicht der Gesellschaft heraus; im antiken Griechenland hatte der krieger. A. eine beherrschende Stellung, im Röm. Reich die →Patrizier und die Nobilität **(Amts-A.),** die zus. mit dem A. der unterworfenen Prov. den Bestand des Reiches sicherten. – In *Deutschland* trat neben den altgerman. **Geburts-A.** der Edelinge oder Edelfreien in fränk. Zeit ein **Dienst-A.,** der den Königsdienst leistete und mit Lehen ausgestattet wurde. Aus ihm bildete sich der mittelalterl. Ritterstand (→Rittertum). Die einfachen Ritter, auch die urspr. unfreien →Ministerialen (Dienstmannen), wurden zum **niederen A.,** der teils als reichsunmittelbarer A. die Reichsritterschaft bildete, teils landsässiger A. der fürstl. Landesherren war. Aus den edelfreien Geschlechtern entstand der mit staatl. Hoheitsrechten ausgestattete **hohe A.:** weltl. und geistl. Fürsten, Grafen und freie Herren. Sein wesentl. Merkmal wurde seit dem 16. Jh. die Reichsstandschaft, d. h. Sitz und Stimme auf dem Reichstag. Im 14. Jh. begann die Verleihung des i. d. R. erbl. A. durch **A.-Brief** des Kaisers; diesen seit 1806 auch von den Monarchen der dt. Rheinbundstaaten und nach 1815 durch alle dt. Landesfürsten erteilten jüngeren **Brief-A.** unterscheidet man vom alten A., zu dem man alle vor 1350 als ritterbürtig nachweisbaren Geschlechter rechnet. Die alten A.-Vorrechte (Steuerfreiheit, gutsherrl. Gerichtsbarkeit, Recht auf die bäuerl. Frondienste,

Joseph Addison

Bevorzugung im Staats- und Heeresdienst) wurden seit 1789 und 1848/49 fast alle abgeschafft. 1803 und 1806 wurden die meisten kleineren Geschlechter des hohen A. und die Reichsritterschaft mediatisiert (→Standesherren). Dennoch konnte sich der A. im kaiserl. Dtl. bis zum Ende des 1. Weltkriegs als Führungsschicht behaupten. Die Weimarer Reichsverf. von 1919 (Art. 109) hat die letzten Sonderrechte des A. beseitigt und festgesetzt, dass A.-Bez. fortan nur als Teil des Namens gelten und nicht mehr verliehen werden dürfen. Die Stufen sind: Herzog, Fürst, Graf, Freiherr (Baron), Ritter (nur in Bayern und im alten Österreich), Edler (nur im alten Österreich) und das bloße »von«.

Die *Tschechoslowakei* und *Österreich* haben 1918/19 den A. aufgehoben. – In der *Schweiz* wird der A. schon seit Anfang des 19. Jh. amtlich nicht anerkannt.

In *Großbritannien* entwickelten sich aus den Baronen (Kronvasallen) und den einfachen Rittern des MA. ein hoher und ein niederer A. Der hohe A., die Nobility, mit dem allg. Titel →Lord, gliedert sich in die Rangstufen: Herzog (Duke), Marquess, Graf (Earl), Viscount, Baron. Mit ihm ist die Peerswürde (→Peer) verknüpft, die mit dem Grundbesitz nur auf den Erstgeborenen vererbt wird. Die jüngeren Söhne führen den Höflichkeitstitel Lord vor ihrem Vor- und Familiennamen, der meist von dem Peerstitel verschieden ist; ihre Nachkommen sind stets einfache Bürgerliche. Aus dem niederen Land-A. ist durch frühzeitige Verschmelzung mit dem Großbürgertum die Gentry entstanden; ihre Rangstufen sind Baronet (erblich) und Knight (nur persönlich), die ihrem Vornamen den Titel Sir voransetzen.

Johann Christoph Adelung

Im alten *Frankreich* unterschied man die Noblesse de race (»Geburts-A.«), die Noblesse de lettres (»Brief-A.«) und die Noblesse de robe (»Amts-A.«). Nach Verzicht des A. auf Vorrechte und Titel 1789 und seine Dezimierung durch die Revolution formierte Napoleon I. ab 1804 aus den Großwürdenträgern und Marschällen seines Empires einen kaiserl. Neu-A. (erneutes Verbot der Titelführung 1848–52). Die Rangstufen sind: Fürst (Prince), Herzog (Duc), Marquis, Graf (Comte), Vicomte, Baron, einfacher A. Entsprechend sind die Rangstufen in den anderen roman. Ländern.

In *Italien* hat die Verfassung von 1948 den A. abgeschafft, doch können A.-Bezeichnungen aus der Zeit vor der Herrschaft des Faschismus weiter geführt werden.

In *Spanien* bilden die Granden und die Titulados (»Betitelten«, bis zum Baron) den hohen, die Hidalgos den niederen A.

In *Ungarn* wurden die A.-Vorrechte 1848 abgeschafft, doch wahrte der A. z. T. bis 1945 seine Machtstellung.

Über den *polnischen A.* →Schlachta.

Der *russische A.* (Bojaren) bildete sich aus der bewaffneten Gefolgschaft der Fürsten (Druschina). Peter d. Gr., der durch die Rangtafel von 1722 alle Beamten und Offiziere in 14 adlige Rangklassen (Tschin) einteilte, begründete den Dienst-A. 1917 wurde der A. durch die bolschewist. Regierung abgeschafft.

In *Japan* kam neben dem alten kaiserl. Hof-A. (Kuge) im 12. Jh. ein ritterl. Kriegerstand auf (Buke), aus dem die obere Schicht der Daimyos und die untere Schicht der →Samurai hervorgingen. 1869 wurde aus den Kuge- und Daimyofamilien ein neuer A. (Kazoku) gebildet. Die Verf. von 1946 erkannte den A. nicht mehr an.

📖 SCHULZE, HANS K.: *A.sherrschaft u. Landesherrschaft. Köln 1963.* – ROGALLA VON BIEBERSTEIN, J.: *A.sherrschaft u. A.skultur in Deutschland. Frankfurt am Main u. a.* [2]*1991.* – *A. u. Bürgertum in Deutschland 1770–1848, hg. v.* E. FEHRENBACH *u. a. München 1994.* – LIEVEN, D.: *Abschied von Macht u. Würden. Der europ. A. 1815–1914. A. d. Engl. Frankfurt am Main 1995.*

Adenauer: Mit dem ganz auf ihren Bundeskanzler abgestellten Motto »Keine Experimente! Konrad Adenauer« konnte die CDU/CSU die Bundestagswahl 1957 mit absoluter Mehrheit gewinnen

Adelaide ['ædəleɪd], Hptst. von South Australia (Metropolitan Area), an der Mündung des Torrens River in den Saint-Vincent-Golf, 1,02 Mio. Ew.; kath. Erzbischofssitz, zwei Univ., Hochseehafen (Port A. im NW); Maschinenbau, Kfz- und Elektroind. – A. wurde 1836 gegründet.

Adelboden, Kurort im Berner Oberland, Schweiz, 1353 m ü. M., 3300 Ew.; Wintersport, Bergbahnen.

Adelheid, römisch-dt. Kaiserin und Heilige, *um 931, †Selz (im Elsass) 16. 12. 999; Tochter König Rudolfs II. von Burgund, ⚭ 947 mit König Lothar von Italien und nach dessen Tod (950) von seinem Nachfolger Berengar II. gefangen gehalten; sie rief Otto d. Gr. zu Hilfe, der sich 951 mit ihr vermählte. 991–94 war sie (mit Willigis von Mainz) Regentin für Otto III. 1097 heilig gesprochen (Tag: 16. 12.).

Adélieland [ade'li-], der O-Teil von Wilkesland, Antarktika, sturmreichstes Gebiet der Erde; 1840 entdeckt, seit 1955 Teil des frz. Überseeterritoriums Terres Australes et Antarctiques Françaises.

Adelsberg, Stadt in Slowenien, → Postojna.

Adelsbrief (Adelsdiplom), Urkunde, durch die der → Adel verliehen oder bestätigt wird.

Adelskrone, fünfzackige Krone, die unterste Stufe der → Rangkronen (für den nicht titulierten Adel).

Adelsprobe, Nachweis der adeligen Abstammung durch Zeugen und Vorlage der Ahnentafel.

Adelung, Johann Christoph, Sprachforscher, *Spantekow (bei Anklam) 8. 8. 1732, †Dresden 10. 9. 1806; war Bibliothekar und verfasste neben kulturgeschichtl. Werken in aufklärer. Geist grammat. Schriften, in denen er für die Einheit der Schriftsprache eintrat (»Versuch eines vollständigen grammat.-krit. Wörterbuchs der hochdt. Mundart«, 5 Bde., 1774–86).

Aden [eɪdn, engl.; arab. adan »Paradies«], Hauptwirtschafts- und Handelszentrum von Jemen, Hafen am Golf von A., 562 000 Ew.; – Univ. (gegr. 1975); Erdölraffinerie. Stadtmauer (11. Jh.) mit sechs Toren aus dem 13. Jh. – In Altertum und MA. wichtiger Hafen für den Handel zw. Europa und Asien; seit 1839 britisch, 1937 mit dem Umland zur Kronkolonie erhoben; 1963 wurde diese als Staat A. Teil der Südarab. Föderation; 1967–90 Hptst. der Demokrat. VR Jemen.

Aden, Golf von, Teil des Ind. Ozeans, zw. der Somalihalbinsel im S und der Arab. Halbinsel im Norden.

Adenauer, Konrad, Politiker (Zentrum, CDU), *Köln 5. 1. 1876, †Bad Honnef 19. 4. 1967; Jurist, war 1917 bis 1933 Oberbürgermeister von Köln, 1920–33 zugleich Präs. des preuß. Staatsrates. Nach dem Waffenstillstand 1918 bemühte sich A. um die Schaffung eines kath. bestimmten Rheinlandes als Gliedstaat des Dt. Reiches. 1933 enthoben ihn die Nationalsozialisten aller Ämter und inhaftierten ihn 1944 für einige Monate. 1945 beteiligte er sich am Aufbau der CDU; 1946–49 war er deren Vors. in der brit. Besatzungszone, 1950–66 in der Bundesrep. Dtl. 1948–49 war er Präs. des Parlamentar. Rates, 1949 wurde A. zum Bundeskanzler gewählt.

In seiner Innenpolitik unterstützte A. die soziale Marktwirtschaft L. → Erhards; außenpolitisch (1951 bis 1955 auch Außenmin.) setzte er sich für die dt.-frz. Verständigung als Kern einer polit. Einigung Europas ein. Darüber hinaus strebte er eine enge Zusammenarbeit mit den USA und eine Eingliederung der Bundesrep. Dtl. in das westl. Bündnissystem an (erreicht mit dem Abschluss der → Pariser Verträge). Er bemühte sich erfolgreich um die Verständigung mit Israel und förderte mit anderen europ. Politikern die Schaffung übernat. Gemeinschaften (1951: Montanunion, 1952: EVG, 1957: EWG, Euratom). Bestrebt, einem wieder vereinigten Dtl. den Beitritt zum westl. Bündnissystem offen zu halten, beließ er die Stalin-Note von 1952 (u. a. Fernhalten eines wieder vereinigten Dtl. aus den Militärbündnissen) ohne Echo. 1955 erreichte er in Moskau die Rückkehr der letzten dt. Kriegsgefangenen (gegen die Aufnahme diplomat. Beziehungen mit der UdSSR). Da seine Partei den populären L. Erhard als Kanzler wünschte, trat A. am 15. 10. 1963 widerstrebend zurück, blieb aber weiter politisch aktiv. – »Erinnerungen«, 4 Bde. (1965–68).

Als Träger des vatikanischen »Ordens vom goldenen Sporn« stand **Konrad Adenauer** *in Portugal ein außergewöhnliches Privileg zu: Er hatte das Recht, zu Pferde in eine Kirche hineinzureiten! Dies leitet sich aus der Geschichte des Ordens her, der im 16. Jahrhundert entstand. Mit der Verleihung des Ordens wurde der Ausgezeichnete zum Ritter der goldenen Miliz des Apostolischen Stuhls. Der »Orden vom goldenen Sporn« hat eine Klasse und nur 100 Mitglieder. Im September 1963 büßte Adenauer sein außerordentliches Privileg wieder ein, als ihm der Papst den ranghöheren »Christusorden« verlieh.*

Adenauer: John F. Kennedy, Willy Brandt und Konrad Adenauer am Brandenburger Tor (Berlin 1963)

📖 *K. A.s Regierungsstil,* hg. v. H.-P. Schwarz. *Bonn 1991.* – Altmann, Normen: *K. A. im Kalten Krieg. Wahrnehmungen u. Politik 1945–1956.*

Mannheim 1993. – Köhler, H.: *A. Eine polit. Biographie. Frankfurt am Main u. a. 1994.* – Poppinga, A.: *»Das Wichtigste ist der Mut«. K. A. – die letzten fünf Kanzlerjahre. Bergisch Gladbach 1994.*

Adenin [grch.] *das,* verbreitete Purinbase, Bestandteil der →Nucleinsäuren u. a. biologisch wirksamer Stoffe.

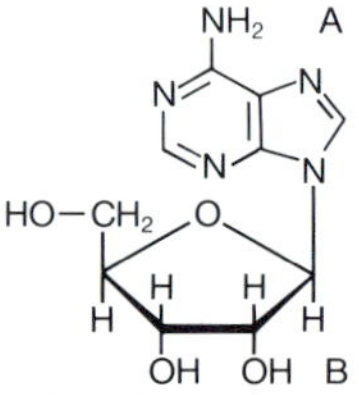

Adenosin

adenoide Wucherungen [von grch. aden »Drüse«] (fälschlich Polypen), Vergrößerung der Rachenmandel bei Kindern; es kommt zur Verlegung der Nasenatmung und weiteren Gesundheitsstörungen. Die Behandlung erfolgt durch operative Entfernung **(Adenotomie).**

Adenom [grch.] *das* (Drüsengeschwulst), gutartige, aus Drüsengewebe bestehende Geschwulst.

Adenosin [grch.] *das,* organ. Verbindung aus Adenin und D-Ribose. **A.-Triphosphat** spielt als chemisch gespeicherter Energievorrat der lebenden Zelle eine wesentl. Rolle bei vielen Energie verbrauchenden Reaktionen.

Adiantum

Adenoviren [grch.-lat.] (früher APC-Viren), Gruppe von DNS-haltigen Viren, rufen Entzündungen der oberen Luftwege und der Bindehaut des Auges hervor.

Adeps [lat.] *der,* Fett, bes. Schweinefett und Fett der Schafwolle, als Salbengrundlage.

Adept [lat. »der erlangt hat«] *der,* (in eine Geheimlehre) Eingeweihter, Anhänger einer Lehre.

Ader [mhd. »Eingeweide«], **1)** *Anatomie:* Blutgefäß, →Blutgefäße.

2) *Elektrotechnik:* Strom führender metall. Teil isolierter Leitungen.

3) *Geologie:* mineral. Füllmasse schmaler Gesteinsspalten.

Aderhaut, Gefäßhaut im →Auge.

Aderknoten, →Krampfadern.

Aderlass, Blutentnahme zur Behandlung von Krankheiten (Entzug von 500–800 ml Blut); nur noch selten angewendet.

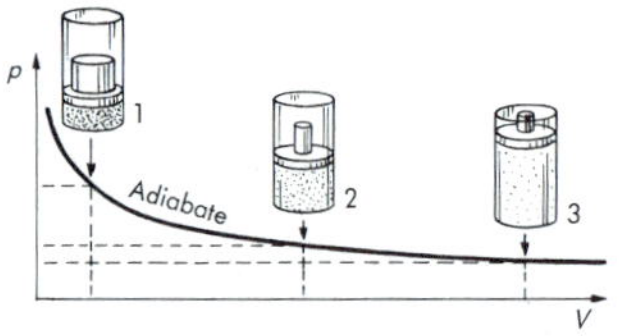

adiabatischer Prozess: Bei ihm wächst das in einem Gefäß abgeschlossene Gasvolumen *V* (1) mit abnehmendem Druck *p* (2,3)

Adermin [grch.] *das,* Vitamin B_6; →Vitamine.

ADF, Abk. für engl. **a**utomatic **d**irection **f**inder (Radiokompass), automatisch arbeitendes Bordpeilgerät (Funkpeiler).

ADFC, Abk. für **A**llgemeiner **D**eutscher **F**ahrrad-**C**lub e. V., Bremen, 1979 gegründeter Interessenverband, der sich in der Verkehrspolitik für die Förderung des Radfahrens einsetzt.

ADGB, Abk. für **A**llgemeiner **D**eutscher **G**ewerkschafts**b**und, →Gewerkschaften.

ADH, Abk. für **a**nti**d**iuretisches **H**ormon (Adiuretin), veraltet für →Vasopressin.

Adhäsion [lat.] *die,* das Aneinanderhaften von versch. Stoffen infolge molekularer Anziehungskräfte. Beispiele sind →Adsorption, Haftreibung, Kleben oder die Benetzung fester Körper mit Flüssigkeiten. Der Zusammenhalt von Molekülen des gleichen Stoffes beruht auf der →Kohäsion.

Ädikula: Larenheiligtum im Haus der Vettier in Pompeji (um 50 n. Chr.)

Adhäsionsbahn, →Reibungsbahn.

Adhäsionsprozess, *Recht:* Verfahren, das dem durch eine Straftat Verletzten die Möglichkeit gibt, einen aus dem Delikt erwachsenen vermögensrechtl. Anspruch im Strafprozess – statt vor dem Zivilgericht – geltend zu machen (§§ 403 ff. StPO).

ad hoc [lat. »für dieses«], zu diesem Zweck.

Ad-hoc-Publizität, Verpflichtung jedes Emittenten von zum Handel an einer inländ. Börse zugelassenen Wertpapieren, alle neuen Tatsachen in seinem Tätigkeitsbereich, die nicht öffentlich bekannt sind, unverzüglich zu veröffentlichen (§ 15 Wertpapierhandels-Ges. vom 26. 7. 1994).

adiabatischer Prozess [grch.], physikal. oder chem. Zustandsänderung (z. B. Kompression eines Gases), die so schnell verläuft oder so gut isoliert ist, dass während ihr keine Wärme zw. dem System und der Umgebung ausgetauscht wird. Im Zustandsdiagramm (z. B. p-V-Diagramm) beschreibt die **Adiabate** eine Kurve, die Zustände gleicher Entropie verbindet.

Adiantum [grch.] *das* (Frauenhaarfarn), Farngattung mit über 200 Arten, so **Venus-** oder **Frauenhaar** (Zimmerpflanze).

Adiaphora [grch. »Gleichgültiges«], *Philosophie:* in der stoischen Ethik urspr. alles, was weder als Gut noch als Übel angesehen wird und daher für die Glückseligkeit gleichgültig ist: Ruhm, Ruhmlosigkeit, Lust und Schmerz, Reichtum und Armut, selbst Leben und Tod.

adiaphoristische Streitigkeiten, in der Reformationszeit die Auseinandersetzung um die weitere Geltung der kath. Kult- und Verfassungsformen als Adiaphora oder deren Ablehnung.

Adige ['a:didʒe], italien. Name der →Etsch.

Adighe, Eigenbez. der →Tscherkessen.

Adigrantha, →Granth.

Ädikula [lat. aedicula »Zimmerchen«, »Häuschen«] *die,* kleiner Tempel; auch Nische (für Standbilder), auch als rahmendes Motiv und zur Gliederung von Flächen.

Ädilen [lat.], im antiken Rom eine Behörde, urspr. zwei, dann vier, seit Cäsar sechs Beamte. Ihnen unterstanden die städt. Polizei, Bauwesen, Verkehr, Feuerwehr, Getreideversorgung und -verteilung, Marktaufsicht und die öffentl. Spiele.

ad infinitum [lat. »ins Unendliche«], unaufhörlich.

Adipinsäure (Hexandisäure), kristalline organ. Säure, gewonnen durch Oxidation von Cyclohexan; Zwischenprodukt v.a. für Nylon.

Adipositas [lat.] *die,* →Fettsucht.

Adirondacks [ædɪ'rɔndæks] *Pl.,* seenreiche Gebirgsgruppe der Appalachen im NO des Staates New York, USA; im Mount Marcy 1629 m ü. M.

Adiuretin [grch.] *das,* veraltet für →Vasopressin.

ADI-Wert, Abk. für engl. **a**cceptable **d**aily **i**ntake, internat. Bez. für die höchste gesundheitlich unbedenkl. Tagesdosis von Rückständen aus Pflanzenschutzmitteln in oder an Lebensmitteln.

Adjani [adʒa'ni], Isabelle, frz. Schauspielerin, *Gennevilliers (Dép. Hauts-de-Seine) 18. 6. 1955; spielte u.a. in den Filmen »Die Geschichte der Adèle H.« (1975), »Ein mörder. Sommer« (1983), »Subway« (1985), »Camille Claudel« (1990).

Adjektiv [lat. nomen adiectivum »Beiwort«] *das* (Eigenschaftswort), Wortart zur näheren Bestimmung eines Bezugsworts. Man unterscheidet **attributive** (z.B. die *rote* Rose), **prädikative** (z.B. die Rose ist *rot*) und **verbalappositive A.** (z.B. er sieht *rot*). A. können dekliniert und gesteigert werden sowie Valenzen aufweisen. **Adverbial-A.** sind von einem Adverb abgeleitet und werden nur attributiv gebraucht (z.B. *gestrig*).

adjustieren [lat.], eichen, sorgfältig zurichten.

Adjutant [span.-frz. aus lat.] *der,* bis 1945 den Kommandeuren militär. Verbände zur Unterstützung beigegebener Offizier, heute der Begleitoffizier eines Generals.

Adler [mhd. adelar »edler Aar«] (Aquila), **1)** Sternbild der Äquatorzone, im Sommer am Abendhimmel sichtbar; sein hellster Stern ist der **Atair.**

2) Gattung der Greifvögel. Der **Stein-A.** (Aquila chrysaetus) ist in Europa und Asien heimisch, in Dtl. kommt er noch in den Alpen vor. Ihm ähnlich ist der **Kaiser-A.** (Aquila heliaca) in Spanien und SO-Europa. Bed. kleiner sind der im östl. Mitteleuropa vorkommende **Schrei-A.** (Aquila pomarina) und der **Schell-A.** (Aquila clanga). Diesen Echten A. ähnlich sind der 1,60 m spannende **Schlangen-A.** (Circaetius gallicus), der →Seeadler und der →Fischadler.

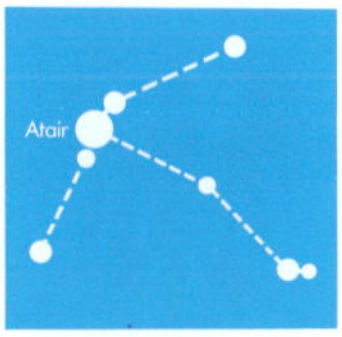

Adler 1)

Adler

Kaiseradler (Größe 78–83 cm; oben links); Steinadler (Größe 75–88 cm; oben rechts); Schelladler (Größe 66–73 cm; unten links); Schreiadler (Größe 61–66 cm; unten rechts)

Als Sinnbild war der A. bei Babyloniern, Persern und Indern Zeichen der höchsten Gottheit. Bei den Griechen war er Symbol des Zeus, in Rom als Zeichen Jupiters Sinnbild der kaiserl. Macht. Im Christentum ist er das Symbol des Evangelisten Johannes, Sinnbild der Wiedergeburt durch die Taufe sowie der Himmelfahrt Christi. – Heereszeichen war der A. zuerst bei den Persern und Ptolemäern; in Rom wurde er zum übl. Feldzeichen

Deutscher Adler (um 1300)

der Legionen. Als kaiserl. Wahrzeichen wurde der A. von Karl d. Gr. übernommen und im 12. Jh. zum dt. Reichswappen (Reichs-A.). Offiziell trat 1433 an seine Stelle der Doppel-A., den 1806 das österr. Kaisertum übernahm. Wappen des Dt. Reichs wurde 1871 ein einköpfiger schwarzer A. 1919–35 war das Wappen der Hohenstaufenkaiser in seiner romanisch-got. Form Reichswappen, seit 1950 ist es Bundeswappen. Als Zeichen der Hoheit ist der A. auch in viele andere Staatswappen (z. B. Polen, USA) übergegangen; die russ. Großfürsten bzw. Zaren übernahmen (ab 1472) den Doppel-A. des Oström. Reichs.

Byzantinischer Doppeladler

Adler, 1) Alfred, österr. Arzt und Tiefenpsychologe, *Wien 7. 2. 1870, †Aberdeen 28. 5. 1937; Schüler Freuds, Begründer der →Individualpsychologie; gab die Internat. Ztschr. für Individualpsychologie heraus; schrieb: »Über den nervösen Charakter« (1912), »Menschenkenntnis« (1927).

2) Friedrich, österr. Politiker (Sozialist), *Wien 9. 7. 1879, †Zürich 2. 1. 1960, Sohn von 5); erschoss 1916 den österr. MinPräs. Graf Stürgkh; zum Tode verurteilt, 1918 freigelassen; nach 1923 Sekretär der »Sozialist. Arbeiter-Internationale«.

3) H. G. (Hans Günther), österr. Schriftsteller, *Prag 2. 7. 1910, †London 21. 8. 1988; Studien über die Verfolgung der Juden, Erzählungen.

Tiroler Adler

4) Max, österr. Soziologe, *Wien 15. 1. 1873, †ebd. 28. 6. 1937; suchte den Marxismus im Zusammenhang mit Lehren Kants neu zu begründen (→Austromarxismus).

5) Victor, österr. Politiker, *Prag 24. 6. 1852, †Wien 11. 11. 1918, Vater von 2); Führer der von ihm 1888/89 mitgegr. »Sozialdemokrat. Partei« (seit 1905), maßgeblich an der Herausbildung des Austromarxismus beteiligt; war 1918 Staatssekretär des Äußeren.

Adlerfarn (Pteridium aquilinum), bis über 2 m hoher Wald- und Heidefarn mit tief liegendem Wurzelstock. **A.-Vergiftung** tritt bes. bei Jungrindern nach längerer Aufnahme ein (Harnbluten).

Adlerfisch, →Umberfische.

Adlergebirge (tschech. Orlické hory), westl. Kamm der Mittelsudeten, in der Deschneyer Großkoppe 1115 m ü. M.

Alfred Adler

Adlerorden, 1) (Schwarzer A.) 1701–1918 der höchste preuß. Orden, verbunden mit dem Erbadel.

2) (Roter A.) 1792–1918 zweithöchster preuß. Orden. – Weitere A. gab es in Albanien, Estland, Italien, Mexiko, Serbien, Polen und Russland.

ad libitum [lat.], Abk. **ad lib.,** *Musik:* Vortragsbezeichnung, mit der Tempo, Vortrag und Besetzung freigestellt werden.

Adliswil, Stadt im Kt. Zürich, Schweiz, 451 m ü. M., im Sihltal, am Fuße des Aebis, 16300 Ew.; Kleinindustrie.

Administration [lat.] *die,* →Verwaltung; in den USA auch die Regierung.

Admiral [frz., aus arab. amir ar-rahl »Befehlshaber der Flotte«] *der,* **1)** *Militärwesen:* urspr. Funktions-, später Dienstgradbezeichnung eines Führers von Kriegsschiffverbänden oder Chefs einer Marinebehörde.

2) *Zoologie:* (Vanessa atalanta) samtschwarzer Schmetterling mit weißen Flecken und roter Binde.

Admiralität, oberste Verwaltungs- und Kommandobehörde einer Kriegsmarine, im Dt. Reich auch Oberkommando (1889–99, 1935–45) oder Marineleitung (1920–35), in der Bundeswehr Führungsstab Marine.

Admiralitätsinseln (Admirality Islands), Koralleninselgruppe im Bismarckarchipel, 2100 km², Teil von Papua-Neuguinea (Prov. Manus); Hauptinsel ist **Manus** (1630 km²); Hauptort: **Lorengau.** Die melanes. Bewohner, 33000, von denen ein Teil in Pfahlbauten vor der Küste wohnt, leben von der Fischerei und ihren Kokospalmkulturen. – 1616 von Holländern entdeckt, 1885–1918 dt. Schutzgebiet.

Admiral's Cup ['ædmərəlz kʌp, engl.], *Segeln:* Länderkampf für drei Jachten aus jedem Land während einer Hochsee-Regattaserie, alle zwei Jahre.

Admiralstab, Führungsstab einer Kriegsmarine, entspricht dem Generalstab des Heeres.

Admittanz [lat.] *die,* komplexer Wechselstromleitwert, Kehrwert der Impedanz (→Wechselstromwiderstände).

Admont, Markt in der Steiermark, Österreich, im Ennstal, 614 m ü. M., 3100 Ew.; Fremdenverkehr; Sägewerke; Benediktinerabtei (1074 geweiht) mit barocker Bibliothek; Eisenmuseum.

ADN, Abk. für **A**llgemeiner **D**eutscher **N**achrichtendienst; ehemalige amtl. Nachrichtenagentur der DDR, →ddp/ADN.

Adnexe [lat.], Anhangsgebilde, bes. der Gebärmutter (Eierstock, Eileiter). **Adnexitis,** die meist bakterielle Entzündung der Adnexe. **Adnextumor,** eine entzündl. oder echte Geschwulst des Eileiters bzw. des Eierstocks.

Adobe [span. aus arab.] *der,* luftgetrockneter Lehmziegel, Baustoff in Trockengebieten seit Jahrtausenden.

Adoleszentenkyphose [lat.-grch.], die →Scheuermann-Krankheit.

Adoleszenz [lat.] *die,* die Reifezeit; Abschnitt der jugendl. Entwicklung im Übergang vom Jugend- zum Erwachsenenalter.

Adolf, Name von Herrschern:

Hl. Röm. Reich: **1) A. von Nassau,** König (1292–98), *um 1255, ⚔ bei Göllheim (bei Worms) 2. 7. 1298; suchte sich mit dem Erwerb von Thüringen und der Mark Meißen eine Hausmacht zu schaffen, wurde am 26. 6. 1298 von den mit Albrecht von Österreich verbündeten Kurfürsten abgesetzt und besiegt.

Luxemburg: **2) A.,** Großherzog (1890–1905), *Biebrich (heute zu Wiesbaden) 24. 7. 1817, †Schloss Hohenburg (Elsass) 17. 11. 1905; der letzte Herzog von Nassau (1839–66). Durch den Tod König Wilhelms III. der Niederlande kam A. in Luxemburg zur Regierung.

Mecklenburg-Schwerin: **3) A. Friedrich,** Herzog, Kolonialpolitiker, *Schwerin 10. 10. 1873, †Eutin 5. 8. 1969; leitete 1907/08 und 1910/11 ergebnisreiche Forschungsreisen durch Äquatorialafrika; 1912–14 war er Gouv. der dt. Kolonie Togo.

Schweden: **4) A. Friedrich,** König (1751–71), *Schloss Gottorf (heute zu Schleswig) 14. 5. 1710, †Stockholm 12. 2. 1771; aus dem Haus Holstein-Gottorp, heiratete 1744 Luise Ulrike, eine Schwester Friedrichs II. (d. Gr.). Unter seiner Regierung kam es zu Konflikten mit dem Parlament.

Adonai [hebr. »mein Herr«], Anrede Gottes im jüd. Gebet für →Jahwe.

Adonias Filho [- 'fiʎu], eigtl. A. Aguiar Júnior, brasilian. Schriftsteller, *bei Itajuípe (Bahia) 27. 11. 1915, †ebd. 26. 7. 1990; schrieb vom Regionalismus Bahias geprägte Romane (»Das Fort«, 1965; »Fora da pista«, 1978) und Erzählungen (»Léguas da promissão«, 1968).

Adonis, 1) phönik. oder syr. Vegetationsgott; im grch. Mythos Geliebter der Aphrodite, von einem Eber bei der Jagd getötet.

2) einer der Apollo-Planetoiden.

adonischer Vers, Versart der antiken Lyrik, als Schlussvers z. B. der sapphischen Strophe verwendet: – ◡ ◡ – ◡ (ÜBERSICHT Metrik).

Adonisröschen (Adonis), Gattung der Hahnenfußgewächse, z. B. das hellgelb blühende **Frühlings-A.** oder **Frühlings-Teufelsauge** sowie das **Sommer-A.** oder **Marienröschen** und das **Flammen-A.,** beide auch **Blutströpfchen** genannt. – Das **Frühlings-A.** (Adonis vernalis) enthält herzwirksame Glykoside; ist nach der Roten Liste stark gefährdet.

Adoption [lat.] *die,* die →Annahme als Kind.

Adoration [lat. »Anbetung«] *die,* **1)** religiöse Verehrung (→Kultus).

2) die →Proskynese.

3) *kath. Kirche:* früher die dem neu gewählten Papst von den Kardinälen dargebrachte Huldigung.

Adorf, Stadt im Vogtlandkreis, Sachsen, an der Weißen Elster, 6700 Ew.; Teppichind., Baumwollspinnerei und -weberei, Holzindustrie und Musikinstrumentenbau.

Adorf, Mario, Schauspieler, *Zürich 8. 9. 1930; spielt v. a. im dt. und italien. Film u. a. »Das Mädchen Rosemarie« (1958), »Die verlorene Ehre der Katharina Blum« (1975), »Die Blechtrommel« (1979), »Via Mala« (1985), »Der große Bellheim« (1992), »Der Schattenmann« (1996), »Rossini« (1996). Erzählung »Der Mäusetöter« (1992).

Admont: Barocksaal der Klosterbibliothek nach einem Entwurf von Gotthard Hayberger

Mario Adorf

Adorno, Theodor W., früher Wiesengrund A., Philosoph, Soziologe, Musiktheoretiker und Komponist, *Frankfurt am Main 11. 9. 1903, †Visp (Kt. Wallis) 6. 8. 1969; lebte 1934–49 in der Emigration, seit 1950 Prof. in Frankfurt; war mit M. →Horkheimer Hauptvertreter der »krit. Theorie«, von deren neomarxistisch-gesellschaftskrit. Ansatz aus er herrschende Ideologien, die »Kulturindustrie« und andere soziale Phänomene analysierte. Er war Gegner der Existenzphilosophie und des Positivismus (→Positivismusstreit). A. schrieb Essays zu Musik und Literatur und schuf auch einige Kompositionen. Er wirkte stark auf die Anfänge der »neuen Linken«, die ihn aber später kritisierte. Seine »Ästhet. Theorie« verbindet gesellschaftstheoret. und geschichtsphilosoph. Momente.

Weitere Werke: Dialektik der Aufklärung (mit M. HORKHEIMER, 1947); Philosophie der neuen Musik (1949); The authoritarian personality (mit anderen, 1950); Minima Moralia (1951); Negative Dialektik (1966); Ästhetische Theorie (1970); Gesammelte Schriften (1971 ff.).

Theodor W. Adorno

📖 PAFFRATH, F. H.: *Die Wendung aufs Subjekt. Pädagog. Perspektiven im Werk T. W. A.s Weinheim ²1994.* – ASIÁIN, M.: *T. W. A. Dialektik des Aporetischen. Untersuchungen zur Rolle der Kunst in der Philosophie T. W. A.s. Freiburg i. Br. u. a. 1996.*

Adour [a'du:r] *der,* Fluss in SW-Frankreich, 335 km, entspringt in den Pyrenäen, mündet bei Bayonne in den Golf von Biscaya.

Adrano, Stadt in der Prov. Catania auf Sizilien, am Ätna, 32700 Ew.; Normannenturm, Tempel der grch. Siedlung Adranon.

Adrastea, einer der inneren Monde des →Jupiter.

Adrastos, myth. König des grch. Argos, führte den Zug der →Sieben gegen Theben, kehrte als Einziger zurück und nahm am Zug der →Epigonen teil.

Adrenalin [zu lat. ren »Niere«] *das* (Epinephrin), im Nebennierenmark gebildetes Hormon, eine chem. Überträgersubstanz von Nervenreizen im sympath. Nervensystem. A. steigert v.a. die Leistung des Herzens (Schlagkraft, Puls) und den Stoffwechsel (z.B. Sauerstoffverbrauch, Blutzuckerspiegel). Zus. mit seinen synthet. Abkömmlingen wird A. bei Herzstillstand, Schock, Asthma und allerg. Krisen eingesetzt.

adrenocorticotropes Hormon, →ACTH.

Adrenosteron [lat.-grch.], Hormon der Nebennierenrinde (ein Steroid); schwach wirksames männl. Geschlechtshormon.

Adressbuch, Verzeichnis der Einwohner, Firmen, Behörden und Einrichtungen einer Stadt oder eines Gebietes mit ihren Anschriften. Das erste A. erschien 1691 in Paris, das erste dt. 1701 in Leipzig. Im **Branchen-A.** sind Unternehmen und Einrichtungen der Wirtschaft verzeichnet.

Adresse [frz.], **1)** *allg.:* Anschrift (bes. auf Postsendungen), Aufschrift; Wohnungsangabe.

2) *Informatik:* Zahl, Wort oder Zeichenfolge zur Kennzeichnung eines Speicherbereichs; ermöglicht den Zugriff auf Daten, Stellen eines Programms oder auf Funktionseinheiten eines Computers.

Douglas Adrian

Adressenbüro, Institution zur Vermittlung der Anschriften von Personen- oder Unternehmensgruppen, v.a. für die Direktwerbung.

Adria, →Adriatisches Meer.

Adriafrage, das Problem der Vorherrschaft über die Adria und die nördl. Küstengebiete, bes. Triest, Istrien, Zara (Zadar) und Fiume (Rijeka). Italien erstrebte diese Vorherrschaft seit 1870 und erhielt sie nach 1918. Nach vorübergehender Besetzung auch der übrigen Küstenländer (bis Albanien, 1939) verlor Italien nach 1945 alle gewonnenen Gebiete außer Teilen von →Triest.

Adrian ['eɪdrɪən], Edgar Douglas Lord, brit. Physiologe, * London 30. 11. 1889, † Cambridge 4. 8. 1977; betrieb Forschungen über Nervenerregungen. 1932 erhielt er für seine Entdeckungen zur Funktion der Neuronen (mit Sir C. S. Sherrington) den Nobelpreis für Physiologie oder Medizin.

Adular (geschliffen)

Adrianopel, früherer Name der türk. Stadt →Edirne.

Adriatisches Meer (Adria) [nach der antiken Stadt Adria], das lang gestreckte nördl. Seitenbecken des Mittelmeers zw. Apennin- und Balkanhalbinsel, nördlich der Straße von Otranto, 132000 km², im südl. Teil bis 1260 m tief. Die NW-Küste ist eine flache Anschwemmungsküste mit Nehrungen (Lido) vor Haffen (Lagunen), nach S folgen eine buchtenlose Schwemmland- und eine ungegliederte Steilküste; die O-Küste (Dalmatien) hat viele Buchten und vorgelagerte Felsinseln. Haupthäfen sind Venedig, Triest, Brindisi, Split, Rijeka.

Adscharen, Stamm der →Georgier.

Adscharien, autonome Republik in Georgien (seit 1921), am Schwarzen Meer, 3000 km², (1993) 386000 Ew. (1989: 83 % Georgier, 8 % Russen, 4 % Armenier); Hptst.: Batumi; Anbau von Tee, Tabak, Zitrusfrüchten u.a.; Erdölverarbeitung; Nahrungsmittelindustrie; zahlr. Badeorte.

Adsorbenzien [lat.], *Medizin:* die →aufsaugenden Mittel.

Adsorption [lat.] *die,* Anlagerung von Gasen oder gelösten Stoffen (Adsorbat) an der Oberfläche fester Körper (Adsorbens). Das Adsorbat kann durch Molekularkräfte (Physisorption) oder chemisch gebunden sein (Chemisorption). Bes. starke A. zeigen Stoffe mit großer innerer Oberfläche wie Aktivkohle, Kieselgel, Molekularsiebe oder Zeolithe. Techn. Bedeutung hat die A. z.B. bei biolog. Prozessen, der Katalyse, der Klärung von Lösungen bzw. der Reinigung von Abwasser sowie der Erzeugung von Hochvakua.

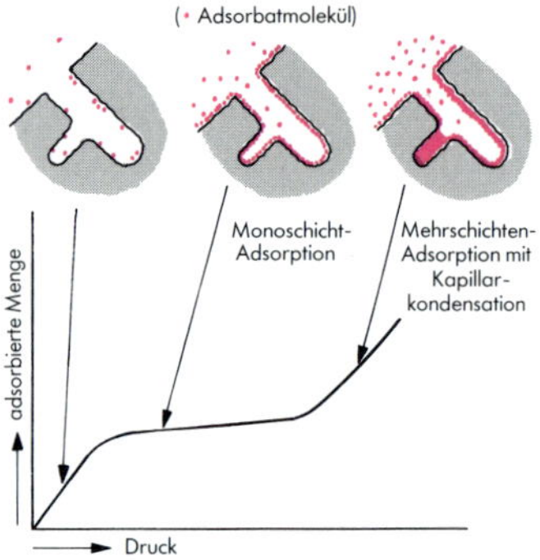

Adsorption: Schematische Darstellung der physikalischen Adsorption von Gasmolekülen in den Poren des Adsorbens, die adsorbierte Menge ist abhängig vom Gasdruck, dargestellt durch die Adsorptionsisotherme

Adstringenzien [lat.], *Medizin:* →zusammenziehende Mittel.

ADU, Abk. für →**A**nalog-**d**igital-**U**msetzer.

a due [italien.], Abk. **a 2,** *Musik:* zu zweien.

Adulagebirge, Teil der Schweizer Alpen zw. Rätischen und Tessiner Alpen, Graubünden und Tessin, im Rheinwaldhorn 3402 m ü. M.; Quellgebiet des Hinterrheins.

Adular [nach dem Adulagebirge] *der* (Mondstein), Mineral, Kalifeldspat auf Klüften (→Feldspäte); milchig trüb mit bläul. Schimmer, wird als Schmuckstein verwendet.

Adule (Adulis), antike Handelsstadt bei Massaua am Roten Meer (Umschlagplatz für Ägypten und Arabien).

adult [lat.], *Biologie* und *Medizin:* ausgewachsen, geschlechtsreif.

Adult Schools [æ'dʌlt sku:lz, engl.], Bez. für Einrichtungen der Erwachsenenbildung im internat. Sprachgebrauch.

ad usum (in usum) [lat.], zum Gebrauch. **ad usum proprium,** zum eigenen Gebrauch. **ad usum Delphini** [zum Gebrauch des Dauphins], für Schüler bearbeitete und kommentierte Klassikerausgaben, urspr. hergestellt für den frz. Thronerben auf Veranlassung Ludwigs XIV.

Advaita (Adwaita) [Sanskrit »das ohne ein Zweites ist«] *der,* ind. Lehre vom →Brahman, das mit dem →Atman eins ist und das allein Wirkliche bildet (→indische Philosophie und Religion.).

Advanced Photo System [əd'vɑ:nsd 'fəʊtəʊ 'sistɪm, engl.], Abk. **APS,** umfassendes Kleinbildfotosystem, das spezielle APS-Kameras, Geräte für das Fotofinishing, Film und Hochleistungsgeräte für die Bildwiedergabe und Betrachtung vereint. Das Kernstück bildet ein magnetisch beschichteter Film in einer besonderen Filmkassette, der fotografische Aufnahmedaten speichert. Grundlegend neu bei APS ist, dass Bilder unterschiedl. Formate gewählt werden können. Über speziell entwickelte Wiedergabegeräte können die Fotos auch auf dem Fernseher oder auf dem Computer betrachtet und ggf. bearbeitet werden.

Advektion [lat.] *die,* Zufuhr von Luft- oder Wassermassen in vorwiegend horizontaler Richtung.

Adveniat [lat. »zu uns komme (Dein Reich)«], Sammelaktion dt. Katholiken für die kirchl. Betreuung Lateinamerikas (seit 1961).

Advent [lat. »Ankunft«], Vorbereitungszeit auf das Fest der Geburt Christi; umfasst die Zeit der vier Sonntage vor Weihnachten. Mit dem ersten A.-Sonntag beginnt das Kirchenjahr. – Die vielen *Volksbräuche* in der A.-Zeit wie Lärmumzüge, Glückwunsch-, Heische- und Orakelbräuche gehen z.T. auf vorchristl. Vorstellungen zurück, bringen aber v.a. die Vorfreude über das Kommen Christi zum Ausdruck. Nach dem 1. Weltkrieg bürgerte sich der A.-Kranz aus Tannengrün mit vier Kerzen ein.

Adventisten, 1832 in Nordamerika gegründete christl. Glaubensgemeinschaft mit mehr als 50 Splittergruppen; erwartet die baldige Wiederkehr Christi, vertritt die Erwachsenentaufe, feiert den →Sabbat.

Adventivbildungen, seitl. Pflanzenorgane, die nicht an einer der gewohnten Stellen aus teilungsfähigem Dauergewebe entstehen **(Adventivknospen, -sprosse, -wurzeln),** z.B. bei der Vermehrung durch Stecklinge (z.B. Blattsteckling von Begonie).

Adverb [lat. »zum Verb«] (Umstandswort), Wortart zur näheren Bestimmung, z.B. eines Adjektivs (*sehr* schön), eines Verbs (er schreit *laut*), einer Adverbialbestimmung (*früh* am Morgen) oder zur Einleitung einer Frage (→Interrogativadverb). Das A. wird nicht flektiert, einige A. können gesteigert werden (meist unregelmäßige Formen: *gern – lieber – am liebsten*). Das A. kann einen lokalen *(hier, oben),* temporalen *(jetzt, oft),* modalen *(sehr, fast)* oder kausalen *(darum, trotzdem)* Umstand bezeichnen.

Adventivbildungen: Blattsteckling der Begonie mit Adventivsprossen, die aus je einer einzigen Oberhautzelle hervorgehen

adverbiale Bestimmung, Satzglied, das durch ein Adverb, ein verbalappositives Adjektiv oder eine Wortgruppe die Umstände (lokal, temporal, modal, kausal) eines Geschehens oder einer Handlung angibt: sie wohnt *dort;* er schläft *lange; unter diesen Bedingungen* stimme ich nicht zu.

Adverbialsatz (Umstandssatz), Nebensatz in der Funktion einer adverbialen Bestimmung. (ÜBERSICHT Syntax)

adversativ [lat.], gegensätzlich, entgegensetzend.

Advertising ['ædvətaɪzɪŋ, engl.] *das,* Anzeigenwerbung; i.w.S. jede Art von Werbung.

Advocatus Dei [lat. »Anwalt Gottes«] und **Advocatus Diaboli** [lat. »Anwalt des Teufels«], Bez. für den Befürworter bzw. den Gegner von Selig- und Heiligsprechungen im kanonischen Prozess.

Advokat [lat. »der Gerufene«], in Dtl. bis 1879 offizielle Bez. für den →Rechtsanwalt.

A/D-Wandler, Kw. für **A**nalog-**d**igital-Wandler, →Analog-digital-Umsetzer.

Endre Ady

Ady ['ɔdi], Endre, ungar. Dichter, *Érmindszent 22. 11. 1877, †Budapest 27. 1. 1919; schrieb symbolist. Liebesgedichte und polit. Lyrik.

Adyge, Eigenbez. der →Tscherkessen.

Adygien (Adygeia, Adygeische Republik), Teilrep. innerhalb der Russ. Föderation, zw. nordwestl. Kaukasus und dem Fluss Kuban, 7600 km², (1991) 449000 Ew. Hptst.: Maikop. – Am 27. 7. 1922 als autonomes Gebiet gegr., seit 1991 Republik.

Adyton [grch. »das Unzugängliche«] *das,* das Allerheiligste in Tempeln, →Abaton.

AE, Einheitenzeichen für →**A**stronomische **E**inheit.

AEC, Abk. für →**A**tomic **E**nergy **C**ommission.

Aedes [grch.], Gattung der Stechmücken; nur die Weibchen sind Blutsauger; bekannt sind die **Rheinschnaken** (A. vexans). Die **Gelbfieber-**

mücke (A. aegypti) überträgt Gelbfieber und Denguefieber.

Aeduer (Haeduer), römerfreundliche Gallierstamm zw. Loire und Saône; erhielt 69 n. Chr. röm. Bürgerrecht; Hauptort: Bibracte, später Augustodunum (heute Autun).

AEG Aktiengesellschaft [AEG = Abk. für **A**llgemeine **E**lektricitäts-**G**esellschaft], traditionsreicher Elektrokonzern ; 1883 gegr. als Dt. Edison-Gesellschaft für angewandte Elektricität von E. Rathenau, seit 1887 AEG. Die AEG wurde 1985 Teil des Daimler-Benz-Konzerns, der das Unternehmen nach Veräußerung von Teilen 1996 auflöste.

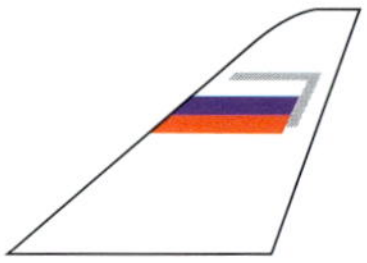

Aeroflot

Aegerisee, → Ägerisee.

Ælfric ['ælfrɪk], gen. Grammaticus, angelsächs. Benediktiner, *um 955, †um 1020 als Abt von Eynsham bei Oxford; bed. Werke zum angelsächs. Schrifttum (Übersetzungen, Predigten).

Aeppli, Eva, schweizer. Künstlerin, *Zofingen (Kt. Aargau) 2. 5. 1925; lebt seit 1953 in Paris, anfänglich Malerin; schuf weiche Stoffplastiken, später auch Arbeiten in Bronze.

Aepyornis [grch.], ausgestorbener, sehr großer Laufvogel auf Madagaskar; lebte wahrscheinlich noch im 17. Jahrhundert.

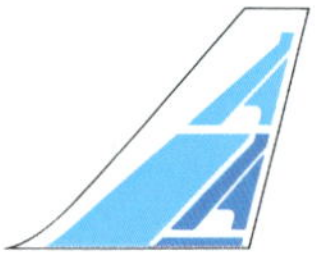

Aerolíneas Argentinas

Aereboe ['ɛ:rbo], Friedrich, Landwirt, *Horn (heute zu Hamburg) 23. 7. 1865, †Berlin 2. 8. 1942; begründete die landwirtsch. Betriebslehre als selbstständige Wissenschaft.

aero..., Aero... [aero oder ɛro, grch.], Luft..., Gas...

Aerobic [engl.] *das, Freizeitsport:* im Rhythmus von Popmusik betriebene, intensive Form der Gymnastik.

Aerobier (Aerobionten), Mikroorganismen, die nur mit Sauerstoff leben können; Ggs.: Anaerobier.

Aerodynamik [grch.], die Lehre von den Bewegungsgesetzen der Gase; i. w. S. Mechanik der Gase, i. e. S. beschränkt auf den inkompressiblen Bereich (→ Strömungslehre, → Gasdynamik).

Aeroelastizität (Aeroelastik), Spezialgebiet der Mechanik zur Beschreibung der elast. Verformungen von Flugzeugen und deren Bauteilen, u. a. durch aerodynam. Kräfte und elast. Rückstellkräfte.

Aeroflot – Russian International Airlines [- 'rʌʃn ɪntə'næʃnl 'eəlaɪnz, engl.], Abk. **ARIA,** 1994 durch Umwandlung in eine AG aus der 1923 gegründeten staatl. Aeroflot der UdSSR hervorgegangene nationale russ. Fluggesellschaft für internationale Flüge. (ÜBERSICHT Luftverkehrsgesellschaften).

Aerogele, sehr poröse (typ. Porosität bis 98 %), transparente Schäume aus Quarz mit sehr guter Wärmedämmung. A. werden im Bauwesen oder als Strahlungsdetektoren verwendet.

Aerolíneas Argentinas [- arxen'tinas], Abk. **AR,** argentin. Luftverkehrsgesellschaft (ÜBERSICHT Luftverkehrsgesellschaften)

Aerologie [grch.] *die,* Teilgebiet der Meteorologie, erforscht die freie Atmosphäre bis 80 km Höhe (darüber → Aeronomie). Die **wiss. A.** untersucht seit dem 19. Jh. die physikal. und chem. Zustände und Vorgänge in dieser Schicht mit Flugzeugen, Fesselballonen, Raketen u. a. Instrumententrägern. Die **prakt. A.** beschränkt sich auf die Erfassung von Temperatur, Feuchte, Luftdruck und Wind, früher mit Drachen, heute durch → Radiosonden bis 30 km Höhe und liefert diese Angaben weltweit, genormt und regelmäßig (00 + 12 Uhr GMT) als Grundlage für Höhenwetterkarten. In neuester Zeit durch Fernmessung von Satelliten ergänzt.

Affen

Schmalnasenaffen (Hundsaffen): Magot (Macaca sylvana; Kopf-Rumpf-Länge bis 0,75 m; links); Grüne Meerkatze (Kopf-Rumpf-Länge 0,41 – 0,62 m; Mitte); Mantelpavian (Kopf-Rumpf-Länge bis 0,94 m; rechts)

Aeromechanik [grch.], Lehre der ruhenden (Aerostatik) und der bewegten Gase (Aerodynamik).

Aeronomie [grch.] *die,* Teilbereich der Geophysik, die Wiss. vom Aufbau und der Zusammensetzung der oberen Erdatmosphäre (oberhalb der Stratosphäre) im Ggs. zur Meteorologie.

Aerophagie [grch.] *die, Medizin:* das Verschlucken von Luft; Symptom bei psych. und vegetativer Labilität, aber auch bei organ. Magenkrankheiten.

Aerophon [grch.] *das,* →Musikinstrumente.

Aerosol [zu lat. solutus »aufgelöst] *das,* Bez. für ein Gas (insbes. Luft), das feste oder flüssige Schwebstoffe von maximal etwa 100 µm Durchmesser enthält (z. B. Rauch, Staub, Nebel). A. spielen als Kondensationskeime eine wichtige Rolle im Wettergeschehen. Künstl. A. werden z. B. zu Inhalationen und zur Schädlingsbekämpfung verwendet (→Spray, →Luftverschmutzung).

Aerostatik [grch.] *die,* Lehre von den Gleichgewichtszuständen ruhender Gase unter Einwirkung äußerer Kräfte, bes. der Schwerkraft.

Aertsen ['a:rtsə], Pieter, holländ. Maler, *Amsterdam um 1508/09, begraben ebd. 3. 6. 1575; malte christlich-allegorische Bilder und v. a. Bauernszenen und Küchenstillleben.

Aesopus, lat. Name des Fabeldichters →Äsop.

Aeternitas [lat.] *die,* altröm. Verkörperung der Ewigkeit, weibl. Gestalt mit Weltkugel und Phönix.

Aethelwold ['æθəlwəʊld], angelsächs. Gelehrter, *um 910, †Winchester 1. 8. 984; Benediktiner, seit 963 Bischof von Winchester, übersetzte 960 die Benediktinerregel ins Angelsächsische, verfasste ein Mönchs-Hb. (»Regularis Concordia«). Heiliger, Tag: 1. 8.

Aetius, Flavius, röm. Feldherr und Staatsmann, *Durostorum (heute Silistra) um 390 n. Chr., † (auf Betreiben Valentinians III. ermordet) Rom 454; schützte das Weström. Reich gegen die Germanen, schlug 451 die Hunnen unter Attila auf den Katalaun. Feldern.

AfA, Abk. für **A**bsetzung **f**ür **A**bnutzung, →Abschreibung.

Afarsenke, geologisch aktives Grabensystem in Eritrea, NO-Äthiopien und Djibouti, im Kreuzungsbereich des Ostafrikan. Grabensystems, des Roten Meeres und des Golfs von Aden (→Plattentektonik).

Afar-und-Issa-Territorium, →Djibouti.

AFC, Abk. für engl. **a**utomatic **f**requency **c**ontrol, automat. Frequenzregelung, z. B. die der Zwischenfrequenz im UKW-Teil eines Rundfunkempfängers.

Affekt [lat.] *der,* heftige Gemütsbewegung (z. B. Freude, Wut, Begeisterung), die meist mit starken Ausdrucksbewegungen und Veränderungen von Herztätigkeit, Atmung, Gesichtsfarbe verbunden ist.

Affektion [lat.] *die,* Befall eines Organs oder eines Körperteils durch eine Krankheit.

Affen (Simiae), Unterordnung der Herrentiere, umfasst die Tierarten, die dem Menschen am nächsten verwandt sind. Die kleinsten A. sind nur etwa rattengroß, die größten größer als ein kräftiger Mann. Die A. sind meist Baumtiere, nur einige, wie die Paviane, leben in Felslandschaften. Das Gehirn (bes. die Großhirnrinde) ist sehr stark entwickelt, daher beachtl. geistige Fähigkeiten (großes Lernvermögen), lebhaftes Mienenspiel und hohe stimml. Äußerungskraft. Hand und Fuß (Greiffuß) haben weit abspreizbare Daumenzehen (»Vierhänder«). Die meisten A. leben als Herden-

Schmalnasenaffen (Menschenaffen): Gorilla (Kopf-Rumpf-Länge 1,4–1,85 m; links); Orang-Utan (Kopf-Rumpf-Länge 0,78–0,97 m; Mitte); Schimpanse (Kopf-Rumpf-Länge 0,7–1,7 m; rechts)

tiere in Vielehe. Ihre Nahrung ist überwiegend pflanzlich. Zu den in Afrika, Gibraltar und in den Tropen und Subtropen Asiens heim. **Schmalnasen-A.** (**Altwelt-A.** oder **Catarrhina**) gehören die **Tier-A.** mit den Makaken, Stummel-A., Pavianen, Meerkatzen sowie die **Menschen-A.** mit Gibbons, Orang-Utans, Schimpansen und Gorillas; sie haben eine schmale Nasenscheidewand und einen nicht greiffähigen (oder keinen) Schwanz. Zu den **Breitnasen-A.** (**Neuwelt-A.** oder **Platyrrhina, Ceboidea**) gehören die Kapuziner-A., Brüll-A., Klammer-A. in Süd- und Mittelamerika, die eine breite Nasenscheidewand und einen meist greiffähigen Schwanz haben.

📖 CHENEY, D. L. *u.* SEYFARTH, R. M.: *Wie Affen die Welt sehen. München u. a. 1994.*

Affenbrotbaum (Adansonia), Wollbaumgewächsgattung in Afrika und Australien; Steppenbäume mit dickem, Wasser speicherndem Stamm; der **Afrikan. A.** (**Baobab,** Adansonia digitata) hat gurkenförmige essbare Früchte mit haselnussgroßen, nierenformigen fettreichen Samen.

Affenbrotbaum: Frucht des afrikanischen Affenbrotbaumes

Affenfurche (Vierfingerfurche), Beugefalte am menschl. Handteller; sie tritt (ohne patholog. Bedeutung) bei etwa 4% der Bevölkerung auf, beim Down-Syndrom in etwa 40% der Fälle. Bei den Menschenaffen Hauptbeugefalte der Hand.

Affenpinscher, kleinwüchsige Hunderasse; rauhaarig, kurzschnauzig, meist schwarz gefärbt.

affettuoso (con affetto) [italien.], *Musik:* leidenschaftlich, mit Empfindung.

Affidavit [mlat. »er hat geschworen«] *das,* **1)** *Börsenwesen:* (Lieferbarkeitsbescheinigung) schriftl. Bescheinigung, dass ein Wertpapier ordnungsgemäß erworben ist und den Anforderungen eines ordnungsgemäßen Wertpapiers genügt.

2) *Recht:* eidesstattl. Versicherung im angloamerikan. Rechtsverkehr zur Bekräftigung einer Tatsachenbehauptung vor Gerichten oder Behörden. In den USA auch die Bürgschaftserklärung eines Staatsbürgers, für den Unterhalt eines Einwanderers aufzukommen.

affine Abbildung, geometr. Abbildung, die Punkte auf Punkte und Geraden auf Geraden abbildet, wobei Parallelität und Streckenverhältnis erhalten bleiben.

affinieren [frz.], reinigen, scheiden, z.B. Gold von Silber trennen oder Sirup von Zuckerkristallen abwaschen.

Affinität [lat. »Verwandtschaft«] *die,* **1)** Wesensverwandtschaft von Begriffen und Vorstellungen.

2) chem. Verwandtschaft (»Triebkraft«), die zur Verbindung chem. Elemente und Moleküle zu neuen Stoffen führt.

Affirmation [lat.] *die,* Zustimmung, Bejahung.

Affix [lat.] *das,* Bildungssilbe, die als Präfix, Suffix oder Infix zu einem Wortstamm tritt.

Affodill (Asphodill, Asphodelus) *der,* Liliengewächsgatt. des Mittelmeerbereichs mit hochstängeligen Trauben oder Rispen meist weißer Blüten; häufig auf Grasland.

Affoltern am Albis, Hauptort des Bezirks Affoltern im Kt. Zürich, Schweiz, 494 m ü. M., 8400 Einwohner.

affrettando [italien.], *Musik:* beschleunigend; **affrettato,** beschleunigt.

Affrikata (Affrikate) [lat.], Verschlusslaut mit nachfolgendem Reibelaut, →Laut.

Afghanen, →Paschtunen.

Afghani *der,* Abk. **Af,** Währungseinheit in Afghanistan, 1 Af = 100 Puls (Pl).

Afghanistan (Paschto: De A. Djumhurijjet, Dari: Jomhori-e A.), Binnenstaat in Asien, grenzt im W an Iran, im N an Turkmenistan, Usbekistan und Tadschikistan, im O und S an Pakistan, am O-Ende des Wakhanzipfels an China.

Staat und Recht: Die letzte, für Gesamt-A. Geltung beanspruchende Verf. stammt vom 29./30. 11. 1987, kann aber zurzeit keine Wirkung entfalten. Ihre Organe sind die Nationalversammlung und ein Gremium aus Exekutiv- und Legislativvertretern und anderen Personen.

Landesnatur: Der zentrale →Hindukusch, bis über 7000 m ü. M., teilt A. in eine Nord- und eine Südregion. Im N hat A. Anteil am Tiefland von Turan, im S dehnen sich teils von Salzsümpfen ausgefüllte Wüstenbecken aus. Im Wakhan hat A. Anteil am Pamir. Der vorherrschende Hochgebirgscharakter ist ein natürl. Hindernis für die Landesentwicklung. Das Klima ist kontinental mit großen Temperaturunterschieden (Sommer bis 40°C; Winter bis –25°C), geringen winterl. Niederschlägen und trockenen Sommerstürmen im W; Steppen und Wüstensteppen überwiegen, nur der O erhält sommerl. Monsunregen (daher bewaldet). Die für die Bewässerung wichtigen Flüsse, z.B. Helmand, Hari Rud, Kabul, entspringen in Zentral-A., bes. im Koh-i-Baba; sie versickern meist in abflusslosen Becken.

Bevölkerung: Über 50% sind →Paschtunen, bes. im S und SO, die den Hauptteil der Nomaden stellen. Die Tadschiken (rd. 20%) sind über das

Afghanistan

Fläche: 652 090 km^2
Einwohner: (1995) 20,1 Mio.
Hauptstadt: Kabul
Verwaltungsgliederung: 32 Provinzen
Amtssprachen: Paschto und Dari (Neupersisch)
Nationalfeiertag: 18. 8.
Währung: 1 Afghani (Af) = 100 Puls (Pl)
Zeitzone: MEZ + 3 ½ Std.

ganze Land verstreut, mongol. Hazara (rd. 9 %) überwiegen im Hindukusch. Turksprachige Gruppen (rd. 12 %) sind Turkmenen, Usbeken, Kirgisen, Kisilbasch, ferner Belutschen u. a. Größte Städte sind Kabul, Kandahar, Herat, Mazar-i-Sharif, Kunduz, Jalalabad. Etwa 3 Mio. der Gesamtbev. leben als Flüchtlinge v. a. in Pakistan und in Iran. – Es besteht allg. Schulpflicht (9 Jahre, nur z. T. verwirklicht; Analphabetenrate 71 %); 5 Hochschulen, u. a. Univ. in Kabul (gegr. 1932) und Jalalabad (gegr. 1963). – Rd. 85 % der Bev. gehören zur sunnit. Richtung des Islam, zur schiit. Richtung die Hazara und Kisilbasch; ferner gibt es Hindu, Sikhs, Juden.

Wirtschaft, Verkehr: A. gehört zu den ärmsten Entwicklungsländern der Welt. Durch den 1979 ausgebrochenen Bürgerkrieg sind die Infrastruktur und die Produktionsanlagen weitgehend zerstört und die Produktionsergebnisse in den meisten Wirtschaftszweigen beeinträchtigt. Über die Hälfte der Erwerbstätigen arbeitet in der Landwirtschaft. Kennzeichnend sind Bewässerungsfeldbau (über 40 % der Bewässerungssysteme zerstört; zunehmende Versalzung der Böden) und Oasenwirtschaft (mit Einwohnerdichten bis 1 000 je km^2) in den Tälern und Becken sowie die extensiv genutzten Weiden. Hauptagrarerzeugnisse sind Weizen, Mais, Gerste, Reis, Baumwolle, Zuckerrohr, Obst, ferner Mandeln, Nüsse, Pistazien; im Grenzgebiet zu Pakistan verstärkter Mohnanbau. Wichtig ist die überwiegend nomad. Viehhaltung (Schafe, Ziegen, Karakulschafe). Von den Bodenschätzen werden bisher Steinkohle, Steinsalz, Erdgas, Lapislazuli (bedeutendster Fundort der Erde), Baryt und Talk ausgebeutet; weitere Bodenschätze (v. a. Erdöl, Eisen und Kupfer) sind noch ungenügend erschlossen. Die Industrie ist i. Allg. noch wenig entwickelt (Textil-, Zement-, chem. Ind., Lebensmittelind.); es dominiert das Handwerk (Teppich-, Schmuckwarenherstellung). Hauptausfuhrprodukte: Erdgas, Obst, Häute und Felle, Baumwolle, Wolle. Haupthandelspartner: Japan, China, Süd-Korea, Singapur u. a. – Da Eisenbahnen fehlen, sind Straßen und Luftlinien die Hauptträger des Verkehrs.

Geschichte: Das seit dem 6. Jh. v. Chr. zum pers. Achaimenidenreich gehörende A. wurde um 330 v. Chr. von Alexander d. Gr. erobert und nach dessen Tod ins Seleukidenreich eingegliedert. Das von den Saken begründete Kuschanreich erlag im 5. Jh. n. Chr. dem Ansturm der Hephthaliten, die 567 vom Sassanidenkönig Chosrau I. geschlagen wurden. Im 7. Jh. begann die Eroberung durch die Araber; Kabul und der O wurden erst im 10. Jh. islamisiert. 977–1187 war A. Kern des Reiches der turkstämmigen → Ghasnawiden, denen die kurzlebige Dynastie der (wahrscheinlich einheim.) Ghuriden folgte. Im 13. Jh. fielen die Mongolen in A. ein (im 14. Jh. Eroberung durch Timur). Im 16. und 17. Jh. war es zw. Persien und dem ind. Mogulreich geteilt, bis Mitte des 18. Jh. Ahmed Schah Durrani (1747–73) ein mächtiges Emirat gründete. Im 19. Jh. lag A. im Spannungsfeld Großbritannien–Russland. Nach den ersten beiden afghanisch-brit. Kriegen (1838–42 und 1878–80), in denen Großbritannien seine Vorherrschaft durchzusetzen versuchte, wurde A. zum Pufferstaat zw. Russland und Britisch-Indien; nach dem 3. afghanisch-brit. Krieg (1919) erreichte Aman Ullah (1919–29, seit 1926 König) im Vertrag von Rawalpindi (1919) die staatl. Unabhängigkeit von A. Seine forcierte Modernisierungs- und Reformpolitik nach westlich-europ. Vorbild, die zu seinem Sturz führte, wurde durch Nadir Schah (1929–33, 1931 Einführung der konstitutionellen Monarchie) und nach dessen Ermordung durch Sahir Schah (1933–73, Neutralitätspolitik) behutsamer fortgesetzt. Durch den Militärputsch von 1973 wurde A. Republik. Nach ihrem Aufstand gegen den diktatorisch regierenden Staatspräs. M. Daud Khan (1973–78) übernahm die kommunist. Demokrat. Volkspartei unter N. M. Taraki die Reg.gewalt und lehnte A. eng an die UdSSR an; Machtkämpfe innerhalb der Partei, hartes Vorgehen gegen Oppositionelle und v. a. die Landreform von 1979 zogen einen landesweiten Widerstand gegen das Regime nach sich. Unter

Staatswappen

AFG

Internationales Kfz-Kennzeichen

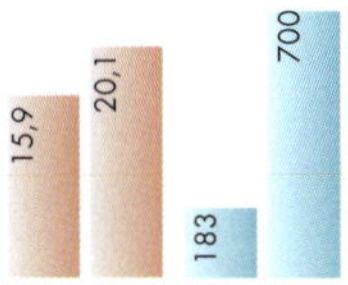

Bevölkerung (in Mio.) Bruttosozialprodukt je Ew. (in US-$)

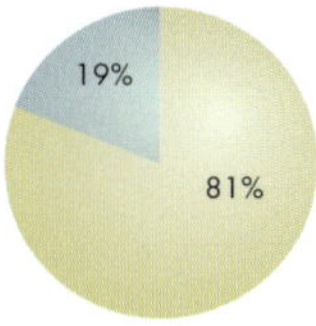

Bevölkerungsverteilung 1993

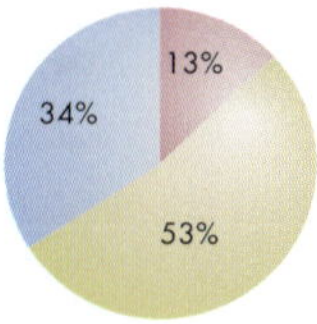

Bruttoinlandsprodukt 1989

Berufung auf den Freundschaftsvertrag von 1978 ließ daraufhin die UdSSR unter weltweitem Protest am 27. 12. 1979 Truppen in A. einmarschieren. Sie setzte B. Karmal als Staats-, Reg.- und Parteichef ein und versuchte, die politisch uneinheitl. muslim. Guerillabewegung (Mudschaheddin) in verlustreichen Kämpfen zu unterdrücken. 1986

Afghanistan: Festung und Altstadtmauer von Ghazni, seit dem Mittelalter Verkehrsknotenpunkt zwischen Kabul und Kandahar

wurde B. Karmal durch Nadschibullah abgelöst, der angesichts der verheerenden Folgen des Bürgerkriegs (rd. 1 Mio. Kriegstote, 5 Mio. Flüchtlinge) eine Politik der »nat. Aussöhnung« verkündete. Von Mai 1988 bis Febr. 1989 zog die UdSSR ihre Truppen vollständig aus A. ab. Die antikommunist. Widerstandsorganisationen bildeten daraufhin im Febr. 1989 eine Gegenregierung. Im Juni 1990 gab die kommunist. Reg.partei ihr Machtmonopol auf (Umbenennung in Heimatlandpartei). Im Mai 1991 akzeptierte die Reg. einen Friedensplan der UN (Waffenstillstand, Übergangsreg. auf breiter Basis, Vorbereitung freier Wahlen). Bis zum Frühjahr 1992 brachten die Mudschaheddin den größten Teil von A. militärisch unter ihre Kontrolle. Nach dem Sturz Nadschibullahs (April 1992) und der unblutigen Besetzung der Hptst. Kabul durch Truppen der muslim. Rebellen übernahm ein von diesen gebildeter Übergangsrat die Macht. Daraufhin ausbrechende Kämpfe zw. rivalisierenden Mudschaheddin-Gruppierungen wurden trotz eines Vertrages über Gewaltverzicht (Mai 1992) und eines Friedensabkommens (März 1993) nicht beendet. 1992 verbot die muslim. Führung die frühere Reg.partei und leitete einen verstärkten Islamisierungsprozess ein (u.a. Einführung islam. Gesetze). Die Milizen der seit 1994 in Erscheinung tretenden radikalislam. Taliban-Bewegung eroberten seitdem große Teile des Landes. Mit der Einnahme von Kabul riefen sie dort am 27. 9. 1996 einen islam. Staat aus. Bei ihrem Vormarsch nach Nord-A. stießen sie auf heftigen Widerstand. Nach Angaben der UNO entwickelte sich A. zu einem der grössten Heroinproduzenten der Welt.

🕮 *A. Natur, Geschichte u. Kultur, Staat, Gesellschaft u. Wirtschaft, hg. v.* W. KRAUS. *Tübingen* ^{3}*1975.* – GRÖTZBACH, E.: *A. Eine geograph. Landeskunde. Darmstadt 1990.* – POHLY, M.: *Krieg u. Widerstand in A. Ursachen, Verlauf u. Folgen seit 1978. Berlin 1992.* – RASULY, S.: *Polit. Strukturwandel in A. Frankfurt am Main 1993.* – SAMIMY, S. M.: *A. – Gefangener seiner eigenen Widersprüche? Bonn 1993.* – *A. Krieg u. Alltag, bearb. v.* K. KNAUER, *Ausst.-Kat. Museum für Völkerkunde (Freiburg im Breisgau). Waldkirch 1994.* – BARAKI, M.: *Die Beziehungen zwischen A. u. der Bundesrep. Dtl. 1945–1978. Frankfurt am Main u. a. 1996.*

Aflatoxine, Pilzgifte, bes. der Schimmelpilzart **Aspergillus flavus,** die sich u.a. in Getreide und Nüssen bilden; wirken leberschädigend und Krebs erregend.

AFL/CIO [eɪef elsɪ:aɪ'əʊ], Abk. für englisch →**A**merican **F**ederation of **L**abor/**C**ongress of **I**ndustrial **O**rganizations.

afokal [grch.-lat.] (teleskopisch), ohne Brennpunkt im Endlichen; bei afokalen opt. Systemen wie planparallelen Platten oder Fernrohren bleiben parallele Strahlenbündel auch nach dem Durchgang parallel.

à fonds perdu [a fɔ̃ pɛr'dy, frz.], auf Verlustkonto, mit Verzicht auf Gegenleistung.

à forfait [a fɔr'fɛ; frz. »ohne Rückgriff«], Klausel beim Verkauf eines →Wechsels.

AFP, Abk. für frz. **A**gence **F**rance-**P**resse, Sitz: Paris, frz. Nachrichtenagentur, gegr. 1832 als Bureau Havas von Charles Louis Havas (*1783, †1858), neu gegründet 1944.

Afra, Märtyrerin, †(verbrannt) Augsburg um 304, zur Zeit der diokletian. Verfolgungen. Heilige, Tag: 7. 8.

Afranius, Lucius, röm. Dichter des 2. Jh. v. Chr.; Hauptvertreter des altröm. Nationallustspiels, schilderte das Alltagsleben in den italischen Städten.

African National Congress ['æfrɪkən 'næʃnl 'kɔŋgrəs, engl.], Abk. **ANC,** 1912 gegr. Partei in Südafrika, die den Kampf der Schwarzafrikaner für ihre Gleichberechtigung organisiert; suchte dies bis zu ihrem Verbot (1960), zuletzt unter A. Luthuli, gewaltlos durchzusetzen; danach formierte sich aus ihren Reihen eine militante Organisation (»Speer der Nation«) unter N. Mandela. Die Führung des 1960–90 im Exil wirkenden ANC übernahm O. Tambo. Seit seiner Wiederzulassung (Febr. 1990) nunmehr von Mandela geführt, errang der ANC bei den ersten allgemeinen, freien und gleichen Wahlen nach Abschaffung der Apartheid (zw. 1990 und 1994) in der Rep. Südafrika im April 1994 62,6% der Stimmen. Im Mai 1994 wurde Mandela zum Staatspräs. gewählt. Im Dez. 1997 übernahm T. Mbeki den Parteivorsitz.

Afrika, Erdteil der »Alten Welt«. Der Name stammt von den Römern, die das Land um Karthago nach dem Stamm der Afri **Africa** nannten; später wurde der Name auf den ganzen Kontinent ausgedehnt.

Lage: A. erstreckt sich 8000 km von N nach S (37°20' n. Br. bis 34°52' s. Br.) und über 7600 km von W nach O (17°33' w. L. bis 51°23' ö. L.). Mit einer Gesamtfläche von rd. 30 Mio. km² umfasst es ein Fünftel der Landfläche der Erde. Die Küste ist schwach gegliedert; ihr sind nur wenige Inseln vorgelagert. Einzige große Insel ist Madagaskar im SO. Von Europa wird A. durch die Einbruchsbecken des Mittelmeeres getrennt. Mit Asien hängt A. an der Landenge von Sues unmittelbar zus.; im Übrigen ist es durch den Graben des Roten Meeres von ihm getrennt.

Oberflächengestalt: Das Relief A. wird weitgehend von Rumpfflächen und Tafelländern bestimmt, die im S und O im Mittel über 1000 m ansteigen. Die Hälfte der Fläche liegt unter 500 m. Die Küsten sind meist Steilküsten, bes. im N und S, in den Tropen streckenweise mit Mangrovesümpfen und vorgelagerten Korallenriffen, sonst flach und sandig mit starker Brandung. – Abgesehen vom jungen Atlasgebirge (bis 4165 m ü. M.), das geologisch zum europ. alpid. System gehört, besteht A. aus einem alten Sockel, der von flachen Schwellen (Zentralsahar., Ober- und Niederguinea-, Asande- und Lundaschwelle) in Becken gegliedert wird. An kleinere, abflusslose Becken der Sahara schließen sich im Sudan Niger-, Tschad- und Weißnilbecken an, in Mittel-A. das riesige Kongobecken, im S das Kalaharibecken, das im SO von einem alten Gebirgssystem (in den Drakensbergen bis 3482 m ü. M.) umgeben ist. Den Osten A. vom Roten Meer bis zum Sambesi durchzieht das →Ostafrikanische Grabensystem mit Tanganjika- und Njassasee; es ist von Vulkanen begleitet, darunter die höchsten Berge A., Kilimandscharo (5895 m ü. M.) und Mt. Kenia (5194 m ü. M.). Der größte See A. ist der Victoriasee im O; zu den abflusslosen Binnenseen gehört der Tschadsee. Die Flüsse der Winterregengebiete (Atlasländer, südwestl. A.) führen periodisch Wasser, in den Wüsten gibt es nur episodisch durchflossene Täler (Wadis). In abflusslosen Becken bilden sich durch die hohe Verdunstung ausgedehnte Salzpfannen (Schotts, Sebchas). Im trop. Feuchtgebiet entwickelten sich mächtige Ströme, die mit Katarakten und Wasserfällen die Beckenränder durchbrechen: Nil (6671 km), Kongo, Niger, Sambesi.

Afrika: Staatliche Gliederung (Stand 1995)

Staat (Jahr der Unabhängigkeit)	Staatsform	Fläche (km²)	Ew. (in 1000)	Hauptstadt
Ägypten (1922)	Rep.	1001449	62931	Kairo
Algerien (1962)	Rep.	2381741	27939	Algier
Angola (1975)	Rep.	1246700	11072	Luanda
Äquatorialguinea (1968)	Rep.	28051	400	Malabo
Äthiopien	Rep.	1130139	55053	Addis Abeba
Benin (1960)	Rep.	112622	5409	Porto Novo
Botswana (1966)	Rep.	581730	1487	Gaborone
Burkina Faso (1960)	Rep.	274200	10319	Ouagadougou
Burundi (1962)	Rep.	27834	6393	Bujumbura
Djibouti (1977)	Rep.	23200	577	Djibouti
Elfenbeinküste (1960)	Rep.	322463	14253	Yamoussoukro
Eritrea (1993)	Rep.	121143	3531	Asmara
Gabun (1960)	Rep.	267667	1320	Libreville
Gambia (1965)	Rep.	11295	1118	Banjul
Ghana (1957)	Rep.	238537	17453	Accra
Guinea (1958)	Rep.	245857	6700	Conakry
Guinea-Bissau (1974)	Rep.	36125	1073	Bissau
Kamerun (1960)	Rep.	475442	13233	Yaoundé
Kap Verde (1975)	Rep.	4033	392	Praia
Kenia (1963)	Rep.	582646	28261	Nairobi
Komoren (1975)	Rep.	1862	653	Moroni
Kongo, Demokrat. Rep. (ehem. Zaire; 1960)	Rep.	2344885	43901	Kinshasa
Kongo, Rep. (1960)	Rep.	342000	2590	Brazzaville
Lesotho (1966)	Königreich	30355	2050	Maseru
Liberia (1847)	Rep.	111369	3039	Monrovia
Libyen (1951)	Rep.	1759540	5407	Tripolis
Madagaskar (1960)	Rep.	587041	14763	Antananarivo
Malawi (1964)	Rep.	118484	11129	Lilongwe
Mali (1960)	Rep.	1240192	10795	Bamako
Marokko (1956)	Königreich	458730	27028	Rabat
Mauretanien (1960)	Rep.	1030700	2274	Nouakchott
Mauritius (1968)	Rep.	2040	1117	Port Louis
Moçambique (1975)	Rep.	801590	16004	Maputo
Namibia (1990)	Rep.	824292	1540	Windhuk
Niger (1960)	Rep.	1267000	9151	Niamey
Nigeria (1960)	Rep.	923768	111721	Abuja
Ruanda (1962)	Rep.	26338	7952	Kigali
Sambia (1964)	Rep.	752614	9456	Lusaka
São Tome und Príncipe (1975)	Rep.	964	133	São Tomé
Senegal (1960)	Rep.	196192	8312	Dakar
Seychellen (1976)	Rep.	443	73	Victoria
Sierra Leone (1961)	Rep.	71740	4509	Freetown
Simbabwe (1980)	Rep.	390757	11261	Harare
Somalia (1960)	Rep.	637657	9250	Mogadischu
Südafrika (1910)	Rep.	1221037	28098	Pretoria
Sudan (1956)	Rep.	2505813	41465	Khartum
Swasiland (1968)	Königreich	17364	855	Mbabane
Tansania (1964)	Rep.	945087	29685	Dodoma
Togo (1960)	Rep.	56785	4138	Lomé
Tschad (1960)	Rep.	1284000	6361	N'Djamena
Tunesien (1956)	Rep.	163610	8896	Tunis
Uganda (1962)	Rep.	241038	21297	Kampala
Zentralafrikanische Republik (1960)	Rep.	622984	3315	Bangui
Weitere, nicht selbstständige Gebiete				
Westsahara		252120	283	El-Aaiún
Sankt Helena (zu Großbritannien)		122	6	Jamestown
Sokotra (zu Jemen)		3626	80	Hadibu
Réunion (zu Frankreich)		2510	653	Saint-Denis
Mayotte (zu Frankreich)		375	110	Dzaoudzi
Madeira (zu Portugal)		794	254	Funchal
Kanarische Inseln (zu Spanien)		7273	1494	
Ceuta und Melilla (zu Spanien)		32	124	

Klima, Vegetation: Infolge seiner Lage beiderseits des Äquators zeigt A. die Klimazonen in nahezu idealer Anordnung. Die äquatoriale Tropenzone mit Regen zu allen Jahreszeiten weist Regenwald auf (Guineabucht, nördl. Kongobecken), der zum großen Teil in den letzten 30 Jahren gerodet wurde. Nördl. und südl. schließen sich Zonen mit zwei Regenzeiten an, getrennt durch eine kurze Sommer- und eine lange Wintertrockenzeit. Hier herrschen Savannen vor, zunächst Feuchtsavanne mit immergrünen Bäumen und Hochgrasfluren. Zu den Randtropen hin (Sudanzone, Sambesihochland) vereinigen sich beide Regenzeiten zu einer einzigen (im Sommer), die mit wachsendem Abstand vom Äquator immer geringere Niederschlagsmengen bringt. Es folgen Trocken-, dann Dornstrauchsavannen, die in der Sahelzone schließlich in die subtrop. Trockengebiete der Sahara und im S in die Namib mit nur noch episod. Niederschlägen übergehen. N- und S-Küste weisen Mittelmeerklima auf.

Tierwelt: Im N hat die Tierwelt meist mediterranen Charakter, in der Sahara ist sie sehr artenarm, vielfältig in den Regenwäldern und Savannen. In den Regenwäldern leben v.a. fliegende (Fledermäuse, Vögel, Insekten) und kletternde Tiere (Affen, Halbaffen, Baumschlangen u.a.). Die offene Savannenlandschaft weist dagegen Großtiere auf (Großkatzen, Elefanten, Nashörner, Zebras, Antilopen, Büffel, Giraffen, Strauße u.a.). Die Tier- und Pflanzenwelt Madagaskars weicht stark ab und zeigt viele endemische Arten.

Bevölkerung: A. ist Kerngebiet der dunkelhäutigen →Negriden. Sie stellen im Gebiet südlich der Sahara **(Schwarz-A.)** den größten Bev.anteil, wo außer jüngeren Zuwanderungen (Europäer, Asiaten) noch kleinere, nicht eigtl. negride Gruppen (Pygmäen, Hottentotten und Buschmänner; →Khoisan) leben. Die Entstehung dieser Sondergruppen, zu denen auch die →Äthiopiden gehören, ist wie die der Negriden selbst noch nicht restlos geklärt, aber es gibt keine Hinweise auf außer-

Afrika

1

2

3

4

| **1** Südlich von Tunis gelegene mediterrane Kulturlandschaft mit Weinfeldern und Olivenanbau (im Hintergrund am Hang) | **2** Sicheldünen in der Sandwüste der algerischen Sahara am O-Rand des Westlichen Großen Erg | **3** Nubiergehöft in der Provinz Kordofan, Republik Sudan | **4** Cañon des Großen Fischflusses in der Schichttafel von Namaland, Namibia

Afrika

ATLANTISCHER OZEAN
Azoren (port.)
Madeira (port.)
Funchal
Kanarische Inseln (span.)
Las Palmas d. G. C.
PARIS
FRANKREICH
LUX.
DEUTSCHLAND
TSCHECH. REP.
SLOWAK. REP.
ÖSTERREICH
SCHWEIZ
LIECHT.
UNGARN
UKRAINE
DNJEPROPETROWSK
DONEZK
MOLD.
ODESSA
ROSTOW A. DON
RUSSLAND
Astrachan
Atyrau
KASACHSTAN
USBEKISTAN
Aktau
TURKMENISTAN
Golf von Biscaya
PORTUGAL
SPANIEN
Lissabon
MADRID
ANDORRA
BARCELONA
Marseille
MONACO
Korsika
Sardinien
Balearen
S.M.
ITALIEN
ROM
NEAPEL
Palermo
Sizilien
MALTA
SLOW.
KROATIEN
BOS. U. HERZEG.
JUGOSL.
BELGRAD
RUMÄNIEN
BULGARIEN
ALB.
MAKED.
GRIECHENLAND
Athen
Kreta
Rhodos
Schwarzes Meer
ISTANBUL
ANKARA
İZMIR
Antalya
TÜRKEI
GEORGIEN
TIFLIS
ARM.
JEREWAN
ASER.
BAKU
Kaspisches Meer
Täbris
Rescht
Mosul
TEHERAN
MESCHHED
Ghom
ISFAHAN
IRAN
Jasd
Schiras
ZYPERN
Nikosia
LIBANON
Beirut
SYRIEN
DAMASKUS
IRAK
BAGDAD
Basra
Abadan
KUWAIT
Kuwait
ISRAEL
AMMAN
Jerusalem
JORDANIEN
Nedjef
Mittelmeer
Str. v. Gibraltar
Tanger
Rabat
CASABLANCA
Safi
Fès
MAROKKO
Marrakesch
Agadir
Oran
ALGIER
Annaba
Constantine
Tunis
Sfax
Sidi-Bel-Abbès
Laghouat
Biskra
Gabès
Touggourt
Béchar
Tripolis
Bengasi
Misurata
El-Beida
Tobruk
ALEXANDRIA
Port Said
GISE
KAIRO
El-Faijum
Assiut
Kena
Luxor
Assuan
ÄGYPTEN
El-Aaiún
Tindouf
ALGERIEN
Ghadamis
Reggane
Westsahara
Dakhla
LIBYEN
Audjila
Sebha
Ghat
Nördl. Wendekreis
Fdérik
Nouadhibou
MAURETANIEN
Nouakchott
Tamanrasset
Djado
Bardai
El-Uweinat
Abu Simbel
Nassersee
Wadi Halfa
Rotes Meer
SAUDI-ARABIEN
Medina
DJIDDA
Mekka
At-Taif
RIAD
Dammam
BAHRAIN
Hofuf
KATAR
Doha
Menama
Abu Dhabi
VEREIN.ARAB. EMIRATE
JEMEN
SANAA
Taiz
Aden
Makalla
Kap Guardafui
Golf v. Aden
Ouâlata
MALI
Kidal
Timbuktu
Mopti
Ségou
Bamako
Kayes
DAKAR
SENEGAL
Kaolack
GAMBIA
Banjul
GUINEA-BISSAU
Bissau
Labé
GUINEA
Conakry
Freetown
SIERRA LEONE
LIBERIA
Monrovia
Harper
Kankan
Bobo-Dioulasso
BURKINA FASO
Ouagadougou
Wa
Tamale
ELFENBEIN-KÜSTE
Man
Bouaké
Yamoussoukro
ABIDJAN
GHANA
Sekondi-Takoradi
ACCRA
Lomé
TOGO
BENIN
Porto-Novo
Voltasee
NIGER
Fachi
Bilma
Agadès
Niamey
Maradi
Zinder
Sokoto
Kano
Kaduna
Abuja
Maiduguri
NIGERIA
Ogbomosho
Iwo
IBADAN
LAGOS
Enugu
Port Harcourt
TSCHAD
Abéché
Tschadsee
N'Djamena
Sarh
Garoua
Moundou
KAMERUN
Douala
Yaoundé
Malabo
Dongola
Port Sudan
Atbara
Kassala
OMDURMAN
Khartum
Wad Medani
El-Obeid
Kosti
Nyala
SUDAN
Wau
Weißer Nil
Juba
ERITREA
Asmara
Dahlak-arch.
Djisan
Gondar
DJIBOUTI
Djibouti
Berbera
Tanasee
ADDIS ABEBA
Dire Dawa
Harar
Hafun
ÄTHIOPIEN
SOMALIA
Hobyo
Belet Huen
Mogadischu
ZENTRALAFRIKANISCHE REPUBLIK
Bangassou
Bangui
Bondo
Mungbere
Ubangi
Golf von Guinea
ÄQUATORIAL-GUINEA
SÃO TOMÉ UND PRINCIPE
Äquator
Libreville
GABUN
Lambarene
Pagalu
Lomié
REP. KONGO
Brazzaville
Pointe-Noire
Cabinda
KINSHASA
Matadi
Mbandaka
Kisangani
DEMOKRAT. REP. KONGO
Bandundu
Mai-Ndombe-See
Kongo
Kindu
Bukavu
Kananga
Mbuji-Mayi
Albertsee
Gulu
UGANDA
Jinja
Kampala
Kiogasee
KENIA
Marsabit
Eldoret
Kisumu
Turkanasee
Baardheere
Kismaayo
NAIROBI
Kigali
RWANDA
BURUNDI
Bujumbura
Victoriasee
Mwanza
Tabora
Tanga
Dodoma
TANSANIA
Mombasa
Sansibar
DARESSALAM
Kalemie
Tanganjikasee
Kasanga
Mbeya
Lindi
INDISCHER OZEAN
Ascension (brit.)
LUANDA
Malanje
Kwango
Kasai
Kamina
Kolwezi
Likasi
Lubumbashi
Kitwe
Mweru-see
Bangweolo-see
Malawisee
MALAWI
Lilongwe
Blantyre
Lobito
ANGOLA
Huambo
Namibe
Tombua
Cassinga
SAMBIA
Kabwe
Lusaka
Karibasee
Sambesi
Tete
MOÇAMBIQUE
Moçambique
Nampula
Quelimane
Beira
Str. v. Moçambique
KOMOREN
Moroni
Aldabra I.
SEYCHELLEN
Antsiranana
Mayotte (frz.)
Mahajanga
MADAGASKAR
ANTANANARIVO
Toamasina
Antsirabe
Fianarantsoa
Toliary
Taolanaro
Sankt Helena (brit.)
Tsumeb
Livingstone
Victoriafälle
HARARE
SIMBABWE
Bulawayo
Limpopo
Windhuk
Walfischbai
NAMIBIA
BOTSWANA
Gaborone
Pretoria
Mbabane
MAPUTO
SWASILAND
Inhambane
Lüderitz
JOHANNESBURG
Welkom
Maseru
SÜDAFRIKA
Bloemfontein
LESOTHO
Pietermaritzburg
Durban
De Aar
Oranje
East London
KAPSTADT
Kap der Guten Hoffnung
Mossel Bay
Port Elizabeth
Südl. Wendekreis
OZEAN
0 250 500 750 km
Dakhla
Westsahara
Nouadhibou
MAURETANIEN
Nouakchott
KAP VERDE
São Tiago
Praia
DAKAR
SENEGAL
Kaolack
GAMBIA
Banjul
Bissau

afrikan. Entstehung und Einwanderung. Rassisch überwiegen in Nord-A. **(Weiß-A.)** die hellhäutigen (europiden) Araber und Berber. In der Rep. Südafrika spielen noch Weiße europ. Abstammung als Minderheit eine große Rolle in Politik und

Meinungen zu **Afrika:**

Georg Wilhelm Friedrich Hegel, 1830:
»Denn es ist kein geschichtlicher Weltteil, er hat keine Bewegung und Entwicklung aufzuweisen (...) Was wir eigentlich unter Afrika verstehen, das ist das Geschichtslose und Unaufgeschlossene.«

Hugh Trevor Roper, 1963:
»Vielleicht wird es in Zukunft einmal eine Geschichte Afrikas geben. Zur Zeit kann keine Rede davon sein, es gibt lediglich die Geschichte der Europäer in Afrika. Der Rest ist Finsternis, und die ist kein Gegenstand der Geschichte.«

Wirtschaft. Asiaten (bes. Inder) leben in den südöstl. Gebieten. – Die afrikan. Völker werden meist nach ihren Sprachen gegliedert (→afrikanische Sprachen). Ihre traditionellen Ges.- und Wirtschaftsformen sind in starker Umwandlung begriffen. Dies sowie der rasche Zuwachs der Bev. (1950: 222 Mio., 1995: rd. 728 Mio.) führen zu großen sozialen, wirtsch. und polit. Problemen. – Die Bev.dichte A. ist regional sehr unterschiedlich, weite Gebiete sind menschenleer (z.B. Sahara), andere (Industrie- und Bergbauzentren, Küstenstädte, Niltal) sind übervölkert.

Geschichte

Vor- und Frühgeschichte: A. wird heute mit Recht als Wiege der Menschheit bezeichnet. In Kenia gefundene Knochenreste verschiedener Individuen werden auf 3,9–4,2 Mio. Jahre datiert. Aus A. stammen auch die ältesten Zeugnisse (Geräte aus Kiesel gefertigt; engl. pebble tools) für das Auftreten des Menschen (wahrscheinlich Australopithecinen). Die ältesten Geröllgeräte sind 2,5 Mio. Jahre alt (Olduvai, Tansania). Faustkeile wurden in Ost- und Nord-A. vor etwa 500 000 Jahren gefertigt. Im N des Kontinents reichen Jäger- und Sammlertraditionen bis 10 000 v. Chr. zurück, vom 6. bis ins 3. Jt. bildeten sich versch. neolith. Kulturgruppen (Funde in der Sahara). Um 5000 v. Chr. haben sich Pflanzenbau und Viehzucht von NO allmählich über den Erdteil verbreitet. Im Niltal begann die Metallverarbeitung (Kupfer, Silber, Gold) im 4. Jt. Um 2900 v. Chr. beginnt die Geschichte des Pharaonenreiches (→Ägypten, Geschichte). Nilaufwärts entstand das Reich Kusch (Nubien, Meroë), dessen Herrscher um 725 v. Chr. Ägypten eroberten. 664 v. Chr. wurden sie von den Assyrern zurückgeworfen. Das äthiop. Reich von Aksum entstand wohl im 3. Jh. v. Chr.

Staatengeschichte: Der älteste Staat von weltgeschichtl. Bedeutung in A. ist Ägypten. Westlich davon wurde das phönik. Karthago zu einer großen See- und Handelsmacht. Das Röm. Reich umfasste alle Küstenländer Nordafrikas. Mit dem Einbruch in Ägypten (638–644 n. Chr.) begann die Eroberung Nord- und Ost-A.s durch die muslim. Araber. In der westl. Sudanzone entstanden um 400 das Reich Gana, um 800 die Staaten Songhai und Kanem. In die Zeit um 1000 reichen die Stadtstaaten der Hausa, der Staat der Mosi und die Staatenbildungen der Nupe und Yoruba zurück. Kanem und andere sudan. Staaten wurden im 11. Jh. islamisiert. Im 13. Jh. trat das Reich Mali die Vorherrschaft im westl. Sudan an. Nach 1400 drängte Songhai Mali zurück und erlebte seinen Höhepunkt. Weiter östlich war das Reich Bornu aus Kanem hervorgegangen. Um 1500 bestanden ausgebildete Staaten an der Kongomündung (Reich der Kongo) und im heutigen Simbabwe (Reich des Monomotapa).

Seit dem 15./16. Jh. gründeten bes. die Portugiesen, Holländer und Engländer Handelsstützpunkte an den Küsten Afrikas. Seit dem 16. Jh. gewannen im Norden A.s Marokko und die »Barbareskenstaaten« (Algerien, Tunesien, Tripolitanien) eine beherrschende Stellung. In Ägypten zerfiel die 1517 errichtete osman. Herrschaft. 1771 rissen dort die →Mamelucken die Macht an sich. In Zentral-A. erreichten im 17. Jh. u.a. die Staaten der Luba und Lunda ihre Hochblüte. Vom 16. bis 19. Jh. entfaltete sich bes. an der Westküste der Negersklavenhandel (→Sklaverei). Noch im 19. Jh. gelang afrikan. Herrschern die Gründung großer, doch kurzlebiger Reiche. Erst nach 1850 teilten die europ. Kolonialmächte den Großteil A.s unter sich auf. Frankreich eroberte Algerien (seit 1830) und schuf sich seit 1881 (Tunesien) ein großes zusammenhängendes Kolonialreich in West- und Äquatorial-A.; dazu kamen 1895/96 Madagaskar, seit 1911/12 Marokko. Der Vorstoß an den oberen Nil scheiterte am brit. Einspruch (Faschodakonflikt 1898/99). Großbritannien hatte 1806–14 den Niederländern das Kapland entrissen; von hier aus gewann es ein großes Kolonialreich in Süd-A. (1843 Natal, 1866–79 das Kaffernland, 1885 Betschuanaland, 1889/90 Rhodesien); im Krieg von 1899 bis 1902 unterwarf es die Buren, die 1835–38 im großen »Treck« das Kapland verlassen und am Vaal und Oranje unabhängige Staaten gebildet hatten. 1910 wurden die meisten brit. Besitzungen in Süd-A. zur Südafrikan. Union zusammengeschlossen. Von dem 1882 besetzten Ägypten aus eroberte Großbritannien durch Niederwerfung der Mahdisten 1896–99 den östl. (anglo-ägypt.) Sudan; 1887–90 wurden Kenia, Sansibar und Uganda erworben, seit 1886 noch Nigeria. Portugal erweiterte seinen Küstenbesitz in West-A. zur Kolonie Angola, in

Ost-A. zur Kolonie Moçambique. Aus dem 1881–85 gegr. Kongostaat wurde 1908 Belgisch-Kongo. Das Dt. Reich erwarb 1884/85 Togo, Kamerun, Dt.-Südwestafrika und Dt.-Ostafrika (seit 1919/20 Völkerbundsmandate). Italien setzte sich 1881–85 in Eritrea und 1889 neben Großbritannien und Frankreich in Somalia fest. 1911/12 eroberte es das türk. Libyen, 1936 Äthiopien (1941 wieder verloren). Seit 1918 machten sich nationalist. Bewegungen, von den arab. Ländern ausgehend, immer stärker geltend (Ägypten 1922).

Nach dem 2. Weltkrieg entließen die Kolonialmächte ihre afrikan. Kolonien in die staatl. Unabhängigkeit (→Britisches Reich, →Französische Union, →Französische Gemeinschaft, →Belgien, →Spanien), behielten jedoch dort weiterhin dank ihrer wirtschaftl. Kraft indirekt auch hohen polit. Einfluss (»Neokolonialismus«). Neben ihnen gewannen in den 1970er- und 1980er-Jahren (bis zum Ende des Ost-West-Konfliktes) kommunist. Staaten (z.B. Sowjetunion, Kuba, DDR) in versch. Staaten (u.a. in Angola, Äthiopien und Moçambique) großen Einfluss. Während sich die Entkolonialisierung in A. meist friedlich vollzog, kam es in Algerien (1954–62), in den Besitzungen →Portugals (1960–74), in Rhodesien (1975–79) und Namibia (1975–89/90) zu Kriegen mit einheim. Befreiungsbewegungen. Als Forum der unabhängig gewordenen Staaten A. hatte sich 1963 die Organisation für Afrikan. Einheit (→OAU) gebildet.

Die arab. Staaten Nord-A. sind seit der Gründung des Staates Israel (1948) mit unterschiedl. Intensität in den Nahostkonflikt einbezogen. Unterschiedl. Vorstellungen bei der Lösung dieses Konfliktes (z.B. zw. →Ägypten und →Libyen), konkurrierende Konzepte der Zusammenarbeit, sei es auf panarab. Ebene (→Panarabische Bewegung), sei es auf nordafrikanisch-regionaler Ebene (→Maghreb-Union), Grenzkonflikte (z.B. zw. Libyen und Tschad) sowie der Streit um →Westsahara zw. Marokko und Algerien weisen auf starke Bruchlinien in der Politik der nordafrikanisch-arab. Staaten untereinander hin. Der Widerstreit zw. europäisch geprägten Ideen über demokrat. Staats- und Gesellschaftsstrukturen und dem seit den 1980er-Jahren in Nord-A. an Einfluss gewinnenden islam. Fundamentalismus führte in den 1990er-Jahren zu einem blutigen Bürgerkrieg in Algerien, zu terrorist. Anschlägen islam. Extremisten in Ägypten oder zu Konflikten im Übergangsgebiet des arabisch geprägten Nord-A. zu Schwarz-A. (z.B. in Sudan oder Nigeria).

Die schwarzafrikan. Staaten in West-, Zentral- und Ost-A. suchen seit ihrer Entlassung aus der Herrschaft europ. Staaten unter Überwindung des →Tribalismus die ungleichartige Bev. zu Nationen zusammenzufügen. Polit. Instabilität führte in den

Entdeckung und Erforschung Afrikas

um 1480 v. Chr.	Ägypt. Expedition nach Punt (Küste der Somalihalbinsel)
um 600 v. Chr.	Phöniker umsegeln im Auftrag des Pharao Necho II. A. vom Roten Meer über die S-Spitze bis zum Mittelmeer
um 500 v. Chr.	Der Karthager Hanno befährt die westafrikan. Küste bis zum Kamerunberg
um 60 n. Chr.	Röm. Expedition gelangt bis zu den Sümpfen des Weißen Nil
1325–52	Der Araber Ibn Battuta bereist ganz Nord-A. und die O-Küste; er erreicht 1352 Timbuktu
1416–60	Portugiesen erkunden im Auftrag Heinrichs des Seefahrers die W-Küste südwärts
1482/83	D. Cão entdeckt die Kongomündung
1488	B. Diaz umsegelt als erster Europäer das Kap der Guten Hoffnung
1497	V. da Gama umfährt auf dem Weg nach Indien das Kap der Guten Hoffnung und landet an der Natalküste
um 1515	Leo Africanus bereist Marokko, das Nigergebiet und Sudan; seine Beschreibung von A. blieb bis ins 18. Jh. maßgebend
1770	J. Bruce entdeckt die Quellen des Blauen Nil
1795–97	M. Park reist vom Gambia zum Niger
1795–1802	J. Barrow erkundet das Kapland und gelangt bis zum Oranje
1797–1801	F. K. Hornemanns Reisen von Ägypten über Audschila, Mursuk nach Bornu und Nupe (Niger)
1814	J. L. Burckhardt bereist Nubien
1822–24	H. Clapperton durchquert die Sahara von Tripolis über den Tschadsee und Sokoto bis zum Niger
1825/26	A. G. Laing reist von Tripolis nach Timbuktu
1827/28	R. Caillié durchquert die W-Sahara von Timbuktu nach Tanger
1848	J. L. Krapf und J. Rebmann entdecken den Kilimandscharo
1849	D. Livingstone findet den Ngamisee
1850–55	H. Barths Reisen durch die Sahara und im Sudangebiet
1852–64	D. Livingstone erforscht den Lauf des Sambesi, durchquert Süd-A. von Luanda bis Quelimane (1854–56) und entdeckt die Victoriafälle (1855) und den Njassasee (1859)
1858	J. H. Speke entdeckt den Tanganjikasee (mit Sir R. F. Burton) und den Victoriasee
1863	J. H. Speke trifft mit S. W. Baker, der den Weißen Nil von Khartum aufwärts verfolgt hat, in Gondokoro zusammen; der Lauf des Nil ist damit bis zum Victoriasee bekannt
1865–67	G. Rohlfs durchquert das nördl. A. von Tripolis über Bornu bis Lagos
1865–72	K. Mauch im Matabele- und Maschonaland; entdeckt 1871 die Ruinen von Simbabwe
1866–71	D. Livingstone zieht von Sansibar über den Rovuma zum Njassasee, zum Tanganjikasee und zum Mwerusee und entdeckt den Bangweolosee (1868) und den Lualaba (1871)
1869/70	G. Schweinfurth erkundet das obere Nilgebiet und entdeckt den Kongonebenfluss Uele
1869–74	G. Nachtigal bereist die Sahara und den Sudan; entdeckt 1869 das Tibestigebirge
1871	D. Livingstone trifft in Ujiji mit H. M. Stanley zusammen
1873–75	V. L. Cameron durchquert als erster Äquatorial-A. von O nach W
1874–77	H. M. Stanley bereist die Seen Zentral-A. und befährt den Kongo bis zur Mündung
1879–84	H. M. Stanley erforscht im Auftrag Leopolds II. von Belgien das Kongobecken
1880–82	H. von Wissmann durchquert als erster Äquatorial-A. von W nach O
1889	H. Meyer ersteigt den Kilimandscharo
1892/93	O. Baumann erforscht den Kagera, den Hauptquellfluss des Weißen Nil
1906	C. Harding stellt die Quelle des Sambesi fest

70er- und 80er-Jahren zu vielen Staatsstreichen und zur Ablösung demokrat., von der früheren Kolonialmacht im Zuge der Entkolonialisierung initiierten Verfassungsstrukturen und zur Errichtung von Diktaturen (oft nach dem Vorbild der kommunist. Herrschaftssysteme auf der nördl. Halbkugel der Erde).

Nach dem Ende des Ost-West-Konflikts, d.h. nach dem Zerfall des →Ostblocks, insbes. der Sowjetunion (1989/90/91) gab es Bemühungen, Einparteien- oder Militärdiktaturen wieder durch de-

Afrika: Kolonialgeschichte

mokrat. Mehrparteiensysteme zu ersetzen; diese Versuche scheiterten oft aber am Widerstand der bisherigen Machthaber (z.B. in Nigeria), am Niedergang der Wirtschaft, an wachsender Schuldenlast, ethn. Konflikten und vorstaatl. Klanloyalitäten. Seit den 1980er-Jahren ist das Bild im schwarzafrikan. Raum geprägt durch Kriege oder Bürgerkriege (u.a. Angola, Äthiopien, Burundi, Liberia, Mosambik, Niger, Ruanda, Somalia). In →Burundi und →Ruanda entwickelten sich die Gegensätze zw. Hutu und Tutsi, die bereits in der Vergangenheit zu blutigen Ausschreitungen untereinander geführt hatten, in den 1990er-Jahren zu Massakern in den Ausmaßen eines Völkermordes. In zahlreichen, oft gescheiterten Friedens- und Hilfsmissionen versuchte die UNO Konfliktlösungen zu erreichen.

Im südl. Afrika gründete die Südafrikan. Union, seit 1961 Republik Südafrika, unter dem Protest der Weltöffentlichkeit, v.a. der schwarzafrikan. Staaten, 1948 ihre Gesellschafts- und Staatsordnung auf die Politik der →Apartheid. Gegen diese Politik wandten sich unter der Bez. »Frontstaaten« die Nachbarstaaten (Angola, Botswana, Sambia, Simbabwe und Tansania) und versuchten gemeinsam, die Rep. Südafrika auf wirtsch. und polit. Gebiet zu isolieren und Antiapartheidsbewegungen eine politisch-militär. Basis zu bieten.

Unter dem Eindruck einer im Lande selbst sich ständig verstärkenden Antiapartheidbewegung und einer zunehmenden weltweiten polit. Isolierung der Rep. Südafrika begann deren Regierung 1990 mit dem Abbau des Apartheidsystems. Mit dem In-Kraft-Treten der auf der Gleichberechtigung aller Bürger beruhenden Übergangsverf. von Nov. 1993 im April 1994 endete nach 342 Jahren die Vorherrschaft der aus Europa stammenden Siedler.

🕮 *A.-Jahrbuch. Politik, Wirtschaft u. Gesellschaft in A. südl. der Sahara, hg. vom Institut für A.-Kunde. Opladen 1988ff.* – *A. – Entdeckung u. Erforschung eines Kontinents, hg. v.* H. DUCHHARDT *u.a. Köln u.a. 1989.* – LOTH, H.: *A. Ein Zentrum der alten Welt. Die histor. Bedeutung eines Kontinents. Berlin-Ost 1990.* – ANSPRENGER, F.: *Polit. Gesch. Afrikas im 20. Jh. München 1992.* – HARDING, L.: *Einführung in das Studium der afrikan. Gesch. Münster u.a.* [2]*1993.* – *A. zwischen Dekolonisation, Staatsversagen u. Demokratisierung, hg. v.* R. TETZLAFF *u.a. Hamburg 1995.*

Afrikaander (Afrikander), die Afrikaans sprechenden, in Südafrika geborenen Weißen, die →Buren.

Afrikaans (Kapholländisch), indogerman. Sprache, eine der Amtssprachen in der Rep. Südafrika, entwickelte sich aus niederländ. Dialekten des 17. Jh. mit wesentl. Vereinfachungen durch die urspr. nicht die niederländ. Sprache sprechenden Bevölkerungsteile. Zur Literatur in A., →südafrikanische Literaturen.

Afrikanische Entwicklungsbank (engl. African Development Bank, Abk. ADB), 1963 von 22 afrikan. Staaten in Khartum (Sudan) gegründetes Finanzierungsinstitut zur Förderung von Entwicklungsprojekten in Afrika; Sitz: Abidjan. Seit 1982 ist der Beitritt nichtafrikan. Länder möglich.

afrikanische Kunst, die Kunst der Völker Schwarzafrikas, umfasst nicht nur Plastik, sondern auch Malerei (Buschmänner), Töpferei, Weberei, Korbflechten, Leder- und Schmiedearbeiten. Bereits die Dekoration des Körpers (Bemalung, Narbentatauierung, Frisur u.a.) gehört in Afrika zum künstler. Gestalten. Kunstgewerbl. Verfeinerung der Kleidung (Stickerei, Färben, Durchbrechen, Applizieren) findet man bes. in den alten afrikan.

| 1

| 2

| 3

In Afrika werden bis heute vielfältige künstlerische Ausdrucksformen entwickelt. Zu den bekanntesten historischen Beispielen gehören sicherlich die aus Ife (Nigeria) stammenden Oni-Figuren und die berühmten Benin-Bronzen. Aber auch Holzskulpturen, Tanzmasken und Malereien – zum Teil christlich beeinflusst – gehören zum lebendigen Kunstschaffen Afrikas

| 4

| 5

| **1** Oberteil einer Messingfigur aus Ife, Nigeria (Ife, Museum of Ife Antiquities) | **2** Bronzeplatte aus dem ehemaligen Königreich Benin, Nigeria (Lagos, Nationalmuseum) | **3** Tanzmaske aus Ibo, Nigeria (Lagos, Nationalmuseum) | **4** Twins Sevev Sevev, »Ice-Scapedo« (Nigeria 1972; Hamburg, Privatsammlung) | **5** Ancent Soi, »Nairobi« (Kenia um 1974; Hamburg, Privatsammlung)

Königreichen und in islamisierten Gebieten, wo Vollkleidung verbreitet war. Die Herstellung von Schmuck aus Edelmetallen (z.B. Ashanti), die Herstellung von Glasperlen (Nupe in Nigeria) oder die Verwendung importierter Glasperlen für Perlenstickerei in Kamerun sind Beispiele für kunsthandwerkl. Können. Bekannt sind die Raffiaplüsche mit dem für die Sudanzone, Zentral- und NO-Afrika typ. Flechtbandmotiv. – Hauptmaterial des afrikan. Künstlers ist das Holz; andere Materialien wie Ton, Stein, Elfenbein und Metalle werden seltener verwendet.

Im Tschadseegebiet fand man Terrakotten der Sao-Kultur (6.–14. Jh.). Die Terrakotten von Nok (Nigeria) stammen aus der Zeit von 500 v. Chr. bis 200 n. Chr. und sind wahrscheinlich mit den Werken von Ife in Verbindung zu bringen. In Ife und später Benin wurden etwa ab dem 13. Jh. n. Chr. Terrakotta und Gelbguss (Kupfer-Zink-Legierung) zu hoher Blüte gebracht. Gegossene Köpfe, Masken, Figurengruppen und Reliefplatten stehen in Benin neben Elfenbeinschnitzereien. Die Terrakotten und die ersten naturalist. und differenzierten, in ihrer späteren Form dann stark schematisierten Bronzen (Phase des Niedergangs im 19. Jh.) sind ein Höhepunkt afrikan. Profankunst, die v.a. an Königshöfen gepflegt wurde.

Neben Benin und Ife war höf. Kunst bei den Bambara im Westsudan, den Yoruba als Erben von Ife und Benin, den Bamum in Kamerun und in den

afrikanische Kunst: Kultstatuette der Bamum, Kamerun (Paris, Musée de l'Homme)

Staaten des zentralafrikan. Raums (Kongo, Luba, Lunda, Kuba) verbreitet.

Religiöse Kunst, die im Zusammenhang mit dem Ahnenkult steht, findet sich viel häufiger als profane Kunst (Ahnen-, Toten-, Geister-, Grab- und Wächterfiguren). Den »Fetischfiguren« werden mag. Kräfte zugeschrieben. Masken dienen vorwiegend der rituellen Zurschaustellung und sind immer Teil eines Gesamtkostüms. Die christliche Kunst in Schwarzafrika, in Anlehnung an traditionelle Vorbilder und Formen, wird v. a. in religiösen Zentren angeregt und gefördert.

Seit Mitte des 20. Jh. entwickelten sich neben der stark zunehmenden Souvenirproduktion neue künstlerische Formen und Inhalte.

🕮 *Afrika. Kunstschätze aus dem Schwarzen Kontinent, bearb. v.* M. McLeod. *München 1981.* – Stössel, A.: *Afrikan. Keramik. Traditionelle Handwerkskunst südlich der Sahara. München 1984.* – K.-F. Schaedler: *Lexikon a. K. u. Kultur. München 1994.* – *Afrika. Die Kunst eines Kontinents, hg. v.* T. Phillips. *Ausst.-Kat. Martin-Gropius-Bau, Berlin. München 1996.*

afrikanische Literaturen. Die Sprachen Schwarzafrikas waren urspr. keine Schriftsprachen. Neben reichen mündl. Überlieferungen gibt es nur bei wenigen Völkern (z. B. Suaheli, Hausa, Fulbe, Kanuri) seit dem MA. islamisch-religiöse Dichtung (in arab. Schrift). Erst im 19. Jh. entstanden eigene Schriftsysteme und Werke in etwa 40 afrikan. Sprachen (in lat. Schrift). Weltgeltung erreichte T. Mofolos Roman »Chaka, der Zulu« (1925). →neoafrikanische Literatur, →schwarzafrikanische Literaturen.

🕮 Finnegan, R.: *Oral literature in Africa. Oxford 1970, Nachdr. Nairobi 1984.*

Afrikanische Spiele, zum ersten Mal 1965 in Brazzaville ausgetragene Spiele mit olymp. Sportarten für die dem Obersten Afrikan. Sportrat angeschlossenen Länder. Die 2. A. S. fanden 1973 in Lagos statt, die 3. 1978 in Algier, die 4. 1987 in Nairobi, die 5. 1991 in Kairo und die 6. 1995 in Harare.

afrikanische Sprachen. Die a. S. teilt man heute meist (nach J. H. Greenberg) in vier große Sprachstämme oder Bereiche ein: 1) kongokordofan. oder nigrit. Sprachen mit den Zweigen →Niger-Kongo-Sprachen und →kordofanische Sprachen. Hierzu gehört auch die sehr große Gruppe der →Bantusprachen. Zahlr. Vertreter dieses Bereichs besitzen nominale Klassensysteme (→Klassensprachen). 2) die →nilosaharanischen Sprachen mit den →saharanischen Sprachen. Die östl. Untereinheit dieses Stammes ist auch als →Schari-Nil-Sprachen bekannt, zu denen bes. die →nubischen Sprachen und die →nilotischen Sprachen gezählt werden. 3) die →hamitosemitischen Sprachen (oder afroasiat. Sprachen) mit den Berbersprachen (→Berber), den kuschit. Sprachen (→Kuschiten), den →tschadischen Sprachen, den semit. Sprachen Äthiopiens (z. B. Amharisch) und den diversen Formen des Arabischen N- und O-Afrikas sowie der Sudanzone. 4) Khoisan-Sprachen (→Khoisan) in SW- und S-Afrika. Gemeinsames phonet. Merkmal sind die Schnalzlaute. – Der größte Teil der a. S. besitzt die musikal. Tonhöhe (Tonem), mit der die Bedeutung von Wörtern und grammat. Formen unterschieden wird.

🕮 *Die Sprachen Afrikas, hg. v.* B. Heine *u. a. Hamburg 1981.*

Afrikanische Wirtschaftsgemeinschaft, →OAU.

Afrikanistik *die,* Wissenschaft von Kultur und Sprachen der afrikan. Völker.

Afro, eigtl. Afro Basaldella, italien. Maler, *Udine 4. 3. 1912, †Zürich 23. 7. 1976; Bruder von →Mirko; schuf Bilder zw. abstraktem Expressionismus und lyr. Abstraktion aus dem Erbe venezian. Farbkultur.

Afroamerikaner, Amerikaner schwarzafrikan. Abstammung.

afroamerikanische Literatur, Bez. für die von Afroamerikanern in den Vereinigten Staaten von Amerika geschriebene Literatur. →Vereinigte Staaten von Amerika, Literatur

afroamerikanische Musik, das Ergebnis der Vermischung afrikan. und europ. Musik auf dem amerikan. Kontinent (Jazz, Worksongs, Blues, Spiritual, Gospel).

afroasiatische Sprachen, die →hamitosemitischen Sprachen.

after [ahd. aftar »hinten«], nach, hinter (nur noch in Zusammensetzungen).

After (lat. Anus), Ausmündung des Darmkanals, beim Menschen durch zwei Schließmuskeln verschlossen, von denen nur der äußere dem Willen unterworfen ist.

Afterklauen (Afterzehen), rudimentäre, höher stehende 2. und 5. Zehen bei Huftieren.

Afterlehen, durch einen Lehnsträger (Vasall) weiterverliehenes Lehen.

After-Loading-Technik ['ɑ:ftəˈləʊdɪŋ..., engl.] (Nachladetechnik), *Medizin:* Verfahren zur Behandlung bösartiger Geschwülste der Gebärmutter und der Scheide, bei dem ein Radionuklid automatisch in eine vorher eingelegte leere Hohlsonde eingebracht wird.

Afterraupen, raupenähnl. Larven der Blattwespen.

Aftershave ['ɑ:ftəʃeɪv, engl.] *das,* →Rasierwasser.

Aft-Fan-Triebwerk ['ɑ:ftfæn, englisch], ein →Strahltriebwerk.

Afyonkarahisar [türk. »Opium-Schwarzburg«], Hptst. der türk. Provinz A. im westl. Anatolien, 98600 Ew.; Teppichknüpferei, Zement-, Nahrungsmittelindustrie; Zentrum des bedeutendsten türk. Mohnanbaugebietes (Opiumgewinnung für medizin. Zwecke). – Moschee Ulu Camii (13./14. Jh.).

Ag, chem. Symbol für → Silber (Argentum).

AG, Abk. für **1) A**ktien**g**esellschaft.

2) Amts**g**ericht.

3) Autonomes **G**ebiet (in den Rep. der GUS).

4) Arbeits**g**emeinschaft.

a. G., Abk. für **a**uf **G**egenseitigkeit (bei Versicherungsvereinen).

Aga (Agha) [osttürk. älterer Bruder] *der,* früherer türk. Titel für Offiziere und Beamte.

Agadès, Oasenstadt in Niger, 50000 Ew., wichtiger Markt für die Tuareg; Kunsthandwerk. – Zahlreiche Bauten im traditionellen sudan. Lehmbaustil.

Agadir [Berbersprache »befestigter Speicher«], Hafenstadt und Seebad an der W-Küste Marokkos, Verw.zentrum der Prov. A.; 110500 Ew., 1960 durch Erdbeben zerstört, in der Nähe wieder aufgebaut; heute größtes Touristenzentrum des Landes; Fisch verarbeitende Ind. (v.a. Sardinen); Flughafen. – Die Entsendung des dt. Kanonenboots »Panther« nach A. gab den Anstoß zur 2. Marokkokrise.

Ägadische Inseln [lat. »Ziegeninseln«] (italien. Egadi), Gruppe von vier gebirgigen Inseln vor der Westspitze Siziliens, 43,5 km^2; Thunfischfang, Kalksteinbrüche.

ägäische Kultur, nach dem Ägäischen Meer ben. bronzezeitl. Kultur, die im 3. und 2. Jt. v. Chr. die Ägäischen Inseln mit den Kykladen und Kreta sowie auch das grch. Festland und die Westküste Kleinasiens umfasste. Die eigenständige Kultur auf Kreta heißt nach König Minos minoisch. Die drei Perioden frühminoisch (3000–2000 v. Chr.), mittelminoisch (2000–1550 v. Chr.), spätminoisch (1550–1100 v. Chr.) gelten mit kleinen Abweichungen auch für die gleichzeitigen Kulturen des grch. Festlands (helladisch) und der Inseln des grch. Archipels (kykladisch). Für das sowohl mit der ä. K. als auch mit der kleinasiat. Kultur verbundene → Troja ergab sich aufgrund der Stadtperioden Troja I bis VIII b (rd. 2500–1100 v. Chr.) eine eigene Gliederung. Die Spätphase der ä. K. wird auch als **kretisch-myken. Kultur** bezeichnet. Erste erfolgreiche Grabungen in Troja, Mykene, Tiryns führte H. Schliemann zw. 1870 und 1890 durch. Das minoische Kreta hat Sir Arthur Evans durch die Ausgrabung von Knossos (seit 1900) entdeckt.

Auf Kreta wird die **frühminoische Periode** mit Stein- und Tongefäßen, auch Goldarbeiten, v.a. aus Gräbern, nach einer neueren Gliederung als **Vorpalastzeit** bezeichnet. Die ältesten Überreste von Palästen in Knossos, Mallia und Phaistos gehören an den Anfang der **mittelminoischen Periode.** Aus dieser **Älteren Palastzeit** (etwa 2000–1650 v. Chr.) stammen die Keramik mit weißen und roten Dekorationen auf schwarzem Grund (Kamaresvasen), Goldfunde, Kleinplastik, Siegelkunst, älteste Schriftzeugnisse (Bilderschrift auf Tontäfelchen). Die 2. Blütezeit, **Jüngere Palastzeit,** setzte mit der Wiedererrichtung der durch Erdbeben zerstörten Paläste und Siedlungen am Ende der mittelminoischen Periode (Mitte 17. Jh. v. Chr.) ein und wurde während der **spätminoischen Periode** wohl durch bürgerkriegsähnl. Wirren, hervorgerufen durch Hungersnöte und soziale Missstände, und letztlich durch die Invasion myken. Krieger Anfang des 14. Jh. beendet. Aus dieser Zeit stammen die Paläste in der durch Ausgrabungen überlieferten Gestalt, weiterhin Wandmalereien und Miniaturfresken, Fayence- und Elfenbeinfiguren sowie Keramik mit nun dunkel auf hellen Grund gemalten Motiven. Auf Thera entstand eine wohlhabende Stadt, um 1645 v. Chr. durch einen Vulkanausbruch verschüttet.

ägäische Kultur

Teilrekonstruktion des Nordeingangs im Palast von Knossos; rechts 43 cm hohe, weibliche Marmorfigur der Kykladenkultur; 2500–2300 v. Chr. (Berlin, Antikenmuseum)

Am Ende der Periode wechselte die inzwischen ausgebildete Silbenschrift (»Linearschrift«) auf den Tontäfelchen von der älteren Stufe (Linear-A) zur jüngeren Stufe (Linear-B). Unter der Vorherrschaft des myken. Festlandes verlor Kreta in der **Nachpalastzeit** (etwa 1375 bis etwa 1200 v. Chr.) seine Bedeutung.

Auf dem grch. Festland sind aus der **frühhellad. Periode** Siedlungen und monumentale Anlagen (Lerna, Tiryns) bekannt. Eine Leitform der Keramik ist die → Schnabelkanne. In der **mittelhellad. Periode** (erste Hälfte 2. Jt. v. Chr.) bringt die Keramik neue Formen und eine andere Art der Oberflächenbehandlung: Ornamente in mattem Schwarzton (Mattmalerei) oder einheitlich schwarze, graue oder gelbl. Oberfläche (minysch). Die **späthellad.** ist zugleich die **myken. Periode,** und da die Kunst in dieser Zeit von der kret. abhängig war, spricht man auch von **kretisch-myken. Kunst,** mit Schachtgräbern (16. Jh. v. Chr., mit reichen Beigaben) und großen Kuppelgräbern in Mykene (15.–14. Jh. v. Chr., z. B. »Schatzhaus des

ägäische Kultur: Goldmaske eines Fürsten aus einem Schachtgrab in Mykene (16. Jh. v. Chr.; Athen, Archäologisches Nationalmuseum)

Atreus«) sowie mit mächtigen Burgen in Mykene, Tiryns, Pylos. Nach der Zerstörung von Knossos (um 1375 v. Chr.) ging die Vormacht in der Ägäis an das myken. Festland über. Die zunächst nachgeahmten minoischen Formen und Motive der Keramik wurden vom 14. Jh. an reduziert und dann rein mykenisch. Die auf Kreta entwickelte Linear-B-Schrift wurde zur myken. Palastschrift. Die von Norden eindringenden Dorer zerstörten um 1150 v. Chr. endgültig die myken. Burgen und Siedlungen.

Auf den Kykladeninseln entfaltete sich im 3. Jt. v. Chr. eine (v. a. durch Grabfunde bekannte) Kunst von großer Eigenständigkeit **(096kyklad.),** die sie aber im Lauf des 2. Jt. v. Chr. zunehmend verlor. Von künstler. Bedeutung sind v. a. etwa 20 bis 30 cm hohe, teils bemalte Kykladenidole aus Marmor, ferner Marmorgefäße (Kegelvasen, Becher) und reich reliefierte oder mit Ritzmustern versehene Steingefäße und Keramik.

📖 DEMARGNE, P.: *Die Geburt der grch. Kunst. Die Kunst im ägäischen Raum von vorgeschichtl. Zeit bis zum Anfang des 6. vorchristl. Jh.s. Sonderausg. München 1977.* – MARINATOS, S. *u.* HIRMER, M.: *Kreta, Thera u. das myken. Hellas. Sonderausg. München 1986.*

Ägäisches Meer (Ägäis) [nach Aigeus], nördl. Nebenmeer des Mittelmeers zw. Griechenland und Kleinasien, 179 000 km², südl. Teil bis 2 962 m tief, reich gegliederte Küsten. Im Ä. M. liegen viele größere Inseln und Inselgruppen (u. a. Thasos, Samothrake, Lemnos, Lesbos, Chios, Samos, die Kykladen, Dodekanes, Sporaden und Kreta). Wichtige Häfen sind Piräus, Saloniki, İzmir und Hermupolis auf Syros.

ägäische Sprachen, Sammelbez. für Sprachen, die im östl. Mittelmeerraum vor (und noch neben) dem Altgriechischen gesprochen wurden.

Aga Khan, Titel des Oberhaupts der islam. Konfession der Hodschas, eines Zweiges der Ismailiten (→Schiiten), von seinen Anhängern (bes. in Indien, aber auch in Ostafrika) als erbl. →Imam verehrt. Der erste A. K. floh Anfang des 19. Jh. aus Persien nach Indien. Der dritte A. K. (seit 1886) war Sultan Mohammed Schah (*1877, †1957), Nachfolger wurde sein Enkel Karim Al Hussain Schah (*1937).

Agamemnon, im grch. Mythos der Sohn des Atreus aus dem Geschlecht der Tantaliden, König in Mykene oder Argos, Führer der Griechen gegen Troja. Er wurde nach der Rückkehr auf Anstiften seiner Gattin Klytämnestra von →Ägisth ermordet. Seine Kinder waren Orest, Iphigenie und Elektra.

Agamen (Agamidae), Echsenfamilie in trop. Gebieten der Alten Welt und Australien, mit etwa 3 000 Arten, z. B. →Flugdrachen.

Agammaglobulinämie *die,* das Fehlen bestimmter Eiweißkörper, der Gammaglobuline, im Blut. Zu ihnen zählen die Antikörper, sodass ein **Antikörpermangelsyndrom** mit Störung der Abwehr entsteht. A. kann genetisch bedingt und angeboren oder erworben sein. Sie führt zu einer gesteigerten Anfälligkeit gegenüber bakteriellen (eitrigen) Infektionen.

Agamogonie [grch.] *die,* ungeschlechtl. oder vegetative Fortpflanzung, z. B. durch Zweiteilung einzelner Zellen.

Agaña [...ɲ...], Hauptstadt der Insel →Guam.

Agape [grch. »Liebe«] *die,* **1)** Nächstenliebe als wichtigste Grundforderung der christlichen Ethik (1. Kor. 13,13).

2) das abendl. Mahl der christl. Gemeinde der ersten Jh., urspr. wohl mit der Feier des →Abendmahls verbunden.

Agar-Agar [malaiisch] *der* oder *das,* Extrakt aus bestimmten Rotalgen, bildet beim Abkühlen der heißen wässrigen Lösung ein festes Gel; besteht aus Polysacchariden. Verwendung in der Lebensmittelindustrie, bei der Herstellung von Nährböden, in der Pharmazie und als Trägermaterial bei Gelchromatographie.

Agartala, Hptst. des Bundesstaates Tripura, Indien, 157 000 Ew.; Handelszentrum für die landwirtsch. Umgebung.

Agatha, sizilian. Märtyrerin, † zw. 249 und 251. Patronin gegen Feuersgefahr. Heilige, Tag: 5. 2.

Agathokles, Tyrann von Syrakus (seit 316 v. Chr.), * Thermai (heute Termini Imerese) auf Sizilien 360 v. Chr., † 289 v. Chr.; kämpfte 311–306 gegen Karthago und gewann für Syrakus die Vorherrschaft im ganzen nichtpun. Sizilien. 304 nahm er den Königstitel an.

Agave [grch.] *die,* Pflanzengattung mit etwa 300 Arten in subtrop. und trop. Trockengebieten Amerikas; Rosettenpflanzen mit bedornten, dickfleischigen Blättern, die oft ein hohes Alter erreichen, bevor sie blühen und nach der Fruchtreife absterben. In Mexiko wird der Saft zu alkohol. Getränken vergoren (z. B. Pulque). Die Faser der **Sisal-A.** (A. sisalana) liefert Sisalhanf.

AGC, Abk. für engl. **a**utomatic **g**ain **c**ontrol, automat. Verstärkungsregelung eines Empfängers bei schwankender Empfangsfeldstärke.

Agen [a'ʒɛ̃], Hptst. des frz. Dép. Lot-et-Garonne, an der Garonne, 32 200 Ew.; kath. Bischofssitz, Museum; Handelszentrum (Obst, Gemüse); Nahrungsmittel-, Textil-, Schuhindustrie.

Agence France-Presse [a'ʒɑ̃s frɑ̃s'prɛs], → AFP.

Agenda [lat. »was zu tun ist«] *die,* Merkbuch, Terminkalender.

Agenda 21, Aktionsprogramm zu Umwelt- und Entwicklungsvorhaben der UN, in dessen 40 Kapiteln Regeln für die nachhaltige Nutzung aller natürl. Ressourcen festgelegt sind; auf der UN-Konferenz für Umwelt- und Entwicklung in Rio de Janeiro 1992 diskutiert und angenommen. Zur Finanzierung der Umweltschutz- und Entwicklungsvorhaben in der Dritten Welt wollen die Ind.staaten sobald wie möglich 0,7 % des Bruttosozialprodukts bereitstellen.

Agende *die,* Kirchenbuch, in dem die gottesdienstl. Ordnungen aufgezeichnet sind.

Agens [lat. »das Wirkende«] *das,* Triebkraft, Ursache.

Agent [lat. »Handelnder«], **1)** im Auftrag oder Interesse eines anderen Handelnder.

2) veraltet für → Handelsvertreter.

3) (polit. A.) im geheimen Nachrichtendienst Tätiger, Spion.

Agent provocateur [a'ʒɑ̃ prɔvɔka'tœ:r, frz.], Lockspitzel, der zu strafbaren Handlungen anreizen soll. Er bleibt straflos, wenn die Straftat nur zum Versuch gedeiht und er die Vollendung nicht will. Rechtlich umstrittenes Problem, → V-Mann.

Agentur *die,* Geschäftsstelle, Vertretung (v. a. für Werbung, Versicherungen).

Ägerisee (Aegerisee), See im Kanton Zug, Schweiz, 724 m ü. M., 7,2 km^2, bis 82 m tief.

Agesilaos II., König von Sparta (seit 399 v. Chr.), * um 444 v. Chr., † Kyrene um 360 v. Chr.; kämpfte in Kleinasien gegen die Perser und besiegte 394 bei Koroneia die Athener und Böoter. A. rettete Sparta vor Epaminondas, unterlag ihm jedoch 371 v. Chr. bei Leuktra.

Ägeus, *grch. Mythos:* → Aigeus.

AGF, Abk. für **A**rbeitsgemeinschaft der **G**roß**f**orschungseinrichtungen, → Großforschungseinrichtungen.

Agger *die,* rechter Nebenfluss der Sieg; Talsperre (19,3 Mio. m^3).

Aggiornamento [addʒo-; italien. aggiornare »modernisieren«], von Papst Johannes XXIII. geprägtes Leitmotiv des 2. Vatikan. Konzils: Schlüsselbegriff für die mit diesem verbundenen Erwartungen.

Agglomerat [lat. agglomerare »fest anschließen«] *das,* **1)** *Geologie:* Anhäufung loser, meist eckiger Gesteinstrümmer, bes. Lavabrocken.

2) *Metallurgie:* aus feinkörnigem Gut durch Sintern, Brikettieren oder Pelletieren hergestellte stückige Masse.

Agglomeration *die,* **1)** *Geographie:* → Ballung.

2) *Medizin:* Zusammenballung von Blutzellen oder Bakterien.

Agglutination [lat. agglutinare »anleimen«] *die,* **1)** *Medizin:* Zusammenballung von Zellen durch Antikörper im Rahmen einer Antigen-Antikörper-Reaktion. Bekannt ist die Anwendung der A. **(Häm-A.)** zur Bestimmung der → Blutgruppen. Die A. von Bakterien durch Serum **(Gruber-Widal-Reaktion)** weist gegen diese Bakterien gerichtete Antikörper nach, die durch eine natürl. Infektion oder Schutzimpfung in den Körper gelangt sind.

2) *Sprache:* das Anfügen von Formelementen ohne Veränderung des Wortstamms.

agglutinierende Sprachen, → Sprache.

Aggregat [lat. aggregare »anhäufen«] *das,* **1)** *Geologie:* Verwachsung von Mineralen gleicher oder verschiedener Art.

2) *Mathematik:* mehrgliedriger algebraischer Ausdruck, dessen Glieder durch + oder – verknüpft sind.

3) *Technik:* Maschinensatz aus zwei oder mehreren gekoppelten Maschinen.

Aggregation *die,* **1)** *allg.:* Anhäufung, Angliederung.

2) *Chemie:* Zusammenlagerung von Atomen, Molekülen und/oder Ionen zu einem größeren Verband (Aggregat).

Aggregatzustand, von Druck und Temperatur abhängige Zustandsform der Materie, nach Beweglichkeit, Ordnungsgrad und Wechselwirkung ihrer Bausteine (Atome, Moleküle, Ionen) unterschieden in → Festkörper, → Flüssigkeit, → Gas oder → Plasma. Der **feste A.** zeichnet sich durch Formbeständigkeit sowie hohe Elastizität aus. Festkörper können kristallin (→ Kristall) oder → amorph

Agave: Sisalagave mit baumförmigem Blütenschaft

beschaffen sein. Im **flüssigen A.** sind die Atome bzw. Moleküle gegeneinander verschiebbar, sodass eine Flüssigkeit zwar ein bestimmtes Volumen, jedoch keine feste Gestalt hat. Der **gasförmige A.** ist durch die weitgehend unabhängige Bewegung der einzelnen Moleküle charakterisiert; ein gegebener Raum wird völlig ausgefüllt. Die Druck- und Temperaturgebiete, in denen die einzelnen A. stabil sind, werden im →Zustandsdiagramm ausgewiesen. Steigert man die Temperatur über den krit. Punkt (→kritischer Zustand), so bildet sich der Plasmazustand aus.

Aggression [lat.] *die,* **1)** *Psychologie:* affektbedingtes Angriffsverhalten, z.T. (Psychoanalyse, Verhaltensforschung) auf einen angeborenen A.-Trieb **(Aggressivität),** z.T. auf Versagungen (Frustrationen) oder auch auf milieubedingte Verhaltensprägungen zurückgeführt.

📖 LORENZ, K.: *Das sogenannte Böse. Zur Naturgeschichte der A. München* [20]*1995.*

2) *Völkerrecht:* Angriffshandlung eines Staates gegen einen anderen. Es herrscht ein allg. A.-Verbot (Kellog-Pakt, UN-Charta), sodass A. völkerrechtswidrig sind; erlaubt sind nur individuelle und kollektive Verteidigungshandlungen gegen Aggressionen.

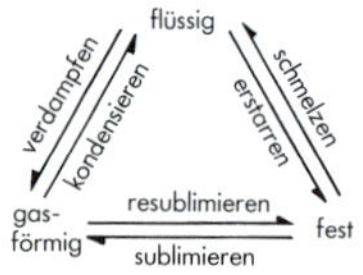

Aggregatzustand

Ägide [grch.] *die,* Leitung, Obhut, Schutz. (→Aigis)

Ägidius, 1) Gründer und erster Abt des Benediktinerklosters Saint-Gilles in der Provence, †Saint-Gilles-du-Gard um 721; als einer der 14 Nothelfer verehrt. Heiliger, Tag: 1. 9.

2) Ä. von Rom, Scholastiker, *Rom um 1243, †Avignon 22. 12. 1316; Schüler des Thomas von Aquino; Ordensgeneral und Erzbischof; übte Kritik am →Aristotelismus und →Averroismus.

agieren [lat.], handeln, tun; eine Rolle darstellen (Theater).

agil [lat.], flink, gewandt.

Agilolfinger (Agilulfinger), ältestes bayer. Herzogsgeschlecht; erscheint um 555, erlosch 788 mit Tassilo III.

Ägina, grch. Insel im Saron. Golf, 83 km². Hauptort ist Ä., an der Westküste, mit 11100 Ew., Anbau von Oliven, Wein, Mandeln, Pistazien. Reger Fremdenverkehr. Im NO der Insel der Tempel der Aphaia (→Ägineten). Vom 8. bis 6. Jh. v. Chr. von Epidauros abhängig, erlangte Ä. durch Handel, Schifffahrt und Gewerbe im Altertum eine bed. Machtstellung; es ist Prägestätte der ältesten erhaltenen grch. Münzen. 456 v. Chr. unterlag Ä. Athen. Im MA. war Ä. ein Seeräubernest; gehörte dann zeitweilig zu Venedig und bis zum grch. Freiheitskampf zur Türkei.

Ägineten, die 1811 auf der Insel Ägina gefundenen marmornen Giebelfiguren des Tempels der Aphaia, an der Wende des 6. zum 5. Jh. v. Chr. entstanden. Die beiden Giebel stellen die Kämpfe des Telamon und Herakles, des Aias und des Achill nach Troja dar (München, Glyptothek).

Ägina: Aphiatatempel (Ende 6. Jh. v. Chr.)

Aginskoje (Burjatischer Autonomer Kreis Aginskoje), autonomer Bezirk im Gebiet Tschita in Transbaikalien, Russ. Föderation, 19000 km², (1994) 79400 Ew., Verw.zentrum: Aginskoje.

Agio ['a:dʒo; frz., aus italien. aggio] *das* (Aufgeld), der über den Nennwert eines Wertpapiers oder die Parität einer Geldsorte hinausgehende Ausgabebetrag (Preis); meist in Prozent des Nennwertes ausgedrückt. Ggs.: Disagio, Abschlag.

Agiopapiere ['a:dʒo-], festverzinsl. Papiere, die mit einem Aufgeld rückzahlbar sind.

Agiotage [a:dʒo'ta:ʒə; frz. »Plusmacherei«] *die,* Ausnutzung von Kursschwankungen bei Börsengeschäften.

AGIP S.p.A. ['a:dʒip -], Rom, Abk. für **A**zienda **G**enerale **I**taliana dei **P**etroli, Unternehmen der →ENI S.p.A.

Ägir, nord. Meeresriese, auch Meeresgott.

Ägirin *der,* Mineral, ein →Pyroxen.

Ägis, Attribut des Zeus und der Athene, →Aigis.

Ägisth (grch. Aigisthos), im grch. Mythos Sohn des Thyestes und seiner Tochter Pelopeia; erschlug seinen Onkel Atreus und bemächtigte sich der Herrschaft in Mykene. Während Agamemnon am Trojan. Krieg teilnahm, verführte er dessen Gattin Klytämnestra, ermordete den heimkehrenden Agamemnon und wurde von dessen Sohn Orest erschlagen.

Agitation [lat.] *die,* intensive Form polit. Propaganda.

agitato [adʒi'ta:to, italien.], *Musik:* lebhaft, erregt.

Agitprop, Kw. aus **Agit**ation und **Prop**aganda, Mittel marxistisch-leninist. (kommunist.) Parteien zur Beeinflussung der Bevölkerung. **A.-Theater,** Laientheater der Arbeiterbewegung in den 1920er-Jahren.

Aglaia, *grch. Mythos:* eine der drei Chariten, der Göttinnen der Anmut und Lieblichkeit.

Agnano [a'ɲa:no], ehem. Kratersee auf den Phlegräischen Feldern westlich von Neapel, 1870 trockengelegt; Ruinen röm. Thermen.

Agnaten [lat.], **1)** *allg.:* in männl. Linie verwandte Männer.

2) *german. Recht:* die männl. Blutsverwandten, die in männl. Linie vom gemeinsamen Stammvater abstammen **(Schwert-** oder **Speermagen)**; Ggs.: Spindel- oder Kunkelmagen.

3) *röm. Recht:* alle der väterl. Gewalt durch Geburt oder Adoption Unterworfenen; Ggs.: Kognaten, Blutsverwandte.

Agnes [aus grch. hagnós »heilig«, »keusch«], röm. Märtyrerin, †258/259 oder 304; Heilige; Tag: 21. oder 28. 1.

Agnes von Poitou [- pwa'tu:], römisch-dt. Kaiserin, *1025 (?), †Rom 14. 12. 1077; Tochter Herzog Wilhelms V. von Aquitanien, wurde 1043 die 2. Gemahlin Kaiser Heinrichs III. und war nach dessen Tod 1056–62 Regentin für ihren Sohn Heinrich IV.

Agnetendorf, Kurort in Polen, →Jagniątków.

Agni [Sanskrit »Feuer«], ind. Gott des Feuers und des Opfers.

Agnon, Schmuel (Samuel) Josef, eigtl. J. S. Czaczkes, hebräischer Schriftsteller, *Buczacz (Galizien) 17. 7. 1888, †Rehovot (bei Tel Aviv-Jaffa) 17. 2. 1970; schrieb Erzählungen, Romane (»Die Aussteuer«, 1934; »Nur wie ein Gast zur Nacht«, 1939; »Gestern, Vorgestern«, 1945; »Sīrā«, hg. 1971); auch Gelehrter und Traditionsforscher. 1966 erhielt er mit Nelly Sachs den Nobelpreis für Literatur.

Agnosie [grch.] *die, Medizin:* Unfähigkeit, Gesprochenes, Gesehenes, Gehörtes oder Getastetes zu erkennen, obwohl die aufnehmenden Sinnesorgane unbeschädigt sind; beruht auf Funktionsstörungen des Gehirns.

Agnostizismus [zu grch. ágnostos »nicht erkennbar«] *der,* philosophische Richtung, die das Übersinnliche, insbesondere das Göttliche, für unerkennbar hält, jedoch nicht unbedingt dessen Existenz leugnet. Erkennbar sei lediglich Innerweltliches. Das Transzendente lasse sich höchstens erahnen, fühlen, glauben. A. findet sich im →Kritizismus Kants, in der Frühzeit der →dialektischen Theologie, in →Positivismus und →Neopositivismus, in der →analytischen Philosophie.

Agnus Dei [lat. »Lamm Gottes«] *das,* **1)** Bez. Jesu als Lamm Gottes (nach Joh. 1,29).

2) *Kunst:* symbol. Darstellung Christi als Lamm, dem Heiligenschein, Kreuz, Kreuzfahne und Kelch beigegeben werden können.

3) *lat. Liturgie:* dreimaliger Bittruf zum Brotbrechen vor der Kommunion; in den luther. Gottesdienst übergegangen.

Agogik [grch. agogḗ »Führung«] *die, Musik:* Lehre von der elast. Gestaltung des Tempos beim Vortrag eines Musikstückes.

Agon [grch.] *der,* im antiken Griechenland urspr. Bez. für jede Versammlung und den Versammlungsplatz; dann auf die dabei ausgetragenen Wettkämpfe, v.a. bei den Festen zu Ehren von Göttern (z. B. Olymp. Spiele), übertragen.

Agone [grch.] *die* (Nulllinie), Linie, die alle Punkte mit der Deklination Null des erdmagnet. Feldes verbindet.

Agonie [grch.] *die,* Todeskampf (→Tod).

Agora [grch. »Versammlung«] *die,* im grch. Altertum die Versammlung des Heeres oder des Volkes, danach: der Marktplatz als Mittelpunkt der grch. Stadt.

Agoraphobie [grch.] *die,* →Platzangst.

Agostini, Giacomo, italien. Motorradrennfahrer, *Lovere 16. 6. 1942; vielfacher Weltmeister.

Agoult [a'gu], Marie Catherine Sophie, Gräfin d'A., geb. de Flavigny, frz. Schriftstellerin unter dem Pseudonym Daniel Stern, *Frankfurt am Main 31. 12. 1805, †Paris 5. 3. 1876; ihre Tochter Cosima, aus ihrer Verbindung mit F. Liszt, heiratete 1870 R. Wagner.

Agra, Stadt im Bundesstaat Uttar Pradesh, Indien, an der Yamuna, 892 200 Ew.; Univ. (gegr. 1927); Kunsthandwerk, Textilind. u.a.; prachtvolle islam. Bauten: Festung (ab 1566 ausgebaut) mit zahlr. Palästen, Pavillons und der Perlmoschee (1646–53); außerhalb der Festung das Mausoleum des Itimad-ud-Daula (1622–28) und der →Taj Mahal (sämtlich UNESCO-Weltkulturerbe).

Agraffe [frz. agrafe »Spange«] *die,* Schmuckspange, Fibel.

Agram, dt. Name für →Zagreb.

Agranulozytose [lat.-grch.] *die, Medizin:* das Fehlen der körnchenhaltigen weißen Blutkörperchen (Granulozyten) im Blut, meist aufgrund einer Arzneimittelallergie, führt zu oft lebensgefährl. Abwehrschwäche.

Agraphie [grch.] *die, Medizin:* durch Hirnschädigung bedingte Unfähigkeit zu schreiben bei Intaktheit der Muskeln.

agrar..., agr... [lat. agrarius »die Felder betreffend«], landwirtschafts...

Agrarbericht der Bundesregierung, Bericht über die Lage der Landwirtschaft und über die agrarpolit. Aktivitäten der Bundesreg., der nach dem Landwirtschafts-Ges. vom 5. 9. 1955 dem Bundestag jährlich bis zum 15. 2. vorzulegen ist; ersetzte 1971 die seit 1956 erstellten »Grünen Berichte« und »Grünen Pläne«.

Agrargeographie, die Landwirtschaftsgeographie, Teilgebiet der →Wirtschaftsgeographie.

Agrargesellschaft, vorindustrielle Form der Gesellschaft.

Schmuel Josef Agnon

Agnus Dei 2): Schlussstein aus Cluny

Agrarier, Grundbesitzer, Landwirt; i.e.S. die Vertreter landwirtsch. Interessen im polit. Leben, bes. die Großgrundbesitzer in Preußen 1876–1918.

Agrarkommunismus, eine Agrarverfassung, die auf →Gemeineigentum an landwirtsch. Grund und Boden beruht. Der A. kann Bestandteil einer sozialist. Gesamtordnung der Wirtschaft sein, oder das Gemeineigentum bleibt auf den landwirtsch. genutzten Boden beschränkt. Nach einer früher weit verbreiteten Theorie wurde der A. als die typ. Form der Agrarverfassung in Frühstadien der wirtsch. und gesellschaftl. Entwicklung angesehen. Genossenschaftl. Formen des Eigentums (→Allmende) und der Nutzung (→Flur) entstanden indessen erst langsam im Zuge wachsender Bev.dichte. Neuere Beispiele für gemeinschaftl. Grundeigentum und genossenschaftl. Landbewirtschaftung außerhalb Europas sind die Ejidos in Mexiko und die Kibuzzim in Israel.

Agrarluftfahrt, →Landwirtschaftsfliegerei, →Arbeitsflugzeuge.

Agrarmarkt, Gesamtheit der auf landwirtsch. Erzeugnisse gerichteten Austauschbeziehungen zw. Angebot und Nachfrage. Aufgrund seiner Besonderheiten (jahreszeitl. Schwankungen, Produktmenge ist nicht genau voraus zu bestimmen, Nachfrage weitgehend konstant, zyklische Preisschwankungen) greifen viele Staaten regulierend ein.

Agrarmarktordnungen der EG, System von Maßnahmen zur Regulierung der Märkte für landwirtsch. Erzeugnisse innerhalb der EG. Sie basieren auf dem EWG-Vertrag von 1957 (seit 1. 11. 1993: EG-Vertrag) und sind ein Kernstück der gemeinsamen Agrarpolitik. Ziel der A. d. EG ist es, den EG-Binnenmarkt vom Weltmarkt abzugrenzen, Angebot und Nachfrage auf dem EG-Binnenmarkt zum Ausgleich zu bringen und die Preise zu stabilisieren. Marktordnungen bestehen für: Getreide, Reis, Schweine-, Rind-, Schaf-, Ziegen- und Geflügelfleisch, Eier, Milch und Milcherzeugnisse, Zucker und Isoglucose, Obst und Gemüse sowie deren Verarbeitungserzeugnisse, Wein, Olivenöl, Ölsaaten, lebende Pflanzen und Waren des Blumenhandels, Faserpflanzen (Flachs und Hanf, Baumwolle), Seidenraupen, Tabak, Hopfen, eiweißhaltige Pflanzen (Erbsen und Futterbohnen), Saatgut, Trockenfutter, Fischereierzeugnisse. Zum 1. 7. 1993 trat eine Marktordnung für Bananen in Kraft.

Die Abgrenzung vom Weltmarkt erfolgt durch Zölle. Beim Export werden Ausfuhrerstattungen gewährt. Falls ein Teil der Ware auf dem Binnenmarkt zu einem bestimmten Preis nicht abgesetzt werden kann, sehen viele A.d. EG Interventionen vor, d.h., staatl. Interventionsstellen kaufen die Ware zum Interventionspreis. Die intervenierte Ware wird entweder wieder in den Binnenmarkt zurückgegeben oder exportiert. Einige A. d. EG sehen Beihilfen für die Erzeuger der Produkte vor (z.B. für bestimmte Ackerfrüchte und für Rinder), andere Beihilfen für die Käufer bzw. Verarbeiter (z.B. für nachwachsende Rohstoffe).

Alle innerhalb der A. d. EG anzuwendenden Preise (administrierte Preise) werden jährlich vom Ministerrat festgelegt. Die Kosten der A. d. EG werden aus dem Europ. Ausrichtungs- und Garantiefonds für die Landwirtschaft (EAGFL) bezahlt. Mit der Reform der gemeinsamen Agrarpolitik 1992 wurde in einigen A. d. EG die Stützung der Landwirtschaft über administrierte Preise ganz oder teilweise abgebaut und durch Ausgleichszahlungen ersetzt, um das Marktgleichgewicht wiederherzustellen und die stark gestiegenen Ausgaben zu reduzieren, sowie mengenbegrenzende Maßnahmen ebenfalls gegen Ausgleich eingeführt.

Agrarökonomie, Zweig der Agrarwissenschaften, der die landwirtsch. Betriebslehre, landwirtsch. Marktlehre und i.w.S. die Agrarpolitik beinhaltet.

Agrarpolitik (Landwirtschaftspolitik), Gesamtheit der Maßnahmen des Staates, internat. Organisationen, Selbstverwaltungskörperschaften und Berufsverbände, die auf die Gestaltung wirtsch., sozialer und rechtl. Verhältnisse in Land- und Forstwirtschaft zielen. Für die EG-Staaten wird A. z.T. nicht mehr nat., sondern im Rahmen eines gemeinsamen Agrarmarktes betrieben, wobei folgende Ziele gelten: Verbesserung der Produktionsgrundlagen durch Agrarstrukturpolitik (Investitionshilfen, günstige Kredite, Subventionen, Verbesserung der ländl. Sozialpolitik u.a.), Einkommenssicherung der Landbevölkerung, Versorgung der Verbraucher mit preiswerten Erzeugnissen, Landeskultur und Landschaftspflege. Die Problematik der A. in der EG u.a. Industriestaaten besteht darin, dass durch techn. Fortschritt Disproportionen zw. Ausweitung der Produktion und entsprechender Nachfragesteigerung bestehen, die v.a. durch Stärkung der Marktposition der Landwirtschaft überwunden werden sollen. Die →Agrarmarktordnungen der EG führen z.T. zu Überproduktion, die auf Kosten der EG vernichtet bzw. eingelagert und später billiger abgesetzt werden muss. Versuche der Abhilfe bestehen in Anbaubeschränkungen mit produktgebundenen Ausgleichszahlungen, womit jedoch das Problem der Benachteiligung der kleineren Betriebe nicht gelöst wird. Wichtigstes Ziel der EG ist die Schaffung einer zollfreien Agrarunion, wobei die nat. Agrarinteressen der Mitgl.länder abgestimmt (Harmonisierungsproblem) und zugleich die Frage der Agrarüberschüsse gelöst werden müssen. 1992 einigten sich die Landwirtschaftsminister der EG auf eine Reform der gemeinsamen A., deren Kernpunkt die Umstellung von den bisher mengenbezogenen Agrarsubventionen an die europ. Landwirte auf direkte Einkommenshilfen ab 1993 ist. Durch Senkung der Aufkaufpreise für landwirtsch. Produkte und Bindung der Ausgleichszahlungen für die Bauern an weitere Flächenstilllegungen sollen die Überproduktion eingedämmt und die Preise an das Weltmarktniveau herangeführt werden. – In vielen Entwicklungsländern konzentriert sich die A. angesichts Überbevölkerung, Armut, Hunger und Unterernährung darauf, durch Agrarreformen, Verbesserung der Anbauverfahren und Technisierung der Produktion eine Mindestversorgung der Bev. mit Nahrungsmitteln zu garantieren.

📖 Henrichsmeyer, W. *u.* Witzke, H. P.: *A., 2 Bde. Stuttgart 1991–94. – Agrarstrukturplanung, A. u. Umweltschutz, bearb. v.* B. Koengeter. *Stuttgart* [4]*1995. – Kommunen entdecken die Landwirtschaft. Perspektiven u. Beispiele einer zukunftsfähigen A. in Dorf u. Stadt, hg. v.* F. Thomas *u. a. Heidelberg 1995. – Institutioneller Wandel u. polit. Ökonomie von Landwirtschaft u. A., hg. v.* K. Hagedorn. *Frankfurt am Main u. a. 1996.*

Agrarpreisstützungen, Komplex von Maßnahmen, durch die die Preise für landwirtsch. Erzeugnisse auf einem bestimmten Niveau gehalten werden, z. B. Preis- und Abnahmegarantien, Verwendungsauflagen, Einfuhrbeschränkungen, Zölle, Abschöpfungen, Exportsubventionen, Anbaubeschränkungen, Interventionskäufe, produktgebundene Ausgleichszahlungen.

Agrarreform, grundlegende gesetzgeber. Umgestaltungen der Agrarverfassung. Ausgangspunkt können Feudalverfassungen, gutswirtschaftliche Agrarverfassungen (Großbetriebe mit entlohnten Arbeitskräften) oder Stammesverfassungen sein. Ziel von A. kann sein, die bisherigen Agrarverfassungen in bäuerl. oder genossenschaftl. Agrarverfassungen zu überführen. In den Entwicklungsländern gehören A. heute zu den vordringlichsten Aufgaben, um koloniale Wirtschaftsstrukturen (Monokulturen) zu überwinden und die Ernährungsgrundlage der Bevölkerung zu sichern.

Agrarrevolution, tief greifende Änderung der Agrarverfassung, meist infolge eines polit. Umsturzes: v. a. in Frankreich 1789, in Russland 1917 und nach 1945 in den anderen kommunistisch regierten Ländern sowie im Zuge der Entkolonialisation in verschiedenen afrikanischen und asiatischen Staaten.

Agrarsozialismus, unterschiedl. Theorien und Programme mit der Forderung nach Überführung des Bodens in Gemeineigentum. Die Spannweite agrarsozialistischer Reformen reicht von der völligen Vergesellschaftung oder Verstaatlichung des Grund- und Bodeneigentums (→Agrarkommunismus) im Agrarbereich bis hin zu weitgehenden Einschnitten in die Eigentumsrechte des Einzelnen. Zu einem reformorientierten A., der in letzter Konsequenz die kapitalist. Wirtschaftweise nicht antastete, bekannten sich – in unterschiedl. Form – die dt. und österr. Sozialdemokratie bis nach dem 1. Weltkrieg, die brit. Labour Party und die brit. Liberalen bis nach dem 2. Weltkrieg. In Russland propagierten die Narodniki den kollektiven Bodenbesitz, die Sozialrevolutionäre forderten die Vergesellschaftung des gesamten Landbesitzes unter »munizipaler« Verwaltung.

Agrarsoziologie, Zweig der Soziologie, der sich mit den Formen und Veränderungen des Zusammenlebens auf dem Lande befasst, bes. mit den Problemen der Eingliederung der ländl. Bevölkerung in die moderne Ind.gesellschaft.

Agrarstaat, Staat, in dessen Wirtschaftsstruktur die Landwirtschaft überwiegt; Ggs. Industriestaat.

Agrartechnik (Landtechnik), Sammelbegriff für die in der Landwirtschaft, bes. der Feld- und Hofwirtschaft, verwendete Technik. Die A. ist abhängig von geograph. Voraussetzungen (Klima, Boden), der wirtsch. Entwicklungsstufe und den gesellschaftl. Verhältnissen.

Agrarverfassung, Gesamtgefüge der ländl. Wirtschaft und Gesellschaft unter den jeweiligen polit., rechtl., sozialen Bedingungen.

Agrarwissenschaften (Landwirtschaftswissenschaften), Sammelbegriff der Forschungszweige, die sich auf die Landwirtschaft beziehen: Pflanzenproduktion (Acker- und Pflanzenbau, Pflanzenzucht, -ernährung, -krankheiten, Bodenkunde u. Ä.), Tierproduktion, Wirtschafts- und Sozialwiss. des Landbaus (landwirtsch. Betriebslehre, landwirtsch. Marktlehre, →Agrarsoziologie, →Agrarpolitik u. Ä.) und Technologie der Landwirtschaft (landwirtsch. Bauwesen, Landmaschinenkunde, Kulturkunde u. a.). I. w. S. gehören zu den A. auch Gartenbau-, Ernährungswiss. und Ökologie.

Agrarzölle, Abgaben, die bei der Einfuhr (Einfuhrzölle) oder Ausfuhr (Ausfuhrzölle) landwirtsch. Erzeugnisse erhoben werden. In beiden Fällen kann es sich um Schutz- oder Finanzzölle handeln. In den Agrarmarktordnungen der EG wurden die A. weitgehend durch Abschöpfungen ersetzt.

Agreement [əˈgriːmənt, engl.] *das,* **1)** *allg.:* Zustimmung, Vereinbarung. **Gentlemen's Agreement,** privates oder auch polit. Übereinkommen auf Vertrauensgrundlage.

2) *internat. Recht:* Übereinkommen zw. Staaten, das i. d. R. keiner parlamentar. Zustimmung bzw. Ratifikation bedarf.

Agrégation [agregas'jɔ̃; frz. »Anerkennung«] *die,* Staatsprüfung zur Erlangung des Lehramts an höheren Schulen und Univ. in Frankreich.

Agrément [agre'mã, frz.] *das,* auf vertraul. Anfrage des Entsendestaates erklärtes Einverständnis des Empfangstaates mit der Person des zu ernennenden diplomat. Vertreters.

Georgius Agricola

Agricola, 1) Alexander, eigtl. A. Ackermann, dt. oder niederländ. Komponist, *um 1446, †Valladolid 1506; schrieb Messen, Motetten und Chansons, wirkte in Italien, in den Niederlanden und ab 1500 in der Brüsseler Hofkapelle.

2) Georgius, eigtl. Georg Bauer, Humanist, Arzt, Mineraloge, *Glauchau 24. 3. 1494, †Chemnitz 21. 11. 1555; Forscher und Darsteller der Mineralogie (als deren Begründer er gilt), der Bergbau- und Hüttenkunde des 16. Jahrhunderts.

3) Johann, latinisiert aus Schneider (Schnitter), *Eisleben 20. 4. 1494, †Berlin 22. 9. 1566; Schüler Luthers, seit 1540 Hofprediger in Berlin, gab die ersten hochdt. Sprichwörtersammlungen heraus (3 Teile: 1528–48).

4) Johann Friedrich, Komponist und Musikschriftsteller, *Dobitschen (bei Altenburg) 4. 1. 1720, †Berlin 2. 12. 1774; seit 1759 als Nachfolger von K. H. Graun Leiter der Hofkapelle Friedrichs II.; schrieb Kirchenmusik, Lieder, Opern.

5) Mikael, Reformator Finnlands, *Pernaja um 1509, †Uusikirkko 9. 4. 1557; Schüler Luthers und Melanchthons, war Rektor und Bischof in Åbo. A. übersetzte das N. T., die Psalmen, Teile des A. T.; er benutzte dabei den südwestfinn. Dialekt von Åbo, der zur Grundlage der finn. Schriftsprache wurde.

6) Rudolf, eigtl. Roelof Huusman oder Huysman, niederländ. Frühhumanist, *Baflo (bei Groningen) 17. 2. 1444, †Heidelberg 27. 10. 1485; lebte ab 1458 in Italien, dann in Brüssel und Heidelberg; Vermittler humanist. Bildung.

Agrigent

Agrigent (italien. Agrigento), **1)** Provinz in Sizilien, 3 042 km², (1995) 476 000 Ew.

2) Hptst. der italien. Provinz A., nahe der Südküste Siziliens, 55 800 Ew.; Fremdenverkehr, Handel und Industrie. Im SO der Stadt die Ruinen des alten **Akragas,** einer grch. Kolonie, deren Blüte im 5. Jh. v. Chr. viele Baudenkmäler (bes. gut erhaltene dor. Tempel) bezeugen. – Von 406 bis 210 v. Chr. war A. im Besitz Karthagos.

Agrikultur, der Ackerbau, die Landwirtschaft.

Agrippa, Marcus Vipsanius, röm. Feldherr und Staatsmann, *63 v. Chr., †12 v. Chr.; Freund und Schwiegersohn des Kaisers Augustus, siegte 31 v. Chr. mit der Flotte des Augustus bei Aktium, ließ Bauwerke in Rom (Wasserleitungen, Thermen, Pantheon) errichten. Die Ergebnisse seiner Reichsvermessungen wurden in einer Weltkarte verwertet.

Agrippa von Nettesheim, eigtl. Heinrich Cornelius, Gelehrter, Alchimist, Kabbalist, *Köln 14. 9. 1486, †Grenoble oder Lyon 18. 2. 1535; suchte, im Rückgriff auf →Neuplatonismus, →Gnosis und →Kabbala, nach den Mysterien der Natur; war Vorbild für Goethes »Faust«. – *Werke:* Über die okkulte Philosophie; Über Unsicherheit und Eitelkeit der Wissenschaft.

Agrippina die Ältere (Rom, Kapitolinisches Museum)

Agrippina, 1) A. die Ältere, *14 v. Chr., †33 n. Chr.; Gemahlin des Germanicus, Mutter des Caligula, wurde 29 n. Chr. von Tiberius verbannt; starb freiwillig den Hungertod.

Agrippina die Jüngere (Neapel, Museo Archeologico Nazionale)

2) A. die Jüngere (Julia), *Ara Ubiorum (heute Köln) 15 n. Chr., †(durch Nero ermordet) bei Baiae (Kampanien) 59 n. Chr., Tochter von 1); Gemahlin des Kaisers Claudius, den sie vergiften ließ, um Nero, ihren Sohn aus erster Ehe, auf den Thron zu bringen.

Agrigent: Concordiatempel (um 425 v. Chr.)

Agroforstwirtschaft, Form der Landnutzung in trop. und subtrop. Entwicklungsländern, bei der auf gleicher Fläche Forstwirtschaft, Ackerbau und/ oder Weidewirtschaft kombiniert sind; dient der vielseitigen Bedarfsdeckung der Bev. bei gleichzeitiger Erhaltung der Bodenertragsfähigkeit.

Agronomie [grch.] *die,* die Lehre vom Ackerbau, Wissenschaft von der Landwirtschaft.

Agrumen [italien.], Sammelname für Zitrusfrüchte.

Agrypnie [grch.] *die* (Asomnie, Insomnie), Schlaflosigkeit, →Schlafstörungen.

Aguascalientes [span. »heiße Wässer«], **1)** Staat der Republik →Mexiko.

2) Hptst. von 1), 440 400 Ew., 1900 m ü. M.; Univ.; Eisenbahnwerkstätten, Hüttenwerk, Textil- u. a. Ind.; warme Heilquellen; mildes Klima.

Agulhas [a'guljas] (Kap Agulhas, Nadelkap), der südlichste Punkt Afrikas.

Agulhasstrom [a'guljas-], eine starke, warme Meeresströmung im Ind. Ozean, vor der SO-Küste Afrikas.

Agutis [indian.] (Goldhasen), meerschweinchenähnl. Familie der Nagetiere, bes. in Wäldern, an Flussufern S-Amerikas; bis 40 cm lang.

Ägypten

Fläche: 1 001 449 km²
Einwohner: (1995) 62,9 Mio.
Hauptstadt: Kairo
Verwaltungsgliederung: 26 Governorate
Amtssprache: Arabisch
Nationalfeiertage: 23. 7. und 6. 10.
Währung: 1 Ägypt. Pfund (ägypt. £) = 100 Piaster (PT)
Zeitzone: MEZ +1 Std.

Ägypten (arab. Misr, amtl. Arabische Republik Ägypten, arab. Djumhurijjat Misr al-Arabijja), Staat in NO-Afrika, grenzt im W an Libyen, im N an das Mittelmeer, im NO an Israel, im O an das Rote Meer und im S an die Republik Sudan.

Staat und Recht: Nach der Verf. vom 11. 9. 1971 (mit Änderung von 1980) ist Ä. eine präsidiale Republik. Staatsoberhaupt und Oberbefehlshaber der Streitkräfte ist der vom Parlament nominierte und durch Volkswahl für sechs Jahre bestätigte Präs. Er bestimmt die Richtlinien der Politik und ernennt die Reg. unter Vorsitz des Min.Präs. sowie die Gouverneure. Legislativorgan ist die Nat.versammlung (für fünf Jahre gewählt). Der Schura-Rat (241 Mitgl., 13 vom Präs. ernannt) ist ein Beratungsorgan. Das 1979 modifizierte Parteiengesetz von 1977 legalisiert das Mehrparteiensystem, das von der Nationaldemokrat. Partei (NDP) dominiert wird. Ä. gliedert sich in 26 Governorate mit beschränkter Selbstverwaltung, an deren Spitze ernannte Gouverneure stehen. Hauptquelle der Gesetzgebung ist die Scharia, das islam. Recht.

Landesnatur: Die etwa 1550 km lange und 1 bis 20 km breite Stromoase des Nils, sein Mündungsdelta, die Senke von Faijum sowie die übrigen Oasen sind landwirtsch. nutzbar (d.h. bewässert) und besiedelt. Das gesamte Kultur- und Siedlungsland nimmt nur 3,5 % der Staatsfläche ein. Westlich des Niltals erstreckt sich das Tafelland der Libyschen Wüste mit einer durchschnittl. Höhe von 1000 m ü. M. Einzelne Oasen liegen in Senken z.T. unter Meeresniveau, wie die Kattarasenke (bis 137 m u. M.). Im O breitet sich die Arab. Wüste aus, die in steiler, über 1000 m hoher Stufe zum Roten Meer abfällt. Die ebenfalls wüstenhafte Halbinsel Sinai (bis 2637 m ü. M.) gehört geographisch bereits zu Vorderasien. Die Sommer sind heiß und trocken, die Winter mild mit geringen Niederschlägen im N. Mittlere Januartemperatur in Kairo 12 °C, jährl. Niederschlag 340 mm. Im Frühjahr treten zeitweise heiße Sandstürme auf.

Bevölkerung: Die Bevölkerung besteht zu 80 % aus den stark vermischten (arabisierten) Nachkommen der alten Ägypter, den sesshaften Fellachen. Als reine Araber gelten die in den Wüsten Ä.s als Nomaden lebenden Beduinen (rd. 70 000); weitere Bev.gruppen: Nubier, Sudanesen, Europäer, Berber (Siwaoasen). Die Bev.zuwachsrate ist mit rd. 2,3 % sehr hoch, die Dichte beträgt im Landesdurchschnitt 57 Ew. je km², im kultivierten und bewohnten Land 1040 Ew. je km². – Allg. Schulpflicht vom 6. bis 12. Lebensjahr, die jedoch v.a. auf dem Lande nicht vollständig durchgesetzt wird. 13 Univ. (darunter die islam. Al-Azhar-Univ., gegr. 972). 93 % sind Muslime (vorwiegend Sunniten), 6,7 % Christen (Kopten). 1991 waren 52 % der Gesamtbev. (37 % der Männer, 66 % der Frauen) im Alter von 14 Jahren und älter Analphabeten.

Wirtschaft, Verkehr: Die ägypt. Volkswirtschaft gehört zu den vergleichsweise fortgeschrittenen Afrikas; ein ausgebauter gewerbl. Sektor ruht auf breiter landwirtsch. Grundlage. Bes. die Erdölind., die Sueskanalgebühren, Gastarbeiterüberweisungen und der Tourismus trugen zu den Wachstumsraten der Wirtschaft bei. Starke Bev.zunahme, Kriegsereignisse, hohe Rüstungsausgaben und Subventionen führten zu hoher Auslandsverschuldung.

Der *Ackerbau* (begrenzter privater Landbesitz) ist arbeitsintensiv, weil wenig mechanisiert; durch Kanalbewässerung werden fünf Ernten in zwei Jahren ermöglicht, jedoch nimmt die Bodenversalzung zu, und der fruchtbare Nilschlamm wird im Nassersee zurückgehalten; Anbau von Baumwolle (wichtigstes landwirtsch. Exportprodukt), Reis, Mais, Weizen, Zuckerrohr, Obst, Gemüse u.a.; Viehhaltung durch Fellachen und Beduinen. Der Nahrungsmittelbedarf der Bev. wird nicht aus eigenem Aufkommen gedeckt, sodass rd. zwei Drittel der Nahrungsmittel (v.a. Weizen und Fleisch) eingeführt werden müssen.

An *Bodenschätzen* werden gewonnen: Erdöl, Erdgas, Rohphosphat, Eisenerz, Manganerz, Meersalz und Gips. Noch weitgehend ungenutzt sind die Vorkommen von Buntmetallerzen, Kaolin, Ti-

Staatswappen

ET

Internationales Kfz-Kennzeichen

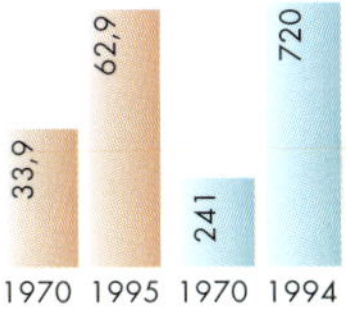

Bevölkerung (in Mio.) Bruttosozialprodukt je Ew. (in US-$)

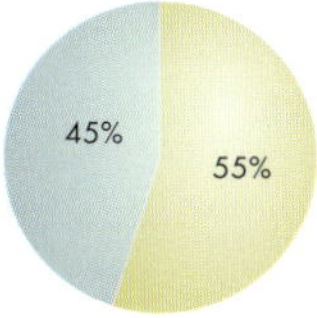

Bevölkerungsverteilung 1994

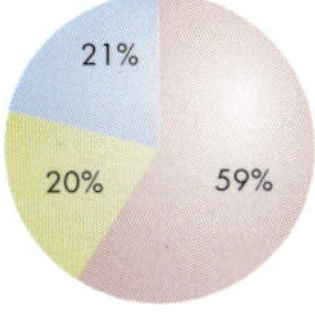

Bruttoinlandsprodukt 1994

Ägypten - Wirtschaft

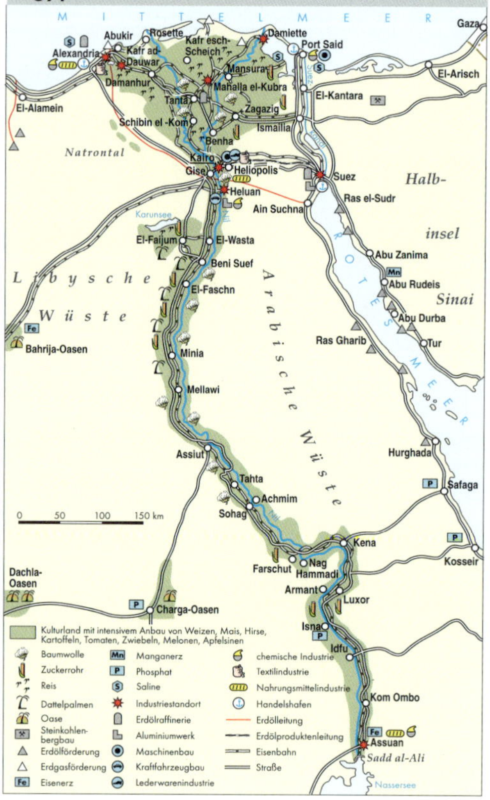

tanerz, Schwefel, Talk, Steinkohle und Uranerz. Die verarbeitende Ind., im Nildelta und um die größeren Städte geballt (Textil-, Nahrungsmittel- und Genussmittel-, chem., pharmazeut., Schwer-, Maschinen-, Zement-, Glasind., Erdölraffinerien u.a. Betriebe), wurde zw. 1952 und 1963 weitgehend verstaatlicht. Trotz hoher Kapazitäten (z.B. Wasserkraftwerk am Assuanhochdamm) kann der wachsende Energiebedarf nicht gedeckt werden. Die Elektrizitätserzeugung basiert zu 75% auf Wärmekraftwerken, der Rest entfällt auf Wasserkraftwerke.

Der *Außenhandel* ist seit Jahren defizitär. Eingeführt werden v.a. Maschinen, Fahrzeuge, chem. Erzeugnisse, Weizen, Eisen und Stahl. Wichtige Ausfuhrgüter sind Erdöl und Erdölprodukte, Rohbaumwolle, Baumwollgarne, Reis und Gemüse. Haupthandelspartner sind nach den EU-Ländern die USA, Australien und Japan.

Die *Verkehrslinien* sind auf das Niltal und -delta konzentriert. Eisenbahn: 4751 km; Straßen: 52800 km, davon rd. 31000 km befestigt; Straßentunnel unter dem Suezkanal 1980 eingeweiht; Wasserstraßen rd. 3100 km. Haupthäfen: Alexandria, Port Said, Suez. Neben den internat. Flughäfen Kairo und Alexandria dienen Port Said, Abu Simbel, Assuan und Luxor dem Inlandverkehr.

Geschichte: Funde aus der frühen Altsteinzeit sind in Ä. bisher nur vereinzelt zutage getreten. Sichere Siedlungsspuren, die die aus dem S vorgedrungene Kultur des Acheuléen repräsentieren, stammen aus den höheren Nilterrassen in Ober-Ä. Weiter verbreitet sind Kulturreste des Mittelpaläolithikums (Moustérien und Atérien), die in die Zeit von 40000 bis 30000 v. Chr. datiert werden konnten. Das Jungpaläolithikum ist durch mehrere regionale Kulturgruppen vertreten, die durch die Ausgrabungen beim Bau des Assuanhochdamms (Kom Ombo) aufgedeckt wurden.

Altertum: Die allg. übliche Einteilung in 31 Dynastien von der Reichsgründung bis zu Alexander d. Gr. geht auf den ägypt. Geschichtsschreiber Manetho zurück. Die Abschnitte Altes, Mittleres und Neues Reich wurden anscheinend schon im späten Neuen Reich ähnlich zusammengefasst. Die Ägypter bezogen sich in ihren Zeitangaben seit dem Ende des Alten Reiches auf die Regierungsjahre der Könige. Für die älteste Zeit sind die Angaben jedoch unzuverlässig. Besonders die Daten vor 2000 v. Chr. gelten nur angenähert.

Am Beginn der geschichtl. Zeit, um 2900 v. Chr., standen die polit. Einigung des Landes durch oberägypt. Könige und die Erfindung der Schrift. Auf den frühesten Schriftdenkmälern erschienen die Könige »Skorpion«, Narmer und Aha, während in späterer Überlieferung der legendäre Herrscher Menes als Reichseiniger und Gründer von Memphis genannt wird. Die Heimat der 1. und 2. Dynastie war Thinis bei Abydos. In der 3. Dynastie erfolgte unter König Djoser der Bau der Stufenpyramide von Sakkara. Mit der von Snofru begründe-

Ägypten: Große Wasserräder zur Bewässerung der Beckenlandschaft am Jussufkanal bei Faijum

ten 4. Dynastie setzte die große Zeit der ägypt. Geschichte ein. Snofrus Nachfolger Cheops, Chephren und Mykerinos errichteten die drei bekannten Pyramiden von Giseh, die mit dem um sie herum erbauten Friedhof der königl. Familie und der höchsten Reichsbeamten die unbeschränkte Macht des an der Spitze eines straff zentralisierten Beamtenstaates stehenden Königs widerspiegeln. Unter der 5. und 6. Dynastie sank die Macht der Könige, die von oberägypt. Gaufürsten abhängig wurden. Nach dem Zusammenbruch des Alten Reiches gelang die Reichseinigung einem Fürsten aus dem oberägypt. Theben. Unter der 1991 v. Chr. einsetzenden 12. Dynastie erlebte Ä. eine zweite Blüte. Die Gaufürsten wurden verdrängt, die absolute Macht des Königs gefestigt. Nach S wurde das Reich bis zur zweiten Stromschnelle erweitert. Die 13. Dynastie mit ihren rasch wechselnden Herrschern stellte eine Zeit des Niedergangs dar. Um 1650 eroberten die Hyksos das Delta und begründeten in Auaris eine eigene Dynastie. Eine in Theben beheimatete Familie von Unterkönigen (17. Dynastie) vertrieb um 1550 die Hyksos. Unter Amenophis I. und Thutmosis I., II. und III. stieg Ä. zur Weltmacht auf (Neues Reich) und drang bis zum Euphrat vor. Großartige Baudenkmäler, wie die Tempel von Luxor, Karnak und Theben-West, wurden geschaffen, die inneren Verhältnisse durch streng einheitl. Verwaltung gefestigt, die Macht der Gaufürsten gebrochen. Amenophis IV. (Gemahl der Nofretete) suchte die Sonnenverehrung als Staatsreligion einzuführen. Sethos I., der 2. König der 19. Dynastie, stellte in Syrien die ägypt. Herrschaft wieder her. Sein Sohn Ramses II. verlegte die Residenz in den Osten des Deltas und ließ zahlr. Bauten (Ramesseum, Abu Simbel) errichten. Nach dem Tode von Ramses' Sohn Merenptah begann der wirtsch. und polit. Zerfall des Reiches. Ä. löste sich bald in kleine Fürstentümer auf, war dann zeitweilig im Besitz äthiop. Könige (25. Dynastie), wurde 670 v. Chr. von den Assyrern erobert, bis der libysche Fürst Psammetich I. 664 v. Chr. das Land befreite und wieder vereinigte. Unter den Herrschern der 26. Dynastie erlebte Ä. noch einmal eine Blütezeit. Aber bereits 525 v. Chr. wurde es von den Persern unterworfen, deren Herrschaft durch die 28.–30. Dynastie unterbrochen wurde. 332 eroberte es Alexander d. Gr. Er gründete Alexandria, das sich schnell zum Mittelpunkt des grch. Welthandels und der grch. Bildung entwickelte. Nach seinem Tod fiel Ä. an Ptolemaios (seit 305 König). Unter den Ptolemäern wurde es zum reichsten Staat der damaligen Welt, doch führte die Unfähigkeit der späteren Ptolemäer zum Niedergang Ä.s; 51 v. Chr. kamen Ptolemaios XIV. und Kleopatra unter die Vormundschaft des röm. Senats. Nach der Schlacht bei Aktium war Ä. von 30 v. Chr. bis 395 n. Chr. röm. Provinz, dann Teil des Oström. Reiches.

Mittelalter und Neuzeit: 638/44 eroberten die Araber das Niltal, aber erst im 8. Jh. wurde Ä. islamisiert. Bes. seit der Eroberung durch die Fatimiden (969) war Ä. unabhängig vom Kalifen von Bagdad; die Fatimiden gründeten Kairo und die Azhar-Moschee. Sultan Saladin aus dem Geschlecht der Aijubiden (1171–1250) brachte Ä. zu neuer Machtstellung. 1250 rissen die Mameluckén die Herrschaft an sich. 1516/17 wurde das Land von den Türken unter Selim I. erobert und blieb bis 1798 türk. Provinz, die von den Mameluckenbeis weitgehend selbstständig verwaltet wurde. Der ägypt. Feldzug Napoleon Bonapartes (1798–1801) scheiterte trotz mehrerer Siege über die Mamelucken und Türken. Der türk. Statthalter Mehmed Ali (1805–49) vernichtete 1811 die Mameluckenbeis und schuf sich eine fast unabhängige erbl. Herrschaft als Pascha; seit 1867 wurden die Statthalter Khediven (Vizekönige) genannt. 1869 Eröffnung des Suezkanals; 1882 brit. Besetzung des Landes; 1883 Aufstand des Mahdi im Sudan; 1898 Nieder-

ägyptische Geschichte bis 1517

Frühzeit (2900–2660):
1.–2. Dynastie. Reichseinigung.
Altes Reich (2660–2160):
3.–6. Dynastie. Djoser, Snofru, Cheops, Chephren und Mykerinos erbauen Pyramiden. Sonnenglaube wird Staatsreligion.
I. Zwischenzeit (2160–2040):
7.–10. Dynastie. Dynast. Wirren.
Mittleres Reich (2040–1785):
11.–12. Dynastie. Erneute Einigung. Blüte unter den Königen Amenemhet und Sesostris.
II. Zwischenzeit (1785–1552):
13.–17. Dynastie. Niedergang unter schnell wechselnden Herrschern. 15./16. Dynastie (1650–1550) Fremdherrschaft der Hyksos. Beginn des Befreiungskrieges unter König Kamose.
Neues Reich (1552–1070):
18.–20. Dynastie. Vertreibung der Hyksos. Ägypten wird Weltmacht. Bed. Könige: Amenophis I., II., III., IV. (Echnaton), Tutanchamun, Thutmosis I., III., Sethos I., Ramses II., Königin Hatschepsut.
III. Zwischenzeit (1070–712):
21.–24. Dynastie, in Tanis. Unter den libyschen Königen Auflösung des Reiches.
Spätzeit (712–332):
25.–31. Dynastie (Äthiopien, Perser). Einfall der Assyrer: Zerstörung Thebens.
Griechische Zeit (332–30):
Alexander d. Gr., die Ptolemäer, Kleopatra.
Römische Zeit (30 v. Chr.–395 n. Chr.):
Röm. Provinz, Christianisierung.
Byzantinische Zeit (395–639/640).
Arabische Zeit (638/644–1517):
Kairo zeitweise Sitz von Kalifen. Herrschaft der Fatimiden, Aijubiden, Mamelucken.

werfung der Mahdisten durch die Engländer und Abtrennung des Sudans von Ä. Im 1. Weltkrieg wurde Ä. brit. Protektorat. Unter dem Druck bes. des →Wafd hob die brit. Regierung dies 1922 auf und erkannte Fuad I. als König an; Ä. behielt aber eine brit. Besatzung, die jedoch nach Abschluss des britisch-ägypt. Bündnisvertrags (1936) auf die Suezkanalzone beschränkt wurde. 1945 war Ä. Mitbegründer der Arab. Liga und wandte sich mit anderen arab. Staaten im Palästinakrieg (1948/49) gegen die Gründung des Staates Israel. 1952 stürzte die Armee König Faruk (Reg. seit 1936). Nach Ausrufung der Republik (1953) übernahm 1953 General M. Nagib, 1954 Oberst G. Abd el-Nasser das Amt des Staatspräs. Die Parteien wurden verboten. Aufgrund des britisch-ägypt. Suezabkommens (1954) räumten die brit. Truppen in der Folgezeit die Kanalzone. Die Verstaatlichung der Suezkanalges. löste den Suezkrieg (1956) aus; Ä., 1958–61 mit Syrien in der »Vereinigten Arab. Republik« (VAR) verbunden, rückte immer stärker in den Brennpunkt des →Nahostkonflikts. 1962–67 kämpften ägypt. Truppen im Bürgerkrieg im Jemen auf republikan. Seite.

Gestützt auf die Einheitspartei »Arab. Sozialist. Union« (gegr. 1961), suchte die ägypt. Regierung einen »arab. Sozialismus« zu verwirklichen. Mit (steigender) Militärhilfe bes. der UdSSR wollte Nasser den Nahostkonflikt zugunsten der arab. Staaten entscheiden. Mit der Sperrung des Golfes von Akaba für israel. Schiffe löste er 1967 den israelisch-arab. Sechstagekrieg aus; dabei besetzte Israel u.a. die Halbinsel →Sinai und den Gazastreifen (→Gaza). Durch einen »Abnutzungskrieg« gegen Israel (Aug. 1967–Aug. 1970) sowie durch die verstärkte Unterstützung der palästinens. Guerillaorganisationen versuchte Ä. die Folgen der Niederlage im Sechstagekrieg zu mildern.

Nach dem Tode Nassers (1970) setzte Präs. A. as-Sadat dessen Politik fort, schränkte aber allmählich den Einfluss der UdSSR zugunsten der westl. Ind.staaten ein. Im Okt. 1973 griffen Ä. und Syrien Israel an (Jom-Kippur-Krieg), mussten aber nach anfängl. Erfolgen in einen Waffenstillstand einwilligen. 1974 schloss Ä. mit Israel ein Truppenentflechtungsabkommen. Im Nov. 1977 leitete Präs. Sadat eine Friedensinitiative (gegenüber Israel) ein; er verhandelte 1978 in Camp David (USA) unter Vermittlung des amerikan. Präs. J. E. Carter mit dem israel. MinPräs. M. Begin über Rahmenbedingungen zur Lösung des Nahostkonflikts und schloss einen Friedensvertrag mit Israel (26. 3. 1979). Mit dem Austritt aus der Arab. Liga (1979) kam Ä. einem Ausschluss zuvor. Bis April 1982 zog sich Israel von der Halbinsel Sinai zurück. – Gestützt auf die »Nationaldemokrat. Partei« (1978 als Nachfolgerin der »Arab. Sozialist. Union« gegr.), suchte Sadat seine innenpolit. Machtstellung zu festigen. Nach seiner Ermordung (Okt. 1981) wurde H. Mubarak sein Nachfolger (1987 und 1993 wieder gewählt); Wiederaufnahme Ä.s in die Arab. Liga, 1989; Ausbau der Beziehungen zu den westl. Staaten. Im 2. Golfkrieg 1991 beteiligte sich das Land als regionale Führungsmacht an der antiirak. Koalition. Im Nahostkonflikt förderte Ä. eine Annäherung zw. PLO und Israel (Vermittlung der »Erklärung von Kairo« vom 4. 5. 1994, →Nahost

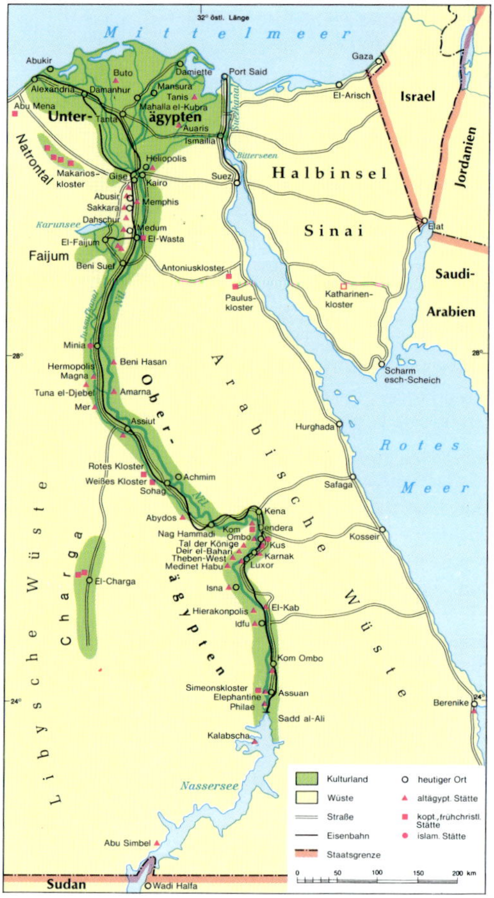

konflikt). Mit Attentaten u.a. auf hohe Staatsfunktionäre, Sicherheitskräfte und öffentliche Einrichtungen verschärften islam. Fundamentalisten seit 1992 ihren Kampf für die Errichtung eines islam. Gottesstaates. Attentate auf Touristen sollten die Wirtschaft des Landes in einem wichtigen Bereich destabilisieren. Im März 1996 fand in Scharm esch-Scheich eine »Gipfelkonferenz« über die Bekämpfung des weltweiten Terrorismus statt. Ägypten unternahm 1996 zahlreiche diplomat. Initiativen, um den ins Stocken geratenen Friedensprozess im Nahostkonflikt in Gang zu halten.

📖 *Lexikon der Ägyptologie, hg. v.* W. HELCK *u.* W. WESTENDORF, *7 Bde. Wiesbaden 1975–92.* – BÜTTNER, F. *u.* KLOSTERMEIER, I.: *Ä. München 1991.* – ZEID, A.: *Der polit. Transformationsprozeß u. die Krise der Demokratie im heutigen Ä. Wien 1991.* – GÄRBER, A.: *Islam, finanzielle Infrastruktur u. wirtschaftl. Entwicklung. Frankfurt am Main u. a. 1992.* – HORNUNG, E.: *Grundzüge der ägypt. Gesch. Darmstadt* [4]*1992.* – SCHARABI, M.: *Industrie u. Industriebau in Ä. Tübingen u. a. 1992.* – WESTPHAL, W.: *Pharaos Erben. Die alten Ägypter gestern u. heute. Braunschweig 1992.* – *Das alte Ä. 3000 Jahre Geschichte u. Kultur des Pharaonenreiches, Beiträge v.* J. BOESSNECK *u. a. München* [3]*1993.* – WILLE, M.: *Spielräume polit. Opposition in Ä. unter Mubarak. Münster u. a. 1993.* – GARDINER, A.: *Gesch. des alten Ä. Eine Einführung. Augsburg 1994.* – ASSMANN, J.: *Stein u. Zeit. Mensch u. Gesellschaft im alten Ä. München* [2]*1995.* – *Staat u. Zivilgesellschaft in Ä., hg. v.* F. N. IBRAHIM. *Münster u. a. 1995.* – ASSMANN, J.: *Ä. Eine Sinngeschichte. München 1996.* – IBRAHIM, F. N.: *Ä. Eine ägypt. Landeskunde. Darmstadt 1996.* – RIEGER, B.: *Überleben ohne Staat. Soziale Sicherung u. die islam. Parallelstrukturen in Ä. Baden-Baden 1996.*

ägyptische Finsternis, →ägyptische Plagen.

ägyptische Körnerkrankheit, das →Trachom.

ägyptische Kunst. Aus bescheidenen Anfängen und enger Verflechtung mit den frühen künstler. Gestaltungen des benachbarten Vorderasien trat die ä. K. um 3000 v. Chr. in einer ersten eigenständigen Blüte hervor. In der *Baukunst* begannen seit der Reichseinigung der Holz- und Schilfrohrbau der oberägypt. Nomaden und der Luftziegelbau der unterägypt. Bauern einander zu durchdringen. Der Machtanspruch der Könige prägte sich in monumentalen Bauten aus (in der Frühzeit aus Ziegeln, seit dem Alten Reich auch aus Stein). Das Hügelgrab der Nomaden wandelte sich zur blockartigen, steinverkleideten →Mastaba mit Kultkammer. Aus ihr entwickelte sich über die Stufenpyramide die Pyramide als Königsgrab (Altes und Mittleres Reich). Auf die Stufenpyramide des Djoser (3. Dynastie) in Sakkara folgte in der 4. Dynastie die Blüte der Pyramidenkunst mit ihren Totentempeln. Für Beamte wurden seit dem Alten Reich Felsengräber angelegt, die im Neuen Reich auch für Könige üblich wurden. Der ägypt. Tempel wurde als Prozessionstempel entlang einer geraden Achse errichtet: Eine Sphinxallee führte zw. Tortürmen (Pylonen) hindurch über einen von Säulenhallen umgebenen Hof in einen als dreischiffige Basilika angelegten Säulensaal, hinter dem das Allerheiligste mit dem Götterbild lag. Daneben entstand eine dem grch. Peripteros ähnliche Tempelform.

Die *Plastik* in Tempeln und Gräbern diente dem Fortleben des Menschen im Jenseits und bildete ihn daher so ab, wie er seinem zeitlosen Wesen und seiner sozialen Funktion nach gesehen wurde, frei von vergängl. Zufälligkeiten, unabhängig von Lebensalter, Bewegung und Tätigkeit. Mann und Frau wurden durch ihre Tracht, unterschiedl. Grundstellung und verschiedenartige Körperfarbe (Männer rotbraun, Frauen gelb) differenziert. Da man von einem zeitlosen Idealalter ausging, fehlen Kinder- und Altersbildnisse fast völlig, und porträthafte Ähnlichkeit ist wohl nie erstrebt worden. Die ä. K. hat an ihren Grundlagen mit wenigen Abweichungen oder Unterbrechungen (Amarna-Stil, →Amarna) durch alle Zeiten festgehalten. Bis in die Spätzeit blieb die Form des »Würfelhockers« beliebt, die den Menschen auf eine fast reine Würfelform reduzierte. – Der gleichen Aufgabe wie die Plastik dienten die Reliefs an den Wänden der Tempel und Gräber. Die Darstellung ist unräumlich und unperspektivisch, ohne Schatten und lichtgebundenes Farbenspiel. Alle Objekte, auch Teile des menschl. Körpers, werden in der für sie charakterist. Ansicht dargestellt, also entweder von vorn oder von der Seite. Die Bilder wenden sich nicht an einen Betrachter; die Figuren schauen nicht aus der Bildfläche heraus. Die Zeitlosigkeit der Darstellung lässt in einem Bild oft mehrere Handlungsabläufe nebeneinander zu.

Ägypten: Tal der Könige

Eine eigenständige Wandmalerei neben den stets bemalten Reliefs entfaltete sich erst in den Gräbern und Palästen des Neuen Reiches (Amarna).

Das *Kunsthandwerk* ist zu allen Zeiten durch vollendete Stein-, Metall-, Holz- und Glastechnik und durch strenge, zweckvolle Schönheit der Form ausgezeichnet.

Die Grenzen zw. Kunst und Schrift sind fließend, jede Hieroglyphe kann als ein kleines Kunst-

1

2

3

4

5

6

1 Sitzstatue aus bemaltem Sandstein des Pharaos Mentuhotep II., gefunden in dessen Zweitgrab (11. Dynastie; Kairo, Ägyptisches Museum) | **2** 60 m hohe Stufenpyramide des Pharaos Djoser in Sakkara, sie gilt als einer der ersten monumentalen Steinbauten der Welt (um 2600 v. Chr.) | **3** Würfelhocker aus Basalt, der Nemrut, einen Sohn Scheschonks I. (22. Dynastie), darstellt (Wien, Kunsthistorisches Museum) | **4** Ausschnitt aus einem Fresko, das die Göttin Isis darstellt (um 1250 v. Chr.) | **5** Kalksteinbüste einer Prinzessin (12. Dynastie; Paris, Louvre) | **6** Auschnitt aus der Rückenlehne vom Thron des Königs Tutanchamun (18. Dynastie; Kairo, Ägyptisches Museum)

werk gestaltet, Bilder können »gelesen« werden; für abstrakte Vorstellungen (Zeit, Licht, Schöpfung u. a.) wurden prägnante Bildzeichen geschaffen.

📖 BRUNNER-TRAUT, E.: *Ägypten. Kunst- u. Reiseführer mit Landeskunde. Stuttgart* [6]*1988.* – *Pelizaeus-Museum Hildesheim. Die Ägypt. Sammlung, hg. v.* A. EGGEBRECHT. *Mainz 1993.* – ARNOLD, D.: *Lexikon der ägypt. Baukunst. München u. a. 1994.*

ägyptische Literatur. In der Fülle des erhaltenen altägypt. Schrifttums ist gegenüber den Urkunden des öffentl. und privaten Lebens der Anteil der eigentl. Literatur gering. Die religiöse Lit. umfasst die Toten-Lit.: die seit der 5. Dynastie in den Sargkammern der Pyramiden aufgezeichneten Pyramidentexte, die Sargtexte auf den Särgen der 9.–11. Dynastie, das Totenbuch (eine Spruchsammlung, die seit dem Neuen Reich dem Toten mitgegeben wurde) und mehrere Jenseitsführer. – Die wiss. Lit. zeigt die Ägypter v.a. in der Medizin, Astronomie und Mathematik schöpferisch. – Beispiele von Weisheits-Lit. (Zusammenstellungen von Sprüchen und lehrhaften Texten) sind aus fast allen Epochen der ägypt. Geschichte erhalten. Sie spiegeln die Entwicklung eth. und religiöser Vorstellungen, aber auch die jeweiligen polit. und sozialen Verhältnisse wider. Daneben war die Schul-Lit. (»Lehre des Cheti«) ausgebildet. – Die schöne Lit. brachte im Mittleren und Neuen Reich eine Fülle von Erzählungen (»Geschichte des Sinuhe«) und Märchen (»Brüdermärchen«) hervor. Dramaturg. Texte entstanden für religiöse Festspiele. Die Poesie bildete u.a. die Formen des Heldengedichts, des Hymnus, des Liebes- und Arbeitsliedes aus. – Moderne ä. L. → arabische Literatur.

📖 Lichtheim, M.: *Ancient Egyptian literature, 3 Bde. Berkeley (Calif.) 1973–80.* – Brunner, H.: *Grundzüge einer Geschichte der altägypt. Lit. Darmstadt [4]1986.*

ägyptische Musik. Schrift- und Bilddokumente bezeugen eine schon im Alten Reich hoch entwickelte Musikkultur. Das Instrumentarium bestand aus Harfen, Flöten, Leiern, Oboen, Trompeten und versch. Rhythmus- und Geräuschinstrumenten; um 2000 kam die Laute hinzu. Eine Trennung zw. magisch-kult. und profaner Musik ist von der 4. Dynastie an (um 2570–2460) festzustellen. Nach dem Verfall des Neuen Reiches war die ä. M. vielen äußeren Einflüssen unterworfen. Seit der Islamisierung Ägyptens herrschte die arab. Musik vor.

ägyptische Plagen, nach 2. Mos. 7,14–12,30 die zehn von Gott über Ägypten verhängten Katastrophen, um die Freilassung Israels zu erzwingen, u.a. die tiefe **ägypt. Finsternis.**

ägyptische Religion. Anfangs begegnen die göttl. Mächte in Gestalt von Tieren und Fetischen, ab etwa 3000 v.Chr. in Menschengestalt, wobei gewisse Tieraspekte als Attribute beibehalten werden: so der falkenköpfige Horus, der widderköpfige Amun. Die Vielzahl der Gottheiten bleibt im Wesentlichen bestehen, bei gewisser bevorzugter Stellung des Sonnengottes Re, der sich später mit → Amun zum Reichsgott Amun-Re verbindet. Amenophis IV. (Echnaton) suchte die Verehrung eines einzigen abstrakten Gottes (weder menschen- noch tiergestaltig) durchzusetzen; nach ihm jedoch kehrte man zum Polytheismus zurück.

Dessen Systematisierung dient der Entstehungsmythos: Der Urgott Amun schafft aus seinem feuchten Atem das Götterpaar Schu (»Luft«) und Tefnut (»Feuchtigkeit«), die Geb, den Erdgott, und Nut, die Himmelsgöttin, erzeugen; deren Kinder sind → Osiris und → Seth mit ihren Schwestern und Gemahlinnen → Isis und → Nephtys.

Horus, Sohn der Isis, nahm im jeweiligen Pharao menschliche Gestalt an. Vater des Horus war Osiris, der Sonnengott. Als Sohn von Isis und Re wird der Pharao mit seiner Inthronisation Gottes Sohn (vgl. Ramses = Kind des Re, Thutmosis = Kind des Thot) und damit selbst Gott. Auf diesen Vorstellungen baut sich der ganze ägypt. Staatskult auf.

Weitere Charakteristika der ä. R. sind Jenseitsorientierung und Totenkult. Jeder Verstorbene muss sich im Totengericht vor Osiris, dem Totenrichter, verantworten. Handeln und Gesinnung seiner Seele, Ba, werden auf ihre Übereinstimmung mit Maat, der natürlichen wie auch staatlichen und zwischenmenschlichen Ordnung, hin überprüft. Selbst die Götter sind Alter und Tod unterworfen. Berühmt der Mythos des Osiris, dessen Wiederauferstehung den Menschen die Hoffnung auf Überwindung des Todes gibt.

📖 Morenz, S.: *Ägypt. Religion. Stuttgart [2]1977.* – Assmann, J.: *Ägypten: Theologie u. Frömmigkeit einer frühen Hochkultur. Stuttgart u. a. [2]1991.* – Quirke, S.: *Altägypt. Religion. Stuttgart 1996.*

ägyptische Schrift

*1799 wurde in der ägyptischen Hafen- und Handelsstadt Rosette ein Stein gefunden, der in hieroglyphischer und jüngerer ägyptischer (demotischer) Schrift ein Dekret der Priester von Memphis zu Ehren des Ptolemaios V. Epiphanes (196 v. Chr.) mit griechischer Übersetzung enthielt. Ein Offizier der Napoleonischen Armee hatte bereits 1797 bemerkt, dass die Kartuschen ägyptische Königsnamen umrahmen. 1819 gelang es dem englischen Arzt Thomas Young (*1773, †1829), den Namen »Ptolemaios« auf dem Stein von Rosette zu entziffern, indem er erkannte, dass die Hieroglyphen der Königsnamen Lautund nicht Symbolwert haben. 1822 wurden die Schriftzeichen von Jean-François Champollion, der herausfand, dass alle Hieroglyphen Lautwert haben, entschlüsselt. Der aus schwarzem Basalt bestehende Stein befindet sich heute im Britischen Museum in London. Die schematisierte Darstellung zeigt die von lang gezogenen Ovalen, den so genannten Kartuschen, umrahmten Königsnamen Ptolemaios und Kleopatra auf dem Stein von Rosette. Daneben befindet sich jeweils die Analyse der Zeichen, aus denen diese Namen zusammengesetzt sind.*

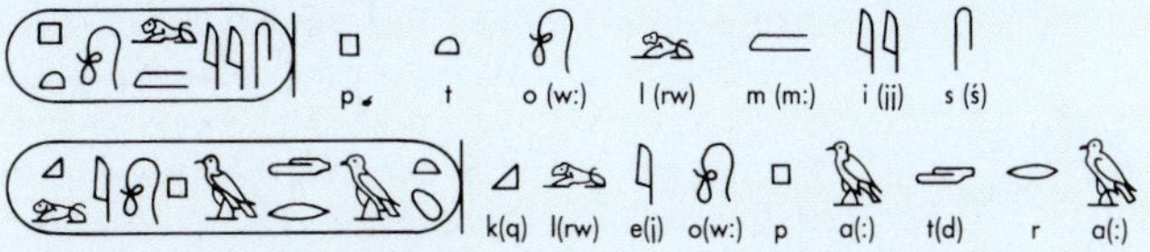

Weibliche Wortendung Determinativ, das dem weiblichen Namen folgt

ägyptische Schrift, in mehreren Formen auftretende Schrift, in der die ägypt. Sprache überliefert ist. Die **Hieroglyphen** wurden kurz vor 3000 erfunden. Ihr Prinzip beruht darauf, dass zunächst zeichenbare Dinge standardisiert gezeichnet werden. Diese Zeichen werden dann für Worte ähnlicher Lautung verwendet. Dabei sieht man von Vokalen ab. Wörter, für die kein zeichenbares, ähnlich klingendes Wort zur Verfügung stand, wurden »buchstabiert«. **Hieratisch** ist die Kursivform der Hieroglyphen. Die Zeichen verlieren ihren Bildcharakter und werden zu Strichen und Strichgruppen verkürzt. In der Spätzeit (ab 715 v. Chr.) wird das Hieratische durch eine für die formelhafte Verwaltungssprache entwickelte weitere Verkürzung, das **Demotische,** verdrängt; nur die religiösen Texte werden weiterhin hieratisch geschrieben. – Etwa seit der 2. Hälfte des 2. Jh. n. Chr. schreiben christl. Ägypter ihre Sprache ausschl. mit einem erweiterten grch. Alphabet. Diese Schrift wird als **kopt. Schrift** bezeichnet. Die Entzifferung der ä. S. gelang erst 1822 J. F. Champollion.

📖 Schlott, A.: *Schrift u. Schreiber im alten Ägypten. München 1989.*

Leopold Ahlsen

ägyptische Sprache. Die Sprache der alten Ägypter gehört zur Gruppe der hamitosemit. Sprachen. Sprachgeschichtlich unterscheidet man: das **Frühägyptische,** nur kurze, schwer verständl. Inschriften; das **Altägyptische,** die Schriftsprache des Alten Reichs; das **Mittelägyptische,** die später als klassisch empfundene Sprache des Mittleren Reichs, in Urkunden des Neuen Reichs fortlebend; das **Neuägyptische,** die Volkssprache des Neuen Reichs, als Urkundensprache bis ins 5. Jh. n. Chr. fortlebend **(Demotisch),** und das **Koptische,** die Volkssprache der Spätzeit.

📖 Schenkel, W.: *Einführung in die altägypt. Sprachwissenschaft. Darmstadt 1990.*

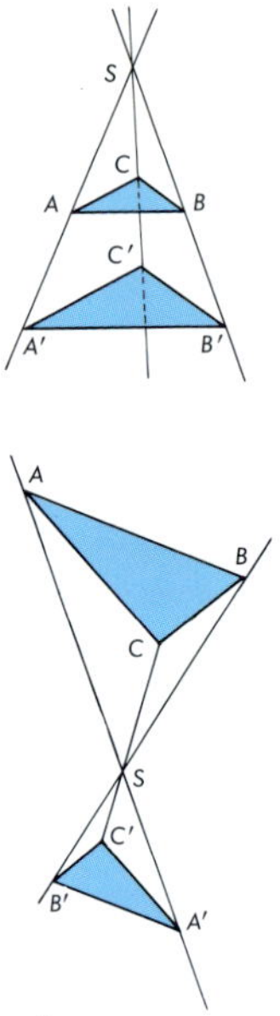

Ähnlichkeit 2): Ähnlichkeitsabbildungen (ABC Urbild, A'B'C' Bild, S Schnittpunkt der Abbildungsstrahlen)

Ägyptologie *die,* die wiss. Erforschung des ägypt. Altertums in Sprache, Geschichte, Kunst und Kultur.

Ah, auch A · h, Einheitenzeichen für Amperestunde.

Ahab (Achab), nach 1. Kön. 16, 28 ff. König von Israel (873–853 v. Chr.), führte den Baalkult in Samaria ein (→Elias).

Aha-Erlebnis, *Psychologie:* nach K. Bühler das plötzl. Verstehen eines gesuchten, aber vorher unbekannten Sinnzusammenhanges.

Ahaggar (Hoggar), Gebirgsmassiv in der zentralen Sahara, SO-Algerien; Hochgebirgswüste mit Höhen von fast 3 000 m ü. M.; hier leben die zu den Tuareg gehörenden A. mit ihren Herden. Zentrum ist Tamanrasset.

Ahas (Achas), König von Juda (741–725 v. Chr.), verlor sein Land an die Assyrer (2. Kön. 16, 1 ff.).

Ahasver [hebr. »Fürst«] (Ahasverus), **1)** im A. T. Name des Perserkönigs Xerxes.

2) in der Volkssage der →Ewige Jude.

Ahaus, Stadt im Kr. Borken, NRW, 50 m ü. M., nahe der niederländ. Grenze, 34 700 Ew.; Textil-, Papier-, Holzindustrie. – Barockschloss. – 1406 kam die Herrschaft A. an den Bischof von Münster.

Ahidjo [ai'dʒo], Ahmadou, Politiker in Kamerun, *Garoua 24. 8. 1924, †Dakar 30. 11. 1989; 1958/59 Premiermin., nach Proklamation der Unabhängigkeit Kameruns 1960–82 Staatspräsident.

Ahlbeck (Seebad A.), Seebad in waldreicher Umgebung auf der Insel Usedom, Kr. Ostvorpommern, 4 500 Ew.; Fischfang.

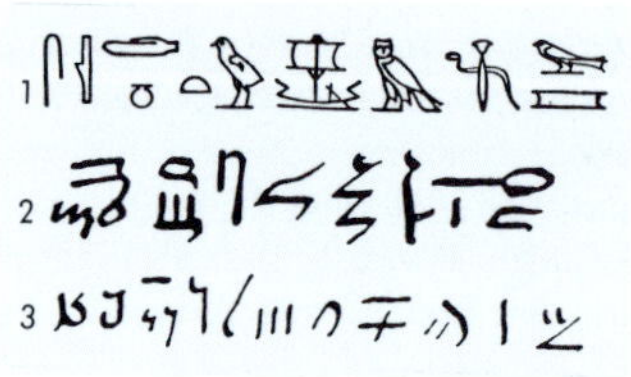

ägyptische Schrift: **1)** Hieroglyphen; **2)** Hieratisch; **3)** Demotisch

Ahle (Pfriem), nadelartiges Werkzeug zum Vorstechen oder Aufweiten von Löchern, z. B. in Leder.

Ahle, Organisten in Mühlhausen/Thüringen: Johann Rudolf (*1625, †1673) schrieb bes. geistl. Konzerte, sein Sohn Johann Georg (*1651, †1706) geistl. und weltl. Lieder.

Ahlen, Stadt im Kreis Warendorf, NRW, 80 m ü. M., im südöstl. Münsterland, 55 800 Ew.; Emaillierwerke, Steinkohlenbergbau, Maschinenbau, Blechverarbeitung.

Ahlener Programm, →Christlich-Demokratische Union.

Ahlkirsche, die →Traubenkirsche.

Ahlsen, Leopold, eigtl. Helmut Alzmann, Schriftsteller, *München 12. 1. 1927; schrieb Dramen, Hör- und Fernsehspiele (»Philemon und Baucis«, 1956; »Die Wiesingers«, 1984).

Ahmadabad (Ahmedabad), Stadt in Gujarat, Indien, 2,87 Mio. Ew.; Univ.; Baumwoll-Handelszentrum, Textilind.; Moscheen und Grabmäler aus dem 15. Jh. – Eine Besonderheit ist die Einteilung in in sich geschlossene Viertel (»pols«), Ausdruck eines strengen Kastenwesens. – 1411 gegründet.

Ahmadi ['ax-] (Al-Ahmadi), Stadt in Kuwait, 26 900 Ew.; Zentrum des kuwait. Erdölfördergebietes, Erdölraffinerie, Erdölleitung zum östlich gelegenen Hafen **Mina al-A.;** Sitz der Kuwait Oil Co. – 1946 gegr., nach Scheich Ahmad (1921–50) benannt.

Ahmadija [ax-], aus dem sunnit. Islam hervorgegangene Glaubensgemeinschaft, die sich gegen den Widerstand vieler islam. Länder über Indien, O- und W-Afrika und W-Europa ausgebreitet hat.

Ahming [grch. ámē »Eimer«], Tiefgangsskala am Vor- oder Achtersteven von Schiffen.

Ahmose [ax-], ägypt. Könige, →Amosis.

Ahmose [ax-] (Ahmes), ägypt. Mathematiker (?) unter einem König Apophis der Hyksoszeit

(1650–1550 v. Chr.), schrieb den Papyrus Rhind, die wichtigste Quelle der ägypt. Mathematik.

Ahnen (lat. Aszendenten), Vorfahren, Verwandte in aufsteigender Linie, z. B. Eltern im Verhältnis zu Kindern.

Ahnenprobe, Nachweis adliger und ehel. Abstammung über eine bestimmte Geschlechterfolge hin (Adels- und Filiationsprobe); bes. im 14.–16. Jh. bed., u. a. für Mitglieder eines Ritterordens oder – allgemein – für die Lehnsfähigkeit.

Ahnentafel (Aszendenztafel), familienkundl. Aufstellung mit Angabe der Ahnen einer Person in aufsteigender Linie.

Ahnenverehrung (Ahnenkult), bei vielen Völkern übl. Verehrung der verstorbenen Vorfahren des eigenen Geschlechts, verbunden mit regelmäßigen Opfern. In der röm. Rep. wurden in den vornehmen Familien Ahnenbilder im Atrium des Hauses aufbewahrt. In China, wo die A. seit etwa dem 15. Jh. v. Chr. bezeugt ist, ist sie ein wesentl. Element des Konfuzianismus. Auch in Japan und Indien ist die A. heute noch von Bedeutung.

Ähnlichkeit, 1) *Biologie:* Die Ä. der Lebewesen oder einzelner Organe geht entweder auf die gemeinsame Abstammung oder auf die Anpassung an gleiche Umweltbedingungen zurück. **Analoge Organe** sind versch. Ursprungs, leisten aber Ähnliches oder Vergleichbares, **homologe Organe** haben gleichen Ursprung, erbringen aber unterschiedl. Leistungen.

2) *Geometrie:* Gleichheit der Form geometrischer Figuren, nicht notwendig ihre Deckungsgleichheit (→kongruent). Ähnl. Figuren stimmen in den entsprechenden Winkeln überein, das Größenverhältnis entsprechender Seiten ist gleich. Sie lassen sich durch Verschiebung, Drehung oder Spiegelung erzeugen. Für ähnliche Dreiecke gelten besondere Ä.-Sätze.

Ähnlichkeitstheorie, *Physik:* Theorie zur method. Auffindung und Untersuchung von Vorgängen in theoretisch schwer oder nicht behandelbaren physikal. Teilgebieten wie der Strömungslehre. Hilfsmittel der Ä. sind v. a. dimensionslose Parameter (→Kennzahl), die das Verhältnis bestimmter physikal. Größen zueinander wiedergeben.

Aho, 1) Esko, finn. Politiker, *Veteli (Prov. Vaasa) 20. 5. 1954; Politikwissenschaftler, seit 1983 Abg. des Reichstages, seit 1990 Vors. der Zentrumspartei, war 1991-95 Ministerpräsident.

2) Juhani, eigtl. Johan Brofeldt, finn. Schriftsteller, *Lapinlahti 11. 9. 1861, †Helsinki 8. 8. 1921; Wegbereiter des finn. Realismus, schrieb Romane und Novellen.

ahoi [niederdt.], seemänn. Anruf für ein Schiff oder Boot.

Ahom, Gruppe der Shan-Völker, die im 13. Jh. Assam eroberte und nach Zerstörung ihres Reiches durch die Birmanen (Anfang 19. Jh.) als eigene Kaste in der Hindubevölkerung aufging.

Ahorn (Acer), Gattung der Ahorngewächse (Aceraceae), baum- und strauchförmig, in Laub und Rinde platanenähnlich (strahlige Blüten, geflügelte Spaltfrüchte). Einheim. Arten: **Spitz-A.** (Acer platanoides), in der Ebene; **Berg-A.** (Acer pseudoplatanus), in bergigem Land; **Feld-A., Maßholder** (Acer campestre), in ganz Europa. Nordamerikan. Arten in Mitteleuropa sind z. B. der **Zucker-A.** (Acer saccharum), der in seiner Heimat A.-Zucker liefert, und der z. T. weißbunt belaubte **Eschen-A.** (Acer negundo). Japan. A.-Arten werden als Ziergehölze kultiviert. A.-Holz ist helles, hochwertiges Nutzholz (u. a. Möbelbau).

Ahorn: Bergahorn (oben) und Spitzahorn (unten)

Ahr *die,* linker Nebenfluss des Rheins aus der Eifel, 89 km lang, mündet unterhalb von Sinzig; im unteren Talstück **(Ahrgau)** Weinbau.

Ähre, Blütenstand; seitlich an der verlängerten Hauptachse sitzen ungestielte Blüten (z. B. Wegerich). Die Ä. der Gräser ist aus einzelnen Ä. **(Ährchen)** zusammengesetzt.

Ährenlilie, der →Beinbrech.

Ahrensburg, Stadt im Kreis Stormarn, Schlesw.-Holst., 28 500 Ew.; Druckereien, Zigarettenindustrie. – Schloss (1595, heute Museum). – Fundort der **Ahrensburger Kultur** (etwa 8800 bis 8000 v. Chr.): späteiszeitl. Siedlungs- und Jagdplätze von Rentierjägern. BILD S. 84

Totenkult und Ahnenverehrung

Bereits in der Altsteinzeit wurden Tote durch Ausstattung mit Beigaben aller Art (etwa Nahrung) oder Einreibung mit Erdfarben für das Jenseits vorbereitet und so begraben. Feste Regeln für die Totenbestattung bestanden in der Jungsteinzeit; im Frühneolithikum herrschte überall die Bestattung in Hockergräbern vor, oft unterhalb des Hauses oder innerhalb der Siedlung, sodass die Ahnen den Lebenden nahe blieben. Eine andere Form der Ahnenverehrung spricht aus der Ausgestaltung der Megalithgräber, die meist Kollektivbestattungen dienten. Bei der seit der Jungsteinzeit gebräuchlichen Brandbestattung wurde der Tote auf einem Scheiterhaufen verbrannt und der Leichenbrand anschließend beigesetzt.

Ahrenshoop (Ostseebad A.), Seebad und Künstlerkolonie im Kreis Nordvorpommern, Meckl.-Vorp., 850 Ew. – Um 1760 entstanden.

Ahriman [mittelpers. »arger Geist«], in der Religion des Zarathustra, dem →Parsismus, die Macht der Finsternis und der Geist des Bösen. Sein Widersacher ist →Ahura Masda.

Ahrweiler, 1) Stadtteil von →Bad Neuenahr-Ahrweiler.

2) Landkreis im RegBez. Koblenz, Rheinl.-Pf., 787 km², (1996) 125 400 Ew.; Kreisstadt Bad Neuenahr-Ahrweiler.

Ahrensburg: Südwestfassade des Spätrenaissance-Schlosses (1595)

Martti Ahtisaari

Ahtamar ['ax-], Insel im Vansee, Türkei, mit der 915–926 erbauten armen. Kreuzkuppelkirche vom Hl. Kreuz. Ehem. Residenz des armen. Königreiches Waspurakan.

Ahtisaari, Martti, finn. Politiker, *Viipuri (heute: Wyborg) 23. 6. 1937; Mitgl. der Sozialdemokrat. Partei, Diplomat, 1977–86 und 1989–90 Sonderbeauftragter des UN-GenSekr. für Namibia; 1994 zum Staatspräs. von Finnland gewählt, 1999 EU-Vermittler im Kosovokonflikt.

Ahura Masda [altiran. »der weise Herr«] (mittelpers. Ormuzd), in der Religion des Zarathustra die Macht des Lichts, der Schöpfer und Erhalter der Welt und des Menschen. Sein Widersacher ist →Ahriman.

Ilse Aichinger

Ahwas, Ahvaz, Hptst. der Prov. Khusistan, Iran, am Fluss Karun, 724700 Ew.; Univ.; Handelszentrum; chem. u.a. Ind.; Erdölfeld.

ai, auch **AI,** Abk. für →**A**mnesty **I**nternational.

Ai ['a:i, portugies.-indian.] *das,* ein Faultier.

Aia (lat. Aea), *grch. Mythos:* das Sonnenland im Osten, Ziel der Fahrt der →Argonauten, später mit →Kolchis gleichgesetzt.

Aiakos (Äakus), im grch. Mythos ein Sohn des Zeus, Ahnherr der **Aiakiden** (Achill, Aias d. Gr.); nach seinem Tode Richter im Totenreich.

Aias (Ajax), *grch. Mythos:* zwei Heerführer vor Troja: **1) A. der Kleine,** gen. der Lokrer, kam auf der Rückfahrt von Troja wegen eines an Kassandra verübten Frevels um.

2) A. der Große, Sohn des Telamon, König von Salamis, verfiel in Wahnsinn und tötete sich selbst, als nicht ihm, sondern Odysseus die Waffen des Achill zugesprochen wurden.

Aibling, Bad, →Bad Aibling.

Aichach, Stadt in Bayern, VerwSitz des Ldkr. Aichach-Friedberg, RegBez. Schwaben, 442 m ü. M., 16800 Ew.; Metall-, Textil-, Kunststoff- u.a. Industrie. – Spätgot. Pfarrkirche und Spitalkirche, zwei Stadttore (15. Jh.). Bei A. lag die 1209 zerstörte Burg Wittelsbach.

Aichach-Friedberg, Landkreis im RegBez. Schwaben, Bayern, 781 km^2, (1996) 117900 Ew.; Krst.: Aichach.

Aicher, Otl, eigtl. Otto A., Grafiker und Designer, *Ulm 13. 5. 1922, †Günzburg 1. 9. 1991; 1965–68 Direktor der Hochschule für Gestaltung in Ulm, 1968–72 Gestaltungsbeauftragter für die Olymp. Spiele in München. Mit Piktogrammen und typograph. Entwürfen u.a. leistete er einen bed. Beitrag auf dem Gebiet der visuellen Kommunikation.

Aichhorn, August, österr. Pädagoge, *Wien 27. 7. 1878, †ebd. 13. 10. 1949; begründete die psychoanalyt. Pädagogik.

Aichinger, Ilse, österr. Schriftstellerin, *Wien 1. 11. 1921; ⚭ mit G. Eich; schreibt Romane (»Die größere Hoffnung«, 1948), Erzählungen (»Der Gefesselte«, 1953), Prosa (»Kleist, Moos, Fasane«, 1987) und Gedichte; auch Hörspiele. Realität und Traumhaftes gehen in ihren Werken ineinander über. 1991 erschienen »Gesammelte Werke« (8 Bde.).

AIDA-Formel, Formel für die Wirkungsstufen einer Werbemaßnahme: **A**ttention (Aufmerksamkeit), **I**nterest (Interesse), **D**esire (Begehren), **A**ction (Kaufhandlung).

Ahura Masda: Geflügelte und mit einem Vogelschwanz versehene Sonnenscheibe als Symbol des Gottes (um 500 v. Chr.; Paris, Louvre)

Aide-mémoire [ɛ:dme'mwa:r; frz. »Gedächtnishilfe«] *das,* Niederschrift einer mündl. Erklärung im diplomat. Verkehr.

Aids [eɪdz; Kurzwort aus engl. **a**cquired **i**mmune **d**eficiency **s**yndrome, »erworbenes Immunschwächesyndrom«], erstmals 1981 in den USA beschriebene, sich weltweit ausbreitende Virusinfektionskrankheit, die zu einer schweren Störung oder zum Zusammenbruch der körpereigenen Abwehrkräfte (zelluläre Immunabwehr) führt. Da das Abwehrsystem ausgeschaltet ist, führen selbst harmlose Infektionen, deren Erreger überall verbreitet sind, oder Tumore zu schweren, in 80–90% der Fälle tödlichen Erkrankungen. Erreger sind das humane Immuninsuffizienz-Virus (HIV-1-Virus) und das 1986 isolierte HIV-2-Virus. Infizierte Personen entwickeln frühestens nach 12–16 Wochen im Serum nachweisbare Antikörper. Im Ansteckungsfall können bis zum Auftreten charakterist. Krankheitszeichen $^1/_2$ bis acht (auch zehn) Jahre vergehen. Das HIV-Virus wurde in Körperflüssigkeiten (u.a. in Blut, Sperma, Scheidensekret, Muttermilch) nachgewiesen. Gesichert ist bisher nur die Übertragung durch virushaltige Körperflüssigkeiten, Blut bzw. Blutbestandteile, insbes. beim Geschlechtsverkehr durch Schleimhautverletzungen und durch Injektionen oder Transfusionen. Selbst Neugeborene können durch die Mutter infiziert sein. Außerhalb der genannten Wege ist eine HIV-Übertragung praktisch auszuschließen. Auch bei engen Alltagskontakten mit HIV-infizierten Menschen besteht kein Ansteckungsrisiko. A. tritt bevorzugt bei Homosexuellen und Drogenabhängigen, aber auch bei Heterosexuellen mit häufigem Partnerwechsel und Geschlechtsverkehr ohne Kondome auf.

Das hervorstechende Merkmal des HIV-Virus ist, dass es gerade jene Zellen befällt, die vom Organismus zur Abwehr eindringender Krankheitserreger eingesetzt werden. Diese sog. T-Helferzellen, die für die Bildung von Antikörpern sorgen, haben Rezeptoren, an denen die Viren andocken können. Diese bauen ihre Erbinformationen in die Helferzellen ein und zwingen sie so, neue Viren zu produzieren. Viele der neuen Viren weisen dabei eine veränderte Hülle auf und sind so für Antikörper schwerer zu erkennen. Die HIV-infizierten Zellen stören außerdem das komplexe Zusammenspiel der vielfältigen Formen der Immunantwort; eingeschränkte, fehlgeleitete oder überschießende Abwehrreaktionen sind die Folge.

Die Immunschwäche A. äußert sich zu Beginn der Erkrankung in Erscheinungen, wie sie auch bei anderen Krankheiten vorkommen, u.a. Lymphknotenschwellungen, Fieber, Durchfall und Gewichtsverlust. Im weiteren Verlauf treten dann jedoch viele unterschiedl. opportunist. Folgekrankheiten (d.h. Krankheiten, die nur auftreten, wenn der Organismus bzw. das Immunsystem geschwächt ist) auf.

Behandlung: Eine ursächl. Therapie und eine Impfung stehen noch nicht zur Verfügung. Im Vordergrund der medizin. Versorgung stehen neben der psychosomat. Betreuung die Vorbeugung und die Therapie der opportunist. Infektionen sowie die frühzeitige Anwendung antiretroviraler Arzeimittel wie AZT (Azidothymidin) und DDI (Didesoxyinosin), die das Fortschreiten der Erkrankung verzögern können. In Dtl. haben sich bis Mitte 1996 etwa 60000 Menschen infiziert, 18000 sind an A. erkrankt, 13000 Menschen verstorben.

Prävention: Die Verhinderung der Übertragung bildet die entscheidende Grundlage für die Eingrenzung der Epidemie. Während in den meisten Industrieländern (v.a. in Westeuropa und Nordamerika) vorbeugende Maßnahmen und leistungsfähige Gesundheitssysteme die Ausbreitung bisher stark einschränken konnten, breitet sich HIV in vielen Ländern der Dritten Welt (v.a. in Asien und Afrika) noch fast ungehindert aus. Wirksame Vorbeugung erfordert die offene und öffentl. Thematisierung von Sexualität und (auch illegalem) Drogengebrauch sowie der damit verbundenen Infektionsgefahren. Religiöse, moral. oder gesellschaftspolit. Widerstände behindern jedoch in vielen Ländern solche vorbeugenden Maßnahmen.

📖 *Aids – was eine Krankheit verändert. Sexualität u. Moral, der Einzelne u. die Gesellschaft, hg. v.* S. R. DUNDE. *Frankfurt am Main 11.–13. Tsd. 1988. – Strategien gegen Aids. Ein internationaler Politikvergleich, hg. v.* D. KIRP *u.* R. BAYER. *Berlin 1994. – AIDS – Management der Erkrankung. Szenarien zur Verbesserung von Diagnose u. Behandlung, hg. v.* H. JÄGER. *Landsberg (Lech) 1996.* – SCHMIDT, PETER: *Ein kurzes Leben lang. Kinder u. Aids. Düsseldorf 1996.*

Aigeus (Ägeus), myth. König von Athen, Vater des Theseus. Er stürzte sich, weil er seinen Sohn vom Minotaurus getötet wähnte, ins (»Agäische«) Meer.

Aigues-Mortes: Die vollständig erhaltene Stadtmauer umschließt die mittelalterliche Stadtanlage

Aigis (Ägis) [grch.] *die,* der von dem grch. Gott Hephaistos geschmiedeter Schild des Zeus, auch von Athene getragen; mit goldenen Quasten umsäumt, trägt er in der Mitte das Haupt der →Gorgo Medusa. A. ist das Sinnbild der schirmenden Obhut (»Ägide«) der Götter.

Aigle [ɛ:gl], Bezirkshauptort im Kt. Waadt, Schweiz, an der Rhone, 415 m ü. M., 6200 Ew.; Wein-, Salzmuseum; Obst-, Weinbau, Tabakanbau; Uhrenind., Erdölraffinerie; Fremdenverkehr.

Aigospotamoi (Ägospotamoi) [grch. »Ziegenflüsse«], Zufluss des Hellespont auf der Thrak. Chersones (→Griechenland, Geschichte).

Aigrette [ɛːˈgrɛt, frz.] *die,* büschelförmiger Haar- oder Hutschmuck aus (Reiher-)Federn.

Aigues-Mortes [ɛgˈmɔrt], Stadt im südfrz. Dép. Gard, inmitten von Lagunen und Kanälen am W-Rand der Camargue, 4500 Ew.; Meersalzgewinnung, Fremdenverkehr. A.-M. war im 13. Jh. wichtiger Hafen. – Mittelalterl. Stadtanlage mit gitternetzförmigem Grundriss, zentralem Marktplatz und rechteckigem Mauerkranz (14 Türme und 10 Tore). BILD S. 85

Airbus 2): Airbus A 340 der Lufthansa

Aiguille [ɛˈgɥij; frz. »Nadel«], im frz. Sprachgebiet der Alpen Name steiler, zugespitzter Berggipfel, bes. im Montblancgebiet, z. B. **A. du Midi** (3842 m ü. M.; Seilbahn von Chamonix).

Air Canada

Aijubiden, ägyptisch-syr. Herrschergeschlecht (1171–1263) kurd. Ursprungs, gegr. von Sultan Saladin, dem Sohn Aijubs.

Aiken [ˈeɪkɪn], Conrad, amerikan. Schriftsteller, *Savannah (Ga.) 5. 8. 1889, †ebd. 17. 8. 1973; beeinflusst v. a. von S. Freud und R. Emerson; schrieb Lyrik, Romane, Kurzgeschichten; bed. Kritiker.

Aiken-Code [ˈeɪkɪnkoːt; nach dem amerikan. Mathematiker H. H. Aiken, *1900, †1973], aus 4-Bit-Einheiten (Tetraden) symmetrisch aufgebauter Binärcode für Dezimalziffern. Zur Darstellung der Ziffern 0–4 werden die ersten fünf, zur Darstellung der Ziffern 5–9 die letzten fünf Tetraden der natürl. Dualzahlenfolge genutzt. Die in der Mitte liegenden sechs, als Pseudotetraden bezeichneten Biteinheiten sind beim A.-C. ungültig.

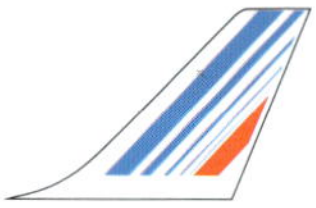

Air France

Aikido [japan. ai »Harmonie«, ki »Geist«, do »Weg«] *das,* humane und elegante Form der Selbstverteidigung ohne Wettkampfcharakter, bei der die Mittelachse des Angreifers so verändert werden soll, dass dieser in Kreisbewegungen hineingezogen wird und so sein Gleichgewicht verliert.

Air India

Ailanthus [von malaiisch aylanto »Himmelsbaum«], der → Götterbaum.

Ailanthusspinner, großer ostasiat. Augenspinner, dessen Raupe auf Ailanthus glandulosa (Götterbaum) lebt und Seide (Eriseide) liefert.

Ailey [ˈeɪlɪ], Alvin, amerikan. Tänzer und Choreograph, *Rogers (Tex.) 5. 1. 1931, †New York 1. 12. 1989; schuf eine neue Art von Jazzdance; gründete 1958 das A. A. American dance Theatre.

Aimara (span. Aymará), Indianervolk im Gebiet des Titicacasees (Peru und Bolivien). Die A.-Sprache wird von mehr als 2 Mio. Menschen gesprochen. – Auf die A. gehen möglicherweise Bauten der Vorinkazeit (z. B. → Tiahuanaco) zurück.

Ain [ɛ̃], **1)** *der,* rechter Nebenfluss der Rhone, 200 km, entspringt im Jura, mündet östlich von Lyon; Wasserkraftwerke.

2) Dép. in SO-Frankreich, 5762 km², (1990) 470000 Ew.; Hptst.: Bourg-en-Bresse.

Ainu [»Menschen«], Selbstbezeichnung eines zu den Paläosibiriern gehörenden Volkes, dessen Reste (etwa 14000 A.) auf Hokkaido, Sachalin und den Kurilen leben.

Air [ɛːr, frz.] *das,* **1)** *allg.:* Aussehen, Haltung.

2) *Musik:* allgemein vokale und instrumentale Melodie; Gesangstück in häufig zweiteiliger Form (z. B. in der Oper) sowie Tanzsatz (Ballett, Suite).

Aïr, Gebirgslandschaft in der Sahara, Rep. Niger, im Mittel 700 m, Vulkanstöcke bis 2310 m ü. M.; Hauptoasen: Iférouane und Timia; von Tuareg bewohnt; Uranerzabbau (Arlit, Akouta).

Air Afrique [ɛːr aˈfrik, frz.] (kurz für Société Aérienne Africaine Multinationale, Abk. RK), internat. Luftverkehrsgesellschaft von zehn afrikan. Staaten, gegr. 1961. (ÜBERSICHT Luftverkehrsgesellschaften)

Airbag [ˈeəbæg, engl.] *der,* Sicherheitsvorrichtung (»Luftsack«) in Kfz, die sich z. B. bei einem Aufprall in Millisekunden vor den Insassen aufbläst und diese gegenüber dem Fahrzeug abstützt. Eine neuere Entwicklung ist der **Seitenairbag.**

Airbus [ˈeə-], **1)** im planmäßigen Luftverkehr ein Pendeldienst mit vereinfachtem Abfertigungsverfahren zw. zwei Flughäfen.

2) Großraumflugzeug für Strecken mit hohem Passagieraufkommen im Kurz- bis Mittelstreckenbereich.

Air Canada [ˈeə ˈkænədə], Abk. **A. C.,** staatl. kanad. Luftverkehrsgesellschaft, gegr. 1937 durch Parlamentsbeschluss als **Trans Canada Airlines,** 1965 in A. C. umbenannt. (ÜBERSICHT Luftverkehrsgesellschaften)

Airconditioning [ˈeəkɔndɪʃnɪŋ, engl.] *das,* engl. Bez. für Klimaanlage.

Aire [eə] *der,* rechter Nebenfluss des Ouse in NO-England, 110 km lang, entspringt in den Pennines. Nach einem Teil des Tales (Airedale) ist eine urspr. hier gezüchtete Hunderasse, der **Airedaleterrier,** benannt.

Airfoil-Fluggerät [ˈeəfɔɪl-; engl. airfoil »Tragfläche«] (Aerofoil-Fluggerät), Fluggerät, das durch Ausnutzung des → Bodeneffekts beim Flug dicht über ebenen Oberflächen (Wasserflächen) eine hohe Wirtschaftlichkeit des Betriebs erreicht.

Air France [ɛ:r ˈfrã:s] (kurz für Compagnie Nationale Air France, Abk. AF), frz. Luftverkehrsgesellschaft, gegr. 1933; Beteiligungen an Air Inter, UTA und Sabena. (ÜBERSICHT Luftverkehrsgesellschaften)

Airglow [ˈeəgləʊ, engl.], durch photochem. Reaktionen in der Ionosphäre erzeugtes schwaches Leuchten.

Air India [ˈeə ˈɪndɪə], Abk. **AI,** staatl. ind. Luftverkehrsgesellschaft, gegr. 1948. (ÜBERSICHT Luftverkehrsgesellschaften)

Airlift-Reaktor [ˈeə-], *Verfahrenstechnik:* Fermenterbauform (→Fermenter) mit rein pneumat. Durchmischung der Flüssigkeit.

Airmail [ˈeəmeɪl, engl.] *die,* Luftpost.

Airolo, Gemeinde und Luftkurort im Kt. Tessin, Schweiz, 1178 m ü. M., am Südausgang des Gotthardtunnels, 2400 Einwohner.

Airport [ˈeəpɔ:t, engl.] *der,* Flughafen.

Ais *das, Musik:* Halbton über A.

Aischa (Ayesha), Lieblingsfrau Mohammeds, *um 613/614, †Medina 678; Tochter des Abu Bekr, nach Mohammeds Tod von großem Einfluss, bekämpfte den 4. Kalifen Ali.

Aix-en-Provence: Kreuzgang der Kathedrale Saint Sauveur (12.–15. Jh.)

Ais|chines (Äschines), grch. Redner, *Athen 389 v. Chr., †auf Rhodos um 315 v. Chr.; war als Anhänger Philipps II. von Makedonien Gegner des →Demosthenes.

Ais|chylos (Äschylus), grch. Dichter, *Eleusis 525 v. Chr., †Gela (Sizilien) 456 v. Chr.; kämpfte in den Schlachten bei Marathon und Salamis. A. ist der eigentl. Begründer der Tragödie als literar. Kunstform; durch die Einführung des zweiten Schauspielers wurden die Handlung und der dramat. Dialog dem Chor gegenüber verstärkt. Überzeugt von der göttl. Gerechtigkeit, steht der Mensch erschauernd vor der Allmacht der Götter, die ihn strafend dem sicheren Untergang weihen, sobald er sich gegen ihr Gesetz auflehnt und es in seiner Hybris überschreitet. Von seinen etwa 90 Tragödien sind sieben erhalten: »Die Perser« (zuerst aufgeführt 472); »Sieben gegen Theben« (467); »Schutzflehende« (463?); »Agamemnon«, »Choephoren«, »Eumeniden« (bilden zus. die »Orestie«, aufgeführt zuerst 458); »Gefesselter Prometheus« (Datierung unsicher).

Aischylos (Florenz, Museo Archeologico)

Aisne [ɛ:n], **1)** *die,* linker Nebenfluss der Oise, 280 km lang, entspringt in den S-Argonnen, mündet bei Compiègne. Mit der Maas durch den **Ardennenkanal** verbunden; über 160 km schiffbar.

2) Dép. in N-Frankreich, in der Picardie, 7369 km^2, (1990) 537000 Ew.; Hptst.: Laon.

Aistulf, König der Langobarden (749–756), eroberte 751 Ravenna und bedrohte 754 und 756 Rom, dessen Einnahme durch den Frankenkönig Pippin d. J. verhindert wurde.

Aitmatow, Tschingis, kirgis. Schriftsteller, *Scheker 12. 12. 1928; schreibt poet. Erzählungen und Kurzromane in russ. und kirgis. Sprache, u. a. »Dshamilja« (1958), »Abschied von Gülsary« (1967), »Der Tag zieht den Jahrhundertweg« (1981), »Der Richtplatz« (1986), »Gottesmutter im Schnee« (1990), »Das Kassandramal« (1995); seit 1990 Botschafter der Sowjetunion, später der GUS, in Luxemburg, seit 1994 Botschafter Kirgistans in Belgien.

Tschingis Aitmatow

Aix-en-Provence [ɛksãprɔˈvãs], Stadt im südfrz. Dép. Bouches-du-Rhône, 123800 Ew. A.-en-P., als **Aquae Sextiae (Salluviorum)** schon zur Römerzeit geschätztes Heilbad mit warmen Quellen, ist Mittelpunkt des Oliven-, Wein- und Mandelbaues; kath. Erzbischofssitz, Univ. (gegr. 1409; heute Teil der Univ. Aix-Marseille); Kathedrale und Kloster St. Sauveur (12.–15. Jh.). – 102 v. Chr. schlug hier Marius die Teutonen. Im 12. Jh. Hauptstadt der Grafen der Provence.

Aix-les-Bains [ɛksleˈbɛ̃], Stadt im frz. Dép. Savoie, 23500 Ew.; schon zur röm. Kaiserzeit **(Aquae Gratianae)** Badeort in einem klimatisch milden Gebirgstal am Ostufer des Lac du Bourget (Schwefelthermen); Museen; Wintersportort.

Ajaccio [frz. aʒakˈsjo, italien. aˈjattʃo], Hptst. der frz. Insel Korsika und des Dép. Corse-du-Sud, am Golf von A., 58300 Ew., Geburtsort Napoleons I.; landwirtsch. Ind.; Handels- und Fischereihafen; Bade-, Winterkurort.

Ajaccio Stadtwappen

Ajanta [-dʒ-], buddhist. Höhlenanlage im Bundesstaat Maharashtra, Indien, im nördl. Dekhan, mit 29 in den Fels gehauenen Tempel- und Klosterräumen aus dem 1. Jh. v. Chr. und dem 5.–7. Jh. n. Chr. (UNESCO-Weltkulturerbe).

Ajar [-ʒ-], Émile, frz. Schriftsteller, →Gary, Romain.

Ajatollah, →Ayatollah.

Ajax, *grch. Mythos:* →Aias.

Ajka [ˈɔjkɔ], Stadt im zentralen W-Ungarn, 34 000 Ew.; Tonerdeaufbereitung, Aluminiumhütte, Glasindustrie.

Ajanta: Darstellung des Bodhisattva Avalokiteshvara; Wandmalerei aus einem Höhlenkloster, 7. Jh.

Ajman Wappen

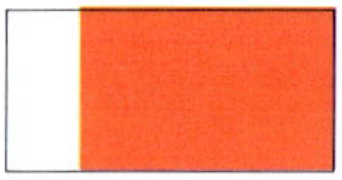

Ajman Flagge

Ajman, Scheichtum der →Vereinigten Arabischen Emirate, 250 km², (1985) 64 300 Einwohner.

Ajmer [ædʒˈmɪə, engl.], Stadt im Bundesstaat Rajasthan, Indien, 376 000 Ew.; Eisenbahnknotenpunkt; bed. muslim. Pilgerstätte; Hofmoschee, Palast Akbars, Heiligengrab Dargah.

à jour [aˈʒuːr, frz.], **1)** bis zum (heutigen) Tag; auf dem Laufenden.

2) Bez. für Edelsteinfassungen ohne Unterlage. **Ajourstickerei,** textile Durchbrucharbeit, z. B. Lochstickerei. **Ajourstoffe,** mustermäßig durchbrochene Textilien, nach verschiedenen Techniken hergestellt.

AKA Ausfuhrkredit-Gesellschaft mbH, Frankfurt am Main, Spezialinstitut für mittel- und langfristige Exportfinanzierung, 1952 von einem Bankenkonsortium als **A**usfuhr**k**redit **A**G (AKA) gegründet; 1966 unter Einbeziehung weiterer Kreditinstitute in eine GmbH umgewandelt.

Akaba (Aqaba), **1)** Stadt in Jordanien, 62 400 Ew.; moderner Tiefseehafen am Golf von A. (Umschlag von Phosphaten).

2) (Golf von A.) nordöstl. Bucht des Roten Meeres, zw. Arabien und der Halbinsel Sinai, etwa 170 km lang, bis zu 29 km breit und 1 828 m tief. Am Golfeingang Korallenriffe und kleine Inseln. Wichtige Hafenstädte sind das jordan. Akaba und das israel. Elath.

Akademgorodok, 1959 gegr. »Akademiestädtchen«, Trabantenstadt von Nowosibirsk, Russland, rd. 50 000 Ew.; Univ., Institute der Akademie der Wiss. Russlands.

Akademie [grch.] *die,* die von Platon um 385 v. Chr. gegründete Philosophenschule, benannt nach einem nahe gelegenen Heiligtum des altatt. Heros Akademos; bestand bis in die Zeit Justinians. In neuerer Zeit werden unter A. Einrichtungen zur Förderung von Wiss. und Forschung sowie Zusammenschlüsse bes. im Rahmen berufl. Ausbildung (heute z. T. Fachhochschulen) verstanden. Unterschieden werden heute: 1) A. der Wiss. 2) wiss. Fach-A. (Berg-, Bau-, Handels-, Kunst-, Musik-, Sport-, medizin., Militär-, Verwaltungs-A. u. a.). 3) kirchl. (evang., kath.) Einrichtungen der akadem. Öffentlichkeitsarbeit (Tagungen, Arbeitskreise). 4) nichtakadem. Ausbildungslehrgänge für besondere Tätigkeiten (Sportarten, Schneiderei, Kochen). 5) Sing-A. (Vereinigungen zur Pflege des Chorgesanges).

Akademie der Wissenschaften, Vereinigung von Gelehrten zur Pflege wiss. Austausches und zur Förderung der Forschung, meist unter staatl. Betreuung. Die Grenzen gegenüber Gelehrten-Gesellschaften und Gesellschaften der Wiss. sind fließend. Die A. d. W. gliedern sich i. d. R. in eine **mathematisch-naturwiss. Klasse** (Mathematik, Naturwiss., Medizin, techn. Wiss.) und eine **philosophisch-histor. Klasse** (Philosophie, Geschichte, Altertumskunde, Kunst- und Musikwiss., Sprach- und Literaturwiss., Geographie, Völkerkunde, Rechts-, Staats-, Wirtschaftswiss.); es kommen aber bis zu zehn Klassen vor. In den roman. Ländern sind die Dichter, Schriftsteller und Künstler meist mit den Gelehrten in den A. d. W. vereinigt. – Die Zahl der Mitglieder einer A. d. W. ist durch Satzung festgelegt; Ergänzung durch Zuwahl. Die Wahl gilt als Auszeichnung. Es gibt ordentl. (meist am Ort) und korrespondierende Mitglieder. – Zur Betreuung größerer Aufgaben bilden die A. d. W. wiss. Kommissionen, manche unterhalten Forschungsinstitute. Veröffentlicht werden Sitzungsberichte, Abhandlungen, Jahrbücher.

Geschichte: An Platons →Akademie knüpfte der Gelehrtenkreis an, den Alkuin am Hof Karls d. Gr. versammelte. Die erste A. d. W. der Neuzeit wurde 1470 unter Cosimo de Medici in Florenz gegründet (Accademia Platonica). Auf weitere italien. Gründungen folgten 1635 die von Richelieu eröffnete Académie française in Paris (→Institut de France), 1652 die Leopoldinisch-Carolin. Dt. Akademie der Naturforscher →Leopoldina (seit 1878 in Halle/Saale), die →Royal Society (1660), die Preuß. A. d. W. in Berlin (1700), die A. d. W. in St. Petersburg (1725) u. a. Mit dem Ziel größerer Gemeinschaftsarbeiten schlossen sich in neuerer

Akademien der Wissenschaften (Auswahl)

Albanien. »Alban. A. d. W.« (1972), Tirana.
Belgien. »Académie Royale des Sciences, des Lettres et des Beaux-Arts de Belgique« (1772), »Koninklijke Academie voor Wetenschappen, Letteren en Schone Kunsten van België«, »Académie Royale de Médecine de Belgique« (1841), »Académie Royale d'Archéologie de Belgique« (1842), alle Brüssel, u. a.
Bulgarien. »Balgarska Akademija Nauk« (1869), Sofia.
China (VR). »Academia Sinica« (1949 als Fortsetzung der 1928 gegründeten, in Taipeh, Taiwan, weitergeführten Academia Sinica), Peking, u. a.
Dänemark. »Det Kongelige Danske Videnskabernes Selskab« (1742), Kopenhagen, u. a.
Deutschland. »Deutsche Akademie der Naturforscher Leopoldina« (1652), Halle/Saale. – »Preußische A. d. W.« in Berlin (1700, durch Kurfürst Friedrich III. als »Churfürstlich-Brandenburgische Societät der Wissenschaften« gegr.) geht auf einen Plan von G. W. Leibniz zurück. Höhepunkte ihrer Wirksamkeit lagen im Zeitalter der Aufklärung (Friedrich d. Gr.), des Idealismus (W. und A. von Humboldt, F. D. E. Schleiermacher) und nach 1850, als die exakte Forschung in den Natur- und Geisteswissenschaften einsetzte. 1946 wurde sie als »Deutsche A. d. W. zu Berlin« nach sowjet. Vorbild erweitert (sechs Klassen, 1970 und 1972 neu gestaltet, 1972–90 »A. d. W. der DDR« mit zahlreichen Instituten). – »Göttinger A. d. W.« (1751, durch Albrecht von Haller), Neuorganisation 1893 durch U. v. Wilamowitz-Möllendorff und F. Klein. – »Bayerische A. d. W.« in München (1759), hat eine philosophisch-histor. und eine mathematisch-naturwiss. Klasse. – »Sächs. A. d. W. zu Leipzig« (1846), hat die Arbeit 1947 neu aufgenommen. – »Heidelberger A. d. W.« (1909), hat zwei Klassen. – »A. d. W. und der Literatur« in Mainz (1949) mit drei Klassen. – Die »Rheinisch-Westfäl. A. d. W.« (1970) in Düsseldorf geht auf die Arbeitsgemeinschaft für Forschung des Landes NRW zurück. – Die »Berlin-Brandenburgische A. d. W.« (1992) hat fünf Klassen: geisteswiss., sozialwiss., mathematisch-naturwiss., biowiss.-techn. und technikwiss. Klasse.
Estland. »Eesti Teaduste Akadeemia« (1946), Reval.
Finnland. »Finska Vetenskaps-Societeten-Suomen Tiedeseura« (1838), »Suomen Akatemia« (1947), Helsinki, u. a.
Frankreich. »Académie française« (1635), »Académie des inscriptions et belles-lettres« (1633), »Académie des sciences« (1666), »Académie des Beaux-Arts« (1816), »Académie des sciences morales et politiques« (1795, wiedergegr. 1832), alle in Paris, zusammengefasst im 1795 gegründeten »Institut de France«, und zahlreiche andere sowie Gelehrte Gesellschaften.
Großbritannien. »The Royal Society« (1660, Mathematik, Naturwissenschaften, Medizin), »Royal Academy of Arts in London« (1768), »British Academy« (1901, Geistes- und Sozialwissenschaften), beide London, »Royal Society of Edinburgh« (1783) und »Royal Scottish Academy« (1826), beide Edinburgh, u. a.
Irland. »Royal Irish Academy« (1786) und »Irish Academy of letters« (1932), Dublin.
Israel. »Israel Academy of Science and Humanistics« (1959), Jerusalem.
Italien. »Accademia della Crusca« (1582, Pflege und Reinigung der italien. Sprache), Florenz, »Accademia Nazionale dei Lincei« (1603, bes. antike Geschichte, Archäologie und Orientalistik; seit 1944 mit vergrößertem Aufgabenbereich), »Accademia dell'Arcadia« [1690]), Rom, u. a.
Japan. »Nippon Gabushiin« (1879), Tokio.
Jugoslawien. »Srpska Akademija Nauka i Umjetnosti« (1886), Belgrad; »Crnogorska Akademija Nauka i Umjetnosti«, Pogorica; »Akademia e Shkencave dhe e Arteve e Kosovës/Akademija Nauka i Umjetnosti Kosova« (1976), Priština.
Kroatien. »Crnogorska Akademija Nauka i Umjetnosti« (1866), Zagreb.
Lettland. »Latrijas Zinātņu Akadēmija« (1946), Riga.
Litauen. »Lietuvos Mokslų Akademija« (1941), Vilnius.
Makedonien. »Makedonska Akademija na Naukite i Umetnostite« (1967), Skopje.
Moldawien. »Moldaw. A. d. W. und Künste« (1961), Chișinău.
Niederlande. »Koninklijke Nederlandse Akademie van Wetenschappen« (1808, reorganisiert 1851 und 1855), Amsterdam.
Norwegen. »Kongelig Norsk Videnskabers Selskap« (1760), Trondheim, »Det Norske Videnskaps-Akademi« (1857), Oslo.
Österreich. »Österreich. A. d. W.«, durch Bundesgesetz vom 7. 5. 1947 neu eingerichtet; zwei Klassen; 1847 durch Ferdinand I. als »Kaiserl. Akademie in Wien« gegr.; seit 1921 hieß sie »Akademie in Wien«.
Polen. »Polska Akademia Nauk« (1952), Warschau.
Portugal. »Academia das Ciêcias de Losboa« (1779), Lissabon, u. a.
Rumänien. »Academia România« (1948 aus der 1866 gegründeten Vorgängerin hervorgegangen).
Russland. »Russ. A. d. W.« (1725 durch Peter I. in St. Petersburg gegr., reorganisiert 1963), seit 1934 in Moskau, nach der Auflösung der »A. d. W. der UdSSR« (1990) mit der im gleichen Jahr neu gegründeten »Russ. A. d. W.« 1991 zur neu gegründeten »Russländ. A. d. W.« vereinigt. Russ. Akademie der Künste (1947), Moskau.
Schweden. »Kungliga Svenska Vetenskapsakademien« (1739), »Vitterhets Historie och Antikvitets Akademien« (1753) und »Svenska Akademien« (1786), Stockholm, u. a.
Schweiz. »Schweizer. Naturforschende Gesellschaft« (1815, Akademierang des Senats seit 1931), Bern, »Schweizer. Akademie der medizin. Wissenschaften« (1943), Basel, »Schweizer Geisteswiss. Gesellschaft« (1946), Bern.
Slowakei. »Slovenská Akadémie Vied« (1953), Bratislava.
Spanien. »Real Academia Española« (1713), Madrid, u. a.
Tschechische Republik. »Česká Akademie Věd« (1952; bis 1992 »Československá Akademie Věd«), Prag.
Ukraine. »Akademija Nauk Ukrainy« (1919), Kiew.
Ungarn. »Magyar Tudományos Akadémia« (1825), Budapest.
USA. »American Academy of Arts and Sciences« (1780), Boston; »National Academy of Sciences« (1863, 23 Sektionen), Washington, D. C.; »American Council of Learned Societies« (1919, Zusammenschluss von 42 bedeutenden geisteswiss. Gesellschaften), New York, »Medieval Academy of America« (1925), Cambridge (Mass.), u. a.
Vatikanstadt. »Pontificia Accademia delle Scienze« (1603), Rom.
Weißrussland. »Akademija Nauk Belaruskaja« (1929), Minsk.

Zeit einige A.d. W. zusammen: 1883 die von Göttingen, Leipzig, München und Wien zum Kartell der dt. A.d. W., dem 1906 Berlin, 1911 Heidelberg beitraten; 1951 die von Göttingen, Heidelberg, Mainz und München zur Arbeitsgemeinschaft der Westdt. Akademien. Die 1901 gegr. Internat. Assoziation der A.d. W. umfasste 18 Akademien; sie wurde 1919 durch die Union Académique Internationale und den Conseil International de recherches abgelöst.

Akanthus 1)

Akademie für Sprache und Dichtung, →Deutsche Akademie für Sprache und Dichtung.

Akademiestück, urspr. Probearbeit für die Aufnahme in eine Kunstakademie; im 19. Jh. dann abschätzig für den Regeln folgende, aber leblose Malerei.

Akademiker, 1) Mitglied einer Akademie.

2) Hochschulabsolvent, Person mit abgeschlossener Hochschulbildung.

akademische Freiheit, besondere Rechte der Hochschulen und ihrer Angehörigen. Aus älteren Wurzeln stammend, gehört die a. F. bes. seit der humboldtschen Universitätsreform zu den Fundamenten der dt. Hochschulverfassung. Sie umfasst 1) die **akadem. Freizügigkeit,** d.h. das Recht der Studierenden, den Hochschulort beliebig zu wechseln, das aber durch Zulassungsbeschränkungen praktisch erheblich eingeschränkt ist; 2) die **akadem. Lernfreiheit,** d.h. das Recht der Studierenden, über Anlage und Aufbau ihres Studiums frei zu bestimmen, das allerdings in wachsendem Maße durch feste Studienordnungen eingeengt wird; 3) die **akadem. Lehr- und Forschungsfreiheit,** die in den modernen Verfassungen grundrechtlich gesichert ist (Art. 142 Weimarer Verf.; Art. 5 Abs. 3 GG). Die **akadem. Gerichtsbarkeit** ist seit 1879 aufgehoben.

Akazie

akademische Grade werden von wiss. Hochschulen aufgrund schriftl. und mündl. Abschlussprüfungen verliehen, →Diplom, →Doktor, →Lizenziat, →Magister.

Akademischer Rat, Lehrkraft des akadem. Mittelbaus an Hochschulen; →Wissenschaftlicher Rat.

akademisches Proletariat, Bez. für Hochschulabsolventen, die keine ihrer Qualifikation entsprechende Stellung finden.

akademisches Viertel, die Viertelstunde, um die im akadem. Leben eine Veranstaltung später beginnt als angegeben, bezeichnet durch c.t. (**c**um **t**empore, »mit Zeit«), im Ggs. zu s.t. (**s**ine **t**empore, »ohne Zeit«).

Akelei: Gemeine Akelei

Akadilen (frz. l'Acadie, engl. Acadia), Name der ehemaligen frz. Besitzungen in Kanada südöstlich der Mündung des St.-Lorenz-Stromes, umfasste etwa die heutigen Prov. Nova Scotia und New Brunswick sowie Teile Quebecs und des amerikan. Bundesstaats Maine; wurde 1713 z.T., 1763 vollständig britisch.

Akan, zu den Kwasprachen gehörende Sprachengruppe in Westafrika.

Akanthit [grch.] *der,* Mineral, monokliner Silberglanz.

Akanthus [grch.-lat.] *der,* **1)** *Architektur:* Zierform nach dem Vorbild der stark gezackten Blätter von A.-Arten. Das A.-Blatt wurde im grch. Schmuckwerk bes. an korinth. Kapitellen seit dem 2. Drittel des 5. Jh. v. Chr. verwendet (Blätterkelch) und ging auch in spätere Stilarten über.

2) *Botanik:* (Bärenklau, Acanthus), staudige Gattung der Familie A.-Gewächse; Arten aus dem Mittelmeergebiet mit gefiederten, sattgrünen Blättern und Lippenblütenrispen sind Zierpflanzen.

Akarinose [zu grch. akari »Milbe«] *die,* durch Milben verursachte Kräuselkrankheit des Weinstocks.

Akarizide, Wirkstoffe zur Bekämpfung von pflanzenschädigenden Milben.

Akarnanilen (ngrch. Akarnania), Bergland in W-Griechenland, zw. Ambrak. Golf und Acheloos, bis 1600 m ü. M. Hauptorte A. im Altertum waren Oiniadai an der Mündung des Acheloos, weiter flussauf Stratos.

Akaryobionten [grch.-nlat.], *Biologie:* die →Prokaryonten.

Akashi [-ʃ-], alte Burgstadt auf der Insel Honshū, Japan, 270 700 Ew.; Fährhafen, Textilind., Motoren- und Maschinenbau. Der durch A. laufende 135. Meridian östlich von Greenwich bestimmt die japan. Normalzeit **(A.-Zeit).**

akatalektisch [grch.], *Metrik:* →katalektisch.

akausal, ohne ursächl. Zusammenhang.

Akazile [grch.] *die* (Acacia), baum- und strauchförmige Pflanzengattung der Mimosengewächse in wärmeren Gebieten, oft dornig. An Stelle der feinfiedrigen Blätter haben viele austral. A. (Wattle) blattartige Stiele. Die gelben oder weißen Blüten sind weidenkätzchenähnlich gehäuft. Vorwiegend afrikanisch-arab. A. geben Pflanzengummi **(Gummiarabikum),** andere Arten sind wichtige Gerbstoffpflanzen oder liefern Holz. Die →Robinie wird manchmal fälschlich A. genannt.

Akbar [arab. »der Große«], eigtl. Djalal ad-Din Mohammed, Großmogul von Indien (seit 1556), *Umarkot (Sind) 15. 10. 1542, †Agra 26. 10. 1605; erweiterte seine Herrschaft über Nordindien und das östl. Afghanistan; versuchte, die Völker und Religionen seines Reiches durch Stiftung einer Einheitsreligion **(Din Ilahi)** aus hinduist., islam., christl. und pars. Elementen auszusöhnen; förderte Handel, Kunst und Wissenschaft.

Akelei (Aquilegia) [lat. aquilegia »Wassersammlerin«] *die,* altweltl. Gattung der Hahnenfußgewächse mit fünfspornigen Blüten. Die geschützte, in lichten Laubwäldern wachsende, meist blauviolett blühende **Gemeine A.** (Aquilegia vulgaris) wird auch als Gartenzierpflanze in vielen Farbvarianten kultiviert.

Aken (Elbe), Industrie- und Hafenstadt im Landkr. Köthen, RegBez. Dessau, Sa.-Anh., an der Elbe, 10200 Ew.; Magnesitwerk, Glashütte, Werft.

Akershus [-hy:s], Verw.-Gebiet (Fylke) in S-Norwegen, 4917 km², (1993) 424900 Ew.; Verw.sitz ist Oslo.

Akhisar, Stadt im westl. Anatolien, Türkei, nordöstlich von Manisa, 74000 Ew.; Tabak-, Baumwollindustrie.

Akiba Ben Joseph, jüd. Schriftgelehrter, um 50–136 n. Chr.; entwarf eine Methode zur Gesetzesauslegung, wonach kein Buchstabe der Bibel nebensächlich sei; schuf die erste Mischnasammlung; wurde beim Bar-Kochba-Aufstand von den Römern hingerichtet.

Akihito, Kaiser von Japan (seit 1989), *Tokio 23. 12. 1933; ältester Sohn von →Hirohito, ⚭ 1959 mit Michiko Shoda (aus bürgerl. Haus); übernahm nach dem Tod seines Vaters (Jan. 1989) die Regentschaft (Devise: »Heisei«, Frieden schaffen) und wurde am 12. 11. 1990 inthronisiert.

Akinese [grch.] *die,* **1)** *Medizin:* Bewegungslosigkeit, auch Bewegungsarmut; ein Zeichen bei Erkrankungen bestimmter Gehirngebiete.

2) *Zoologie:* reflexbedingte Bewegungslosigkeit, z. B. bei vielen Insekten das Sich-tot-Stellen.

Akita, Hptst. der Präfektur A., auf der Insel Honshū, Japan, 302400 Ew.; Univ.; Holz-, Seiden-, Silberwaren-Ind., Erdölraffinerie; Flughafen; nahebei die wichtigsten Erdölfelder Japans.

Akka, Stadt in Israel, →Akko.

Akkad (Akkade), alte Stadt in N-Babylonien, genaue Lage unbekannt, wurde um 2230 v. Chr. durch Sargon von A., den Begründer der Dynastie von A., als Hauptstadt des ersten semit. Großreiches auf mesopotam. Boden gegründet; auch Name für N-Babylonien.

Akkadisch, semit. Sprache Babyloniens und Assyriens; in Keilschrifturkunden seit etwa 2550 v. Chr. bis ins 1. Jh. n. Chr. bezeugt, als Umgangssprache schon im 1. Jt. v. Chr. vom Aramäischen verdrängt.

akkadische Kunst, →sumerisch-akkadische Kunst.

Akkerman, →Belgorod-Dnjestrowski.

Akklamation [lat. »Zuruf«] *die,* **1)** Zustimmung, Beifall.

2) Wahl durch Zuruf ohne Einzelabstimmung, im MA. bei Königs- und Papstwahlen üblich.

Akklimatisation [lat.-grch.] *die,* i. w. S. die Anpassung an veränderte Umweltbedingungen, i. e. S. die Gewöhnung an ein fremdes Klima. Je größer und klimatisch verschiedenartiger der ursprüngl. Verbreitungsbezirk einer Art war und je weniger schroff sich die Verpflanzung vollzog, desto milder verläuft die Gewöhnungszeit. Die Lebewesen akklimatisieren sich leichter aus einem wärmeren Klima in ein kälteres als umgekehrt.

Akko (Acco, Acca, Akka), Stadt in Israel, 43600 Ew.; Eisen- und Stahlwerk u. a. Industrie. Der Hafen an der Bucht von A. nördl. von Haifa ist versandet. Das alte A. **(Colonia Ptolemais)** war 1191–1291 Hauptsitz der Kreuzfahrer.

Akkolade [frz. »Umhalsung«] *die,* **1)** *Buchdruck:* geschweifte Klammer, die mehrere Zeilen oder mathemat. Ausdrücke zusammenfasst.

2) *Musik:* geschweifte Klammer, die in Partituren mehrere Notensysteme gleichzeitig erklingender Stimmen zusammenfasst.

3) *Orden:* feierl. Umarmung, z. B. bei Aufnahme in einen Ritterorden oder bei Ordensverleihungen.

Akkommodation [lat.] *die,* **1)** *allg.:* Anpassung.

2) *Medizin:* Einstellung des →Auges auf eine bestimmte Entfernung.

Akkompagnement [akɔ̃paɲ'mã, frz.] *das, Musik:* Begleitung.

Akkord [frz.], **1)** *Musik:* sinnvolle Verbindung mehrerer Töne zu einem Zusammenklang. Man unterteilt die A. a) nach der Zahl der Töne in zwei-, drei-, vier- usw. -stimmige A.; b) nach dem harmon. Verhältnis in konsonante und dissonante A.; c) nach der Stellung der Bassnote in Stamm- und abgeleitete A.; d) nach dem Tongeschlecht in Dur- und Moll-A. Die Verbindung der A. im musikal. Satz behandelt die Harmonielehre.

2) *Recht:* veraltet für Vergleich (→Zwangsvergleich).

Akkordeon [frz.], eine →Ziehharmonika.

Akkra, Hauptstadt von Ghana, →Accra.

akkreditieren [frz.], einen (diplomat.) Vertreter beglaubigen.

Akkreditiv *das,* **1)** *Bankwesen:* Auftrag eines Kunden an seine Bank, ihm oder einem Dritten unter bestimmten Bedingungen einen bestimmten Geldbetrag auszuzahlen.

2) *Völkerrecht:* Beglaubigungsschreiben eines diplomat. Vertreters, das dem Staatsoberhaupt des fremden Landes überreicht wird.

Akkulturation [lat.] *die,* Anpassung an eine fremde Kultur; kann mit der Übernahme von techn. Errungenschaften, mit Missionierung und sprachl. Beeinflussungen beginnen, aber auch bewirkt werden durch Eroberung und Besetzung (A. wirkt nicht nur beim Unterworfenen, sondern auch beim Eroberer).

Akkumulation [lat.] *die,* **1)** *allg.:* Anhäufung.

2) *Botanik:* Anreicherung der durch die Wurzeln oder Blätter von außen aufgenommenen

Akihito,
Kaiser von Japan

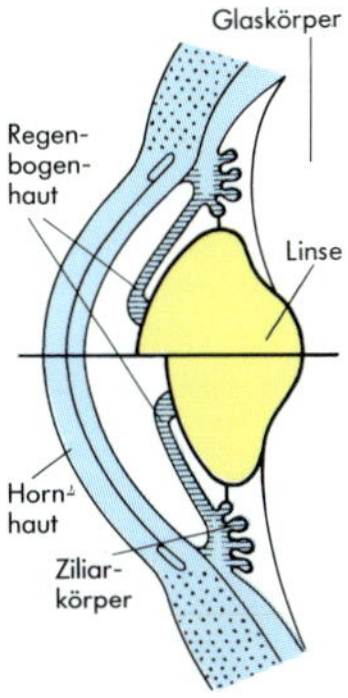

Akkommodation 2):
Einstellung des Auges auf einen Nah- (oben) und einen Fernpunkt (unten)

Nährsalze entgegen dem Konzentrationsgefälle in den Vakuolen der Zellen (→Bioakkumulation).

3) *Geologie:* die →Ablagerung.

4) *Wirtschaft:* Begriff insbes. der klass. Nationalökonomie und des Marxismus für die Anhäufung von Reichtum, bes. von produzierten Produktionsmitteln. Volkswirtschaftlich ist A. in Form von Erweiterungsinvestitionen Voraussetzung für Wirtschaftswachstum.

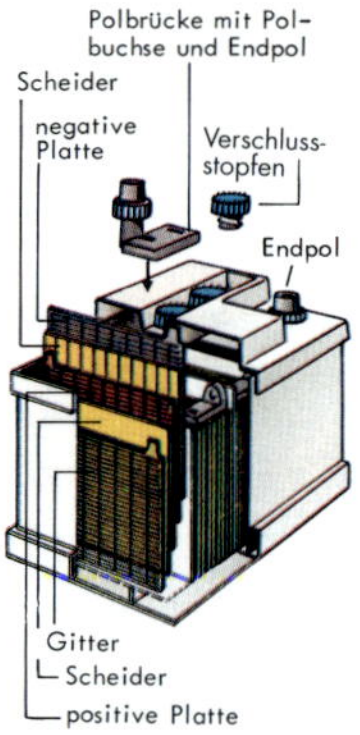

Akkumulator 2): Bleiakkumulator

Akkumulator [lat.], **1)** *Datenverarbeitung:* Ergebnisregister für die Arithmetik- und Logikeinheit (ALU) eines Computers.

2) *Elektrotechnik:* (kurz: Akku, oft auch ungenau: Batterie) elektrochem. Spannungsquelle, die durch reversible elektrochem. Prozesse eine abwechselnde Abgabe (Entladung) und Speicherung (Aufladung) elektr. Energie gestattet. Im Ggs. zur **Primärzelle** (→Batterie) ist der A. **(Sekundärzelle, Sekundärelement)** wieder aufladbar. Er besteht aus zwei chemisch unterschiedl. Elektroden, die sich in einem meist flüssigen Elektrolyten befinden (→galvanische Elemente). Beim **Blei-A.,** der zu den wichtigsten A. gehört, bestehen die gitterförmig gestalteten Elektroden aus Blei mit einer in die Maschen gefüllten »aktiven Masse«, auf der positiven Seite Bleidioxid (PbO_2), auf der negativen fein verteiltes poröses Blei. Der Elektrolyt ist 20%ige Schwefelsäure (H_2SO_4); die Entladespannung je Zelle beträgt etwa 2 V. In einer Batterie aus Blei-A., einer **A.-Batterie,** sind mehrere Zellen hintereinander geschaltet, so z.B. bei der Kfz-Batterie drei oder sechs Zellen mit einer Spannung von 6 oder 12 V. Der Wirkungsgrad der Energiespeicherung beträgt etwa 75%. **Nickel-Eisen-A. (Edison-A.)** mit Elektroden aus Nickelhydroxid, $Ni(OH)_3$, und Eisen in Kalilauge liefern eine Zellenspannung von 1,3 V und sind wenig empfindlich gegen unsachgemäße Behandlung; der energet. Nutzeffekt ist mit 50% geringer als beim Blei-A. Zur Stromversorgung elektron. Geräte (Rundfunkgeräte, Hörgeräte, Taschenrechner) werden gasdichte **Nickel-Cadmium-A.** mit einer Entladespannung von 1,25 V je Zelle verwendet. Weitere A. für spezielle Anwendungsbereiche sind z.B. **Silber-Cadmium-A., Silber-Zink-A., Natrium-Schwefel-A., Polyacetylen-A.** und **Zink-Brom-A.**

3) *Energietechnik:* (hydraul. A., Druckflüssigkeitsspeicher) Vorrichtung zur Speicherung mechan. Energie in einer Flüssigkeit, in Hydraulikanlagen als Druckenergie **(Druckwindkessel, Gasdruckspeicher)** oder als potenzielle Energie **(Gewichts-A., Feder-A.),** in Wasserkraftanlagen in dem in einen Speichersee hochgepumpten Wasser.

akkurat [lat.], genau, sorgfältig.

Akkusativ [lat.] *der,* Wenfall, 4. Fall der →Deklination; bezeichnet eine Person oder Sache, auf die sich eine durch das Verb ausgedrückte Handlung direkt richtet: Ich lese *das Buch.*

Akline [grch.] *die,* der erdmagnet. →Äquator.

Akme [grch. »Spitze«] *die,* Höhepunkt, z.B. einer Krankheit, des Fiebers.

Akmeismus [grch.] *der,* Strömung in der russ. Dichtung zw. 1910 und 1920, die als Reaktion auf den Symbolismus entstand (N. S. Gumiljow, A. A. Achmatowa, O. E. Mandelstam); erstrebte eine einfache, klare Form der Aussage.

Akmola (Aqmola, bis 1961 russ. Akmolinsk, 1961–92 Zelinograd), Hptst. des Gebietes A., Kasachstan, am Ischim, 286 000 Ew.; Hochschulen; Landmaschinenbau, Nahrungsmittelindustrie; Zentrum eines Agrargebiets (Neuland); Bahnknotenpunkt. – A. soll bis zum Jahr 2000 neue Landeshauptstadt von Kasachstan werden.

Akne [grch.] *die* (Finnenausschlag), Hautausschlag, Entzündung der Talgdrüsen bei Seborrhö; beginnt meist in der Pubertät durch hormonale Umstellung **(A. vulgaris),** seltener im Erwachsenenalter. Kennzeichen sind Mitesser, Pusteln, Knötchen und Abszesse; betroffen sind die talgdrüsenreichen Hautbezirke (Gesicht, Nacken, Brust, Rücken). A. kann auch durch Arzneimittel (u.a. Nebennierenrindenhormone, Isoniazid), Chemikalien (Halogene, v.a. Chlor, Brom und Jod) sowie durch techn. Öle und Fette (Vaseline, Paraffine) hervorgerufen werden.

Behandlung: Bei stark entzündl. und eitrigem Verlauf werden Antibiotika innerlich gegeben; sonst örtl. Behandlung mit fettfreien oder -armen Lösungen und Salben, die Wirkstoffe wie Salicylsäure, Schwefel, Vitamin-A-Säure oder Antibiotika enthalten; auch Schälbehandlungen oder Bestrahlungen mit UV-A-Lampen. Bei sehr schweren Fällen von A. werden Vitamin-A-Derivate (Retinoide) innerlich gegeben. Bei Mädchen und jungen Frauen kommen kombinierte Hormonpräparate (Östrogen und Antiandrogen) infrage.

Akolyth (Akoluth) [grch. »Begleiter«] *der, kath. Kirche:* urspr. Begleiter des Bischofs, der Leuchter, Wein und Wasser zum Altar trug; bis 1972 Kleriker der vierten Stufe der »niederen Weihen«, seither Laie zum Dienst bei der Eucharistiefeier.

Akontozahlung, Abschlagszahlung in vereinbarter oder vom Schuldner bestimmter Höhe auf bestehende Schuld.

Akosombodamm, Staudamm und Großkraftwerk am →Volta.

AKP-Staaten, →Lomé-Abkommen.

Akquisition [lat.] *die,* alle Tätigkeiten der Verkaufsorgane eines Unternehmens zur Gewinnung neuer Kunden und Aufträge oder zu Geschäftsabschlüssen mit bestehenden Kunden beim Absatz von Wirtschaftsgütern.

Akragas, altgrch. Name von →Agrigent.

Akropolis

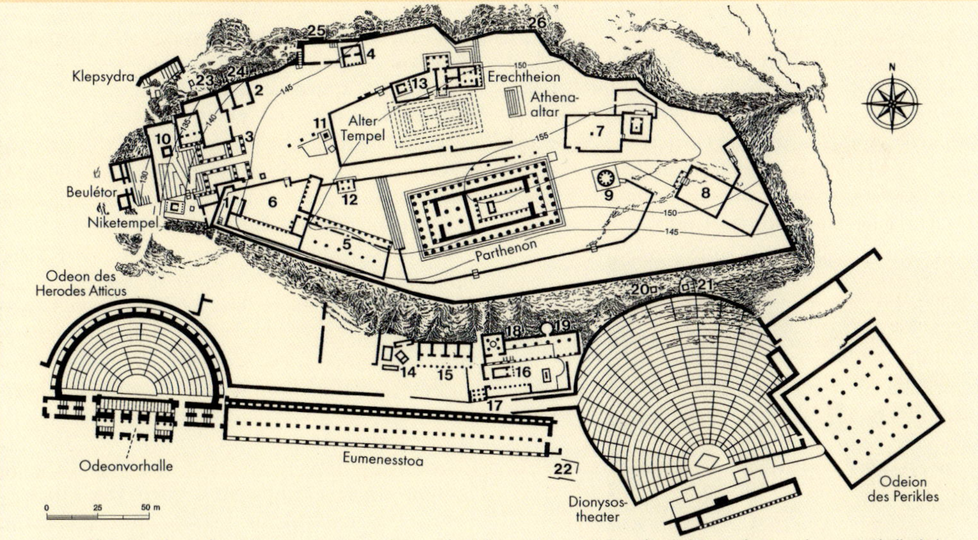

Athen. Plan der Akropolis: 1 Mykenische Mauer, **2** Haus der Athenapriesterin, **3** Propyläen, **4** Haus der Arrephoren, **5** Chalkothek **6** Bezirk der Artemis Brauronia, **7** Bezirk des Zeus Polieus, **8** Heroon des Pandion, **9** Roma- und Augustatempel, **10** Agrippamonument, **11** Athena Promachos, **12** Propylon zum Vorhof der Athena, **13** Pandroseion, **14** alter Asklepiostempel?, **15** Halle, **16** Asklepiostempel, **17** Römische Halle, **18** Inkubationshalle, **19** Grottenkapelle, **20** Choregensäulen, **21** Thrasyllosgrotte, **22** Nikiasmonument, **23** Apollon-Pythios-Bezirk, **24** Pangrotte, **25** Aglaurosgrotte, **26** Erosheiligtum

Akren [grch.], die Körperenden, z.B. Nase, Kinn, Hände, Füße.

Akribie [grch.] *die,* äußerste Genauigkeit, Gründlichkeit.

akro... [grch.], hoch (ragend) ..., spitz (zulaufend) ...

Akrobat [grch. »Zehengänger«] *der,* Artist; (urspr. Seiltänzer) oder Sportler der Akrobatik.

Akrobatik, Sportart mit turner. und gymnast. Elementen. (→Sportakrobatik)

Akrokorinth [grch. »Hochkorinth«], der stark befestigte, steile, felsige Burgberg (575 m) des alten →Korinth.

Akromegalie [grch.] *die,* Vergrößerung von Händen, Füßen, Unterkiefer, Nase u.a. durch meist tumorbedingte Überproduktion des Wachstumshormons (STH) beim Menschen nach Abschluss des normalen Wachstums.

Akron ['ækrən], Ind.stadt in NO-Ohio, USA, 223 000 Ew.; Univ.; Zentrum der Gummiindustrie.

Akronym [grch.] *das,* Kurzwort aus den Anfangsbuchstaben mehrerer Wörter, z.B. NATO, UNO.

akropetal [grch. pétalon »Blatt«], *Botanik:* am Grund beginnend, nach der Spitze zu fortschreitend, z.B. die Entwicklung der Blätter am Spross. Ggs.: basipetal.

Akropolis [grch. »Oberstadt«] *die,* hoch gelegene Burg altgrch. Städte, bes. die **A. in Athen;** ihre Befestigungen reichen bis in myken. Zeit zurück, die ältesten Bauten wurden 480 v. Chr. von den Persern zerstört. Perikles ließ sie seit 447 v. Chr. unter Leitung von Phidias neu erbauen, beginnend mit dem →Parthenon und den →Propyläen. Nach seinem Tod wurden der Niketempel und das →Erechtheion (bis 406 v. Chr.) errichtet.

Akrostichon [grch.] *das,* poet. Form, bei der die Anfangsbuchstaben, -silben oder -wörter aufeinander folgender Verse oder Strophen, im Zusammenhang gelesen, einen Namen oder einen Spruch ergeben; auch Bez. für das Gedicht selbst. Häufig in der Barocklyrik.

Akroterion (Akroter) [grch.] *das, Architektur:* Bekrönung von Ecken und der Mitte eines Giebels oder von Relieftafeln in Form von Ranken, Palmetten oder Figuren.

Aksu, Oasenort am N-Rand des Tarimbeckens, China, am A., dem größten Quellfluss des Tarim, 140 000 Ew.; Textilind.; Karawanenstützpunkt an der alten Seidenstraße.

Aksum (Axum), Stadt in der Prov. Tigre, Äthiopien, 20 000 Ew.; Flughafen. – Im 1.–5. Jh. Zentrum des Reiches von A.; Reste von Palast- und Grabanlagen, aus vorchristl. Zeit die turmhausartigen Stelen mit dem größten Monolith der Erde (größte Stele, 33,30 m lang, zerbrochen am Boden; aufrecht stehend u.a. eine 24 m hohe Stele, eine 23 m hohe seit 1935/36 in Rom, Piazza Porta Capena; UNESCO-Weltkulturerbe); Marienkirche (1655, auf einen Bau aus dem 4. Jh. zurückgehend).

Akt [lat. actus »Handlung«] *der,* **1)** *allg.:* Handlung, Vorgang.

2) *Kunst:* Darstellung des nackten menschl. Körpers, v.a. in der grch. Kunst und seit der Renaissance.

3) *Philosophie:* →Potenz 4).

4) *Psychologie:* zeitlich begrenzter, durch Ichbewusstsein gesteuerter Teilvorgang im Strom des Erlebens, der auf einen Gegenstand der Wahrnehmung, des Denkens oder Wollens gerichtet ist.

5) *Theater:* Aufzug, größerer, zusammenhängender Abschnitt eines Bühnenwerks.

Akt 2): Lucas Cranach d. Ä., »Venus« (1532; Frankfurt am Main, Städelsches Kunstinstitut)

Aktaion (Aktäon), in der grch. Mythologie Held aus Böotien, überraschte auf der Jagd Artemis im Bade, wurde von ihr zur Strafe in einen Hirsch verwandelt und von seinen eigenen Hunden zerrissen.

Aktau (Aqtaū, 1964–91 Schewtschenko), Hptst. des Verw.gebietes Mangištauz, Kasachstan, am Kasp. Meer, 169 000 Ew.; Verarbeitung der bei A. gelegenen Erdöl- und Erdgasvorkommen, Kernkraftwerk (350 MW) mit Meerwasseraufbereitungsanlage; Hochseehafen, Eisenbahnfähre nach Baku (Aserbaidschan).

Akten [lat. acta »Geschehenes«], die über eine Angelegenheit oder Person gesammelten amtl. Schriftstücke. **A.-Zeichen** (Abk. **Az.**) dienen der besseren Übersicht und Auffindbarkeit.

Im Straf- und Verwaltungsverfahren spielt das Recht auf **A.-Einsicht** eine wichtige Rolle. Im Strafverfahren kann der Verteidiger, nicht der Beschuldigte, A.-Einsicht nehmen (§ 147 StPO). Im Verwaltungs- und im Verwaltungsprozessverfahren steht dieses Recht den Beteiligten zu (§ 29 Verwaltungsverfahrens-Ges., § 100 Verwaltungsgerichtsordnung). Einsicht in die vollständigen Personal-A. stehen privaten und öffentl. Arbeitnehmern zu.

Aktie [-tsiə; von lat. actio »Handlung«] *die,* Anteil am Grundkapital einer →Aktiengesellschaft und die Urkunde darüber, die dem Inhaber seine Rechte verbrieft (Stimmrecht in der Hauptversammlung, Recht auf Dividende). Die A. ist ein →Wertpapier. Sie ist **Inhaber-A.,** wenn das in ihr verbriefte Mitgliedschaftsrecht vom jeweiligen Inhaber der A. geltend gemacht werden kann, **Namens-A.,** wenn in ihr eine bestimmte Person als Berechtigter bezeichnet ist, die im **A.-Buch** der AG einzutragen ist. A., die diese typischen A.-Rechte verbriefen, heißen **Stamm-A.** (kurz: **Stämme**) im Unterschied zu den **Vorzugs-A. (Prioritäts-A.),** welche Vorrechte, bes. bei der Gewinnverteilung, gewähren; allerdings kann ihr Stimmrecht ausgeschlossen werden. Der Mindestnennbetrag einer A. ist 5 DM, ihr Handelswert wird bei börsennotierten AGs durch die Börse ermittelt. Im Ggs. etwa zu den angelsächs. Ländern ist in Dtl. die A. als Anlage und Finanzierungsinstrument immer noch schwach entwickelt. Der Anteil der Aktionäre an der Gesamtbevölkerung ist (1994) mit rd. 5,4% niedrig (Japan 9%, Frankreich 10,1%, Großbritannien 17,5%, USA 21,1%, →Belegschaftsaktien, →Volksaktien).

Aktiengesellschaft, Abk. **AG, A.-G.** oder **A. G.,** Kapitalgesellschaft mit eigener Rechtspersönlichkeit, deren Gesellschafter (Aktionäre, Anteilseigner) mit Einlagen auf das in Aktien zerlegte Grundkapital beteiligt sind, ohne persönlich für die Verbindlichkeiten der A. zu haften; für die Verbindlichkeiten der A. haftet den Gläubigern nur das Gesellschaftsvermögen (Aktiengesetz vom 6. 9. 1965). Zur Gründung einer A. gehören mindestens fünf Personen. Der Gesellschaftsvertrag **(Satzung)** muss notariell beurkundet werden und bestimmten gesetzl. Erfordernissen entsprechen. Die A. entsteht erst durch die Eintragung im Handelsregister. Die Gründer übernehmen alle Aktien selbst **(Simultan-** oder **Einheitsgründung).** Die Einlagen der Aktionäre können in Geld bestehen **(Bareinlage)** oder in anderen Vermögenswerten **(Sacheinlage).** Der Mindestnennbetrag des Grundkapitals ist 100 000 DM (Grundkapital und Verkehrswert einer aktiven AG sind i.d.R. nicht identisch).

Organe der A. sind: Vorstand, Aufsichtsrat und Hauptversammlung. Der **Vorstand** kann aus einer oder mehreren Personen bestehen; die Mitgl. werden vom Aufsichtsrat auf höchstens fünf Jahre bestellt. Dem Vorstand obliegt die Geschäftsführung und die Vertretung der AG nach außen, er hat den Jahresabschluss aufzustellen und einen Lagebericht zu erstatten. Der Jahresabschluss ist i. d. R. von Abschlussprüfern zu prüfen. Der **Aufsichtsrat** hat mindestens drei und höchstens 21 Mitglieder; über seine Zusammensetzung nach dem Mitbestimmungsgesetz →Mitbestimmung. Der Aufsichtsrat hat die Geschäftsführung zu überwachen und der Hauptversammlung über das Geschäftsjahr zu berichten; er vertritt die Gesellschaft gegenüber den Vorstandsmitgl. Die **Hauptversammlung,** der alle Aktionäre angehören, wird vom Vorstand oder auf Verlangen von Aktionären mit zus. wenigstens 5% Grundkapital einberufen. Sie wählt die Vertreter der Anteilseigner im Aufsichtsrat und den Abschlussprüfer, beschließt jährlich über die Gewinnverwendung (→Dividende) sowie die Entlastung des Vorstands und Aufsichtsrats und entscheidet über Satzungsänderungen (hier $^3/_4$-Mehrheit erforderlich) u. a. – Eine besondere Form der A. ist die →Kommanditgesellschaft auf Aktien.

Hauptquelle des *österr.* Aktienrechts sind das Aktien-Ges. von 1965, das im Wesentlichen den dt. Regelungen entspricht (u. a. Gleichbezeichnung der Organe), das Investmentfonds-Ges. von 1963 i. d. F. v. 1968, das Kapitalberichtigungs-Ges. von 1967 und das Arbeitsverfassungs-Ges. von 1973 (Mitbestimmung der Arbeitnehmer). Der Mindestnennbetrag des Grundkapitals ist 1 000 000 S, der Nennbetrag der Aktien lautet auf 100, 500, 1 000 oder ein Vielfaches von 1 000 S. In der *Schweiz* ist das Aktienrecht in Art. 620 ff. OR ähnlich wie in Dtl. geregelt; es ist durch Bundes-Ges. vom 4. 10. 1991, in Kraft seit 1. 7. 1992, reformiert worden. Die Zahl der Gründer muss mindestens drei, das Aktienkapital mindestens 100 000 Fr., der Nennwert der Aktie mindestens 10 Fr. betragen. Die Organe sind die Generalversammlung der Aktionäre, die Verwaltung bzw. der Verwaltungsrat, die Kontrollstelle. In der EG liegt seit 1991 ein Vorschlag der Kommission über eine **Europ. A. (Societas Europaea, SE)**, eine A. auf europ. Ebene, vor.

📖 Reichert, T.: *Zusammenschlüsse von A. im Europ. Binnenmarkt. Frankfurt am Main u. a. 1995.* – Steiner, K.: *Die Hauptversammlung der A. München 1995.*

Akti|enindex, Kennziffer, die Auskunft über die Entwicklung der Aktienkurse gibt, um Kapitalanlegern die Orientierung am Aktienmarkt zu erleichtern. Zur Berechnung der A. werden i. d. R. repräsentative Werte bestimmter Länder oder Wirtschaftsbereiche herangezogen. Bedeutende Aktienindizes sind der Dt. Aktienindex (→DAX), die MSCI-Indices (Morgan Stanley Capital International Indices), der Dow-Jones-Aktienindex, der NYSE-Index und der Nikkei-Index. A. werden u. a. von Banken und Zeitungen sowie in Dtl. v. a. vom Statist. Bundesamt veröffentlicht.

Aktini|en [grch.] (Seeanemonen, Seerosen, Actiniaria), sechsstrahlige Korallentiere, meist einzeln lebend, mit zylindr., meist am Untergrund festsitzendem Körper. Die Mundöffnung ist meist von Fangarmen mit Nesselkapseln umgeben. Einige A. leben mit Einsiedlerkrebsen in Symbiose. In der Nordsee: **Erdbeerrose, Seenelke;** im Mittelmeer: **Wachsrose.**

aktinische Krankheiten, *Medizin:* →Lichtschäden.

aktino... [grch.], strahl..., strahlungs...

Aktinolith [grch.] *der,* →Strahlstein.

Aktinometrie [grch.] *die,* Lehre von der Messung der direkten Sonnenstrahlungsintensität zur Bestimmung der Lufttrübung.

aktinomorph [grch.], *Botanik:* strahlig gebaut.

Aktinomykose [grch.] *die* (Strahlenpilzkrankheit), *Medizin:* durch den Strahlenpilz Actinomyces israelii beim Menschen und bei Tieren hervorgerufene Infektionskrankheit; führt bes. im Gesicht und am Hals zu Gewebeverhärtung, eitriger Einschmelzung, Fistelbildung und Hautverfärbung. Eine intensive medikamentöse (mit Antibiotika), physikal. und chirurg. Behandlung ist notwendig.

Aktionär [frz.], Anteilseigner einer Aktiengesellschaft.

Aktionskunst, Ersetzung eines Kunstobjektes durch künstler. Aktion, zuerst um 1918 im Dadaismus, seit 1958 durch A. Kaprow als →Happening; parallel dazu die musikal. Fluxusaktionen von J. Cage und die rituellen Aktionen von J. Beuys.

Aktion Sorgenkind, Hilfsaktion für körperlich und geistig schwer behinderte Kinder und Jugendliche, die 1964 vom Zweiten Dt. Fernsehen und den Spitzenverbänden der Freien Wohlfahrtspflege ins Leben gerufen wurde. Sie erhält ihre Mittel durch die Erlöse aus der Fernsehlotterie »Der Große Preis« und aus Spenden.

Aktionspotenzial, *Physiologie:* elektr. Spannungsänderung an den Membranen lebender Zellen, bes. von Nerven und Muskeln, die zu einem Aktionsstrom führt und Grundlage u. a. der Nervenleitung ist. Die Membran einer Zelle ist aufgrund ihrer unterschiedl. Durchlässigkeit bes. für Natrium- und Kaliumionen im Ruhezustand außen positiv, innen negativ geladen; es herrscht elektr. Spannung (Ruhe- oder Membranpotenzial). Beim Eintritt einer Erregung kommt es durch Änderung der Membrandurchlässigkeit zu einer kurzfristigen Änderung und Umkehr (Spitzenpotenzial) dieser Spannung, dem Aktionspotenzial.

Aktionsradius, 1) ohne Ergänzung des Kraftstoffvorrates mögl. Fahr- oder Flugstrecke eines Fahr- oder Flugzeugs (meist hin und zurück).

2) *übertragen:* Wirkungsbereich.

Aktinien: Goldfarbene Seerose (oben), Aktinie aufgeschnitten (unten); a Fußscheibe, b Mundscheibe, c Tentakeln, d Mundöffnung, e Längsschnitt, f Scheidewände (Septen), g Fächer

Aktionsstrom, ein entlang einer Nervenfaser fortgeleitetes →Aktionspotenzial.

Aktionsturbine, die →Gleichdruckturbine.

Aktion Sühnezeichen/Friedensdienste e.V., Abk. **ASF,** 1959 als »Sühnezeichen« gegr. Aktionsgemeinschaft christlicher Jugendgruppen, die durch freiwillige Arbeit in versch. Ländern das von Deutschen während des 2. Weltkrieges begangene Unrecht wieder gutmachen will; in der Gegenwart v.a. Pflege von jüd. Friedhöfen und (KZ-)Gedenkstätten in Osteuropa (v.a. Polen); auch in der Friedensbewegung aktiv.

Aktium (ngrch. Aktion), flache Landzunge an der W-Küste Griechenlands, am Eingang des Ambrak. Golfs; Flughafen von Prevesa. – 31 v. Chr. Sieg Oktavians über die Flotte von Antonius und Kleopatra.

aktiv [lat.], **1)** tätig, wirksam, zielstrebig.

2) chemisch stark ansprechend, reaktionsfähig.

Aktiv *das, Grammatik:* das →Aktivum.

Aktiva [lat.] (Aktiven), Vermögensteile eines Unternehmens, die auf der **Aktivseite** (Sollseite) der →Bilanz erfasst **(Aktivierung)** und ausgewiesen werden: Anlagekapital, Umlaufvermögen und Rechnungsabgrenzungsposten; Ggs.: →Passiva.

Aktivator [lat.] *der,* **1)** *Chemie:* (Promotor) Stoff, der die Aktivierung eines Systems bewirkt, und/oder als Beschleuniger oder Verstärker wirkt, z.B. bei der →Katalyse.

2) *Medizin:* Behandlungsgerät der →Kieferorthopädie.

3) *Physik:* Stoff, durch dessen Zusatz eine nicht leuchtfähige Substanz zum Leuchtstoff wird; auch eine Störstelle im Festkörper, die ihn zur Lumineszenz befähigt.

Aktivgeschäfte, Bankgeschäfte, die sich auf der Aktivseite der Bilanz eines Kreditinst. niederschlagen (z.B. Geldmarktanlagen).

Aktivierung, 1) *Betriebswirtschaftslehre:* kontenmäßiges Erfassen der Vermögensbestandteile eines Unternehmens auf der Aktivseite der Bilanz; die aktivierten Werte heißen Aktiva.

2) *Chemie:* Prozess, bei dem Stoffe in einen chemisch reaktionsfähigen, aktiven Zustand versetzt werden, z.B. durch Temperaturerhöhung oder durch Zusatz von Aktivatoren.

3) *Kernphysik:* Erzeugung künstlicher Radioaktivität in einem Material durch Bestrahlung mit energiereichen Teilchen (z.B. Neutronen) oder Gammaquanten.

Aktivierungsanalyse, kernphysikal. Methode zum Nachweis geringster Mengen eines Elements. Durch Neutronenbestrahlung werden künstl. radioaktive Isotope erzeugt, aus deren Zerfallseigenschaften (z.B. Halbwertszeit) man auf Art und Menge der urspr. in der Probe vorhandenen Elemente schließen kann.

Aktivismus [lat.], das Betonen zielbewussten Handelns gegenüber reinem Erkenntnisstreben. Eine philosoph. Begründung des A. versuchten u.a. A. Comte, F. Nietzsche, G. Sorel.

Aktivist *der,* Person, die die Ziele einer Partei oder polit. Bewegung durch ihre Leistungen bes. fördert. **Aktivistenbewegung,** Massenbewegung für hohe Arbeitsproduktivität, im 20. Jh. ausgelöst in der UdSSR durch A. G. Stachanow, in der DDR durch A. Hennecke.

Aktivität, 1) *allg.:* aktives Verhalten, Wirksamkeit.

2) *Chemie:* wirksame Konzentration von Atomen, Ionen und Molekülen in einer Lösung.

3) *Kernphysik:* (A. einer radioaktiven Substanz), Maß für die Zahl der Zerfälle einer radioaktiven Substanz in einer bestimmten Zeit (→Radioaktivität). SI-Einheit der A. ist das Becquerel: $1\,Bq = 1\,s^{-1}$ (früher Curie; $1\,Ci = 3{,}7 \cdot 10^{10}\,Bq$).

4) *Optik:* →optische Aktivität.

Aktivitätsanalyse, *Volkswirtschaftslehre:* Verfahren zur Behandlung bestimmter produktions- und alllokationstheoret. Probleme. Ausgegangen wird von wirtsch. Aktivitäten, bei denen lineare Abhängigkeiten zw. den Faktoreinsatz- und den Güterausstoßmengen angenommen werden. (→Input-Output-Analyse)

Aktivkohle, vielporige, sehr stark adsorbierende Kohle zum Reinigen von Gasen und Flüssigkeiten (Wasseraufbereitung), zum Rückhalten von Benzindämpfen am Pkw oder als medizin. Kohle; Herstellung durch Behandlung von kohlenstoffhaltigen Stoffen mit dehydratisierenden Chemikalien und sauerstoffhaltigen Gasen.

Aktivlegitimation, *Prozessrecht:* →Sachlegitimation.

Aktivum (Aktiv) [lat.] *das, Grammatik:* Tätigkeitsform, verbale Kategorie, bei der der Urheber der Handlung grammat. Subjekt ist. Ggs.: →Passiv. (ÜBERSICHT Verb)

Aktöbe (Aqtöbe, früher russ. Aktjubinsk), Hptst. des Verw.-Gebiets A., Kasachstan, 266600 Ew.; Eisenhüttenwerk, Maschinenbau-, Nahrungsmittelindustrie.

Aktor [lat.] *der, Elektrotechnik:* Wandler, der elektr. Signale in mechan. Bewegung oder andere physikal. Größen (z.B. Druck, Temperatur) umsetzt.

Aktrice [akˈtriːs, frz.] *die,* Schauspielerin.

Aktualität [lat.] *die,* Gegenwartsbezogenheit, Bedeutung für die Gegenwart.

Akupunktur [lat.] *die, Medizin:* altes Verfahren der chines. Heilkunde, das durch Einstechen von langen Nadeln an Punkten der Körperoberfläche, die einzelnen Organen zugeordnet sind, Heilung und Schmerzausschaltung zu erreichen sucht. Angewendet wird die A. v.a. bei funktionellen Störungen, so bei Migräne, Asthma, Schmerzzuständen und chron. Verstopfung. Bei der **Akupressur** soll durch Massieren der A.-Punkte eine ähnliche Wirkung hervorgerufen werden.

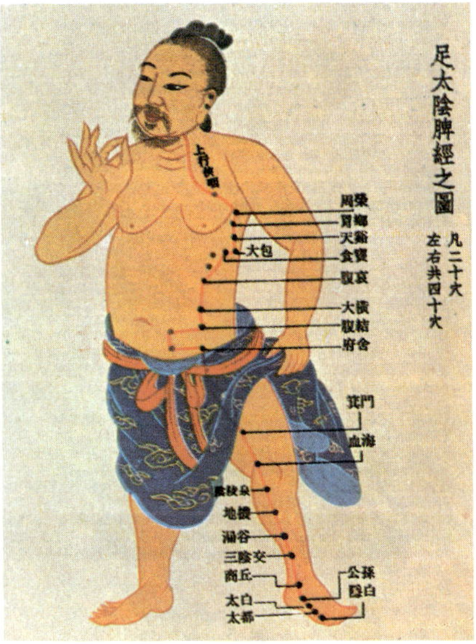

Akupunktur: Chinesische Akupunkturkarte aus der Mingzeit

Akureyri ['akyre:rɪ], Stadt in N-Island, 14700 Ew.; Handelszentrum, Textilind., Fischereihafen.

Akustik [grch.], **1)** Teil der Musikwiss., untersucht die Klangerscheinungen; wichtigstes Hilfsmittel ist die Klanganalyse (→Klang).

2) *Physik:* Lehre vom →Schall, Teilgebiet der Mechanik; i. w. S. die Wiss. von den Schwingungen und Wellen in elast. Medien.

Akusto|elektronik, Teilgebiet der Elektronik, das die Beeinflussung von elektron. Funktionen in Festkörpern durch akust. Oberflächen- und Volumenwellen nutzt. Ursachen der akustoelektron. Effekte sind die Wechselwirkungen zw. Elektronen und Phononen in Kristallen. Die A. verwendet überwiegend Oberflächenwellen-Bauelemente, bei denen auf piezoelektr. Materialien akust. Wellen angeregt werden, die sich entlang der Festkörperoberfläche ausbreiten.

Akustooptik, Teilgebiet der Optik, das Wechselwirkungen zw. elektromagnet. und hochfrequenten akust. Wellen (Frequenz 10^5 bis 10^9 Hz) untersucht; angewendet für den Bau von Ablenkelementen für Licht, v. a. Laserstrahlen.

akut [lat. »spitz«], plötzlich auftretend, vordringlich. **akute Krankheiten,** schnell einsetzende und heftig verlaufende, meist fieberhafte Erkrankungen. Ggs.: chronische Krankheiten.

Akut [lat.] *der,* Akzentzeichen [´], →Akzent.

Akutagawa, Ryūnosuke, japan. Schriftsteller, *Tokio 1. 3. 1892, †(Freitod) ebd. 24. 7. 1927; Vertreter eines dämon. Realismus; Novellen (»Rashomon«, 1915).

Akyab [engl. æ'kjæb] (birman. Sittwe), Hauptstadt und -hafen von Arakan, Birma, am Golf von Bengalen, 108000 Einwohner.

Akzeleration [lat.] *die,* **1)** *allg.:* Beschleunigung.

2) *Astronomie:* nichtperiodische Änderung der Mondbewegung **(säkulare A.),** die bewirkt, dass sich der Mond in 100 Jahren um 8" in seiner Bahn weiter fortbewegt, als theoretisch zu erwarten wäre.

3) *Medizin:* die →Entwicklungsbeschleunigung.

Akzelerationsprinzip (Beschleunigungsprinzip), volkswirtsch. Theorie, nach der eine positive (negative) Veränderung der Nachfrage nach Gütern zu einer Zunahme (Abnahme) der Nettoinvestitionen führt. Der **Akzelerator** als Proportionalitätskonstante bestimmt die Höhe der Nettoinvestitionen in Abhängigkeit von der Nachfrageänderung. Das A. wird, bes. in Verbindung mit dem →Multiplikator, für die Konjunkturerklärung benutzt.

Akzelerator *der,* **1)** *Physik:* →Teilchenbeschleuniger.

2) *Wirtschaft:* →Akzelerationsprinzip.

Akzent [lat., eigtl. »das Antönen«, »Beitönen«] *der,* **1)** typ. Lautform einer sprachl. Äußerung.

2) Betonung, Hervorhebung der Silben durch Haupt- und Neben-A. im Wort oder der sinntragenden Wörter im Satz. Mittel zur Hervorhebung sind Atemdruck (**Druck-A.,** →exspiratorischer Akzent) und Tonhöhe **(musikal. A.),** meist im Zusammenwirken beider A.-Arten u. a. Faktoren (Klangfarbe, Sprechtempo).

3) Die A.-Zeichen **Akut** [´], **Gravis** [`] und **Zirkumflex** [ˆ] sind von grch. Grammatikern eingeführt worden; in den modernen Sprachen haben sie sehr versch., oft von der Betonung unabhängige Bedeutung. (→diakritisches Zeichen)

4) *Musik:* Hervorhebung einzelner Töne, bes. durch Tonstärke, Zeitdauer, Verzierung.

Akzent 4): Durch sf (sforzato) bezeichnete Akzente im Finale der 7. Sinfonie A-Dur op. 92 (1811/12) von Ludwig van Beethoven

akzentuierender Vers, →Metrik.

Akzept [lat. »Angenommenes«] *das,* allg. Annahme, z. B. eines Angebots; auf einem Wechsel die Erklärung des Bezogenen **(Akzeptanten),** dass er den Wechsel zur Verfallzeit einlösen werde; auch der angenommene Wechsel selbst.

Akzeptkredit, Wechselkredit, bei dem ein Kreditinstitut einen Wechsel von meist dreimona-

Alabama
Flagge

Alabastron
(um 625–600 v. Chr.; Paris, Louvre)

Alain

tiger Laufzeit annimmt, den ein Kunde von erster Bonität mit Einverständnis des Instituts auf dieses gezogen hat. Sonderform →Rembourskredit.

Akzeptor [lat. »Annehmer, Empfänger«] *der,* **1)** *Chemie:* Stoff oder Körper, der einen anderen bindet.

2) *Physik:* →Halbleiter.

Akzession [lat.] *die,* **1)** *allg.:* Zuwachs, Zugang, Erwerb.

2) *Völkerrecht:* Vertrag, durch den ein Staat einem zw. anderen Staaten geschlossenen Vertrag (z. B. der NATO) beitritt .

akzessorisch [lat.], **1)** *allg.:* nebensächlich, hinzutretend.

2) *Recht:* (akzessorische Rechte) Neben- oder Sicherungsrechte, die in ihrem Bestand vom Hauptrecht abhängig sind, z. B. die Hypothek, die das rechtl. Schicksal der Forderung, die sie sichert, teilt. Das *Strafrecht* kennt den akzessor. Charakter der Teilnahme, wonach der Teilnehmer (Gehilfe, Anstifter) nur bestraft werden kann, wenn eine strafbare Haupttat vorliegt.

Akzidens [lat.] *das, Philosophie:* das Zufällige, Unwesentliche; Ggs.: →Substanz.

Akzidentalien, Nebenabreden eines Rechtsgeschäfts, z. B. beim Kauf die Vereinbarung einer Vertragsstrafe, während Einigung über Ware und Preis wesentl. Bestandteile **(Essenzialien)** des Vertrags sind.

Akzidenz *die* (Akzidenzdruck), jede (kleinere) Druckarbeit außer Zeitschriften-, Zeitungs- oder Werkdruck, z. B. Visitenkarten.

Akzise [lat.] *die* (Zise, Zeise), in Dtl. vom MA. bis ins 19. Jh. Umsatz- und Verbrauchsteuer; Binnenzoll **(Torakzise).**

AKZO Nobel N. V., Arnheim, 1994 aus der Fusion von AKZO N. V. (gegr. 1911) und Nobel Industries AB (gegr. 1894 von A. Nobel) entstandener niederländ., multinationaler Chemiekonzern.

al (el), der arab. bestimmte Artikel für alle grammat. Kasus und Genera sowie für Singular, Dual und Plural.

Al, chem. Symbol für →Aluminium.

-al [lat.], *Chemie:* Suffix zur Kennzeichnung eines →Aldehyds.

à la [frz.], in der Art von ...: **à la baisse,** →Baisse; **à la carte,** nach der Karte (essen); **à la hausse,** →Hausse.

Alabama [engl. æləˈbæmə], Abk. **Ala.,** Bundesstaat im SO der USA, 133 915 km², (1994) 4,23 Mio. Ew. (davon 26 % Schwarze); Hptst.: Montgomery.

A. ist zum größten Teil subtrop. Tiefland, das sich im N bis in die Ausläufer der Appalachen erstreckt; mehr als 60 % des Landes sind bewaldet; Hauptfluss ist der →Alabama River. Anbau von Sojabohnen, Baumwolle, Mais, Erdnüssen. Bergbau auf Kohle und Eisen, Bauxitabbau, Erdöl- und Erdgasförderung. Eisen- und Stahlind. in Birmingham, chem., Textil-, Papierind., Maschinenbau; in Huntsville Raketen- und Raumfahrtforschung. Haupthafen ist Mobile mit Aluminiumwerken; Staatsuniv. in Tuscaloosa. – Das im 16. Jh. von Spaniern erkundete und seit 1702 von Franzosen besiedelte A. war Teil von Louisiana, das 1763 in brit. Besitz gelangte. Der S fiel 1783 an Spanien, das übrige Gebiet an die USA; 1819 als 22. Staat in die Union aufgenommen. 1955 Ausgangspunkt der Bürgerrechtsbewegung unter M. L. King.

Alabama River [æləˈbæmə ˈrɪvə], Fluss in Alabama, USA, entsteht oberhalb von Montgomery aus dem Zusammenfluss von **Coosa River** (mit diesem rd. 1200 km lang) und **Tallapoosa River,** nimmt nach einem 507 km langen südl. Lauf den Tombigbee River auf und gabelt sich nördlich von Mobile in den **Mobile River** und den **Tensaw River,** die in den Golf von Mexiko münden; wichtige Schifffahrtsstraße.

Alabaster [grch.] *der,* feinkörnige, durchscheinende Art des Gipses, wird zu Gebrauchs- und Ziergegenständen verarbeitet. **A.-Karton,** feiner weißer Karton.

Alabastron [grch.] *das,* im Altertum ein walzenförmiges, enghalsiges Salbgefäß, bes. aus Alabaster.

Alaca Hüyük [alaˈdʒa -], Ruinenhügel in Zentralanatolien, Türkei, etwa 25 km nördlich von Hattusa. Hier wurden eine bed. hethit. Stadt des 2. Jt. v. Chr. und Fürstengräber vom Ausgang des 3. Jt. v. Chr. ausgegraben.

Alacant, katalan. Schreibung für →Alicante.

Alacoque [alaˈkɔk], Marguerite-Marie, frz. Mystikerin, *Lauthecour (Bourgogne) 22. 7. 1647, †Paray-le-Monial 17. 10. 1690; Salesianerin, wirkte für die Herz-Jesu-Verehrung; 1920 heilig gesprochen, Tag: 16. 10.

Ala Dağ [- daː, türk. »bunter Berg«], Gebirgsmassiv im zentralen S der Türkei, höchster Teil des Taurus, Kalkgebirge, mehrere Gipfel über 3700 m ü. M.; z. T. vergletschert.

Aladins Wunderlampe, Märchen aus →Tausendundeiner Nacht: Aladin holt auf Geheiß eines Zauberers aus einer Höhle eine Zauberlampe; ihrem jeweiligen Besitzer erfüllt ein dienstbarer Geist alle Wünsche.

Alagoas, Küstenstaat in NO-Brasilien, 29 107 km², (1991) 2,51 Mio. Ew., einer der am dichtesten bevölkerten Bundesstaaten Brasiliens; Hptst.: Maceió. Landwirtschaft; zunehmende Industrialisierung.

Alaigebirge, aus mehreren Ketten bestehendes Gebirgsland im S Kirgistans und in Tadschikistan, ist vom **Transalai** durch das **Alaital** getrennt. Das wüstenhafte, rd. 400 km lange A. erreicht 5539 m Höhe; stark vergletschert.

Alain [a'lɛ̃], eigtl. Émile Chartier, frz. Essayist und Philosoph, * Mortagne-au-Perche (Dép. Orne) 3. 3. 1868, † Le Vésinet (heute Dép. Yvelines) 2. 6. 1951; Schriften v.a. zur Ethik und Religionsphilosophie: »Les Propos d'A.«, 2 Bde (1920); »Die Pflicht, glücklich zu sein« (1925); »Gedanken über die Religion« (1938).

Alain-Fournier [a'lɛ̃fur'nje], Henri, eigtl. Henri-Alban Fournier, frz. Schriftsteller, * La Chapelle d'Angillon (Dép. Cher) 3. 10. 1886, ⚔ 22. 9. 1914; schrieb den romant.-symbolist., sehr erfolgreichen Roman »Der große Kamerad« (1913), der stark auf den modernen frz. Roman einwirkte.

Alalịe [grch.] *die,* Unfähigkeit zu gegliederter Lautbildung, v.a. bei gestörter oder verzögerter Sprachentwicklung.

Alamạnnen, die → Alemannen.

Alamẹda [span.] *die,* baumbestandener Weg, Straße oder Platz in Spanien und Lateinamerika.

Alamẹin (El-Alamein), Ort in Ägypten, 100 km südwestlich von Alexandria. – Im 2. Weltkrieg brachte die brit. Armee bei El-A. im Juni/Juli 1942 die Offensive General Rommels zum Stehen.

à la mode [-'mɔd, frz.], nach der neuesten Mode, modisch; im Dreißigjährigen Krieg die übertriebene Nachahmung frz. Kleidungsart und Lebensweise. **Alamodeliteratur,** die von frz. und italien. Sprache und Dichtung beeinflusste dt. Literatur des 17. Jahrhunderts.

Aland (Nerfling), Art der Karpfenfische (→ Orfe).

Ålandinseln ['o:...] (finn. Ahvenanmaa), Inselgruppe mit Tausenden von Inseln und Schären am Südende des Bottn. Meerbusens, finn. VerwBez. mit autonomem Status, 1552 km², (1991) 24800 Ew.; Hauptort: Mariehamn; Amts- und Schulsprache: Schwedisch; Landwirtschaft, Fremdenverkehr. – Die Å. waren seit dem MA. verwaltungsmäßig mit Finnland verbunden und kamen mit diesem 1809 an Russland. Nach 1917 von Schweden beansprucht; 1921 vom Völkerbund Finnland zugesprochen.

Alạnen, iran. Reitervolk nördlich des Kaukasus, im 4. Jh. von den Hunnen unterworfen; Teile zogen mit den Wandalen nach Spanien und Afrika, andere im 13. Jh. nach Ungarn.

A̱lang-A̱lang [malaiisch] (Imperata cylindrica), Steppengras (auf verlassenem Kulturland), bes. in Indonesien.

Alanịn *das* (Aminopropionsäure), wichtige nichtessenzielle Aminosäure, die in den meisten Eiweißen vorkommt.

Alạnt *der* (Inula), in Eurasien und Afrika verbreitete Korbblütlergattung; der **Echte A. (Helenenkraut,** Inula helenium) mit gelben Blüten enthält → Inulin.

Alạnya, Kurort und Seebad an der türk. »Riviera«, südöstl. von Antalya, 22200 Einwohner. – Aus dem 13. Jh. Zitadelle und Stadtmauer mit dem Roten Turm.

Alapạjewsk, Ind.stadt am O-Rand des Mittleren Ural, Gebiet Swerdlowsk, Russland, etwa 50000 Ew.; Eisenerzbergbau, Eisenhüttenzentrum.

Alanya: Burgfelsen mit Befestigungen aus seldschukischer Zeit und Altstadtmoschee

Alarcọn y Ariza [-a'riθa], Pedro Antonio de, span. Schriftsteller, * Guadix 10. 3. 1833, † Valdemoro (bei Madrid) 10. 7. 1891; schrieb Erzählungen (»Der Dreispitz«, 1874), Romane (»Der Skandal«, 1875) und das viel gelesene Kriegstagebuch »Diario de un testigo de la guerra de África« (1859).

Alarcọn y Mendọza [-θa], Juan Ruiz de, span. Dramatiker, → Ruiz de Alarcón y Mendoza.

A̱larich, Könige der Westgoten: **1) A. I.,** * um 370, † Ende 410; seit 395 König, verwüstete Thrakien, Makedonien und Griechenland, eroberte 410 Rom. Er starb auf seinem Zug nach Süditalien; im Busento bei Consentia (heute Cosenza) begraben.

2) A. II., † 507; bestieg 484 den Thron, fiel in der Schlacht von Vouglé bei Poitiers gegen den Frankenkönig Chlodwig; mit ihm endete das Tolosan. Reich.

Ålandinseln Wappen

Alạrm [italien. all'arme »zu den Waffen«], **1)** Warnung, Gefahrmeldung, bes. durch Signale (Katastrophen-A., Luft-A.).

2) *Militärwesen:* plötzlich angeordnete Marsch- und Gefechtsbereitschaft.

Alạrmeinrichtungen, Signalanlagen, die bei Störungen, Gefahren, unbefugtem Eindringen von Hand oder selbsttätig ausgelöst werden und opt. und/oder akust. Warngeräte wie Hupen, Sirenen, Blinkleuchten einschalten. Anwendungen sind z.B. Feuermeldeanlagen, Polizeirufanlagen, Raumschutzanlagen (Überfall- und Einbruchmeldeanlagen).

Alaska Flagge

Alạska [engl. ə'læskə], Abk. **Alas.,** nördlichster und größter Bundesstaat der USA, 1,531 Mio. km², (1992) 586900 Ew.; Hptst.: Juneau. Zw. der ver-

Alaska: Tal des Sanctuary River im Denali National Park

gletscherten A.-Kette im S (im Mount McKinley 6198 m ü. M.) und der Brookskette im N fließt der Yukon in einem großen Becken nach W zum Beringmeer. Das Klima ist im Innern kontinental mit niedrigen Wintertemperaturen, an der W- und S-Küste gemäßigt und regenreich. 35% der Staatsfläche nehmen Wälder ein. Im N (→Tundra) taut der Dauerfrostboden nur oberflächlich auf. – Von der Bev. wohnen rd. 60% in Städten, rd. 16% aller Ew. sind Eskimo und Indianer. – Staatsuniv. in Fairbanks (seit 1922), priv. Univ. mit Sitz in Anchorage und Juneau (seit 1960). – Hauptwirtschaftszweige sind Erdöl- und Erdgasförderung, Fischfang (Lachs, Kabeljau), Holzwirtschaft (Zellulosefabriken), Pelzgewinnung und Tourismus. Bodenschätze: Gold, Eisen-, Chrom-, Blei-, Kupfererz, reiche Kohlenlager. Das 1968 an der Prudhoe Bay am Nordpolarmeer entdeckte Erdöl wird seit 1977 gefördert und durch eine rd. 1300 km lange Pipeline zum eisfreien Hafen Valdez an der S-Küste gepumpt. Mit dem Bau einer Gaspipeline, die Erdgas von der Prudhoe Bay durch Kanada in die USA liefern soll, wurde 1980 in Kanada begonnen. Dem Verkehr nach S dient der →Alaska Highway, ferner Flug- und Schiffsrouten über Seattle; im Innern bestehen rd. 900 Flugplätze; den wichtigsten Hafen und Flughafen besitzt Anchorage. – A., 1741 von V. J. Bering entdeckt und 1867 von Russland für 7,2 Mio. US-Dollar an die USA verkauft, wurde 1959 deren 49. Bundesstaat.

📖 CROPP, W.-U.: *Ölrausch in der Arktis. Die Story der A.-Pipeline. Düsseldorf 1977.* – NASKE, C.-M. *u.* SLOTNICK, H. E.: *Alaska. A history of the 49th state. Norman, Okla.,* [2]*1994.* – RICHTER, H. P.: *A. Karten u. Pläne v.* C. TOLKMIT. *Kronshagen* [2]*1995.*

Alaska Highway [əˈlæskə ˈhaɪweɪ], Autostraße von Dawson Creek in NW-Kanada nach Fairbanks in Alaska, 2450 km lang; 1942 von der amerikan. Armee erbaut.

Alassio, Fischereihafen und Seebad in Ligurien, Italien, an der Riviera di Ponente, 11600 Ew.

Alatau [kirgis. »buntes Gebirge«], Name mehrerer Gebirgsketten in Asien: **Dsungar. A.** im SO von Kasachstan, SO-Abdachung 2. T. in China; **Transili-A.** im →Tienschan; **Kusnezker A.** in S-Sibirien.

Alatyr, Stadt in Tschuwaschien, Russ. Föderation, an der Sura, etwa 50000 Ew.; elektrotechn., Nahrungsmittel-, Holz-, Schuhindustrie. – 1552 gegr., seit 1780 Stadt.

Alaune [aus gleichbedeutend lat. alumen], Doppelsalze, bei denen je ein ein- bzw. dreiwertiges Metallion Me^{I} bzw. Me^{III} mit zwei Sulfationen verbunden ist, allg. Formel $Me^{I}Me^{III}(SO_4)_2 \cdot 12\,H_2O$; kristallisieren in Oktaedern oder Würfeln. Bekanntester Vertreter ist **Kaliumaluminiumalaun (Alaun),** $KAl(SO_4)_2 \cdot 12\,H_2O$, urspr. aus Alaunschiefern, heute durch Reaktion von Kalium- mit Aluminiumsulfat gewonnen; es findet für tintenfeste Papiere, in Färberei und Gerberei sowie als blutstillendes und mildes Ätzmittel Verwendung.

Alaunstein, →Alunit.

Álava [ˈalaβa], Provinz im span. Baskenland, 3037 km², (1991) 272400 Ew., Hptst.: Vitoria/Gasteiz; hat Anteil am Kantabr. Gebirge und reicht im S bis an den Ebro.

Alb (Alp), urspr. Bez. der →Elfen; dann nach dem Volksglauben ein menschen- oder tierähnl. Wesen, das nächtl. Beklemmungszustände verursacht. Als **Albdruck** (Alpdruck) werden daher Gefühle der Angst im Schlaf oder Halbschlaf bezeichnet, die verstärkt bei seel. Krisen und einschneidenden Entwicklungsphasen auftreten und im **Albtraum** (Alptraum) physisch erlebt werden können.

Alb *die,* Schichtstufenlandschaft in Süddeutschland, →Schwäbische Alb, →Fränkische Alb.

Fernando Alba

Alba, Fernando Álvarez de Toledo, 3. Herzog von A., span. Feldherr und Staatsmann, *Piedrahita (Prov. Ávila) 29. 10. 1507, †Lissabon 11. 12. 1582; befehligte u.a. im Schmalkald. Krieg das Heer Kaiser Karls V. (1547 Sieg bei Mühlberg). 1567 wurde er von Philipp II. zum Statthalter der

Albanien

Fläche: 28 748 km²
Einwohner: (1995) 3,4 Mio.
Hauptstadt: Tirana
Verwaltungsgliederung: 26 Distrikte
Amtssprache: Albanisch
Nationalfeiertage: 28. und 29. 11.
Währung: 1 Lek = 100 Quindarka
Zeitzone: MEZ

Niederlande ernannt; seine blutige Härte (Hinrichtung Egmonts und Hoorns) entfachte trotz seiner militär. Erfolge den Aufstand gegen die span. Reg. von neuem, sodass er 1573 abberufen wurde. 1580 eroberte er Portugal für Philipp II.

Alba, Stadt in Piemont, Prov. Cuneo, Italien, am Tanaro, 29 400 Ew.; Weinbauzentrum, Trüffelhandel. – Mittelalterl. Stadtbild mit Geschlechtertürmen.

Albacete [-θ-], **1)** Prov. in Kastilien-La Mancha, Spanien, 14 924 km², (1991) 342 700 Einwohner.

2) Hptst. von 1), in der Mancha, 129 000 Ew.; kunsthandwerkl. Herstellung von Messern, Dolchen, Goldschmiedearbeiten und Keramik, Verarbeitung landwirtschaftl. Produkte.

Alba Iulia (dt. Karlsburg), Hptst. des Bez. Alba in Siebenbürgen, Rumänien, 71 200 Ew.; Keramik-, Porzellan-, Textil- u. a. Ind.; in der Festung roman. Kirche (12. Jh.) mit Grabmälern siebenbürg. Fürsten; wertvolle Bibliothek mit über 1200 alten Handschriften und 530 Inkunabeln. – Als **Apulum** Hptst. der röm. Provinz Dakien; im MA. Bălgrad, dt. Weißenburg genannt; im 16. und 17. Jh. der Sitz der Fürsten von Siebenbürgen. Die Festung Karlsburg wurde 1715–38 angelegt und nach Kaiser Karl VI. benannt. Hier erklärte am 1. 12. 1918 der Große rumän. Nationalrat den Anschluss Siebenbürgens an Rumänien **(Karlsburger Beschlüsse)**.

Alba Longa, die älteste Hauptstadt des Latinerbundes, am Albaner See (Latium) an der Stelle des heutigen Castel Gandolfo gelegen; im 6. Jh. v. Chr. von den Römern zerstört.

Alban, der erste Märtyrer Englands, um 303 in Verulamium bei London hingerichtet. Heiliger, Tag: 22. 6.

Albaner (serb. Arbanasi, türk. Arnauten, alban. Shqiptar, Skipetaren), Volk in Südosteuropa, Nachkommen thrakisch-illyr. Stämme mit eigener indogerman. Sprache, in Albanien rd. 2,9 Mio., in der (bis 1990 autonomen) Prov. Kosovo der Rep. Serbien rd. 1,4 Mio.; weitere A. bes. in S-Italien und Griechenland; überwiegend Muslime, im N Katholiken, im S Orthodoxe. Die A. gliedern sich in Albanien in zwei Gruppen mit unterschiedl. Dialekt: die **Tosken** im S, die **Gegen** im Norden.

Albaner Berge, bewaldetes vulkan. Ringgebirge südöstlich von Rom, bis 956 m ü. M.; westlich der A. B. Kraterseen **(Albaner See, Nemisee)** und der Villenort **Albano**.

Albani, röm. Adelsfamilie, der Papst Klemens XI. (1700–1721) entstammte. Kardinal Alessandro A. (*1692, †1779) gründete, beraten von J. J. Winckelmann, die Antikensammlung der **Villa Albani.**

Albani, Francesco, italien. Maler, *Bologna 17. 3. 1578, †ebd. 4. 10. 1660; schuf Fresken, Altarwerke und idyll. Landschaften u. a. mit Darstellungen aus der antiken Mythologie.

Albanien (alban. Shqipëri, amtl. Republika e Shqipërisë, Republik Albanien), Staat an der W-Küste der Balkanhalbinsel, grenzt im NW und NO an Jugoslawien (Montenegro, Serbien), im O an Makedonien, im S an Griechenland und im W an das Adriat. Meer.

Staat und Recht: Gemäß der Übergangsverfassung vom 29. 4. 1991 ist A. eine Republik mit Mehrparteiensystem. Staatsoberhaupt ist der direkt gewählte Präs.; die Legislative liegt bei der Volksversammlung (140 Abg., für vier Jahre gewählt). Exekutivorgan ist die Regierung der nat. Einheit unter Vorsitz des MinPräs. Einflussreichste Parteien: Demokrat. Partei (PDSh), Sozialist. Partei (PSSh, bis Juni 1991 Alban. Partei der Arbeit), Sozialdemokrat. Partei (PSDSh) und Republikan. Partei (PRSh).

Landesnatur: Im N grenzen die Nordalban. Alpen (im Jezercë bis 2 694 m ü. M.) an Montenegro. Südlich schließen sich Kalksteinmassive an, die im S bis zum Meer reichen. Beide Gebirgszüge umschließen ein tertiäres Hügelland (Nieder.-A.), das meerwärts von der Küstenebene abgelöst wird. In den Gebirgen des N und O herrscht kontinentales Klima, im Hügelland und Küstengebiet Mittelmeerklima. 43 % der Landesfläche tragen Wälder, die im Gebirge und v. a. im Hügelland von Ro-

Staatswappen

AL

Internationales Kfz-Kennzeichen

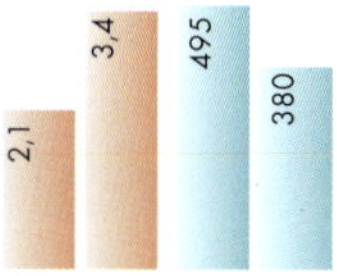

1970 1995 1970 1994
Bevölkerung (in Mio.) Bruttosozialprodukt je Ew. (in US-$)

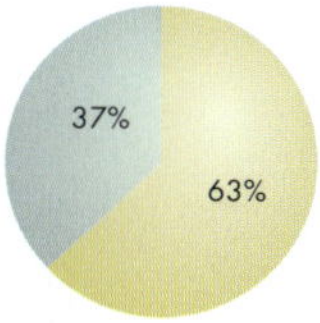

Stadt
Land
Bevölkerungsverteilung 1994

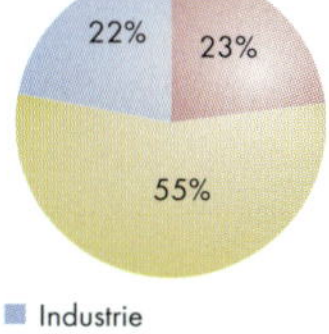

Industrie
Landwirtschaft
Dienstleistung
Bruttoinlandsprodukt 1994

dungsinseln für landwirtsch. Nutzung durchzogen sind. Das früher sumpfige Küstengebiet ist zumeist trockengelegt (Reisanbau). Hauptflüsse: Drin und Mat (mit Staustufen), Shkumbin, Seman, Vjosë. Der Skutarisee ist Grenzsee gegen Montenegro, der Ohridsee gegen Makedonien und der Prespasee gegen Makedonien und Griechenland.

Albanien

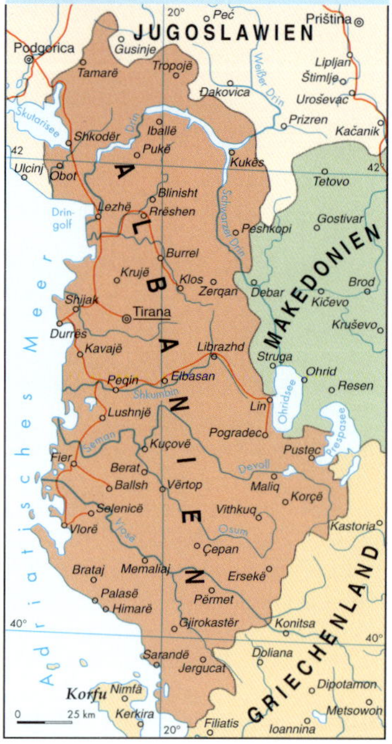

Bevölkerung: 98 % der Bev. sind →Albaner, im S leben grch., im O makedon. Minderheiten; dichteste Besiedlung findet sich im Hügelland. Größte Städte sind neben der Hauptstadt die Hafenstadt Durrës (italien. Durazzo), Elbasan, Shkodër (italien. Skutari), Vlorë (italien. Valona) und Korçë. Das jährl. Bevölkerungswachstum liegt bei 1,8 %. – Seit 1990 besteht eine allgemeine 10-jährige Schulpflicht; Univ. in Tirana (gegr. 1957). – Seit Aufhebung des Religionsverbotes 1990 wächst der Anteil der sich zur Religion bekennenden Bevölkerung stetig (1992 gab es schätzungsweise 65 % Muslime [Sunniten], 20 % alban.-orthodoxe Christen und 13 % Katholiken).

Wirtschaft, Verkehr: Nach dem Nationaleinkommen zählt das hoch verschuldete A. (bis 1990 Verbot der Aufnahme von Auslandskrediten) zu den ärmsten Ländern in Europa. Seit 1990 wird die bis dahin streng zentralistisch geleitete Planwirtschaft liberalisiert. Die 1991 offen ausgebrochene schwere Wirtschaftskrise äußerte sich v. a. in einem starken Absinken der Industrie- und Agrarproduktion und dem völligen Zusammenbruch des staatl. Versorgungssystems. Haupterwerbszweig mit dem überwiegenden Teil der Beschäftigten ist die Landwirtschaft. Die bis 1990 weitgehend durch Genossenschaften und Staatsgüter bewirtschaftete Anbaufläche ist fast zur Hälfte privatisiert worden. Der Devisen bringende Bergbau ist weitgehend zum Erliegen gekommen. Wichtigste Bodenschätze: Erdöl, Chromerz (bisher drittgrößter Produzent und zweitgrößter Exporteur der Erde), Kupfer-, Eisen-, Nickelerz, Erdgas und Braunkohle. Neben der Schwerindustrie wurden bes. die chem., die Textil- sowie die Baustoffind. entwickelt. Der Außenhandelsumsatz hat stark abgenommen. – Verkehrsnetz: Die Straßenlänge beträgt 7 900 km, davon sind rd. 2 900 km asphaltiert (nur wichtige Durchgangsstraßen); das Streckennetz der Eisenbahn umfasst 670 km; Haupthäfen sind Durrës und Vlorë, internat. Flughafen ist Rinas bei Tirana.

Geschichte: Seit 168 v. Chr. römisch, seit 395 byzantinisch, war A. vom 10. bis 15. Jh. Streitobjekt der umliegenden Mächte; im 11. Jh. kam für die Illyrer die Bez. Albaner in Gebrauch. Die Einigung des Landes erfolgte unter Fürst Gjergj Kastriota, gen. →Skanderbeg; unter ihm erfolgloser Abwehrkampf gegen die Türken 1444–68; türk. Herrschaft 1478/79 (bzw. 1501) bis 1912. Seit 1921 geriet A. immer mehr in Abhängigkeit von Italien, bes. unter Ahmed Zogu (seit 1925 Staatspräs., 1928–39 als Zogu I. König). Im April 1939 besetzte Italien A., Zogu floh und Viktor Emanuel III. von Italien wurde auch König von A. Nach der Kapitulation Italiens besetzten dt. Truppen A. (Sept. 1943). Nach deren Abzug (1944) übernahmen kommunistische Partisanenverbände unter E. Hoxha die Macht; als Chef der KP (seit 1948 Alban. Partei der Arbeit) und (bis zu seinem Tod 1985) autokratisch herrschender Staatsführer wandelte er A. seit 1946 in eine »Demokrat. VR« (Bodenreform, Verstaatlichung der Industrie) um. Unter blutiger Ausschaltung der – auch innerparteil. – Opposition (v. a. 1948–52) betrieb er eine Politik, die A. bei enger Anlehnung an China (1961–1976/77) zunehmend wirtschaftlich und politisch isolierte. Sein Nachfolger R. Alia (1985–92) leitete eine Politik der vorsichtigen außenpolit. Öffnung ein.

Im Zuge der Umwälzungen in Mittel- und Osteuropa kam es 1989/90 auch in A. zu Unruhen. Im Nov. 1990 wurde das Religionsverbot von 1976 (faktisch von 1967) aufgehoben. Die ersten freien und demokrat. Wahlen vom 31. 3. 1991 brachten den regierenden Kommunisten (seit Juni 1991 Sozialisten) eine Zweidrittelmehrheit. Eine unter dem Druck von Unruhen, Fluchtbewegungen (nach Italien, Griechenland und Kosovo) und v. a. eines dreiwöchigen Generalstreiks im Juni 1991 gebildete Allparteienregierung (Dez. 1991 auseinander gebrochen) bemühte sich, A. in einen demokrat. Rechtsstaat umzuwandeln und seine Wirtschaft auf marktwirtsch. Grundlage umzubauen. Nach dem hohen Wahlsieg der Demokrat. Partei (22. 3. 1992, Zweidrittelmehrheit) wählte das Parlament ihren Vors. S. Berisha am 9. 4. 1992 als Nachfolger von Alia (1994 u. a. wegen der Veruntreuung von Staatsvermögen verurteilt) zum Staatspräsidenten. Die Unterstützung der Albaner im Kosovo löste Spannungen mit (Rest-)Jugoslawien aus. Differenzen mit Griechenland über die in A. lebende griech. Minderheit führten zu einem polit. Konflikt zw. beiden Staaten. 1991 trat A. der KSZE (seit 1995 OSZE), 1994 der NATO-Initiative »Partnerschaft für den Frieden« und 1995 dem Europarat bei. Anfang 1997 schwere bürgerkriegsähnl. Unruhen, zeitweiliger Zusammenbruch der staatl. Ordnung (März bis Aug. 1997 Entsendung einer multinat. Schutztruppe). 1999 Aufnahme von mehr als 500 000 Flüchtlingen aus dem Kosovo, internat. Hilfe; NATO-Aufmarschgebiet. – MinPräs.: seit 1998 P. Majko; Staatspräs.: seit 1997 R. Mejdani.

Albatrosse

📖 *A. Beiträge zu Geographie u. Gesch., hg. v.* C. Lienau *u. a. Münster* ²*1986.* – Grothusen, K.-D.: *A. Göttingen 1993.* – *A. – Land im Aufbruch. Beiträge v.* R. Seitz *u.* Bernhard Müller. *Ulm u. a. 1994.* – Gashi, D. *u.* Steiner, I.: *A. Archaisch, orientalisch, europäisch. Wien 1994.* – Bartl, P.: *A. Vom MA. bis zur Gegenwart. Regensburg u. a. 1995.* – Schubert, P.: *Zündstoff im Konfliktfeld des Balkan. Die alban. Frage. Baden-Baden 1997.* – Kohl, C. von: *A. München 1998.*

albanische Sprache, selbstständiger Zweig der indogerman. Sprachen mit zwei Dialekten, dem Gegischen im N Albaniens und dem Toskischen im S (Landessprache in Albanien); sie wird in Albanien, der serb. Provinz Kosovo und Teilen Montenegros und Makedoniens gesprochen. Die a. S. zählt zu den →Balkansprachen und wird seit 1908 in Lateinschrift geschrieben; rd. 4,5 Mio. Sprecher.

Zu den bedeutendsten Dichtern der **albanischen Literatur** gehören im 19. Jh. neben G. Fishta u. a. N. Frashëri und J. De Rada (*1814, †1903). Vertreter der neueren Prosa sind F. S. Noli (*1903, †1965) und E. Koliqi (*1903, †1975). Namhafte Autoren des alban. sozialist. Realismus und der zeitgenöss. Literatur sind u. a. S. Spasse (*1914), D. Agolli (*1931) und der auch internat. bekannte I. Kadaré.

Albany ['ɔːlbənɪ], Hptst. des Bundesstaates New York, USA, am Hudson, 101 100 Ew.; bed. Binnenhafen; Teile der State University of New York, Hochschulen; Maschinenbau, Papierindustrie. – 1624 von Holländern als Fort Orange gegründet.

Albarello [italien.] *der,* zylindr. Apothekergefäß aus Majolika (Fayence), urspr. im Orient, seit dem 16. Jh. in Italien angefertigt.

Albarello
aus Venedig (Anfang des 17. Jh.)

Albatrosse (Diomedeidae), Familie bis 1,3 m großer Sturmvögel der südl. Ozeangebiete, mit langen schmalen Flügeln (Segelflug); mehr als 3 m Flügelspannweite, z. B. der **Wanderalbatros.**

Alb-Donau-Kreis, Landkreis im RegBez. Tübingen, Bad.-Württ., 1 357 km², links und rechts der Donau im Alpenvorland und auf der Schwäb. Alb, (1995) 173 700 Ew.; Verw.sitz Ulm.

Albe [mhd., zu lat. albus »weiß«] *die,* langes, weißes liturg. Untergewand des kath. und anglikan. Priesters.

Albedo [zu lat. albus »weiß«] *die,* in Astronomie und Meteorologie ein Maß für das Rückstrahlvermögen von diffus reflektierenden Oberflächen bei senkrecht auffallendem Licht.

Albee ['ɔːlbɪ], Edward, amerikan. Schriftsteller, *Washington (D. C.) 12. 3. 1928; vom experimentellen Off-Broadway-Theater geprägt; Meister psycholog. Analyse und präziser Dialoge; Schauspiele: »Der amerikan. Traum« (1961), »Wer hat Angst vor Virginia Woolf?« (1962), »Empfindl. Gleichgewicht« (1966), »See-Eskapade« (1974), »Three tall women« (1991).

Edward Albee

Albemarle ['ælbəmɑːl] (Isabela), →Galápagosinseln.

Albéniz [al'βeniθ], Isaac, span. Pianist und Komponist, *Camprodon (Prov. Girona) 29. 5. 1860, †Cambo-les-Bains (Dép. Pyrenées-Atlantiques) 18. 5. 1909; komponierte mit folklorist. Anklängen v. a. virtuose Klaviermusik, aber auch Lieder, Orchesterwerke, Opern und Zarzuelas.

Alberich [nd. »Elfenkönig«], Zwerg der german. Heldensage. Nach dem »Nibelungenlied« verliert er Tarnkappe und Nibelungenhort an Siegfried.

Albers, 1) Hans, Bühnen- und Filmschauspieler, *Hamburg 22. 9. 1891, †Kempfenhausen (heute zu Berg, Kr. Starnberg) 24. 7. 1960; auch Schlager- und Chansoninterpret; Filme: »Münchhausen« (1943), »Große Freiheit Nr. 7« (1944) u. a.; als Charakterdarsteller bekannt in »Vor Sonnenuntergang« (1956).

Hans Albers

2) Josef, Maler, *Bottrop 19. 3. 1888, †New Haven (Conn.) 25. 3. 1976; schuf Grafiken und

Glasbilder und beeinflusste die jüngere gegenstandslose Malerei, v.a. die Op-Art, nachhaltig.

Albert, Herrscher:

Albert I.,
König der Belgier

Belgien: **1) A. I.,** König der Belgier (1909–34), * Brüssel 8. 4. 1875, † (verunglückt) bei Namur 17. 2. 1934; verteidigte als militär. Oberbefehlshaber die belg. Neutralität im 1. Weltkrieg (»Koning-Ridder«).

2) A. II., König der Belgier (seit 1993), * Schloss Stuyvenberg (bei Brüssel) 6. 6. 1934; zweiter Sohn König Leopolds III. und dessen Frau Astrid, folgte 1993 seinem älteren Bruder Baudouin I. auf den Thron.

Albert II.,
König der Belgier

Großbritannien: **3) A.,** Prinzgemahl, * Schloss Rosenau (bei Coburg) 26. 8. 1819, † Windsor 14. 12. 1861; zweiter Sohn des Herzogs Ernst I. von Sachsen-Coburg-Gotha, heiratete 1840 seine Cousine, Königin →Viktoria, deren einflussreicher Ratgeber er wurde; Anhänger der liberalen dt. Einheitsbewegung.

Sachsen: **4) A.,** König (1873–1902), * Dresden 23. 4. 1828, † Sibyllenort (heute Szczodre, bei Breslau) 19. 6. 1902; führte als Kronprinz 1866 (Dt. Krieg) das sächs. Heer gegen Preußen, 1870/71 (Dt.-Frz. Krieg) die Maasarmee gegen Frankreich; unter ihm bed. Industrialisierung, aber auch soziale Polarisierung in Sachsen.

Albert von Sachsen (Albert von Helmstedt), Philosoph, * um 1316, † Halberstadt 1390; wurde 1365 erster Rektor der Univ. Wien, 1366 Bischof von Halberstadt; Anhänger W. von Ockhams.

Eugen Albert

Albert, 1) Eugen (d'Albert, Eugène), Komponist und Pianist frz. Herkunft, * Glasgow 10. 4. 1864, † Riga 3. 3. 1932; Schüler von F. Liszt; über 20 Opern, u.a. »Tiefland« (1903), »Die toten Augen« (1916); Orchesterkonzerte, Kammermusik, Lieder.

2) Hans, Sozialwissenschaftler, * Köln 8. 2. 1921; einer der dt. Hauptvertreter des krit. Rationalismus, den er auf sozialwissenschaftl. und wissenschaftstheoret. Gebiet entwickelte. Er schrieb »Ökonom. Ideologie und polit. Theorie« (1954), »Plädoyer für krit. Rationalismus« (1971), »Das Elend der Theologie« (1979).

3) Heinrich, Liederdichter und Komponist, * Lobenstein 8. 7. 1604, † Königsberg (Pr) 6. 10. 1651; seit 1630 Domorganist ebd., ein- und mehrstimmige »Arien«.

Alberta [æ:l'bə:tə], die westlichste Prärieprovinz Kanadas, 661190 km^2, (1992) 2,57 Mio. Ew.; Hptst. Edmonton; den größten Teil der Prov. nehmen die Interior Plains ein, im äußersten NO Anteil am Kanad. Schild, im SW an den Rocky Mountains (Nationalparks von Banff und Jaspers); Anbau von Weizen, Gerste; Viehzucht (Rinder, Schweine), Weidewirtschaft; große Erdöl- und Erdgasvorkommen, Abbau von Ölsanden am Athabasca River; Nahrungsmittel-, Metallind., Petrochemie.

Albert-Einstein-Friedenspreis, von der 1979 in Chicago gegr. »Albert Einstein Peace Price Foundation« gestiftete, mit 50000 US-$ dotierte Auszeichnung für Verdienste um den Weltfrieden.

Alberti, 1) Leon Battista, italien. Humanist, Künstler und Gelehrter, * Genua 14. 2. 1404, † Rom 25. 4. 1472; als Baumeister bahnbrechend für die Renaissance; bed. Kunsttheoretiker. – *Bauten:* S. Francesco, Rimini (1446); Palazzo Rucellai (1446–51) und Fassade von S. Maria Novella (vollendet 1470) in Florenz; S. Andrea, Mantua (ab 1470). – *Schriften:* Über die Malerei (1435); Über die Baukunst (1451).

Leon Battista Alberti: Fassade der Kirche Santa Maria Novella in Florenz; vollendet 1470

2) Rafael, span. Lyriker, * El Puerto de Santa María (Prov. Cádiz) 16. 12. 1902; seit dem Bürgerkrieg im argentin. und röm. Exil, 1977 Rückkehr. Nach volkstüml. und surrealist. Werken behandelte er soziale und polit. Themen (»Zu Lande, zu Wasser«, 1925; »An die Malerei«, 1945; »Ich war ein Dummkopf, und was ich gesehen habe, hat mich zu zwei Dummköpfen gemacht«, dt. Ausw. 1982). Erhielt 1983 den Premio Miguel de Cervantes.

Albertina *die,* Sammlung von Handzeichnungen und Grafik in Wien, gegr. 1769 von Herzog Albert von Sachsen-Teschen.

Albertinelli, Mariotto, italien. Maler, * Florenz 13. 10. 1474, † ebd. 5. 11. 1515; hatte 1509–12 eine Werkgemeinschaft mit Fra Bartolomeo, der A.s Werke stark beeinflusste.

Albertiner, auf Albrecht den Beherzten zurückgehende Linie der Wettiner; 1547–1806 Kurfürsten, 1806–1918 Könige von Sachsen.

Albertinum *das,* ehem. Zeughaus in Dresden, 1559 ff. erbaut, mehrmals umgebaut, seit 1887 als »A.« Skulpturenmuseum. Nach dem 2. Weltkrieg wieder aufgebaut. Heute befinden sich im A. wesentl. Teile der Staatl. Kunstsamml. Dresden: die Skulpturensammlung, das Grüne Gewölbe, das Münzkabinett sowie die Gemäldegalerie »Neue Meister«.

Albertinus, Aegidius, Dichter, *Deventer um 1560, †München 9. 3. 1620; verfasste über 50 geistig-moralische Schriften, meist Bearbeitungen. A. führte den span. Schelmenroman in Dtl. ein.

albertische Bässe: Wolfgang Amadeus Mozart, Sonate C-Dur KV 545 (1788)

albertische Bässe, Bassbegleitung in gleichförmig sich wiederholenden Akkordbrechungen, benannt nach dem italien. Komponisten Domenico Alberti (*um 1710, †um 1740).

Albertkanal, Großschifffahrtsweg in Belgien zw. Maas und Schelde, für Schiffe bis 2000 t, verbindet Lüttich mit Antwerpen, 129 km lang, sechs Schleusen.

Albertsee, der nördlichste See des Zentralafrikan. Grabens, in Uganda und der Demokrat. Rep. Kongo (dort Mobutu-Sese-Seko-See genannt), 618 m ü. M., 5340 km², bis 48 m tief; sehr fischreich; Hauptzuflüsse: Semliki, Victorianil; Abfluss über den Albertnil.

Albertus Magnus (Albert der Große), Naturforscher, Philosoph und Theologe, *Lauingen (Donau) um 1200, †Köln 15. 11. 1280; seit 1223 Dominikaner, lehrte an versch. dt. Ordensschulen, an der Univ. Paris und in Köln. 1254–57 war er Provinzial der dt. Ordensprovinz, 1260–62 Bischof von Regensburg; seit etwa 1270 in Köln. A. M. machte dem christl. MA. die Werke des Aristoteles zugänglich, vermittelte arab. und jüd. Wissenschaft sowie naturwiss. Beobachtungen und wandte sich gegen eine Reihe von myth. Vorstellungen. Thomas von Aquin und Ulrich von Straßburg waren seine Schüler. Heiliger, Tag: 15. 11.

📖 LOHRUM, M.: *Albert der Große. Forscher – Lehrer – Anwalt des Friedens. Mainz 1991.*

Albertville [albɛrˈvil], Stadt in SO-Frankreich, Dép. Savoie, in der Talung der Isère, 18000 Ew.; elektrochem. Ind., Maschinen-, Motorenbau; Fremdenverkehr; XVI. Olymp. Winterspiele 1992. – Auf einem Bergsporn liegt das befestigte mittelalterl. **Conflans,** das eine Handelsstraße beherrschte.

Albertz, Heinrich, Politiker (SPD), *Breslau 22. 1. 1915, †Bremen 18. 5. 1993; Pfarrer, Mitgl. der Bekennenden Kirche, in Ndsachs. 1948–55 Min., in Berlin (West) u. a. 1966–67 Regierender Bürgermeister; in den frühen 1980er-Jahren in der Friedensbewegung engagiert.

Alberus, Matthäus, schwäbischer Reformator, *Reutlingen 4. 12. 1495, †Blaubeuren 2. 12. 1570; M. Luther nahe stehend, nahm in Streitfragen der Zeit eine vermittelnde Stellung ein.

Albi, Hptst. des südfrz. Dép. Tarn, am Tarn, 46600 Ew.; kath. Erzbischofssitz; Marktzentrum, kohlechem., Glas-, Zement-, Textilind., Chemiefaserwerke. – Festungsartige Kathedrale (1282 bis 1390), Brücke aus dem 11. Jh.; Toulouse-Lautrec-Museum. – A. wurde im 8. Jh. Sitz einer Grafschaft **(Albigeois),** die Ende des 9. Jh. bis 1271 zu den Grafen von Toulouse gehörte; fiel dann an die frz. Krone. BILD S. 106

Heinrich Albertz

Albigenser [nach der Stadt Albi], im MA. gebräuchl. Name für die →Katharer, die im 12. und 13. Jh. bes. im S Frankreichs verbreitet waren; dort zeitweilig von bed. Einfluss; in den A.-Kriegen (1209–29) von der röm. Kirche blutig verfolgt.

Albiker, Karl, Bildhauer, *Ühlingen (heute zu Ühlingen-Birkendorf, Kr. Waldshut) 16. 9. 1878, †Ettlingen 26. 2. 1961; schuf weibl. Porträtbüsten, Ehrenmäler und monumentale Figuren für Bauten des nat.-soz. Deutschland.

Albinismus [span., zu lat. albus »weiß«] *der,* bei Mensch und Tieren, den **Albinos (Dondos),** vorkommendes, erbl. Fehlen des Farbstoffs (Pigment) Melanin in Augen, Haut und Haaren. **Partieller A.** tritt nur an einzelnen Stellen auf (weiße Haarsträhnen, Weißscheckung der Haut). Bei **totalem A.** sind Haut und Haare weiß, die Regenbogenhaut des Auges ist rot von durchschimmerndem Blut, die Augen sind sehschwach und lichtempfindlich. Vom erbl. A. zu trennen ist erworbener Pigmentschwund, z. B. im Anschluss an Hautkrankheiten oder Vergiftungen.

Albi
Stadtwappen

Albertus Magnus
(Fresko von Tommaso da Modena; Modena, Kloster San Nicolò)

Albinoni, Tomaso, italien. Komponist, *Venedig 14. 6. 1671, †ebd. 17. 1. 1750; komponierte v. a. Opern, Konzerte, Kammermusik.

Albion, meist dichterisch gebrauchter älterer, wohl vorkelt. Name für Britannien.

Albis, schmaler, 20 km langer, bewaldeter Bergzug westlich des Zürichsees, bis 915 m ü. M., mit

Albi: Im Vordergrund der einschiffige Backsteinbau der Kathedrale Sainte-Cécile (erbaut 1282–1390)

dem Aussichtspunkt **Üetliberg** (871 m ü. M., Bergbahn); **A.-Pass,** 791 m ü. M.

Albịt [zu lat. albus »weiß«] *der,* Mineral, →Feldspäte.

Ạlboin, König der Langobarden (seit etwa 565), †Verona 28. 6. 572; vernichtete 567 im Bund mit den Awaren das Gepidenreich, eroberte 568 Italien bis zum Tiber; unter Beihilfe seiner gepid. Gattin Rosamunde ermordet.

Ålborg
Stadtwappen

Ålborg ['ɔ:lbɔr] (früher Aalborg), Hptst. des Amtes Nordjütland, Dänemark, am Limfjord, 158 100 Ew.; Univ. (gegr. 1974); Zement-, Tabak-, Textilind., Branntweinbrennereien, Werft; Flughafen. – Eine der ältesten Städte Dänemarks mit stattl. Bürgerhäusern, got. Domkirche.

Ạlbrecht, Herrscher:

Hl. Röm. Reich: **1) A. I.,** Röm. König (1298–1308), *Juli 1255, †bei Brugg (Schweiz) 1. 5. 1308; ältester Sohn Rudolfs I. von Habsburg, seit 1282 Herzog von Österreich und Steiermark; wurde bei der Königswahl 1282 zugunsten Adolfs von Nassau übergangen und erst nach dessen Absetzung und Tod 1298 zum König gewählt; brach den Widerstand der rhein. Kurfürsten gegen seine Hausmachtpolitik (Kurfürstenkrieg, 1301/02); von seinem Neffen Johann Parricida ermordet.

Albrecht II., Erzbischof und Kurfürst von Mainz (Kupferstich von Albrecht Dürer; 1519)

2) A. II., Röm. König (1438/39), *16. 8. 1397, †Neszmély (Ungarn) 27. 10. 1439; seit 1404 als A. V. Herzog von Österreich, seit 1421 ⚭ mit der Erbtochter Kaiser Sigismunds, wurde 1437/38 dessen Nachfolger als König von Böhmen und Ungarn; blieb als Röm. König ungekrönt.

Bayern: **3) A. IV., der Weise,** Herzog (1460–1508), *München 15. 12. 1447, †ebd. 18. 3. 1508; regierte zunächst mit seinen Brüdern, seit 1467 allein, vereinigte, als 1503 die Linie Bayern-Landshut ausstarb, das ganze Herzogtum Bayern wieder in einer Hand.

4) A. V., Herzog (1550–79), *München 29. 2. 1528, †ebd. 24. 10. 1579; unterdrückte mithilfe der Jesuiten den Protestantismus in Bayern, baute München zur Kunststadt aus, begründete die Staatsbibliothek.

Brandenburg: **5) A. der Bär,** Markgraf, *um 1100, †Stendal 18. 11. 1170; Askanier, kämpfte ab 1138 mehrmals erfolglos mit den Welfen (Heinrich der Löwe) um das Herzogtum Sachsen, wurde 1134 Markgraf der Nordmark (Altmark), eroberte im Kampf gegen die Wenden die Prignitz und das Havelland mit Brandenburg, wo er niederdrt. Siedler ansiedelte (Ausbau zur Mark Brandenburg).

6) A. III. Achịlles, Kurfürst (1470–86), *Tangermünde 9. 11. 1414, †Frankfurt am Main 11. 3. 1486; Hohenzoller, dritter Sohn von Kurfürst Friedrich I., erhielt 1440 das Fürstentum Ansbach, 1464 auch Bayreuth; legte im **Achilleischen Hausgesetz (Dispositio Achillea)** vom 24. 2. 1473 die Primogenitur und die Unteilbarkeit der Mark Brandenburg fest.

7) A. Alcibịades, Markgraf (1541–54) von Brandenburg-Kulmbach, *Ansbach 28. 3. 1522, †Pforzheim 8. 1. 1557; wechselte als Söldner- und Reiterführer mehrfach zw. Kaiser Karl V. und prot. Fürsten; als er Franken befehdete, wurde er 1553 bei Sievershausen von Moritz von Sachsen besiegt; 1554 geächtet.

Mainz: **8) A. II.,** Erzbischof und Kurfürst, Markgraf von Brandenburg, *Berlin 28. 6. 1490, †Mainz 24. 9. 1545; 1513 Erzbischof von Magdeburg und Administrator des Bistums Halberstadt, 1514 Erzbischof von Mainz, 1518 Kardinal. Sein verstärkter Ablasshandel veranlasste Luther 1517 zu seinen 95 Thesen. A. war ein Renaissancefürst, ein Förderer des Humanismus, seit dem Bauernkrieg (1524) ein Gegner der Reformation.

Mecklenburg: **9) A. III.,** Herzog, →Albrecht 16).

Meißen: **10) A. der Entartete,** Markgraf, *um 1240, †Erfurt 20. 11. 1315; Wettiner, erhielt 1265 die Landgrafschaft Thüringen und erbte 1291 die Markgrafschaft Meißen; geriet mit seiner Familie in langen Streit, verschwendete die Einnahmen, dankte 1307 ab.

Österreich: **11) A. I.,** Herzog, König, →Albrecht 1).

12) A. V., Herzog, König, →Albrecht 2).

13) A., Erzherzog, Herzog von Teschen, österr. Feldmarschall (1863), *Wien 3. 8. 1817, †Arco (Prov. Trient) 18. 2. 1895; Sohn von Erzherzog Karl, schritt 1848 gegen die Revolution ein, besiegte am 24. 6. 1866 die Italiener bei Custoza, danach Oberkommandierender des Heeres.

Preußen: **14) A. der Ältere,** erster Herzog in Preußen (1525–68), *Ansbach 17. 5. 1490, †Tapiau (heute Gwardeisk) 20. 3. 1568; Hohenzoller, Sohn des Markgrafen Friedrich von Brandenburg-Ansbach, wurde 1510 der letzte Hochmeister des Dt. Ordens und verwandelte auf Luthers Rat den Ordensstaat im Vertrag von Krakau (8. 4. 1525) in ein weltl. Erbherzogtum unter poln. Lehnsoberhoheit; führte die Reformation ein, gründete 1544 die Univ. Königsberg.

Sachsen: **15) A. der Beherzte,** Herzog (1464 bis 1500), *Grimma 31. 7. 1443, †Emden 12. 9. 1500; Wettiner, regierte seit 1464 mit seinem Bruder Ernst, erhielt bei der Leipziger Teilung von 1485 die Markgrafschaft Meißen mit dem nördl. Thüringen und wurde so der Stifter der **Albertin. Linie;** baute die Albrechtsburg in Meißen aus.

Schweden: **16) A.,** König (1364–89), als **A. III.** Herzog von Mecklenburg (1385–88 und seit 1395), *um 1340, †Kloster Doberan (heute zu Bad Doberan) 1. 4. 1412; von den gegen seinen Onkel Magnus Eriksson rebellierenden Ständen zum König gewählt; 1389 von dem Heer der dän. Königin Margarete bei Falköping geschlagen; bis 1395 in dän. Gefangenschaft.

Württemberg: **17) A.,** Herzog, *Wien 23. 12. 1865, †Altshausen (Kr. Ravensburg) 29. 10. 1939; kath., 1896–1918 Thronfolger für den erbenlosen König Wilhelm II., im 1. Weltkrieg Heerführer.

Albrecht, mhd. Dichter aus Bayern, erweiterte um 1270 Wolfram von Eschenbachs Titurelfragmente zum »Jüngeren Titurel«.

Albrecht von Eyb, Dichter, →Eyb.

Albrecht, Ernst, Politiker (CDU), *Heidelberg 29. 6. 1930; 1958–70 bei der EWG-Kommission, 1970–90 MdL, 1976–90 MinPräs. von Niedersachsen.

Albrechtsberger, Johann Georg, österr. Musiktheoretiker und Komponist; *Klosterneuburg 3. 2. 1736, †Wien 7. 3. 1809; Hoforganist (seit 1772) und Domkapellmeister (1792); schrieb: »Gründl. Anweisung zur Composition ...« (1790).

Albrechtsleute, →Evangelische Gemeinschaft.

Albret [al'brɛ], südfrz. Adelsgeschlecht, das 1484 in den Besitz des Königreichs Navarra kam. **Johanna von A. (Jeanne d'A.,** *1528, †1572), seit 1548 ⚭ mit Anton von Bourbon, war die Mutter König Heinrichs IV. von Frankreich und Navarra.

Albright ['ɔ:lbraɪt], Madeleine, amerikan. Politikwissenschaftlerin und Diplomatin, *Prag 15. 5. 1937; Prof. für internat. Beziehungen an der Georgetown University, unter Präs. J. E. Carter (1977–81) im Stab des Nationalen Sicherheitsrates. Unter Präs. B. Clinton war sie (1993–97) Botschafterin ihres Landes bei der UNO; seitdem Außenministerin.

Albstadt, Stadt (Große Kreisstadt) im Zollernalbkreis, Bad.-Württ., 49 900 Ew.; am 1. 1. 1975 durch Vereinigung von Ebingen und Tailfingen entstanden; Textil-, Stahlind., Maschinen- und Fahrzeugbau.

Albuch, Teil der nördl. Schwäb. Alb zw. der Geislinger Steige und dem obersten Brenztal; dicht bewaldet.

Albufeira [...'fajra], Seebad und Fischereihafen in der Algarve, Portugal, 12 000 Ew. – Maur. Stadtbild.

Albufera [arab. »Küstensee«], Name mehrerer Haffs an der span. Mittelmeerküste; z. B. die seichte, fischreiche **A. de Valencia** mit reicher Vogelwelt, 25 km südlich von Valencia, auch Reisanbau.

Albula *die,* Fluss im Kt. Graubünden, Schweiz, 36 km, entspringt am A.-Pass und mündet bei Thusis in den Hinterrhein. Die Straße über den **A.-Pass** (2312 m ü. M.) und die A.-Bahn mit dem **A.-Tunnel** (mit Scheitelpunkt in 1823 m ü. M.) verbinden ihr Tal mit dem Oberengadin.

Album [lat. »das Weiße«], bei den Römern weiße Holztafel für Bekanntmachungen, seit dem 17. Jh. Sammelbuch für Briefmarken, Bilder, Kompositionen.

Albumine [lat.], Gruppe der globulären Proteine, die gut wasserlöslich und kristallisierbar sind. Wichtige Vertreter sind das **Serumalbumin,** das Bedeutung für Transportprozesse und die Erhaltung des kolloidosmot. Druckes im Blut besitzt, das **Ovalbumin** im Hühnerei und das **Laktalbumin** in der Milch sowie die z. T. giftigen A. aus Pflanzensamen (Ricin, Leukosin).

Madeleine Albright

Albumin|urie *die,* die →Proteinurie.

Albuquerque ['ælbəkə:kɪ], Stadt in New Mexico, USA, am Rio Grande, 1619 m ü. M., 412 000 Ew.; zwei Univ.; Luftverkehrsknoten; Zentrum der Kern- und Raumfahrtforschung; in der Nähe Versuchsanlage zur Nutzung von Sonnenenergie; Bergbau auf Uranerze.

Albuquerque [-'kɛrkə], Afonso de, portugies. Seefahrer und Vizekönig von Indien (1509–15), *Alhandra (bei Lissabon) 1453 oder 1462, †vor Goa 16. 12. 1515; eroberte 1507 (erneut 1515) Hormus, 1510 Goa und 1511 Malakka (heute Melaka).

Afonso de Albuquerque

Albus [lat. (denarius) albus »Weißpfennig«] *der,* silberne Groschenmünze, seit 1362 in Trier, dann am Rhein und in Westdtl. geprägt; als **Hessen-A.** in Hessen bis 1842 im Kurs.

Alcalá de Henares [-ðə e'nares], Stadt in der Region Madrid, im östl. Vorortbereich von Madrid, 155 500 Ew.; Geburtsort von Cervantes, ehemals bed. Univ. (1498 gegr., 1836 nach Madrid verlegt, heute noch philosoph. Fakultät); Textil- und chem. Industrie. – Kirchen und Paläste aus dem 16. und 17. Jahrhundert.

Alcántara [arab. »die Brücke«], Grenzstadt in Estremadura, Prov. Cáceres, Spanien, 2300 Ew. – Stadtmauer, röm. Granitbogenbrücke über den

Alchimie

Ein Handbuch der Färberei gilt als ältester alchimistischer Text. Zugeschrieben wird er dem Ägypter Bolos von Mendes (200 v. Chr.); er enthält Anleitungen zum Vergolden und Färben von Metallen, Steinen und Stoffen. Eine Zeit der Erneuerung erfuhr die Alchimie, als die Schule von Alexandria gegen 640 ihren Niedergang erlitt. Zwei Prinzipien gerieten in den Vordergrund: einmal die eigenschaftslose »prima materia« (erste Materie), deren verschiedene Formen sich ineinander umwandeln können; und das Prinzip von Sympathie und Antipathie, wonach sich Stoffe anziehen oder abstoßen. Bestimmend aber wird für das nächste Jahrtausend die Suche nach dem Elixier, das Blei oder Kupfer in Gold verwandeln kann.

*Doch haben die großen arabischen Alchimisten dieser Frühzeit viel zur Klärung von Grundfragen beigetragen, so etwa Geber und Al-Rasi (*um 860, †925). Sie unterschieden zwischen flüchtigen Stoffen, den »Geistern«, sowie metallischen und mineralischen, beispielsweise Vitriolen und Salzen; und sie schufen eine Klassifikation der Mineralien. Geber verfasste Ende des 9. Jahrhunderts zudem die erste bekannte Abhandlung über Chemie.*

Alchimie: Mercurius, aus dessen Leib die »Planeten« Mond (= Silber), Sonne (= Gold) und Merkur (= Quecksilber) entwachsen, als Symbol der Alchimie in einer mittelalterlichen Darstellung

Tajo. – Der **Orden von A.,** einer der vier großen span. Ritterorden, wurde 1156 im Kampf gegen die Mauren gegründet.

Alcantara ® *das,* ein Kunstleder, das bes. für die Verwendung als Rock-, Jacken- oder Mantelstoff geeignet ist; besteht aus einem mit Polyurethan verfestigten Faservlies aus Polyester-Mikrofasern, hat Wildledercharakter, ist bes. haltbar, knitterarm und pflegeleicht.

Alcatel Alsthom S. A. [- 'tɔ̃-], frz. Elektronik- und Telekommunikationskonzern, Paris, nach Reprivatisierung der Compagnie Générale d'Electricité (gegr. 1898) seit 1987 unter heutigem Namen. Tochtergesellschaften sind u. a. GEC Alsthom, Alcatel Câble, Alcatel SEL (gegr. als Standard Elektrik Lorenz), mit Sitz in Stuttgart.

Alcatraz [ælkə'træz], kleine Felseninsel in der San Francisco Bay, USA. – Seit 1885 befestigt, war A. 1934–63 ein Zuchthaus, das als sicherstes der Erde galt (u. a. war hier Al Capone inhaftiert), heute Touristenattraktion.

Alcázar [al'kaθar; arab. »Burg«] *der* (Alkazar), Name vieler Schlösser und Festen in Spanien, die nach der Eroberung weiter Teile des Landes durch die Araber (711) entstanden; z. B. **A. de Toledo,** im Bürgerkrieg 1936 größtenteils zerstört, ist heute Nationaldenkmal (UNESCO-Weltkulturerbe).

Alchemie, → Alchimie.

Älchen, Sammelbez. für meist an Kulturpflanzen schmarotzende Fadenwürmer; u. a. das Rübenälchen.

Alchimie (Alchemie, Alchymie) [von arab. alkīmiyā' »Chemie«] *die,* entstand im 2./3. Jh. im alexandrin. Ägypten und war im MA. bis zum Beginn der Neuzeit die wiss. Beschäftigung mit chem. Stoffen. Die Erneuerung der A. durch Paracelsus leitete im 17. Jh. zur antialchimist., empir. Chemie über; die A. stand seither als »geheime Kunst« mit ihren Bemühungen, Gold zu machen, den »Stein der Weisen«, das Universallösungsmittel »Alkahest« und lebensverlängernde Elixiere zu finden, außerhalb der Naturwissenschaften. Die chem. Kenntnisse des Altertums, großenteils durch die Araber überliefert, bildeten ihre Grundlage. Der A. gelang eine Fülle von chem. Entdeckungen (z. B. Alkohol, Porzellan, Phosphor), eine Erweiterung des Arzneischatzes und eine Verfeinerung der chem. Arbeitstechnik, worauf die spätere Chemie aufbauen konnte. Bekannte Alchimisten des MA. waren Albertus Magnus, Geber, Arnaldus von Villanova, Roger Bacon, Basilius Valentinus.

📖 DOBERER, K. K.: *Die Goldmacher. Zehntausend Jahre Alchemie. Neuausg. Frankfurt am Main u. a. 1991.* – KRAUS, K.: *Alchemie, Ketzerei, Apokryphen im frühen Islam. Gesammelte Aufsätze, hg. u. eingeleitet v.* R. BRAGUE. *Hildesheim u. a. 1994.* – GEBELEIN, H.: *Alchemie. Die Magie des Stofflichen. München ²1996.*

ALCM, Abk. für engl. **A**ir **L**aunched **C**ruise **M**issile, von Militärflugzeugen aus einsetzbarer → Marschflugkörper.

Alcoforado [alkufu'raðu], Mariana, portugies. Nonne, *Beja 22. 4. 1640, †ebd. 28. 7. 1723. Die ihr zugeschriebenen leidenschaftl., literarisch bed. Liebesbriefe (nur in frz. Fassung erhalten) an Noël Bouton de Chamilly, Graf von Saint-Léger, wurden wahrscheinlich von dem als Übersetzer genannten Franzosen Gabriel Joseph de Lavergne, Graf von Guilleragues (*1628, †1685), verfasst (»Portugies. Briefe«, 1669, dt. von R. M. Rilke, 1913).

Alcázar von Segovia in Altkastilien, Spanien; ursprünglich erbaut im 11. Jh., Neubau 13. Jh., 14.-16. Jh. erweitert, 19. Jh. restauriert

Alcotest ®, Verfahren zur Bestimmung des Alkoholgehaltes der ausgeatmeten Luft **(Alkoholtest);** beruht darauf, dass der Alkoholgehalt der aus den Lungen kommenden Luft stets in einem bestimmten Verhältnis zum Alkoholspiegel des

Blutes steht. Die ausgeatmete Luft gelangt in ein Prüfröhrchen mit Chemikalien, die sich je nach Alkoholgehalt verfärben. Bei einem modernen Verfahren wird der Alkoholgehalt der Atemluft mit einem Infrarotgerät sehr genau bestimmt.

Alcoy [al'kɔi], span. Industrie- und Handelsstadt im Land Valencia, Prov. Alicante, 66 000 Ew.; Papier- und Textilindustrie.

Aldabra-Inseln, aus vier Inseln bestehendes Atoll nördlich von Madagaskar, gehören zur Rep. Seychellen, 143 km²; unberührtes ökolog. System mit endem. oder anderenorts ausgestorbenen Arten; Forschungsstation. – Naturschutzgebiet (UNESCO-Welterbe).

Aldan *der,* rechter Nebenfluss der Lena in O-Sibirien, Russland, 2273 km; am Oberlauf, im A.-Bergland, Goldgewinnung und Glimmerabbau.

Aldebaran [arab. »der (den Plejaden) folgende«] *der,* Hauptstern (α) im Sternbild Stier mit stark rötl. Licht; roter Riese.

Aldegrever, eigtl. Trippenmecker, Heinrich, Kupferstecher, Maler, Goldschmied, *Paderborn 1502, †Soest nach 1555; schuf etwa 300 meist kleine Kupferstiche, ferner fantasievolle Ornamentstiche.

Aldehyde [von **Al**coholus **dehyd**ratus], organ. Verbindungen mit der **Aldehyd-** oder **Formyl-Gruppe** –CHO, gebildet durch Dehydrierung primärer Alkohole, Oxidation von Alkenen oder →Oxosynthese. Die systemat. Namen der aliphat. A. **(Alkanale)** werden aus dem zugehörigen Kohlenwasserstoff (Methan, Äthan usw.) und der Endsilbe **-al** gebildet (Methanal, Äthanal usw.). Verwendung der A. als Geschmacks- und Riechstoffe, wie Benzaldehyd und Citral (Geruch nach bitteren Mandeln bzw. Zitrone) und Vanillin, aber auch als Desinfektionsmittel oder als Rohstoff für Kunststoffe (z.B. **Formaldehyd** oder Acrolein).

Aldenhoven, Gemeinde im Kreis Düren, NRW, 13 200 Ew.; Stein- und Braunkohlebergbau, Autolampenwerk, chem., Holz verarbeitende u.a. Ind. Wallfahrtsort seit 1654. Beim Braunkohleabbau konnte seit 1971 auf der Aldenhovener Platte eine Siedlungslandschaft der Jungsteinzeit (Linienbandkeramik bis Rössener Kultur) untersucht werden.

Alder, Kurt, Chemiker, *Königshütte (heute Chorzów) 10. 7. 1902, †Köln 20. 6. 1958; erhielt mit O. Diels für die Diensynthese 1950 den Nobelpreis für Chemie.

Alderman ['ɔ:ldəmən; engl. »Ältester«] *der,* **1)** bei den Angelsachsen der Vertreter des Königs in den Reichsteilen.

2) in Großbritannien und den USA Mitglied des Stadtrats.

Alderney ['ɔ:ldənɪ], die nördlichste der brit. Kanalinseln, 8 km², 2 400 Ew. meist brit. Herkunft; Viehzucht, Anbau von Frühkartoffeln.

Aldhelm, angelsächs. Dichter, *in Wessex um 640, †Doulting (Cty. Somerset) 25. 5. 709 als Bischof von Sherborne; verfasste Werke in gekünsteltem Stil; Heiliger, Tag: 25. 5.

ALDI-Gruppe, Mühlheim a.d. Ruhr, von Theo (*1922) und Karl Albrecht (*1920) 1946 gegründetes Einzelhandelsunternehmen, bestehend aus zwei selbstständigen Regionalgesellschaften. ALDI (Abk. für Albrecht Discount) verhalf den Discountläden zum Durchbruch.

Aldinen, Druckwerke von Aldus →Manutius.

Aldington ['ɔ:ldɪŋtən], Richard, engl. Schriftsteller, *Portsmouth 8. 7. 1892, †Sury-en-Vaux (Dép. Cher, Frankreich) 27. 7. 1962; mit seiner Lyrik führender Vertreter des →Imagismus, schrieb den Kriegsroman »Heldentod« (1929), Biographien (»Der Fall T. E. Lawrence«, 1955).

Aldobrandini, florentin. Adelsfamilie, seit dem 16. Jh. in Rom. Ippolito A. (*1536, †1605) wurde als Klemens VIII. Papst; er erhob die Familie in den Fürstenstand.

aldobrandinische Hochzeit, röm. Wandgemälde aus augusteischer Zeit nach hellenist. Vorbild, stellt Vorbereitungen zu einer Hochzeit dar; 1605 in Rom gefunden und nach seinem ersten Besitzer, Kardinal Aldobrandini, benannt; seit 1818 in den Vatikan. Sammlungen in Rom.

Heinrich Aldegrever: Selbstporträt (Kupferstich; 1537)

aldobrandinische Hochzeit: Römisches Wandgemälde einer Götterhochzeit (vermutlich 1. Jh. n. Chr.; Rom, Vatikanische Sammlungen)

Aldosen, Monosaccharide mit einer Aldehydgruppe.

Aldosteron [Kw.] *das,* synthetisch herstellbares Hormon der Nebennierenrinde, wichtigstes Mineralocorticoid, regelt die Kochsalzrückresorption und die Kaliumausscheidung.

Aldrin ['ɔ:ldrɪn], Edwin, amerikan. Astronaut, *Montclair (N.J.) 20. 1. 1930; 1969 erste Mondlandung mit N. →Armstrong.

Hieronymus Aleander

Vicente Aleixandre

Ale [eɪl, engl.] *das,* engl. obergäriges Bier, z. B. das helle, stark gehopfte **Pale-A.** oder das leicht gehopfte **Mild-A.** (→Porter, →Stout).

alea iacta est [lat. »der Würfel ist geworfen«], sprichwörtlich: Die Entscheidung ist gefallen; angebl. Ausspruch Caesars, als er 49 v. Chr. den →Rubikon überschritt.

Aleander, Hieronymus, eigtl. Girolamo Aleandro, italien. Humanist und päpstl. Diplomat, *Motta di Livenza (Prov. Treviso) 13. 2. 1480, †Rom 1. 2. 1542; bekämpfte die Reformation und entwarf u. a. das Wormser Edikt. Als Legat in Dtl. (1531/32) suchte er den Nürnberger Religionsfrieden zu vereiteln; 1538 Kardinal.

Aleatorik [zu lat. alea »Würfel«] *die,* seit etwa 1951 Bez. für eine Kompositionsrichtung, bei der der Interpret Teile eines Stücks austauschen oder weglassen kann bzw. in der die improvisator. und insofern zufällige Realisierung einer Komposition durch den Interpreten breiten Raum einnimmt (P. Boulez, J. Cage, M. Kagel, K. Stockhausen u. a.).

Alechinsky [aleʃɛ̃'ski], Pierre, belg. Maler, *Brüssel 19. 10. 1927; lebt in Paris, Mitbegründer der Gruppe →Cobra.

Pierre Alechinsky: Die Ahnen (1976; Perpignan, Musée Hyacinthe Rigaud)

Alecsandri, Vasile, rumän. Dichter, *Bacău 26. 6. 1818 (2. 8. 1821?), †Mirceşti (Verw.-Geb. Iaşi) 3. 9. 1890; schrieb patriotische und volksliedhaft-schlichte Gedichte, sammelte rumän. Volkslieder, betonte die Latinität Rumäniens.

Jean-Baptiste d'Alembert

Aleixandre [alei'ksandre], Vicente, span. Lyriker, *Sevilla 26. 4. 1898, †Madrid 14. 12. 1984; Vertreter eines romantisch-visionären Surrealismus unter Bevorzugung des Vers libre (u. a. »Die Zerstörung oder die Liebe«, 1935; »Nackt wie der glühende Stein«, 1963). Nobelpreis für Literatur 1977.

Alemán, Mateo, span. Schriftsteller, getauft Sevilla 28. 9. 1547, †in Mexiko um 1614; schrieb den Schelmenroman »Das Leben des Guzmán von Alfarache« (1599–1604).

Alemannen (Alamannen), westgerman. Stamm, hervorgegangen aus unterschiedl. Heerhaufen im Bereich der mittleren und unteren Elbe (→Sweben). Der Neustamm der A. war seit dem 2./3. Jh. im Vorfeld des Limes ansässig (erste Erwähnung 213). Wiederholte Vorstöße führten zum Fall des Limes (259/60) und zur Besiedlung des →Dekumatlandes. Archäolog. Funde bezeugen einen ständigen Zuzug aus Mitteldtl. und Böhmen im 4./5. Jh. Nach 454 dehnten sich die A. bis ins Elsass und die N-Schweiz aus. Um 500 wurden sie vom Frankenkönig Chlodwig unterworfen und aus dem Maintal verdrängt. Das im 8. Jh. erloschene alemann. Stammesherzogtum entstand im dt. Reich des 10. Jh. von neuem als Herzogtum →Schwaben. Die geschichtl. Entwicklung führte in der Folgezeit zu einer Gliederung des Stamms in Schwaben, Deutschschweizer, Elsässer, Vorarlberger.

📖 *Quellen zur Gesch. der Alamannen, bearb. v.* C. Dirlmeier *u. a. 7 Bde. Sigmaringen 1976–87.* – Christlein, R. *u. a.: Die Alamannen. Archäologie eines lebendigen Volkes. Stuttgart u. a. 1978.*

Alemannisch, eine dt. →Mundart.

Alembert [alɑ̃'bɛ:r], Jean-Baptiste le Rond d', frz. Mathematiker, Philosoph und Physiker, *Paris 16. 11. 1717, †ebd. 29. 10. 1783; gab mit Diderot seit 1751 die ersten sieben Bde. der »Encyclopédie« (→Enzyklopädisten) heraus. Seine Erkenntnistheorie, in der er die Erfahrungswiss. zu begründen suchte, wurde grundlegend für den Positivismus. A. hat bed. Fortschritte in der Zahlentheorie und Analysis erzielt. In seinem wiss. Hauptwerk der Mechanik »Traité de dynamique« (1743) stellte er das **d'alembertsche Prinzip** auf, eine Beschreibung von beschleunigenden Kräften, die es ermöglicht, dynam. Aufgaben wie stat. Gleichgewichtsaufgaben zu lösen (→Extremalprinzipien).

Alençon [alɑ̃'sɔ̃], Hptst. des nordfrz. Dép. Orne, 30 000 Ew.; Textil-, Elektro- u. a. Ind., Fayenceherstellung. – Den Titel der Herzöge von A. trugen Mitglieder des frz. Königshauses. 1665 Gründung einer Spitzenmanufaktur.

Alentejo [alen'teʒu], Landschaft und histor. Provinz in S-Portugal, erstreckt sich – mit Ausnahme des Ribatejo – südlich des Tejo bis zur Hochalgarve und von der span. Grenze bis zur W-Küste, heute aufgeteilt in die Distrikte Beja, Setúbal, Évora und Portalagre. Die wellige Landschaft erreicht selten Höhen über 200 m ü. d. M.; das Klima ist mediterran-kontinental mit geringen Niederschlägen. Der A. war das klass. Gebiet des portugies. Großgrundbesitzes mit überwiegend extensiver Landwirtschaft (Getreideanbau, Schaf- und Rinderzucht); auch Weinbau und Nutzung von Korkeichen. An Bodenschätzen wird v. a. Pyrit abgebaut.

Aleph *das,* **1)** Anfangsbuchstabe des hebräischen Alphabets (geschrieben א).

2) *Mathematik:* Formelzeichen für die Mächtigkeit einer Menge (→Mengenlehre).

Aleppo (arab. Haleb), Provinz-Hptst. im nördl. Syrien, 1,49 Mio. Ew.; eine der ältesten und bedeutendsten Städte des Orients, am Schnittpunkt wichtiger Handelsstraßen (Eisenbahnlinien, Autostraßen, Flugplatz) und Mittelpunkt der Textilind. Syriens; Univ., Staatsbiliothek, Nationalmuseum. Imposante Zitadelle (12.–16. Jh.), umgeben von Wallgräben. – Altstadt (UNESCO-Weltkulturerbe). – Die von Hethitern und Assyrern erwähnte Stadt wurde 638 von den Arabern erobert, erlebte im 10. Jh. eine Blütezeit, war 1516–1918 türkisch, kam dann an Syrien.

Aleppobeule (Orientbeule), → Leishmaniasen.

Aleppokiefer, bis 15 m hohe, rein mediterrane Kiefernart mit schirmartiger Krone.

Aleppонuss, Samen einer Pistazienart.

Aleš ['alɛʃ], Mikoláš, tschech. Maler, Zeichner und Illustrator, *Mirotice (bei Písek) 18. 11. 1852, †Prag 10. 7. 1913; schuf v.a. Historienbilder sowie zahlreiche graf. Blätter mit Darstellungen aus Sage und Überlieferung.

Alès [a'lɛs], Ind.stadt im südfrz. Dép. Gard, am Fuß der Cevennen, 43 300 Ew.; Textil-, chem., Metall verarbeitende Industrie. Der Steinkohlenbergbau wurde weitgehend eingestellt.

Alesia, Hauptort der kelt. Mandubier in Gallien, auf dem Mont Auxois (Dép. Côte-d'Or). A. war 52 v. Chr. Stätte des letzten Kampfes der Gallier unter Vercingetorix gegen Cäsar.

Alessandria, 1) Prov. in Piemont, NW-Italien, 3 560 km², (1994) 436 500 Einwohner.

2) Hptst. von 1), in einer wasserreichen Ebene am Tanaro, 90 200 Ew.; Handelsstadt mit Messen und vielseitiger Ind. (Hüte, Maschinen, Möbel). – A. wurde 1168 von den lombard. Gegnern Kaiser Friedrich Barbarossas gegründet und nach Papst Alexander III. benannt; früher bed. Festung; 1348–1706 unter der Herrschaft der Visconti und der Sforza, Frankreichs und Spaniens, fiel dann an Savoyen.

Alessi, Galeazzo, italien. Architekt, *Perugia 1512, †ebd. 30. 12. 1572; baute im Stil der Hochrenaissance Paläste und Kirchen in Genua und Mailand.

Ålesund ['o:ləsyn], Hafenstadt, Fischereizentrum und Handelsplatz in W-Norwegen, auf mehreren Inseln vor dem Storfjord gelegen, 36 300 Ew.; Werften, Textilindustrie.

Aletschgletscher (Großer A.), größter und längster Gletscher der Alpen, im schweizer. Kt. Wallis, Teil der Firnmasse der Finsteraarhorngruppe; 86,8 km², Länge 24,7 km, Zunge 16 km, mittlere Breite 1 800 m; am SO-Rand das Aletschwaldreservat (256 ha; u.a. Arven).

Aletschhorn, zweithöchster Gipfel der Berner Alpen, zw. Lötschental und Aletschgletscher, 4 195 m ü. M., stark vergletschert.

Aleppo: Die etwa 50 m über der Altstadt gelegene Zitadelle (12.–16. Jh.)

Aleuron [grch.] *das,* Klebereiweiß, kristalliner Eiweißkörper in Pflanzensamen.

Aleuten (engl. Aleutian Islands), Kette von etwa 70 Inseln, die sich in einem Bogen (über 2 500 km) zw. Beringmeer und Pazif. Ozean erstrecken, zu Alaska, USA, gehörig, 17 666 km², rd. 8 000 Ew.; Hauptort: Dutch Harbor auf Unalaska; viele z.T. tätige Vulkane; raues, nasskaltes Klima; Tundrenvegetation. Wirtschaftl. Bedeutung haben Fischfang und Pelztierfang. – Die Inseln, deren Südrand der bis 7 822 m tiefe **A.-Graben** begleitet, haben große strateg. Bedeutung. – 1741 durch V. Bering entdeckt, kamen die A. 1867 mit Alaska an die USA.

Alessandria 2) Stadtwappen

Aleuten, die Bewohner der Aleuten und des westl. Teils von Alaska, USA; sprachlich-kulturell den Eskimo nahe stehend.

Alexander, Herrscher:

Bulgarien: **1) A. I.,** Fürst, urspr. Prinz von Battenberg, *Verona 5. 4. 1857, †Graz 17. 11. 1893; wurde 1879 auf Vorschlag Russlands von der bulgar. Nationalversammlung zum Fürsten gewählt, vereinigte 1885 Ostrumelien mit Bulgarien und

Ålesund: Westlicher Teil der auf drei Inseln erbauten Stadt

Alexander der Große

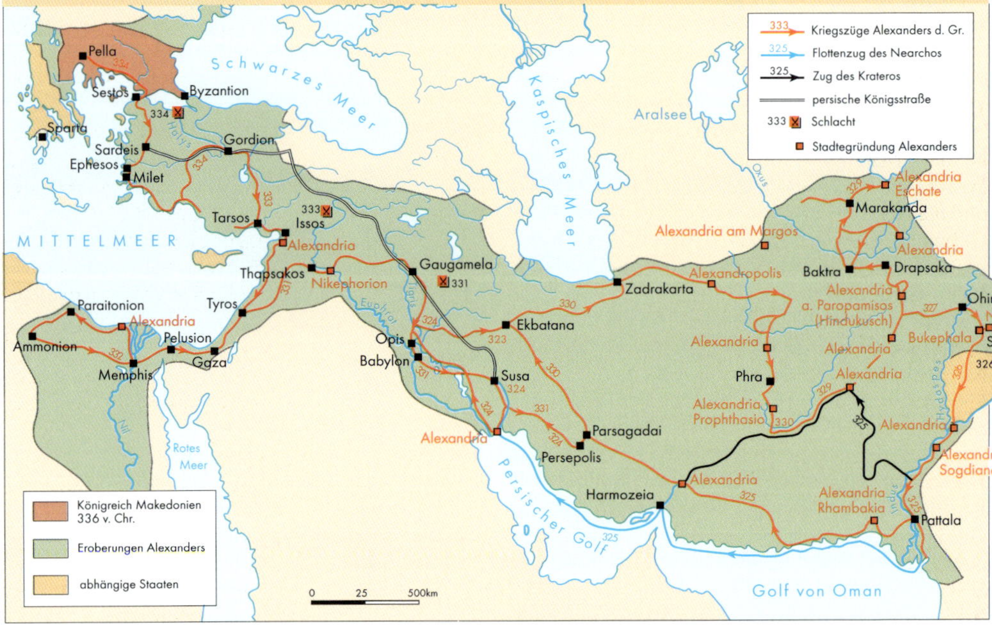

Alexander der Große: Nachdem Alexander der Große 336 v. Chr. das Makedonische Reich übernommen hatte, vergrößerte er dieses im Laufe seiner Herrschaft bis nach Ägypten und Indien

Alexander der Große (Römische Kopie eines griechischen Originals, um 330 v. Chr.; Privatsammlung Schwarzenberg)

kämpfte siegreich gegen Serbien; 1886 durch eine von Russland initiierte Verschwörung zur Abdankung gezwungen. Lebte dann als Graf Hartenau in Graz.

Jugoslawien: **2) A. I. Karadjordjević** [-vitsj], König (1921–34), *Cetinje 17. 12. 1888, †Marseille 9. 10. 1934; seit 1914 Regent für seinen Vater Peter I. von Serbien, seit 1921 König der Serben, Kroaten und Slowenen. 1929 benannte er das Königreich in Jugoslawien um, löste das Parlament auf und errichtete eine Diktatur; von makedon. (IMRO) und kroat. Nationalisten ermordet.

Makedonien: **3) A. (III.) der Große,** König (336–323 v. Chr.), *Pella 356 v. Chr., †Babylon 10. 6. 323 v. Chr.; Sohn Philipps II. von Makedonien, Schüler des Aristoteles, entschied 338 den Sieg gegen die Thebaner bei Chaironeia und trat nach der Ermordung seines Vaters 336 die Regierung an. Nach der Niederwerfung eines Aufstandes in Griechenland (335 Zerstörung Thebens) begann er 334 als Oberfeldherr der Griechen den Feldzug gegen die Perser. Er besiegte die pers. Feldherren am Granikos (Mai 334), König Dareios III. bei Issos (Nov. 333). 332 nach der Eroberung von Tyros und Gasa gewann er auch Ägypten, wo er Alexandria gründete und in der Oase Siwa von ägypt. Priestern als Sohn des Gottes Amun und damit als Nachfolger der Pharaonen anerkannt wurde. Bei Gaugamela schlug A. 331 erneut Dareios, besetzte 330 Babylon, Susa und Persepolis und erstrebte nun die Herrschaft über das gesamte Perserreich. Auf seinem Zug nach Osten überschritt er im Winter 330 den Hindukusch, eroberte 329/328 Baktrien und Sogdiana und vermählte sich mit Roxane, der Tochter des baktr. Fürsten Oxyartes. Im Frühjahr 327 drang A. gegen Indien vor, überschritt den Indus, schlug 326 König Poros am Hydaspes und gelangte bis an den Hyphasis, wo ihn sein Heer zur Rückkehr zwang. Durch den Alexanderzug wurde die grch. Kultur weit nach dem Osten getragen. A. suchte trotz heftiger Widerstände sein Reich durch Verbindung und Ausgleichung pers. und grch.-makedon. Wesens zu einer inneren Einheit zu formen (Beginn des Hellenismus). Er starb plötzlich während der Vorbereitungen zu einer Umsegelung Arabiens und wurde von Ptolemaios in Alexandria beigesetzt. Nach seinem Tod zerfiel das Weltreich (→Diadochen). – In der

Alexander der Große

Alexander war dreizehn Jahre alt, als Aristoteles mit seiner Erziehung betraut wurde. Der Philosoph überzeugte den Kronprinzen von der Notwendigkeit einer staatlichen Reform Griechenlands, wenn auch die Großmachtpolitik des späteren Königs nicht seine Zustimmung fand. Insgesamt war der Unterricht vor allem auf politische, naturwissenschaftliche und literarische Inhalte ausgerichtet. Ein König sollte nach Ansicht des Aristoteles nicht selbst Philosophie treiben, sondern den wirklichen Philosophen folgen.

Kunst ist A. vielfach verherrlicht worden, →Alexandersarkophag, →Alexanderschlacht.

📖 Bengtson, H.: *Philipp u. A. der Große. München 1985.* – Wirth, G.: *A. der Große. Reinbek 37.-38. Tsd., 9 1995.*

Römisches Reich: **4) A. Sevẹrus,** vollständiger Name: Marcus Aurelius Severus A., Kaiser (222–235 n. Chr.), *208, †235; förderte den Senat und die Rechtspflege, wurde im Feldzug gegen die Germanen von den eigenen Soldaten ermordet.

Russland: **5) A. Nẹwski,** Fürst von Nowgorod (1236–51), Großfürst von Wladimir (seit 1252), *um 1220 (30. 5. 1219?), †Gorodez an der Wolga (Gebiet Nischegorod) 14. 11. 1263; besiegte 1240 an der Newa die Schweden, 1242 den Dt. Orden auf dem Eis des Peipussees. Heiliger der russisch-orth. Kirche, Tag: 23. 11.

6) A. I. Pạwlowitsch, Kaiser (1801–25), *Sankt Petersburg 23. 12. 1777, †Taganrog 1. 12. 1825; Sohn Pauls I.; von seiner Großmutter Katharina II. im Geist der Aufklärung erzogen, ergriff er innenpolit. Maßnahmen zur Übernahme neuzeitl. Staats- und Verfassungsgrundsätze mithilfe von Bildungsreformen; nahm 1805 an der 3. Koalition gegen Frankreich teil und schloss 1807 mit Napoleon I. Frieden. Nach dem frz. Feldzug gegen Moskau (1812) verbündete sich A. mit Österreich und Preußen; 1815 stiftete er die →Heilige Allianz.

7) A. II. Nikolạjewitsch, Kaiser (1855–81), *Moskau 29. 4. 1818, †(ermordet) Sankt Petersburg 13. 3. 1881; Sohn Nikolaus' I., beendete 1856 den Krimkrieg, hob 1861 in Russland die Leibeigenschaft auf und führte eine Neugestaltung des Rechts und der Verwaltung (Schaffung von Selbstverwaltungsorganen) durch. In seiner Regierungszeit kam es zum Zusammenschluss Russlands mit Dtl. und Österreich im →Dreikaiserbund von 1872. Der russisch-türk. Krieg von 1877/78 führte nur zu einem beschränkten Erfolg. A. wurde Opfer eines Attentats anarchist. Kräfte (Narodnaja Wolja).

8) A. III. Alexạndrowitsch, Kaiser (1881–94), *Sankt Petersburg 10. 3. 1845, †Liwadija (bei Jalta, Krim) 1. 11. 1894, Sohn von 7); bestieg nach der Ermordung seines Vaters den Thron. A. begünstigte unter dem Einfluss seines ehem. Lehrers Pobedonoszew das Altrussentum und unterstützte die panslawist. Bestrebungen. Die Nichterneuerung des Rückversicherungsvertrags durch Dtl. hatte das Bündnis mit Frankreich (1891–94) zur Folge.

Serbien: **9) A. Karadjọrdjević** [-vitsj], Fürst (1842–58), *Topola 11. 10. 1806, †Temesvar 4. 5. 1885; Sohn des →Karadjordje, wurde gegen den Willen Russlands zum Fürsten gewählt; musste 1858 abdanken.

10) A. Obrẹnović [-vitsj], König (1889–1903), *Belgrad 14. 8. 1876, †ebd. (ermordet) 11. 6. 1903; wurde wegen seiner (seit 1893 ohne die Regenten geführten) autoritären Innenpolitik und seiner österreichfreundl. Expansionspolitik Opfer einer Offiziersverschwörung.

Der im 1. Jahrhundert v. Chr. lebende griechische Historiker Diodor schildert, welche Vorhaben **Alexander d. Gr.** *nach seinem Indienfeldzug plante (Historische Bibliothek 18,4):*
»Perdikkas, der General Alexanders, fand unter den Aufzeichnungen des Königs ... viele große Pläne, die einen ungeheuren Aufwand an Geld erforderten. Die wichtigsten und merkwürdigsten der aufgezeichneten Pläne waren folgende: Tausend Kriegsschiffe, größer als Dreiruderer, sollten in Phönikien, Syrien, Kilikien und auf Kypern (Zypern) zu dem Feldzuge gegen die Karthager und die anderen am Meere wohnenden Einwohner Libyens und Spaniens und den angrenzenden Küstenländern bis Sizilien gebaut werden; eine Küstenstraße sollte von Libyen bis zu den Säulen des Herakles (Straße von Gibraltar) geführt werden; ... Häfen und Schiffswerften sollten zu diesem Unternehmen neu angelegt werden; ferner wollte er die Städte vereinigen und die Einwohner aus Asien nach Europa und umgekehrt aus Europa nach Asien verpflanzen, damit zwischen den zwei großen Weltteilen durch wechselseitige Heirat und den Tausch der Wohnplätze eine allgemeine Übereinstimmung und geistige Verwandtschaft sich entwickele.«

Alexạnder, Päpste:

1) A. III. (1159–81), früher Roland (Orlando) Bandinelli, *Siena, †Civita Castellana (Prov. Viterbo) 30. 8. 1181; bed. Kirchenrechtslehrer, begann den Kampf des Papsttums gegen die stauf. Kaiser, behauptete sich gegen Friedrich I., innerkirchlich gegen vier Gegenpäpste.

2) A. VI. (1492–1503), früher Rodrigo de Borja, italien. Borgia, *Játiva (heute Xàtiva, Prov. Valencia) 1430 (?), †Rom 18. 8. 1503; förderte Kunst und Wiss., Urbild eines berechnenden, machtbewussten Renaissancefürsten, nutzte die päpstl. Macht zur Versorgung seiner Kinder (→Borgia). 1493/94 bestätigte er durch Schiedsspruch die Teilung der Neuen Welt (Vertrag von →Tordesillas).

Alexander I. Pawlowitsch, Kaiser von Russland

Alexạnder, Gelehrte und Dichter:

1) A. von Aphrodịsias, peripathet. Philosoph und Logiker, lehrte um 200 n. Chr. in Athen; Aristoteles-Kommentator, tendiert zu einer empirist. Aristoteles-Deutung (→Universalienstreit).

2) A. von Hales [-heɪlz], engl. Scholastiker, *Hales (Shropshire, England) um 1185, †Paris 21. 8. 1245; lehrte Theologie in Paris, wurde 1236 Franziskaner. Auf ihn geht die ältere Franziskanerschule (Augustinismus) zurück. A. nimmt zwar Bezug auf Aristoteles, gibt aber immer platonisch-augustinischem Denken den Vorzug: Sein existiert durch Teilhabe am →Guten.

Alexander II. Nikolajewitsch, Kaiser von Russland

3) Meister A., auch der wilde A., süddt. Fahrender, verfasste nach 1250 Minnelieder, religiöse Gedichte und Sprüche.

Alexander, Peter, eigtl. P. A. Neumayer, österr. Schlagersänger, *Wien 30. 6. 1926; spielte auch in zahlr. Filmen.

Alexanderarchipel, zu Alaska, USA, gehörende Inselgruppe vor der NW-Küste Nordamerikas; von Tlingit-Indianern bewohnt; Holzwirtschaft, Fischerei.

Alexanderschlacht: Ausschnitt aus dem Mosaik, das die Schlacht Alexanders des Großen gegen den Perserkönig Dareios III. darstellt (Neapel, Museo Archeologico Nazionale)

Alexander-I.-Insel, Insel der Antarktis, 43 200 km², 378 km lang. – 1821 von F. G. von Bellingshausen entdeckt.

Alexander of Tunis [ælɪg'zɑ:ndə ɔv 'tju:nɪs], Harold Rupert Alexander, Earl (1952), brit. Feldmarschall (1944), *London (nach anderen Angaben in der nordir. Grafschaft Tyrone) 10. 12. 1891, †Slough (Cty. Buckinghamshire) 16. 6. 1969; leitete 1940 die Evakuierung brit. und frz. Truppen bei Dünkirchen, wurde 1943 Stellvertreter General D. D. Eisenhowers, 1944/45 Oberbefehlshaber der Alliierten im Mittelmeerraum; 1952–54 Verteidigungsminister.

Alexandersage, die sagenhafte Ausschmückung der Taten Alexanders d. Gr. Auf antiken Quellen, grch. und oriental. Sagenmotiven fußen die Alexanderromane, die seit dem 10. Jh. in Prosa und in Versen überall im Abendland entstanden: in Dtl. u. a. das **Alexanderlied** des Pfaffen Lamprecht (um 1150), das auf ein frz. Epos des Alberic de Besançon (um 1130) zurückgeht.

Alexandersarkophag, reich verzierter att. Marmorsarkophag aus der Begräbnisstätte der Könige von Sidon, mit bemalten Reliefdarstellungen aus dem Leben Alexanders d. Gr. (um 300 v. Chr.; Istanbul, Archäolog. Museum).

Alexandersbad, Bad, →Bad Alexandersbad.

Alexanderschlacht, antikes Mosaikbild im Archäologischen Nationalmuseum in Neapel, Ende des 2. Jh. v. Chr., 1831 in Pompeji freigelegt (5,12×2,77 m); stellt den Sieg Alexanders d. Gr. über Dareios III. dar; Kopie nach einem grch. Tafelgemälde vom Ende des 4. Jh. v. Chr.

Alexander-von-Humboldt-Stiftung, →Humboldt-Stiftung.

Alexandra Fjodorowna, eigtl. Alice, letzte Kaiserin von Russland, *Darmstadt 6. 6. 1872, †(ermordet) Jekaterinburg 16./17. 7. 1918; Tochter des Großherzogs Ludwig IV. von Hessen, ⚭ seit 1894 mit Nikolaus II.; sie stand unter dem Einfluss von →Rasputin.

Alexandraland, Insel von →Franz-Josef-Land.

Alexandrette, türk. Hafenstadt, →İskenderun.

Alexandria, 1) [auch -'dri:a] (arab. El-Iskandarijja), bedeutendste Hafenstadt Ägyptens, am W-Rand des Nildeltas, 3,3 Mio. Ew., bildet ein 2 679 km² großes Verw.-Gebiet; zwei Univ. (gegr. 1942 bzw. 1990), Museen, u. a. für grch.-röm. Altertümer; bed. Ind., u. a. Erdölraffinerie, chem., Baumwoll-, Metall verarbeitende Ind.; Handels- und Fischereihafen; Fremdenverkehr, Seebad; internat. Flughafen. – Oriental. Altstadt.

Geschichte: A. war seit seiner Gründung durch Alexander d. Gr. 331 v. Chr. die grch. Hptst. Ägyptens. Die Königsburg (Bruchium) im O der Stadt umfasste außer Palästen und Gärten u. a. das Museion mit der →Alexandrinischen Bibliothek und das Dionysostheater, im W lagen das Serapeion und das Stadion. Die Stadt war mit der Insel Pharos, die den berühmten Leuchtturm (eines der →sieben Weltwunder) trug, durch einen Steindamm verbunden. Die Bevölkerung, in der Blütezeit 300 000 Freie, insgesamt über 600 000 Ew., bestand hauptsächlich aus grch. Kolonisten, Ägyptern und Juden. Unter den Ptolemäern, die A. zum Königssitz und Mittelpunkt grch. Geistesbildung machten (→alexandrinisches Zeitalter), wuchs die Stadt durch Handel und hatte ihre Blütezeit erreicht, als sie 30 v. Chr. an die Römer fiel (zweitgrößte Stadt des Röm. Reiches), 642 kam A. unter arab., 1517 unter türk. Herrschaft. Den Aufstieg im 19. Jh. verdankt die Stadt Mehmed Ali, der sie durch einen neuen Kanal mit dem Nil verband.

📖 MÜLLER-WIENER, M.: *Eine Stadtgeschichte A.s von 564/1169 bis in die Mitte des 9./15. Jh. Verwaltung u. innerstädt. Organisationsformen. Berlin 1992.*

2) [ælɪg'zɑ:ndrɪə], Stadt in Virginia, USA, auf dem westl. Ufer des Potomac gegenüber Washington, zunehmend dessen Wohnstadt, 111 200 Ew.; Handelszentrum N-Virginias.

Alexandriner *der,* zwölfsilbiger, bei weibl. Ausgang dreizehnsilbiger Vers mit betonter 6. und 12. Silbe und mit einem Einschnitt (Zäsur) nach der 6. Silbe; benannt nach dem altfrz. Alexanderroman (12. Jh.); in Frankreich beliebt, seit dem 16. Jh. bes.

im Schauspiel. Der dt. A. besteht aus jamb., meist paarweise gereimten sechsfüßigen Versen.

Alexandrinische Bibliothek, Name der beiden von Ptolemaios I. Soter (305–283 v. Chr.) und seinen Nachfolgern gegr. Bibliotheken in Alexandria; sie waren für die Ausbreitung des grch. Geistes und die Entwicklung der antiken Wiss. entscheidend. Die große A. B. (im Museion) mit etwa 700 000 Buchrollen ging 47 v. Chr. im Krieg durch Brand größtenteils zugrunde, das Museion selbst – eine bed. Forschungsstätte – wurde 269 n. Chr. vernichtet, die kleinere Bibliothek (im Serapeion) mit über 40 000 Buchrollen um 390 n. Chr.

Alexandrinischer Kodex (Codex Alexandrinus), →Bibel.

alexandrinische Schule, 1) (alexandrinische Philosophenschule) die dem Christentum aufgeschlossene Richtung des Neuplatonismus in Alexandria (Ägypten). Zu ihr gehörten: Ammonios Hermeiu, Synesios von Kyrene u. a.

2) (alexandrinische Theologenschule) die von Alexandria aus wirkende Theologie, welche die frühe Kirche in versch. Hinsicht maßgeblich beeinflusste (Ende des 2.–5. Jh.). Sie suchte die christl. Glaubenslehre in Zusammenhang mit platon. und stoischen Gedanken zu begründen; v. a. Klemens von Alexandria, Origenes, Kyrill von Antiochia.

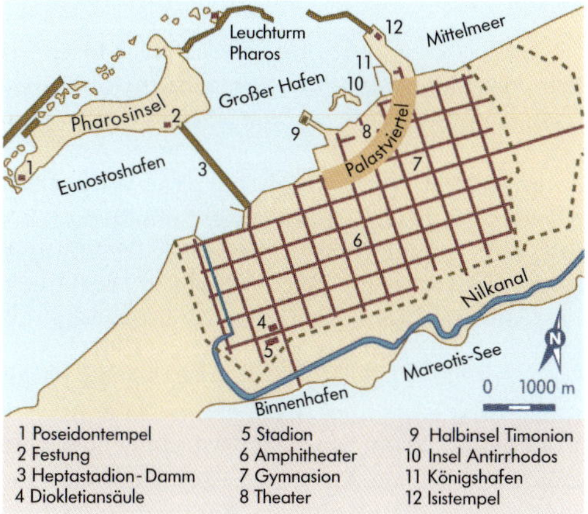

Alexandria 1): Nach dem Plan einer regelmäßigen Stadtanlage, von Alexanders Baumeister Deinokrates entworfen, wurde Alexandria erbaut

alexandrinisches Zeitalter, i. w. S. die hellenist. Epoche grch. Wiss., Lit. und Kunst seit Alexander d. Gr. (†323 v. Chr.); i. e. S. die Zeit, in der Alexandria unter den Ptolemäern, unter Rom und Byzanz 323 v. Chr. bis 642 n. Chr. Mittelpunkt griechisch-hellenist. Kultur und Bildung war. In dem von Ptolemaios I. gegr. **Museion** von Alexandria, einer bed. Forschungs- und Lehrstätte, konnten Gelehrte und Künstler gemeinsam arbeiten und leben (→Alexandrinische Bibliothek).

Alexandrit [nach Zar Alexander II.] *der,* seltener Schmuckstein, smaragdgrüne, bei künstl. Licht rote Varietät des Chrysoberylls.

Alexandrow, Stadt im Gebiet Wladimir, Russland, 66 000 Ew.; Bahnknotenpunkt, Industrie. – Baudenkmäler aus dem 16. und 17. Jh. – Im 14. Jh. erstmals erwähnt, 1564–72 Residenz Iwans IV.

Alexandrowsk, bis 1921 Name von →Saporoschje.

Alexei, russ. Fürsten: **1) A. Michailowitsch,** Zar (1645–76), *Moskau 19. 3. 1629, †ebd. 8. 2. 1676; Vater Peters d. Gr., erließ 1649 ein Gesetzbuch (»Uloschenije«), gewann von Polen u. a. 1654 die Ukraine links des Dnjepr, dehnte die russ. Herrschaft in Sibirien bis an die Grenzen Chinas aus; unterdrückte 1671 den Volksaufstand unter S. T. →Rasin.

2) A. Nikolajewitsch, Thronfolger, *Sankt Petersburg 12. 8. 1904, †Jekaterinburg 16./17. 7. 1918; Sohn Nikolaus' II., wurde zusammen mit der Zarenfamilie von Bolschewiki ermordet.

3) A. Petrowitsch, *Moskau 28. 2. 1690, †Sankt Petersburg 7. 7. 1718; Sohn Peters d. Gr. Der unter geistl. Einfluss erzogene Thronfolger geriet in Konflikt mit seinem Vater und dessen Reformpolitik, floh 1716 nach Österreich; nach Rückkehr enterbt und zum Tode verurteilt, starb wohl an den Folgen der Folter.

Alexi II., eigtl. Alexei Michailowitsch Ridiger, russisch-orth. Theologe baltendt. Herkunft, *Reval (heute Tallinn) 23. 2. 1929; war 1986–90 u. a. Metropolit von Leningrad und Nowgorod; wurde 1990 zum Patriarchen von Moskau und ganz Russland gewählt (Primas der russisch-orthodoxen Kirche).

Alexi II.
Patriarch von Moskau und ganz Russland

Alexianer (Zelliten), ein Zweig der →Barmherzigen Brüder.

Alexie [grch.] *die* (Schriftblindheit), Unfähigkeit, den Sinn von Geschriebenem zu verstehen, eine Form der →Agnosie.

Alexios I. Komnenos, byzantinischer Kaiser (1081–1118), *Konstantinopel 1048, †ebd. 15. 8. 1118; kämpfte gegen die Normannen, besiegte 1115/16 die Seldschuken, sicherte die Grenzen des Byzantin. Reichs, im Innern Neuordnung von Verwaltung und Heer, Stärkung der Wirtschaft. »Alexias«, Lebensbeschreibung, von seiner Tochter Anna Komnene verfasst.

Alexis, Willibald, eigtl. Wilhelm Häring, Schriftsteller, *Breslau 29. 6. 1798, †Arnstadt 16. 12. 1871; schrieb, angeregt durch W. Scott, Romane aus der brandenburgisch-preuß. Geschichte, u. a. »Die Hosen des Herrn von Bredow« (1846).

Alexius, nach einer im 5. Jh. in Syrien entstandenen Legende ein reicher Römer, der in selbstgewählter Armut durch die Welt gezogen sein und unerkannt bis zu seinem Tod in seinem Elternhaus gelebt haben soll. Heiliger, Tag: 17. 7. (kath.), 17. 3. (grch.-orthodox), 12. 3. (syr. Kirchen).

Alexiuslied, altfrz. hagiograph. Text in gebundener Sprache aus der Mitte des 11. Jh., der die syr. Legende des hl. Alexius erzählt.

Alfa (Halfa) [arab.] *die,* Faser des nordafrikanisch-span. Espartograses. **A.-Papier,** bes. gut druckfähiges Papier.

Alfeld (Leine)
Stadtwappen

Alfarabi, islam. Philosoph, → Farabi.

Alfa Romeo S. p. A., Mailand, italien. Automobilunternehmen, gegr. 1909; 1987 von der Fiat SpA übernommen.

Al-Fatah [-fa'tax], → Fatah.

Alfeld (Leine), Stadt im Kreis Hildesheim, Ndsachs., im Leinetal, 22 400 Ew.; Papier und Metall verarbeitende sowie Korkwarenindustrie. – Zahlreiche Renaissancebauten.

Vittorio Alfieri

Alfieri, 1) Benedetto Innocente, italien. Architekt des Spätbarock, * Rom 8. 6. 1696, † Turin 6. 12. 1767; baute u. a. den Palazzo Ghilini in Alessandria (um 1730), das königl. Theater in Turin (1740).

2) Vittorio Graf, italien. Dichter, * Asti 16. 1. 1749, † Florenz 8. 10. 1803; wirkte mit dem Freiheitspathos seiner Tragödien (u. a. »Cleopatra«, 1775; »Philipp II.«, 1783; »Saul«, 1783) bes. auf das Risorgimento, stand formal unter dem Einfluss der frz. Klassik; ferner Lyrik, Komödien, polit. Werke und eine Autobiographie.

al fine [italien.], *Musik:* bis zum Schluss (spielen).

Alföld ['ɔlføld] *das,* → Ungarisches Tiefland.

Alfons XII.,
König von Spanien

Alfons (span. Alfonso, portugies. Afonso), Könige:

Aragonien: **1) A. I., der Schlachtenkämpfer** (1104–34), * 1084 (?), † Poleñino (Prov. Huesca) 8. 9. 1134; eroberte 1118 Saragossa.

2) A. V., der Großmütige (1416–58), * 1396, † Neapel 27. 6. 1458; Förderer des italien. Humanismus, eroberte 1442 das Königreich Neapel (A. I. von Neapel und Sizilien).

Asturien, Léon und Kastilien: **3) A. III., der Große,** König von Asturien (866–910), * um 848, † Zamora 20. 12. 912; kämpfte siegreich gegen die Mauren und erweiterte sein Reich über den Duero hinaus.

Alfons XIII.,
König von Spanien

4) A. VI, der Tapfere (1072–1109), König von León (seit 1065) und von Kastilien (seit 1072), * Juni 1040, † Toledo 30. 6. 1109; eroberte 1085 Toledo. Sein Zeitgenosse war der → Cid.

5) A. VIII., König von Kastilien (1158–1214), * Soria 11. 11. 1155, † bei Arévalo (Prov. Ávila) 6. 10. 1214; besiegte mit anderen christl. Herrschern die Mauren 1212 entscheidend bei Las Navas de Tolosa.

6) A. X., der Weise, König von Kastilien und León (1252–82), * Toledo 26. 11. 1221, † Sevilla 4. 4. 1284; wurde 1256 als Enkel Philipps von Schwaben zum dt. Gegenkönig gewählt, kam aber nie nach Dtl. 1262 nahm er das maur. Cádiz ein. 1282 wurde er von seinem Sohn abgesetzt. A. war einer der gelehrtesten Fürsten des MA.; er förderte Dichtung, Himmelskunde (→ Alfonsinische Tafeln), Geschichtsschreibung; veranlasste eine umfangreiche Gesetzessammlung.

Portugal: **7) A. I., der Eroberer** (1139–85), * Guimarães 1107/11, † Coimbra 6. 12. (?) 1185; setzte die Unabhängigkeit von Kastilien-León durch, eroberte 1147 Lissabon.

8) A. V., der Afrikaner (1438–81), * Sintra 15. 1. 1432, † ebd. 28. 8. 1481; setzte die afrikan. Entdeckungsfahrten Heinrichs des Seefahrers fort, eroberte 1471 Tanger.

Algarve: Brandungssteilküste westlich von Albufeira

Spanien: **9) A. XII.** (1874–85), * Madrid 28. 11. 1857, † Schloss El Pardo 25. 11. 1885; Sohn Isabellas II., beendete 1876 den 3. Karlistenkrieg (→ Karlisten).

10) A. XIII. (1886–1931), * Madrid 17. 5. 1886, † Rom 28. 2. 1941, nachgeborener Sohn von 9). Bis 1902 führte seine Mutter, die österr. Erzherzogin Maria Christina, die Regentschaft. A. ermutigte 1923 General Primo de Rivera zur Errichtung der Diktatur, ließ ihn aber 1930 fallen. Nach Ausrufung der Republik (1931) ging A. ins Exil und dankte 1941 zugunsten seines Sohnes Juan ab.

Alfonsín, Raúl, argentin. Politiker, * Chascomús (Prov. Buenos Aires) 12. 3. 1927; Rechtsanwalt, als Kandidat der »Radikalen Bürgerunion« (span. Abk. UCR) 1983 zum Staatspräs. gewählt, 1989 vorzeitig zurückgetreten (neuer Präs. C. S. Menem).

Alfonsinische Tafeln, auf Anordnung Alfons' X. von Kastilien um 1252 hergestellte Tabellen zur Berechnung der Örter der Sonne, des Mondes und der damals bekannten fünf Planeten.

Alfred der Große, eigtl. Aelfred, angelsächs. König (871–899), * Wantage (Berkshire) 848 oder 849, † 26. 10. 899; drängte in langen Kämpfen die Dänen zurück (886 Eroberung Londons), ließ die angelsächs. Gesetze sammeln, übersetzte mit gelehrten Helfern theolog. und geschichtl. Werke ins Englische; Beginn der engl. Prosa.

Alfred-Wegener-Institut für Polar- und Meeresforschung, Abk. **AWI,** 1980 in Bremerhaven gegründete →Großforschungseinrichtung zur wiss. Erforschung der Polargebiete.

a(l) fresco [italien. »aufs Frische«], →Freskomalerei.

Alfvén [al've:n], Hannes, schwed. Physiker, *Norrköping 30. 5. 1908, †Djursholm (bei Stockholm) 2. 4. 1995; begründete die Magnetohydrodynamik **(A.-Wellen),** erhielt dafür 1970 den Nobelpreis für Physik (mit L. E. F. Néel).

Algardi, Alessandro, italien. Bildhauer und Architekt, *Bologna 31. 7. 1598, †Rom 10. 6. 1654; neben G. L. Bernini Hauptmeister der röm. Barockskulptur.

Algarve, südlichste der histor. Provinzen Portugals, heute identisch mit dem Distrikt Faro. Der größte Teil der Bev. lebt in Küstennähe. Die 60–80 m hohe, buchtenreiche Steilküste flacht sich gegen O zunehmend ab. Bes. Fischfang und -verarbeitung, Korkverarbeitung, Meersalzgewinnung, Landwirtschaft sowie Fremdenverkehr.

Algazel [-'ze:l] (al-Ghasali), →Ghasali.

Algebra [arab.] *die,* Teilgebiet der Mathematik, im klass. Sinn die Lehre von den Lösungsmethoden **algebraischer Gleichungen.** Für lineare und quadrat. Gleichungen waren Lösungen schon im Altertum bekannt, im 16. Jh. fand man die Lösungen der Gleichungen 3. und 4. Grades. Der Fundamentalsatz der A. »Jede algebraische Gleichung *n*-ten Grades besitzt genau *n* Lösungen« wurde 1799 von C. F. Gauß bewiesen. In der modernen Mathematik versteht man unter A. die Untersuchungen **algebraischer Strukturen** wie →Gruppe, →Ring, →Körper und ihrer Verknüpfungen. Begriffe und Methoden der A. werden z. B. in der theoret. Physik, bes. in der Quantentheorie, angewendet.

algebraische Kurve, die Menge aller Punkte, deren kartes. Koordinaten durch eine algebraische Gleichung gegeben sind, z. B. die Kegelschnitte.

algebraische Zahl, jede komplexe oder reelle Zahl, die sich als Lösung einer algebraischen Gleichung einer Variablen mit ganzzahligen Koeffizienten ergibt.

Algeciras [alxe'θiras], Hafen- und Garnisonstadt in Andalusien, Prov. Cádiz, Spanien, an der vom Gibraltarfelsen beherrschten Bucht von A., 102 100 Ew.; Erdölraffinerie, Stahlwerk; Seebad; Autofähren nach Ceuta und Tanger. – A. bestand schon in pun. und röm. Zeit, war in maur. Zeit wichtiger Hafen. 1906 tagte hier die **A.-Konferenz** über die Marokkofrage.

Algen [lat.], artenreiche und vielgestaltige Pflanzengruppe, ein- bis vielzellig, verschieden gefärbt, meist autotroph und im Wasser lebend: **Grün-A., Gold-A., Kiesel-A., Braun-** und **Rot-A.** Die **Blau-A.** haben keinen echten Zellkern. Die meisten A. enthalten Chlorophyll, das von anderen Farbstoffen überdeckt sein kann. Verschiedene Meeres-A. dienen zur Gewinnung von Jod, Brom, Karrageen u. a., manche Grün-A. (so Chlorella) zur Erzeugung von Eiweiß. A. sind wichtig für die Selbstreinigung der Gewässer und die biolog. Abwasserreinigung. Vorkommen seit dem Präkambrium.

Algen

Als Cortés im 16. Jahrhundert nach Mexiko kam, staunte er über die Ernte eines grünen Schlamms: Was die Azteken da aus den Seen einsammelten und als Nahrung zubereiteten, war die Schraubenalge Spirulina aus der Familie der Grünalgen. Auch am Nordufer des Tschadsees wird sie gesammelt und gegessen. Diese Spirulinae enthalten rund 60–70 % Protein und wichtige Spurenelemente; zudem gehören sie zu den wenigen Pflanzen, die Vitamin B12 in großen Mengen produzieren, das Vierfache etwa von Kalbsleber. Sie können bei einer Jahresernte von 50 t/ha rund 30 t Protein liefern, was etwa dem Sechzigfachen des Sojaproteinertrags entspricht. Trotzdem spielen Algen für die Ernährung bislang keine überragende Rolle, sieht man einmal ab von traditionellen Verbraucherländern wie Japan, wo verschiedene Arten verzehrt werden: Im durchschnittlichen Haushaltsbudget bilden sie dort sogar einen größeren Posten als Tee. Der Westen verwendete bislang eher Algenextrakte wie Agar-Agar in der Lebensmittelindustrie.

Algenpilze (Phycomyceten), niedere Pilze mit Thalli (Lagern) in Form blasiger Einzelzellen oder nicht septierter Hyphen (Pilzfäden).

Hannes Alfvén

Algeri|en (arab. Al-Djazair, amtl. Al-Djumhurijja al-Djazairijja al-Dimukratijja ash-Shabijja, dt. Demokrat. VR Algerien), arab. Staat in Afrika, grenzt im NW an Marokko, im äußersten W an Westsahara, im SW an Mauretanien und Mali, im SO an Niger, im O an Libyen und Tunesien.

Staat und Recht: Nach der Verf. vom 23. 2. 1989 ist A. eine präsidiale Rep. mit Mehrparteiensystem; der Islam ist Staatsreligion. Staatsoberhaupt und Oberbefehlshaber der Streitkräfte ist der auf fünf Jahre direkt gewählte Präsident. Die Reg. unter Vorsitz des MinPräs. ist dem Parlament verantwortlich. Die Legislative liegt bei der Nat. Volksversammlung (430 Abg., für fünf Jahre gewählt). Im Jan. 1992 übernahm nach Rücktritt des Präs. das Hohe Staatskomitee (fünf Mitgl.) als interimist. Staatsoberhaupt dessen Rechte und Befugnisse und löste das Parlament auf. Seit 1994 sind wichtige Aufgaben in die Hände von Interimsorganen gelegt: Der für drei Jahre ernannte Staatspräs. besitzt weitreichende Vollmachten, ein Nat. Übergangsrat mit 190 Mitgl. fungiert als Ersatzparlament. Eine neue Verf. soll zur Lösung der innenpolit. Krise beitragen. A. ist in 48 Bezirke (Wilajat) mit beschränkter Selbstverw. gegliedert, an deren

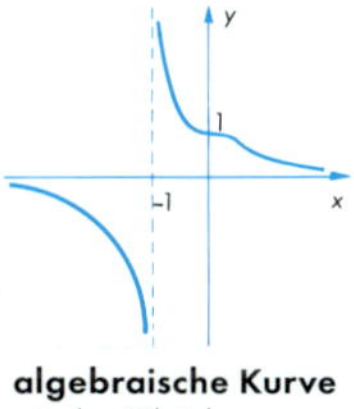

algebraische Kurve
mit der Gleichung
$yx^3 + y - 1 = 0$

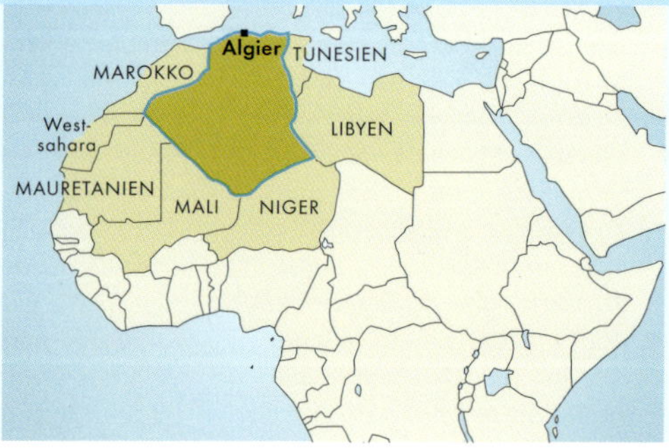

Algerien

Fläche: 2 381 741 km^2
Einwohner: (1995) 27,94 Mio.
Hauptstadt: Algier
Verwaltungsgliederung: 48 Wilayat
Amtssprache: Arabisch
Nationalfeiertage: 5. 7. und 1. 11.
Währung: 1 Alger. Dinar (DA) = 100 Centimes (CT)
Zeitzone: MEZ

Staatswappen

DZ

Internationales Kfz-Kennzeichen

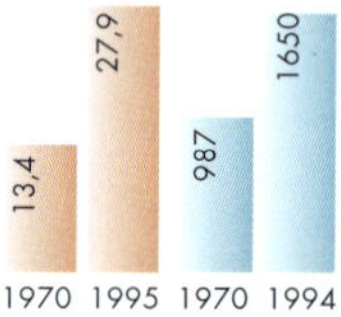

Bevölkerung (in Mio.)

Bruttosozialprodukt je Ew. (in US-$)

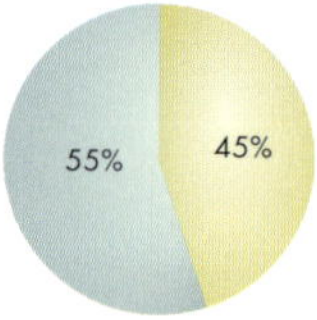

Stadt
Land

Bevölkerungsverteilung 1994

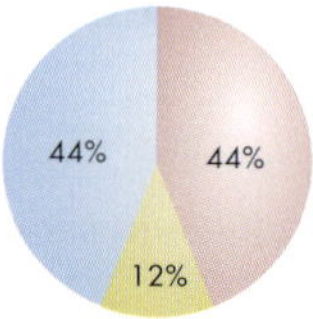

Industrie
Landwirtschaft
Dienstleistung

Bruttoinlandsprodukt 1994

Spitze der Zentralregierung unterstellte Präfekten und Exekutivräte stehen. Einflussreichste Parteien sind die Islam. Heilsfront (FIS, im März 1992 verboten), die Front der Sozialist. Kräfte (FFS) und die Nat. Befreiungsfront (FLN).

Landesnatur: A. reicht von der westl. Mittelmeerküste bis in die zentrale Sahara. Nord-A., mit mediterranem Klima, gliedert sich zonal in die Küstenebene am Mittelmeer und den anschließenden Tellatlas mit mehreren Gebirgsketten (bis 2308 m ü. M.) und Becken, den agrar. Gunstraum des Landes, sowie in das Hochland der Schotts und den bis 2328 m hohen Saharaatlas, die wesentlich niederschlagsärmer sind und hauptsächlich der Weide- und Alfagraswirtschaft dienen. Süd-A. mit extrem trockenem Klima umfasst den alger. Anteil an der Sahara (rd. 80% der Staatsfläche). Dieser besitzt ausgedehnte Dünen- (Großer Westl. Erg, Großer Östl. Erg), Feinkies- (Serire) und Felsschuttgebiete (Hammadas), im Ahaggar auch ein ausgedehntes Hochgebirge (bis 2918 m ü. M.).

Bevölkerung: In Nord-A. leben 95% der Bev., die sich aus Arabern (etwa 83%) und Berbern (17%) zusammensetzt; weiterhin etwa 113000 Europäer. 99% sind Muslime, 0,4% kath. Christen; 43% der Bev. über zehn Jahre sind Analphabeten. Es besteht 9-jährige allg. Schulpflicht vom 6.–15. Lebensjahr. A. besitzt neun Universitäten. Das Bev.wachstum liegt mit 2,6% sehr hoch.

Wirtschaft, Verkehr: A. ist einer der wichtigsten Ind.staaten der arab. Welt. Seit der Unabhängigkeit (1962) werden große Anstrengungen unternommen, die wirtsch. Entwicklung durch Industrialisierung, Agrarreformen und die Nutzung der Erdöl- und Erdgasvorkommen voranzutreiben. Das Wirtschaftssystem ist von einem starken Staatssektor geprägt, der 80% der Ind.produktion erwirtschaftet. Der bedeutendste Ind.zweig ist die staatlich kontrollierte Erdöl- und Erdgaswirtschaft. Arzew und Skikda sind Hauptzentren der petrochem. Ind. mit Erdölraffinerien, Erdgasverflüssigungsanlagen und Düngemittelfabriken. Auf der Grundlage einer kapitalintensiven Eisen- und Stahlind. (seit 1969 El-Hadjar-Komplex bei Annaba) wurden vielfältige Metall verarbeitende Unternehmen gegr. (z. B. Walz- und Hüttenwerke, Waggonfabrik). Weitere wichtige Wirtschaftsbereiche sind Bau-, Nahrungs- und Genussmittel-, Holz- und Papier- sowie Textil- und Bekleidungsindustrie, Kunsthandwerk. Nur etwa 18% der Staatsfläche sind landwirtschaftlich nutzbar (3% Äcker und Gärten, 15% Steppenweiden); Anbau von Frühgemüse, Getreide, Wein, Ölbäumen, Südfrüchten, in den Oasen Dattelpalmen. Viehzucht: bes. Schafe und Ziegen. Forstwirtschaft: Korkgewinnung. – Bodenschätze: Größte Bedeutung haben die Erdöl- und Erdgasgewinnung (die alger. Reserven werden auf 3000 Mrd. m^3 geschätzt, eines der größten Vorkommen der Erde) in der Sahara, mehrere Pipelines führen zu den Häfen; Flüssiggasexport in Spezialtankern. Erdöl- und Erdgasausfuhren tragen 95% zum Exportwert bei. Weitere Bergbauprodukte: Phosphate, Eisenerz, Zinkerz, Bleierz, Kupfererz, Quecksilber, Uranerz, Kieselgur, Schwerspat; nicht erschlossene Vorkommen an Mangan, Antimon, Bauxit, Wolfram und Zinn. – Außenhandel: Hauptausfuhrgüter sind Erdöl und Erdgas; weiterhin Phosphate und Eisenerz; Wein, Zitrusfrüchte, Datteln. Eingeführt werden v. a. Maschinen und Fahrzeuge, elektrotechn. Produkte, Nahrungsmittel. Haupthandelspartner: Frankreich, Dtl., Italien, die USA. – Verkehr: Im industrialisierten N dichtes Bahn- (insgesamt 4733 km; Normal- und Schmalspur) und Straßennetz (rd. 80000 km, davon 48311 km befestigt, vier Straßen in die Sahara). Häfen: Algier, Annaba (v. a. für Phosphate und Eisenerz), Oran (v. a. für Agrarerzeugnisse), Arzew und Bejaïa (v. a. für Erdöl und Erdgas). Internat. Flughäfen: Algier, Oran, Annaba, Constantine, Tlemcen.

Geschichte: Im Altertum röm. Provinz (Numidien und Mauretanien), 429–534 unter den Wandalen, dann unter Byzanz, im 7. Jh. von den Arabern erobert (gewaltsame Islamisierung der Berber). Seit 1509 span. Eroberungsversuche, seit 1519 osman. Oberherrschaft; 16.–19. Jh. Seeräuberstaat

(Barbaresken). 1830–47 von Frankreich erobert (erst 1871 militärisch unter Kontrolle); Angliederung weiterer Saharagebiete 1899–1902.

1925 gründete Messali Hadj die erste Unabhängigkeitsbewegung. F. Abbas forderte 1943 die Autonomie A.s innerhalb des frz. Staates. Am 1. 11. 1954 löste die →FLN um M. A. Ben Bella einen Aufstand aus (von der Arab. Liga unterstützt). Zugeständnisse der frz. Regierung an die Aufständischen führten am 13. 5. 1958 zu einem Armeeputsch gegen die frz. Vierte Republik (→Frankreich, Geschichte). Gegen den Widerstand hoher Generäle (u.a. R. Salan) und der →OAS schloss Präs. C. de Gaulle 1962 mit der Provisor. Alger. Regierung das Abkommen von Évian, das A. die volle Unabhängigkeit gewährte.

Unter Führung von Ben Bella, 1962/63 Min.-Präs., seit 1963 Staatspräs., formierte sich die FLN als Einheitspartei. Nach einem Putsch (1965) übernahm Oberst H. Boumedienne die Staatsführung (seit 1977 Staatspräs.). Unter dem Leitgedanken des »islam. Sozialismus« setzte er das von Ben Bella begonnene Verstaatlichungsprogramm fort und forcierte seit Beginn der 70er-Jahre die Industrialisierung. Seit 1976 entwickelte sich mit Marokko ein Konflikt um →Westsahara. Boumediennes Nachfolger Chadli Bendjedid (1978–92) setzte nach blutigen Auseinandersetzungen 1988 einen Reformprozess in Gang (v.a. Einführung eines Mehrparteiensystems). 1990 kehrte Ben Bella aus 10-jährigem Exil zurück (vorher ohne Prozess in Haft).

Die im Sept. 1989 legalisierte fundamentalist. Islam. Heilsfront (FIS) erstarkte zusehends und errang in den ersten freien Parlamentswahlen vom 26. 12. 1991 einen Wahlsieg. Nach Annullierung dieser Wahlen und dem Rücktritt von Staatspräs. Chadli Bendjedid übernahm ein Hohes Staatskomitee am 14. 1. 1992 unter Vorsitz von M. Boudiaf die Macht, das am 9. 2. 1992 den Ausnahmezustand verhängte, die FIS verbot (März 1992), Internierungslager errichtete, Wahlen versprach und wirtsch. Reformen ankündigte. Nach der Ermordung Boudiafs übernahm am 29. 6. 1992 Ali Kafi, am 30. 1. 1994 L. Zéroual den Vorsitz des Hohen Staatskomitees. Die Auseinandersetzungen zw. dem im Untergrund aktiven FIS und der Staatsmacht weiteten sich zu einem blutigen Bürgerkrieg aus; radikale Islamisten richten sich systematisch mit Mordanschlägen gegen Intellektuelle, Journalisten und Christen; durch Attentate auf Ausländer und durch Flugzeugentführungen suchen sie darüber hinaus den inneralger. Konflikt zu internationalisieren. Bei Präsidentenwahlen im Nov. 1995 bestätigte die Bev. Zéroual im Amt. Im April 1999 wurde der ehem. Außenminister Abdelaziz Bouteflika zu seinem Nachfolger gewählt. Er verabredete im Juni 1999 mit dem militär. Flügel der FIS einen Gewaltverzicht.

📖 Strelocke, H.: *A. Kunst, Kultur u. Landschaft.* Köln [5]1990. – Scholl-Latour, P.: *Aufruhr in der Kasbah. Krisenherd A.* Taschenbuchausg. München [2]1994. – Ruhe, E.: *A.-Bibliographie. Dtl., Österreich, Schweiz 1962–1994.* Wiesbaden [2]1995. –

Algerien - Wirtschaft

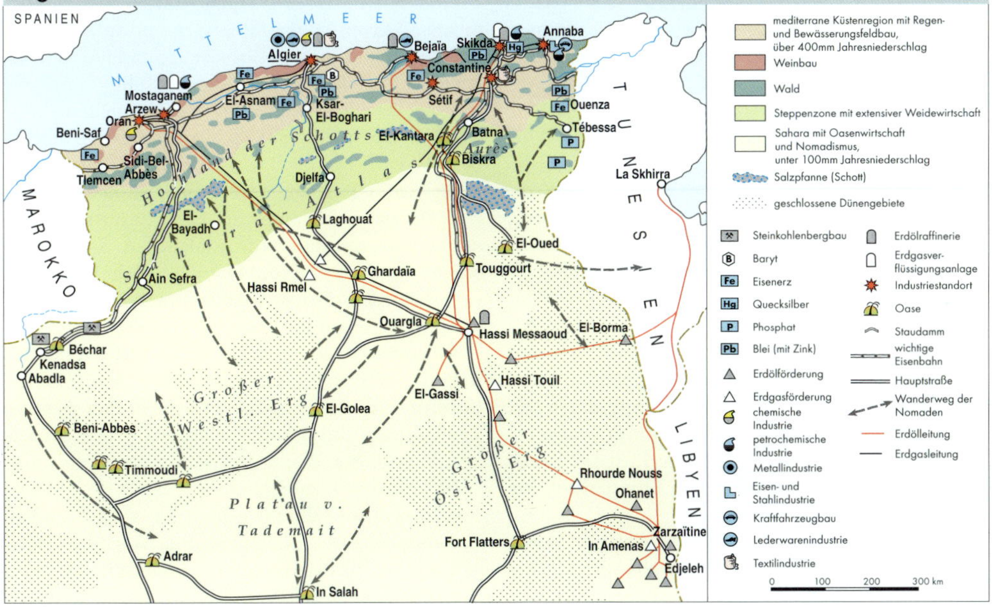

ARNOLD, A.: *A. Eine frühere Siedlungskolonie auf dem Weg zum Schwellenland. Mit einem Anh. v.* D. BLOCH: *Fakten – Zahlen – Übersichten. Gotha 1995.* – HELLER, C.: *Die Außenpolitik der Demokratischen Volksrepublik A. 1979 bis 1992. Eine Untersuchung der Ära Chadli am Beispiel der Außenbeziehungen A.s. Marburg 1995.* – HERZOG, W.: *A. Zwischen Demokratie u. Gottesstaat. München 1995.*

Algier Stadtwappen

Algier ['alʒi:r] (frz. Alger, arab. El-Djesair), Hptst., Kultur- und Wirtschaftszentrum sowie wichtigster Hafen Algeriens, 2,17 Mio. Ew. (Agglomeration); zwei Univ. (gegr. 1879 bzw. 1974), Forschungsinstitute, Museen; chem., Textil-, Metall-, Lederind. u.a.; internat. Flughafen in Dar-el-Beïda. – Die Altstadt wird beherrscht von der Kasba, der ehem. Burg (16. Jh.). – A., um 950 von den Arabern gegr., war 1830–1962 französisch.

Algier: Die Hafenstadt mit dem Boulevard de la République

Alginsäure, stärkeähnl., wenig wasserlösl. Kohlenhydrat aus Braunalgen. Die Salze **(Alginate)** bilden mit Wasser hochviskose Lösungen oder Gele. Verwendung: Verdickungsmittel, kosmet. und Lebensmittelind., Klebstoffe, Appreturen, für elast. Abdruckmassen, chirurg. Nähfäden.

Algizide, Algenbekämpfungsmittel, z.B. für Haushalte oder Badeeinrichtungen, etwa Chlorkalk.

Alicante 2) Stadtwappen

Algoa Bay, Bucht an der SO-Küste des Kaplandes, Rep. Südafrika, Hafenstadt: Port Elizabeth.

Algol [arab. »Medusenhaupt«] *der, Astronomie:* der Stern β im Sternbild Perseus, dessen Helligkeit zw. 2^{m},2 und 3^{m},5 schwankt; um 1670 als →Bedeckungsveränderlicher erkannt. – Prototyp der **A.-Sterne,** die zwei kugelförmige Komponenten und eine Lichtwechselperiode von 2–5 Tagen haben.

ALGOL, Abk. für engl. **algo**rithmic **l**anguage, eine problemorientierte →Programmiersprache.

Algolagnie [grch.] *die,* sexuelle Lust am Zufügen und Erleiden von Schmerz; Oberbegriff für Sadismus und Masochismus.

Algonkin, große indian. Sprachfamilie in Nordamerika; bes. im NO, O und Mittelwesten. (→Indianer)

Algonkium [nach dem Land der Algonkin] *das,* frühere Bez. für →Proterozoikum.

Algorithmus [grch.] *der,* Folge von exakten Arbeitsanweisungen zum Lösen einer Rechenaufgabe in endlich vielen, eindeutig festgelegten Schritten. Jede mit einem A. lösbare Aufgabe kann prinzipiell auch von einem Rechenautomaten gelöst werden.

Alhambra [arab. »die Rote«] *die,* im 13. und 14. Jh. erbauter Palast der maur. Könige in Granada, Spanien; eine der großartigsten Schöpfungen islam. Baukunst (UNESCO-Weltkulturerbe).

Alhazen, lat. Namensform für den arab. Naturforscher Ibn al-Haitham (→Haitham).

Ali (A. Ibn Abi Talib), der 4. Kalif (seit 656), *Mekka um 600, †(ermordet) Kufa 24. 1. 661; Vetter und Schwiegersohn Mohammeds (⚭ mit dessen Tochter Fatima), bekämpfte während seiner kurzen Regierung innere Gegner, u.a. →Aischa. Die Schiiten erkennen nur ihn und seine Nachfolger **(Aliden)** als rechtmäßige Nachfolger Mohammeds an. (→Imam)

Alianza Popular Revolucionaria Americana [span.], Abk. **APRA,** polit. Bewegung in Lateinamerika, von →Haya de la Torre 1924 gegr., setzt sich u.a. für Landreformen und die Eingliederung der Indianer in die Gesellschaft ein; gewann bes. in Peru große Bedeutung.

alias [lat.], anders, auch ... genannt.

Alibi [lat. »anderswo«] *das,* der bes. im Strafprozess bedeutsame Nachweis der Abwesenheit vom Tatort zur Tatzeit.

Alicante, 1) Provinz im Land Valencia, Spanien, 5817 km², (1991) 1,29 Mio. Einwohner.

2) (katalan. Alacant), Hptst. von 1), 267500 Ew.; Sitz des Europ. Markenamtes; chem. Ind., Maschinenbau, Aluminiumverarbeitung; Fischereihafen; Ausfuhr von Wein, Südfrüchten, Frühgemüse, Öl u.a.; Seebad; Hafen und internat. Flughafen.

Alice Springs ['ælɪs sprɪŋz], austral. Stadt im Northern Territory, im Mittelpunkt des Kontinents, am S-Fuß der Macdonnell Ranges, 24900 Ew.; Wüstenforschungsinst., Leichtindustrie. Endpunkt der Bahnlinie von Adelaide. A. S. liegt am Stuart Highway (von Darwin nach Adelaide, 1486 km); Flughafen. – 1872 unter den Namen **Stuart** als Telegrafenstation gegründet.

Aligarh, Stadt im Bundesstaat Uttar Pradesh, Indien, im Gangestiefland, 480000 Ew. Die A. Muslim University (1921 gegr.) ist das geistige Zentrum des ind. Islam; Großmolkerei, Schlachthof; Textil-, Metallind.; Bahnknotenpunkt.

Alighieri, →Dante Alighieri.

Alignement [aliɲə'mã, frz.] *das,* **1)** *Astronomie:* Verbindungslinie zw. markanten Sternen, deren (gedachte) Verlängerung zu anderen, aufzusuchenden Sternen führt.

2) *Vorgeschichte: Pl.,* parallel zueinander stehende Reihen (Alleen) von Menhiren. (→Carnac)

alimentär [lat. alimentum »Nahrung«], durch die Ernährung bedingt. **alimentäre Intoxikation,** ernährungsbedingte Vergiftung, z.B. beim Säugling, meist mit Brechdurchfall verbunden.

Alimente [lat. »Nahrung«], Unterhaltsbeiträge, bes. die auf gesetzl. →Unterhaltspflicht beruhenden, z.B. die des Vaters für das nichtehel. Kind.

Aliphaten [grch.] (aliphatische Verbindungen), alle organ. Verbindungen, die sich nur von offenkettigen (linearen oder verzweigten) Kohlenwasserstoffen ableiten, z.B. Fette, Öle, Benzin, Äthanol, Essigsäure.

Alişar Hüyük [aliˈʃar-], Ruinenhügel in Zentralanatolien, rund 130 km nördlich von Kayseri, Türkei; Siedlungsschichten seit dem Ausgang der Jungsteinzeit bis zur Bewohnung durch Hethiter und Phryger.

Alitalia (Linee Aeree Italiane SpA.), staatl. italien. Luftverkehrsgesellschaft, gegr. 1946. (ÜBERSICHT Luftverkehrsgesellschaften)

Alitieren [Kw.] (Calorisieren), Erzeugen einer aluminiumhaltigen Oberflächenschicht auf Eisen und Stahl durch Diffusionsglühen bei Temperaturen von etwa 800 °C; Schutz v.a. gegen Verzundern (→Aluminieren).

Alizarin [span.] *das,* roter Beizenfarbstoff aus den Wurzeln der Färberröte (Krapp); heute synthetisch aus Anthrachinon hergestellt. Nach Verlackung mit Aluminiumsalzen entsteht ein leuchtend roter **(Türkischrot),** mit Eisensalzen ein violetter und mit Chromsalzen ein brauner Farblack. Diese **Krapplacke** spielten früher in der Textilfärberei eine wichtige Rolle.

alizyklische Verbindungen (alicyclische Verbindungen), *Chemie:* aliphat. Verbindungen, deren Kohlenstoffketten zu Ringen geschlossen sind.

Aljochin (Alechin), Alexander Alexandrowitsch, russ. Schachspieler, *Moskau 1. 11. 1892, †Estoril (bei Lissabon) 24. 3. 1946; war 1927–35 und 1937–46 Weltmeister.

Alkahest [arab.] *der* oder *das,* in der Spätform der Alchimie eine angeblich alle Stoffe lösende Flüssigkeit.

Alkaios (Alkäus), grch. Dichter aus Mytilene auf Lesbos, um 600 v. Chr.; neben →Sappho bedeutendster äolischer Lyriker.

alkäische Strophe, nach Alkaios benanntes vierzeiliges, antikes Odenmaß (zwei Elfsilbler, ein Neunsilbler, ein Zehnsilbler); wurde von Horaz verwendet und auch in Dtl. nachgebildet (F. G. Klopstock, L. Ch. H. Hölty, F. Hölderlin u.a.).

Alkalde (Alcalde) [span. aus arab.] *der,* Friedensrichter, Bürgermeister in Spanien.

Alkali|en [arab. al-qāly »Pottasche«], Substanzen, deren wässrige Lösungen alkal. Reaktion zeigen, bitter schmecken und die Haut reizen. Heute spricht man meist von →Basen. A. sind v.a. die Hydroxide der Alkali- und Erdalkalimetalle sowie Ammoniumhydroxid. Ihrer stark ätzenden Eigenschaft wegen nennt man Natrium und Kalium auch Ätz-A. oder kaust. A. (Ätznatron, NaOH, und Ätzkali, KOH). Die Carbonate der Alkalimetalle heißen milde Alkalien.

Alhambra: Der Löwenhof mit den ihn umgebenden Gebäuden des Haremwohntrakts (14. Jh.)

Alkali-Mangan-Zelle, Primärelement (-zelle) mit einer Nennspannung von 1,5 V. Die Elektroden bestehen aus Mangandioxid und Zink, Elektrolyt ist Kaliumhydroxid. (→Batterie)

Alkalimetalle, die einwertigen Metalle Lithium, Natrium, Kalium, Rubidium, Cäsium und Francium.

Alkalimetrie *die,* Bestimmung der Konzentration von Basen mit Säuren bestimmter Konzentration (→Maßanalyse).

alkalische Reaktion (basische Reaktion), chem. Reaktion in wässriger Lösung, wenn die Konzentration der Hydroxidionen (OH^-) höher ist als die der Hydrogeniumionen (H_3O^+). Alkalisch reagierende Lösungen haben einen pH-Wert größer als 7 und färben rotes Lackmuspapier blau. Ggs.: saure Reaktion.

Alkaloide, organ. Basen, die von ringförmigen stickstoffhaltigen Verbindungen abstammen. Sie sind in bestimmten Pflanzen, z.B. Nachtschatten-, Mohn-, Hahnenfußgewächsen, Kaffee- und Chinarindenbaum, enthalten. Einige der A. gehören zu den stärksten Giften und dienen gleichzeitig bei sachgemäßer Anwendung als Heilmittel. Sie wirken teils betäubend, wie die Opium-A. und das Kokain, teils krampferregend, wie Thebain und Strychnin. Wichtige A. sind: Akonitin, Atropin, Brucin, Chinin, Kokain, Codein, Koffein, Colchi-

Alitalia

cin, Ergotamin, Heroin, Lysergsäure, Morphin, Nicotin, Scopolamin, Strychnin.

Alkalọse *die,* eine Verschiebung des Säure-Basen-Gleichgewichts im Blut nach der alkal. Seite; Ggs.: →Azidose.

Alkạmenes, grch. Bildhauer der 2. Hälfte des 5. Jh. v. Chr., Schüler des Phidias. Von seinen Werken ist die Marmorgruppe »Prokne und Itys« auf der Akropolis von Athen erhalten.

Plutarch schildert in seiner Biographie des **Alkibiades** *(Abschnitt 16) das öffentliche Auftreten seines Helden: »... seine Geldspenden, die prachtvollen Schauspiele, die er gab, seine von keinem übertroffene Freigebigkeit gegen die Stadt, der Ruhm seiner Vorfahren, seine hinreißende Beredsamkeit, seine schöne Bildung, seine mit Tapferkeit und Erfahrung im Kriegswesen verbundene Stärke, alles dies machte, dass die Athener jedes andere übersahen, seine Fehler gelassen ertrugen und sie mit den gelindesten Namen lustiger Streiche oder Ausbrüche einer fröhlichen Laune belegten.«*

Alkạne (Paraffine), Sammelname für die gesättigten aliphat. →Kohlenwasserstoffe der Summenformel C_nH_{2n+2}. Die geradkettigen A. werden als **n-A. (Normal-A.),** die verzweigten als **i-A. (Iso-A.)** bezeichnet. **Cyclo-A.** sind ringförmige A. mit der allg. Summenformel C_nH_{2n} (→Cyclohexan). Bei Raumtemperatur und Atmosphärendruck sind A. bis zu vier C-Atomen gasförmig, von 5 bis 16 C-Atomen (Hexadecan) flüssig und mit einer noch höheren C-Zahl wachsartig fest. Die A. werden mit der Endung **-an** im Namen gekennzeichnet, z. B. Methan (CH_4), Äthan (C_2H_6), Propan (C_3H_8), Butan (C_4H_{10}). – Vom Butan an existieren mehrere Isomere (→Isomerie). Als wesentl. Bestandteil von Erdgas und Erdöl dienen A. als Brenn- und Kraftstoffe, Lösungsmittel und Rohstoffe für die →Petrolchemie. **n-A.** sind wichtige Ausgangsstoffe für die Herstellung biologisch abbaubarer Waschrohstoffe.

Alkạnnawurzel [italien., von arab. al-ḥinnā »Henna«] (Alkanna tinctoria), staudiges, blau blühendes Borretschgewächs des östl. Mittelmeerbereichs. Mit dem **Alkannarot (Alkannin)** der Wurzel färbt man u. a. Öle, Wachse, Pomaden, Leder.

Alkäus, →Alkaios.

Alkạzar, →Alcázar.

Ạlken [schwed.] (Alcidae), Familie meerbewohnender, den Möwen verwandter Schwimmvögel der N-Halbkugel, die tauchend fischen und unter Wasser nur die Flügel bewegen. Zur Brutzeit sind die A. gesellig. Fast alle A. legen nur je ein Ei. Wichtige Arten: **Tordalk, Riesenalk** (Anfang des 19. Jh. ausgestorben), **Trottellumme,** Brutvogel Helgolands; **Papageitaucher,** mit buntem Schnabel; **Krabbentaucher,** in der Arktis brütend.

Alken: Papageitaucher (Größe 30 cm)

Alkẹne (Olefine), ungesättigte aliphat. →Kohlenwasserstoffe mit einer Doppelbindung und der allg. Summenformel C_nH_{2n}. Verbindungen mit mehreren Doppelbindungen werden **Alkadiene** (Diene), **Alkatriene** oder allg. →Polyene genannt. Die Namen der A. werden aus dem Wortstamm der entsprechenden →Alkane und der Endsilbe **-en** gebildet. Bekannte Glieder: Äthen (Äthylen, C_2H_4), Propen (Propylen, C_3H_6), Buten (Butylen, C_4H_8). – Kurzkettige A. sind wichtige Zwischenprodukte der →Petrolchemie. A. lassen sich auch u. a. durch →Dehydratisierung von Alkoholen und →Dehydrierung von Alkanen herstellen.

Alkẹstis (Alkeste), *grch. Mythos:* Gemahlin des Admetos, die freiwillig anstelle ihres dem Tode verfallenen Gatten starb; sie wurde von Herakles aus dem Hades befreit. Schauspiel von Euripides, Opern von Händel (1727), Gluck (1767) u. a.

Alkibịades, athen. Staatsmann und Feldherr, * Athen um 450 v. Chr., † Melissa (Phrygien) 404 v. Chr.; Schüler des Sokrates, in Platons »Gastmahl« charakterisiert. Er setzte 415 den Beschluss zur →Sizilischen Expedition durch, floh, eines Frevels an den Mysterien angeklagt, nach Sparta und 412 zu dem pers. Statthalter Tissaphernes. Mit Athen wieder versöhnt, wurde er abermals an die Spitze des Heeres gestellt, siegte 411 über die Spartaner bei Abydos, 410 über Spartaner und Perser bei Kyzikos und kehrte 408 nach Athen zurück. Wegen der Niederlage seines Unterfeldherrn Antiochos bei Notion (407) wurde er verbannt und auf Betreiben Spartas ermordet. Biographien von Cornelius Nepos und Plutarch.

al-Kịndi, islam. Philosoph, →Kindi.

Alkịne (ältere Bezeichnung Acetylene), ungesättigte aliphat. Kohlenwasserstoffe der Summenformel C_nH_{2n-2}, die eine Kohlenstoff-Dreifachbindung enthalten. Die Namen der A. werden aus dem Wortstamm der entsprechenden →Alkane und der Endsilbe **-in** gebildet; z. B. Äthin (C_2H_2), Propin (C_3H_4), Butin (C_4H_6). Einfachster Vertreter ist das →Acetylen.

Alkịno|os, myth. König der grch. →Phäaken, Vater der Nausikaa; er nahm Odysseus gastlich auf und ließ ihn heimgeleiten; schützte auch die Argonauten.

Ạlkmaar, Stadt in der Prov. Nordholland, Niederlande, 91 800 Ew.; Käsemarkt; Metall-, Möbel- u. a. Industrie. – Zahlreiche spätgot. Bauten. – Erhielt 1254 Stadtrecht.

Alkmaionịden, altes athen. Adelsgeschlecht, das sich von dem grch. Heros **Alkmaion,** einem Urenkel des Nestor, herleitete. Die A. kämpften gegen die Tyrannis. Der A. Kleisthenes schuf die demokrat. Verfassung Athens (507 v. Chr.).

Alkman, grch. Dichter des 7. Jh. v. Chr.; Chormeister in Sparta, einer der Schöpfer grch. Chorlyrik (Hymnen, Parthenien).

Alkmene, *grch. Mythos:* Gemahlin des Amphitryon; durch Zeus Mutter des Herakles.

Alkohol [arab. al-kuḥl »(Augenschminke aus) Antimon«] *der,* i. w. S. →Alkohole, i. e. S. der Äthylalkohol (→Äthanol).

Alkoholblutprobe, →Blutprobe.

Alkohole, Derivate von aliphat. oder alizykl. Kohlenwasserstoffen, in denen ein oder mehrere Wasserstoffatome durch Hydroxylgruppen (–OH) ersetzt sind. A. sind wasserhelle Flüssigkeiten, bei höherem Molekulargewicht feste kristalline Körper. Die Namen der A. (Alkanole) werden aus denen der Alkane mit gleicher C-Anzahl und der Endsilbe **-ol** gebildet, z. B. Methanol, Äthanol. Je nach der Anzahl der OH-Gruppen im Molekül werden ein-, zweiwertige (Glykole) oder mehrwertige A. unterschieden. Bei einwertigen A. unterscheidet man – abhängig von der Stellung der OH-Gruppe im Molekül – primäre, sekundäre und tertiäre Alkohole.

Alkoholgenuss wirkt in kleinen Mengen anregend, in größeren berauschend (→Alkoholismus, →Alkoholvergiftung). Durch Einwirkung auf das Zentralnervensystem geht die Kontrolle über körperl. und geistige Fähigkeiten mit steigender Alkoholmenge immer mehr verloren. Die Alkoholwirkung ist abhängig von der Höhe der Alkoholkonzentration im Blut, individueller Verträglichkeit und Trinkgeschwindigkeit. (*Recht:* →Rauschtat)

alkoholische Getränke (Alkoholika), durch alkohol. Gärung (Wein, Bier), zusätzl. Destillation (Obst- u. a. Branntweine, Weinbrand) oder Alkoholzusatz (Liköre) gewonnene Getränke. Der Alkoholgehalt liegt i. d. R. zw. 4 Vol.-% (Bier) und 40 Vol.-% (Branntwein). – Die Herstellung a. G. war schon den Ägyptern, Babyloniern, Griechen und Römern bekannt; in Europa wird die Destillation um 1000 n. Chr. verzeichnet.

Alkoholismus (Alkoholkrankheit, Trunksucht), durch ständiges oder vermehrtes period. Trinken von Alkohol hervorgerufene Krankheit mit körperl., psych. und sozialer Schädigung. Es kann zu körperl. und seel. Abhängigkeit kommen, wobei der **Alkoholiker** unkontrolliert und zwanghaft, d. h., ohne aufhören zu können, trinkt (→Sucht). Körperl. Schäden beim A. sind vor allem chron. Entzündung der Magenschleimhaut, Leberschädigung bis zur Leberzirrhose, Nervenschäden und schwere psychiatr. Krankheitsbilder (z. B. →Delirium). Die Ursachen des A. sieht man in seelisch-körperl. Disposition, in tief greifenden emotionalen Störungen und Konflikten in früher Kindheit, die zu Fehlhaltungen, Anpassungsstörungen und Mangel an Frustrationstoleranz (Fähigkeit, Unlustspannungen zu ertragen) geführt haben, sowie in den sozialen Situationen. Auslösende Faktoren sind häufig seelisch-körperl. Belastungen. (→Entziehungskur)

Alkoholmonopol, das →Branntweinmonopol.

Alkoholometrie *die,* Ermittlung des Alkoholgehaltes in Mischungen von Alkohol und Wasser mit dem Aräometer.

Alkoholsteuern, Verbrauchsteuern auf alkoholhaltige Getränke (Biersteuer, Schaumweinsteuer, Branntweinsteuer).

Alkoholtest, →Alcotest.

Alkoholverbot, die →Prohibition.

Alkoholvergiftung, Vergiftung durch einmaligen Genuss einer großen Alkoholmenge, führt über ein Erregungs- zu einem Schlaf- und einem Narkosestadium. Der Tod kann durch Lähmung des Atemzentrums eintreten. Die ersten beiden Stadien werden meist überwunden (Kater), im Narkose- und Lähmungsfall wird ärztl. Eingreifen notwendig.

Alkor [arab.] *der* (Reiterlein), spektroskop. Doppelstern im Großen Bären, mit bloßem Auge sichtbar (»Augenprüfer«).

Alkoven [frz. aus span. von arab. al-qubbaʰ »Kuppel«] *der,* Bettnische, fensterloses Nebengemach.

Alkuin (Alcuinus), angelsächs. Theologe, * York um 730, † Tours 19. 5. 804; wurde 781 ins Frankenreich berufen, war als Leiter der Aachener Hofschule ein einflussreicher Berater Karls d. Gr.; förderte Wiss. und Kultur (karoling. Renaissance).

Alkydharze, dickölige bis zähplast. Polyester, die durch Polykondensation mehrwertiger Alkohole mit Dicarbonsäuren entstehen; dienen u. a. als Bindemittel für wetterbeständige Lacke.

Alkyl-, Bez. für einwertige →Radikale, die aus den →Alkanen durch Entfernung eines H-Atoms entstehen, z. B. Methyl ($-CH_3$), Äthyl ($-C_2H_5$), Propyl ($-C_3H_7$).

Alkylbenzolsulfonate, Salze der Alkylbenzolsulfonsäure, die als Tenside in Vollwaschmitteln verwendet werden.

Alkyone *die,* hellster Stern der Plejaden im Sternbild des Stiers.

alla breve [italien. »auf kurz«], *Musik:* Taktvorzeichen; der $^2/_2$- oder $^4/_2$-Takt, in dem die halbe Note und nicht die Viertelnote als Zählzeit gilt (Zeichen: ¢).

Allah [arab. al-ilāʰ »der Gott«], schon in der vorislamischen Religion Arabiens höchste männl. Gottheit; im Islam der von Mohammed verkündete Gott, Schöpfer und Erhalter der Welt, Richter der Menschen am Jüngsten Tag; ihm allein gebühren Anbetung und Ergebung (arab. »Islam«).

Allahabad, Stadt im Bundesstaat Uttar Pradesh, Indien, am Zusammenfluss von Yamuna und

Ganges, 806400 Ew.; bed. Wallfahrtsort der Hindus (jährl. Badefest); Univ. (gegr. 1887); vielseitige Ind., bes. Zucker- und Papierfabriken; Agrarhandelszentrum. – Die heutige Stadt und das Fort wurden 1583 vom Mogulherrscher Akbar angelegt.

Maurice Allais

Allais [a'lɛ], Maurice, frz. Wirtschaftswissenschaftler, *Paris 31. 5. 1911; erhielt 1988 für seine Arbeiten zu den mathemat. Grundlagen der Gleichgewichtstheorie sowie zur effizienten Ausnutzung der natürl. Ressourcen den Nobelpreis für Wirtschaftswissenschaften.

alla marcia [-'martʃa, italien.], *Musik:* in der Art eines Marsches.

alla prima [italien. »auf erste (Art)«], Malverfahren ohne Untermalung und Lasuren; verwendet von den frz. Impressionisten.

Allasch [nach dem Ort Allaži bei Riga] *der,* ein Kümmellikör.

Alldeutscher Verband, 1891 als überparteil. Organisation gegründete polit. Vereinigung, wollte das Nat.bewusstsein beleben, das Deutschtum im Ausland unterstützen und die dt. Kolonial-, Flotten- und Außenpolitik fördern; erhob bes. im 1. Weltkrieg annexionist. Forderungen. Nach 1918 verlor er rasch an Bedeutung; 1939 aufgelöst.

Alle *die* (poln. Łyna, russ. Lawa), linker Nebenfluss des Pregels in Polen und Russland, 289 km.

Allee [frz., eigtl. »Gang«], von hohen Bäumen dicht gesäumte Straße.

Alleghenygebirge ['ælɪgenɪ-] (Allegheny Mountains, Alleghenies), Gebirge im östl. Nordamerika, Teil der Appalachen. Höchste Erhebung ist der Spruce Knob, 1481 m ü. M. Das im W anschließende **Alleghenyplateau** ist reich an Bodenschätzen, bes. Kohle, Erdgas, Erdöl.

Allegorie [grch. allegoría »das Anderssagen«] *die,* die Verbildlichung eines abstrakten Begriffs oder Vorgangs; oft durch Verkörperung als Person, z. B. der Tod als Sensenmann. Im Unterschied zum sinnfälligen →Symbol enthält die A. eine gedanklich-konstruktive Beziehung zw. dem Dargestellten und dem Gemeinten. Als Mittel der Dichtung wurde die A. bes. in der Antike, im MA. und im Barock verwendet.

Woody Allen

allegretto [italien., Verkleinerungsform von allegro], *Musik:* mäßig lebhaft. **Allegretto,** mäßig lebhaftes Musikstück.

Allegri, Gregorio, italien. Komponist, *Rom um 1582, †ebd. 17. 2. 1652. Berühmt wurde sein neunstimmiges »Miserere«, das alljährlich in der Karwoche in der Sixtin. Kapelle gesungen wurde.

allegro [italien. »heiter«, »lustig«], *Musik:* lebhaft, rasch, ein Hauptzeitmaß, oft mit Zusätzen, z. B. **a. ma non troppo** (nicht zu sehr). **Allegro,** schneller Satz, in Sonaten, Sinfonien.

Allele [grch.], *Genetik:* paarweise einander zugeordnete Gene auf homologen Chromosomen, die sich hinsichtlich ihrer räuml. Anordnung und Funktion gleichen, durch Mutation jedoch ungleich beschaffen sein können.

Allelopathie [grch.] *die,* die gegenseitige Beeinflussung von höheren und niederen Pflanzen durch Stoffwechselprodukte, die als Gase oder in gelöster Form aus lebenden oder abgestorbenen Teilen der Pflanzen oder aus Mikroorganismen ausgeschieden werden, z. B. Äthylen aus Früchten.

Allegorie: Guiseppe Arcimboldo, »Der Winter« (1563; Wien, Kunsthistorisches Museum)

Allemande [al'mãd; frz. »deutscher (Tanz)«] *die,* im 16.–18. Jh. Tanzsatz v. a. in geradem Takt und zweiteiliger Form: Gesellschaftstanz und einzelnes Instrumentalstück sowie häufig Bestandteil der Suite.

Allen [grch.] *das,* (Propadien), einfachste Verbindung aus der Gruppe der →Diene mit kumulierter Doppelbindung; wird als Schweiß- und Schneidgas und für organ. Synthesen verwendet.

Allen ['ælɪn], **1)** (Lough A.) Binnensee in der Cty. Leitrim, Irland.

2) (Bog of A.) größtes Torfmoorgebiet Irlands, zw. Tullamore und Dublin; Torfgewinnung, Torfkraftwerke.

Allen ['ælɪn], **1)** William Hervey, amerikan. Schriftsteller, *Pittsburgh (Pa.) 8. 12. 1889, †Miami (Fla.) 28. 12. 1949; schrieb zahlreiche histor. Romane, u. a. »Antonio Adverso (1933) der Napoleonzeit.

2) Woody, eigtl. Allen Stewart Konigsberg, amerikan. Filmregisseur, -schauspieler, Schriftsteller, *New York 1. 12. 1935; wurde mit Stücken und Filmen als Vertreter einer virtuos inszenierten kritisch-intellektuellen Komik bekannt. Filme: »Die letzte Nacht des Boris Gruschenko« (1975), »Der

Stadtneurotiker« (1977), »Manhattan« (1978), »Zelig« (1982), »The Purple Rose of Cairo« (1984), »Hannah und ihre Schwestern« (1985), »Alice« (1991), »Geliebte Aphrodite« (1996).

Allende [a'jende], Isabel, chilen. Journalistin und Schriftstellerin, *Lima 2. 8. 1942; Nichte von S. Allende Gossens, lebte 1975–88 in Venezuela, seit 1989 in den USA; schreibt Romane, u.a. die Chronik einer chilen. Familie der Oberschicht »Das Geisterhaus« (1982), ferner »Von Liebe und Schatten« (1984), »Eva Luna« (1987), »Der unendl. Plan« (1991), »Paula« (1994).

Allende Gossens [a'jende -], Salvador, chilen. Politiker (Sozialist), *Valparaiso 26. 7. 1908, †Santiago de Chile 11. 9. 1973; Arzt, Mitbegründer der Sozialist. Partei Chiles, wurde als Kandidat der Frente Revolucionario de Acción Popular (Volksfront) im Okt. 1970 zum Staatspräs. gewählt; versuchte, ein sozialist. Wirtschaftsprogramm durchzusetzen; durch einen Militärputsch gestürzt, kam dabei ums Leben.

Allendorf, Stadtteil von →Bad Sooden-Allendorf.

Allensbach, Gemeinde im Landkreis Konstanz, Bad.-Württ., am Bodensee (Gnadensee), 6800 Ew.; Sitz des Instituts für Demoskopie Allensbach; Fremdenverkehr. – A. gehörte zum Kloster Reichenau, erhielt Ende des 10. Jh. Marktrecht; kam 1803 an Baden.

Allenstein (poln. Olsztyn), Hptst. der Wwschaft Olsztyn, Polen, an der Alle, (1992) 164900 (1939: 50400) Ew.; Sitz einer landwirtsch.-techn. Akademie, Lehrerhochschule, wiss. Institute; Autoreifenfabrik, Lebensmittel-, Maschinenindustrie. – Schloss (ehem. Ordensburg) mit Kopernikusturm, kath. Pfarrkirche (15./16. Jh.), mittelalterl. Marktplatz. – A., 1348 erwähnt, erhielt 1353 Stadtrecht und kam 1466 mit dem Ermland an den König von Polen, 1772 an Preußen. 1920 stimmte A. für den Verbleib im Dt. Reich. (Bez.-Hptst. und Krst. in Ostpreußen), seit 1945 unter poln. Verwaltung; seit 1990 zu Polen.

Allentown ['ælɪntaʊn], Stadt in Pennsylvania, USA, 106400 Ew.; bildet mit Easton und Bethlehem eine Metropolitan Area und ein bed. Ind.zentrum (Stahl, Zement, Textilien); Universität.

Aller *die,* rechter Nebenfluss der Weser, entspringt in der Magdeburger Börde, mündet unterhalb von Verden (Aller), 211 km, ab Celle schiffbar.

Allergie [grch.] *die,* Zustand der erworbenen Überempfindlichkeit des Organismus gegen eine als körperfremd empfundene Substanz **(Allergen).** Die A. ist eine Sonderform der Antigen-Antikörper-Reaktion: Beim ersten Kontakt kommt es zur Antikörperbildung **(Sensibilisierung),** bei wiederholtem Allergenkontakt zur (übermäßigen) **allerg. Reaktion.** Allergene können Staub, Pollen blühender Pflanzen (bei Heuschnupfen), fremdes Eiweiß, Infektionserreger, Chemikalien (z.B. Arzneimittel-A.), Nahrungsmittel (z.B. Erdbeer-A.) u.a. sein. Die A. kann als Sofortreaktion ablaufen (z.B. beim häufig tödl. **anaphylakt. Schock** nach intravenöser Verabreichung des Allergens) oder als Spätreaktion (z.B. bei der Jod-A. nach mehrfachem Hautkontakt). Das Allergen lässt sich im **A.-Test** nachweisen und wird in den **A.-Pass** eingetragen. Eine Behandlung der A. ist durch **Antiallergika,** →Antihistaminika, Calciumsalze und Nebennierenrindenhormone möglich; vorbeugend wirkt eine →Desensibilisierung.

📖 KINON U.: *A.n. Die (un)erkannte Krankheit. Allerg. Krankheiten erkennen, behandeln, heilen. Zürich* [3]*1992.* – RANDOLPH, TH. G. *u.* MOSS, R. W.: *A.n. Folgen von Umwelt u. Ernährung. Chron. Erkrankungen aus der Sicht der klin. Ökologie. A.d. Amerikan. Heidelberg* [7]*1995.*

Isabel Allende

Salvador Allende Gossens

Allerheiligen, kath. Fest (1. 11.) zum Gedächtnis aller Heiligen (Brauchtum, →Allerseelen); Ostkirche: 1. Sonntag nach Pfingsten.

Allerheiligenbucht (portugies. Baía de Todos os Santos), 1052 km² große Bucht des Atlantiks bei Salvador an der O-Küste Brasiliens.

Allerheiligeninseln (Îles des Saintes), frz. Inselgruppe der Kleinen Antillen, gehört zum frz. Übersee-Dép. Guadeloupe, 17 km², rd. 3000 Einwohner.

Allerheiligstes, 1) der hinterste Raum der jüd. Stiftshütte und später des Tempels in Jerusalem mit der Bundeslade.

2) in der kath. Liturgiesprache die geweihte Hostie.

Allermannsharnisch, eine Lauchart, →Lauch.

Allerseelen, in der kath. Kirche das am 2. 11. gefeierte Gedächtnis aller verstorbenen Gläubigen mit Fürbitte für die »armen Seelen« im Fegefeuer. – *Brauchtum* um Allerheiligen und A., bes. in den Alpenländern: A.-Predigt; Gräberbesuch; Brotspenden im Gedenken an die Verstorbenen für die Armen; Recht der Kinder, mit Heischesprüchen »Seelenwecken« einzusammeln.

Alles-oder-nichts-Gesetz, Abk. **ANG,** *Physiologie:* Regel für die Antwortbereitschaft von erregbaren Zellen (Muskel- und Nervenzellen) bei Vorhandensein von Reizen mit einer Mindeststärke. Sobald diese erreicht ist, kommt es zu einer Erregung, die in ihrer Intensität nicht abgestuft, sondern sofort maximal ist.

Allfinanz, Bez. für die Unternehmensstrategie von Kreditinstituten und Versicherungen, über ihre traditionellen Tätigkeitsfelder hinauszugehen, um ein breiteres Spektrum von Finanzdienstleistungen (Versicherungsprodukte, Bausparverträge, Immobilienvermittlung) anbieten zu können. Durch Verflechtung bzw. Kooperationen zw. Banken und Versicherungen enstanden so in den letzten Jahren sog. Allfinanzgruppen.

Allgäu *das,* Landschaft in Bayern, Bad.-Württ. und Österreich, umfasst das Voralpengebiet zw. Lech und Bodensee, ein aus Molasserücken und Moränenwällen bestehendes Berg- und Hügelland bis zu den letzten eiszeitl. Endmoränen im N, sowie die →Allgäuer Alpen. Kennzeichnend für das A. sind ergiebige Niederschläge (über 1000 mm im Jahr). Wälder und Wiesen, zahlr. kleine Seen, Weiher und Moore bestimmen das Landschaftsbild. – Hauptwirtschaftszweige sind Grünlandwirtschaft mit Vieh- und Milchwirtschaft; Fremdenverkehr. In größeren Orten auch Leinen- und Baumwollspinnereien, feinmechan. Industrie. Hauptorte: Kempten (Allgäu) mit Butter- und Käsebörse, Oberstdorf, Sonthofen. – Als **Albgau** (817 erwähnt) galten bis 1525 nur der S und W des A. Seit 1815 gehört der größere Teil zu Bayern, der W zu Bad.-Württ., das Kleine Walsertal zu Österreich.

Allgäu: Wertachtal im Landkreis Oberallgäu, Bayern

Allgäuer Alpen, Teil der nördl. Kalkalpen zw. Iller und Lech, die höchsten Berge sind Großer Krottenkopf (2657 m ü. M.), Mädelegabel (2645 m ü. M.) und Hochvogel (2593 m ü. M.).

Allgemeine Deutsche Bibliothek, von F. Nicolai 1765 in Berlin gegründete Ztschr. (1793–1805 als **Neue A. D. B.**); gibt ein Bild der damaligen dt. Geisteskultur vom Standpunkt der Aufklärung.

allgemeine Geschäftsbedingungen, Abk. **AGB,** →Geschäftsbedingungen.

Allgemeine Ortskrankenkasse, Abk. **AOK,** →Krankenversicherung.

Allgemeiner Deutscher Arbeiterverein, →Sozialdemokratie.

Allgemeiner Deutscher Automobil-Club e. V. Emblem und Schriftzug

Allgemeiner Deutscher Automobil-Club e. V., Abk. **ADAC,** München, gegr. 1903; unterhält einen Informationsdienst, techn. Prüfdienste sowie Straßenwachtfahrzeuge und Rettungshubschrauber für den Hilfsdienst auf Autobahnen und Bundesstraßen.

Allgemeiner Deutscher Frauenverein, erster dt. Frauenverein, gegr. 1865, wichtig für die Organisation der dt. Frauenbewegung.

Allgemeiner Deutscher Gewerkschaftsbund, Abk. **ADGB,** →Gewerkschaften.

Allgemeiner Studentenausschuss, Abk. **AStA,** →Studentenschaft.

Allgemeines Bürgerliches Gesetzbuch, Abk. **ABGB,** das seit 1812 in Österreich geltende Zivilgesetzbuch; durch Teilnovellen (1914/16) und Sondergesetze mehrfach geändert und ergänzt. Nach kurzer Einleitung regelt der erste Teil Personen- und Familienrecht, der zweite Teil Sachen-, Erb- und Schuldrecht, der dritte Teil gemeinschaftl. Bestimmungen der Personen- und Sachrechte.

Allgemeines Landrecht, Abk. **ALR,** →Preußisches Allgemeines Landrecht.

Allgemeines Lexikon der bildenden Künstler von der Antike bis zur Gegenwart, →Thieme-Becker.

Allgemeines Zoll- und Handelsabkommen, →GATT.

allgemeine Versicherungsbedingungen, Abk. **AVB,** von Versicherern ausgearbeitete Vertragsbestimmungen, die allen Versicherungsverträgen einer Sparte zugrunde gelegt werden, z. B. aVB für die Haftpflichtversicherung.

Allgemeinverbindlicherklärung, *Recht:* ein staatl. Mitwirkungsakt, der auf Antrag die verbindl. Wirkung eines Tarifvertrags über die Mitglieder der abschließenden Verbände hinaus ausdehnt, wenn öffentl. Interesse besteht und die tarifgebundenen Arbeitgeber mindestens 50 % der Arbeitnehmer ihres Bereichs beschäftigen.

Allianz [frz. alliance] *die,* Bündnis, Vertragsgemeinschaft. *Völkerrecht:* →Bündnis.

Allianz AG Holding, München/Berlin, Holdinggesellschaft der größten dt. und europ. Versicherungsgruppe, gegr. 1890; zahlreiche Beteiligungsgesellschaften im In- und Ausland, u. a.: Dt. Versicherungs-AG, Dt. Krankenversicherung, Elvia, Cornhill (Großbritannien), Fireman's Fund (USA), Lloyd Adriatico (Italien).

Allianz für Deutschland, Wahlbündnis von CDU(-DDR), DSU und Demokrat. Aufbruch (DA) für die Volkskammerwahlen der DDR am 18. 3. 1990; errang 47,79 % der abgegebenen Stimmen.

Allianzwappen, 1) die in unterschiedl. Form in einem Wappen vereinigten Wappen von (meistens) in Personalunion verbundenen Ländern, z. B. Schottland und England 1603–1707, Sachsen und Polen 1697–1763.

2) das →Ehewappen.

Allier [al'je], **1)** *der,* linker Nebenfluss der Loire, 410 km lang, entspringt in den Cevennen, mündet bei Nevers.

2) Dép. in Mittelfrankreich, 7340 km², (1990) 357 700 Ew.; Hptst.: Moulins.

Alligatoren (Alligatoridae) [von span. el lagarto »die Eidechse«], Familie der Krokodile im trop. und subtrop. Amerika und in China. Der rd. 4 m lange, durch Bejagen selten gewordene amerikan. **Mississippi-A.** wird oft in Farmen gehalten. Weitere A. →Kaimane.

Alligatoren: Mississippi-Alligator

Alliierte, allg. Staaten, die durch eine Allianz verbunden sind, v. a. im Krieg. Als A. bezeichneten sich u. a. die Kriegsgegner der Mittelmächte im 1. Weltkrieg und die der Achsenmächte im 2. Weltkrieg (in Letzterem v. a. die USA, Großbritannien und die UdSSR). Im 1. Weltkrieg traten den A. weitere Staaten als »assoziierte« (nicht vertraglich gebundene) Mächte zur Seite, daher Bez. **A. und assoziierte Mächte.**

Alliierte Hohe Kommission, Abk. **AHK,** das oberste Aufsichtsorgan der Westmächte in der Bundesrep. Dtl. und den Westsektoren von Berlin, das vom 21. 9. 1949 bis zum 5. 5. 1955 tätig war; geleitet von Hochkommissaren. Daneben bestand die Sowjet. Kontrollkommission (1949–53; →Sowjetische Militär-Administration in Deutschland).

Alliierter Kontrollrat, →Kontrollrat.

Alliteration [lat.] *die* (Stabreim), die Wiederkehr gleicher betonter Anfangslaute (auch betonter Silben innerhalb eines Wortes) bei aufeinander folgenden Wörtern: *Stock und Stein;* älteste Form der Verbindung in den german. Sprachen. (→Reim)

Allmacht (lat. Omnipotenz), in zahlr. Philosophien und Religionen die dem höchsten Wesen **(der Allmächtige)** eigene unbegrenzte Macht.

Allmende [mhd. »was allen gemein ist«], in Westfalen und Niedersachsen **Mark,** Teil der Gemeindeflur, die als Gemeindeeigentum der Ortsgemeinde für alle Ortsansässigen frei nutzbar war, i. d. R. Weide, Wald und Ödland. Reste haben sich bes. in Süddeutschland und der Schweiz erhalten **(Realgemeinde).**

allo..., vor Vokalen **all...** [grch. allos], anders, fremd, gegensätzlich.

Allobroger, kelt. Volksstamm zw. Genfer See, Rhone, Isère und den Alpen, 121 v. Chr. von den Römern unterworfen.

allochthon [grch. »aus fremder Erde«], nicht an Ort und Stelle entstanden (Lebewesen, Gesteine); Ggs.: →autochthon.

Allod [ahd. »Ganzbesitz«] *das,* im MA. lehnsfreies Land. **Allodialgut,** Eigengut eines Fürsten im Unterschied zum Staatsgut. **Allodifikation, Allodifizierung,** Umwandlung eines Lehens in freies Eigentum.

Allogamie [grch.] *die,* Fremdbestäubung (→Bestäubung).

Allographe [grch.], Buchstaben oder →Grapheme, die den gleichen Lautwert repräsentieren und eine voneinander abweichende Form aufweisen; auch graf. Varianten eines Graphems, z. B. grch. Sigma als ς (im absoluten Auslaut) und σ.

Allokation [lat.] *die,* Verteilung der begrenzten Produktionsfaktoren einer Volkswirtschaft auf unterschiedl. Verwendungszwecke. Kriterien für eine otimale A. werden von der Wohlfahrtsökonomik untersucht. Unter marktwirtschaftl. Bedingungen fällt dem Preis auf den versch. Märkten A.-Funktion zu.

Allolalie [grch.] *die,* Behinderung oder Auflösung der Sprachfähigkeit bei Psychotikern.

Allomorph [grch.] *das,* die in der Wortbildung stellungsbedingte, im Text tatsächlich auftretende Variante eines →Morphems, z. B. das engl. Pluralsuffix s in lips [-s], dogs [-z], horses [-ɪz].

Allomorphie [grch.] *die, Chemie:* →Allotropie.

Allon, Yigal, israel. Politiker, *Kefar Tavor (am Berg Tabor) 10. 10. 1918, †Afula 29. 2. 1980; Mitgl. der Israel. Arbeiterpartei (Mapai), 1968–77 stellv. MinPräs., 1974–77 Außenminister.

Allonge [a'lɔ̃ʒ, frz.] *die,* im Wechselrecht ein mit dem Wechsel verbundenes Blatt, auf dem Vermerke (z. B. Wechselprotest) angebracht werden, für die auf der Rückseite des Wechsels kein Platz mehr ist.

Allongeperücke

Allongeperücke [a'lɔ̃ʒ-, frz.], langhaarige Lockenperücke; kam um 1670 auf (unter Ludwig XIV.); heute noch z. T. von Amtspersonen (z. B. brit. Richtern) getragen.

allons [a'lɔ̃; frz. »gehen wir!«], vorwärts!, los! **Allons, enfants de la patrie!** (Auf, Kinder des Vaterlands!), Anfang der →Marseillaise.

Allopathie [grch. allós »anderer«] *die,* nach S. Hahnemann die in der Schulmedizin übl. Arzneibehandlung; Ggs.: →Homöopathie.

Allophon [grch.] *das,* in der Wortbildung stellungsbedingte Variante eines →Phonems, z. B. ch in brach [-x] und brich [-ç].

Alloplastik, Ersatz bestimmter Körperteile durch körperfremdes Material (v. a. Kunststoffe); z. B. Gelenkteile **(Arthroplastik),** Schädelteile, Herzklappen, Adern, weibl. Brust.

allothigen [grch.], *Geologie:* Ggs. von →authigen.

Allotropie [grch.] *die* (Allomorphie), *Chemie:* das Vorkommen gleicher chem. Elemente in versch. Zustandsformen, z. B. Kohlenstoff als Diamant und Graphit; Ggs.: →Isomorphie.

all'ottava [italien.], Abk. **all'ott., 8va,** *Musik:* Anweisung in der Notenschrift (über oder unter den Noten), eine Oktave höher oder tiefer zu spielen.

Allpass, elektr. Filter, dessen Übertragungsfunktion in Abhängigkeit von der Frequenz nur eine Phasenänderung aufweist, jedoch keine Betragsänderung; verwendet zur Signalverzögerung und Phasenentzerrung.

Allradantrieb, bei Fahrzeugen auf alle Räder wirkender Antrieb, hat wesentlich höhere Zugkraft als ein Hinterrad- oder ein Vorderradantrieb.

all right [ɔ:l'raɪt, engl.], richtig, in Ordnung, einverstanden.

Allschwil, Gemeinde im Kt. Basel-Landschaft, Schweiz, westl. an Basel anschließend, 284 m ü. M., 18 500 Ew.; Heimatmuseum; Papier-, Leder-, Schuh-, chem. Ind. sowie Apparatebau.

Allstedt, Stadt im Kreis Sangerhausen, Sa.-Anh., in der Goldenen Aue, 3 400 Ew.; Herstellung von Metallwaren und Spirituosen. – Schloss (16. Jh.). – 777 erwähnt, seit dem 10. Jh. Königspfalz.

Allstromgerät, elektr. Gerät, das wahlweise mit Gleich- oder Wechselstrom betrieben werden kann.

Alluvionen [lat.], geologisch junge (holozäne) Anschwemmungen an Ufern und Küsten.

Alluvium [lat. »Angeschwemmtes«] *das,* veraltet für →Holozän.

Allwetterlandung, →Landeführungssysteme, →Wetterminima.

Allwettertauglichkeit, Eignung eines Luftfahrzeugs zum Einsatz unter allen Wetterbedingungen. Die **Allwetterflugfähigkeit** verlangt Ausrüstung mit Geräten für sichtunabhängige Flugführung (Flugführungs-, Navigations- und Nachrichtengeräte) sowie Wetterradar, Enteisungsanlagen. Die **Allwetterkampffähigkeit** militär. Fluggeräte erfordert zusätzlich Geräte zur sichtunabhängigen Zielfindung, -verfolgung und -bekämpfung.

Allyl..., Bez. für die organische Atomgruppe $CH_2{=}CH{-}CH_2{-}$, z. B. im **Allylalkohol,** Ausgangsstoff zur Herstellung von Polymeren; **Allylharze,** synthet. Harze aus Allylestern von Di- und Polycarbonsäuren.

Alm (Alp), oberhalb der Dauersiedlung gelegene Gebirgsweide, mit Sennhütten, Ställen u. a.; in den Sommermonaten z. T. bewohnt. **Almfahrt** im Frühling und **Almabfahrt** im Herbst werden festlich begangen.

Almaty: Zentraler Platz

Almada [-ðа], Stadt gegenüber von Lissabon, südl. der Tejomündung (2 300 m lange Brücke), 41 500 Ew.; Werft, Holzverarbeitung u. a. Ind.; Wohnvorort.

Almadén [-'ðen], Bergbaustadt im SW der Region Kastilien-La Mancha, Prov. Ciudad Real, Spanien, 9 500 Ew.; die schon Römern und Arabern bekannten Quecksilbervorkommen sind die reichsten der Erde (heute nahezu erschöpft); Bergbauschulen.

Almagest, Verstümmelung des Titels der arab. Übersetzung von »al-magisti«, des astronom. Handbuchs von Ptolemäus; beschreibt das ptolemäische Weltsystem.

Almagro, Diego de, span. Konquistador, *1475, †Cuzco 8. 7. 1538; eroberte 1531–33 mit F. Pizarro Peru (Inkareich), 1535–37 Teile Chiles; auf Befehl Pizarros erdrosselt.

Almalyk (usbek. Olmaliq), Stadt im Geb. Taschkent, Usbekistan, 116 400 Ew.; Abbau und Verhüttung von Buntmetallerzen.

Alma Mater [lat. »die nährende Mutter«] *die,* Hochschule, Universität; urspr. Beiwort für die röm. Göttinnen der fördernden Naturkräfte.

Almanach [mlat.] *der,* urspr. astronom. Tafelwerk für mehrere Jahre, Vorläufer der heutigen astronom. →Jahrbücher. Später ist A. gleichbedeutend mit »Astronom. Kalender«, der seit dem 16. Jh. jährlich erscheint, bald bereichert durch prakt. Notizen versch. Art. Im 18. Jh. gewannen literar. Beigaben das Übergewicht. Die A. wurden zu →Musenalmanachen; außer den literar. gibt es seitdem genealog., histor. und diplomat., auch Theater- und Verlagsalmanache.

Almandin *der,* blutroter Schmuckstein aus der Gruppe der →Granate.

Almansor, arab. Kalifen, →Mansur.

Almaty (russ. Alma-Ata, bis 1921 Werny), Hptst. von Kasachstan, am Nordabhang des Transili-Alatau, 1,198 Mio. Ew.; Akademie der Wiss. Kasachstans, Univ., Hochschulen; Nahrungsmittel-, Textilind., Maschinenbau. In der Nähe Hochgebirgs-Eisstadion (Medeo); U-Bahn, internat. Flughafen. – A. wurde 1854 als russ. Grenzfestung gegründet. Bis zum Jahr 2000 soll Akmola die neue Landeshauptstadt werden.

Almeida [al'majða], Francisco de, portugies. Eroberer, *Lissabon um 1450, †(im Kampf mit den Bantu) an der Saldanhabai (Kapland) 1. 3. 1510; 1505–09 erster Vizekönig Portugals in Indien. Sein Sieg über die ägypt. Flotte bei Diu 1509 sicherte Portugal für ein Jahrhundert die Herrschaft über den Ind. Ozean.

Almelo, Stadt in der niederländ. Prov. Overijssel, in der Twente, 63 400 Ew.; Wollverarbeitung, Baumwoll- u. a. Ind.; Urananreicherungsanlage.

Almería, 1) Prov. in Andalusien, Spanien, am Mittelmeer, 8 775 km², (1990) 455 500 Einwohner.

2) Hptst. von 1), Hafenstadt und Seebad an der Costa del Sol, 161 600 Ew.; Ausfuhr von Erzen, Zitrusfrüchten und Alfagras; Fischerei, Meersalzgewinnung; internat. Flughafen. In der Nähe, auf dem **Calar Alto** (2168 m ü. M.), dt.-spanisches astronom. Zentrum.

Almería 2): Die Altstadt mit der Alcazaba, einer großen Zitadelle (8. Jh. ff.)

Almeríakultur, spätneolith. Fundgruppe in SO-Spanien; erstmals größere Siedlungen und Nekropolen aus nichtmegalith. Kollektivgräbern.

Almetjewsk, Stadt in Tatarstan, Russ. Föderation, 132 700 Ew.; Mittelpunkt eines Erdölfördergebietes (Raffinerie); Ausgangspunkt von Erdölleitungen (u. a. nach Mitteleuropa); gegr. 1950.

Almohaden [arab. »Bekenner der Einheit Gottes«], maurisch-spanisches Herrschergeschlecht (1147–1269), hervorgegangen aus einer 1121 von Mohammed Ibn Tumart (*1080, †1130) gegründeten islam. Glaubenspartei. Die A. stürzten das Reich der Almoraviden in Afrika und eroberten 1195 Spanien; wurden 1212 aus Spanien vertrieben, 1269 in Marokko von den Meriniden vernichtet.

Almoraviden [arab. »Grenzkämpfer«], maurisch-span. Dynastie (1061–1147), hervorgegangen aus einer von Abd Allah Ibn Jasin (†1058) gegründeten, streng orthodoxen islam. Glaubensbewegung. Die A. herrschten über das marokkan. Gebiet und unterwarfen zw. 1086 und 1090 das arab. Spanien; von den →Almohaden gestürzt.

Almosen [grch. »Mitleid«] *das,* Gabe zur Unterstützung der sozial Schwachen und der freiwillig Armen (z. B. der Bettelmönche); in vielen Religionen eth. Gebot; im MA. und im 16./17. Jh. Hauptquelle der (städt.) Versorgung der in Armut Lebenden. In kirchl. Einrichtungen verwaltete der **Almosenier** die A., in Gemeinden gab es A.-Kassen mit A.-Vorstehern, -vögten (Armenvögte) und -pflegern.

Almqvist, Osvald, schwed. Architekt, *Trankil (Värmland) 2. 10. 1884, †Stockholm 6. 4. 1950; mit G. Asplund einer der ersten schwed. Funktionalisten, von bed. Einfluss auf die Verbreitung der Grundprinzipien des →internationalen Stils in Skandinavien.

Almrausch (Almenrausch), alpenländ. Bez. für Alpenrosen; →Rhododendron, →Zwergalpenrose.

Almukantarat [arab.] *der, Astronomie:* der Azimutalkreis. (→Azimut)

Aloe [grch.] *die,* Liliengewächsgattung mit über 200 Arten in wärmeren Gebieten der Alten Welt, bes. in Savannen und Gebirgen Afrikas; oft mit dornig gezähnten, rosettenartig angeordneten Blättern; auch Zimmerpflanze. Der eingedickte Saft aus Blättern versch. tropischer A.-Arten wird als Abführmittel verwendet.

Alonso, Alicia, kuban. Tänzerin, Choreographin, Ballettdirektorin, *Havanna 21. 12. 1921; gründete 1948 das Ballet Alicia Alonso (seit 1959 Ballet Nacional de Cuba); tanzte alle klass. sowie moderne Ballerinenrollen.

Alopezie [grch.] *die,* →Haarausfall.

Alor, eine der Kleinen Sundainseln, Indonesien, nordwestlich von Timor, etwa 125 000 Ew., Hauptort ist Kalabahi; Fischfang, Handel; Anbau von Reis, Mais, Baumwolle.

Alor Setar (früher Alor Star), Hptst. des Gliedstaates Kedah, Malaysia, 125 000 Ew.; Zentrum eines Reisanbaugebietes.

Alost, frz. Name der belg. Stadt →Aalst.

Aloysius (italien. Luigi, A. von Gonzaga), italien. Jesuit, *Castiglione (bei Mantua) 9. 3. 1568,

Almandin: Goldene Scheibenfibel mit Almandineinlagen aus merowingischer Zeit

Aloe: Aloe vera

Alpen: Matterhorn, 360°-Flugpanorama (Fotografie von Emil Schulthess; 1982)

†Rom 21. 6. 1591; in der Pestkrankenpflege tätig, starb an der Seuche. Heiliger, Tag: 21. 6.; Patron der Jugend.

Alp, → Alb.

Alpaka [span.] *das* (Lama guanicoë pacos), zahme Lamaart in den Hochanden Südamerikas, mit langem, weichem Haar, das die **A.-Wolle** (glänzend, wenig gewellt) liefert.

Alpaka® *das,* veraltete Bez. für → Neusilber.

Alpe-d'Huez [alpə'dɥɛz], Wintersportzentrum in den Frz. Alpen, Dép. Isére, 1860 m ü. M., Höhenflugplatz; seit 1931 entstanden.

Alpen, höchstes Gebirge Europas, höchster Gipfel ist der Montblanc (4808 m ü. M.). Die A. reichen im S bis an den Apennin; der Pass von Altare, 459 m ü. M., bei Genua gilt als Grenze. Von dort ziehen sie in großem Bogen nach W und N bis an den Genfer See und von dort ostwärts bis zur Donau bei Wien. Im NO gehen die A. in die Karpaten, im SO in das Dinar. Gebirge über. Im O grenzen sie an das Ungar. Tiefland und im S an die Poebene. Im N ist das A.-Vorland vorgelagert; es reicht im N bis zur Donau, im W mit dem Schweizer Mittelland bis zum Genfer See und zum Jura. In dieser Umrahmung sind die A. etwa 1200 km lang, 150–250 km breit, Letzteres in der Mitte und am O-Ende, wo die einzelnen Gebirgsketten nach NO und SO auseinander strahlen; sie bedecken eine Fläche von 220000 km². Die A. bilden in ihrem Zentralteil die Wasserscheide zw. Nordsee und Mittelmeer im Ostteil (östlich des Arlberg) zw. Schwarzem Meer und Mittelmeer; sie sind damit auch eine bed. Klimascheide. An den A. haben Anteil: Frankreich, Italien, Schweiz, Dtl., Liechtenstein, Österreich und Slowenien.

Aufbau, Gliederung: Die A. sind ein erdgeschichtlich junges Faltengebirge, das seine Struktur im Wesentlichen in der Kreide und im Tertiär, seine heutigen Formen erst im Quartär erhalten hat. Ihr Bau ist durch Faltungen und weit reichende Überschiebungen (Deckenbau) gekennzeichnet. Dem Bau nach unterscheidet man West-A. und Ost-A., die durch die Tiefenlinie Bodensee–Rheintal–Splügenpass–Comer See voneinander getrennt sind. In den **West-A.** brechen die inneren und höchsten Gebirgsstöcke (innere Gneis-A.) scharf zur Poebene ab. Nach außen lagert sich ihnen ein zweiter Zug kristalliner Gebirgsstöcke, die äußeren Gneis-A., und schließlich eine Kalkzone vor, die aber nur in den frz. Kalk-A. selbstständig, dagegen in den Schweizer A. eng mit den Gneis-A. verfaltet ist. Die **Ost-A.** haben einen regelmäßigeren, fast gleichseitigen Aufbau. Auf die innere kristalline Zone, die z. T. vergletscherten Zentral-A., folgen beiderseits schmale, niedrigere Schieferzonen und die breiter angelegten, schroffen, z. T. verkarsteten Kalk-A., im N noch eine Voralpenzone, in der Molasse- und Flyschfelsen vorherrschen.

Oberflächengestalt: Die A. sind das formenreichste Gebirge Europas. Sie verdanken das der Mannigfaltigkeit ihrer Gesteine und der umgestaltenden Wirkung der Eiszeit, in der durch mächtige Gletscherströme die Täler und Pässe ausgeweitet wurden; am A.-Rand bildeten sich tiefe Talseen, z. B. Bodensee, Genfer See, Vierwaldstätter See, die oberitalien. Seen, und im Vorland wurden mächtige Moränenringe aufgeschüttet, die z. T. Seebecken umschließen (Chiemsee, Gardasee). Kennzeichnend sind ferner der Stufenbau der Hochtäler mit Wechsel von engen Klammen und breiten Becken, Wasserfälle an der Einmündung von Nebentälern ins Haupttal, steilwandige Hangnischen (Kare), oft mit kleinen Seen im Gipfelbe-

zirk. Heute sind nur noch die inneren und höchsten Teile der A. vergletschert (rd. 1,5% der Gesamtfläche: 3200 km²; z.B. Großer Aletschgletscher, Mer de Glace). Östlich der Linie Salzburg–Villach, wo die Gipfelhöhe auf unter 3000m ü.M. sinkt, haben die A. vielfach mittelgebirgsartige Formen. – Die Gewässer der A. gehören zu den Stromgebieten von Rhone, Rhein, Donau und Po.

Klima, Pflanzen- und Tierwelt: Die A. wirken aufgrund ihrer großen Höhe und der bed. W-O-Erstreckung gegenüber dem Vorland als Scheide zw. drei großen Klimazonen. W- und N-Rand der A. liegen im Bereich der Westwindzone und erhalten während des ganzen Jahres hohe Niederschläge. Der S des Gebirges wird von Ausläufern des winterfeuchten Mittelmeerklimas bestimmt, nach O erfolgt ein allmählicher Übergang zu kontinentaleren Klimabereichen. Die West-, Nord- und Südränder haben durch ihre Luvlage z.T. höhere Niederschläge als das Vorland, die Tal- und Beckenlandschaften im Inneren sind stellenweise trockener. Mit steigender Höhe nehmen i. Allg. die Temperaturen ab, etwa 0,58 Celsiusgrade auf je 100m, während die Intensität der Sonnenstrahlung zunimmt. Die Winde sind als Berg- und Talwind und →Föhn stark von den örtl. Verhältnissen beeinflusst.

Die Klimagürtel prägen sich deutlich in der Pflanzenwelt aus. An den Gebirgsrändern wachsen im N mitteleurop., im S mediterrane und im SO pannon. Pflanzen. Der Höhenlage nach folgt auf eine Kulturland- und Laubwaldzone in 800–1000m Höhe die Nadelwaldzone, die bei der Waldgrenze (in 1500–2200m Höhe) in die Zone des Krummholzes und der Almen (Hochgebirgsmatten) übergeht. Die Schneegrenze liegt in den Randgebieten zw. 2500 und 2600m ü.M., im Inneren zw. 2800 und 3100m ü.M. In den West-A. reichen einzelne Gletscher bis in die besiedelten Gebiete herab. Die Tierwelt der A. ist durch Hochgebirgstiere gekennzeichnet, wie Steinbock, Murmeltier, Gämse, Steinadler (heute geschützt).

Siedlungen: Die A. gehören zu den dichtestbesiedelten Hochgebirgen der Erde. Bäuerl. Dauersiedlungen reichen im Durchschnitt bis in 1500m, vereinzelt bis 2100m Höhe, die im Sommer besiedelten Almen, noch 800–1200m höher.

Bevölkerung, Wirtschaft: Rätoromanen und Ladiner stammen aus der Zeit vor der Völkerwanderung. Vom Vorland aus drangen Deutsche, Italiener, Franzosen und Slowenen in die A. ein. Haupterwerbszweige sind Viehzucht (Almwirtschaft), Holzverarbeitung, Ackerbau in den Tälern, Wein- und Obstbau (in Becken und am S-Rand), ferner Bergbau auf Eisen-, Kupfer-, Blei-, Zink- und Silbererze, Graphit, Magnesit und Salz in den Ost-A.; eine lange Tradition hat auch die Textilindustrie. Wichtig für die industrielle Erschließung war die Elektrizitätsgewinnung durch Ausnutzung der Wasserkraft. Aufgrund von Sol-, Mineral- und Thermalquellen haben sich zahlreiche Heilbäder entwickelt. Von größter wirtschaftlicher Bedeutung ist der ganzjährige Fremdenverkehr, der sich in den letzten Jahrzehnten zum Massentourismus internat. Prägung entwickelte. Das ökologische Gleichgewicht ist durch die z.T. maßlose Erschließung bes. für den Wintersport stark bedroht. Zur Verringerung der Belastungen durch den Transitschwerverkehr ist vorgesehen, den Güterverkehr zunehmend von der Straße auf die Schiene zu verlagern. Sowohl Österreich als auch die Schweiz planen den Bau von Basistunnels.

📖 *Vorgeschichtl. Fundkarten der A. Beiträge v.* R. VON USLAR *u.a. Mainz 1991. – Die A. – Natur-*

Alpenstraßen, Alpenbahnen, Alpenpässe (Auswahl; Reihenfolge von W nach O)

Scheitelpunkt	*m ü. M.*	*verbindet*	*Geschichte und Ausbau*
Colle di Tenda	1873	Nizza und Ventimiglia mit Cuneo und Turin	Fahrstraße 1782 erbaut (Tunnel 1882, 3,2 km lang, 1316 m ü. M.); Bahn (Tunnel 8,1 km, 1037 m ü. M.).
Mont Genèvre	1854	Briançon (Durance) mit Susa (Dora Riparia)	Früheste Römerstraße über die Alpen, unter Augustus ausgebaut, von Napoleon I. 1807 zur Fahrstraße erweitert.
Mont Cenis	2083	Grenoble und Modane mit Susa und Turin	Im 6. Jh. angelegt; von den deutschen Kaisern 13mal benutzt; Fahrstraße durch Napoleon I. 1810, Bahn 1871 erbaut (Tunnel 12,2 km lang, 1294 m ü. M.); Straßentunnel seit 1980.
Montblanc-Straßentunnel	1392	Chamonix mit Aosta (Dora Baltea)	1959–65 erbaut; 11,6 km lang, kürzeste Verbindung zw. Rom und Paris.
Großer St. Bernhard	2472	Martigny (Rhone) mit Aosta (Dora Baltea)	Seit der Bronzezeit benutzt, unter Augustus ausgebaut, von den deutschen Kaisern 20-mal benutzt. Neue Straße 1905; Straßentunnel 5,8 km lang, 1964 erbaut.
Simplon	2005	Brig (obere Rhone) mit Domodossola (Toce)	Zur röm. Kaiserzeit angelegt; Fahrstraße durch Napoleon I. 1807; Bahn 1906 erbaut (Tunnel 19,8 km lang, 700 m ü. M.; Autoverladung).
Lötschberg	2690	Kandersteg mit Brig (Goppenstein)	Bahn 1913 erbaut (Tunnel 14,6 km, 1242 m ü. M.; Autoverladung).
Furka	2431	Goms (ob. Rhonetal) mit Urseren (ob. Reußtal)	Fahrstraße 1866; Furka-Oberalpbahn 1921 erbaut (15,4 km langer Tunnel 1982 eröffnet, 1564 m ü. M.; Autoverladung).
Sustenpass	2224	Reußtal mit Aaretal	Autostraße (36 km) 1945 erbaut. Höhe im Tunnel: 2224 m.
Grimsel	2165	Aare-(Hasli-)Tal mit Rhone-(Goms-)Tal	Straße 1894 erbaut (Anschluss an die Furkastraße).
Sankt Gotthard	2108	Zürich und Altdorf mit Bellinzola und Mailand	Anfang 13. Jh. erwähnt; für den Wagenverkehr 1830 ausgebaut; Bahn 1882 erbaut (Tunnel 15 km lang, 1150 m ü. M.). (Autobahn-)Straßentunnel, 1980 eröffnet, 16,3 km lang.
Klausenpass	1952	Glarus mit Altdorf	Straße 1899 erbaut.
San Bernardino	2065	Thusis mit Bellinzona	Zur sächs. Kaiserzeit angelegt, Fahrstraße seit 1823; Tunnel (6,6 km lang, 1644 m ü. M.), 1967 eröffnet.
Splügen	2113	Thusis mit Chiavenna	Zur röm. Kaiserzeit angelegt, Fahrstraße 1826 erbaut.
Septimer	2311	Bivio mit Casaccia	In röm. Zeit angelegt, von den deutschen Kaisern 17-mal benutzt; für Wagenverkehr 1387 erbaut, später nur Saumpfad.
Julier	2284	Bivio mit Silvaplana	Unter Augustus angelegt, Fahrstraße 1826 erbaut.
Maloja	1815	Oberengadin mit Bergell	Seit dem 16. Jh. benutzt, Straße 1839 erbaut.
Albula	2312	Chur mit Oberengadin	Straße 1865; Bahn 1903 erbaut (Tunnel 5,9 km, 1823 m ü. M.).
Flüela	2383	Chur und Davos mit Unterengadin	Straße 1867 erbaut.
Bernina	2330	Oberengadin mit Veltlin	Straße 1865; Bahn 1910 erbaut (Berninabahn).
Arlberg	1793	Landeck im Inntal mit Bludenz	Seit 1375 ausgebaut, Fahrstraße 1825; Bahn 1882 erbaut (Tunnel 10,3 km lang, 1310 m ü. M.). Schnellstraße mit 14 km langem Tunnel (1318 m ü. M.) seit 1978.
Stilfser Joch	2757	Spondinig mit Bormio	Fahrstraße 1825 erbaut.
Reschen	1504	Nauders und Oberinntal mit Mals (Vintschgau)	Unter Claudius angelegt (Via Claudia), im frühen MA. wichtiger Alpenübergang.
Fernpass	1209	Imst mit Reutte	Unter Claudius angelegt (Via Claudia); seitdem stets benutzt.
Brenner	1371	Innsbruck mit Sterzing und Bozen	Unter Septimus Severus ausgebaut, von den dt. Kaisern 66-mal benutzt, 1772 neu angelegt; Bahn 1867, Autobahn 1959–74 erbaut.
Felber Tauern	2545	Mittersill mit Matrei (Osttirol)	Straßentunnel 5,6 km lang, 1967 fertig gestellt, 1652 m ü. M.; Tunnel für Erdölleitung.
Großglockner-Hochtor	2576	Ferleiten mit Heiligenblut	Großglockner-Hochalpenstraße 1935 eröffnet; Tunnel Hochtor 2505 m ü. M.
Niederer und Hoher Tauern	2434 2460	Böckstein (Gasteiner Tal) mit Mallnitz	Mittelalterl. Straße über den Pass Hoher Tauern; Tauernbahn 1902–09 erbaut (Tunnel 8,5 km, 1226 m ü. M.; Autoverladung).
Plöcken	1360	Kötschach mit Tolmezzo	Zur röm. Kaiserzeit erbaut; heute Autostraße.
Radstädter Tauern	1739	Radstadt (Enns) mit St. Michael im Lungau	Zur spätröm. Kaiserzeit angelegt; im MA. viel benutzt; heute Autostraße. Autobahn Salzburg–Villach (Tauerntunnel 6,4 km, 1340 m ü. M.).
Katschberg	1641	St. Michael im Lungau mit Spittal a. d. Drau	Seit der Eisenzeit begangen; spätröm. Straße; heute Autostraße sowie Tunnel (5,4 km, 1194 m ü. M.) der Autobahn Salzburg–Villach.
Rottenmanner Tauern	1265	Liezen (Enns) mit Judenburg (Mur)	Frühgeschichtl. Salz- und Eisenstraße; in der röm. Kaiserzeit ausgebaut.
Präbichl	1227	Hieflau mit Leoben	Seit der Frühgeschichte »Eisenstraße«; Bahn (Tunnel 1204 m ü. M.); Autostraße.
Phyrn	945	Windischgarsten und das Steyrtal mit Liezen (Enns)	Römerstraße; Bahn 1906 erbaut (Tunnel 4,8 km lang, 727 m ü. M.); Phyrnautobahn (Bosrucktunnel 5,5 km, 742 m ü. M., seit 1983).
Karawanken	637	Rosenbach mit Jesenice	Bahn 1906 erbaut (Tunnel 7,6 km); Straßentunnel (7,9 km) seit 1991.
Loibl	1368	Klagenfurt mit Ljubljana	Straße 1717 angelegt, Autotunnel (seit 1965).
Semmering	985	Gloggnitz mit Mürzzuschlag	Im MA. angelegt; 1842 neue Straße; Bahn 1854 erbaut (Tunnel 1,4 km lang, 897 m ü. M.).

Alpen - Fremdenverkehr

park oder Opfer des künftigen Europas? Mit Beiträgen v. H. Flühler *u. a. Basel u. a. 1992. – Die Welt der A. farbig. Mineralien, Pflanzen, Tiere von der Urzeit bis heute, bearb. v.* J. Ladurner *u. a. Innsbruck u. a. 1993. – Alpe – Alm. Zur Kulturgesch. des Alpwesens in der Neuzeit, hg. v.* L. Carlen *u.* G. Imboden. *Brig 1994. – Die A. Entstehung der A., Gesch. der A. u. des Alpinismus, Natur- u. Umweltschutzverbände der Alpenländer. Frankfurt am Main u. a. 1994. – Brauchtum in den A. Riten, Traditionen, lebendige Kultur, hg. v.* G. *u.* H. Haid. *Rosenheim 1994. – Gefährdung u. Schutz der A., hg. v.* H. Franz. *Wien 1994. –* Walser, G.: *Studien zur Alpengeschichte in antiker Zeit. Stuttgart 1994.*

Alpen: Der Ort Lavertezzo im Valle Verzasca, Kanton Tessin, Schweiz

Alpendohle, →Rabenvögel.

Alpendost *der* (Adenostyles), Korbblütler, Hochstaude in europ. und kleinasiat. Gebirgen. Der **Graue A.** (Adenostyles alliariae) hat rote, violette oder weiße Blütenköpfchen, die in Doldenrispen angeordnet sind.

Alpengarten, Felsgarten am natürl. Standort.

Alpenglöckchen (Troddelblume, Soldanella), Primelgewächsgatt. mit violetter, glocken- bis trichterförmiger, troddelfransenartig zerschlitzter Blumenkrone.

Alpenglöckchen

Alpenglühen, Widerschein des nach Sonnenuntergang auftretenden Purpurlichtes an den nach W gewandten Fels- und Eisgipfeln; i. w. S. auch die rötl. Beleuchtung der Berge durch die untergehende Sonne.

Alpenheide, Heidekrautgewächs, →Loiseleuria.

Alpenjäger, *Militärwesen:* Hochgebirgstruppe; in Frankreich die **Chasseurs alpins,** in Italien die **Alpini;** urspr. die von Garibaldi 1859 organisierten Freischaren.

Alpenpflanzen, dem Gürtel zw. Wald und ewigem Schnee angepasste Pflanzen. Charakterist. Eigentümlichkeiten: niedriger Wuchs, Dickblättrigkeit, Verdunstungsschutz durch Verkleinerung und Einrollung oder Behaarung der Blätter, große farbenprächtige Blüten. Viele A. stehen unter Naturschutz.

Alpenrose, →Rhododendron, →Zwergalpenrose.

Alpensalamander (Salamandra atra), bis 16 cm langer, glänzend schwarzer Schwanzlurch (Familie Salamander) in den Alpen in 700–3000 m Höhe, steht unter Naturschutz.

Alpenstraßen, siehe Übersicht Seite 132.

Alpenveilchen (Cyclamen), Primelgewächsgatt., bes. in den Mittelmeerländern; ausdauernde Kräuter mit scheibenförmiger Knolle, lang gestielten, meist herzförmigen Blättern und einzelstehenden, langstieligen Blüten; z. T. Zierpflanzen.

Alpenvereine (Alpenklubs), Vereinigungen zur Förderung des Bergsteigens und -wanderns sowie zur Erschließung und Erforschung der Bergwelt. In *Deutschland* gibt es den **Dt. Alpenverein (DAV),** Sitz: München; er besitzt 250 Hütten in den Ostalpen und 60 Hütten in den dt. Mittelgebirgen. Die A. *Österreichs* bilden den 1949 in Wien gegr. **Verband Alpiner Vereine Österreichs (VAVÖ),** dem der **Österr. Alpenverein (ÖAV),** der **Österr. Alpenklub (ÖAK)** und die **Österr. Bergsteigervereinigung (ÖBV)** angehören. In der *Schweiz* bestehen der **Schweizer Alpen-Club (SAC)** und der **Schweizer. Frauen-Alpen-Club (SFAC).** Der älteste A. ist der 1857 in London gegründete engl. **Alpine Club.**

Alpes-de-Haute-Provence [alp də o:t pro'vɑ̃s] (bis 1970 Basses-Alpes), Dép. in SO-Frankreich, 6925 km², (1990) 131000 Ew.; Hptst.: Digne-les-Bains.

Alpes-Maritimes [alp mari'ti:m], Dép. in SO-Frankreich, 4299 km², (1990) 972000 Ew.; Hptst.: Nizza.

al pezzo [italien.], *Bankwesen:* Verkauf nach Stück.

Alpha *das,* (Α, α), erster Buchstabe des grch. Alphabets.

Alphabet [nach den grch. Buchstaben Alpha und Beta] *das* (Abc), Gesamtheit der Schriftzeichen eines Schriftsystems in ihrer herkömml. Anordnung. Die Buchstabenfolge der europ. A. geht auf das älteste semit. A. zurück, bei dem die Bildähnlichkeit der Zeichen eine Rolle spielte (Bilder aus demselben Sachgebiet wurden zusammengestellt). In ind. Schriften sind die Schriftzeichen nach lautl. Gesichtspunkten angeordnet.

Alphablocker, die →Alpharezeptorenblocker.

Alpha Centauri (Toliman), *Astronomie:* hellster Stern im Sternbild Kentaur und dritthellster

Fixstern; das Doppelsternsystem und der sonnennächste Fixstern **Proxima Centauri** (Entfernung 4,28 Lichtjahre) umkreisen einander.

Alpha-Fetoprote|in, Eiweiß, das vom Fetus gebildet wird; tritt bei Fehlbildungen (Froschkopf, Spina bifida) vermehrt ins Fruchtwasser und in das mütterliche Blut über. Sein Nachweis durch Amniozentese (→Schwangerschaftsuntersuchungen) kann zur vorgeburtl. Diagnostik solcher Störungen benutzt werden.

Alpha Jet [- dʒet, engl.], zweisitziges Mehrzweckkampfflugzeug (dt.-frz. Gemeinschaftsentwicklung); Erstflug 1973; v.a. zur Bekämpfung gegner. Landstreitkräfte auf dem Gefechtsfeld.

alphanumerisch (alphamerisch), *Informatik:* Bez. für Daten, die aus numer. Zeichen (Ziffern), Buchstaben eines Alphabets und Sonderzeichen bestehen.

Alphard [arab.], hellster Stern (α) im Sternbild Wasserschlange.

Alpharezeptorenblocker (Alphablocker, Alphasympatholytika), Stoffe, die als →Sympatholytika die Wirkung von Adrenalin und anderen Substanzen auf den Sympathikus dadurch hemmen, dass sie die hierauf empfindlich reagierenden **Alpharezeptoren** in den Gefäßen blockieren. Sie bewirken über diese Rezeptoren eine Gefäßerweiterung und Blutdrucksenkung (Behandlung peripherer Durchblutungsstörungen).

Alphorn: Alphornbläser aus Flüeli, Kanton Obwalden

Alphastrahlen (α-Strahlen), *Physik:* hochenergetische Korpuskularstrahlung, die beim Zerfall – überwiegend natürlicher – schwerer radioaktiver Nuklide auftritt. Die A. bestehen aus **Alphateilchen,** d.h. zweifach positiv geladenen Heliumkernen (zwei Protonen und zwei Neutronen), und sind magnetisch ablenkbar, die mittl. Reichweite in Luft beträgt bis zu 8,6 cm. A. rufen auf Leuchtschirmen Lichtblitze hervor, können in Nebelkammern indirekt sichtbar gemacht werden und lassen sich u.a. mit Halbleiterdetektoren und Szintillationszählern nachweisen. Sie sind aufgrund ihrer starken Ionisationswirkung chemisch sehr wirksam und biologisch hoch schädigend. Die Energie zwischen 4,05 und 10,4 MeV ist für einen Alphastrahler charakteristisch.

Alpheios (ngrch. Alfios) *der,* größter Fluss auf der Peloponnes, 110 km lang; entspringt in Arkadien, mündet in das Ion. Meer.

Alphorn, bis zu 4 m (selten 10 m) langes Trompeteninstrument aus Holz, meist lang gestreckte Form, mitunter auch gewunden; in den Alpen u.a. Gebirgsgegenden gebräuchlich.

alpin, die Alpen (auch jedes Hochgebirge) betreffend.

alpine Disziplinen, die Skisportdisziplinen Abfahrtslauf, Riesenslalom, Slalom und Super-Riesenslalom.

alpine Kombination, im Skisport Mehrkampf aus Abfahrtslauf, Slalom und bzw. oder Riesenslalom.

alpines Notsignal, →Notsignale.

Alpini [italien.], die italien. →Alpenjäger.

Alpinismus (Alpinistik), i.e.S. die Alpenkunde, die wiss. Erforschung des Hochgebirges und dessen Besteigung; i.e.S. das als Sport ausgeübte Bergsteigen in den Alpen und anderen Hochgebirgen, meist von Zweier- bis Viererseilschaften ausgeführt. Daneben gibt es Alleingänge, den Aufstieg in der direkten Falllinie (der »Direttissima«), seit etwa 1930 Ziel der Bergsteiger, die nach der Erstbesteigung fast aller bekannten Gipfel immer schwierigere Routen und Wände wählen. Die unterschiedl. Schwierigkeitsgrade werden internat. einheitlich bewertet. – Als »Vater des A.« wird Petrarca bezeichnet, der 1336 den Mont Ventoux (1912 m ü. M.) bestieg. Von A. kann man aber erst seit dem Ende des 18. Jh. sprechen. Bed. Erstbesteigungen: Montblanc 1786 (J. Balmat, M. Paccard), Großglockner 1800, Matterhorn 1865 (E. Whymper), Annapurna I 1950 (M. Herzog, L. Lachenal), Nanga Parbat 1953 (H. Buhl), Mount Everest 1953 (E. Hillary, Tenzing Norgay). Seit der Besteigung des Nanga Parbat durch R. Messner ohne zusätzliche Sauerstoffzuführung (1970) sind weitere derartige Expeditionen unternommen worden.

📖 König, St. u. Winkler, J.: *Neuland. Gewagte Schritte im A. München 1991.* – Zebhauser, H.: *Alpine Zeitschriften. Entwicklungsgeschichte der Zeitschriften des A. in Dtl. u. Österreich, hg. vom Referat für Kultur, Wissenschaft u. Veröffentlichungen des Dt. Alpenvereins (DAV). München 1992.* – Bonington, Chr.: *Triumph in Fels u. Eis. Die Gesch. des A. A. d. Engl. Stuttgart [1]1995.*

alpinotyp, Art der Gebirgsbildung, bei der Falten- oder Deckengebirge entstehen; Ggs.: germanotyp.

Alpenveilchen

Alpinum [lat.] *das,* Steingarten im Tiefland mit Alpenpflanzen.

Alpirsbach, Stadt im Landkr. Freudenstadt, Bad.-Württ., 7000 Ew.; Luftkurort, 441 m ü. M., im Kinzigtal, Schwarzwald; Ind. (Arzneimittel, Kunststoffe u.a.; Brauerei). – Ehem. Benediktinerkloster (gegr. 1095, Kirche 1125 vollendet).

Alsfeld: Marktplatz mit Weinhaus (1538, links) und Rathaus (1512–16, rechts)

Alpnach, Gemeinde im schweizer. Kanton Obwalden, nahe dem Südende des Alpnacher Sees (Teil des Vierwaldstätter Sees), 463 m ü. M., 3600 Ew.; Kalksteinbruch, Holzverarbeitung; Ausgangspunkt (in Alpnachstad) der Zahnradbahn auf den Pilatus.

Alptraum, →Alb.

Alraune [ahd. alruna, von runa »Geheimnis«] (Alraun, Heckmännchen, Galgenmännchen), Wurzel des Nachtschattengewächses →Mandragora. Sie hat menschenähnl. Gestalt und soll als »Zaubermittel« Glück, Reichtum, Liebe bringen.

Alraune (Holzschnitt; Augsburg, 1488)

Alsace [al'zas], frz. Name des Elsass.

Alsdorf, Stadt im Kr. Aachen, NRW, 46100 Ew., 165 m ü. M.; der Steinkohlenbergbau wurde 1992 eingestellt; Herstellung von elektron. Bauteilen, Schallplatten, Arzneimitteln und Textilien.

Alse (Maifisch, Alosa), bis 60 cm langer, silbrig weißer Heringsfisch im westl. Mittelmeer und in den westl. Küstengewässern des Atlantiks; wandert zur Laichzeit in die Flüsse.

al segno [-'seɲo; italien. »bis zum Zeichen«], Abk. **al s.,** *Musik:* Anweisung zum Wiederholen eines Musikstücks bis zu der mit 𝄋 bezeichneten Stelle. (→dal segno)

Alsen (dän. Als), Insel im Kleinen Belt, Dänemark, 315 km², 52300 Ew., durch eine Brücke (über den Alsfjord) mit dem Festland verbunden, Hauptort: Sonderburg.

Alsfeld, Stadt im Vogelsbergkreis, Hessen, 268 m ü. M., an der Schwalm, 17700 Ew.; Textil-, Holz-, Metall-, Hutindustrie. – A. hat einen denkmalgeschützten mittelalterl. Stadtkern mit zwei Kirchen aus dem 14.–15. Jh., dem Fachwerkrathaus (1512–16), dem Weinhaus (1538) und dem Hochzeitshaus (1564–71).

Alsleben (Saale), Stadt im Landkreis Bernburg, Sa.-Anh., 2900 Ew.; Schiffswerft, Zuckerfabrik, Mosaiksteinwerk.

Alster *die,* rechter Nebenfluss der unteren Elbe, mit der sie schiffbare Fleete verbinden, 53 km lang; in Hamburg seenartig zur **Außen-A.** und **Binnen-A.** aufgestaut.

Alt [italien. alto »hoch«] *der, Musik:* **1)** die tiefere Frauen- und Knabenstimme, zweite Oberstimme; Normalumfang: a–f'' (Altlage); urspr. durch hohe Männerstimmen ausgeführt.

2) Tonlagenbezeichnung bei Instrumentenfamilien. Altinstrumente sind meist eine Quart oder Quinte tiefer gestimmt als die entsprechenden Sopraninstrumente.

Alt *der* (rumän. Olt), linker Nebenfluss der Donau in Rumänien, 670 km lang; entspringt in den Ostkarpaten, durchbricht die Südkarpaten (Rotenturmpass), mündet bei Turnu Măgurele; nicht schiffbar, mehrere Wasserkraftwerke.

Alt, 1) Otmar, Maler und Grafiker, *Wernigerode 17. 7. 1940; beeinflusst von Comicstrip und Pop-Art, schuf Bilder mit puzzleartig zusammengesetzten Farbflächen, auch Plastiken, v.a. bemalte Kleinfiguren, sowie Keramiken.

Otmar Alt: Das Treffen (1994; Privatbesitz)

2) Rudolf von (seit 1892), österr. Maler, *Wien 28. 8. 1812, †ebd. 12. 3. 1905; der bedeutendste Meister des österr. Vedutenaquarells im 19. Jh.; sein Bruder Franz A. (*1821, †1914) malte bes. Architektur- und Landschaftsaquarelle.

Altamira: Hirschkalb und kleiner Wisent, Höhlenmalerei

Altai *der,* Gebirgssystem in Zentralasien (in Kasachstan, Russland, China und der Mongolei), gliedert sich in den Russ., Mongol. und Gobi-A. Der **Russ. A.,** der im W bis nach Kasachstan hineinreicht, wird im W vom Irtysch, im O vom Westl. Sajan und im N vom Westsibir. Tiefland begrenzt; er ist ein paläozoisches Rumpfschollengebirge, in dem isolierte Hochflächen und Mittelgebirgszüge von 1500 bis 2500 m Höhe und weite, oft abgeschlossene Hochtalbecken (»Steppen«) vorherrschen. Nur im Zentrum und O erheben sich vergletscherte Hochgebirgsketten (Katun-, Tschujakette u.a.) bis 4506 m ü. M. (Belucha). Tannen- und Zirbelkiefernwälder bedecken rd. 70% der Fläche. Die Waldgrenze liegt im N bei 1700–2000 m, im Zentrum und O bei 2200–2450 m. Gebirgssteppen treten im N bis 600 m, im S bis 1500 m und in geschützten Becken bis 2200 m ü. M. auf. Rund 1000 Gletscher und mehr als 3500 Seen, darunter der Telezker See. Am vergletscherten Gebirgsstock des Tabyn-Bogdo-Ola (4356 m ü. M.) zweigt der rd. 1000 km lange, bis 4362 m hohe **Mongol. A.** ab. Kennzeichnend ist eine zunehmende Trockenheit. Seine südöstl. Fortsetzung ist der rd. 500 km lange, im Ich-Bogdo-Ola bis 3957 m hohe **Gobi-A.,** mit vorherrschender Wüstensteppen- und Wüstenvegetation.

Altai, zwei »Föderationssubjekte« Russlands im Süden Sibiriens:

1) Altai, Region im Vorland des Russ. Altai und seinem N-Fuß, 169 000 km², 2,7 Mio. Ew., Hptst.: Barnaul; vom oberen Ob zentral durchflossen, im W die Kalundasteppe, im O Hügelland; Nahrungsmittelind., Holzverarbeitung; Viehhaltung und Ackerbau. Für die in der Region lebenden 128 000 Deutschen wurde 1991 im äußersten W ein Autonomer Bezirk der Deutschen mit dem Verw.zentrum Halbstadt (russ. Galbschtadt) eingerichtet.

2) Republik Altai (1948–92 Autonomes Gebiet Hochaltai, Bergaltai, Gorno-Altai), Rep. innerhalb der Russ. Föderation, 92 600 km², (1992) 198 000 Ew. (1989: 60% Russen, 31% Altaier); Hptst.: Gorno-Altaisk; umfasst fast den gesamten russ. Anteil am Russ. Altai; Holz-, Nahrungsmittel-, Lederind.; Marmorbrüche. Die Altaier, ein türksprachiges Volk, treiben Viehzucht (Schafe, Rinder, A.-Pferde, Jaks u.a.) und in Gebirgstälern Ackerbau (Futterpflanzen, Getreide). – 1922 wurde das Autonome Oirotengebiet (Name bis 1948) innerhalb der Region A. gebildet; 1992 schied das Gebiet als eigenständige Rep. aus der Region aus.

altaische Sprachen, →uralaltaische Sprachen.

altamerikanische Kulturen, →andine Hochkulturen, →mesoamerikanische Hochkulturen.

Altamira, Höhle bei Santillana nahe Santander, in Kantabrien, Spanien. Hier wurden 1879 bei Ausgrabungen die ersten Höhlenbilder der Altsteinzeit entdeckt. Die mehrfarbigen Deckenbilder mit Tierdarstellungen bilden einen Höhepunkt der eiszeitl. Kunst (UNESCO-Weltkulturerbe).

📖 *A. Höhlenmalerei der Steinzeit. Ein Begleitbuch zur Ausstellung mit Einführungen in die Entwicklungsgeschichte des Menschen u. in die Kunst der Steinzeit sowie mit Artikeln zur A.-Höhle ... Beiträge v.* M. BENZ-ZAUNER *u.a. München 1995.*

Die Echtheit der Höhlenbilder von **Altamira** *war lange Zeit wegen der Frische der Farben und infolge fehlender Vergleichsmöglichkeiten umstritten. Erst nach der Entdeckung anderer Höhlen mit ähnlichen Darstellungen in Südfrankreich war die Fachwelt überzeugt, es nicht mit Fälschungen zu tun zu haben (1902). In den folgenden Jahrzehnten wurde die Höhle gründlich erforscht. Heute weiß man, dass die Bilder um 13 500 v. Chr. entstanden sind. Im Deutschen Museum in München befindet sich eine maßstabgerechte Reproduktion der Deckenbilder.*

Altamura, Stadt in Apulien, Prov. Bari, Italien, 59 400 Ew.; Agrarzentrum (Weizenanbau, Weideland). – Roman. Kathedrale (13. Jh.).

Altan [italien.] *der* (Söller), offene, im Obergeschoss ins Freie führende Plattform, die von Mauern, Säulen oder Pfeilern gestützt wird.

Altar [lat. »Aufsatz auf dem Opfertisch«] *der,* erhöhte Opferstätte im Freien oder in einem geschlossenen Raum; urspr. ein Steinblock, später oft kunstvoll gestaltet (Zeus-A. in Pergamon, Ara Pacis Augustae in Rom). Seit frühgeschichtl. Zeit ist der A. als heilige Stätte und Ort der Nähe Gottes in allen entwickelten Religionen bekannt. Der christl. A., erst Ende des 1. Jh. üblich, zunächst ein einfacher Tisch (Mensa, Tisch des Herrn, 1. Kor. 10, 21) zur Abendmahlsfeier, wurde in der kath. Kirche, die die Messe als Opfer auffasst, wieder zur Opferstätte und zum Mittelpunkt des Gotteshauses. Die evang. Kirchen kehrten zum Abendmahlstisch zurück; sie kennen nur den einfachen Tisch mit Kruzifix und Bibel, haben aber die alten Altäre

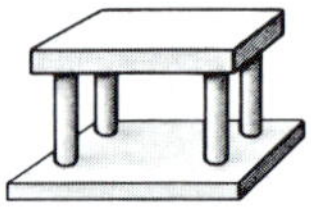

Tischaltar

Tragaltar

Ziboriumaltar

Retabelaltar

Altar

meist beibehalten als Sinnbild der Gegenwart Gottes. Seit dem 6. Jh. kamen in der kath. Kirche neben dem im Chor stehenden **Haupt-A. (Hoch-A., Front-A.)** für die Heiligenverehrung Neben- und Seitenaltäre auf. Auf Reisen wurde die Messe oft an einem **Trag-A.** (Portatile) gelesen.

Entwicklung des christl. A.: Überdachungen in Gestalt eines Baldachins (Ziborium, Tabernakel) kommen schon in frühchristl. Zeit vor. Den A.-Tisch bekleidete ein Antependium. In Dtl. wurde der A. vielfach mit dem Lettner verbunden. Seit dem 11. Jh. errichtete man über dem rückwändigen Teil des A.-Tischs einen urspr. für Reliquien bestimmten **A.-Aufsatz** (Retabel), aus dem sich seit dem 14. Jh. der **Flügel-A.** entwickelte. Er besteht aus einem (meist mit geschnitzten Darstellungen oder Malereien) gefüllten Mittelschrein und einem bewegl. Flügelpaar **(Triptychon),** später auch mit beiderseits mehreren Flügeln **(Wandel-A.),** mit denen der nur bei bestimmten Anlässen präsentierte Mittelteil zu schließen ist. Diese sind wie auch die **Staffel** oder **Predella,** über der sich der Schrein erhebt, mit geschnitzten oder gemalten Darstellungen versehen. Im späteren 16. Jh. setzte sich der in Italien übl. A. ohne bewegl. Flügel allgemein durch. Im Barock wurde der architekton. Aufbau des A., dessen Mittelpunkt ein Gemälde **(A.-Blatt)** oder auch eine plast. Gruppe bildet, aufs Reichste ausgestaltet. Auf evang. Kirchen beschränkt blieb der **Kanzel-A.,** bei dem die Kanzel über dem A. eingebaut ist. Die Gegenwart sucht nach einer Erneuerung von Form und Stellung des A. im Kirchenraum.

📖 BRAUN, J.: *Der christl. A. in seiner geschichtl. Entwicklung, 2 Bde. München 1924.* – GALLING, K.: *Der A. in den Kulturen des alten Orients. Berlin 1925.* – WEERTH, E. DE: *Die Altarsammlung des Frankfurter Stadtpfarrers Ernst Franz August Münzenberger (1833–1890). Ein Beitrag zur kirchl. Kunst in der zweiten Hälfte des 19. Jahrhunderts. Frankfurt am Main u. a. 1993.* – HARRER, C. A.: *Galerien u. Doppelaltäre in süddt. Barockkirchen. München 1995.*

Altarsakrament, *kath. Kirche:* → Eucharistie.

Altasiaten, → Paläosibirier.

Altazimut [lat. altus »hoch«], astronom. Instrument zur Messung von Höhe und Azimut eines Gestirns.

Altbayern, Bez. für das rechtsrhein. bayer. Staatsgebiet vor 1802 (Ober- und Niederbayern, Oberpfalz).

Altenburg
Stadtwappen

Altbier, aus stark gebrannten Malzen obergärig gebrautes dunkles Bier aus dem Raum Düsseldorf.

Altbulgarisch (Altkirchenslawisch), → Kirchenslawisch.

altchristlich, → frühchristlich.

altdeutsch, (ungenaue) Bez. für dt. Malerei und Plastik des 15. und frühen 16. Jh. (Spätgotik, Renaissance), auch für Möbel und Gläser der Neorenaissance (2. Hälfte des 19. Jh.), die diesen Stil nachahmen; i. w. S. die altüberlieferten Äußerungen dt. Kultur in Sitte, Kleidung, Sprache und Literatur.

Altdorf, 1) Altdorf b. Nürnberg, Stadt im Kr. Nürnberger Land, Bayern, im SO von Nürnberg, 14 600 Ew., 445 m ü. M.; elektrotechn. u. a. Industrie. – 1623–1809 Sitz einer Univ.; gut erhaltenes mittelalterl. Stadtbild.

2) Altdorf (UR), Hauptort des Kantons Uri, Schweiz, 3 km vom S-Ufer des Urner Sees des Vierwaldstätter Sees entfernt, im Reußtal, 8 200 Ew.; Kantonsmuseum und -bibliothek, Staatsarchiv; Kabel-, Gummi-, Kunststoffwerke. A. ist nach der Tellsage Schauplatz des Apfelschusses (Tellspiele; Telldenkmal).

Albrecht Altdorfer: Das Martyrium des heiligen Sebastian (Tafel aus dem Sebastiansaltar, 1509–18; Markt Sankt Florian, Stiftssammlung)

Altdorfer, Albrecht, Maler und Grafiker, * Regensburg (?) um 1480, † ebd. 1538; Ratsherr und Stadtbaumeister, schuf Bilder zu Themen der Bibel, der Heiligenlegenden und der Antike, deren Gestalten er in enger Verbindung mit Gebirgs- und Waldlandschaften, Ruinen und Architekturen darstellte. In seiner Kunst verbinden sich volkstümlich erzählende Fantasie, miniaturhafte Wiedergabe der Einzelheiten und ein der Romantik verwandtes Naturgefühl zu einer von Märchenstimmung erfüllten maler. Einheit. A. war ein bed.

Meister der →Donauschule. Von ihm stammt eines der ersten reinen Landschaftsgemälde der europ. Kunst (»Donaulandschaft mit Schloss Wörth«, 1520–25); er hinterließ ein bed. grafisches Werk.

Weitere Werke: Laubwald mit dem Drachenkampf des hl. Georg (1510; München); Ruhe auf der Flucht (1510; Berlin); Sebastiansaltar (1509–18; Sankt Florian und Wien); Geburt Mariä (1520/25; München); Susanna im Bade (1526; ebd.); Alexanderschlacht (1529; ebd.).

📖 Wood, C. S.: *A. A. and the origins of landscape. London 1993.*

Altena, Stadt im Märk. Kreis, NRW, an der Lenne, 24 000 Ew.; Dt. Schmiedemuseum, Drahtmuseum; bed. Draht-, Metall-, elektrotechn. Industrie. – Die Burg (1122 erwähnt, 1906–15 wieder aufgebaut) ist Heimatmuseum.

Altenberg, 1) Stadt im Weißeritzkreis, Sachsen, im Osterzgebirge, rund 750 m ü. M., 5 800 Ew.; Armaturenbau; Wintersportplatz. Bis 1991 wurde Zinnerz abgebaut.

2) Ortsteil von Odenthal im Rheinisch-Berg. Kreis, NRW, mit dem »Bergischen Dom«, der Kirche (1255–1379, Glasmalereien des 13.–15. Jh.) des ehem. Zisterzienserklosters A. (1133–1803).

Altenbourg [-burg], Gerhard, eigtl. G. Ströch, Maler, Grafiker, Bildhauer und Dichter, *Rödichen-Schnepfenthal (heute zu Waltershausen) 22. 11. 1926, †(Autounfall) Meißen 30. 12. 1989. Seine subtilen Arbeiten sind ein Beitrag zum fantast. Realismus.

Altenburg, Stadt in Thüringen, im Hügelland westl. der Pleiße, Krst. des Landkreises Altenburger Land, 45 500 Ew.; Maschinen- und Gerätebau, Herstellung von Spielkarten. – Die Stadt wird überragt vom Schloss (im Wesentlichen 18. Jh.) und den »Roten Spitzen«, den Türmen des ehem. »Bergklosters«; Spielkarten-, Lindenaumuseum (mit bed. Samml. italien. Malerei der Vor- und Frührenaissance sowie antiker Tongefäße des 7.–2. Jh. v. Chr.). – Der Burgward ist 976 bezeugt. Seit dem 13. Jh. Besitz der Wettiner, kam A. 1485 an die ernestin. Linie; 1603–72 und 1826–1918 war A. die Hptst. des Herzogtum Sachsen-Anhalt. Bild S. 140

Altenburger Land, Landkreis in Thür., 569 km² und (1996) 120 700 Ew., Krst. ist Altenburg.

Altenesch, ehem. Name von Lemwerder, Ndsachs. Bei A. besiegte 1234 Erzbischof Gerhard II. von Bremen die Stedinger.

Altenheim (Seniorenheim, ältere Bez.: Altersheim), Einrichtung, in der alte Menschen wohnen und betreut werden. Für Pflegebedürftige sind spezielle Pflegeabteilungen angegliedert; leben in einem A. nur pflegebedürftige alte Menschen, heißt die Einrichtung **Altenpflegeheim.** In **Altenwohnheimen** stehen abgeschlossene Wohnungen zur Verfügung. Träger der A. sind Kommunen, Organisationen der freien Wohlfahrtspflege und Private. A. stehen unter staatl. Heimaufsicht. Dem Schutz der Bewohner dient das Heim-Gesetz.

Altenherrschaft (Gerontokratie), *Völkerkunde:* die Leitung einer Gemeinschaft durch ein Gremium von Alten, deren Erfahrung für die Gemeinschaft genutzt werden soll. (→Geronten)

Altenhilfe, Form der Sozialhilfe, die speziell auf die Bedürfnisse alter Menschen ausgerichtet ist. Sie tritt als offene A. (ambulante A.) und als stationäre A. (geschlossene A.) auf. Zur **offenen A.** gehören Altenklubs, Altenbegegnungsstätten und Altenerholung. Daneben spielen auch die mobilen sozialen Hilfsdienste (z. B. »Essen auf Rädern«) sowie die Nachbarschaftshilfe eine große Rolle. Die **stationäre A.** umfasst v. a. die Betreuung in Altenheimen. Nach § 75 des Bundessozialhilfe-Ges. werden A. als Hilfen in besonderen Lebenslagen gewährt (z. B. Hilfen bei der Beschaffung und Erhaltung altersgerechter Wohnungen).

Altenkirchen (Westerwald), 1) Landkreis im RegBez. Koblenz, Rheinl.-Pf., 642 km², (1996) 135 000 Einwohner.

2) Krst. von 1), im oberen Wiedtal, 6 300 Ew.; Kunststoff-, Papierindustrie.

Altenstein, Karl Freiherr vom Stein zum A., preuß. Staatsmann, *Ansbach 1. 10. 1770, †Berlin 14. 5. 1840; war 1817–38 Kultusmin.; förderte Wiss. und Schulen; seine Kirchenpolitik löste 1817 die Kämpfe um die evang. Union und 1837 den Kölner Kirchenstreit um die gemischten Ehen aus.

Gerhard Altenbourg: Janus und die Kinder der Zeit (1955)

Altenteil (Ausgedinge, Auszug, Leibgedinge), bei der Übergabe eines Bauernhofes die auf Lebenszeit vereinbarten Leistungen des Übernehmers an den abgebenden Altenteiler (Wohnung, Rente), ergänzt durch die →Altershilfe für Landwirte.

Altentreptow [-to], Stadt im Landkreis Demmin, Meckl.-Vorp., an der Tollense, 7 400 Ew.;

Flügelaltar

Kanzelaltar

Altar

landwirtschaftl. Handelszentrum; Nahrungsmittel-, Baustoff-, Bekleidungsindustrie. – Bis Juni 1994 Krst. des damals aufgelösten gleichnamigen Landkreises.

Alter, die Zeit des Bestehens, ausgedrückt in Zeiteinheiten, z.B. das A. eines Menschen **(Lebens-A.),** der Erde, des Kosmos; auch die Altersstufen sowie, bes. beim Menschen, der letzte Lebensabschnitt vor dem Greisenalter. Hinsichtlich der **Lebensdauer** wird unterschieden zw. mittlerer (durchschnittl.) und potenzieller (höchstmögl.) Lebensdauer. In den letzten Jahrhunderten und bes. im 20. Jh. ist die mittlere →Lebenserwartung als Folge der verbesserten hygien. Verhältnisse und erfolgreicher Krankheitsbekämpfung im Durchschnitt sprunghaft angestiegen.

Alteration [lat.] *die, Musik:* Veränderung eines Akkordtones um einen chromat. Halbton **(alterierter Akkord).**

Alter Bund, Bez. der christl. Theologie für die Periode der Heilsgeschichte vom Bund Gottes mit Abraham bis zur Erlösung durch Jesus Christus; entspricht dem Alten Testament der Bibel.

Alter Ego

Die Bezeichnung eines guten, eines sehr vertrauten Freundes als »anderes Ich« ist in der lateinischen Form »alter ego« bekannt geworden und bildungssprachlich bis heute üblich geblieben. Die Ausdrucksweise hat ihre Wurzeln in der Literatur der Antike und kommt sowohl in der griechischen wie auch in der lateinischen Version vor. Als Urheber wird in erster Linie der griechische Philosoph und Mathematiker Pythagoras genannt. Der Ausdruck erscheint aber in verschiedenen Varianten auch bei den griechischen Philosophen und Schriftstellern Aristoteles, Zenon, Plutarch sowie den römischen Philosophen und Staatsmännern Cicero und Seneca.

Alter Dessauer, Übername von Fürst →Leopold I. von Anhalt-Dessau.

Alter Ego [lat. »das andere (zweite) Ich«] *das,* **1)** sehr vertrauter Freund.

2) in der Tiefenpsychologie bei S. Freud das Es, bei C. G. Jung »Schatten« oder Personifikation der verdrängten Inhalte der Psyche.

Alter

Die ältesten Menschen der Welt leben angeblich im Tal von Vilcabamba im Südosten Ecuadors. David Davies, Professor für Gerontologie (Altersforschung) in London, untersuchte zwei Jahre lang die Lebensweise der dort lebenden, überdurchschnittlich alten Menschen, von denen einige 130 Jahre und älter sein sollen. So auch der rüstige Gabriel Sanchez, der noch jeden Tag, genauso wie in den letzten 120 Jahren, seiner Arbeit als Bauer nachgeht. Dr. Davies berichtet darüber in seinem Buch »The Centenarians of the Andes« (1975; Die Hundertjährigen der Anden).

Altenburg: Renaissance-Rathaus (1562–64)

Alter Herr, Abk. **A. H.,** Mitglied einer student. Verbindung nach Abgang von der Hochschule.

Altern, komplexer, durch mehrere Faktoren bedingter Prozess, der charakterisiert ist durch irreversible Veränderungen im Bereich der Lebensfunktionen. Ursache der Alterungsprozesse sind Stoffwechselveränderungen infolge verminderter Aufnahme- und Ausscheidungsfähigkeit. Es kommt zu Schlackenablagerungen, Elastizitätsverlust, Wasserverarmung, Erschlaffung der Haut, verringerter Regenerationsfähigkeit, Brüchigwerden der Knochen, einer Abnahme der Leistungsfähigkeit aller Organe. Die Wiss. vom Altern heißt →Gerontologie, die Heilkunde →Geriatrie.

Alternat [mlat. »Abwechslung«] *das,* Regel, dass bei Unterzeichnung völkerrechtl. Verträge jeder Staat in der für ihn bestimmten Ausfertigung zuerst genannt wird und unterschreibt.

Alternation (Alternanz) [von lat. alter »der Andere«] *die,* **1)** *allg.:* Abwechslung, Wechsel.

2) *Sprachwissenschaft:* Lautwechsel, z.B. beim →Ablaut.

Alternative [von lat. alter »der Andere«] *die,* Entscheidungsmöglichkeit zw. zwei sich ausschließenden Möglichkeiten; auch die zweite Möglichkeit selbst.

alternative Bewegung, Sammelbez. für die seit den 1970er-Jahren entstandenen Gruppierungen vorwiegend jüngerer Menschen, die die Lebens- und Organisationsformen der modernen Ind.gesellschaft ablehnen und versuchen, ihre Lebensverhältnisse in einer anderen wirtsch., gesellschaftl. und polit. Form selbst zu bestimmen und damit eine **Alternativkultur** zu schaffen. Verflechtungen bestehen z.T. mit der Umwelt- und Naturschutzbewegung, der Friedens- sowie der Frauenbewegung und politisch v.a. mit den grü-

Alter: Lebensalter im Recht

Deutschland

Geburt: Beginn der Rechts- und Parteifähigkeit
1.–6. Lebensjahr: Geschäfts- und Schuldunfähigkeit
6. Lebensjahr: Schulpflichtbeginn
7. Lebensjahr: beschränkte Geschäfts- (§§ 106 ff. BGB) und bedingte Schuldfähigkeit (§ 828 BGB) für unerlaubte Handlungen nach bürgerl. Recht
10. Lebensjahr: Anhörungsrecht zum Bekenntniswechsel (§§ 2, 3 Ges. über die religiöse Kindererziehung)
12. Lebensjahr: Zustimmungserfordernis zum Bekenntniswechsel
14. Lebensjahr: bedingte strafrechtl. Verantwortlichkeit (§§ 1, 3 Jugendgerichts-Ges., § 19 StGB), religiöses Selbstbestimmungsrecht, Mitspracherecht hinsichtlich der elterlichen Sorge nach Ehescheidung der Eltern
15. Lebensjahr: Recht, selbstständig Sozialleistungen zu beantragen und zu empfangen, Mindestalter Prüfbescheinigung Mofa
16. Lebensjahr: beschränkte Testierfähigkeit (§§ 2 229, 2 247 BGB), beschränkte Ehefähigkeit, Beginn der Eidesfähigkeit (§§ 393, 455 ZPO, § 60 StPO), Mindestalter für Führerschein Klasse 1 b, 4 und 5, Pflicht zum Personalausweisbesitz (§ 1 Personalausweis-Ges.), Raucherlaubnis in der Öffentlichkeit
17. Lebensjahr: Mindestalter für ein freiwilliges soziales Jahr
18. Lebensjahr: Volljährigkeit (§ 2 BGB), volle Geschäfts- und Testierfähigkeit sowie volle Schuldfähigkeit nach bürgerl. Recht und Strafrecht (mit der Möglichkeit, Jugendstrafrecht anzuwenden, §§ 1, 105, 106 Jugendgerichts-Ges.), Ehefähigkeit, aktives und passives Wahlrecht zu Volksvertretungsorganen, aktives und passives Wahlrecht zum Betriebsrat (§ 7 Betriebsverfassungs-Ges.), Mindestalter für Führerschein Klasse 1a und 3; Wehrpflichtbeginn
20. Lebensjahr: Mindestalter für Führerschein Klasse 1
21. Lebensjahr: volle Straffähigkeit als Erwachsener, Mindestalter für Führerschein Klasse 2
25. Lebensjahr: Mindestalter für Adoptionen und das Schöffenamt
27. Lebensjahr: Mindestalter für die Ernennung zum Lebenszeitbeamten
40. Lebensjahr: Wählbarkeit zum Bundespräs.
45. Lebensjahr: Ende der Wehrpflicht für Mannschaften im Frieden
53. Lebensjahr: Beginn der besonderen Altersgrenze für Berufssoldaten
60. Lebensjahr: Ende der Wehrpflicht für Unteroffiziere und Offiziere, allg. Altersgrenze für Berufssoldaten und Polizeivollzugsbeamte. Altersrente für Frauen (Altersgrenze wird schrittweise angehoben), Schwerbehinderte, Berufsunfähige und Erwerbsunfähige, für langjährig unter Tage beschäftigte Bergleute und wegen Arbeitslosigkeit oder nach Altersteilzeitarbeit (Altersgrenze wird ab 1997 schrittweise angehoben)
65. Lebensjahr: Altersgrenze für Beamte (Eintritt in Ruhestand schon ab 62 möglich), Rentenansprüche aus Sozialversicherung (auch schon ab 63), Steuervergünstigungen (z. T. ab 55) z. B. durch Altersfreibetrag
70. Lebensjahr: Altersgrenze für das Schöffenamt

Österreich

10. Lebensjahr: Anhörungsrecht zum Bekenntniswechsel
12. Lebensjahr: Zustimmungsrecht zum Bekenntniswechsel; Mindestalter für Fahrradfahren im öffentl. Verkehr
14. Lebensjahr: religiöses Selbstbestimmungsrecht; verwaltungsstrafrechtl. Deliktsfähigkeit; beschränkte strafrechtl. Deliktsfähigkeit; erweiterte Geschäftsfähigkeit; beschränkte Testierfähigkeit
16. Lebensjahr: Ende der Schulpflicht; Zulässigkeit von Rauchen und Alkoholgenuss in der Öffentlichkeit; Mindestalter für Motorrad-Führerschein, Ehefähigkeit der Frau
18. Lebensjahr: aktives Wahlrecht; Beginn der Wehrpflicht; volle Strafmündigkeit; Besuchsrecht für Veranstaltungen aller Art; Mindestalter für Kfz-Führerschein
19. Lebensjahr: Volljährigkeit; volle Strafmündigkeit; Gewerbeantrittsberechtigung; passives Wahlrecht, Ehefähigkeit des Mannes
35. Lebensjahr: Wählbarkeit für das Amt des Bundespräs.
51. Lebensjahr: Ende der Wehrpflicht
55. Lebensjahr: vorzeitiges Pensionsalter für Frauen
60. Lebensjahr: Pensionsalter für Frauen; vorzeitiges Pensionsalter für Männer; Anspruch auf gesetzlich dauernden Ruhestand für Richter
65. Lebensjahr: gesetzl. Pensionsalter für Männer

Schweiz

7. Lebensjahr: bedingte strafrechtl. Verantwortlichkeit
16. Lebensjahr: religiöses Selbstbestimmungsrecht
18. Lebensjahr: Volljährigkeit; aktives und passives Wahlrecht; Ehefähigkeit; Testierfähigkeit
19. Lebensjahr: Stellungspflicht
20. Lebensjahr: Wehrpflicht
35. Lebensjahr: Mindestalter für Adoptionen
42. Lebensjahr: Ende der Wehrpflicht für Mannschaften, Unteroffiziere, Subalternoffiziere und (i. d. R.) für Hauptleute
52. Lebensjahr: Ende der Wehrpflicht für Stabsoffiziere und (i. d. R.) für höhere Stabsoffiziere
62. Lebensjahr: Altersrente für Frauen (ab 2001: 63; ab 2005: 64)
65. Lebensjahr: Altersrente für Männer

nen Parteien. Ein verbindl. theoret. Bezug zur Abgrenzung von beliebigen gesellschaftskrit. sozialen Bewegungen existiert nicht.

Alternative Liste, Abk. **AL,** polit. Gruppierung in Berlin (West), im Rahmen der Alternativbewegung entstanden; bildete 1989/90 mit der SPD den Senat.

alternative Medizin, Richtung in der Medizin, die naturgemäße, z. T. auch historisch überlieferte Heilmethoden (z. B. Akupunktur, Volksmedizin) einzusetzen versucht.

alternativer Landbau, →biologischer Landbau.

Alternativkosten, *Wirtschaft:* die →Opportunitätskosten.

Alternativkraftstoffe, →Kraftstoffe.

Alternativobligation, die →Wahlschuld.

alternierender Vers, →Metrik.

Alternsforschung, die →Gerontologie.

Alter Orient, das Gebiet der frühen Hochkulturen in Palästina und Syrien, Kleinasien, Mesopotamien, im iran. Hochland und, i. w. S., in Ägypten, vom 7. Jt. v. Chr. bis z. Z. Alexanders d. Gr. (4. Jh. v. Chr.).

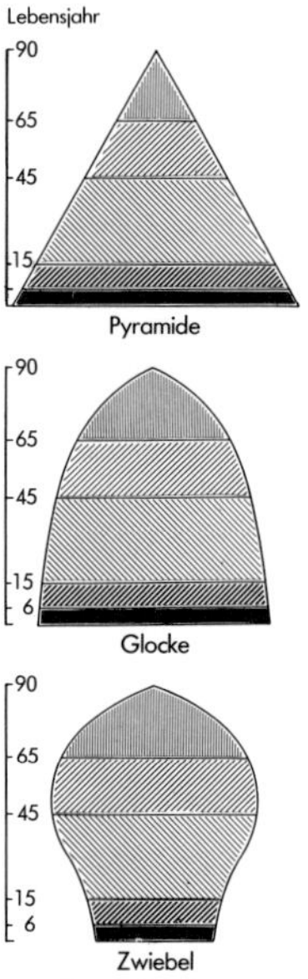

Altersgliederung: Formen der Altersgliederung

📖 *Der alte Orient. Gesch. u. Kultur des alten Vorderasien. Beiträge von* B. HROUDA *u. a. München 1991.*

Altersaufbau, die →Altersgliederung.

Altersbeschwerden, Beschwerden, die auf Veränderungen als Folge des Alterns beruhen, für sich allein jedoch keine Krankheit sind, z. B. eingeschränkte Leistungsfähigkeit des Bewegungsapparats und größere Ermüdbarkeit, Leistungsschwäche des Immunsystems oder des Kreislaufs, geringere Konzentrationsfähigkeit. Ursache ist der allmähl. Abbau der Organ- und Gewebsfunktion. Vorbeugung: gesunde Lebensführung, d. h. ausreichende körperl. Bewegung und Training von Herz und Kreislauf, gesunde Ernährung sowie geistige Betätigung.

Altersbestimmung, Datierung von vorgeschichtlichen Ereignissen, Abschätzung des Alters von Objekten (z. B. bei Tieren nach dem Gebiss, bei Bäumen nach Jahresringen, bei fossilen Knochen mit der →Aminosäuredatierung). Bei der **relativen A.** werden die Ereignisse und Objekte relativ zueinander zeitlich eingeordnet, z. B. ist bei einer ungestörten Ablagerung von geolog. Schichten die obere Schicht die jüngere. Kann angegeben werden, wie viele Jahre seit einem Ereignis verstrichen sind, spricht man von **absoluter A.** Sie beruht v. a. auf physikal. Methoden, die den Zerfall der in dem zu datierenden Material enthaltenen radioaktiven Isotope ausnutzen. Verfahren zur **physikal. A.** sind u. a. die →Radiocarbonmethode, die →Aktivierungsanalyse und die →Thermolumineszenz. – In der Astronomie werden zur A. von Planeten (insbesondere der Erde und ihrem Mond) und Meteoriten u. a. die →Bleimethoden und die →Rubidium-Strontium-Methode angewendet. Danach ist die Erde 4,58 ± 0,03 Mrd. Jahre alt und unser Planetensystem vor etwa 4,6 bis 5 Mrd. Jahren entstanden. Aus der Theorie der Sternentwicklung und der Expansion des Weltalls (→Hubble-Effekt, →Urknall) wird meist ein zw. 15 und 20 Mrd. Jahren liegendes Weltalter angenommen.

📖 GEYH, M. A.: *Einführung in die Methoden der physikal. u. chem. A. Darmstadt 1980. – Dendrochronologie – A. des Holzes, bearb. v.* H. FRITSCH, *hg. vom Fraunhofer-Informationszentrum Raum u. Bau. Stuttgart* [3]*1995.* – WAGNER, G. A.: *A. von jungen Gesteinen u. Artefakten. Physikal. u. chem. Uhren in Quartärgeologie u. Archäologie. Stuttgart 1995.*

Altersblödsinn, frühere Bez. für senile →Demenz.

Altersentlastungsbetrag, steuerrechtl. Freibetrag zugunsten von Steuerpflichtigen über 64 Jahre für Einkünfte, die weder Sozialrenten noch Pensionen u. Ä. sind. Der A. beträgt pro Jahr 40 % des Arbeitslohns und anderer Einkünfte, höchstens aber 3 720 DM (§ 24 a Einkommensteuer-Ges.); einen Altersfreibetrag gibt es seit 1990 nicht mehr.

Altersgliederung (Altersaufbau, Altersstruktur), *Bevölkerungswissenschaft* und *Ökologie:* die altersmäßige Zusammensetzung einer Bevölkerung bzw. einer Population, z. B. nach Jahren (in der Ökologie bei kurzlebigen Spezies auch kürzere Zeitabschnitte), dargestellt als Tabelle oder in graf. Form. Bei gleichmäßig wachsender Bev. ergibt die A., grafisch dargestellt, die Form einer Pyramide; infolge des Geburtenrückganges und der steigenden Lebenserwartung in den Ind.ländern wird daraus eine Glocke oder schließlich eine Zwiebel. Die A. gehört neben der Gliederung nach dem Geschlecht zu den wichtigsten Beurteilungskriterien einer Bevölkerung. Statist. Grundlagen für die A. liefern Volkszählungen und deren Fortschreibungen.

Altersgrenze, im öffentl. Dienstrecht das Lebensalter, mit dessen Erreichen öffentl. Bedienstete ihre Berufstätigkeit beenden und, bes. Beamte auf Lebenszeit, in den Ruhestand treten; in Dtl. i. d. R. mit Vollendung des 65. Lebensjahres (abweichende Regelungen für Soldaten, Polizisten, Richter). – Für Arbeiter und Angestellte →Rentenversicherung.

Altersheilkunde, die →Geriatrie.

Altersheim, ältere Bez. für →Altenheim.

Alters-, Hinterlassenen- und Invalidenversicherung, Abk. **AHV/IV,** in der *Schweiz* die seit 1948 bestehende, obligator. Sozialversicherung (Rentenversicherung).

Altersklasse, 1) *Sport:* Einstufung von Wettkämpfern nach Lebensaltersstufen (z. B. Schüler, Jugendliche, Junioren, Senioren) bei einigen Sportarten wie Fußball, Judo, Boxen.

2) *Völkerkunde:* bei Naturvölkern Gruppierung der Menschen nach Lebensabschnitten; der Übertritt in die nächsthöhere A. ist mit Zeremonien (Übergangsriten) verbunden.

Alterspräsident, ältestes Mitglied einer öffentl. Körperschaft (bes. eines Parlaments); führt nach einer Neuwahl bis zur Wahl eines Präs. die Geschäfte.

Altersrente (Altersruhegeld), finanzielle Leistung, die einer Person nach Erreichung der Altersgrenze regelmäßig gezahlt wird, meist von einer →Rentenversicherung.

Altersschwäche, meist im höheren Lebensalter auftretende Abnahme der körperl. **(Altersmarasmus)** und oft auch der geistigen Kräfte **(Seneszens, Senilität).**

Altersschwerhörigkeit (Presbyakusis), bei vielen Menschen schon im 5. und 6. Lebensjahrzehnt auftretende, stets auf beiden Ohren fast unmerklich beginnende und langsam zunehmende Schwerhörigkeit zunächst bei hohen Tönen, die auf Abnutzung und Schwund der Nerven- und Sinneszellen im Innenohr (Schnecke) beruht. Abhilfe erfolgt durch →Hörgeräte.

Alterssicherung, in der *Sozialpolitik* zusammenfassende, nicht einheitlich abgegrenzte Bez. für alle Maßnahmen oder Regelsysteme, die darauf zielen, alten Menschen Leistungen (v.a. finanzieller Art) zukommen zu lassen. Der zuweilen auch synonym gebrauchte Begriff **Altersversorgung** fasst begrifflich die verschiedenen Einrichtungen und Systeme sowie deren Leistungen zusammen, die von bestimmten Personen in Anspruch genommen werden können, wenn sie eine gewisse Altersgrenze erreicht haben.

In den meisten Industriestaaten hat sich eine A. nach dem sog. »Drei-Schicht-System« (auch als »Drei-Säulen-Konzept« bezeichnet) herausgebildet. Neben der gesetzl. A. (Rentenversicherung, Handwerkerversicherung, Künstlersozialversicherung, Alterssicherung der Landwirte, Beamtenversorgung), die über die öffentl. Haushalte und die Etats der Gebietskörperschaften organisiert ist, existiert die betriebl. Altersversorung sowie als dritte Form die Nutzung privater Ersparnisse für das Alter (z.B. in Form einer Lebensversicherung).

Alterssicherung der Landwirte, von den landwirtschaftl. Alterskassen getragene Teilsicherung der Alterssicherung auf berufsständ. Grundlage, geregelt durch Ges. vom 29.7.1994. Versicherungspflichtig sind land-und forstwirtschaftl. Unternehmer sowie deren Ehegatten und mitarbeitende Familienangehörige. Die Leistungen der A. d. L. umfassen neben Renten an Versicherte und Hinterbliebene die medizin. Rehabilitation und die Betriebs- und Haushaltshilfe.

Die als »Altershilfe für Landwirte« 1957 eingeführte A.d.L. wurde mehrfach grundlegend geändert (u.a. Schaffung einer eigenständigen Alterssicherung der Ehegatten von Landwirten, finanzielle Stabilisierung mittels Defizitdeckung durch den Bund, gerechtere Beitragsausgestaltung, Überleitung auf die neuen Bundesländer).

Alterssichtigkeit (Presbyopie), die mit zunehmendem Alter abnehmende Akkommodationsfähigkeit des Auges als Folge des Elastizitätsverlustes der Linse; dadurch wird das Sehen in der Nähe erschwert, eine bestehende Kurzsichtigkeit z.T. kompensiert. Bei Normalsichtigen macht sich dies etwa mit 45 Jahren bemerkbar. Ein Ausgleich erfolgt durch Konvexgläser.

Altersteilzeitarbeit, Form der Teilzeitarbeit für Arbeitnehmer, die das 55. Lebensjahr vollendet haben. Dabei wird die wöchentl. Arbeitszeit auf die Hälfte reduziert (mindestens jedoch 18 Stunden). Um das Arbeitsentgelt des Arbeitnehmers auf 70% des bisherigen Vollzeitentgelts zu erhöhen und um die Rentenversicherungsbeiträge auf den Betrag zu erhöhen, der 90% des bisherigen Entgelts entspricht, zahlt das Arbeitsamt dem Arbeitgeber Zuschüsse, wenn der Arbeitgeber den frei werdenden halben Arbeitsplatz mit einem Arbeitslosen besetzt, oder einen Auszubildenden übernimmt. Mit 60 Jahren können die Arbeitnehmer dann wählen, ob sie in Rente gehen oder weiterarbeiten und eine Teilrente beziehen wollen. Wählen sie die volle Rente, müssen die Arbeitnehmer aufgrund der ab 1997 geltenden höheren Altersgrenze für den Rentenbezug jedoch Abschläge bei der Höhe des Rentenbetrages in Kauf nehmen. Die A. ist in Art. 1 (das Altersteilzeitgesetz) des Gesetzes zur Förderung eines gleitenden Übergangs in den Ruhestand von 1996 geregelt.

Die zum 1.8.1996 in Kraft getretene A. löst eine bis Ende 1992 befristete Form der A. ab. Die A. ist auch eine Reaktion auf eine die Arbeitslosen- und Rentenversicherung finanziell erheblich belastende Frühverrentung in Gestalt der »59er-Regelung«. Dabei kündigten Arbeitgeber den über 59-jährigen Arbeitnehmern, um diesen die Möglichkeit für vorgezogene Altersrente wegen Arbeitslosigkeit (mindestens ein Jahr) zu eröffnen.

alter Stil, Abk. **a. St.,** seit 1582 Bez. der Tagesdaten nach dem julian. →Kalender.

Altersübergangsgeld, vom 3.10.1990 bis zum 31.12.1992 in den neuen Bundesländern gewährte Geldleistung (65% des letzten durchschnittl. Nettoentgelts) der Bundesanstalt für Arbeit an Arbeitslose, die das 55. Lebensjahr vollendet hatten; löste die Vorruhestandsregelung der DDR ab.

Altersversorgung, →Alterssicherung.

Altertum, der Zeitraum vom Beginn erster schriftl. Aufzeichnungen im Alten Orient (um 3000 v. Chr.) bis zum Ausgang der grch.-röm. Antike (oft als **klass. A.** bezeichnet); als Endpunkt gilt meist das Jahr 476 n. Chr. (Untergang des Weström. Reiches).

Altertümer, alle aus dem klass. Altertum oder aus der Frühvergangenheit eines Volkes oder einer Kultur stammenden Überreste und Denkmäler; sie fallen in den Bereich der Vorgesch., der Archäologie und der klass. Altertumswissenschaft.

Altertumsvereine, seit der späten Romantik gegr. Vereine zur Erhaltung der Altertümer und Denkmäler eines Landes, Errichtung von Museen, Herausgabe von Zeitschriften und Pflege der landes- und ortsgeschichtl. Altertumskunde.

Altertumswissenschaft (Altertumskunde), von F. A. Wolf eingeführter Name für die Erforschung des grch.-röm. Altertums, in neuerer Zeit auf die nichtklass. alten Kulturen Europas, Vorderasiens und Nordafrikas ausgedehnt. (→Archäologie, →klassische Philologie)

Alterung, *Werkstoffkunde:* häufig unerwünschte Veränderung in Stoffen, die sich u.a. in Härtesteigerung, Versprödung und/oder Verfärbung (Metalle, Kunststoffe) zeigt; wird durch natürl. Vorgänge hervorgerufen (Temperaturschwankungen, Lichteinfall u.a.). Der Vorgang kann aber zur Erzielung gewünschter Eigenschaften auch gewollt sein **(künstl. A.),** z.B. **Abschreck-A.** zur Härtung von Stahl und →Burn-in.

Louis Althusser

Alterungsrückstellung, Rückstellung, die in der privaten Krankenversicherung zur Deckung des mit dem Alter des Versicherten wachsenden Krankheitskostenrisikos gebildet wird.

Alter vom Berge, übl. Übersetzung des Titels »Scheich al-Djebel« (Gebieter des Gebirges) des Oberhauptes der syr. Assassinen.

Altes Land, fruchtbare Flussmarsch am linken Ufer der Unterelbe zw. Hamburg-Harburg und Stade; Landwirtschaft und Obstbau (bes. Kirschen, Äpfel); Gewerbeansiedlung; Naherholungsgebiet.

Robert Altman

Ältestenrat, 1) (Seniorenkonvent), Organ des Bundestages, bestehend aus dem Bundestagspräs., seinen Stellv. und 23 von den Fraktionen benannten Mitgliedern. Der Ä. hat den Bundestagspräs. bei der Führung der Geschäfte zu unterstützen.

2) *Völkerkunde:* Gruppe der Ältesten eines Gemeinwesens zur Regelung des gesellschaftl. Lebens.

Altes Testament, Abk. **A.T.,** →Bibel.

Alte Welt, die schon im Altertum bekannten Erdteile Europa, Asien und Afrika, im Ggs. zu Amerika, der →Neuen Welt.

Sidney Altman

altfürstliche Häuser, Fürstenhäuser, die schon auf dem Reichstag von Augsburg 1582 im Fürstenrat saßen; hatten eine →Virilstimme.

Altglas, Sammelbegriff für gebrauchte Glasbehälter; A. wird (sortiert nach Farben) gesammelt und als Rohstoff in der Glasind. wieder verwendet.

Altgläubige, *russ.-orth. Kirche:* →Raskolniki.

Althaea, Gatt. der Malvengewächse, →Eibisch.

Altheide, Bad, →Polanica Zdrój.

Altheim, Franz, Althistoriker, *Frankfurt am Main 6. 10. 1898, †Münster 17. 10. 1976; ab 1936 Prof. in Halle (Saale), 1950–65 in Berlin (FU).

Werke: Röm. Religionsgesch., 3 Bde. (1931–33); Italien und Rom, 2 Bde. (1941–43); Der Niedergang der alten Welt, 2 Bde. (1952); Gesch. der Hunnen, 5 Bde. (1959–62); Die Araber in der Alten Welt, 5 Bde. (1964–69, mit R. Stiehl); Gesch. Mittelasiens im Altertum (1970, mit R. Stiehl); Christentum am Roten Meer, 2 Bde. (1971–73, mit R. Stiehl).

Althing [isländ.] *das,* urspr. die Bez. der Volksversammlung einzelner Stammesgebiete in Norwegen, seit 930 die Volksvertretung in Island.

Althochdeutsch, die älteste Stufe der dt. Sprache, vom Beginn der schriftl. Überlieferung (etwa 750) bis Mitte/Ende des 11. Jh. (→deutsche Sprache, →Mundart)

Althusius (Althaus), Johannes, Rechtsgelehrter, *Diedenshausen (heute zu Bad Berleburg) 1557, †Emden 12. 8. 1638; entwickelte auf der Grundlage des kalvinist. Determinismus unter dem Namen »Politik« eine systemat. Soziallehre, die alles gesellschaftl. Leben auf eine ursprüngl. Bereitschaft des Menschen zur »Symbiose«, zur Lebensgemeinschaft mit anderen (lat. »consociatio«), zurückführt; sie spricht die höchste Gewalt im Staat (»maiestas«) unveräußerlich und unteilbar dem Volk zu (Volkssouveränität).

Althusser [frz. alty'sɛr], Louis, frz. marxist. Philosoph, *Birmandreïs (bei Algier) 16. 10. 1918, †Paris 22. 10. 1990; Mitgl. der frz. KP, bemühte sich um eine neue Deutung von Marx' späten Schriften »Zur Kritik der polit. Ökonomie« (1859); sieht eine Kluft zw. dem frühen, von L. Feuerbach beeinflussten, und dem späten, ökonomisch orientierten Marx.

Altindisch (altindoarische Sprache), die Sprache der indogerman. Stämme, die im 2. Jt. v. Chr. in NW-Indien einwanderten. Sie ist im vedischen →Sanskrit erhalten und lebte im epischen und im klass. Sanskrit fort. Seit etwa 300 v. Chr. ist sie nicht mehr Umgangssprache.

Altkastili|en (span. Castilla la Vieja), histor. Landschaft im mittleren und nördl. Spanien, der nördl. Teil Kastiliens; entspricht der heutigen Region →Kastilien und León.

Altkatholiken, kath. Kirchengemeinschaft, die sich aus Anlass der Unfehlbarkeitserklärung des Papstes (1870) von Rom lossagte; seit 1874 mit bischöflicher Verfassung. Mittelpunkt war anfangs I. →Döllinger; nach dem 1. altkath. Kongress in München (1871) entstanden altkath. Gemeinden und Bistümer. Unfehlbarkeit des Papstes, Zölibat, Ohrenbeichte u.a. werden abgelehnt; die Laien haben das Recht der Pfarrer- und Bischofswahl. Verbindendes Organ aller Bistümer in Europa und Nordamerika (weltweit gibt es rd. 6,4 Mio. Altkatholiken) ist die Internat. Altkathol. Bischofskonferenz (Utrechter Union; gegr. 1889). Es besteht Abendmahlsgemeinschaft mit der Anglikan. Kirchengemeinschaft (seit 1931) und anderen unabhängigen kath. Kirchen.

📖 *Christus spes. Liturgie u. Glaube im ökumen. Kontext, hg. v.* A. BERLIS *u.* K.-D. GERTH. *Frankfurt am Main u. a. 1994.*

Altkirchenslawisch (Altbulgarisch), →Kirchenslawisch.

Altkönig, Berg im Taunus, bis 798 m ü. M.; mit Wallanlage aus der älteren La-Tène-Zeit (etwa 4. Jh. v. Chr.).

Altlast, zusammenfassende Bez. für ehem. Deponien und Aufschüttungen sowie Bodenschichten unter ehem. Ind.betrieben, Militärstandorten u.Ä., die mit unbekannten Mengen von Schad- und Giftstoffen versetzt sind und eine Gefahr für die Umgebung, bes. das Grundwasser darstellen; auch Bez. für die Schad- und Giftstoffe selbst.

Altlastenbeitrag, in Österreich seit 1990 erhobene Bundesabgabe auf das Deponieren und die Ausfuhr von Abfällen sowie auf das Zwischenlagern von Abfällen nach Ablauf eines Jahres.

Altlutheraner, die Mitglieder der evang.-luth. Freikirchen, die im 19. Jh. aus dem Ggs. zu den prot. Unionsbestrebungen und im strengen Anschluss an die luth. Bekenntnisschriften bes. in Preußen, Hannover, Hessen, Baden und Sachsen entstanden. 1972 schlossen sich die Evang.-Luth. (altluth.) Kirche, die Evang.-Luth. Freikirche und die Selbständige Evang.-Luth. Kirche zur **Selbständigen Evang.-Luth. Kirche (SELK)** zusammen. (→Lutheraner)

Altman ['ɔːltmən], **1)** Robert, amerikan. Filmregisseur, *Kansas City (Miss.) 20. 2. 1925; drehte nach Fernsehserien (»Bonanza«) u.a. ab 1966 meist kritische Gesellschaftsstücke; u.a. »Nashville« (1975), »Ein perfektes Paar« (1978), »Popeye« (1980), »Fool for Love« (1985), »The Player« (1992), »Short cuts« (1994), »Pret-à-porter« (1994), »Kansas City« (1996).

2) Sidney, kanad. Biochemiker, *Montreal 8. 5. 1939; seit 1980 Prof. an der Yale University in New Haven (Conn.); entdeckte, dass Nukleinsäuren als Biokatalysatoren wirken können, erhielt dafür 1989 mit T. Cech den Nobelpreis für Chemie.

Altmark, Landschaft westl. der mittleren Elbe, nördlich von Ohretal und Drömling, Sa.-Anh.; im N flachwellige, im S leicht hügelige Landschaft mit ausgedehnten Kiefernforsten; Zentren sind Stendal und Salzwedel. – Bis zum 14. Jh. als **Nordmark** bezeichnet, kam 1134 als Teil der Mark Brandenburg an Albrecht den Bären, 1807 an das napoleon. Königreich Westfalen, 1816 zur Prov. Sachsen (RegBez. Magdeburg).

Altmarkkreis Salzwedel, Landkreis im Reg.-Bez. Magdeburg, Sa.-Anh., 2294 km², (1996) 105 400 Ew., Krst. ist Salzwedel.

Altmetallverhüttung, Gewinnung von reinen Metallen und Legierungen aus Schrott und metall. Produktionsabfällen; bes. Bedeutung hat die A. von Eisen, Blei, Kupfer und Aluminium.

Altminute, →Minute.

Altmühl *die,* linker Nebenfluss der oberen Donau, 220 km lang, entspringt auf der Frankenhöhe, durchbricht zw. Treuchtlingen und Dollnstein den Jura, mündet unterhalb von Kelheim. Ihr kanalisierter Unterlauf (ab Dietfurt) ist Teil des Main-Donau-Kanals (→Rhein-Main-Donau-Großschifffahrtsweg). In ihrem Tal bestehen mehrere Steinbrüche des an Fossilien reichen Solnhofer Plattenkalks. Im unteren A.-Tal finden sich mehrere Höhlen mit altsteinzeitl. Siedlungsresten.

Altmünster, Markt im Bezirk Gmunden, Oberösterreich, am Traunsee, 8600 Ew.; Sommerfrische.

Altmühl: Kottingwörth im unteren Altmühltal

Altniederdeutsch (Altsächsisch), die älteste bezeugte Stufe der niederdt. Sprache (9.–12. Jh.), überliefert in den Denkmälern →Heliand und →Genesis. Unterschiede im Laut- und Formenstand lassen bereits eine mundartl. Gliederung erkennen.

altnordische Literatur, die schriftl. Überlieferung des Altisländischen und Altnorwegischen; sie umfasst den Zeitraum von etwa 800 bis zur Einführung des Buchdrucks. Die ältesten überlieferten Handschriften datieren aus der Mitte des 12. Jh. – Die »Eddalieder« (→Edda) in sechs- bis achtgliedrigen Strophen mit Stabreim behandeln in schlichter Sprache Stoffe aus der südgerman. und nord. Heldensage und aus der german. Göttersage. Die »Skaldendichtung« ist Preis-, Schmäh- und Liebesdichtung in streng gebundener, durch komplizierte Umschreibung (Kenning) charakterisierter Form, von namentlich bekannten Skalden verfasst. Die »Sagadichtung« (→Saga) auf Island ist die einzige Prosadichtung der german. Literaturen; sie erhielt ihre überlieferte Form wohl erst während der schriftl. Aufzeichnung im 13. und 14. Jh. Ihre wichtigste Gruppe, die **Islendingasögur** (isländ. Familiensaga), behandelt das Leben der isländ. Häuptlingsgeschlechter im ersten Jh. nach der Besiedlung. Im Mittelpunkt der **Konungasögur** (darunter die »Heimskringla« des Snorri Sturluson) stehen die norweg. Könige. Unter der Gelehrtenliteratur ragt die »Snorra Edda« hervor, ein von Snorri verfasstes Skaldenlehrbuch.

📖 VRIES, J. DE: *Altnord. Literaturgesch., 2 Bde. Berlin u. a.* [2]*1964–67.* – SIMEK, R. *u.* PÁLSSON, H.: *Lexikon der a. L. Stuttgart 1987.*

altnordische Sprache, die Sprache der german. Bev. Skandinaviens mit Einschluss des Isländischen und Färöischen von 800 bis zum 15. Jh. Die a. S. geht auf das Urnordische zurück (→altnordische Literatur). In der Wikingerzeit (800–1050) teilte sich die a. S. in **Ostnordisch** (Altdänisch, Altschwedisch) und **Westnordisch** (Altnorwegisch, Altisländisch).

Alto Adige [-'a:didʒe; italien. »obere Etsch«], italien. Name für →Südtirol.

Altokumulus (Altocumulus), Wolkengattung, →Wolke.

Altöl, gebrauchtes, durch Wasser, Feststoffe, Luft- und Temperatureinwirkung für den ursprüngl. Zweck nicht mehr verwendbares Mineralöl; kann durch Filtration, Destillation und Raffination aufgearbeitet werden. Die Sammlung und Behandlung von A. ist in Dtl. im Abfall-Ges. geregelt.

Altomonte, Martino, eigtl. Martin Hohenberg, Maler, *Neapel 8. 5. 1657 (?), †Wien 14. oder 15. 9. 1745; einer der führenden Meister der österr. Barockmalerei.

Altona, seit 1937 Stadtteil von Hamburg; aus einer Fischersiedlung vor 1535 entstanden, kam 1640 an Dänemark und erhielt 1664 Stadtrecht, kam 1867 an Preußen (sein Hafen wurde in Konkurrenz zu Hamburg ausgebaut).

Altonaer System, das von E. Schlee 1878 in Altona geschaffene Modell der →Reformanstalten.

Altostratus, Wolkengattung, →Wolken.

Altötting 2): Kapellenplatz mit der von Arkaden umgebenen Heiligen Kapelle

Altötting, 1) Landkreis im RegBez. Oberbayern, 570 km^2, (1996) 105 900 Einwohner.

2) Krst. von 1), 403 m ü. M., südl. des Inn, 12 500 Ew. – Bed. Wallfahrtsort: in der Hl. Kapelle (Innere Kapelle karolingisch) befinden sich ein als wundertätig verehrtes Marienbild und Urnen mit den Herzen der Wittelsbacher. Spätgot. Stiftskirche mit Schatzkammer und Tillykapelle (um 1425).

Altpaläolithikum, Abschnitt der →Altsteinzeit.

Altpapier, Papier-, Karton- und Pappenabfälle, die als Rohstoff für die Papierherstellung gesammelt werden; etwa 13 % der dt. Papierproduktion entstammen A. (→Recycling).

Altphilologie, Wiss. von den Sprachen und Literaturen des klass. Altertums.

Altpreußen, die →Prußen.

Altpreußen, 1) das Gebiet des ehem. Dt. Ordens, die späteren preuß. Prov. Ost- und Westpreußen.

2) die schon vor 1806 preuß. Gebiete, im Ggs. zu den preuß. Erwerbungen nach 1815.

Altpreußische Union, die →Evangelische Kirche der altpreußischen Union.

Altranstädt, Teil der Gemeinde Großlehna im Landkr. Leipzig, Sachsen, westl. von Markranstädt. Über den **Frieden von A.** (24. 9. 1706) →Nordische Kriege. – In der **Konvention von A.** vom 1. 9. 1707 erreichte Karl XII. von Kaiser Joseph I. die Duldung der schles. Protestanten und den Bau der →Gnadenkirchen.

Altruismus [lat.] *der,* Selbstlosigkeit, Uneigennützigkeit; Ggs.: →Egoismus.

Altsächsisch, →Altniederdeutsch.

Altschewsk (1931–61 Woroschilowsk, 1961–92 Kommunarsk), Stadt in der Ukraine, im Donez-Steinkohlebecken, 126 000 Ew.; metallurg. Hochschule; Eisenhütte, chem. Industrie.

Altschlüssel, *Musik:* ein Notenschlüssel (→Schlüssel 3).

Altschulden, Schulden, die vor einem »kritischen« Zeitpunkt entstanden sind und die für den jetzigen Schuldner keinen Mittelzufluss gebracht hatten. Man unterscheidet 1) die aus der Auslandsverschuldung des Dt. Reichs herrührenden Verbindlichkeiten gemäß Londoner Schuldenabkommen von 1953 (Reichsschulden), 2) die mit Einführung der DM 1948 geschaffenen Ausgleichsforderungen und 3) verschiedene Verbindlichkeiten aus der Zeit der DDR (u. a. Schulden des Staatshaushalts und der Kommunen und Verbindlichkeiten der volkseigenen Betriebe und landwirtschaftlichen Produktionsgenossenschaften). (→Erblastentilgungsfonds)

Altsekunde, →Sekunde.

Altsibiri|er, →Paläosibirier.

Altsiedelland, die Gebiete Mitteleuropas, die schon vor dem 8. Jh. (Beginn der mittelalterl. Ausbauperiode) kontinuierlich besiedelt waren.

Altsilber, durch chem. Mittel künstlich nachgedunkelte silberne oder versilberte Schmuckwaren.

altsprachlicher Unterricht, der Unterricht in lat., altgrch., auch hebr. Sprache; seit dem MA. Kernbestandteil der europ. »gelehrten Schulen«

| 1

| 2

| 3

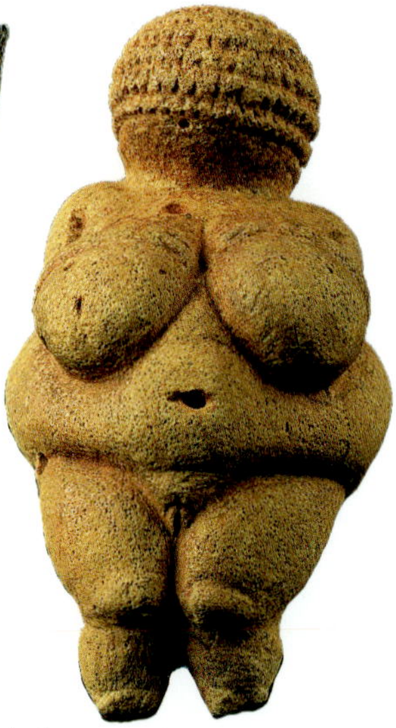

| 4

| 5

| 6

| **1** Pferd aus Elfenbein aus dem Aurignacien, gefunden in der Vogelherdhöhle bei Stetten, Baden-Württemberg (Tübingen, Institut für Vor- und Frühgeschichte) | **2** 32 000 Jahre alte Skulptur aus Mammutelfenbein, gefunden in der Vogelherdhöhle bei Stetten, Baden-Württemberg (Stuttgart, Württembergisches Landesmuseum) | **3** 6,9 cm hohe Venusstatuette aus Galgenberg, Österreich (Wien, Naturhistorisches Museum) | **4** 10,3 cm hohe Kalksandsteinfigur »Venus von Willendorf«, benannt nach dem Fundort Willendorf, Österreich (Wien, Naturhistorisches Museum) | **5** Drei mit Holzkohle gezeichnete, etwa 30 340–32 410 Jahre alte Pferdeköpfe in der Chauvet-Höhle bei Vallon-Pont-d'Arc, Frankreich | **6** Feuersteingeräte und Frauenstatuette aus Elfenbein aus dem Aurignacien, gefunden in der Grotte des Rideaux bei Lespugue, Frankreich (Spanien, Museum Santander bzw. Paris, Musée de l'Homme)

(Lateinschulen), heute der altsprachl. (humanist.) Gymnasien. Hat seit der Reform der gymnasialen Oberstufe 1972 stark an Bedeutung eingebüßt.

Altstadt, der älteste (erhaltene) Teil einer Stadt; oft im Mittelalter, bei Planstädten in der Renaissance oder im Barock entstanden. **Altstadtsanierung,** →Stadt.

Altstätten, Stadt im Kanton St. Gallen, Schweiz, im Rheintal südlich des Bodensees, 9 300 Ew.; vielseitige Industrie.

Altsteinzeit (Paläolithikum), die älteste und längste Epoche der Menschheitsgeschichte. Sie begann in Afrika vor etwa 2,5–3 Mio. Jahren in der Übergangsphase vom Tertiär zum Quartär und dauerte bis zum Ende des Eiszeitalters (etwa 8000 v. Chr.). (Übersicht →Vorgeschichtliche Chronologie Europas)

Die Gliederung der A. richtet sich nach den technolog. und typolog. Merkmalen des Fundstoffes (in den ältesten Phasen fast nur Steingeräte). Bevorzugter Werkstoff waren harte, spaltbare Gesteinsarten wie Feuerstein, Quarz und Quarzit. Steine, die durch Bearbeitung Werkzeugcharakter erhalten haben, werden **Artefakte** genannt. Die Steinbearbeitung erfolgte durch Schlag mit Schlagsteinen oder Schlaginstrumenten aus Knochen, Holz oder Geweih, am Ende der A. auch mit Verwendung von Zwischenstücken. Seit der jüngeren A. war der Steinschliff bekannt. Die Steinartefakte lassen sich nach Form und Herstellungsart in Typen ordnen. Bestimmte Typenkomplexe ergeben Formengruppen, die sich in der Art und Zusammensetzung des Geräteinventars (»Industrie«) von anderen Gruppen abheben. – Die A. wird in vier Hauptabschnitte eingeteilt: Alt-, Mittel-, Jung- und Spätpaläolithikum.

Der »Maßstab« der Altsteinzeit

Die Altsteinzeit ist die bei weitem längste Epoche der Menschheitsgeschichte. Übertragen auf das Beispiel eines Meterstabs von genau 1 m Länge, brächte sie es auf 994 mm; 2,5 mm entfielen auf die Mittelsteinzeit. Die verbleibenden 3,5 mm würden die Jungsteinzeit und die historische (durch schriftliche Dokumente erschließbare) Epoche, die gegen 3000 v. Chr. mit den Hochkulturen Mesopotamiens und Ägyptens einsetzte und bis in die Gegenwart reicht, umfassen.

Das **Altpaläolithikum** beginnt in vielen Gebieten mit Geräten aus behauenen Steingeröllen (engl. pebble tools); die entsprechenden Formengruppen werden als Geröllgerätkulturen bezeichnet. Das die erste fest umrissene Stufe bildende **Abbevillien** (früher als **Chelléen** bezeichnet) ist durch die roh gefertigten Faustkeile mit unregelmäßigen Seitenkanten gekennzeichnet. Die älteste Steinbearbeitung begann in Afrika vor etwa 2,5 Mio. Jahren. Im **Acheuléen** sind die Faustkeile feiner bearbeitet. Sonderformen von Steingeräten aus Funden bei Clacton on Sea **(Clactonien)** werden dem Abbevillien und Acheuléen zugerechnet. – Das Auftreten der Levalloistechnik **(Levalloisien)** kennzeichnet den Beginn des **Mittelpaläolithikums,** zu dem neben dem **Moustérien** auch das **Micoquien** und Blattspitzengruppen gerechnet werden. – Das **Jungpaläolithikum** umfasst in West- und Mitteleuropa die Kulturgruppen **Châtelperronien** (Übergangsphase), **Aurignacien, Gravettien, Solutréen, Magdalénien.** Es ist durch schmalere und leichtere Feuersteingeräte bestimmt, die eine größere Differenzierung und Spezialisierung der Arbeitsfunktionen erkennen lassen. – Dem **Spätpaläolithikum** zugeordnet werden die **Federmessergruppe** und die **Ahrensburger Kultur**.

Die altsteinzeitl. Menschheit lässt sich unter Ausschluss der Australopithecinen in drei Zweige gliedern, die von einigen Anthropologen als selbstständig betrachtet und auf eine gemeinsame prähominine Grundlage zurückgeführt werden: 1) Archanthropinenzweig (Pithecanthropus-Sinanthropus); 2) Paläanthropinenzweig (Homo neanderthalensis); 3) Neanthropinenzweig, a) Präsapiensgruppe: Swanscombe, Fontéchevade, Steinheim, b) Eusapiensgruppe (Homo sapiens).

Das Sammeln von Früchten und Pflanzen und das Jagen von Wildtieren bildeten die Lebensgrundlage der altsteinzeitl. Menschen, die entweder in Freilandsiedlungen (Hütten, Zelte) oder in den Vorräumen von Höhlen (Abris) wohnten.

Die paläolith. Steingeräte in ihrer allmähl. Vervollkommnung geben Anhaltspunkte über die früheste Entwicklung der Technik. Die Erfindung von Spezialwaffen (Speerschleuder, Pfeil und Bogen, Harpune) war die Voraussetzung für eine Intensivierung der Jagd. Die Nutzung des Feuers ermöglichte eine bessere Erschließung und auf höherer Entwicklungsstufe auch die Konservierung der Nahrung. Das Feuer gewährte einen wirksamen Schutz vor wilden Tieren und war Voraussetzung für die Besiedlung kühler Klimazonen.

Die ältesten Zeugnisse der Kunst (Werke der Kleinkunst, →Felsbilder) stammen aus dem Aurignacien (menschl. Statuetten, Tierfiguren aus Elfenbein, Stein und Ton; in Stein geritzte Sexualsymbole, Gravierungen, Malereien an Höhlenwänden).

Bestattungen und Opferfunde bilden die ältesten Zeugnisse für die Religion der A. Die ältesten Bestattungen stammen aus dem Moustérien. (→Jungsteinzeit, →Mensch, →Mitteleuropa, →Mittelsteinzeit, →Vorgeschichte)

📖 MÜLLER-KARPE, H.: *Handbuch der Vorgeschichte, Bd. 1: A. München* ^{2}*1977. – Die Anfänge der Kunst vor 30 000 Jahren. Ausstellung in der Kunsthalle Tübingen, hg. v.* H. MÜLLER-BECK *u.* G. ALBRECHT. *Stuttgart 1987.* – PROBST, E.: *Dtl. in der Steinzeit. Jäger, Fischer u. Bauern zwischen Nordseeküste u. Alpenraum. München 1991.*

Alttier, weibl. Tier vom Elch-, Rot- und Damwild, beim Reh **Altreh,** nach dem ersten Setzen; Ggs.: →Schmaltier.

Altun Shan [-ʃa:n] (Altyn Tagh), 900 km langer Gebirgszug in Sinkiang, China, trennt das Tarim- vom Qaidambecken, bis 6161 m hoch; Nationalpark (u. a. Wildesel, Antilopen, Yaks) im Aufbau.

Alt|uppsala (schwed. Gamla Uppsala), 4 km nördlich von Uppsala gelegenes ehem. politisch-religiöses Zentrum des Reiches der →Svear; erhalten ist die Königsnekropole aus dem 6./7. Jh. mit drei mächtigen Grabhügeln.

Altvatergebirge (Hohes Gesenke, tschech. Hrubý Jeseník), Teil der Ostsudeten in der Tschech. Rep., 40 km lang, im Altvater (Praděd) 1491 m ü. M., sinkt im SO zum 400–600 m hohen Plateau des **Niederen Gesenkes** (Nízký Jeseník) ab. Früher Bergbau auf Edelmetalle und Eisenerz, jetzt Erholungsgebiet und Waldwirtschaft; Landschaftsschutzgebiet.

Altwasser, 1) durch natürl. oder künstl. Begradigung vom Flusslauf abgeschnittene, noch wassererfüllte Flussschlinge.

2) stagnierendes Tiefen- oder Bodenwasser in nahezu abgeschlossenen Meeresbecken mit geringer Sauerstoffzufuhr.

Altweibersommer, *Klimatologie:* in Mitteleuropa fast regelmäßig in der zweiten Septemberhälfte einsetzende Schönwetterlage; in Nordamerika entspricht dem A. der **Indian Summer.** – Typisch für den A. sind Spinnfäden (Marienfäden) von meist jugendl. Spinnen, an denen diese durch den Wind fortgetragen werden. Der Volksglaube hält diese Fäden für ein Gespinst von Elfen, Zwergen, myth. Spinnerinnen oder der Jungfrau Maria.

Altyn Tagh, türk. Name des →Altun Shan.

ALU, Abk. für engl. **a**rithmetic and **l**ogic **u**nit, die Arithmetik- und Logikeinheit, →Rechenwerk.

Alumen [lat.] *das,* blutstillendes Mittel, →Alaune.

Aluminate, Salze der Aluminiumsäure, entstehen durch Auflösen von Aluminiumhydroxid in Alkalilaugen; in wasserfreier Form →Spinelle.

Aluminieren, das Aufbringen von Überzügen aus Aluminium, z.B. durch →Plattieren, →Metallspritzverfahren, →Alitieren, →Aufdampfen im Vakuum (auf beliebigen Werkstoffen), durch Galvanisieren in nichtwässrigen Bädern (→Galvanotechnik).

Hüttenaluminium: Produktion (in Mio. t)

Land	1985	1990	1992	1994
USA	3,5	4,0	4,0	3,3
Russland	2,3[1]	2,2[1]	2,8	2,7
Kanada	1,3	1,6	2,0	2,3
China	0,5	0,9	1,1	1,5
Australien	0,9	1,2	1,2	1,3
Brasilien	0,5	0,9	1,2	1,2
Norwegen	0,7	0,9	0,8	0,9
Deutschland	0,7[2]	0,7[2]	0,6	0,5
Welt	15,6	18,0	19,5	19,1

[1] Ehemalige Sowjetunion. – [2] Früheres Bundesgebiet.

Aluminium [zu lat. alumen »Alaun«] *das,* chem. Symbol **Al,** metall. Element aus der 3. Gruppe und 3. Periode des Periodensystems. Ordnungszahl 13, relative Atommasse 26,9815, Dichte 2,702 g/cm³, Schmelzpunkt 660,4 °C, Siedepunkt 2467 °C. – A. ist ein silberweißes, sehr dehnbares Leichtmetall mit hoher elektr. Leitfähigkeit, das durch Legierungszusätze sehr gute mechan. Eigenschaften aufweist. A. ist gegen Sauerstoff und Feuchtigkeit unempfindlich, da es eine dünne dichte Oxidschicht bildet. In der Natur kommt A. nur in Verbindungen vor, z.B. Feldspat, Glimmer und Tone; es ist das dritthäufigste Element der Erdkruste (über 8%). Wichtigster Rohstoff für die A.-Gewinnung ist der Bauxit. – Großtechnisch wird A. v.a. durch elektrolyt. Zersetzung von in einer Kryolithschmelze gelöstem reinem A.-Oxid dargestellt, das aus Bauxit nach dem **Bayer-Verfahren** hergestellt wird. Es beruht darauf, dass sich die A.-Hydroxide des fein gemahlenen Bauxits in Natronlauge bei höherer Temperatur leicht lösen und dass sich aus der vom Rückstand (Rotschlamm) abgetrennten, verdünnten Aluminatlauge beim Abkühlen nach Impfen mit frischem A.-Hydroxid als Kristallisationskeim reines A.-Hydroxid abscheidet. A. wird rein oder legiert als Werkstoff verwendet, bes. im Fahrzeug- und Flugzeugbau, in der Elektroind. und im Bauwesen.

Aluminiumfolien (Alufolien), sehr dünn (bis etwa 0,004 mm) ausgewalztes Aluminium; von guter Gas-, Aroma-, Fett- und Wasserdampfdichtigkeit; verwendet für Verpackungen, Isolationen und in der Elektrotechnik.

Aluminiumoxid (Tonerde), Al_2O_3, natürlich als →Korund vorkommendes Mineral, wird als Adsorbens, Trockenmittel und keram. Werkstoff (→Biokeramik) verwendet.

Aluminiumsulfat, $Al_2(SO_4)_3$, Verbindung, die zur Papierleimung, Abwasserreinigung, Hydrophobierung von Textilien, als Beizmittel in der Färberei und bei der Gerberei verwendet wird.

Aluminothermie *die,* kohlenstofffreie Darstellung schwer schmelzbarer Metalle aus ihren Oxiden durch Reduktion mit Aluminiumpulver (erreichbare Temperatur 2000 °C); wird auch beim aluminotherm. Schweißen **(Thermitschweißen),** bes. von Schienen, angewendet. Die A. wurde 1894 von H. Goldschmidt eingeführt.

Alumnat [lat.] *das,* Schülerwohnheim. Im MA. waren A. Erziehungsanstalten kirchl. Organisationen. Die Schüler **(Alumnen)** erhielten Wohnung, Kost und Unterricht. Heute sind bes. Aufbauschulen und Schulen an Klöstern mit A. verbunden (Internat, Konvikt).

Alunit [lat.] (Alaunstein), $KAl_3[(OH)_6|(SO_4)_2]$, weißes, feinkörniges Mineral, in der Nähe von Schwefelquellen und als Zersetzungsprodukt trachyt. Gesteine vorkommend; dient zur Alaungewinnung.

Alunno, Niccolò, eigtl. N. di Liberatore di Giacomo di Marigno, italien. Maler, *Foligno um 1430, †ebd. 1502; schuf Altarwerke und Andachtsbilder in zeichnerisch-sensiblem Stil.

Alusuisse-Lonza Holding AG [alysųis - 'həʊldɪŋ], Zürich, Aluminium-, Chemie- und Verpackungskonzern, gegr. 1888 als Schweizer. Aluminium AG; heutiger Name seit 1990.

Alvarado [alβa'raðo], Pedro de, span. Konquistador, *Badajoz um 1485, †Guadalajara (Mexiko) 4. 7. 1541; unterwarf 1524 Guatemala und wurde 1527 dessen erster Generalkapitän.

Alvarez ['ælvərɪz], Luis Walter, amerikan. Physiker, *San Francisco 13. 6. 1911, †Berkeley (Calif.) 1. 9. 1988; konstruierte Wasserstoffblasenkammern, mit denen er kurzlebige Elementarteilchen

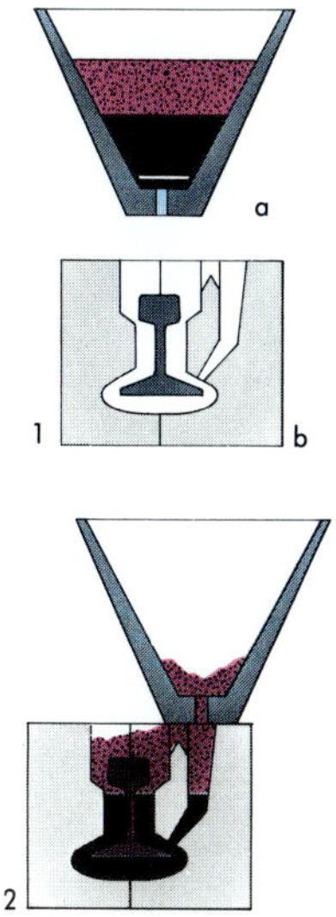

Aluminothermie: Aluminothermisches Schweißen einer Bahnschiene: **1** Aufsetzen des Thermittiegels (a) auf die Form um die Bahnschiene (b); **2** Umgießen der Bahnschiene (schematische Darstellung)

Alunit

Luis Walter Alvarez

(→Massenresonanzen) nachwies, u.a. 1961 das Omega-Meson; erhielt 1968 den Nobelpreis für Physik.

Alvaro, Corrado, italien. Schriftsteller, *San Luca (Prov. Reggio di Calabria) 15. 4. 1895, †Rom 11. 6. 1956; schrieb realistisch-psycholog. Romane und Novellen (»Die Hirten vom Aspromonte«, 1930) mit Schilderungen der rückständigen sozialen Verhältnisse seiner kalabr. Heimat.

Alveolar *der,* mit der Zungenspitze am Zahnfleisch gebildeter →Laut.

Alveolen [lat. alveolus »kleine Wanne«] *Medizin:* **1)** bläschenförmige Endstücke von Drüsen.

2) Lungenbläschen **(Lungenalveolen).**

3) Zahnfächer der Kiefer **(Zahn-A.).** Als **Alveolarfortsatz** wird der die Zahnfächer enthaltende Kieferteil bezeichnet.

Alveolitis *die,* **1)** Entzündung einer Zahnalveole nach dem Ziehen eines Zahnes.

2) entzündliche, zur Schrumpfung (Lungenfibrose) neigende Reaktion in den Lungenbläschenmembranen, v.a. durch äußere (beruflich bedingte) Einwirkungen (Einatmen von Heu-, Getreide-, Holzstaub).

Älvsborg [-bɔrj], Verw.-Gebiet (Län) in W-Schweden, 11395 km², (1993) 445900 Ew.; VerwSitz: Vänersborg.

ALWEG-Bahn, →Einschienenbahn.

Alyattes, König von Lydien, †um 560 v. Chr., Vater des Krösus.

Jorge Amado

Alz *die,* rechter Nebenfluss des Inn, 87 km lang; Abfluss des Chiemsees, mündet bei Neuötting; wird zur Energiegewinnung genutzt.

Alzenau i. UFr., Stadt in Unterfranken, im Landkr. Aschaffenburg, Bayern, 120 m ü. M., im Vorspessart, 17900 Ew.; Kolbenfabrik, Wellpappen-, Papierherstellung u.a. Industrie.

Alzette [al'zɛt] (Alzig) *die,* rechter Nebenfluss der Sauer in Luxemburg, 70 km lang; fließt durch die Stadt Luxemburg und mündet bei Ettelbruck.

Alzey, Stadt in Rheinl.-Pf., Krst. des Landkr. A.-Worms, an der Selz, 173 m ü. M., 17800 Ew.; Landesamt für Rebenzüchtung; Weinbau und Weinhandel; Armaturen-, Verpackungsindustrie. – A. wird schon im Nibelungenlied gen.; Burg der Pfalzgrafen.

Alzey-Worms, Landkreis im RegBez. Rheinhessen-Pfalz, Rheinl.-Pf., 588 km², (1996) 116700 Ew.; Krst. ist Alzey.

Alzheimer-Krankheit [nach dem Neurologen A. Alzheimer, *1864, †1915], seltene, meist zw. dem 50. und 60. Lebensjahr auftretende degenerative Erkrankung der Großhirnrinde mit unaufhaltsam fortschreitender →Demenz. Erste Anzeichen sind hochgradige Vergesslichkeit und Aphasie. Die Ursache ist unklar. In Betracht zieht man v.a. genet. und Stoffwechselstörungen.

Am, chem. Symbol für →Americium.

AM, Abk. für **A**mplituden**m**odulation, →Modulation.

a. m., Abk. für **a**nte **m**eridiem, vormittags.

amabile [ital.], *Musik:* lieblich, sanft.

Amadeus (italien. Amadeo), Herrscher:

Savoyen: **1) A. V., der Große,** Graf, *Le Bourget um 1250, †Avignon 16. 10. 1323; seit 1312 Reichsfürst und Generalvikar der Lombardei.

2) A. VI., Graf (seit 1343), gen. Conte Verde (der »grüne Graf«), italien. Nationalheld, *Chambéry 4. 1. 1334, †in Apulien 1. 3. 1383; konnte sich zw. Frankreich und Mailand behaupten und begründete die Macht des Hauses Savoyen.

3) A. VIII., Graf (seit 1391), Herzog (1416–34), *Chambéry 4. 9. 1383, †Genf 7. 1. 1451; erwarb die Grafschaften Genf, Piemont und einen Teil von Montferrat; wurde 1434 Kartäuser und war 1439/40–49 als **Felix V.** letzter Gegenpapst.

Spanien: **4) A.,** Herzog von Aosta, König, *Turin 30. 5. 1845, †ebd. 18. 1. 1890; am 16. 11. 1870 zum König gewählt, konnte sich nicht durchsetzen, dankte am 11. 2. 1873 ab.

Amadeussee (Lake Amadeus), Salzpfanne in Inneraustralien, 880 km²; Erdgasvorkommen.

Amadis von Gaula [Gaula: Wales, nicht Gallien], Held eines im 16. Jh. in ganz Europa verbreiteten Ritterromans. Die Urform (vor 1325) ist wahrscheinlich portugiesisch; die erste erhaltene Bearbeitung stammt von dem Spanier Garci Rodríguez de Montalvo (1508). U.a. von Nicolas d'Herberay des Essarts 1540–48 (8 Bde.) ins Französische übertragen; der erste dt. Amadisroman erschien 1569–94 in 24 Bden. Der Amadisroman ist das letzte Glied in der Entwicklung des mittelalterl. höfischen Romans (reine Abenteuersammlung).

Amado, Jorge, brasilian. Schriftsteller, *Ilhéus (Bahia) 10. 8. 1912; schreibt unterhaltende, dabei engagiert sozialkrit. Romane über die unteren Schichten der Bev. von Bahia (»Tote See«, 1936; »Gabriela wie Zimt und Nelken«, 1960; »Das Verschwinden der heiligen Barbara«, 1988).

Amadora [ama'ðora], Stadt in Portugal, im nordwestl. Vorstadtbereich von Lissabon, 93700 Ew.; Waggonfabrik.

Amagasaki, Stadt in der Wirtschaftsregion Hanshin (um Ōsaka) auf Honshū, Japan, 500000 Ew.; Schwer-, chem. und Baumwollind.; Hafen; Teil der Wirtschaftsregion Hanshin.

Amager, dän. Insel im Øresund, 95 km²; der nördl. Teil mit bedeutender Industrie gehört zum Stadtgebiet von Kopenhagen; im O der Großflughafen Kastrup.

Amalarich, König der Westgoten (526–531), *502, †(ermordet) Barcelona 531; Enkel Theoderichs d. Gr., unterlag 531 bei Narbonne den Franken unter Childebert I.; mit ihm erlosch das Geschlecht der →Balthen.

Amalasuntha (Amaliswintha), Regentin der Ostgoten, †(ermordet) auf der Insel Martana im Bolsenasee 30. 4. 535; Tochter Theoderichs d. Gr., regierte seit 526 für ihren unmündigen Sohn Atharich, erhob nach dessen Tod (534) ihren Vetter Theodahad zum König und Mitregenten.

Amalekiter, Nomadenvolk in bibl. Zeit, lebte im N der Halbinsel Sinai, befand sich in stetem Kampf mit den Israeliten.

Amaler, ostgot. Königsgeschlecht (die **Amelungen** der Heldensage); wichtigste Vertreter sind Ermanarich und Theoderich d. Gr.; erlosch 536 mit Theodahad (→Amalasuntha).

Amalfi, Seebad in Kampanien, Prov. Salerno, Italien, steil an der Felsküste des Golfs von Salerno aufragend, 5600 Ew.; Erzbischofssitz. – Dom (11. Jh., mehrfach verändert). – A., zuerst im 8. Jh. erwähnt, entwickelte sich im 10./11. Jh. zu einer blühenden Seehandelsstadt; die Seerechtskodifikation der **Tabula amalphitana** war im ganzen Mittelmeergebiet gültig. 1073 wurde A. von den Normannen abhängig, 1135/37 von Pisa, 1582 von Neapel.

Amalgam [arab. al-malġam »erweichende Salbe«] *das,* Legierung von Quecksilber mit Metallen, z. B. Silber. **Zahn-A.,** aus Silber-Zinn-Legierungen mit Zusätzen anderer Metalle (Kupfer, Zink) durch Verreiben mit Quecksilber hergestellt, ist das verbreitetste Mittel für Zahnfüllungen; es gerät wegen des Verdachts der Quecksilberabgabe (→Quecksilbervergiftung) zunehmend in die Kritik . **Amalgamation,** Verfahren zur Gewinnung von Gold und Silber aus Erz mithilfe von Quecksilber.

Amalie, Herrscherinnen:

Hessen-Kassel: **1) A. Elisabeth,** Landgräfin, *Hanau 29. 1. 1602, †Kassel 3. 8. 1651; war 1637–50 Regentin für ihren unmündigen Sohn Wilhelm VI. Im Westfäl. Frieden von 1648 erhielt sie das Stift Hersfeld und einen Teil der Grafschaft Schaumburg; erreichte für ihr Land die Gleichberechtigung von Reformierten und Lutheranern.

Preußen: **2) A.,** Prinzessin, *Berlin 9. 11. 1723, †ebd. 30. 9. 1787; Schwester Friedrichs d. Gr., Äbtissin von Quedlinburg; bekannt durch ihre Beziehung zu Friedrich Freiherr von der →Trenck.

Sachsen-Weimar-Eisenach: **3) Anna Amalia,** Herzogin, →Anna 5).

Amalrik, Andrei Alexejewitsch, russ. Schriftsteller, *Moskau 12. 5. 1938, †(Autounfall) bei Guadalajara (Spanien) 12. 11. 1980; als Historiker wegen seiner Position im »Normannismusstreit« (→Normannisten) von der Univ. relegiert, 1970 nach Sibirien verbannt, durfte 1976 die UdSSR verlassen; schrieb »Unfreiwillige Reise nach Sibirien« (1970), »Kann die Sowjetunion das Jahr 1984 erleben« (1970, Essay), Dramen.

Amalthea, größter der vier inneren Monde des →Jupiter.

Amaltheia (lat. Amalthea), im grch. Mythos eine Nymphe oder Ziege, die Nährmutter des Zeus, die dieser aus Dankbarkeit als Stern an den Himmel versetzte.

Amanos (Amanus), der 180 km lange SW-Flügel des äußeren O-Taurus, in der Türkei, zu den Küstengebirgen Syriens überleitend, bis 2263 m ü. M.

Aman Ullah, Emir (ab 1919), König von Afghanistan (1926–29), *Paghman (Prov. Kabul) 1. 6. 1892, †Zürich 25. 4. 1960; setzte 1919 gegenüber Großbritannien die Unabhängigkeit seines Landes durch.

Amalfi: Dom (11. Jh., mehrfach umgebaut)

Amapá, Bundesstaat in Brasilien, umfasst den SO des Berglandes von Guayana, 142358 km², (1991) 288700 Ew.; Hptst.: Macapá.

Amarant [grch. amárantos »unverwelklich«] *der* (Fuchsschwanz, Amaranthus), Pflanzengattung der Familie **Amarantgewächse,** meist trop. Kräuter mit in Knäueln stehenden Blüten, die eine bleibende trockenhäutige Hülle haben. Zierpflanzen. u.a. der dunkelpurpur blühende **Gartenfuchsschwanz** (Amaranthus caudatus).

Amarelle [zu italien. amaro »bitter«] *die,* eine Sauerkirsche.

Amarillo [æmə'rɪləʊ], Stadt in NW-Texas, USA, 163600 Ew.; Univ.; Verkehrsknotenpunkt inmitten eines Weizen- und Baumwollanbaugebietes, Mittelpunkt von Erdöl- und Erdgasförderung; Erdölraffinerien; Zinkhütte.

Amarna (Tell el-Amarna), Ruinenstätte in Mittelägypten, war als **Achetaton** die dem →Aton geweihte Residenz des altägypt. Königs Amenophis IV. (Echnaton). Bei Ausgrabungen wurden Tempel, Paläste und Häuserblocks freigelegt, die wertvolle Funde brachten (u.a. die bemalte Büste der Königin Nofretete (Ägypt. Museum, Berlin). Im N und S der Residenz lagen die Nekropolen: 25 Felsengräber. Die Kunstwerke der **A.-Zeit** zeigen einen von der Kunsttradition Ägyptens abweichenden Stil **(A.-Stil),** der sich um eine neue Körperlichkeit bemüht. Die 1888 entdeckten **A.-Briefe,** Tontafeln mit babylon. Keilschrift aus dem Briefwechsel von Amenophis III. und IV., sind die wichtigsten Zeugnisse zur Geschichte Palästina-Syriens vor der israelit. Landnahme.

Amaryllisgewächse [grch.] (Amaryllidaceae), Familie einkeimblättriger Stauden, vorwiegend in trockenen Gebieten der Tropen und Subtropen verbreitet. Ausdauernde Kräuter mit Zwiebeln oder Knollen als Speicherorgane. Zimmerpflanzen sind u.a. Clivie, Ritterstern, Gartenpflanzen u.a. Narzisse, Schneeglöckchen.

Amasis (Ahmose), ägypt. König der 26. Dynastie (570–526 v. Chr.), förderte den Handelsverkehr mit den Griechen, brachte Ägypten zu hoher wirtsch. Blüte und stärkte die Flotte.

Amasya, Hptst. der Prov. A., Türkei, im nördl. Inneranatolien, 55600 Ew.; Obst-, Gemüsehandel, Textilind., Zuckerfabrik. – Felsgräber der Könige des Pontischen Reiches, seldschuk. und frühosman. Moscheen.

Amaterasu [japan. »vom Himmel leuchtend«], Sonnengöttin des Shintoismus, legendäre Ahnmutter des japan. Kaiserhauses.

Aus dem Text der älteren Grenzstelen des Echnaton aus **Tell el-Amarna** *(Achetaton):*
»Ich errichtete Achetaton für Aton, meinen Vater, an diesem Platz. Ich will ihm Achetaton nicht im Süden, im Norden, im Westen und im Osten davon errichten ... sondern ich baue Achetaton für meinen Aton auf der Seite des Sonnenaufgangs von Achetaton, auf einer Stelle, die er selbst sich bereitet hat und die für ihn von einem Gebirge eingeschlossen ist ... Nicht soll die Große königliche Gemahlin mir sagen: »Schau, es existiert ein schönerer Platz an einer anderen Stelle!«, und ich sollte auf sie hören ... Ich baue den (großen) Tempel für Aton, meinen Vater, in Achetaton an dieser Stelle. Ich baue den (kleinen) Tempel für Aton, meinen Vater, in Achetaton an dieser Stelle. Ich baue die Sonnenschatten-(Kapelle) für die Große königliche Gemahlin Neferneferuaton Nofretete ...«

Amateur [ama'tø:r, frz.], **1)** jemand, der eine Beschäftigung aus Liebhaberei, nicht beruflich betreibt.

2) Sportler, der seinen Lebensunterhalt nicht aus dem Sport bestreitet; Aufwandsentschädigungen, Gehaltsausgleich, Stipendien, Unterstützung bei der Berufsausbildung, Materialzuschüsse, Fahrtkostenerstattungen werden heute meist gewährt. Ggs.: Berufssportler (Professional).

Amateurfunk [ama'tø:r-, frz.], sportlich betriebene Nachrichtenübermittlung zw. →Funkamateuren.

Amathus, altoriental., vorphönik. Stadt an der S-Küste von Zypern, nahe dem heutigen Limassol, ein Hauptheiligtum der kypr. Aphrodite **(Amathusia).**

Amarna: Bei Ausgrabungen gefundene Modellbüste der ägyptischen Königin Nofretete (Bemalter Kalkstein, um 1360 v. Chr.; Berlin, Ägyptisches Museum)

Amati, italien. Geigenbauerfamilie in Cremona. Ihr ältester bekannter Vertreter Andrea A. (*um 1500/05, †vor 1580) schuf den fast schon endgültigen Violintyp, den seine Söhne Antonio A. (*um 1538, †um 1595) und Girolamo A. (*um 1561, †1630) noch verbesserten. Am bedeutendsten war Nicola A. (*1596, †1684), ein Sohn Girolamos, Lehrer von Guarneri und Stradivari.

Amato, Giuliano, italien. Politiker (Sozialist), *Turin 13. 5. 1938; Prof für Verfassungsrecht, 1983–87 Staatssekr. in der Reg. Craxi, 1987–89 Schatzmin., 1992–93 Ministerpräsident.

Amaurose [grch.] *die,* völlige →Blindheit.

Amazonas, 1) *der,* der größte Strom Südamerikas mit dem größten Stromgebiet der Erde (7 Mio. km²), rd. 6500 km; er entsteht aus den von den Anden kommenden Quellflüssen Marañón, Huallaga und Ucayali; durchfließt bis zu seiner Mündung das **Amazonastiefland** (→Amazonien); der Mittellauf (bis zur Mündung des Rio Negro) wird Solimões genannt; auf brasilian. Gebiet nimmt er über 220 Nebenflüsse auf. Die Breite des A. ist unterhalb Manaus (außer bei Óbidos: 1,8 km) nirgends geringer als 5 km; die Mündung, von V. Y. Pinzón 1500 entdeckt, ist 250 km breit. Der A. ist bis Manaus aufwärts für 5000-t-Seeschiffe, bis Iquitos (Peru) aufwärts für 3000-t-Seeschiffe befahrbar.

2) nördlichster und größter Staat Brasiliens, 1567954 km^2, (1991) 2,1 Mio. Ew., im W von Amazonien. Hptst.: Manaus.

Amazone *die,* im grch. Mythos Angehörige eines krieger. Frauenvolkes in Asien. Nur einmal im Jahr hatten die A. mit Männern benachbarter Völker Umgang zur Erhaltung ihres Geschlechts. Sie zogen nur die Mädchen auf und brannten ihnen die rechte Brust aus, damit sie beim Bogenspannen nicht hinderlich sei; so erklärte man in antiker Zeit den Namen A., d.h. »Brustlose«. Herakles und Theseus vermählten sich mit A.-Königinnen; im Trojan. Krieg kämpften sie unter →Penthesilea auf der Seite der Troer. Ein histor. Urbild der A. lässt sich nicht nennen. – Auf grch. Vasen des 6. Jh. v. Chr. sind A. als gerüstete Kriegerinnen, später in oriental. Tracht dargestellt. Von den A.-Statuen des Phidias, Polyklet, Kresilas und Phradmon für Ephesos sind viele Nachbildungen erhalten. Neuere Darstellungen sind u.a. die A.-Schlacht von Rubens (1619; München) und das Bronzebildwerk der reitenden A. von Tuaillon (Berlin, Museumsinsel).

Amazone: Der Kampf der Griechen gegen die Amazonen, dargestellt auf einem Fries des Grabmals des Satrapen Mausolos von Karien (um 360–340 v. Chr.; London, Britisches Museum)

Amazonen (Amazona), Gattung der Papageien in den Urwäldern Süd- und Mittelamerikas.

Amazoni|en, das riesige, größtenteils mit trop. Regenwald bedeckte, in der Regenzeit weithin überschwemmte Amazonastiefland, das mit einer Fläche von etwa 5,8 Mio. km^2 über $^1/_5$ Südamerikas umfasst; größtenteils zu Brasilien, daneben zu Kolumbien, Ecuador, Peru und Bolivien. Erst die Gewinnung von Kautschuk brachte im 19. Jh. eine Erschließung. Mit dem 1970 begonnenen Bau der »Transamazônica«, einer durch das südl. A. führenden Fernverkehrsstraße, der Anlage des nördl. Straßensystems »Perimetral Norte« sowie der Süd-Nord-Fernstraßen Cuiabá–Santarém und Pôrto Velho–Manaus begann auch längs der Trassen eine weitflächige Waldrodung durch Agrarkolonisten, später durch extensive Rinderzucht betreibende Großgrundbesitzer. Die hier lebenden Amazonasindianer (etwa 200000) wurden dabei größtenteils aus ihren Stammesgebieten verdrängt. Zahlr. Stämme (v.a. aus der Gruppe der Xinguindianer) sind vom Aussterben bedroht, etwa 100 leben in Reservationen. Die Entdeckung und bergbaul. Erschließung riesiger Eisenerzvorkommen im Bergland von Carajás, von Zinn-, Gold-, Erdöl- und Bauxitlagerstätten führte zu einer weiteren großräumigen Rodung des trop. Regenwaldes, die nach wie vor anhält und bereits zu ökolog. Schäden mit mögl. negativen Auswirkungen auf das Klima der Erde geführt hat.

📖 *Amazonien. Versuch einer interdisziplinären Annäherung,* hg. v. A. HOPPE. *Freiburg im Breisgau 1990.* – *Amazonien. Mensch – Natur – Entwicklung?,* hg. v. W. ENDLICHER. *Münster u.a. 1992.* – HENKEL, K.: *Agrarstrukturwandel u. Migration im östl. A. (Pará, Brasilien). Tübingen 1994.* – MÜLLER, WOLFGANG: *Die Indianer Amazoniens. Völker u. Kulturen im Regenwald. München 1995.*

Ambarzumjan, Wiktor Amasaspowitsch, armen. Astrophysiker, * Tiflis 18. 9. 1908; bed. Arbeiten u.a. zum Sternaufbau und zur Sternentwicklung; entdeckte 1947 die Sternassoziationen. BILD S. 154

Ambato, Prov.-Hauptstadt in Ecuador, 124200 Ew., 2600 m ü. M., Erholungsort; Textil- und Nahrungsmittelind.; 1949 durch Erdbeben schwer zerstört.

Amberbaum (Liquidambar), Gattung der Hamamelisgewächse in Asien und Amerika; der oriental. A. (Liquidambar orientalis) liefert Storaxharz.

Amberg, kreisfreie Stadt und VerwSitz des Landkreises A.-Sulzbach im RegBez. Oberpfalz, Bayern, 373 m ü. M., am Ostrand der Fränk. Alb, 43600 Ew.; Elektro-, Metall-, Glas- und Porzellanind., Brauereien. – Ummauerte Altstadt mit Nabburger Tor und Vilstor, spätgot. Rathaus, Pfarrkir-

Amberg: Die in Bogenstellung die Vils überbrückende Stadtmauer bildet zusammen mit ihrem Spiegelbild im Fluss die »Stadtbrille«

che St. Georg (11. Jh.), St. Martin (spätgotisch); im Heimatmuseum befinden sich die Fayencen der **Amberger Manufaktur.**

Wiktor Ambarzumjan

Amberger, Christoph, Maler, *um 1505, †Augsburg 1561/1562; bedeutend seine Porträts (Karl V., um 1532, Berlin-Dahlem).

Amberg-Sulzbach, Landkreis im RegBez. Oberpfalz, Bayern, 1255 km^2, (1996) 105600 Ew.; Kreisstadt: Amberg.

Ambesser, Axel von, eigtl. A. von Oesterreich, Schriftsteller, Schauspieler und Regisseur, *Hamburg 22. 6. 1910, †München 6. 9. 1988; schrieb Komödien, Romane, Drehbücher.

ambi... (ambo...) [lat.], doppel..., beid...

Ambiente [italien.] *das,* das eine Gestalt Umgebende, das ihr Atmosphäre verleiht und ihr Wesen kennzeichnet, z. B. (Lebens-)Raum, Licht, Luft, Gegenstände. In der Kunst →Environment.

Ambiguität [von lat. ambiguus »zweifelhaft«] *die,* Doppelsinnigkeit, Mehrdeutigkeit.

Axel von Ambesser

Ambiorix [kelt. rix »König«], Fürst der →Eburonen.

Ambition [lat.] *die,* Ehrgeiz, Bestreben.

Ambitus [lat.] *der,* **1)** *Architektur:* Chorumgang.

2) *Musik:* Tonhöhenumfang einer Melodie.

Ambivalenz [lat.] *die,* **1)** *allg.:* das gleichzeitige Auftreten von einander widersprechenden Vorstellungen und Gefühlen (z. B. Hassliebe).

2) *Phonetik:* lautl. Doppelwertigkeit eines Buchstabens, der zwei Phoneme bezeichnet.

Eric Ambler

Ambler ['æmblə], Eric, engl. Schriftsteller, *London 28. 6. 1909, †ebd. 22. 10. 1998; schrieb spannungsreiche Kriminal-, Abenteuer- und Spionageromane.

Ambo [grch.] *der,* kanzelartiges Lesepult an oder vor den Chorschranken in altchristl. Basiliken; nach dem 2. Vatikan. Konzil vielfach an die Stelle der Kanzel getreten.

Ambo (Ovambo), Bantuvolk in Namibia (stellen die Hälfte der namib. Bev.) und S-Angola; →Ovamboland.

Amboise [ã'bwa:z], Stadt in Mittelfrankreich, Dép. Indre-et-Loire, an der Loire, 11500 Ew.; beherrscht von einem Schloss (15./16. Jh.), einer Residenz der Valois, später Staatsgefängnis.

Ambon (Amboina), Molukkeninsel bei Ceram, Indonesien, 813 km^2; ehem. Mittelpunkt der Gewürznelken- und Muskatnusskultur. Der Hauptort Ambon (206000 Ew.) ist Verw.sitz der indones. Prov. Maluku. – Die Portugiesen (ab 1512) wurden ab 1599 von den Niederländern vertrieben; später brit., 1942–45 japanisch; gehörte 1950 zur Rep. der Süd-Molukken (→Molukken). Nach deren Zusammenbruch emigrierten rd. 12000 Ambonesen in die Niederlande.

Amboss, 1) *Anatomie:* das mittlere der drei Gehörknöchelchen im inneren Ohr.

2) *Metallbearbeitung:* Stahlblock als ebene Unterlage mit Fortsätzen (Hörnern) von rundem oder viereckigem Querschnitt; zum Bearbeiten von Werkstücken beim Schmieden von Hand.

Christoph Amberger: Bildnis des Sebastian Münster (1552; Berlin, Gemäldegalerie)

Ambra [arab.] *die* (Amber), wohlriechendes, wachsähnliches Stoffwechselprodukt des Pottwals; wohl eine krankhafte Bildung; kostbarer Rohstoff für die Parfümindustrie.

Ambrakia, antiker Name der grch. Stadt →Arta.

Ambras, Schloss im Innsbrucker Stadtteil Amras. Im 11. Jh. Sitz der Grafen von Andechs, kam es 1263 an Meinhard II. von Tirol. 1561 kaufte es Kaiser Ferdinand I. für seinen Sohn Ferdinand II., der es seiner Frau Philippine Welser gab und als Renaissanceschloss umbauen ließ. Ferdinand II. legte die **Ambraser Sammlung** an (Bibliothek, Kunst- und Rüstkammer). Zu ihr gehören das **Ambraser Heldenbuch,** eine Sammlung mhd. Epen, und das **Ambraser Liederbuch,** eine der reichhaltigsten Liedersammlungen des 16. Jahrhunderts.

Ambrette [frz.] *die* (Ambrettekörner), Samen eines trop. Malvengewächses, liefern A.- oder Moschuskörneröl.

Ambrosia [grch.] *die,* im grch. Mythos die Speise, die den Göttern Unsterblichkeit verleiht (→Nektar).

Ambrosiana *die,* Bibliothek **(Biblioteca A.)** und Gemäldegalerie **(Pinacoteca A.)** in Mailand, Anfang des 17. Jh. gegr., mit kostbaren frühen Handschriften (Ilias), Inkunabeln, Schriften und Zeichnungen von Leonardo da Vinci.

ambrosianischer Gesang, der Gesang der mailänd. Liturgie, benannt nach dem hl. Ambrosius. **ambrosianischer Lobgesang,** das fälschlich Ambrosius zugeschriebene Tedeum.

Ambrosius, lat. Kirchenlehrer, *Trier um 340, †Mailand 4. 4. 397; seit 374 Bischof von Mailand, bekämpfte im Interesse der kirchl. Einheit den Arianismus und setzte die allg. Geltung des →Nicänischen Glaubensbekenntnisses durch, führte nach östl. Vorbild den hymn. Kirchengesang ein. Heiliger, Tag: 7. 12.

ambulant [zu lat. ambulare »umhergehen«], **1)** *allg.:* nicht ortsfest, umherziehend, z. B. das ambulante Gewerbe.

2) *Medizin:* (ambulatorisch) in der Sprechstunde (behandelt); Ggs.: stationär.

Ambulanz *die,* **1)** (Ambulatorium) Abteilung zur ambulanten Behandlung in größeren Krankenhäusern.

2) Krankentransportwagen.

Ameisenbären: Baumameisenbär (Tamandua tetradactyla)

Ameisen (Emsen, Formicoidea), 1 bis 40 mm lange Hautflügler mit rd. 20 000 meist trop. Arten. Fast alle A. bilden gut organisierte Staaten mit Arbeiterinnen und zunächst geflügelten Weibchen und Männchen. Nach der Befruchtung werfen die Weibchen die Flügel ab, und die Männchen sterben. Die befruchteten Weibchen werden als Königinnen bezeichnet. Viele Arten haben einen Giftstachel; bei Arten mit zurückgebildetem Stachel wird ameisensäurereiches Gift aus dem Hinterleibsende ausgespritzt, so bei der **Roten Waldameise.** Die Arbeiterinnen sind geschlechtlich verkümmerte, flügellose Weibchen; sie besorgen Nestbau und -schutz (Soldaten), Futtersuche und Brutpflege. A. ernähren sich von Kleintieren, Nektar, Pflanzensaft und Samen, manche auch von zuckerreichen Ausscheidungen z. B. der Blattläuse (A.-Gäste). Wohnbauten sind u. a. die »A.-Haufen«, Erdhöhlen mit Aufbauten aus trockenen Pflanzenteilen. Der Giftdrüsensaft der A. ist Volksheilmittel. Bekannte A. sind neben der Roten Waldameise (Gatt. Formica) die **Riesen-** oder **Rossameise** (Gatt. Camponotus). Nicht zu den A. gehören die **Weißen A.** →Termiten.

Amboise: Schloss (15./16. Jh.)

📖 Schwenke, W.: *A. Der duftgelenkte Staat. Hannover 1985.* – Dumpert, K.: *Das Sozialleben der A. Berlin u. a. ²1994.* – Hölldobler, B. *u.* Wilson, E. O.: *A. Die Entdeckung einer faszinierenden Welt. A. d. Engl. Basel 1995.*

Ameisenbären (Myrmecophagidae), in Mittel- und Südamerika lebende Säugetiere aus der Ordnung Zahnarme; zahnlose, auf Insektennahrung spezialisierte Baum- oder Bodenbewohner mit sehr kleiner Mundöffnung und langer klebriger Fangzunge. Der **Große A.** (Myrmecophaga tridactyla) wird 250 cm lang, der **Tamandua** (Tamandua tetradactyla) ist katzengroß, der **Zwerg-A.** (Cyclopes didaktylus) wird eichhörnchengroß.

Ameisengäste (Myrmekophilen), meist Gliedertiere, die mit Ameisen zusammenleben, z. B. Blattläuse.

Ameisenigel (Schnabeligel, Tachyglossidae), Fam. bis 80 cm langer Kloakentiere Australiens und benachbarter Inseln, die Termiten, Ameisen u. a. Insekten fressen; zahnlos, mit zylindr., schnabelähnl. Schnauze, klebriger Zunge, mit Haaren, Stacheln und kräftigen Grabkrallen. Bild S. 156

Ameisenlöwen, die Larven der **Ameisenjungfern** (Familie libellenähnlicher Netzflügler); sie legen in sandigem Boden Trichter an und fangen die in den Trichter fallenden Tiere.

Ameisenpflanzen (myrmekophile Pflanzen, Myrmekophyten), trop. Pflanzen, die mit Ameisen in Symbiose leben.

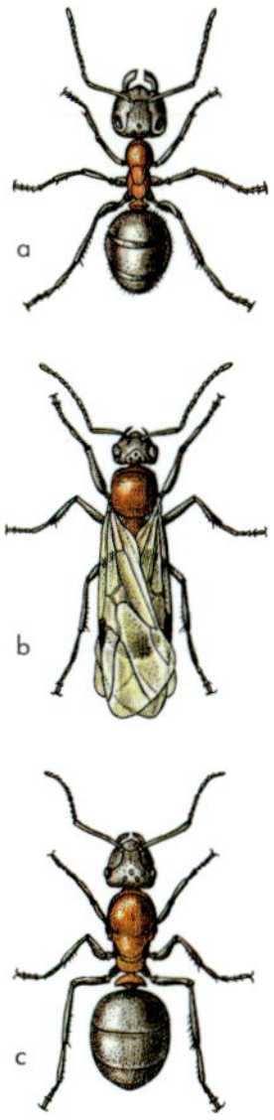

Ameisen: Große Rote Waldameise: **a** Arbeiterin, **b** Männchen, **c** Weibchen

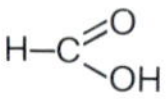
Ameisensäure

Ameisensäure, stechend riechende, ätzende, reduzierend wirkende Flüssigkeit; die stärkste und einfachste der Carbonsäuren, Bestandteil des Ameisen- und Brennnesselgiftes, Wirkstoff des →Ameisenspiritus. Ihre Salze und Ester heißen **Formiate.** A. fällt als Nebenprodukt bei der Essigsäureherstellung an und wird bes. in der Textil- und Lederindustrie verwendet. Ihre Ester riechen obstartig und dienen zur Herstellung von Essenzen (→Ameisensäureäthylester).

Ameisensäureäthylester (Ameisensäureethylester), $HCOOC_2H_5$, würzig riechende Flüssigkeit; als Rumessenz (Rumäther) und Fungizid verwendet.

Ameisenspiritus, Mischung von Ameisensäure, Wasser und verdünntem Alkohol; dient als Hautreizmittel bei Rheuma.

Ameiven, Gattung der →Schienenechsen.

Ameland, westfries. Insel vor der niederländ. Nordseeküste, 57 km^2, 3200 Ew.; Seebäder.

Amelie [grch.] *die,* angeborenes Fehlen eines oder mehrerer Glieder bei Mensch und Tieren.

Amelungen, →Amaler.

Amen [hebr. »Ja, gewiss!«], aus dem Judentum in die christl. Liturgie übernommene Zustimmungsformel der Gemeinde zu Rede, Gebet und Segen.

Amenophis IV.: 25 cm hoher Kopf des Amenophis IV. (um 1355 v. Chr.; Berlin, Ägyptisches Museum)

Amendement [amãd'mã, frz.] *das,* verfassungsrechtl. Bez. für →Änderungsantrag.

Amendment [ə'mendmənt, engl. »Berichtigung«] *das,* beantragte oder erfolgte Abänderung oder Ergänzung eines Gesetzes; in den USA Zusatzartikel zur Verfassung von 1787 (bisher 27 A.) oder den Verfassungen der Einzelstaaten

Amendola, Giorgio, italien. Politiker (KP), *Rom 21. 11. 1907, †ebd. 5. 6. 1980; einer der Führer der kommunist. Widerstandsbewegung, befürwortete die Unabhängigkeit der italien. KP.

Amenemhet III., ägypt. König der 12. Dynastie (1844–1797 v. Chr.); vollendete durch Deich- und Schleusenanlagen die Seelandschaft des Faijum (→Möris).

Amenophis [grch.] (ägypt. Amenhotep), Name von vier ägypt. Königen der 18. Dynastie, darunter: **1) A. III.** (1402–1364 v. Chr.), erbaute den Tempel von Luxor.

2) A. IV. Echnaton (1364–1347 v. Chr.), Sohn von 1), Gatte der Nofretete, erhob die Sonnenscheibe (Aton, Aten) zum einzigen Gott und erbaute sich in →Amarna eine neue Hauptstadt.

📖 SCHLÖGL, H. A.: *Amenophis IV. Echnaton. Reinbek 13.–15. Tsd. 1992.* – HORNUNG, E.: *Echnaton. Die Religion des Lichtes. Zürich u. a. 1995.*

American Airlines

Amenorrhö [grch.] *die,* das Ausbleiben der →Menstruation.

American Airlines Inc. [ə'merɪkən 'eəlaɪnz-], Abk. **AA,** nordamerikan. Luftfahrtgesellschaft, gegr. 1934. (ÜBERSICHT Luftverkehrsgesellschaften)

American Express Company [ə'merɪkən ɪks'pres 'kʌmpənɪ], Abk. **AMEXCO,** Sitz: New York, amerikan. Finanzdienstleistungs- und Reiseunternehmen, gegr. 1850, führte 1891 den Travellerscheck ein. Die Tochtergesellschaft American Express Banking Corp. betreibt internat. Bankgeschäfte.

Ameisenigel: Australien-Kurzschnabeligel (Tachyglossus aculeatus)

American Federation of Labor/Congress of Industrial Organizations [ə'merɪkən fedə'reɪʃn ɔv 'leɪbə 'kɔŋgres ɔv ɪn'dʌstrɪəl ɔ:gənaɪ'zeɪʃnz], Abk. **AFL/CIO,** Dachorganisation der amerikan. Gewerkschaften (rd. 14 Mio. Mitgl.), entstand 1955 durch Zusammenschluss der American Federation of Labor (AFL) mit dem Congress of Industrial Organizations (CIO).

American Forces Network Europe [ə'merɪkən fɔ:sɪz 'netwə:k 'jʊərəp], Abk. **AFN,** Rundfunkdienst für die Angehörigen der amerikan. Streitkräfte und ihre Familien in Europa, gegr. 1943 in London; in Dtl. Funkhaus in Frankfurt am Main.

American Telephone and Telegraph Company [ə'merɪkən 'telɪfəʊn ænd 'telɪgræf 'kʌmpənɪ], Abk. **AT & T,** eine der weltgrößten privaten Telefongesellschaften, gegr. 1885, Sitz: New York; hervorgegangen aus der Bell Telephone Company (gegr. 1877); betreibt heute als Dachgesellschaft den überwiegenden Teil des inneramerikan. und interkontinentalen Fernmeldeverkehrs von den USA nach Übersee.

America's Cup [ə'merɪkəz kʌp, engl.], bedeutendster Wettbewerb im Hochseesegeln, 1851 von Königin Victoria von Großbritannien gestiftet.

Americium [nlat., nach dem Erdteil Amerika] *das,* **Am,** künstl. radioaktives Metall, ein Actinoid und Transuran. Ordnungszahl 95, Dichte 13,67 g/cm^3, Schmelzpunkt 994 °C. – A. tritt in versch.

Isotopen auf (237–247). Die langlebigen Isotope 241 und 243 (Halbwertszeit 433 bzw. 7370 Jahre) sind Alphastrahler und fallen beim Betrieb von Kernreaktoren an. Sie gehören zu den giftigsten Radionukliden; ^{241}Am wurde als erstes A.-Isotop 1944 von G. T. Seaborg u. a. hergestellt.

Amerika [nach. Amerigo Vespucci], die beiden Erdteile →Nordamerika und →Südamerika, die als »Neue Welt« der »Alten Welt« gegenübergestellt werden und durch die Land- und Inselbrücke →Mittelamerikas miteinander verbunden sind. Der Doppelkontinent kommt Asien im NW der Beringstraße auf 85 km nahe, ist aber im Übrigen durch den Pazif. Ozean im W, den Atlant. Ozean und das Nordpolarmeer im O und N deutlich von den anderen Erdteilen getrennt. A. erstreckt sich von 83° 07' n. Br. (einschl. der Insel Grönland von 83° 39' n. Br.) bis fast 54° (einschl. der Inseln 56°) s. Br., also über insgesamt 14 000–15 500 km. Nord- und Süd-A. haben gemeinsame Grundzüge in Bau und Oberflächengestalt: entlang der W-Küste die Hochgebirgsketten der Kordilleren, an die sich ostwärts große Tafelländer, Stromtiefländer und alte Gebirgsrümpfe nahe der O-Küste anschließen.

Zw. 25000 und 8000 v. Chr. (neuere Untersuchungen gehen auch von früheren Einwanderungsschüben aus) wanderten von NO-Asien aus über eine Landbrücke im Gebiet der heutigen Beringstraße die ersten Menschen in A. ein. Von Alaska aus bevölkerten die mongoliden Ureinwohner im Laufe von Jahrtausenden den gesamten Doppelkontinent (→Indianer und, aus einer späteren Einwanderungswelle, →Eskimo). Nach der Landung von C. Kolumbus auf der Bahamainsel Guanahani 1492 (gilt trotz vorheriger A.-Fahrten der Wikinger u. a. Seefahrer als eigentl. Zeitpunkt der Entdeckung) wurde Nord-A. überwiegend durch Briten **(Anglo-A.)**, Mittel- und Süd-A. durch Spanier und Portugiesen **(Latein-A.)** besiedelt. Bis zu seiner Niederlage im Siebenjährigen Krieg (1756–63) hatte Frankreich große Teile Nord-A.s in seinem Besitz (→Louisiana, Gebiete in Kanada), besiedelte diese jedoch nur schwach. In Westindien wurden die Indianer nahezu ausgerottet, in Nord-A. stark dezimiert; ihre Zahl nimmt aber wieder zu. In Zentral- und Süd-A. haben sie sich stark mit den europ. Einwanderern vermischt (Mestizen). Unterschiedlich groß ist in versch. Gebieten der Anteil von Nachkommen der als Sklaven nach A. verschleppten Schwarzafrikaner, die sich großenteils ebenfalls vermischt haben (Mulatten). Dazu kamen im 19./20. Jh. weitere Einwanderer aus Europa und Asien.

Amerikahäuser, in Dtl. und Österreich Informationszentren der USA (seit 1946), die kulturpolit. Aufgaben wahrnehmen; auch in zahlr. anderen Ländern gibt es ähnl. Einrichtungen.

Amerikanerreben, Rebsorten aus Amerika, die gegen die Reblaus und einige Pilze resistent sind und im Pfropfrebenbau als Unterlage dienen.

amerikanische Kunst, →Vereinigte Staaten von Amerika, Kunst, →lateinamerikanische Kunst.

amerikanische Literaturen, →Vereinigte Staaten von Amerika, Literatur, →kanadische Literatur, →lateinamerikanische Literaturen.

amerikanische Musik, →Vereinigte Staaten von Amerika, Musik, →lateinamerikanische Musik.

Amerikanisches Mittelmeer, Nebenmeer des Atlant. Ozeans zw. Nord-, Zentral-, Südamerika und den Antillen, besteht aus dem Karib. Meer und dem Golf von Mexiko.

Amerikanisch-Samoa, →Samoainseln.

Amerikanismen, Wörter, Schreibungen und Lautungen, die dem amerikan. Englisch eigen sind (→englische Sprache) oder aus diesem in fremde Sprachen übernommen wurden. (→Anglizismen)

Amerikanistik *die,* **1)** Zweig der Völkerkunde, der sich mit Vorgeschichte, Geschichte, Sprache und Kultur der amerikan. Indianer beschäftigt.

2) die Wiss. von der Gesellschaft, Sprache und Literatur der USA.

Amersfoort, Stadt in der Prov. Utrecht, Niederlande, Mittelpunkt des Geldersche Vallei 104 400 Ew.; Elektro-, Fahrzeug-, Maschinenbau-, chem., Textil-, Nahrungs- und Genussmittelindustrie. – Mittelalterl. Umwallung, got. Kirchen.

Carl Amery

Amery, Carl, eigtl. Christian Anton Mayer, Schriftsteller, *München 9. 4. 1922; Romane und Essays zu Zeit- und Umweltproblemen.

Améry [ame'ri], Jean, eigtl. Hans Mayer, österr. Schriftsteller, *Wien 31. 10. 1912, †(Freitod) Salzburg 17. 10. 1978; emigrierte 1938 nach Belgien, 1943–45 im KZ, lebte dann in Brüssel; schrieb »Jenseits von Schuld und Sühne« (1966); »Über das Altern« (1968); »Unmeisterl. Wanderjahre« (1971); »Hand an sich legen« (1976); »Weiterleben, aber wie?« (hg. 1982).

Jean Améry

📖 LORENZ, D. C.: *Scheitern als Ereignis. Der Autor J. A. im Kontext europ. Kulturkritik. Frankfurt am Main u. a. 1991.*

Amethyst [grch. améthystos »nicht trunken« (der Stein sollte vor Trunkenheit schützen)] *der,* Mineral, violette bis purpurrote Schmucksteinvarietät des Quarzes.

Ametropie [grch.] *die* (Fehlsichtigkeit), →Brechungsfehler des Auges.

Amethyst (geschliffen)

AMEXCO, Abk. für →**Am**erican **Ex**press **Co**mpany.

Amfortas (Anfortas), sagenhafter kelt. König, bei Wolfram von Eschenbach König des Grals und Oheim →Parzivals.

Amhara, hamit. Volk im Hochland von Äthiopien, um den Tanasee, etwa 18 Mio., staatstragen-

CH_3-NH_2
Methylamin

$CH_3-NH-CH_3$
Dimethylamin

$N(CH_3)_3$
Trimethylamin
Amine

des Volk in Äthiopien. Die A. gehören der kopt. Kirche an. **Amharisch** ist Amtssprache in Äthiopien.

Amicis [a'mi:tʃis], Edmondo De A., italien. Schriftsteller, →De Amicis.

Amida, japan. Name für →Amitabha.

Amide [lat.], **1)** (Säureamide) Verbindungen, die sich aus Säuren durch Ersatz der Hydroxylgruppe (–OH) durch die Aminogruppe ($-NH_2$) oder substituierte Aminogruppen (–NH–R, $-NR_2$) ableiten.

2) (Metallamide) Abkömmlinge des Ammoniaks, in denen ein Wasserstoffatom durch Metall ersetzt ist.

Amiens: Westfassade der Kathedrale Notre-Dame (13./14. Jh.)

Amiens [a'mjɛ̃], Hptst. des Dép. Somme und der Region Picardie, Frankreich, 136 200 Ew., wichtigster Eisenbahnknotenpunkt N-Frankreichs, liegt in fruchtbarer Ebene an der Somme; Univ. (seit 1964); Apparatebau, chem., Reifen-, Schuh-, Metall verarbeitende, Nahrungsmittel- und Textilindustrie. – Die Kathedrale Notre-Dame (1220 bis 2. Hälfte 14. Jh.; UNESCO-Weltkulturerbe) ist ein Meisterwerk der Gotik; Basilika mit dreischiffigem Lang- und Querhaus, fünfschiffigem Kapellenumgangschor, reich geschmückter W-Seite mit Turmstümpfen. – A., das röm. **Ambianum (Samarobriva),** kam 1185 an die frz. Krone. Der **Friede von A.** (27. 3. 1802) zw. Großbritannien und Frankreich beendete den 2. Koalitionskrieg (→Französische Revolutionskriege).

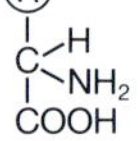

Aminosäuren (allgemeine Formel)

Amiet ['amiɛt], Cuno, schweizer. Maler, *Solothurn 28. 3. 1868, †Oschwand (Kt. Bern) 6. 7. 1961; Mitgl. der Künstlergemeinschaft »Die Brücke«; malte Landschaften, figurale Kompositionen und Porträts in kraftvollen Farben.

Amin Dada, Idi, ugand. General, *in NW-Uganda 1925; seit 1966 Oberbefehlshaber der Armee, wurde 1971 durch Militärputsch Staatspräs. und errichtete eine Terrorherrschaft; 1979 gestürzt, floh nach Saudi-Arabien.

Amine, organ. Basen, gebildet durch Ersatz eines oder mehrerer Atome Wasserstoff des Ammoniaks durch Alkyl- (aliphat. A.) oder Arylgruppen (aromat. A.). Nach der Zahl der ersetzten H-Atome unterscheidet man primäre, sekundäre und tertiäre Amine.

Aminobenzol, das →Anilin.

Aminophenole, die drei isomeren Aminoderivate des Phenols (2-, 3- und 4-A.); Verwendung: Farbstoffsynthese, Entwicklersubstanzen, Pharmazeutika, Antioxidantien.

Aminoplaste, härtbare Kunstharze und Pressmassen auf der Grundlage z. B. von Formaldehyd mit Harnstoff (Harnstoffharze), Melamin (Melaminharze) oder anderer organ. Verbindungen mit Aminogruppen.

Aminopropionsäure, das →Alanin.

Aminosalicylsäure (para-Aminosalicylsäure), Abk. **PAS,** Arzneimittel, das hoch dosiert die Vermehrung von Tuberkelbakterien hemmt.

Aminosäuredatierung (Racematmethode), Verfahren zur absoluten Altersbestimmung von fossilen Knochen, das die opt. Aktivität von Aminosäuren ausnutzt. Im lebenden Organismus kommt i. d. R. nur die die Polarisationsebene des Lichts linksdrehende L-Form der Aminosäuren vor, die sich nach dem Absterben in die stereoisomere, rechtsdrehende D-Form umwandelt, bis ein Gleichgewicht (Racemat) erreicht ist.

Aminosäuren, Carbonsäuren mit einer oder mehreren Aminogruppen ($-NH_2$). Die einfachste A. ist die **Aminoessigsäure** (Glycin, Glykokoll). Aus ihr leitet sich durch Ersatz des einen H-Atoms der CH_2-Gruppe eine Reihe von A. ab; größte Be-

Cuno Amiet: Die gelben Mädchen (1931; Bern, Kunstmuseum)

deutung als Baustein der Eiweiße. **Nichtessenzielle A.** werden z.T. im tier. und menschl. Körper synthetisiert, **essenzielle A.** müssen mit der Nahrung zugeführt werden.

Amis (Pfaffe A.), Schwanksammlung des →Strickers.

Amis ['eɪmɪs], Sir (seit 1990) Kingsley, engl. Schriftsteller, *London 16. 4. 1922, †London 22. 10. 1995; gehört zu den »Angry young men«, schreibt kritisch-humorvolle Romane »Glück für Jim« (1954), »Die Falle am Fluß« (1973), »The Folks that live on the Hill« (1990).

Amische (engl. Amish), Gruppe der →Mennoniten, die sich 1693 von diesen trennte und v.a. nach Pennsylvania auswanderte. Die etwa 25000 dort lebenden A. lehnen alle techn. Errungenschaften ab und führen ein einfaches Leben, überwiegend als Farmer.

Jost Amman: Der Weydmann (Holzschnitt aus dem Ständebuch, 1568)

Amitabha [Sanskrit »von unermessl. Licht«] (chines. Amituo, japan. Amida), im →Buddhismus die himmlische Entsprechung des histor. Buddha; thront im Himmel, nimmt die Gläubigen in sein Paradies Sukharati auf.

Amitose [grch.] *die, Biologie:* Form der →Kernteilung.

Amman, Hptst. von Jordanien, auf dem ostjordan. Tafelland, 1,3 Mio. Ew.; Residenz des Königs, Univ. (gegr. 1962), Goethe-Inst.; Zigaretten-, Textil- u.a. Ind.; an der Hedschasbahn, Flughafen. – Gut erhaltenes röm. Amphitheater. – A. war als **Rabbath Ammon** Hauptstadt der Ammoniter; seit hellenist. Zeit **Philadelphia** genannt; nach röm. Herrschaft seit 635 arabisch; wurde 1948 Hptst. des neu gegründeten Königreichs Jordanien.

Amman (Ammann) Jost, Zeichner für den Holzschnitt und Kupferstecher, getauft Zürich 13. 6. 1539, begraben Nürnberg 17. 3. 1591; schuf ebd. zahlreiche Holzschnitte aus dem Leben seiner Zeit (u.a. Ständebuch von 1568).

Bartolomeo Ammanati: Leda mit dem Schwan (Marmor; Florenz, Bargello)

Ammanati, Bartolomeo, italien. Baumeister und Bildhauer, *Settignano 18. 6. 1511, †Florenz 13. 4. 1592; ein Hauptmeister des Manierismus, tätig in Florenz: Neptunbrunnen (1571–75), Gartenfront des Palazzo Pitti (1558–70), Brücke della Trinità (1567).

Ammann, in der Schweiz Bezirks- oder Gemeindevorsteher. **Land-A.,** in einigen Schweizer Kantonen Bez. für den Regierungsvorsitzenden.

Amme, Frau, die einen fremden Säugling stillt.

Ammenzeugung, Generationswechsel bei Salpen (Gruppe der Manteltiere) mit regelmäßigem Wechsel einer geschlechtl. Generation und einer ungeschlechtlich sprossenden, deren Nachkommen **Ammen** heißen.

Ammer *die,* linker Nebenfluss der Isar, 170 km, entspringt am Kreuzspitz im A.-Gebirge, durchfließt den A.-See, danach **Amper** genannt, mündet bei Moosburg; Kraftwerke.

Ammerland, 1) Landschaft in Ndsachs., nordwestlich von Oldenburg, im S das Zwischenahner Meer; Viehzucht, Baumschulen (Rhododendronkulturen)

2) Landkreis im RegBez. Weser-Ems, Ndsachs., 728 km², (1996) 103700 Ew.; Krst.: Westerstede.

Ammern (Emberizidae), mit den Finken nahe verwandte, vorwiegend in Europa heim. Familie der Sperlingsvögel mit kräftigem Schnabel: z.B. **Goldammer** (Emberiza citrinella), Männchen zitronengelb und rostbraun, **Ortolan** (Emberiza hortulana), rostrot und graugrün (Bestände »stark gefährdet«) und die im Sumpfland lebende **Rohrammer** (Emberiza schoeniclus).

Ammersee, See in Oberbayern, 531 m ü. M., 47,5 km², bis 83 m tief (Zungenbecken eines eiszeitl. Gletschers), von der Ammer durchflossen.

Ammianus Marcellinus, röm. Geschichtsschreiber, *Antiochia am Orontes um 330, †um 395; schrieb Ende des 4. Jh. eine Geschichte des Röm. Reiches von 96 n. Chr. bis 378 in 31 Büchern,

Kingsley Amis

Ammern: oben: Goldammer; **unten:** Rohrammer

von denen die ersten 13 (bis zum Jahre 352) nicht erhalten sind.

Ammon, der ägypt. Gott → Amun.

Ammon-Gelite, handhabungssichere, wasserbeständige Sprengstoffe aus Ammoniumnitrat und Nitroglykol.

Ammoniak [lat. sal ammoniacum »Salmiak«] *das,* NH_3, farbloses Gas von stechendem Geruch, wird durch 800–900 KPa Druck bei 20° C flüssig (Dichte 0,682 g/cm³ bei 0° C) und kommt so, in Stahlflaschen komprimiert oder als 35%ige wässrige Lösung in den Handel. A. entsteht bei der Zersetzung organ. Stickstoffverbindungen. In Wasser leicht löslich; die als **Salmiakgeist** bezeichnete Lösung enthält etwa 10% Ammoniak. 70% der Weltproduktion an A. stellt man aus Luftstickstoff her (Haber-Bosch-Verfahren); Verarbeitung u. a. zu Düngemitteln, Salpetersäure, Harnstoff, Chemiefasern, Sulfonamiden; Verwendung als Kühlmittel. **Ammoniakate (Amminsalze)** sind Komplexe des Ammoniaks mit Metallsalzen.

ai

Amnesty International

Ammoniakvergiftung, entsteht durch Einatmen von Ammoniak (Erstickungsanfälle, Lungenödem u. a.), ferner durch Trinken von Ammoniaklösung (Salmiakgeist), äußert sich wie eine → Laugenvergiftung.

Ammonion, im Altertum Name der ägypt. Oase → Siwa in der Libyschen Wüste.

Ammonite, pulverförmige Gesteinssprengstoffe aus Ammoniumnitrat und aromat. Nitroverbindungen.

Ammoniten [grch., nach dem ägypt. Gott Ammon = Amun, der u. a. mit Widderhörnern dargestellt wurde] (Ammonshörner), am Ende des Erd-MA. ausgestorbene marine Kopffüßer. Ihre Kalkschalen waren meist zu einer Spirale gerollt, Schalendurchmesser 5 mm bis 2 m; wichtige Leitfossilien.

Amor: Römische Skulpturengruppe »Amor und Psyche« (Ostia Antica, »Haus des Amor und der Psyche«)

Ammoniter, *A. T.:* semit. Volk, das nach 1200 v. Chr. im Ostjordanland sesshaft wurde; mit den Israeliten nahe verwandt, aber häufig verfeindet.

Ammonium *das* (Kurzform Ammon), die frei nicht auftretende Atomgruppe NH_4, die in Verbindungen (A.-Salze) die Stelle eines einwertigen Metalls vertritt. **A.-Salze** sind wichtige Düngemittel.

Ammoniumcarbonat, $(NH_4)_2CO_3$, weißes Salz (Hirschhornsalz); entsteht z. B. durch Einleiten von Kohlendioxid in Ammoniakwasser. A. zerfällt bei 58° C wieder in seine Bestandteile. Verwendung als Treibmittel für Backwarenteige, Beize, für Katalysatoren, Schaumstoffe u. a.

Ammoniumchlorid, der → Salmiak.

Ammoniumnitrat, NH_4NO_3, farbloses, gut kristallisierendes, an feuchter Luft zerfließendes Salz; mit kohlenstoffhaltigen Substanzen gemischt, ergibt es Sicherheitssprengstoffe, mit Kaliumchlorid Düngemittel.

Ammoniumsulfat, $(NH_4)_2SO_4$, durch Einleiten von Ammoniak in 80%ige Schwefelsäure oder durch Umsetzung von Ammoniak, Kohlendioxid und Wasser mit Gips hergestelltes Salz; wichtiges Düngemittel.

Ammonolyse *die,* der → Hydrolyse analoge Reaktion einer chem. Verbindung mit Ammoniak.

Ammonshörner, die → Ammoniten.

Amnesie [grch.] *die,* zeitlich begrenzte Erinnerungslücke, → Gedächtnisstörungen.

Amnestie [grch. »das Vergessen«] *die,* Straferlass für eine unbekannte Zahl von Fällen (im Unterschied zur → Begnadigung), entweder durch Erlass bereits rechtskräftig verhängter Strafen oder durch Einstellen der Strafverfolgung oder anhängiger Verfahren bei bestimmten strafrelevanten Handlungen. In Dtl. kann A. nur durch Gesetz gewährt werden (Straffreiheits-Ges.). Die Niederschlagung eines einzelnen schwebenden Verfahrens (→ Abolition) ist unzulässig. In *Österreich* und der *Schweiz* erfolgt die A. ebenfalls durch ein Bundesgesetz.

Amnesty International [ˈæmnəstɪ ɪntəˈnæʃnl, engl.], Abk. **AI** oder **ai,** internat. Organisation, gegr. 1961; betreut Menschen, die aus polit., weltanschaul. oder rass. Gründen in Haft sind; setzt sich für die Einhaltung der Menschenrechte, für ordentl. Prozesse, Strafmilderung und Freilassung, gegen Todesstrafe und Folter ein. Internat. Sekretariat: London; Sektion Dtl.: Bonn. – Erhielt 1977 den Friedensnobelpreis. – *Schriften:* Jahresbericht. Deutsche Ausgabe. 1971 ff.

📖 HEINRICH-JOST, I.: *Abenteuer Amnesty. Freiheit u. Menschenwürde. Wien 1991.*

Ammonit

Amniographie [grch.] *die* (Fetographie), intrauterine Röntgenkontrastdarstellung des Fetus; heute durch Ultraschalldiagnostik ersetzt.

Amnion [grch.] *das* (Schafshaut), die innerste der Embryonalhüllen, → Mutterkuchen.

Amnioskopie [grch.] *die,* Untersuchung des Fruchtwassers durch die Eihäute hindurch, → Schwangerschaftsuntersuchungen.

Amnioten, Wirbeltiere (Reptilien, Vögel, Säugetiere), die im Unterschied zu den → Anamniern in der Embryonalentwicklung ein Amnion (Hülle) bilden.

Amniozentẹse [grch.] *die,* Punktion der Fruchtblase, → Schwangerschaftsuntersuchungen.

Amọ̈ben [grch. »Veränderliche«] (Wechseltierchen), einzellige Wurzelfüßer ohne feste Körperform, die lappige Scheinfüßchen (Pseudopodien) ausfließen lassen, sich so fortbewegen **(amöboide Bewegung)** und Nahrung aufnehmen; Fortpflanzung meist durch Zweiteilung. Die meisten Süßwasserarten sind nackt, einige beschalt. Manche A. leben als Parasiten, z. B. **Entamoeba histolytica,** der Erreger der mit schleimig-blutigen Durchfällen einhergehenden **A.-Ruhr (Amöbiasis).**

Amok [malaiisch »Wut«] *der* (Amoklaufen), eine plötzl. Geistesgestörtheit mit stark aggressivem Bewegungsdrang; kann beim Befallenen wutartige, wahllose Zerstörungs- oder Tötungsversuche auslösen; zuerst bei malaiischen Eingeborenen beobachtet. Als Ursache werden Epilepsie, Malaria und Katatonie oder psychogene Faktoren angenommen.

Amon, der ägypt. Gott → Amun.

Amọ̈neburg, Stadt im Landkreis Marburg-Biedenkopf, Hessen, 385 m ü. M., 5 200 Ew., auf einem Basaltkegel im fruchtbaren **Amöneburger Becken,** Basaltbrüche. – 721 gründete Bonifatius hier das erste hess. Kloster; Burgruine (13./14. Jh.).

Amontillado [-ˈʎado, span.] *der,* ein Typ des → Sherrys.

amontonssches Gesẹtz [amɔ̃ˈtɔ̃-; nach dem frz. Physiker G. Amontons, *1663, †1705] besagt, dass der Druck eines eingeschlossenen (idealen) Gases proportional zur Temperatur steigt.

Amor [lat.], der röm. Liebesgott, dem grch. → Eros entsprechend. **A. und Psyche,** Erzählung des röm. Schriftstellers Apuleius.

Amoralịsmus [lat.] *der* (Immoralismus, Antimoralismus), Lebensanschauung, die allg. die Gültigkeit moral. Gesetze oder die herrschende Moral leugnet (bes. F. W. Nietzsche).

Amorbach, Stadt im Landkreis Miltenberg, Bayern, Luftkurort im Odenwald, 168 m ü. M., 4 300 Einwohner. – Die ehem. Benediktinerabtei (gegr. 734) ist seit 1803 Besitz der Grafen von Leiningen (Bibliothek, Grüner Saal). Die ehem. Klosterkirche ist evang. Pfarrkirche (Neubau 1742–47; Barockorgel der Brüder Stumm); kath. Gangolfskirche (barock). In der Umgebung von A. die Wallfahrtskapelle **Amorsbrunn,** die Ruine **Wildenberg** und Schloss **Waldleiningen.**

Amorẹtte [italien.] *die,* kleiner Liebesgott; geflügelte Kindergestalt, Putte.

Amorgos, grch. Kykladeninsel, 121 km², bis 781 m hoch, 1 700 Ew.; Bauxitvorkommen. Hauptort: Amorgos; an der O-Küste die fünfstöckige Klosterfestung Chossoviotissa (11. Jh.).

Amoriter (Amurru), **1)** nach 2000 v. Chr. über N-Syrien nach Mesopotamien eingedrungene semit. Nomaden.

2) kanaanäischer Kleinstaat in Syrien-Palästina (etwa 1350–1200 v. Chr.).

Amorós, Celia, span. Philosophin, *Valencia 18. 5. 1944. Geprägt durch J. P. Sartre und C. Lévi-Strauss, studiert sie die Beziehungen zw. Feminismus, Philosophie und patriarchal. Vernunftprinzip; Suche nach neuer Ethik und neuem polit. Handeln.

amoroso [italien. »verliebt«], *Musik:* zärtlich, innig.

amọrph [grch.], form-, gestaltlos; a. heißen feste Körper, deren Moleküle nicht als Kristallgitter regelmäßig angeordnet sind (z. B. Gläser, Harze und Opal).

Amortisation [lat.] *die,* **1)** (planmäßige) langfristige Tilgung einer Schuld, bes. von Anleihen und Hypotheken.

2) Rückfluss des investierten Kapitals durch Verkaufserlöse.

3) ratenweise Herabsetzung des Grund- oder Stammkapitals bei Kapitalgesellschaften durch planmäßige Einziehung und Löschung der Aktien (AG) oder der Geschäftsanteile (GmbH).

Amos, judäischer Prophet, verkündete um 750 v. Chr. den Untergang Israels: fordert sittl. Verhalten statt Kulthandlungen ein.

Amosis (ägypt. Ahmose), **1) A. I.,** ägypt. König (1552–1527 v. Chr.) der 18. Dynastie; brach die Herrschaft der Hyksos.

2) A. II., der König → Amasis.

Amoy, Stadt in China, → Xiamen.

Ampel [von lat. ampulla »kleine Flasche«], **1)** schalenförmige Hängelampe.

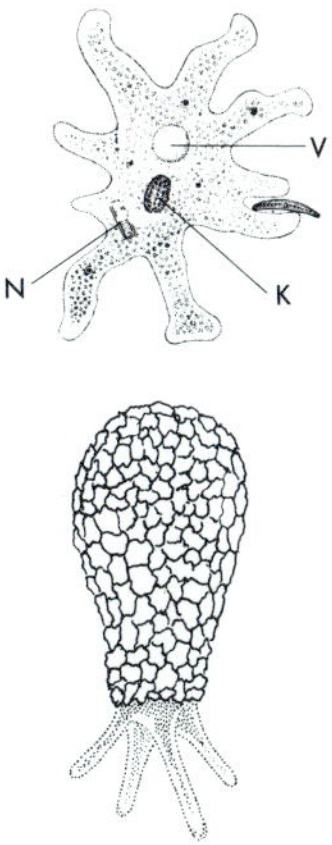

Amöben: Süßwasseramöbe (Amoeba proteus) mit V Vakuole, Z Zellkern, N Nahrungseinschluss und rechts Scheinfüße, die eine Alge umfließen (oben); Difflugia (beschalte Amöbe, unten)

Amorbach: Innenraum der ehemaligen Klosterkirche (1742–47)

2) (Verkehrsampel) Gerät zur Verkehrsregelung durch Lichtzeichen. (→Verkehrszeichen)

Ampelographie [grch. ámpelos »Weinstock«] *die,* Rebsortenkunde.

Amper *die,* Unterlauf der →Ammer.

Amphibienflugzeug: Hochseetüchtiges japanisches Mehrzweck-Flugboot Shin Meiwa PS-1 mit Einziehfahrwerk und vier Propellerturbinen zum Antrieb

Ampere [amˈpɛːr; nach A. M. Ampère] *das,* Einheitenzeichen **A,** SI-Basiseinheit der elektr. Stromstärke. Das A. ist die Stärke eines konstanten elektr. Stroms, der in zwei parallelen, geradlinigen, unendlich langen Leitern, die im Vakuum im Abstand von 1 m angeordnet sind, zwischen ihnen eine Kraft von $2 \cdot 10^{-7}$ Newton je Meter Leiterlänge ausüben würde.

Ampère [ãˈpɛːr], André Marie, frz. Physiker und Mathematiker, *Lyon 22. 1. 1775, †Marseille 10. 6. 1836; entdeckte Anziehung, Abstoßung und magnet. Wirkung elektr. Ströme, erklärte den Magnetismus durch Molekularströme und stellte 1826 die erste mathematisch fundierte elektrodynam. Theorie auf.

André Marie Ampère

Amperemeter [ampɛːr-], der →Strommesser.

ampèresche Regel [ãˈpɛːr-] (Korkenzieherregel, Schwimmerregel), Merkregel zur Richtungsbestimmung des von einem elektr. Strom hervorgerufenen Magnetfelds: Dreht man einen Korkenzieher so, dass er sich in Richtung des Stromflusses bewegt, so umlaufen die magnet. Feldlinien den Leiter in demselben Drehsinn.

ampèresches Gesetz [ãˈpɛːr-], elementares, von A. M. Ampère 1820 formuliertes Gesetz der Elektrodynamik: Parallele und gleich gerichtete elektr. Ströme ziehen sich an, parallele, aber entgegengesetzt gerichtete Ströme stoßen sich ab.

ampèresches Verkettungsgesetz [ãˈpɛːr-], *Elektrodynamik:* das Durchflutungsgesetz (→Durchflutung).

Amperesekunde [amˈpɛːr-], Einheitenzeichen **As** oder **A·s,** das →Coulomb.

Amperestunde [amˈpɛːr-], Einheitenzeichen **Ah** oder **A·h,** SI-fremde Einheit der Elektrizitätsmenge, 1 Ah = 3600 As.

Amperewindungszahl [amˈpɛːr-], →Durchflutung.

Ampex®-Verfahren, →magnetische Bildaufzeichnung.

Ampezzo (Valle d'A.), Tallandschaft des Boite in den östl. Dolomiten, Venetien, Italien; Alm- und Holzwirtschaft, Fremdenverkehr; Hauptort ist Cortina d'Ampezzo.

Ampfer [ahd. ampharo »sauer«] (Rumex), Gattung der Knöterichgewächse mit meist unscheinbaren Blüten; z.T. als Wildgemüse verwendet, z.B. der oxalsäurehaltige **Wiesensauerampfer** (Rumex acetosa). Der **Garten-A.** (Rumex patientia) wird als Blattgemüse (Ewiger Spinat) angebaut.

Amphetamin *das,* Stoff aus der Gruppe der →Weckamine.

amphi... [grch.], Vorsilbe mit der Bed. doppel..., beid..., zwei...; herum, ringsum.

Amphibien [grch. »doppellebig«], Wirbeltierklasse, →Lurche.

Amphibienfahrzeug, schwimm- oder tauchfähiges Landfahrzeug, an Land auf Rädern oder Ketten, im Wasser durch Schiffsschraube angetrieben; Lenkung mit Rädern oder Hilfsrudern.

Amphibienflugzeug, Wasserflugzeug mit ausfahrbarem Fahrgestell; kann daher auch an Land starten und landen.

amphibisch, im Wasser und auf dem Land lebend.

Amphibole [grch.], wichtige gesteinsbildende Calcium-Magnesium- oder Natrium-Magnesium-Silikatminerale (mit oder ohne Aluminium- oder Eisenanteil), meist monoklin, selten rhombisch. Der grüne **Strahlstein (Aktinolith)** kommt auch feinfaserig als **Hornblendeasbest** oder als harter, zäher **Nephrit** vor. Eisenreich und daher dunkelgrün bis schwarz ist die **Hornblende.**

Amphibolie [grch.] *die,* Doppel-, Mehrdeutigkeit.

Amphibolit *der,* vorwiegend aus Plagioklas und Hornblende bestehendes metamorphes Gestein.

Amphiktyonie [grch.] *die,* bes. im antiken Griechenland der kultisch-polit. Verband der **Amphiktyonen** (»Umwohner«) eines großen Heiligtums zu dessen Schutz und zum gemeinsamen Begehen der Feste. Am bekanntesten sind die A. von Delphi und Delos.

Amphineura [grch.], die →Urmollusken.

Amphipoden [grch.], die →Flohkrebse.

Amphiprostylos [grch.] *der,* Tempel mit offener, viersäuliger Vor- und Rückhalle.

Amphissa (Amfissa), Stadt in Griechenland unweit Delphi, 7200 Ew.; Zentrum des Olivenanbaus, Bauxitgruben. – Im Altertum die bedeutendste Stadt der westl. Lokrer; 338 v. Chr. durch Philipp II. von Makedonien zerstört.

Amphitheater [grch.], für Tierhetzen und Gladiatorenkämpfe bestimmtes Theater der Römer mit ellipt. Arena und rundum angeordneten Sitzreihen. Das älteste erhaltene A. ist in Pompeji, das gewaltigste ist das →Kolosseum in Rom.

Amphitrite, die Tochter des grch. Meergottes Nereus oder des Okeanos, Gemahlin des Poseidon und Königin des Meeres.

Amphitryon, im grch. Mythos König von Tiryns, Gemahl der Alkmene. Diese wurde durch Zeus, der A.s Gestalt angenommen hatte, Mutter des Herakles. – Dramatisiert u. a. von Plautus, Molière, J. Dryden, H. von Kleist, G. Kaiser, J. Giraudoux, P. Hacks.

Ampholyt [grch.] *der,* Molekül oder Ion mit sowohl saurer als auch bas. hydrophiler Gruppe, das nach der →Säure-Base-Theorie je nach Versuchsbedingungen als Säure oder als Base reagieren kann.

Amphora (Amphore) [grch.] *die,* bei Griechen und Römern ein bauchiger Krug aus gebranntem Ton mit engem Hals und zwei Henkeln, bes. für Wein und Öl.

amphoter [grch. amphóteros »zu beiden Seiten gehörig«], *Chemie:* Bez. für die Fähigkeit von Verbindungen, Wasserstoffionen (H^+) und Hydroxylionen (OH^-) abzuspalten und sich daher stärkeren Säuren gegenüber wie eine Base, stärkeren Basen gegenüber wie eine Säure zu verhalten.

Amplifier ['æmplıfaıə, engl.] *der,* engl. Bez. für →Verstärker.

Amplifikation [lat.] *die,* **1)** *Psychotherapie:* nach C. G. Jung die Anreicherung von Trauminhalten im Gespräch zw. Arzt und Patient.

2) *Rhetorik:* kunstvolle Ausweitung einer Aussage; Ausschmückung.

Amplitude [lat. »Weite«] *die,* Schwingungsweite, größter Wert einer periodisch veränderl. Größe (→Schwingung).

Amplitudengang, →Frequenzgang.

Amplitudenmodulation, Abk. **AM,** *Nachrichtentechnik:* →Modulation.

Ampulle [lat. ampulla »kleine Flasche«] *die,* **1)** *Anatomie:* kolbenartig erweiterter Abschnitt eines röhrenförmigen Organs, z. B. des Mastdarms.

2) *Pharmazie:* zugeschmolzenes Glasfläschchen mit leicht abzubrechender Spitze für sterile Injektionslösungen.

Amputation [lat.] *die,* chirurg. Abtrennen eines endständigen Körperteils.

Amrit, Ruinenstätte des antiken **Marathos** an der syr. Mittelmeerküste bei Tartus, mit phönik. Felsengräbern, grch. Stadion, röm. Amphitheater.

Amritsar, Stadt im Bundesstaat Punjab, Indien, 709 500 Ew.; Univ.; Handel, Kunsthandwerk und Ind. (Chemie, Textilien, Glas, Stahl). – Der inmitten eines heiligen Sees gelegene »Goldene Tempel« ist das Hauptheiligtum der Sikhs.

Amphitheater: Dreistöckiges Amphitheater in Pula (vollendet im 1. Jh. n. Chr.)

Amrum, nordfriesische Nordseeinsel vor der W-Küste Schlesw.-Holst., 20 km², 2 100 Ew.; Badeorte: Wittdün, Nebel und Norddorf.

Amsberg, Claus von, →Claus, Prinz der Niederlande.

Amphora: Bemalte Amphora mit einer Darstellung der Satyrn bei der Weinlese (um 530 v. Chr.; Würzburg, Martin-von-Wagner-Museum)

Amsel (Schwarzdrossel, Turdus merula), bis 25 cm langer Singvogel der Familie Drosseln; Männchen schwarz mit gelbem Schnabel, Weibchen und flügge Junge braun mit hellerer Kehle.

Amsel

Amselfeld (serb. Kosovo polje), Hochbecken in der Provinz Kosovo, Jugoslawien, 70 km lang, bis 15 km breit. – Auf dem A. siegten die Türken unter Murad I. am 28. 6. 1389 über die Serben, unter Murad II. am 19. 10. 1448 über die Ungarn.

Amstel *die,* kanalisierter Fluss in den Prov. Süd- und Nordholland, Niederlande, fließt durch Amsterdam zum IJ.

Amsterdam, Hptst. der Niederlande, in der Prov. Nordholland, an der Mündung der Amstel in

Amsterdam
Stadtwappen

Amsterdam:
Montelbaansturm
(Anfang 16. Jh.)

das →IJ, durch den Nordseekanal mit dem Meer, durch den A.-Rhein-Kanal mit dem Hinterland verbunden, 719 900 Ew. Mittelpunkt der von Kanälen (Grachten) durchzogenen, auf Pfählen erbauten Altstadt ist der »Dam« mit dem Königl. Palast, früher Rathaus (17. Jh). Bemerkenswert sind ferner die Kirchen Oude Kerk (14., 16. Jh) und Nieuwe Kerk (Ende 14. Jh begonnen) sowie eine Fülle wertvoller Profanbauten, u.a. das Rembrandthaus und das Trippenhuis (17. Jh); geschlossene histor. Bebauung mit zahlreichen schönen Bürgerhäusern an der Herengracht, Keizersgracht und der Prinsengracht; im Reichsmuseum (Rijksmuseum) Werke der niederländ. Malerei, im Städt. (Stedelijk) Museum moderne Kunst, außerdem Rijksmuseum Vincent van Gogh. A. ist ein kultureller Mittelpunkt der Niederlande (zwei Univ., Akademie der Wiss., Akademie der Künste, Tropeninst., -museum) und ein bed. Handels- und Stapelplatz bes. für Tabak, Kaffee, Kakao, Chinarinde, Hölzer, Reis, Getreide, Kautschuk, Kohle, Erdöl mit Börse. Wichtiger ist heute die Ind.: chem. Werke, Büromaschinen- und Maschinenbau, Metallind., Flugzeug- und Fahrzeugbau, elektrotechn. Ind., Druckereien, Diamantschleiferei; bed. See- und Binnenhafen, internat. Großflughafen Schiphol.

Geschichte: A. erhielt um 1300 Stadtrechte und kam 1327 an die Grafen von Holland. Im 14./15. Jh. erlebte es einen wirtsch. Aufstieg durch den Ostseehandel (Mitgl. der Hanse); 1367 trat es der Kölner Konföderation gegen König Waldemar IV. von Dänemark bei. Dem Aufstand Hollands gegen die Spanier schloss es sich 1578 an. Nach der Eroberung Antwerpens durch die Spanier (1585) wuchs A. rasch und war im 17. Jh die führende Handelsstadt Europas. Der Krieg gegen Großbritannien 1780-84 und die frz. Besetzung 1795 führten zum wirtschaftl. Niedergang; seit 1814 Hptst. der Niederlande.

Amsterdam-Rhein-Kanal, Großschifffahrtsweg für Schiffe bis 4300 t, 72 km, der verbesserte Merwedekanal, führt von Amsterdam zum Lek und Waal; seit 1952 in Betrieb.

Amstetten, Bezirksstadt in Niederösterreich, an der Ybbs, 22 100 Ew.; Holz-, Metall-, Baustoff-, Chemie-, Papier-, Bekleidungs-, Lebensmittelindustrie.

Amt, *Verwaltungsrecht:* ein auf Dauer bestimmter Aufgabenkreis im Dienst anderer. Man unterscheidet private und öffentl. Ämter, je nachdem, ob es sich um Geschäfte privater oder öffentl. Einrichtungen handelt. I.e.S. ist A. nur das **öffentl. A.,** der nach Zuständigkeit abgegrenzte Geschäftsbereich der Staatsgewalt oder Selbstverwaltung. Der Zugang zu öffentl. Ämtern ist durch das GG grundrechtsähnlich nach Befähigung, Eignung und Leistung gesichert (Art. 33). Der Verlust der individuellen Amtsfähigkeit kann strafrechtl. Nebenfolge oder Nebenstrafe sein (→Aberkennung). **Ehrenämter** werden unentgeltlich und nebenberuflich verwaltet.

Amsterdam: Grachtenhäuser an der Amstel mit den charakteristischen Seilzugvorrichtungen am Giebel

Amtmann, seit dem späten MA. Verwaltungsbeamter für einen Bezirk der Landesherrschaft (auch Meier, Pfleger, Vogt). Heute beamtenrechtl. Amtsbezeichnung (gehobener Dienst).

Amtsanmaßung, unbefugte Ausübung eines öffentl. Amts, nach § 132 StGB mit Freiheitsstrafe bis zu zwei Jahren oder mit Geldstrafe bedroht; ähnlich in *Österreich* (314 StGB) und in der *Schweiz* (Art. 287 StGB).

Amtsanwalt, Vertreter der Staatsanwaltschaft, der die Funktion nur bei Amtsgerichten ausüben darf.

Amtsarzt, in der öffentl. Gesundheitsverwaltung (Gesundheitsämter) tätiger Arzt, i.w.S. auch der sozialversicherungsrechtl. Vertrauensarzt.

Amtsblatt, behördl. Mitteilungsblatt für amtl., öffentlich bekannt zu machende Verlautbarungen.

Amtsdelikte, die strafrechtlich, nicht nur disziplinarisch zu ahndenden Verletzungen der Amtspflicht (**Amtsvergehen, Amtsverbrechen,** §§ 331 ff. StGB). **Echte A.** können nur von Beamten begangen werden (z.B. Rechtsbeugung), **unechte A.** auch von anderen Personen, sie werden aber härter bestraft, wenn sie von Beamten begangen worden sind (z.B. Körperverletzung im Amt). In *Österreich* sind A. strafbar nach §§ 302–313 StGB, in der *Schweiz* nach Art. 312–320 StGB.

Amtseid (Diensteid), der Eid, den Träger öffentl. Ämter vor Dienstantritt zur Bekräftigung ihrer Amtspflichten leisten. Der A. ist ein promissor.

Eid, dessen Verletzung kein Meineid oder Eidbruch ist.

Amtsgeheimnis (Dienstgeheimnis), Angelegenheit, mit der eine Behörde befasst ist, deren Kenntnis nicht über einen bestimmten Personenkreis hinausgeht und deren Geheimhaltung nach gesetzl. Vorschriften, dienstl. Anordnungen oder der Natur der Sache erforderlich ist. Die Verletzung des A. kann disziplinar-, arbeits- und strafrechtl. Folgen haben.

Amtsgericht, unterstes Gericht der ordentl. Gerichtsbarkeit in Dtl. Die A. sind mit mehreren Richtern (Amtsbezeichnung »Richter am A.«) besetzt, die in Zivilsachen als Einzelrichter entscheiden. In Strafsachen ist der Strafrichter als Einzelrichter oder das →Schöffengericht zuständig. Die A. stehen unter der Dienstaufsicht eines ihrer Mitglieder (Direktor des A., bei großen A. : Präs. des A.). Zur Zuständigkeit der A. in Zivil- und Strafsachen →Gericht (ÜBERSICHT). In der freiwilligen Gerichtsbarkeit ist das A. z. B. Nachlass-, Register- und Vormundschaftsgericht sowie Grundbuchamt. Es ist ferner Familien-, Vollstreckungs-, Konkurs- und Vergleichsgericht. – Gemessen an ihren Zuständigkeiten und dem Umfang ihrer Tätigkeit sind die A. der praktisch bedeutsamste Teil der Gerichtsorganisation.

amtsgerichtliches Verfahren, Verfahren vor dem Amtsgericht in Zivilsachen. Im Allg. finden die Vorschriften der ZPO über das landgerichtl. Verfahren Anwendung (§ 495 ZPO), doch besteht kein Anwaltszwang, Schriftsätze brauchen nicht gewechselt zu werden. Die Parteien können selbst alle Prozesshandlungen vornehmen oder sich eines Prozessbevollmächtigten, der nicht Anwalt sein muss, bedienen.

Amulett: Astrologisches Amulett Wallensteins (Wien, Kunsthistorisches Museum)

Amtsgrundsatz (Offizialmaxime), Verpflichtung eines Gerichts oder einer Verwaltungsbehörde, von Amts wegen über Beginn, Gegenstand und Ende eines Verfahrens zu bestimmen. Der A. findet hauptsächlich im öffentl. Recht Anwendung. Im Strafprozess ist der A. durch das →Legalitätsprinzip ausgeprägt. Für den Zivilprozess →Verhandlungsmaxime.

Amtshaftung, →Staatshaftung.

Amtshilfe, Hilfeleistung (z. B. durch Auskünfte) der Verwaltungsbehörden untereinander (→Rechtshilfe), geregelt z. B. in Art. 35 GG, §§ 4 ff. Verw.verfahrensgesetz.

Amtspflegschaft, →Pflegschaft.

Amtsrat, Amtsbez. für einen Beamten des gehobenen Dienstes; Rangstufe über dem Amtmann.

Amtssprache (Geschäftssprache), offizielle Sprache in einem Staat (Behörden, Gerichte u. a.) oder einer internat. Organisation. In Dtl. ist die Amts- und Gerichtssprache Deutsch. In *Österreich* lässt das Volksgruppen-Ges. vom 7. 7. 1976 neben der dt. Sprache im Verkehr mit Behörden auch die Sprache einer Volksgruppe zu. In der *Schweiz* sind Deutsch, Französisch und Italienisch gleichberechtigte A. und mit dem Rätoromanischen Nationalsprachen.

Amtstrachten, althergebrachte Kleidungen (Talar, Barett, Robe) staatl. und kirchl. Berufsgruppen, in Kirchen, z. T. im Hochschulleben und im Gerichtswesen üblich; die A. dienten v. a. der Betonung der Amtsautorität.

Amtsvormundschaft, Vormundschaft, die von einer Behörde, insbesondere vom **Jugendamt,** wahrgenommen wird. Die gesetzl. A. des Jugendamtes (§ 1791 c BGB) tritt mit Geburt eines nichtehel. Kindes nur noch ein, wenn das Kind eines Vormundes bedarf (z. B. weil die Mutter minderjährig ist) und nicht bereits das Vormundschaftsgericht einen Einzelvormund (Privatperson) bestellt hat. Die bestellte A. des Jugendamtes kann durch Verfügung des Vormundschaftsgerichts für ein Mündel eingesetzt werden, wenn eine als Einzelvormund geeignete Person nicht vorhanden ist (§ 1791 b BGB). Ähnl. amtliche Vormundschaften finden sich in *Österreich* und in der *Schweiz.*

Amudarja *der* (in der Antike Oxus), Fluss in Mittelasien (Tadschikistan, Turkmenistan, Usbekistan), 2 540 km, Quellflüsse im Hindukusch und im Pamir, mündet in den Aralsee, den er wegen großer Wasserentnahme zu Bewässerungszwecken nur in niederschlagsreichen Jahren erreicht. Oberhalb von Kerki Abzweigung zum Karakumkanal.

Amulett [lat.] *das,* kleiner Anhänger, der seinem Träger Schutz und Kraft verleihen soll. Häufig sind Nachbildungen von menschl. Körperteilen, Münzen, sinnbildl. Darstellungen von Sonne oder Mond. Der Glaube an A. entstammt dem mag. Denken.

📖 KNUF, A. *u.* KNUF, J.: *Amulette u. Talismane. Köln 1984.*

Amun (Amon, Ammon), der Stadtgott (→ägyptische Religion) des ägypt. Theben. Mit dem Aufstieg Thebens wurde er Reichsgott und Götterkönig. Nach dem Verfall Thebens blühte sein Kult in

Amun: Statuette des Amun (vergoldetes Holz und Kupfer; Hildesheim, Römer-Pelizaeus-Museum)

Äthiopien und den Oasen fort. Den Griechen und Römern war A. als Gott der Oase →Siwa vertraut, sie setzten ihn mit Zeus bzw. Jupiter gleich.

📖 ASSMANN, J.: *Re u. Amun. Die Krise des polytheistischen Weltbilds im Ägypten der 18.–20. Dynastie. Göttingen u. a. 1983.*

Roald Amundsen

Amundsen, Roald, norweg. Polarforscher, *Borge 16. 7. 1872, verschollen seit 18. 6. 1928; erreichte mit Hundeschlitten am 14. 12. 1911 (rd. vier Wochen vor R. F. →Scott) als Erster den Südpol und entdeckte auf dem Rückweg das Königin-Maud-Gebirge; überflog im Mai 1926 im Luftschiff »Norge« zus. mit L. Ellsworth und U. Nobile den Nordpol. A. stürzte 1928 während eines Fluges nach Spitzbergen ab (bei einer Rettungsaktion für die Nobile-Expedition).

Werke: Die Eroberung des Südpols, 2 Bde. (1921), Mein Leben als Entdecker (1929).

📖 BRENNECKE, D.: *R. A. Reinbek 1995.*

Amur *der* (Heilungkiang, chines. Heilong Jiang, mongol. Chara-Muren), Strom in Ostasien, 2824 km, auf rd. 2000 km Grenzfluss zw. Russland und China, entsteht aus den Quellflüssen Schilka und Argun (mit Argun 4440 km), mündet in den Tatarensund (Ochotsk. Meer). Die Schifffahrt wird durch lange Eisbedeckung (Nov. bis Anfang Mai) und Sandbänke behindert; im Unterlauf Fischfang.

Amurbahn, Teil der Transsibir. Eisenbahn zw. Karymskoje und Chabarowsk, 1997 km lang, 1908–16 von Russland zur Umgehung der Ostchines. Bahn erbaut.

Amy [a'mi], Gilbert, frz. Komponist und Dirigent, *Paris 29. 8. 1936; Schüler von D. Milhaud, O. Messiaen und P. Boulez; 1967–72 als Nachfolger von Boulez Leiter der Konzertreihe »Domaine musical« in Paris, seit 1984 Direktor des Conservatoire in Lyon.

Amygdalin [zu grch. amygdále »Mandel«] *das,* Glucosid in bitteren Mandeln und Obstkernen; kann Blausäure freisetzen.

Amyklä, altgrch. Ort südlich von Sparta, mit Apollheiligtum und dem **Amykläischen Thron,** ein gegen Ende des 6. Jh. v. Chr. mit reichem Bildschmuck errichtetes Bauwerk für die archaische Statue des Apoll.

Amyl... [grch. ámylon »Stärke«], veraltete Bez. für →Pentyl...

Amylalkohole, die →Pentanole.

Amylasen [grch.], Enzyme, die Stärke und Glykogen direkt oder über Dextrine zu Maltose und Glucose abbauen können. Die α-A. kommen u. a. im Mund und in Verdauungsdrüsen von Mensch und Tieren vor sowie in Malz; Verwendung u. a. zur Herstellung von Bier.

Amylene, die →Pentene.

Amylnitrit (3-Methylbutylnitrit) *das,* Ester der salpetrigen Säure mit Methylbutanol; nur noch selten verwendetes Mittel zur Bekämpfung akuter Anfälle von Angina pectoris. A. hat techn. Bedeutung bei der Herstellung von Diazoniumverbindungen; missbraucht als Schnüffelstoff »Poppers«.

Amylo|idose [grch.] *die* (Amyloidentartung), Ablagerungen des krankhaften Eiweißkörpers **Amyloid,** v. a. in Milz, Leber, Niere; tritt auf bei chron. Erkrankungen (z. B. Knochenmarkentzündung, Tuberkulose) und infolge immunolog. (Antigen-Antikörper-)Reaktionen. Die befallenen Organe erhalten ein glasiges, oft speckiges Aussehen und können bis zum Funktionsausfall beeinträchtigt werden. Behandlung v. a. chirurgisch.

Amylopektin *das,* →Stärke.

Amylose *die,* →Stärke.

an... [grch.], Präfix, →a...

ana [grch.], kurz für **ana partes aequales,** Abk. **aa,** auf Rezepten: von mehreren Mitteln die gleiche Menge zu nehmen.

ana... [grch.], Präfix, **1)** wieder...: **Anabaptist,** Wiedertäufer.

2) auf...: **Anakrusis,** Auftakt (Metrik).

Anabasis [grch. »Hinaufstieg«] *die,* Name zweier Geschichtswerke des Altertums: A. des →Xenophon über den Feldzug Kyros' d. J. und den Rückmarsch seiner 10000 grch. Söldner und A. des →Arrian über die Feldzüge Alexanders d. Gr.

Anabiose [grch.] *die,* das Vermögen von Lebewesen und ihren Keimen (z. B. Flechten, Sporen), ungünstige Lebensbedingungen (extreme Kälte, Trockenheit) längere Zeit scheintod zu überdauern.

Anabolismus [grch.] *der,* Gesamtheit der assimilator. **(anabolen)** Vorgänge in Lebewesen, die dem Aufbau körpereigener Stoffe dienen (Ggs.: Katabolismus). Im jugendl. Alter überwiegen die anabolen Vorgänge; sie werden von Hormonen (Insulin u. a.) gefördert. Den A. fördernde Stoffe **(Anabolika)** werden als Arzneimittel verwendet.

Anachoret [grch. »Zurückgezogener«] *der,* Einsiedler; in der Einsamkeit lebender christl. Asket (Mönch).

Anachronismus [grch.] *der,* falsche zeitl. Einordnung; nicht mehr zeitgemäße Einrichtung.

Anaconda [ænə'kɔndə], Stadt im Bundesstaat Montana, USA, 14000 Ew.; 1883 als **Copperopolis** vom A.-Konzern gegr., der dort ein riesiges Kupferhüttenwerk errichtete.

Anadolu, türk. Name für Anatolien (→Kleinasien).

Anadyr, 1) *der,* Fluss in NO-Sibirien, Russland, 1150 km, entspringt im A.-Bergland, mündet in die Onemenbucht im Beringmeer.

2) Verw.sitz des Autonomen Kreises der Tschuktschen, Russ. Föderation, innerhalb des Gebietes Magadan, etwa 15000 Ew., Hafen, Flughafen, Braunkohlenbergbau, Fischverarbeitung.

Anaerobiler (Anaerobionten), zeitweise oder ständig ohne Sauerstoff lebende Organismen; Ggs.: Aerobier.

Anagenese [grch.] *die,* Höherentwicklung in der Stammesgeschichte einer Organismengruppe; kommt z.B. in der Optimierung des Bauplanes eines Lebewesens zum Ausdruck.

Anaglyphen [zu grch. anáglyphos »erhaben«], zwei zusammengehörende, im Augenabstand in Komplementärfarben übereinander gedruckte oder projizierte Bilder (→ Raumbildverfahren).

anagogische Auslegung, eine Auslegung der Bibel, die dem Wortsinn einen geistigen, auf die Geheimnisse des Reiches Gottes bezogenen Sinn hinzufügt.

Anagramm [grch.] *das,* die Umstellung der Buchstaben eines Wortes, um Wortspiele, Decknamen u. a. Verbindungen zu bilden *(Anton Kippenberg: Benno Papentrigk).*

Anaheim ['ænəhaım], Stadt im Bundesstaat Kalifornien, USA, 40 km südöstlich von Los Angeles, 290 700 Ew.; Elektronik- und Leichtmetallind.; Vergnügungspark »Disneyland«. – A. wurde 1857 von dt. Einwanderern gegründet.

Anakoluth [grch.] *das* oder *der* (Anakoluthie), Satzbruch als Stilmittel (ÜBERSICHT Redefiguren).

Anakonda (Eunectus murinus), mit 8–9 m Länge größte der Boaschlangen, in den trop. Regenwäldern Südamerikas.

Anakreon, grch. Dichter aus Teos in Ionien, lebte im 6. Jh. v. Chr.; besang in anmutigen Versen v. a. Liebe und Wein, lebte am Hofe des Polykrates auf Samos, später in Athen. Die **Anakreontea,** etwa 60 Lieder in anakreont. Art, stammen größtenteils aus röm. Zeit.

Anakreontiker, dt. Dichterkreise des 18. Jh., die seit etwa 1738 nach dem Muster der Anakreontea Wein, Liebe, Natur, Geselligkeit, das Dichten, die »fröhl. Wissenschaft« besangen, v. a. der Halberstädter Kreis um J. W. L. Gleim, die Bremer Beiträger, der Göttinger Hain; Einflüsse auch auf Goethe, Schiller und F. G. Klopstock.

anal [von lat. anus »After«], den After betreffend, in der Aftergegend gelegen.

Analcim [grch.] *der,* farbloses, weißes bis graues oder rötl. kubisches Mineral, Natrium-Aluminium-Silikat, ein → Feldspatvertreter.

Analekten [grch., zu analégein »auflesen«], Sammlung vermischter Gedichte, Aufsätze, Sentenzen u. a.

anale Phase, nach S. Freud eine frühkindl. Entwicklungsstufe der Sexualität, bei der die Afterregion und Ausscheidungsvorgänge im Vordergrund stehen. Eine Fixierung auf die a. P. führt u. U. später zum **Analcharakter** mit Pedanterie, übertriebener Sparsamkeit und Eigensinn.

Analeptika [grch.], die → Anregungsmittel.

Analerotik, Sexualempfinden, bei dem der Analbereich bevorzugte erogene Zone ist.

Analgesie [grch.] *die, Medizin:* Schmerzlosigkeit.

Analgetika [grch.], die → schmerzstillenden Mittel.

analog [grch.], **1)** *allg.:* entsprechend, gleichartig; übertragbar, sinngemäß anwendbar; ähnlich.

2) *Informatik, Physik:* stufenlos, kontinuierlich; analoge Größen **(Analoggrößen)** sind im Ggs. zu digitalen (→ digital) stetig veränderbar.

Analog-digital-Umsetzer Abk. **ADU** (Analog-digital-Converter, ADC, A-D-Wandler), Einrichtung zur Umsetzung eines analogen Eingangssignals in ein digitales Ausgangssignal unter Veränderung der Signalstruktur. Verwendung z. B. zur Umformung von durch Sensoren erfassten Messwerten in eine für digitale Datenverarbeitungsanlagen verwertbare Form.

Analogie [grch. »Übereinstimmung«] *die,* **1)** *allg.:* Gleichmäßigkeit, Ähnlichkeit, Entsprechung.

2) *Biologie:* Übereinstimmung in der Funktion (von versch. Organen).

3) *Philosophie:* Verhältnis der Entsprechung zw. ähnl., aber nicht ident. Gegenständen oder Vorgängen. Der scholast. Begriff **Analogia Entis** bedeutet eine unterschiedl. Teilhabe jedes endl. Seienden an dem Sein, d.h. (Thomas von Aquin) eine entsprechende Gottähnlichkeit. Der **A.-Schluss** in der Erkenntnisfindung basiert auf einer strukturellen A., d.h. teilweisen oder völligen Übereinstimmung der Struktur zweier Gegenstände bzw. Systeme (z.B. Erkenntnisobjekt und Modell). Von funktionaler A. spricht man, wenn zwei Gegenstände (Systeme) die gleiche Funktion erfüllen (z.B. funktional analoge Rechenprogramme).

4) *Physik:* die auf bestimmten Übereinstimmungen oder Ähnlichkeiten beruhende Entsprechung von physikal. oder mathemat. Systemen und Vorgängen, z.B. in der Strömungslehre.

5) *Recht:* die sinngemäße Anwendung eines Rechtssatzes auf einen vom Gesetz nicht geregelten Tatbestand. Im Strafrecht ist die A. zum Nachteil des Täters nicht zulässig.

Analogon [grch.] *das,* entsprechender, gleichartiger (analoger) Fall.

Analogrechner, Rechenanlage, die mit kontinuierlich veränderl. Größen (z. B. Länge, Winkel, Spannung) arbeitet, indem mathemat. Zusammenhänge durch physikal. Vorgänge dargestellt werden. Als Rechenelement treten Summierglieder, Multiplikatoren, Integratoren u. a. auf.

Analphabetismus [griech.] *der,* -, mangelhafte oder fehlende Kenntnis und Beherrschung des Lesens und Schreibens. Nach einer Definition der UNESCO von 1951 gilt jeder als **Analphabet** oder

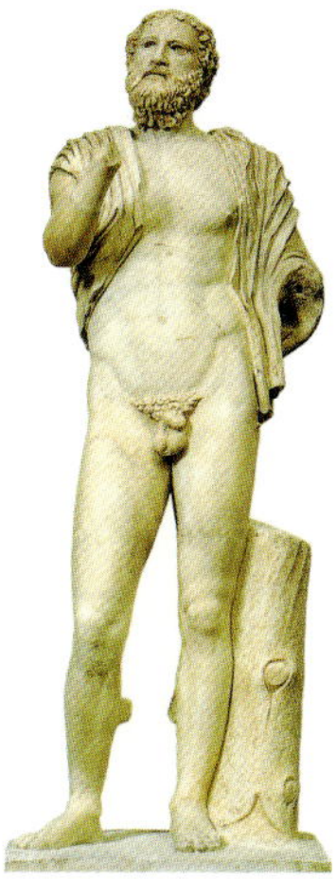

Anakreon: Bei Antium gefundene Bildnisstatue Anakreons, die ihn beim Vortragen eines Liedes auf einem Fest darstellt.

Analcim (Kristalle)

»illettré«, der unfähig ist, in einer selbst gewählten Sprache einen einfachen Text zu lesen oder einen einfachen Brief zu schreiben. Personen, die nur lesen, aber nicht schreiben können, werden als **Semianalphabeten** bezeichnet; **Sekundäranalphabeten** haben eine früher erworbene Lese- und Schreibfähigkeit verloren. **Funktionale Analphabeten** sind Personen, denen die rudimentären Lese-, Schreib- und Rechenfertigkeiten fehlen. Nach Schätzungen der UNESCO (für 1990) galten in Spanien 36,4%, in Italien 23%, in Griechenland 23,3% der über 10-Jährigen, in Kanada 24% der mehr als 18-Jährigen, in den USA 13% der mehr als 17-Jährigen als funktionale Analphabeten. In Dtl. (nur alte Bundesländer) geht man (1990) von 3 Mio. funktionalen Analphabeten aus.

Analysator [grch.] *der,* opt. Bauelement zum Nachweis der →Polarisation des Lichts.

Analyse [grch.] *die,* **1)** *allg.:* Zerlegung, Zergliederung eines Ganzen in seine Teile, systemat. Untersuchung eines Sachverhalts unter Berücksichtigung seiner Teilaspekte.

2) *Chemie:* Bestimmung der Bestandteile chem. Verbindungen oder Gemische nach ihrer Art **(qualitative A.)** oder ihrer Menge **(quantitative A.).** Der qualitativen A. geht meist die Vorprüfung voraus, bei der man beobachtet, wie sich der Stoff unter versch. Bedingungen, z. B. Erhitzen, Zusammenschmelzen mit anderen Stoffen, verhält. Dann wird der Stoff in Lösung gebracht (Aufschließung). Arten der qualitativen A. sind z. B. die Spektral- und die Lötrohr-A. Bei der quantitativen A. unterscheidet man Gewichts-, Maß-, Gasanalyse und physikalisch-chem. A. Zur Gewichts-A. gehört die **Elementar-** oder **Verbrennungsanalyse.** Die moderne A. kennzeichnen die Verminderung der Nachweisgrenze auf weniger als 10^{-15} g, die Automatisierung, Perfektionierung, der Einsatz von Computern und die Kopplung mehrerer Methoden zu Systemen.

3) *Psychologie:* die Erforschung der psycholog. Bedingungs-, Funktions- und Strukturmomente einzelner Persönlichkeitsaspekte im Sinn einer psycholog. Erhellung der Gesamtpersönlichkeit oder bestimmter Fähigkeiten; Bereiche sind z. B. **Erlebnis-A., Ausdrucks-A., Sprach-A., Charakter-A.;** i. e. S. die →Psychoanalyse als psychotherapeut. Methode.

Analysenwaage, urspr. hoch empfindl., in einem verglasten Gehäuse aufgestellte Balkenwaage; heute meist **Einschalenwaage** mit Schaltgewichtneigungseinrichtung. **Elektron. A.** sind mit elektr. Tarierautomatik, vollautomat. Gewichtsschaltung und Digitalanzeige ausgerüstet. (→Mikrowaage)

Analysis [grch.] *die,* Teilgebiet der Mathematik, das auf den Begriffen Zahl, Funktion und →Grenzwerte aufbaut. Zur klass. A. gehören u. a. die →Differenzialrechnung, die →Integralrechnung, die →Variationsrechnung sowie die →Funktionentheorie. Darauf aufbauend haben sich auch die →Funktionalanalysis und die →Topologie entwickelt.

analytische Chemie (Analytik), →Chemie, →Analyse.

analytische Geometrie, Teilgebiet der Mathematik, in dem die geometr. Figuren durch Zahlen (Koordinaten) und die zw. ihnen bestehenden Gleichungen oder Ungleichungen beschrieben werden. Damit lassen sich Probleme der Geometrie mit Methoden der (linearen) Algebra behandeln.

analytische Malerei, Kunstrichtung, die die Grundlagen und Möglichkeiten der Malerei mit maler. Mitteln analysiert; entstand Ende der 1960er-Jahre, ausgelöst durch die analyt. Untersuchungen der Conceptart.

analytische Philosophie, ein bes. im angloamerikan. Bereich seit den 1930er-Jahren gebräuchl. Name für eine neue Phase in der Entwicklung des →Neopositivismus. Anstöße erhielt die a. P. von G. Frege, B. Russell, G. E. Moore sowie dem Wiener Kreis (mit R. Carnap). Charakteristisch für sie ist, dass sie die philosoph. Analyse als Sprachanalyse auffasst. Man sucht Sachfragen, insbesondere metaphys. Fragen, als Sprachprobleme zu entlarven.

📖 *Traditionen u. Perspektiven der a. P. Festschrift für Rudolf Haller, hg. v.* W. L. GOMBOCZ *u. a. Wien 1989.* – NEWEN, A. *u.* SAVIGNY, E. VON: *A. P. Eine Einführung. München 1996.*

analytische Psychologie, die Psychologie C. G. Jungs.

analytische Sprachen, Sprachen, die grammat. Beziehungen durch lose Partikeln ausdrücken, wie in frz. »de la rose« gegenüber lat. »rosae«.

analytisches Urteil, in der Logik meist ein Urteil, dessen Prädikat schon im Subjekt enthalten ist, z. B. »Alle Körper sind ausgedehnt«. Ggs.: synthet. Urteil (nach I. Kant).

Anämie [grch. »Blutlosigkeit«] *die* (Blutarmut), Verringerung der Zahl der roten Blutkörperchen und/oder des Blutfarbstoffs Hämoglobin. Ursachen der A. sind akuter oder chron. Blutverlust, verminderter Aufbau der roten Blutkörperchen oder des Blutfarbstoffs (z. B. Eisenmangel, Mangel an Vitamin B_{12}, →perniziöse Anämie), verstärkter Abbau roter Blutkörperchen (hämolyt. A., z. B. durch angeborene Defekte, medikamentöse Schädigung) oder andere Krankheiten (z. B. Infektionen, Nierenkrankheiten). Kennzeichen sind u. a. Schwäche, Konzentrationsverlust, Kopfdruck, Belastungsluftnot, Ohnmachtsneigung und Blässe. Behandlung: bei großen Blutverlusten Bluttransfusionen; vitaminreiche Kost; Eisen- und Blutfarbstoffpräparate.

Anamnese [grch. »Erinnerung«] *die,* das Erfragen der Vorgeschichte einer Krankheit, meist im Gespräch mit dem behandelnden Arzt.

Anamnesis [grch.] *die,* Wiedererinnerung, bei Platon (z.B. »Menon«, 82 b–85 b) die Deutung der Erkenntnis als Wiedererinnerung an Ideen, die die Seele vorgeburtlich geschaut hat.

Anamnier [grch.], Wirbeltiere (Lurche, Fische), deren Embryonalentwicklung ohne die Bildung eines Amnions (Hülle) abläuft. (→Amnioten)

Anamorphot [grch.] *der,* Abbildungssystem aus Prismenkombinationen, gekreuzten Zylinderlinsen oder aus einem Prismensatz, kombiniert mit Zylinderlinsen. A. ändern den Bildwinkel und damit den Abbildungsmaßstab in einer Richtung und dienen z.B. als Spezialobjekte in der Filmtechnik.

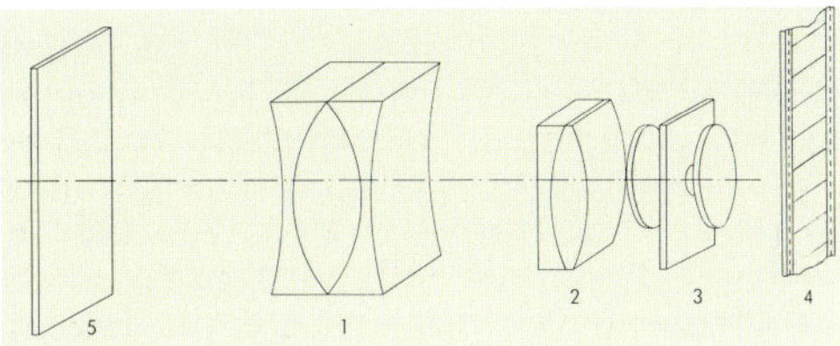

Anamorphot: Aufbau eines Aufnahme-Anamorphots nach Henry Jacques Chrétien: 1 negative Zylinderlinse, 2 positive Zylinderlinse, 3 sphärisches Objektiv, 4 Aufzeichnungsfilm, 5 aufzunehmendes Objekt

Anamur, Stadt in der Türkei, nahe der Mittelmeerküste, am Fuß des Taurus, 37 300 Ew.; am Kap A. Ruinenstätte der in der Antike bed. Stadt **Anemurion.** Auf einer Landzunge südöstlich von A. liegt die gewaltige, im 13. Jh. von den Herrschern des kleinarmen. Königreiches von Kilikien errichtete Festung Anamur mit 36 Türmen.

Ananas [portugies., von gleichbedeutend Guaraní naná] *die,* rotgelbe, vom Blattschopf gekrönte, zapfenähnl. Sammelfrucht einer urspr. mittelamerikan. Rosettenstaude (A. comosus) der **A.-Gewächse;** saftreiches trop. Obst.

Anand ['ɑ:nænd], Mulk Raj, indoengl. Schriftsteller, *Peshawar 12. 12. 1905; etablierte mit R. K. Narayan und R. Rao die indoengl. Literatur; setzt sich mit Kolonialismus und dem Kastensystem kritisch auseinander (»Der Unberührbare«, R., 1935; »Gauri«, R., 1980).

Ananias, im A.T. einer der prophet. Gegner des Jeremias (Jer. 28); Heilsprophet.

Anankasmus [grch.] *der,* Zwangsneurose (Denkzwang, Zwangsvorstellung), krankhafter Zwang, bestimmte (unsinnige) Handlungen auszuführen.

Ananke [grch. »Zwang«] **1)** grch. Schicksalsgöttin.

2) der 12. Mond des →Jupiter.

Anapäst [grch.] *der,* ein Versfuß aus zwei kurzen und einer langen Silbe (ÜBERSICHT Metrik).

Anapher [grch. »das Emportragen«] *die,* eindrucksteigernde Wiederholung eines Wortes am Anfang einander folgender Sätze, Satzteile, Verse oder Strophen (ÜBERSICHT Redefiguren).

Anaphylaxie [grch.] *die, Medizin:* heftige Überempfindlichkeitsreaktion, Sonderform der →Allergie (z. B. anaphylakt. Schock).

Anarchie [zu grch. ánarchos »führerlos«] *die,* Herrschaftslosigkeit, Gesetzlosigkeit.

Anarchismus *der,* polit. Ideologie, die darauf zielt, jede Herrschaft von Menschen über Menschen, jede gesetzl. Zwangsordnung, bes. den Staat, zu beseitigen und ein autoritäts- und herrschaftsloses Zusammenleben herbeizuführen. Urspr. von rein individualist. Prinzipien bestimmt, hat sich der A. später mit kollektivist. Ideen verbunden. Während er anfänglich die extreme Gewaltlosigkeit lehrte, hat er später teilweise auch den individuellen und kollektiven Terror als Instrument revolutionärer Umsturzbewegungen propagiert und praktiziert.

Man unterscheidet 1) den **individualist. A.,** der schrankenlose Freiheit für den Einzelnen, absolute Vereinigungsfreiheit und unbeschränktes Privateigentum fordert (William Godwin, M. Stirner, P.-J. →Proudhon). 2) den **kollektivist. A.** (revolutionären A.), der auf eine staaten- und klassenlose Kollektivordnung (im Ggs. zum marxschen »autoritären« Sozialismus) und auf Kollektiveigentum zielt, sei es nur an den Produktionsmitteln (M. A. Bakunin), sei es auch an den Konsumgütern (P. A. Kropotkin).

Die erste revolutionär-anarchist. Organisation (gegr. von Bakunin und S. G. Netschajew: »Propaganda der Tat«) verübte zahlr. Attentate und Sabotageakte; sie verlor Anfang des 20. Jh. an Bedeutung. Steigenden Einfluss übte seitdem der **Anarchosyndikalismus** (→Syndikalismus) bes. in den roman. Ländern aus. Seit etwa 1960 fand anarchist. Gedankengut bes. Bakunins bei der →neuen Linken Beachtung.

Ananas

📖 *A. Zur Geschichte u. Idee der herrschaftsfreien Gesellschaft, hg. v.* H. DIEFENBACHER. *Neuausg. Darmstadt 1996.*

Anasazikultur, altindian. Kultur im SW der USA (etwa 200 v. Chr. bis zum 16. Jh.), Blütezeit zw. 1100 und 1300; hinterließ die Siedlungsform der **Cliff-Dwellings,** in natürl. Felsüberhänge (Abris) gebaute Hauskomplexe oder weitläufige Siedlungen (z. B. Mesa Verde, Chaco Canyon). Die A. geht nahtlos in die Kultur der Puebloindianer über. BILD S. 170

Anastasia, Großfürstin A. Nikolajewna, jüngste Tochter des Zaren Nikolaus II., *Peterhof

Anasazikultur: Die gut erhaltene, halbkreisförmige Wohnanlage Pueblo Bonito ist das größte Bauwerk der Anasazikultur (920–1120 n. Chr.)

18. 6. 1901, vermutlich in Jekatarinburg am 16./17. 7. 1918 zus. mit ihrer Familie ermordet. Mehrere Frauen, u. a. Anna Anderson-Manahan (†Charlottesville, Va., USA, 12. 2. 1984) behaupteten, A. zu sein.

Anästhesie [grch.] *die, Medizin:* **1)** Empfindungslosigkeit; krankhafte Unerregbarkeit von Empfindungs- und Sinnesnerven.

2) vom Arzt (Anästhesist) herbeigeführte Schmerzausschaltung bes. bei chirurg. Eingriffen. Während bei der allg. Betäubung (→Narkose) eine Bewusstlosigkeit herbeigeführt wird, bleibt das Bewusstsein bei der örtl. Betäubung **(Lokal-A.)** erhalten. Hierbei werden von Kokain und Procain abgeleitete chem. Substanzen bei der Oberflächen-A. auf die Körperoberfläche (bes. die Schleimhäute) aufgebracht, bei der **Infiltrations-A.** in das entsprechende Gewebe und bei der Leitungs-A. in den Nerv oder seine Umgebung eingespritzt; so bei Sonderformen der **Leitungs-A.** in die Rückenmarkflüssigkeit (**Lumbal-A.** zur A. der unteren Körperhälfte) oder an die harte Rückenmarkhaut heran (**Peridural-A., Epidural-A., Sakral-A.,** z. B. bei geburtshilfl. Eingriffen). Die **Kälte-A.** als lokale Vereisung wurde wegen mitunter auftretender Gewebsschäden aufgegeben.

Karel Ančerl

📖 *Chirurgie u. Anästhesie. Vom Handwerk zur Wissenschaft, hg. v.* P. RIDDER. *Stuttgart 1993.* – ALLGEIER, M.: *A. u. Intensivpflege in Theorie u. Praxis. Stuttgart u. a. 1995.*

Anastigmat [grch.] *der, Optik:* Linsensystem, bei dem Astigmatismus und Bildwölbung durch Verwendung spezieller opt. Glassorten beseitigt sind.

Anastomose [grch.] *die,* natürl. oder künstl. Verbindung von Hohlorganen (z. B. Blut- und Lymphgefäßen). Operativ angelegte A. sind Verbindungen zwischen. urspr. getrennten Hohlorganen oder Gefäßen (z. B. zw. Gallenwegen und Darm).

Anatas [grch.] *der,* gelbes bis schwarzblaues tetragonales Mineral; chemisch Titandioxid.

Anath, phönizisch-kanaanit. Fruchtbarkeits- und Kriegsgöttin; erscheint im A. T. neben Baal als weibl. Göttin.

Anathema [grch.] *das,* bei den Griechen das Gottgeweihte (Weihgeschenk), dann im christl. Sprachgebrauch die Verdammung als Häretiker und der Ausschluss aus der Religionsgemeinschaft.

Anatolien [grch. anatole »Morgenland«], →Kleinasien.

Anatomie [grch. »Zergliederung«] *die,* die Wissenschaft vom Bau der Lebewesen. Die **systemat. A.** untersucht und beschreibt den Körper nach Organsystemen (u. a. Gefäß-, Atmungs-, Nervensystem). Die Lehre vom feineren Bau der Organe **(mikroskop. A.)** fußt auf der Zellen- und Gewebelehre (Histologie). Die **topograph. A.** behandelt Lageverhältnisse der Körperteile und Organe in den versch. Körperregionen zueinander; als **angewandte A.** dient sie chirurg. Maßnahmen. Die **vergleichende A.** untersucht einander entsprechende Systeme oder Organe der Tiergruppen und des Menschen. Neben der **Anthropotomie** (A. des Menschen) werden die **Zootomie** (A. der Tiere) und die **Phytotomie** (A. der Pflanzen) unterschieden.

Geschichte: Im Altertum und MA. verhinderten vielfach religiöse Ansichten die Zergliederung menschl. Leichen. Bed. Anatomen waren Herophilos, Erasistratos (um 300 v. Chr.), Galen (2. Jh. n. Chr.). Als Begründer der modernen A. gilt A. Vesal (16. Jh.). Teildisziplinen der A. entwickelten sich im 18./19. Jh. zu selbstständigen Wiss. (u. a. Physiologie, Pathologie, Histologie).

📖 FENEIS, H.: *Anatom. Bildwörterbuch der internationalen Nomenklatur. Stuttgart u. a. ^{7}1993.* – SOBOTTA, J.: *Atlas der A. des Menschen. 2 Bde. München u. a. ^{20}1993.* – LIPPERT, H.: *A. Text u. Atlas. München u. a. ^{6}1995.* – *Taschenatlas der A. für Studium u. Praxis, bearb. v.* W. KAHLE *u. a. 3 Bde. Stuttgart u. a. ^{6}1995.*

Anau, vorgeschichtl. Wohnhügel (Tepe) bei Aschchabad, Turkmenistan, Reste von Kulturschichten aus Jungstein- und Bronzezeit.

Anaxagoras, grch. Philosoph aus Klazomenai in Ionien, *um 500 v. Chr., †Lampsakos (Hellespont) 428 v. Chr.; Lehrer in Athen, von wo er, der Gottlosigkeit angeklagt, fliehen musste. Er erklärte die Wirklichkeit aus einer vom Nus, dem Weltgeist, verursachten Wirbelbewegung unendlich vieler Urteilchen **(Homöomerien),** die sich qualitativ voneinander unterscheiden.

Anaximander (Anaximandros), grch. Naturphilosoph aus Milet, *um 610 v. Chr., †um 546 v. Chr.; Schüler des Thales, lehrte, dass alle Dinge aus einem quantitativ wie qualitativ unbestimmten Urstoff, dem **Apeiron** (das »Grenzenlose«), durch Trennung in Gegensätze hervorgehen und in das Apeiron zurückkehren.

Anaximenes, grch. Naturphilosoph aus Milet, *um 585 v. Chr., †um 526 v. Chr.; Schüler des Anaximander, verstand als Urstoff nicht mehr das Apeiron, sondern die Luft, aus der durch Verdichtung und Verdünnung alles entsteht und vergeht.

Anbaubeschränkung, Maßnahme der Agrarpreisstützung. Bei Überproduktion soll durch A. eine Angebotsverringerung erzielt und damit das Absinken der Preise verhindert werden.

Anbaugeräte, landwirtsch. Maschinen oder Geräte, die fest an die Dreipunktanhängung des Schleppers angebaut werden. Ggs.: →Anhängegeräte.

Anblasen, die Inbetriebnahme eines neuen oder neu zugestellten Hochofens.

ANC, südafrikan. Partei, →African National Congress.

Ančerl ['antʃɛrl], Karel, tschech. Dirigent, *Tučapy (Südböhm. Gebiet) 11. 4. 1908, †Toronto 3. 7. 1973; 1950–68 Leiter der Philharmonie in Prag, seit 1969 des Toronto Symphony Orchestra.

Anchises, *griech. Mythos:* Held aus dem Königshaus von Troja, durch ihn wurde Aphrodite Mutter des Äneas.

Anchorage ['æŋkərɪdʒ], größte Stadt Alaskas, USA, an einer Bucht des Cook Inlet, 226 300 Ew.; Univ. (gegr. 1960); Sitz von Erdölgesellschaften; internat. Flughafen (Polarroute), Hafen. – A. wurde 1915 beim Eisenbahnbau gegründet; 1964 durch ein schweres Erdbeben teilweise zerstört.

Anchovis [span., portugies.] *die* (Anschovis, Sardelle), Heringsfisch S- und W-Europas; auch filetierte, in Salz, Marinade oder Kräuter eingelegte Sardelle.

Ancien Régime [ɑ̃'sjɛ̃ re'ʒi:m; frz., »alte Regierungsform«] *das,* das absolutistisch regierte (bourbon.) Frankreich vor 1789; allg. die polit. und gesellschaftl. Verhältnisse im Europa des 17./18. Jh., bes. der privilegierten Adelswelt.

Ancona, 1) Provinz in der Region Marken, Italien, 1940 km², (1995) 439 900 Ew.

2) Hptst. der Provinz A. und der Region Marken, Italien, 99 900 Ew.; Erzbischofssitz; Handels- und Kriegshafen an der Adria; Fischerei; Schiffbau, Zucker-, Papierind., Musikinstrumentenbau. – Auf einer Anhöhe der roman. Dom, Trajansbogen aus röm. Zeit. – A., um 390 v. Chr. von Griechen gegr. (Ancon Dorica), war seit 278 v. Chr. röm. Flottenstation und Handelsstadt. 774 von Karl d. Gr. dem Papst geschenkt, behauptete es im MA. seine Selbstständigkeit. 1532–1860 gehörte A. zum Kirchenstaat.

Ancus Marcius, nach der Sage der 4. König Roms (etwa 642 bis 617 v. Chr.), soll das linke Tiberufer befestigt und Ostia gegründet haben.

Ancylostoma [grch.], Gattung der →Hakenwürmer.

Ancylus, Gattung der Wasserlungenschnecken in Süßgewässern Europas. Nach ihrem gehäuften

Géza Anda

Andachtsbild

Andachtsbild 2): links: Jesus-Johannes-Gruppe (um 1300; Heiligenkreuztal, ehemaliges Zisterzienserinnenkloster); **Mitte:** Rueland Frueauf d. Ä., »Christus als Schmerzensmann« (München, Alte Pinakothek); **rechts:** Ignaz Günthers »Pietà«, in der Friedhofskapelle in Nenningen bei Göppingen (1774)

Auftreten wird ein nacheiszeitl. Stadium der Ostsee **A.-See** genannt.

Anda ['ɔndɔ], Géza, schweizer. Pianist ungar. Herkunft, *Budapest 19. 11. 1921, †Zürich 13. 6. 1976; Interpret bes. von Werken W. A. Mozarts, F. Chopins, B. Bartóks. BILD S. 171

Andachtsbild, 1) Christus-, Marien- oder Heiligenbild, das im Gebetbuch aufbewahrt wird.

2) Bildwerk des MA., v.a. ein Vesperbild **(Pietà),** ein Schmerzensmann **(Erbärmdebild),** eine Jesus-und-Johannes-Gruppe. In der geistl. Literatur vorbereitet, begegnet es im 13. Jh. zuerst in Dtl., wo es seine innigste Gestaltung gefunden hat. BILDER S. 171

Andalusien: Die Stadt Gaudix in der Provinz Granada mit maurischer Burg (9. Jh., im 14. Jh. erweitert)

Åndalsnes ['ɔndalsne:s], Hafenort am inneren Romsdalsfjord, W-Norwegen, 3000 Ew.; Fremdenverkehr.

Andalusien (span. Andalucía), histor. Landschaft und autonome Region in S-Spanien, umfasst die Prov. Sevilla, Huelva, Cádiz, Córdoba, Jaén, Granada, Málaga und Almería, zus. 87598 km², (1991) 6,94 Mio. Ew. **Nieder-A.** umfasst das Gualdalquivirbecken, ein welliges Hügelland, dessen nördl. Abschluss die Sierra Morena bildet. Das von der Betischen Kordillere (Sierra Nevada 3481 m) durchzogene **Hoch-A.** bricht mit buchtenreicher Steilküste zum Mittelmeer ab. A. besitzt im S ein rein ausgeprägtes Mittelmeerklima, Hoch-A. unterliegt zunehmend kontinentalen Einflüssen. Angebaut werden, meist mithilfe von Bewässerung, Weizen, Mais, Gemüse, Südfrüchte, Oliven, Korkeichen, Zuckerrohr und Baumwolle. Weinbau wird v.a. um Jerez de la Frontera und Málaga betrieben. In den südl. Marschlandschaften (Marismas) werden Pferde und Kampfstiere gezüchtet, die Sierra Morena ist ein riesiges Sommerweidegebiet für Schafherden. Hoch-A. ist reich an Erzlagerstätten: Eisen, Kupfer, Blei, Zink. Von großer Bedeutung ist der Fremdenverkehr an der Küste und der Bildungstourismus in den Großstädten; in der Sierra Nevada Wintersport.

Andalusit: Querschnitt durch einen Chiastolith (oben) und gestreckter Kristall auf Schiefer (unten)

A., einst das Reich →Tartessos, später die röm. Prov. Baetica, war im 5. Jh. vorübergehend Sitz der Wandalen, dann westgotisch. 711 kam es unter arab. Herrschaft. **Al-Andalus** war die arab. Bez. für Spanien. 1212 begann die Rückeroberung A. durch Kastilien, die 1492 mit der des Reiches Granada abschloss. – 1982 erhielt A. ein Autonomiestatut.

📖 BURCKHARDT, T.: *Die maurische Kultur in Spanien. München* ²*1980.* – VERNET, J.: *Die spanisch-arabische Kultur in Orient u. Okzident. A. d. Span. Zürich u. a. 1984.* – *Kulturlandschaft A. Beiträge v.* M. KUSSEROW *u.* WOLFGANG MÜLLER. *Freiburg im Breisgau u. a. 1991.* – HEES, H. VAN: *A. Kunstdenkmäler u. Museen. Stuttgart 1992.*

Andalusit *der,* grünes, rötl. oder graues rhomb. Mineral in metamorphen Gesteinen, chemisch Tonerdesilikat. **Chiastolith** ist ein A. mit dunkler, orientierter Kohlenstoffeinlagerung; er zeigt im Querschnitt ein weißes Kreuz.

Andamanen, Inselkette mit mehr als 200 Inseln zw. dem Golf von Bengalen und der Andamanensee, seit 1947 Teil des ind. Unionsterritoriums **A. und Nikobaren** (8293 km², 279100 Ew., Hptst. Port Blair). Die A. haben feuchtheißes trop. Klima; Anbau von Reis; Kaffee-, Holz- und Kopra-Erzeugung. Die Ureinwohner, die **Andamaner,** ein Wildbeutervolk, werden den Negritos zugerechnet und sprechen eine nichtaustrones. Sprache. Sie sind vom Aussterben bedroht – Die seit 1789 von den Engländern in Besitz genommenen Inseln dienten 1858–1942 als Strafkolonie der Reg. von Britisch-Indien; 1942–45 von Japan besetzt.

andante [italien. »gehend«], *Musik:* mäßig langsam. **Andante,** mäßig langsamer Satz (einer Sonate, Sinfonie).

andantino [italien., Verkleinerungsform von andante], *Musik:* leichter und schwebender als andante. **Andantino,** ein musikal. Satz dieses Charakters.

Andechs, Gemeinde im Landkreis Starnberg, Oberbayern, östl. des Ammersees, 3000 Ew.; Benediktinerpriorat und Wallfahrtsort auf dem Hl. Berg (760 m ü. M.); die ehem. got. Kirche wurde in einen Rokokobau umgewandelt, Stuckaturen und Malereien von J. B. Zimmermann; Klosterbibliothek; bekannte Brauerei. Urspr. Stammburg der 1248 ausgestorbenen Grafen von Andechs.

Anden (Cordillera de los Andes), Gebirge in Südamerika, durchzieht den Subkontinent auf der W-Seite von Feuerland bis zum Karib. Meer, etwa 8000 km lang, 200–700 km breit, im Anconcagua 6959 m ü. M.; Teil der bis nach Alaska reichenden →Kordilleren; sie werden überquert von den →Transandenbahnen.

📖 Otzen, H.: *A. Landschaften, Pflanzen, Tiere im Reich der Inka. Hannover 1991.*

Andenpakt, Verbund lateinamerikan. Staaten, 1969 von Bolivien, Chile (1976 ausgetreten), Kolumbien, Ecuador, Peru (Mitgliedschaft ruht seit dem 26. 8. 1992) gegr.; 1973 Beitritt von Venezuela. Ziel: Liberalisierung des Handels, Bildung einer Zollunion, Harmonisierung der Wirtschafts- und Sozialpolitik, gemeinsame industrielle Planung. Im **Andenabkommen** vom Mai 1991 vereinbarten die fünf Mitgliedstaaten die Bildung einer Freihandelszone als Vorstufe für einen gemeinsamen Markt **(Andean Common Market**, Kw. **ANCOM)** sowie Zusammenarbeit im Kampf gegen Drogenhandel und Geldwäsche. 1996 beschlossen die Präs. der Mitgliederstaaten die Umbenennung des A. in **Andengemeinschaft (Comunidad Andina).**

Andentanne, eine → Araukarie.

Anderkonto, Bankkonto auf den Namen eines Treuhänders (z. B. Notar) über Vermögenswerte, die der Treuhänder verwaltet; darf nicht dessen eigenen Zwecken dienen.

Anderlecht, Industriestadt im SW der Agglomeration Brüssel, Belgien, 87 900 Ew.; Schlachthöfe von Brüssel.

Andermatt, Hauptort des Urserentals, am Fuß des Sankt Gotthard, im Kt. Uri, Schweiz, 1375 Ew., 1444 m ü. M.; Verkehrsknotenpunkt; Höhenluftkurort und Wintersportgemeinde; Kirche St. Kolumban (13. Jh.), Pfarrkirche (17. Jh.).

Andernach, Stadt im Kr. Mayen-Koblenz, Rheinl.-Pf., am Rhein, 51 m ü. M., 29 600 Ew.; Metallverarbeitung, Maschinenbau, Nahrungsmittel-, Baustoff-, Kunststoffindustrie. – Teile der Stadtmauer (15. Jh.) mit Rheintor (12. Jh.), Liebfrauenkirche (um 1200), ein Hauptwerk der rhein. Romanik. – A., das röm. **Antunnacum,** war im frühen MA. fränk. Königspfalz.

Anders, Günther, Schriftsteller, eigtl. G. Stern, *Breslau 12. 7. 1902, †Wien 17. 12. 1992; studierte Philosophie bei E. Cassirer, M. Heidegger und E. Husserl; nach Emigration seit 1950 in Wien; schrieb den antifaschist. Roman »Die molassische Katakombe« (1992 erschienen), kultur- und technik-kritische Essays u. a. in »Die Antiquiertheit des Menschen« (2 Bde., 1956 und 1980), Analysen zu Rundfunk und Fernsehen; aktiv in der Antiatom- und der Anti-Vietnamkriegsbewegung (→ Russell-Tribunal).

Andersch, Alfred, Schriftsteller, *München 4. 2. 1914, †Berzona (bei Locarno, Kt. Tessin) 21. 2. 1980; behandelte bes. das Thema des Ausbruchs aus der Unfreiheit, so in »Die Kirschen der Freiheit« (autobiographisch, 1952), dem Roman »Sansibar oder der letzte Grund« (1957) und in der Erz. »Der Vater eines Mörders« (hg. 1980); ferner: »Die Rote« (1960), »Efraim« (1967), »Winterspelt« (1974); Essays, Hörspiele.

📖 Reinhardt, S.: *A. A. Eine Biographie. Zürich 1990. – A. A. Perspektiven zu Leben u. Werk, hg. v.* I. Heidelberger-Leonard *u. a. Opladen 1994.*

Andersen, 1) Hans Christian, dän. Schriftsteller, *Odense 2. 4. 1805, †Kopenhagen 4. 8. 1875; errang Weltruhm durch seine Märchen, v. a. »Des Kaisers neue Kleider«, »Die Prinzessin auf der Erbse«, »Das häßl. Entlein«, »Der standhafte Zinnsoldat«, »Die kleine Seejungfrau«, die in scheinbar naivem, impressionist. Stil Humor und Resignation verbinden; ferner Romane, Reiseberichte.

📖 Bredsdorff, E.: *H. C. A. Eine Biographie. A. d. Engl. Reinbek 1993.*

2) Lale, eigtl. Lise-Lotte Helene Berta Beul, geb. Bunnenberg, Chansonsängerin und Schauspielerin, *Lehe (heute zu Bremerhaven) 23. 3. 1905, †Wien 29. 8. 1972; wurde durch das 1941 von dem Soldatensender Belgrad verbreitete Lied »Lili Marlen« (1938; Text H. Leip) weltweit bekannt.

Andersen Nexø [-ˈnɛgsø], Martin, dän. Schriftsteller, *Kopenhagen 26. 6. 1869, †Dresden 1. 6. 1954; war Arbeiter, Lehrer, schloss sich nach dem 1. Weltkrieg dem Kommunismus an. Sein Entwicklungsroman »Pelle der Eroberer« (4 Bde., 1906–10) schildert den Lebensweg eines Landarbeitersohnes; in dem Roman »Ditte Menschenkind« (5 Bde., 1917–21) beschreibt er das trostlose Dasein des Mädchens Ditte.

Anderson [ˈændəsn], **1)** Carl David, amerikan. Physiker, *New York 3. 9. 1905, †San Marino (Calif.) 11. 1. 1991; entdeckte 1932 das → Positron (dafür 1936 zus. mit F. Hess Nobelpreis für Physik) und 1937 das Myon.

2) Laurie, amerikan. Performance-Künstlerin, Komponistin, Musikerin, Kunstkritikerin, *Chicago 5. 6. 1947; lebt in New York. Mit ihren → Performances, die sich modernster techn. Medien bedienen und eine Kombination u. a. von Gestik, Sprache, Musik, Textbildern, Dia- und Filmprojektionen bieten, gehört sie zu den profiliertesten Vertretern dieses Genres.

3) Maxwell, amerikan. Dramatiker, *Atlantic (Pa.) 15. 12. 1888, †Stamford (Conn.) 28. 2. 1959; hatte großen Erfolg mit »Rivalen« (1924), einem aus Weltkriegserlebnissen stammendes Desillusionsstück, dann meist histor. Versdramen, z. B. »Johanna von Lothringen« (1947).

4) [ˈandɛrsɔn], Oskar Johann Viktor, Statistiker, *Minsk 2. 8. 1887, †München 12. 2. 1960; leitete 1915 eine der ersten großen Stichprobenerhebungen. A. ist einer der Initiatoren der Ökonometrie; schrieb »Probleme der statist. Methodenlehre in den Sozialwissenschaften« (1954).

5) Philip Warren, amerikan. Physiker, *Indianapolis (Ind.) 13. 12. 1923; erhielt 1977 mit J. H. Van

Günther Anders

Alfred Andersch

Hans Christian Andersen

Vleck und Sir N. F. Mott den Nobelpreis für Physik für grundlegende theoret. Untersuchungen der elektron. Struktur magnetischer und ungeordneter Strukturen.

6) Sherwood, amerikan. Schriftsteller, * Camden (Ohio) 13. 9. 1876, † Colón (Panama) 8. 3. 1941; schrieb psychologisch-naturalist. Kurzgeschichten (»Winesburg, Ohio«, 1919) und Romane (»Dunkles Lachen«, 1925).

Andersson, Lars Gunnar, schwed. Schriftsteller, * Karlskoga 23. 3. 1954; gestaltet Identitätssuche in einer Mischung von Realismus, Mythos und Utopie (»Brandlyra«, R., 1974; »Schneelicht«, R., 1979; »Pestkungens legend«, R., 1988).

Änderungsantrag, im Parlament ein Abänderungsvorschlag zu Gesetzentwürfen, Anträgen u. a.

Andesin [nach den Andesitgesteinen der Anden] *der,* Mineral, → Feldspäte.

Andesit *der,* porphyr. Ergussgestein, bes. der Anden; Einsprenglinge: Plagioklas, Biotit, Hornblende oder Pyroxen.

Andhra Pradesh [-ʃ], Bundesstaat im SO von → Indien. – Wurde 1953 aus den nördl. Gebieten von Madras errichtet, 1956 um Teile des ehem. Staates Hyderabad erweitert.

andine Hochkulturen, die vorkolumb. Kulturen der südamerikan. Indianer im Gebiet der Anden. Die bedeutendsten und am besten erforschten Kulturen entstanden im Gebiet der Zentralanden (Peru, Bolivien), älteste Spuren sind aus dem 20. Jt. v. Chr. erhalten. Im nordandinen Raum erreichten die Kulturen nicht die gleiche Höhe; das gilt auch für die Kulturen im Gebiet von NW-Argentinien (Diaguita) und Chile. Kulturpflanzen lassen sich im mittelandinen Hochland (Ayacucho) seit etwa 6000 v. Chr. nachweisen.

andine Hochkulturen

Noch heute zeugen die Ruinen der Städte und Tempelanlagen von den hoch entwickelten Kulturen Südamerikas. Die prächtigen Bauten waren zumeist aus Stein oder Lehmziegeln gebaut. Handwerk und Kunst, darunter die Herstellung von Keramik und die Bearbeitung von Metallen zu Gebrauchs- und Schmuckgegenständen, erreichten in der klassischen Periode (bis 600 n. Chr.) ihren Höhepunkt

1

2

3

4

1 Bemaltes Tongefäß mit zwei Ausgüssen aus der Nazcakultur (München, Staatliches Museum für Völkerkunde) | **2** Teil eines Gobelingewebes der Inka (Washington D. C., Dumbarton Oaks Collection) | **3** Ansicht der Ruinenstadt Machu Picchu | **4** Brustschmuck aus Gold, aus der Quimbayakultur (Kolumbien) stammend

Die ältesten Keramikfunde (Puerto Hormiga, N-Kolumbien; Valdivia, Küste Ecuadors) werden auf etwa 4100 v. Chr. datiert; in den Anden tritt Keramik erst etwa 2000 Jahre später auf. – Als erste der a. H. dehnte sich die Chavínkultur (1000–300 v. Chr.) überregional aus, vermutlich auf der Grundlage eines gemeinsamen Kults (Verehrung einer Jaguargottheit). Etwa zur gleichen Zeit begann die Bearbeitung von Metallen. Kunst und handwerkl. Fähigkeiten erreichten ihren Höhepunkt in der klass. Periode (bis 600 n. Chr.) in den Kulturen von Paracas Necrópolis, Mochica, Nazca, Tiahuanaco. In der nachklass. Zeit entstanden straff gegliederte Reiche, so das Königreich der Chimú und das Reich der Inka, die von Cuzco aus in nur 100 Jahren (1438–1532) das Gebiet aller anderen Kulturen zw. S-Kolumbien und N-Chile unterwarfen und es in ihr Imperium, das einzige des vorkolumb. Amerika, eingliederten.

Basis der *Wirtschaft* war der Feldbau (ohne Pflug), bes. Anbau von Mais und Kartoffeln, auch Baumwolle, intensiviert durch Anlage von Bewässerungsterrassen. Als Haustiere wurden Alpaka (Wolle), Lama (Wolle, Fleisch; auch als Lasttiere), Meerschweinchen (Fleisch) und Hund gehalten; als Fleischlieferanten spielten Wildtiere die größere Rolle; Milchprodukte waren unbekannt. Da es Rad und Wagen nicht gab, wurden Haustiere nicht als Zugtiere verwendet. Handwerk und Kunst, Stadt- und Tempelarchitektur waren hoch entwickelt. Ein gut ausgebautes Straßennetz (eine Hauptstrecke in den Anden 5200 km, eine an der Küste rd. 4000 km lang) errichteten die Inka. – Die *Gesellschaft* war hierarchisch geschichtet (Priester und Beamtenapparat unter sakralen Herrschern).

Die ältesten *Bauwerke* aus Stein stammen etwa von 3000 v. Chr. Die größte Tempelanlage der präkeram. Zeit in Peru ist die von Chuquitanta (heute El Paraiso; 2500–1850 v. Chr.). Aus Lehmziegeln (Adobe) errichteten u. a. die Mochica Tempelpyramiden. Große Städte wie Chan Chan (aus Lehm und Adobe, rd. 18 km^2) und Huari (aus Feldsteinen und Lehm) entstanden um 600–800 in den Zentralanden. Befestigungsanlagen aus Stein wurden von den Inka errichtet (Sacsayhuaman, Machu Picchu). – *Steinplastiken* kult. Bedeutung wurden in den frühen Perioden hergestellt (San Agustín, Chavín), später in Tiahuanaco, Huari, im Tafí-Tal (N-Argentinien). – Die Herstellung von *Keramik* (ohne Töpferscheibe, z. T. mit Modeln) erreichte Höhepunkte in den Kulturen von Nazca (vielfarbige Bemalung, polierte Oberfläche), Mochica (zweifarbig bemalte Gefäße, oft realist. Lebensszenen und Porträts) und Tiahuanaco (vielfarbig, glänzend poliert); Glas war unbekannt. – *Metalle* (Gold, Silber, Kupfer, in Ecuador auch Platin; außerdem Legierungen: Bronze; Tumbaga bes. in

andine Hochkulturen

Kolumbien) wurden meist zu Schmuck verarbeitet (Treiben, Hämmern, Gießen). Bronze wurde bei den Inka auch für Waffen verwendet, Eisen war unbekannt. Hervorragende Goldarbeiten gab es in den Kulturen von Chavín, Quimbaya, Chimú, Muisca. – *Textilien* aus Baumwolle sowie aus Wolle von Lama, Alpaka und Vikunja erreichten in Nazca und Paracas den Höhepunkt. Federn meist von trop. Vögeln verzierten prächtige Umhänge, Kronen und Schilde (Huari, Inka). – *Malerei* findet sich auf Felsbildern, an den Wänden von monumentalen Grabkammern sowie auf Textilien und Keramik, realist. Darstellungen aus dem Alltagsleben bes. auf den Gefäßen der Mochicakultur; großflächige Scharrbilder im Gebiet von Nazca. – Eine *Schrift* scheint nicht bekannt gewesen zu sein, Knotenschnüre (→Quipu) dienten wohl als Gedächtnishilfen.

📖 PREM, H. J.: *Gesch. Alt-Amerikas. München 1989.* – *Altamerikanistik. Eine Einführung in die Hochkulturen Mittel- u. Südamerikas, hg. v.* U. KÖHLER. *Berlin 1990.* – HABERLAND, W.: *Amerikan. Archäologie. Gesch., Theorie, Kulturentwicklung. Darmstadt 1991.* – WURSTER, W. W.: *Die Schatz-*

Andorra

Fläche: 453 km²
Einwohner: (1995) 68 000
Hauptstadt: Andorra la Vella
Amtssprache: Katalanisch
Nationalfeiertag: 8. 9.
Währung: Span. Peseta (Pta) und Frz. Franc (FF)
Zeitzone: MEZ

Staatswappen

(AND)

Internationales Kfz-Kennzeichen

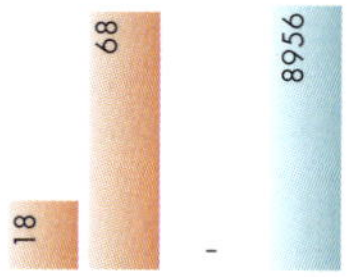

Bevölkerung (in 1000) Bruttosozialprodukt je Ew. (in US-$)

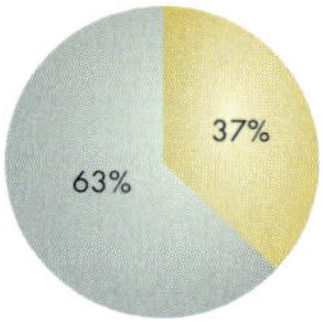

■ Stadt
■ Land
Bevölkerungsverteilung 1993

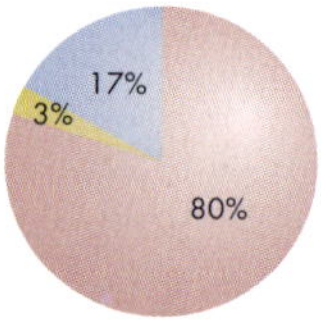

■ Industrie
■ Landwirtschaft
■ Dienstleistung
Bruttoinlandsprodukt 1991

Gräber. Archäolog. Expeditionen durch die Hochkulturen Südamerikas. Hamburg 1991. – 1492–1992: Begegnung zweier Welten? Wirtsch. u. religiöse Folgen der europ. Expansion, hg. vom Autorenkollektiv Altamerikanistik Hamburg. Bearb. v. E.-W. HAASE. *Hamburg 1992. – Inka, Peru. 3 000 Jahre indian. Hochkulturen, hg. v.* E. BUJOK. *Ausst.-Kat. Haus der Kulturen der Welt, Berlin. Tübingen 1992. – Amerika vor Kolumbus, hg. v.* M. D. COE *u. a. München ⁶1993.*

Andischan, Hptst. des Gebiets A., Usbekistan, im südöstl. Ferganabecken, 298 300 Ew.; Hochschulen; Baumwollverarbeitung, Maschinenbau, chem. Ind.; nahebei Erdöl- und Erdgasförderung.

Andorn (Marrubium), Lippenblütlergatt., weiß blühende, taubnesselähnl. Stauden mit äther. Öl.

Andorra (amtl. katalan. Principat d'A., dt. Fürstentum A.), Kleinstaat in den östl. Pyrenäen (bis 2 946 m ü. M.), zw. Spanien und Frankreich.

Staat und Recht: Nach der Verf. von 1993 ist A. ein souveränes Fürstentum (de facto parlamentar. Demokratie). Als Staatsoberhaupt mit repräsentativer Funktion fungieren der Präs. von Frankreich und der span. Bischof von Urgel (Co-Fürsten). Die Legislative liegt beim Generalrat (28 Abg., für vier Jahre gewählt), der auch den Reg.chef und die Mitgl. des Kabinetts beruft. Wichtigste Partei ist die Partit Democrata Andorra (PDA).

Landesnatur: Kerngebiet ist das Talbecken von A. la Vella (800–1100 m ü. M.), das durch eine Straße durch das Valiratal mit der span. Stadt Seo de Urgel und über einen 2 408 m hohen Pass (Port d'Envalira; höchste Passstraße der Pyrenäen) mit dem frz. Ariègetal verbunden ist.

Bevölkerung: Nur 28 % der Bev. sind Katalanisch sprechende Andorraner, 46 % Spanier, 11 % Portugiesen und 8 % Franzosen. Viele Franzosen und Spanier haben aus Steuergründen in A. ihren Zweitwohnsitz.

Wirtschaft, Verkehr: Haupterwerbszweige sind der Fremdenverkehr (durchschnittlich 12 Mio. Touristen im Jahr) und der Handel mit zollfreien Waren (günstige Zollabkommen mit Frankreich und Spanien; fast keine Steuern); Sitz vieler Banken; Tabakind.; Schaf-, Pferde- und Rinderzucht; Wasserkraftwerke (Energieexport nach Spanien).

Geschichte: Das bereits 805 in einer karoling. Urkunde erwähnte A. war jahrhundertelang Streitobjekt zw. den span. Bischöfen von Urgel (Sitz Seo de Urgel) und dem frz. Adelsgeschlecht Castelbon (dessen Ansprüche 1206 auf den Grafen von Foix übergingen); ein 1278 abgeschlossener Paréage-Vertrag (vom Papst bestätigt) legte eine gemeinsame Herrschaft fest. Im 16. Jh. gingen die Rechte der Grafen von Foix auf die Könige von Navarra und 1607 auf Frankreich über, das 1793 auf sie verzichtete; Napoleon I. stellte sie 1806 wieder her. Im Rahmen einer Reformbewegung (1866–68) wurde der Generalrat eingeführt (Wahlrecht für Familienoberhäupter, erst seit 1970 auch für Frauen). 1993 trat A. der UNO, 1994 dem Europarat bei.

Andrada e Silva, brasilian. Politiker, **1)** Antônio de, *Santos 1. 9. 1773, †Rio de Janeiro 5. 12. 1845, Bruder von 2); entwarf die Verfassung von 1823.

2) José Bonifácio de, *Santos 13. 6. 1763, †Niterói 6. 4. 1838, Bruder von 1); seit 1819 Führer der Unabhängigkeitsbewegung.

Andrade [-di], Carlos Drummond de, brasilian. Lyriker, *Itabira (Minas Gerais) 31. 10. 1902, †Rio de Janeiro 17. 8. 1987; bedeutender, aus dem brasilian. Modernismo hervorgegangener Lyriker; kritischer Schilderer des Alltags, auch hermet. und konkrete Lyrik. In dt. Übersetzung: »Poesie« (1965), Gedichte (portugies. und dt. Auswahl 1982).

Andragogik [grch.] *die,* Lehre von der →Erwachsenenbildung.

Andrássy ['ɔndra:ʃi] von Csíkszentkirály und Krasznahorka, ungar. Adelsgeschlecht:

1) Gyula (Julius) d. Ä., Graf, österr.-ungar. Politiker, *Kaschau (heute Košice) 3. 3. 1823, †Volosca (heute Volosko bei Opatija) 18. 2. 1890, Vater von 2); brachte mit F. →Deák den österr.-ungar. Ausgleich von 1867 zustande; 1867–71 ungar. MinPräs.,

1871–79 österr.-ungar. Außenminister. Er stimmte sich eng mit dem Dt. Reich ab (Dreikaiserbündnis 1872, Zweibund 1879).

2) Gyula (Julius) d. J., Graf, ungar. Politiker, *Tőketerebes (Slowakei) 30. 6. 1860, †Budapest 11. 6. 1929, Sohn von 1); bot als letzter österr.-ungar. Außenminister am 28. 10. 1918 der Entente einen Sonderfrieden an.

Andre ['ændrɪ], Carl, amerikan. Plastiker, *Quincey (Mass.) 16. 9. 1935; schuf als wichtigen Beitrag zur Minimalart 1965 die erste horizontale Plastik (System flach auf dem Boden liegender Platten).

André [ã'dre], Musiker- und Verlegerfamilie in Offenbach am Main. Gründer (1784) eines dort noch heute bestehenden Musikverlags war Johann A. (*1741, †1799), der auch Singspiele, Balladen und Lieder vertonte. Sein Sohn Johann Anton A. (*1775, †1842) erweiterte den Verlag, bes. bemüht um die Überlieferung der Werke W. A. Mozarts.

André [ã'dre], Maurice, frz. Trompeter, *Alès 21. 5. 1933. Sein Repertoire reicht von der Musik des Barock bis zu zeitgenöss. Werken und Jazz.

Andreä, Johann Valentin, evang. Theologe, *Herrenberg 17. 8. 1586, †Stuttgart 27. 6. 1654; wirkte, auch mit dichter. Mitteln, für eine innere Erneuerung des Christentums, regte die ersten Schriften der → Rosenkreuzer an.

Andrea da Firenze, eigtl. A. di Bonaiuto, italien. Maler aus Florenz; schuf u. a. um 1365 in der »Span. Kapelle« von S. Maria Novella zu Florenz einen Freskenzyklus mit Darstellungen der scholast. Gedankenwelt.

Andreae, Volkmar, schweizer. Komponist und Dirigent, *Bern 5. 7. 1879, †Zürich 19. 6. 1962; schrieb zwei Opern, Chor-, Orchester- und Kammermusikwerke.

Andreas, Apostel, Bruder des Petrus (Mk. 1,16); nach der Legende Apostel Kleinasiens, Konstantinopels und der Russen, soll am 30. 11. 60 n. Chr. in Patras an einem Kreuz mit schrägen Balken **(A.-Kreuz)** gekreuzigt worden sein. Heiliger, Patron u. a. von Schottland, Burgund, Holstein. Der **A.-Tag** (30. 11.) leitet im Brauchtum die Adventszeit ein.

Andreas, Könige von Ungarn:

1) A. I. (1046–60), *um 1014, †Zirc Dez. 1060; kämpfte gegen Kaiser Heinrich III. und konnte die dt. Lehnsoberhoheit beenden (1058).

2) A. II. (1205–35), *um 1176, †Ofen (heute als Buda zu Budapest) 21. 9 1235; Sohn Bélas III., Vater der hl. Elisabeth von Thüringen, verlieh 1222 dem Adel große Vorrechte, den Siebenbürger Sachsen den Freibrief **(Privilegium Andreanum)** von 1224.

3) A. III. (1290–1301), *um 1265, †14. 1. 1301, Enkel von 2). Mit ihm starben die Arpaden aus.

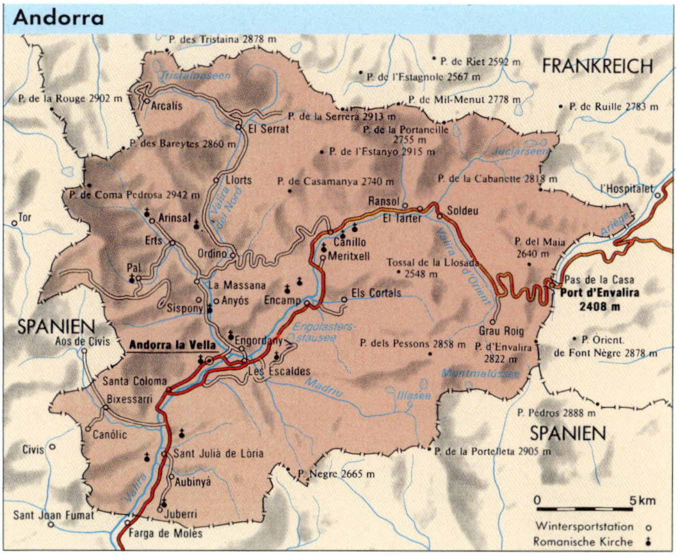

Andreaskreuz, Diagonalkreuz in Form eines grch. X (benannt nach dem Apostel Andreas); heraldisch **Schragen** genannt.

Andreasorden, 1698–1917 höchster russ. Orden, von Peter d. Gr. gestiftet.

Andreas-Salomé, Lou, Schriftstellerin, *Sankt Petersburg 12. 2. 1861, †Göttingen 5. 2. 1937; Freundin F. Nietzsches und R. M. Rilkes; neben literar. Arbeiten (Romane, Erzählungen) verfasste sie theoretische Schriften zu Psychoanalyse und Anthropologie; gegen den Mythos eines autonomen, sich selbst beherrschenden Ich versucht sie das Denken

Lou Andreas-Salomé

Andrea da Firenze: Ausschnitt aus dem Freskenzyklus in der »Spanischen Kapelle« der Kirche Santa Maria Novella in Florenz (um 1365)

als aus leidvoller Lebenserfahrung hervorgegangen zu begreifen.

📖 KOEPCKE, C.: *L. A.-S. Leben, Persönlichkeit, Werk. Frankfurt am Main* [4]*1994.*

Stefan Andres

Andree, Richard, Geograph und Ethnologe, *Braunschweig 26. 2. 1835, †München 22. 2. 1912; wurde 1873 Leiter und Teilhaber der geograph. Anstalt des Verlages Velhagen & Klasing; bekannt v.a. sein »Allgemeiner Handatlas« (1881).

Andrée, Salomon August, schwed. Ingenieur und Polarforscher, *Gränna 18. 10. 1854, †auf Kvitøy 1897; stieg am 11. 7. 1897 mit zwei Begleitern im Freiballon von Spitzbergen auf, um erstmals den Nordpol zu überfliegen. Die Teilnehmer der Expedition blieben verschollen, bis man 1930 im NO Spitzbergens Überreste fand, darunter Tagebücher und Fotografien, später hg. als »Dem Pol entgegen« (dt. 1930).

Ivo Andrić

Andrejew, Leonid Nikolajewitsch, russ. Schriftsteller, *Orel 21. 8. 1871, †Mustamäki (Finnland) 12. 9. 1919; stellt in Erzählungen (»Das rote Lachen«, 1904; »Die Geschichte von den sieben Gehängten«, 1908) und Dramen (»Das Leben des Menschen«, 1907) seel. und soziale Konflikte dar.

Andreotti, Giulio, italien. Politiker (DC), *Rom 14. 1. 1919; Jurist, seit 1954 an den meisten Regierungen beteiligt (u.a. als Innen-, Finanz- oder Außen-Min.), 7-mal MinPräs. (zuletzt 1989–92) an der Spitze unterschiedl. Koalitionsregierungen. Seit Sept. 1995 muss sich A. in einen Prozess gegen den Vorwurf langjähriger Unterstützung der Mafia, seit Februar 1996 in einem weiteren Verfahren wegen einer mögl. Verwicklung in einem Mordfall verantworten.

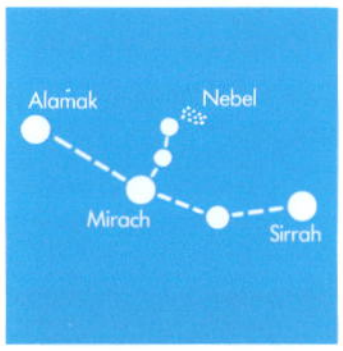

Andromeda 1)

Andres, Stefan, Schriftsteller, *Breitwies (Kreis Bernkastel-Wittlich) 26. 6. 1906, †Rom 29. 6. 1970; verbindet in seinen Romanen und Erzählungen antike Sinnenhaftigkeit und christliche Mystik; schrieb u.a. die Novelle »El Greco malt den Großinquisitor« (1936), »Wir sind Utopia« (1942); »Die Hochzeit der Feinde« (1947); »Die Versuchung des Synesios« (R., hg. 1971).

Andrews ['ændru:z], John, austral. Architekt, *Sydney 29. 10. 1933; Vertreter des →Brutalismus, wurde bekannt mit dem Bau des Scarborough College der Univ. Toronto (1964–67).

Anemone: Berghähnlein

Andria, Stadt in Apulien, Prov. Bari, Italien, 91 400 Ew.; Agrarzentrum mit Ölmühlen und Töpfereien. – Dom (12. Jh. mit frühroman. Krypta. 15 km südwestl. das →Castel del Monte.

Andrić ['andritç], Ivo, serb. Schriftsteller, *Dolac (bei Travnik, Bosnien) 10. 10. 1892, †Belgrad 13. 3. 1975; schrieb Essays, Romane (u.a. »Die Brücke über die Drina«, 1945) und Erzählung aus der Geschichte Bosniens; verband philosoph. Thematik mit großer Sprachkunst; erhielt 1961 den Nobelpreis für Literatur.

andro... [grch.], Mann..., männlich.

Androgene, die männl. →Geschlechtshormone.

Androgenese [grch.] *die,* experimentell erzeugte Eientwicklung ohne Eikern, allein unter Entwicklung des Samenkerns.

Androgynie [grch.] *die,* ältere Bez. für den männl. →Pseudohermaphroditismus.

Andrologie [grch.] *die,* Lehre von Bau, Funktion und Erkrankungen der männl. Geschlechtsorgane, v.a. in Bezug auf die Zeugungsfähigkeit und deren Störungen.

Andromache, *grch. Mythos:* Gemahlin Hektors, Mutter des Astyanax. Berühmt der 6. Gesang der »Ilias«, der ihren Abschied von Hektor schildert. Dramat. Bearbeitungen u.a. von Euripides, J. Racine, W. Jens.

Andromeda, 1) *Astronomie:* lang gestrecktes Sternbild am Nordhimmel.

2) *grch. Mythos:* Tochter des Äthiopiers Kepheus und der Kassiopeia. Da A. sich rühmte, schöner als die Nereiden zu sein, musste A. einem Meerungeheuer preisgegeben werden. Perseus rettete sie und nahm sie zur Frau, später wurde sie in ein Sternbild verwandelt.

Andromedanebel, das im Sternbild Andromeda sichtbare nächste →Sternsystem. Die Entfernung von der Erde beträgt ca. 2,4 Mio., der Durchmesser etwa 100 000 Lichtjahre. Fotografische Aufnahmen zeigen ihn als spiralförmig gebautes System mit einem bes. dichten Kern im Zentrum. Der A. hat drei nahezu kugelförmige Zwerggalaxien als Begleiter.

Andromedanebel

Andromediden, ein Ende Nov. auftretender →Meteorstrom, dessen Radiant im Sternbild Andromeda liegt. Als Reste des Bielaschen Kometen werden die A. auch **Bieliden** genannt.

Andropause [grch.], das Aufhören der Sexualfunktion beim Mann. Ein genereller Zeitpunkt für den Eintritt der A. kann nicht festgelegt werden, da die Sexualfunktion des Mannes bis ins hohe Alter erhalten bleiben kann.

Andropow, Juri Wladimirowitsch, sowjet. Politiker, *Nagutskaja (Region Stawropol) 15. 6. 1914, †Moskau 9. 2. 1984; war 1953–57 Botschafter in Ungarn, 1967–82 Leiter des KGB, 1973–84 Mitgl. des Politbüros, 1982–84 Gen.-Sekr. der KPdSU, 1983–84 auch Staatsoberhaupt.

Andros, 1) nördlichste Insel der grch. Kykladen, bis 1000 m hoch, bewaldet, 380 km², 9000 Ew.

2) ['ændrəs], die größte Insel der Bahamas, 5957 km², bewaldet, 8200 Ew.; Hauptsiedlung ist Mangrove Cay.

Androsteron [grch.] *das,* männl. Geschlechtshormon, als Abbauprodukt des Testosterons im Harn ausgeschieden.

Andrözeum [grch.] *das,* Gesamtheit der Staubblätter einer Blüte.

Andruck, Probedruck nach Beendigung der Druckformenherstellung.

Andrzejewski [andʒε-], Jerzy, poln. Schriftsteller, *Warschau 19. 8. 1909, †ebd. 20. 4. 1983; Romane: »Asche und Diamant« (1948), »Finsternis bedeckt die Erde« (1957), »Die Appellation« (1968).

Äneas, im grch.-röm. Mythos ein trojan. Held, Sohn des Anchises und der Aphrodite, nach Hektor der tapferste Trojaner. Ä. rettete die heim. Götterbilder, seinen Vater und seinen Sohn aus der brennenden Stadt und kam nach langen Irrfahrten nach Italien, wo seine Nachkommen Rom gründeten. Ä.' Sohn Ascanius wurde unter dem Namen Julus Ahnherr des Jul. Geschlechts. **Äneide, Aeneis,** Epos des Vergil über den Ä.-Stoff.

Aneignung, *Recht:* Besitzergreifung einer →herrenlosen Sache.

Anekdote [grch. »nicht Herausgegebenes«] *die,* skizzenhaft pointierte Erzählung einer bemerkenswerten Begebenheit oder eines wahren oder erfundenen charakterist. Ausspruchs einer bekannten Persönlichkeit. Volkstümlich-lehrhafte A. schrieb J. P. Hebel, dramatisch gespannte H. von Kleist.

📖 Weber, V.: *A. Die andere Geschichte. Erscheinungsformen der A. in der dt. Lit., Geschichtsschreibung u. Philosophie. Tübingen 1993.*

Anemometer [zu grch. ánemon »Wind«], Gerät zur Messung der Windgeschwindigkeit.

Anemometrie, die →Windmessung.

Anemone [grch.] *die,* Gattung der Hahnenfußgewächse, ausdauernde Kräuter mit geteilten Blättern und meist Nüsschenfrüchten; z.B. das weiß bis rosa blühende **Buschwindröschen,** auch Oster-, Kuckucksblume genannt (A. nemorosa), das **Gelbe Windröschen** (A. ranunculoides) sowie das alpine **Berghähnlein** (A. narcissiflora).

Anemostat® *der, Klimatechnik:* Deckenluftauslass mit horizontaler Ablenkung der austretenden Luft.

Anepigrapha [grch.], unbetitelte Schriften.

Anerbenrecht, Sondererbrecht für ländlichen Grundbesitz, wonach das Gut ungeteilt auf einen Erben (den **Anerben**) übergeht (→Höferecht).

Anergie [grch.] *die, techn. Thermodynamik:* →Exergie.

Anerio, Felice, *Rom um 1560, †ebd. 26./27. 9. 1614, und sein Bruder Giovanni Francesco A., *Rom um 1567, begraben Graz 12. 6. 1630; italien. Komponisten, Vertreter der →römischen Schule, die die Palästrina-Tradition fortsetzten. Sie schrieben geistliche Musik in A-cappella-Polyphonie, Madrigale, Kanzonetten, Tanzsätze.

Anerkenntnis, *Recht:* **1)** vertragl. Anerkennung eines bestehenden oder Begründung eines neuen Schuldverhältnisses (**Schuld-A.,** §781 BGB); bedarf grundsätzlich der Schriftform, unterbricht die Verjährung.

2) Erklärung des Beklagten im Zivilprozess, dass der Anspruch des Klägers berechtigt sei. Sie bildet die Grundlage des **A.-Urteils** (§307 ZPO).

Anerkennung, 1) *Familienrecht:* die A. der Vaterschaft (→nichteheliche Kinder).

2) *Völkerrecht:* vorläufige, ausdrückl., konkludente oder endgültige Willenserklärung eines Staates gegenüber einem anderen Völkerrechtssubjekt zur Regelung ungewisser oder umstrittener Tatbestände. Hauptfälle: A. von Staaten, einer Reg. bei Umwälzungen mit ungewissem Ausgang, von Aufständischen als Kriegführende, eines Gebietserwerbs.

Aneroid [grch.] *das,* ein →Barometer.

Anethol [grch.-lat.] *das,* der wesentl. Bestandteil des Anis- und Sternanisöls, ein Phenoläther, verwendet z.B. zur Likörfabrikation und für Mundpflegemittel.

Aneto (Pico de A.), höchster Gipfel der Pyrenäen, in der Maladettagruppe, 3404 m ü. M.; über den A. verläuft die spanisch-frz. Grenze.

Aneurin [grch.] *das,* das Vitamin B_1, →Vitamine.

Aneurysma [grch. »Erweiterung«] *das,* umschriebene Erweiterung einer Arterie oder der Herzwand. A. entstehen durch Arterienverkalkung, Syphilis, sonstige Schädigung der Gefäßwand, beim Herzen durch Infarkt. Große A. verdrängen Nachbarorgane; das Bersten eines A. kann zur Verblutung führen. Die Feststellung erfolgt durch Ultraschalldiagnose, Röntgenuntersuchung oder Computertomographie; Behandlung meist operativ.

Anfall, *Medizin:* plötzl., vorübergehendes Auftreten z.B. einer Krankheit, einer Gemütsbewegung. Als Anfallskrankheiten i.e.S. bezeichnet man die zerebralen Anfallsleiden (→Epilepsie).

Anfallrecht, →Heimfall.

Eine Sammlung von **Anekdoten** *und »Maximen ist für den Weltmann der größte Schatz, wenn er die ersten an schicklichen Orten ins Gespräch einzustreuen, der letzten im treffenden Falle sich zu erinnern weiß.«*
Goethe, Maximen und Reflexionen

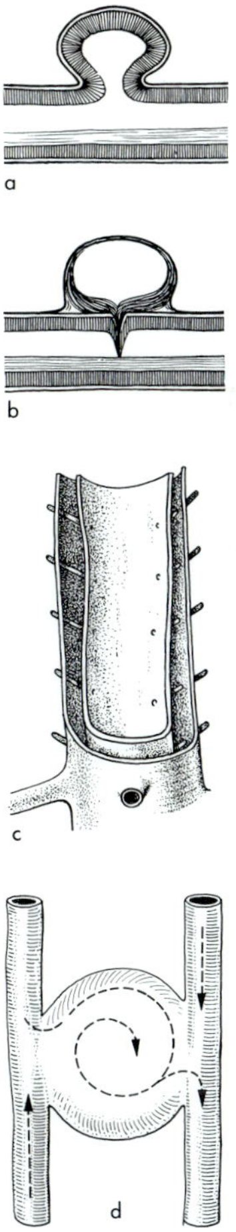

Aneurysma: a echtes Aneurysma (Aneurysma verum); **b** unechtes Aneurysma (Aneurysma spurium); **c** ein die Gefäßwand zerteilendes Aneurysma (Aneurysma dissecans); **d** arteriovenöses Aneurysma

Christian Anfinsen

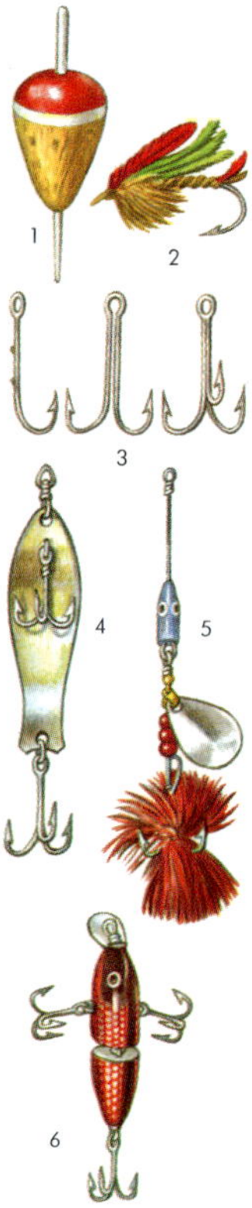

Angel 3):
Bei der Angelfischerei verwendete
1 Schwimmer;
2 künstliche Fliege;
3 Angelhaken;
4 Blinker; **5** Devon;
6 Wobbler
(4-6 künstliche Spinnköder)

Anfechtung, Beseitigung der Rechtsfolgen einer Willenserklärung oder eines Rechtsverhältnisses wegen Irrtums, falscher Übermittlung (§§ 119, 120 BGB), arglistiger Täuschung oder widerrechtl. Drohung (§ 123 BGB). Anfechtungsberechtigt ist, wer die anfechtbare Willenserklärung abgegeben hat; beim Testament derjenige, den seine Aufhebung unmittelbar begünstigen würde. Die A. geschieht durch einseitige, formlose Erklärung. Sie hat unverzüglich (§§ 119, 120) oder binnen Jahresfrist (§ 123) zu erfolgen. Die Irrtums-A. kann Ersatzpflichten begründen.

Anfechtungsklage, 1) *Verwaltungsprozess:* die Klage, mit der ein in seinen Rechten Betroffener den Abwehranspruch gegen einen rechtswidrigen Verw.akt geltend macht. Der A. hat i. d. R. ein Widerspruchsverfahren vorauszugehen, nach dessen erfolglosem Verlauf (negativer Widerspruchsbescheid) binnen eines Monats die A. zu erheben ist.

2) *Zivilprozess:* eine Gestaltungsklage, die auf die Aufhebung eines Rechtsverhältnisses oder bestimmter gerichtl. Entscheidungen zielt (z. B. Anfechtung der Ehelichkeit eines Kindes).

Anfinsen ['æn-], Christian Boehmer, amerikan. Biochemiker, *Monessen (Pa.) 26. 3. 1916, †Randallstown (Md.) 14. 5. 1995; erhielt 1972 zus. mit W. H. Stein und S. Moore für die Erforschung der Struktur und Reaktivität des Enzyms Ribonuclease den Nobelpreis für Chemie.

Anflug, *Luftfahrt:* Annäherung eines Flugzeugs an ein bestimmtes Ziel, z. B. einen Flughafen (→ Landeanflug). **A.-Geschwindigkeit,** beim Lande-A. einzuhaltende Geschwindigkeit, die zur Erzielung einer kurzen Landestrecke möglichst niedrig, zur Gewährleistung sicherer Steuerbarkeit ausreichend hoch sein soll. **A.-Grundlinie,** meist gekennzeichnete, in A.-Richtung zum Flughafen verlängerte Mittellinie der Landebahn.

Anfrage, das Ersuchen von Abgeordneten an die Regierung um Auskunft. Die Geschäftsordnung des Bundestages unterscheidet **kleine** und **große (parlamentar.) A.** Beide sind schriftlich einzureichen und müssen von einer Mindestanzahl von Abg. unterzeichnet sein. Kleine A. werden schriftlich beantwortet. Die Antwort auf große A. kann Gegenstand einer Beratung des Parlaments sein. Jedes Mitgl. des Bundestags ist außerdem berechtigt, Fragen zur mündl. (»Fragestunde«) oder schriftl. Beantwortung an die Bundesreg. zu stellen.

Anführungszeichen (umgangssprachlich: Gänsefüßchen), → Satzzeichen (ÜBERSICHT).

Angạra *die,* schnell fließender rechter Nebenfluss des Jenissei, in Ostsibirien, 1779 km lang, entströmt dem Baikalsee; Wasserkraftwerke **(A.-Kaskade),** mehrere große Stauseen; schiffbar bis Bratsk und im Unterlauf.

Angạrsk, Stadt im Gebiet Irkutsk, Russland, an der Angara, 268 500 Ew.; Erdölraffinerie, chem., elektrotechn., Holz-, Baustoff- u. a. Industrie.

Angebinde, urspr. das Patengeschenk, das dem Täufling in das Wickelkissen eingebunden wurde; seit dem 17. Jh. für Geburtstags- oder Namenstagsgeschenke, dann für Geschenk überhaupt.

angeboren (konnatal), schon bei der Geburt vorhanden. **Angeborene Krankheiten** sind erbbedingt (kongenital, → Erbkrankheiten) oder während der vorgeburtl. Entwicklung im Mutterleib erworben (→ Embryopathie).

angeborene Ide̲en (angeborene Wahrheiten), bes. im Idealismus (Platon, → Anamnesis) und Rationalismus (→ Descartes) vertretene Auffassung, dass bestimmte Denkinhalte nicht aus der Erfahrung stammen, sondern im Bewusstsein vorgegeben sind. I. Kant ersetzte diese Vorstellung, an Leibniz anknüpfend, durch die Annahme aprior. Erkenntnisse.

Angelfall

angeborener Auslösemechanismus, Abk. **AAM,** die Fähigkeit von Lebewesen, ohne vorangegangene Erfahrung sinnvoll auf bestimmte Umweltsituationen zu reagieren. Der AAM spricht selektiv auf Außenreize (Schlüsselreize wie Farbe, Körperform, Bewegungsweise) an und bedingt nur eine bestimmte Reaktion (z. B. Balzhandlung).

angeborene Rechte, Rechte, die jedem Menschen ohne staatl. Verleihung kraft seiner menschlichen Natur zustehen, z. B. die Menschenwürde (→ Grundrechte).

Angebot, 1) *Wirtschaft:* die Gesamtheit der vom Verkäufer auf den Markt gebrachten Güter; die A.-Menge steigt theoretisch mit steigendem Preis. Ggs.: Nachfrage.

2) *Zivilrecht:* grundsätzlich bindende, auf einen Vertragsabschluss gerichtete Willenserklärung.

Angehörige, der zu einer Familie gehörende Personenkreis. Im Strafrecht (§ 11 StGB) sind A. Verwandte und Verschwägerte gerader Linie, Adoptiveltern und -kinder, Pflegeeltern und -kinder, Ehegatten, Geschwister und deren Ehegatten sowie Verlobte. Sie genießen gewisse Vorrechte, bes. das Zeugnisverweigerungsrecht. Im *österr.* Strafrecht (§ 72 StGB) umfasst dieser Begriff auch außerehel. Lebensgemeinschaften, nicht jedoch Verlobte, im *schweizer.* Strafrecht (Art. 110 StGB) Ehegatten, Geschwister, Verwandte gerader Linie, Adoptiveltern und -kinder, nicht aber Verschwägerte und Verlobte.

Angeklagter, einer Straftat beschuldigte Person, gegen die die Eröffnung des Hauptverfahrens beschlossen ist (§ 157 StPO); so auch in *Österreich* (§ 38 StPO). In der *Schweiz* wird der Beschuldigte bereits nach der Anklageerhebung A. genannt.

Angel, 1) *Bautechnik:* Zapfen am Beschlag, um den sich ein Tür- oder Fensterflügel mit den A.-Bändern dreht.

2) *Fischereigerät,* besteht aus einem Haken, der, durch Köder getarnt, den anbeißenden Fisch festhalten soll, dem Vorfach aus Kunstfaser oder Draht und der A.-Schnur aus Kunstfaser (Hand-, Wurf-, Grund-, Schlepp- und Leg-A.); die Ruten-A. besteht aus einem biegsamen, zerlegbaren Stab mit Rolle für die Schnur. Der aus Blei gefertigte Senker und der Schwimmer aus Kork oder Kunststoff lassen den Köder in bestimmter Wassertiefe schweben; außerdem zeigt der Schwimmer an, ob ein Fisch den Köder angenommen hat. Als Köder dienen Würmer, nachgebildete Fischchen (Blinker, z.B. für Hechte), künstl. Insekten (für Lachse und Forellen) u.v. andere.

3) an *Werkzeugen* spitz zulaufender Fortsatz zur Befestigung des Handgriffs.

Angela Merici ['andʒela me'ri:tʃi], italien. Ordensgründerin, * Desenzano (Prov. Brescia) 1. 3. 1474, † Brescia 27. 1. 1540; Stifterin und erste Äbtissin der → Ursulinen (1535). Heilige, Tag: 27. 1.

Ángeles ['aŋxeles], Victoria de Los Á., eigtl. V. Gómez Cima, span. Sängerin, * Barcelona 1. 11. 1923; international geschätzte Sopranistin und Liedinterpretin.

Angelfall ['eɪndʒəl-] (Salto Angel), höchster Wasserfall der Erde, im Bergland von Guayana, Venezuela, Fallhöhe 978 m.

Angẹlica [grch.] *die,* die Doldenblütlergattung, → Engelwurz.

Angelico [an'dʒɛ:liko] (Fra A., Beato A.), italien. Maler, eigtl. Guido di Pietro, * Vicchio di Mugello (Prov. Florenz) um 1401/02, † Rom 18. 2. 1455; trat um 1420/22 in das Dominikanerkloster in Fiesole ein. Er wirkte in Florenz, auch in Cortona, Orvieto und Rom. Seine ganz im Religiösen aufgehende Kunst wurzelt in der ausklingenden Gotik des weichen Stils (Lorenzo Monaco). – 1984 wurde Fra Angelico selig gesprochen.

Fra Angelico: Ausschnitt aus dem Fresko »Papst Sixtus II. übergibt dem heiligen Laurentius den Kirchenschatz« in der Cappella Niccolina im Vatikan (1448)

Angell ['eɪndʒəl], Sir (seit 1931) Norman Lane, eigtl. Ralph N. A. Lane, engl. Schriftsteller, * Holbeach (Cty. Lincolnshire) 26. 12. 1874, † Croydon (heute zu London) 7. 10. 1967; Werke sozial-liberaler und pazifist. Richtung; Friedensnobelpreis 1933.

Ạngeln, german. Volksstamm, als Mitgl. des Nerthusbundes 98 n. Chr. von Tacitus genannt. Die zu den Elbgermanen zählenden A. siedelten v.a. in SO-Schleswig, bes. in der Landschaft Angeln. Zus. mit Sachsen und Jüten wanderten sie im 5. Jh. aus und gründeten die angelsächs. Reiche in Britannien, das nach ihnen den Namen England (Anglia) erhielt (→ Angelsachsen).

Angelopoulos [aŋɛ'lɔpulɔs], Thodoros, grch. Filmregisseur, * Athen 27. 4. 1936; auch Filmkritiker und Herausgeber, drehte »Die Wanderschauspieler/O Thiassos« (1975), »Die Tage vor '36« (1972), »Der große Alexander« (1980), »Die Reise nach Kythera« (1984), »Der schwebende Schritt des Storches« (1992), »Der Blick des Odysseus« (1995).

Ạngelsachsen, 1) die german. Stämme der Angeln, Sachsen und Jüten, die seit Beginn des 5. Jh. vom Festland aus (N-Ndsachs., Schlesw.-Holst.) mit der Eroberung Britanniens begannen und Hauptbestandteil des engl. Volkes wurden. 596 begann die Christianisierung. Die seit dem 6. Jh. entstandenen Kleinkönigreiche der A. – Kent, Sussex, Essex, Wessex, East Anglia, Mercia, Northumbria – wurden seit König Egbert von Wessex (802–839) zu einem Gesamtstaat vereinigt, der nach schweren Kämpfen gegen die dän. und norweg. Wikinger 1066 dem Herzog der Normandie, Wilhelm dem Eroberer, unterlag.

🕮 CAPELLE, T.: *Archäologie der A. Darmstadt 1990.*

2) in den USA Bez. für aus England stammende Amerikaner.

Angelus Silesius

Angelus Domini [lat. »Engel des Herrn«] *der, kath. Kirche:* das Gebet zum Gedächtnis der Menschwerdung Jesu, gesprochen täglich morgens, mittags und abends zum **Angelusläuten,** in der österlichen Zeit an seiner Stelle das »Regina coeli«.

Angelus Silesius [lat. »schles. Bote«], eigtl. Johann Scheffler, geistl. Dichter, getauft Breslau 25. 12. 1624, † ebd. 9. 7. 1677; Sohn eines luth. Arztes, seit 1649 herzogl. Leibarzt in Oels; wandte sich der schles. Mystik zu (J. Böhme, D. Czepko). Er trat 1653 zur kath. Kirche über und wurde 1661 Priester. In den »Geistreichen Sinn- und Schlußreimen« (1657, seit 1674 »Cherubin. Wandersmann«) fand er sprachlich scharf zugespitzte Prägungen für das myst. Erlebnis des Einsseins mit Gott. In den Liedern der »Heiligen Seelenlust« (4 Bücher, 1657; neue Aufl. mit 5. Buch 1668) gibt er einer inbrünstigen Liebe zu Jesus Ausdruck.

Angers
Stadtwappen

Angers: Schloss mit Ringmauer und 17 Rundtürmen (1228–38)

Angerapp *die* (poln. Węgorapa, russ. Angrapa), Fluss in Polen und Russland, 169 km, entspringt aus den Masur. Seen, vereinigt sich unterhalb von Insterburg mit der Inster zum Pregel.

Angerburg, Stadt in Polen, → Węgorzewo.

Ångermanland ['ɔŋər-], Landschaft in Nordschweden, wald- und wasserreiches Berg- und Hügelland, zur Prov. Norrland gehörig. Das Å. wird durchflossen vom **Ångermanälv,** 450 km, der bei Härnösand in den Bottn. Meerbusen mündet (Wasserkraftwerke).

Angermünde, Stadt im Landkreis Uckermark, Brandenburg, 10 400 Ew.; Holzverarbeitung, Emailwarenwerk, Nahrungsmittelindustrie. – A. wurde Mitte des 13. Jh. als Stadt gegründet.

Angers [ã'ʒe], Hptst. des Dép. Maine-et-Loire, Frankreich, an der Maine, 141 400 Ew.; Fakultät der Univ. Nantes, kath. Univ.; Textil-, Elektro-, Maschinenind.; Handel. – Kathedrale (12./13. Jh.) mit bed. Glasfenstern. Die gewaltige Schlossanlage (1228–38) ist eine von einer 950 m langen Ringmauer mit 17 Türmen umgebene Feudalburg. Dort befindet sich ein Zyklus von 70 Bildteppichen aus der Kathedrale mit Darstellungen der Johannesapokalypse (1375–79). – Im MA. war A. die Hptst. der Grafschaft Anjou.

Angeschuldigter, Beschuldigter, gegen den die öffentl. Klage erhoben, jedoch noch nicht das Hauptverfahren beschlossen worden ist (§ 157 StPO).

Angestellte, Bez. einer uneinheitl. Gruppe abhängig Beschäftigter im öffentl. Dienst oder der privaten Wirtschaft. Eine genaue Abgrenzung zu der Gruppe der Arbeiter ist in vielen Fällen nicht mehr möglich, weil die bisher trennenden Merkmale (monatl. Gehaltszahlung, überwiegend geistige Arbeit u. a.) an Bedeutung verloren haben. Abgrenzungsmerkmale zw. A. und Arbeitern enthalten v. a. das Sozialversicherungsrecht und das Arbeitsrecht (v. a. Tarifvertragsrecht sowie Betriebsverfassungs-Ges.). Die berufsqualifikator. Breite des A.-Begriffs reicht von un- und angelernten Tätigkeiten bis zu Spitzenpositionen in der Wirtschaft (z. B. Vorstands-Vors., leitender A.). In der Bundesrep. Dtl. stieg der Anteil der A. an den Erwerbstätigen (1970) von einem starken Drittel auf rd. die Hälfte (1995).

🕮 WANK, R.: *Arbeiter u. Angestellte. Zur Unterscheidung im Arbeits- u. Sozialversicherungsrecht. Berlin u. a. 1992.*

Angestelltengewerkschaften, Vereinigungen, die die wirtsch., sozialen und berufl. Interessen der Angestellten wahren wollen. In Dtl. entwickelten sie sich seit 1900 neben den Arbeitergewerkschaften und waren ebenso wie diese richtungsmäßig und konfessionell gespalten. Spitzenverbände waren nach 1918 der **Allg. Freie Angestelltenbund (AFA-Bund),** der **Gesamtverband dt. A.** mit dem **Deutschnat. Handlungsgehilfenverband (DHV)** und der **Gewerkschaftsbund der Angestellten (GDA);** sie wurden 1933 verboten oder gingen in der Dt. Arbeitsfront auf. Seit 1945 gehören Angestellte den Industriegewerkschaften dem **Dt. Gewerkschaftsbund (DGB)** an. Daneben besteht die 1945 gegr. **Dt. Angestelltengewerkschaft** (**DAG;** Sitz: Hamburg) mit (1996)

Angkor: Gesamtansicht der Tempelanlage Angkor Vat

501 000 Mitgl. (kaufmänn., techn., Bank-, Sparkassen- und Versicherungsangestellte, öffentlicher Dienst). Internat. gibt es neben dem vor dem 2. Weltkrieg gegr. **Internat. Bund der Privatangestellten,** der dem Internat. Bund Freier Gewerkschaften angehört, noch den **Weltverband der Arbeitnehmer** als Organisation christl. Angestelltengewerkschaften.

Angevinisches Reich [ãʒə-, frz.], ein England und große Teile W-Frankreichs umfassendes Reich unter der Herrschaft des Hauses Anjou (1154–1204).

Angilbert, Geistlicher und Dichter, *um 750, †18. 2. 814; Hofgeistlicher am Hof Karls d. Gr. (»Homerus« genannt). Aus seiner nichtehel. Verbindung mit Karls Tochter Bertha (Vorbild für die Sage von Eginhard und Emma) ging der Geschichtsschreiber →Nithard hervor. Heiliger, Tag: 18. 2.

Angina [lat.] *die,* beim Menschen bes. die →Mandelentzündung; auch die →Angina pectoris.

Angina pectoris [lat. »Brustenge«] *die* (Herzenge, Stenokardie), Anfälle von heftigen Herzschmerzen, die im Brustbereich auftreten, oft in Schulter oder Arm ausstrahlen und mit Angstzuständen verbunden sind. Ursache ist mangelhafte Sauerstoffversorgung des Herzens infolge Verkalkung seiner Kranzgefäße, auslösendes Moment oft körperl. oder psych. Belastung. Die A. p. muss vom Arzt diagnostisch gegenüber dem Herzinfarkt abgegrenzt werden. Behandlung: im Anfall Medikamente (z. B. Nitroglycerin) und Ruhe, sonst körperl. Training und Ausschaltung von Risikofaktoren (z. B. Bluthochdruck, erhöhte Blutfettwerte, Rauchen).

Angiographie [grch.] *die* (Vasographie), Röntgendarstellung von Blutgefäßen nach Injektion eines Kontrastmittels (meist über Katheter) in die Gefäßbahn; z. B. **Aortographie** (A. der Aorta und von ihr abzweigender Arterien); **Arteriographie** (A. arterieller Gefäße); **Venographie** (A. der Venen); **Lymphographie** (Darstellung der Lymphgefäße).

Angiokardiographie [grch.], *die,* Röntgendarstellung von Herzhöhlen und herznahen Blutgefäßen nach Einbringen von Kontrastmittel durch Herzkatheterisierung.

Angiologie [grch.] *die,* die Lehre von den Blut- und Lymphgefäßen und ihren Erkrankungen.

Angiom [grch.] *das,* Blutschwamm, Geschwulst des Gefäßgewebes, v. a. Hämangiom (→Blutgefäßmal).

Angiospermen, die →Bedecktsamer.

Angiotensine, niedermolekulare Peptide des Blutplasmas, die z. B. in der Regulation von Blutdruck, Kreislauf, Harnausscheidung wichtig sind.

Angkor, vom 9. bis 15. Jh. Hptst. des Khmer-Reichs in Kambodscha. – 889 als **Yashodharapura** gegr., 1177 durch Brand zerstört und anschließend als **A. Thom** monumental wieder aufgebaut, 1431 durch die Thai zerstört; heute ausgedehnte Ruinenstätte, u. a. mit der Tempelanlage **A. Vat** (12. Jh.) und dem Zentralheiligtum (Tempelberg) **Bayon** (1200–20); UNESCO-Weltkulturerbe.

📖 *Von Göttern, Königen u. Menschen. Flachreliefs von Angkor Vat u. dem Bayon (Kambodscha, 12. Jh.). Text v.* A. LE BONHEUR, *Fotos v.* J. PONCAR *u. a. Wuppertal 1995.*

Anglesit (Spaltstück)

Anglaise [ãˈglɛːz; frz. »englischer (Tanz)«] *die,* aus England stammende Gesellschaftstanzart volkstüml. Herkunft im 17.–19. Jh.; in Dtl. im 18./19. Jh. beliebt.

Anglerfische (Lophiidae), Familie bis 1,5 m langer Armflosser, v. a. an den Küsten der trop. und

Anglerfische

Ihre »Angel« besteht meist aus einem Stiel, an dem ein farbiger Fleischfetzen hängt, der wie ein Wurm aussieht. Manche schwenken aber auch ein kleines »Bäumchen« hin und her. In jedem Fall muss die »Angel« im letzten Moment nach hinten geschwungen werden, damit sie nicht mitverschluckt wird. Vielleicht haben Sie ja schon einmal einen Anglerfisch verspeist: Die bekannteste Art ist der Seeteufel, auf französischen Speisekarten »lotte« genannt.

Angola

Fläche: 1 246 700
Einwohner: (1995) 11,1 Mio.
Hauptstadt: Luanda
Verwaltungsgliederung: 18 Provinzen
Amtssprache: Portugiesisch
Nationalfeiertage: 11. 11. und 10. 12.
Währung: 1 Kwanza Reajustado (Kzr)
Zeitzone: MEZ

Staatswappen

(ANG)

Internationales Kfz-Kennzeichen

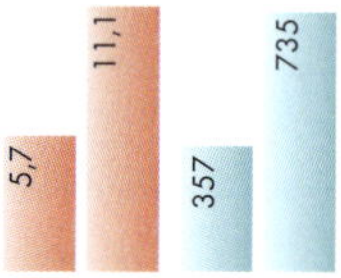

Bevölkerung (in Mio.)
Bruttosozialprodukt je Ew. (in US-$)

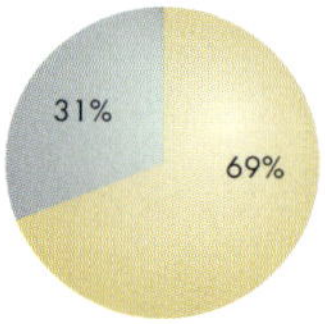

■ Stadt
■ Land

Bevölkerungsverteilung 1993

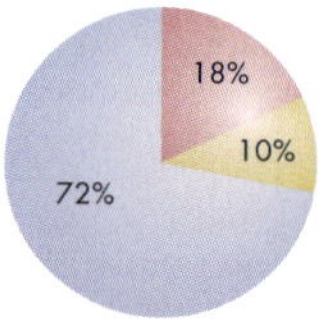

■ Industrie
■ Landwirtschaft
■ Dienstleistung

Bruttoinlandsprodukt 1991

gemäßigten Zonen; Bodenfische mit sehr großem Kopf und großem, mit vielen Zähnen bewehrtem Maul; der vorderste, an der Spitze mit einem fleischigen Hautlappen versehene Stachelstrahl der Rückenflosse kann aktiv bewegt werden und dient dem Anlocken von Beute.

Anglesey ['æŋlsɪ] (walis. Ynys Môn), Insel vor der NW-Küste von Wales, 676 km², 68 500 Ew.; durch zwei Brücken mit dem Festland verbunden. Verw.zentrum ist Llangefni; Schaf- und Rinderzucht. Im Altertum als **Mona** Zentrum kelt. Kultur und Religion (Druiden-Kult), 61–78 n. Chr. von den Römern unterworfen, hieß im MA. **Anglorum Insula.**

Anglesit [nach dem Vorkommen in Anglesey] *der,* helles, fettglänzendes kub. Mineral, Bleisulfat; Oxidationsprodukt von Bleiglanz. Bild S. 183

Anglikanische Kirchengemeinschaft, die Gemeinschaft der bischöflich verfassten, aus der →Kirche von England (anglikan. Kirche) hervorgegangenen, rechtlich jedoch selbstständigen National- und Partikularkirchen (rund 73 Mio. Gläubige in 165 Ländern). Primas ist der anglikan. Erzbischof von Canterbury.

Anglistik *die,* Wiss. von der engl. Sprache und Literatur.

Anglizismen, in eine andere Sprache übertragene engl. Wörter (z. B. Boss, Stress) und Wendungen (z. B. das macht keinen Unterschied, von »that makes no difference«).

Angloamerikaner, i. e. S.: Amerikaner, deren Muttersprache Englisch ist; auch: Amerikaner engl. Abstammung; i. w. S.: Briten und Nordamerikaner.

angloamerikanisches Recht, die vom →Common Law geprägten Rechtsordnungen Großbritanniens, der USA, Kanadas u. a. Staaten.

Anglonormannisch (Anglofranzösisch), die frz. Schriftmundart, die in England aus der Sonderentwicklung der von den normann. Eroberern gesprochenen und nach England verpflanzten frz. Schriftmundart der Normandie entstand. In England war das A. bis ins 13. Jh. die Sprache des Hofes, der oberen Schichten und der Literatur; bis ins 15. Jh. Verwaltungs- und Gerichtssprache.

Angmagssalik (Ammassalik, grönländ. Tasiilaq), mit 2 900 Ew. größte Siedlung O-Grönlands; Handelsplatz; Wetterstation.

Ango, fränk. Lanze mit extrem langer und dünner Eisenspitze (0,80–1,84 m); aus german. Widerhakenlanzen entwickelt.

Angola (Republik A., portugies. República de A.), Staat im südwestl. Afrika, grenzt im N und NO an die Demokrat. Rep. Kongo, im O an Sambia und im S an Namibia. An der Atlantikküste liegt an der Grenze zur Rep. Kongo die Exklave →Cabinda.

Staat und Recht: Seit März 1991 ist A. eine präsidiale Republik mit Mehrparteiensystem; eine neue Verf. wird erarbeitet. Als Staatsoberhaupt fungiert der Präs., der zugleich Reg.chef und Oberbefehlshaber der Streitkräfte ist. Der Min.-Präs. ist dem Präs. als direkter Mitarbeiter unterstellt. Die Legislative liegt bei der Volksversammlung (289 Abg., für fünf Jahre indirekt gewählt); der Rat der Rep. dient dem Präs. als Konsultativorgan. Im Mai 1991 wurde die Befreiungsbewegung UNITA als polit. Partei neben der MPLA – Partido de Trabalho – legalisiert.

Landesnatur: A. ist eine von Flüssen (Cuanza, Kunene, Cubango u. a.) zerschnittene, 1000 bis 1800 m ü. M. gelegene Hochfläche (im Serra Moco 2620 m ü. M.), die im W in Terrassen steil zum 30–100 km breiten Küstensaum abfällt und durch Flüsse mit Katarakten und Schnellen durchbrochen wird. Das Klima ist tropisch; die Temperaturen sind im Innern durch die Höhenlage, im Küstengebiet durch den Benguelastrom gemildert. Im N herrscht Feucht-, im S Trockensavanne vor, die im SO in Dornsavanne (Kalahari) und im SW in Wüste (Namib) übergeht.

Bevölkerung: Sie setzt sich aus etwa 120 Bantustämmen zusammen; im S und SO auch vereinzelte Gruppen von Buschmännern und Pygmäen. 66 % der Ew. leben in ländl. Gebieten. Allg. Schulpflicht; rd. 60 % der Kinder besuchen eine vierjährige Grundschule, Univ. in Luanda (gegr. 1963). Analphabetenquote 58%. – Etwa 75% der Bev. sind Christen (rd. 53% kath., rd. 20% prot.); traditionelle Religionen sind weit verbreitet.

Wirtschaft, Verkehr: Sie ist durch den lang anhaltenden Bürgerkrieg stark zerrüttet. A. zählt zu den potenziell reichsten Ländern Afrikas (günstige Voraussetzungen für die Landwirtschaft, reiche Bodenschätze und Energiereserven). Der überwiegende Teil der Bev. lebt von der Landwirtschaft. Nur 2% der Staatsfläche werden landwirtsch. genutzt. Kaffee ist das wichtigste Agrarprodukt. Der Anbau für die Eigenversorgung umfasst u.a. Mais, Hülsenfrüchte und Bataten. Wichtigste Bodenschätze sind Erdöl und Diamanten sowie Eisenerz, weiter Vorkommen an Mangan, Kupfer und Uranerz sowie Phosphaten; reiche Wasserkraftreserven. Die Ind. ist weitgehend verstaatlicht; Verarbeitung von landwirtsch. Erzeugnissen und Bodenschätzen (Ölpressen, Zuckerraffinerien, Fabriken für die Tabak-, Baumwoll- und Fischverarbeitung, Düngemittelwerk, Erdölraffinerie), Textil-, Papierind. u.a. Außenhandel: Exportiert werden v.a. Erdöl, Erdgas, Erdölprodukte, Diamanten und Kaffee. Eingeführt werden Maschinen, Transport- und Nahrungsmittel sowie chem. Erzeugnisse. Die USA und die EU-Länder (bes. Spanien, Frankreich und Portugal) sind die wichtigsten Handelspartner. Verkehr: Das Eisenbahnnetz hat eine Länge von 2952 km, davon 1348 km Hauptstrecke der Benguelabahn; von 73800 km Straßen sind etwa 8000 km asphaltiert. Die wichtigsten Seehäfen sind Luanda, Lobito, Namibe und Cabinda (Erdölhafen); internat. Flughafen in Luanda.

Geschichte: Seit dem 15. Jh. gewann Portugal in A. bes. durch die Mission Einfluss. Bis ins 19. Jh., in dem A. seinen heutigen Umfang erreichte, betrieben die Portugiesen Sklavenhandel (bes. nach Brasilien). Im 20. Jh. suchte Portugal A. (seit 1951 Überseeprovinz) wirtschaftlich zu erschließen. Nach der Entlassung A.s in die Unabhängigkeit (1975) entwickelte sich ein Bürgerkrieg zw. den versch., ab 1951 im Kampf gegen die portugies. Kolonialherrschaft entstandenen Befreiungsbewegungen, bes. zw. dem marxist. Movimento Popular de Libertação de A. (MPLA) und der União Nacional para Independência Total de A. (UNITA). Gestützt auf militärtechn. Hilfe der UdSSR und Kubas, rief die MPLA am 11. 11. 1975 unter ihrem Führer A. Neto die »Volksrepublik« A. aus und errichtete eine Staats- und Gesellschaftsordnung nach marxistisch-leninist. Muster (Verstaatlichungs- und Kollektivierungsprogramm, Einparteiensystem, enge Verflechtung von Partei- und Staatsführung). Ab Nov./Dez. 1975 durch die Stationierung kuban. Truppen in A. militärisch abgesichert, setzte sich die MPLA 1976 endgültig gegenüber den von der Rep. Südafrika unterstützten konkurrierenden Befreiungsbewegungen militärisch durch. Nach dem Tode Netos (1979) übernahm J. E. dos Santos dessen Nachfolge als Staatspräs. und Führers der MPLA (seit 1977 mit dem Zusatz Partido de Trabalho).

In den 80er-Jahren unternahmen südafrikan. Truppen Vorstöße nach Süd-A. gegen dort gelegene SWAPO-Stützpunkte (→Namibia). Am 22. 12. 1988 schlossen A., Kuba und die Rep. Südafrika unter Vermittlung der USA sowie unter Einschaltung der UN ein Abkommen über die Unabhängigkeit Namibias und den Abzug der südafrikan. und kuban. Truppen aus A. Nach versch. Anläufen zur Beendigung des Bürgerkrieges zw. der Regierung dos Santos und der UNITA unter J. Savimbi schlossen beide Seiten am 31. 5. 1991 ein Friedensabkommen. Nach den ersten Präsidentschafts- und Parlamentswahlen (auf der Grundlage eines 1991 beschlossenen Mehrparteiensystems), bei denen Präs. dos Santos im Amt und die MPLA/PT als stärkste Kraft im Lande bestätigt wurde, setzte die UNITA die Kämpfe mit der Regierung jedoch fort. Nach wechselvollen Kämpfen schlossen die Bürgerkriegsparteien im Nov. 1994 erneut ein Friedensabkommen, in dem der UNITA eine Reg.beteiligung zugesagt wurde. 1998 brachen abermals die krieger. Auseinandersetzungen zw. Armee und UNITA-Einheiten aus.

📖 *A. Naturraum, Wirtschaft, Bevölkerung, Kultur, Zeitgeschichte u. Entwicklungsperspektiven, hg. v.* M. KUDER *u.* W. J. G. MÖHLIG. *München u. a. 1994.*

Angora, früherer Name von →Ankara.

Angorawolle, das Haar der Angoraziege (→Mohär); auch Bez. für Wolle aus dem Haar von Angorakaninchen oder -schaf, die mit Schafwolle oder Chemiefasern zu Strickgarn versponnen wird.

Angoulême Stadtwappen

Angosturarinde, Rinde vom Cuspa- oder Angosturabaum, einem Rautengewächs aus Kolumbien; Rohstoff für **Angosturabitter,** der zur Bereitung von Bitterlikören dient.

Angoulême [ãgu'lɛ:m], Hptst. des westfrz. Dép. Charente, 42 900 Ew.; Papierind., Maschinenbau u.a. Ind.; Zentrum eines Weinbaugebietes, Weinhandel. – Bischofsstadt mit spätroman. Kathedrale Saint-Pierre (1128 geweiht). – Im 4. Jh. gegr., seit dem 7. Jh. als Hauptort der Grafschaft A. **(Angoumois)** beim Herzogtum Aquitanien.

Angra do Heroísmo [- ðu i'ruiʒmu], Hafenstadt an der S-Küste der Azoreninsel Terceira, Portugal, 12 200 Ew.; Fisch- und Tabakverarbeitung. – Die Stadt mit Kathedrale im Emanuelstil (1568, 1983 durch Brand zerstört), Kirche da Conceição (17. Jh.), Kloster São Francisco, Barockfeste São João Batista wurde von der UNESCO zum Weltkulturerbe erklärt; 1980 durch Erdbeben stark zerstört.

Angrapa, russ. Name des Flusses →Angerapp.

Angren, Stadt in Usbekistan, südöstlich von Taschkent, 132 600 Ew.; Braunkohlenabbau und -verarbeitung. – Gegr. 1946.

Angriff, 1) *Militärwesen:* Offensive, die aktivste Gefechtsart mit dem Ziel, den Gegner überraschend zu treffen und zu schlagen. Der Vorteil des Angreifers liegt in der Wahl des Zeit- und des Schwerpunktes sowie der Stoßrichtung.

2) *Sport:* Handlung mit offensivem Charakter, in Mannschaftssportarten Bez. für den angreifenden Mannschaftsteil **(A.-Spieler, Sturm)**.

Angriffskrieg. Das moderne Völkerrecht stellt ein grundsätzl. Verbot des A. auf. Neben dem →Briand-Kellogg-Pakt vom 27. 8. 1928 enthält auch die UNO-Satzung in Art. 2 ein allg. Gewaltverbot. Entsprechende Bestimmungen finden sich ferner in modernen Verf. (u.a. Art. 26 GG; Art. 11 der italien. Verfassung).

Angry young men ['æŋgrɪ 'jʌŋ 'men; engl. »zornige junge Männer«], Bez. für die junge Generation engl. Schiftsteller v.a. aus der Arbeiterschicht in den 1950er-Jahren; benannt nach dem Charakter der Hauptfigur in J. Osbornes Drama »Blick zurück im Zorn« (1956); häufig resignative Schilderung des engl. kleinbürgerlichen Alltags; Hauptvertreter neben Osborne: u.a. die Dramatiker J. Arden, B. Behan, E. Bond, S. Delaney, J. Mortimer, H. Pinter, A. Wesker, die Erzähler K. Amis, J. Braine, I. Murdoch, A. Sillitoe, J. Wain.

Angst
»Keine durch Furcht veranlasste Einrichtung kann auf die Dauer leben. Hoffnung, nicht Furcht, ist das schöpferische Prinzip in menschlichen Dingen.«
Bertrand Russell

»Die Welt nötigt uns zur Angst. Angst ist nicht eine Schwäche des Urteils, sondern sie ist eine zutreffende Erkenntnis.«
Carl Friedrich von Weizsäcker

Angst [verwandt mit lat. angustus »eng«], **1)** *allg.:* Affekt oder Gefühlszustand, der im Unterschied zur Furcht einer unbestimmten Lebensbedrohung entspricht. A. steht oft in Zusammenhang mit körperl. Erscheinungen, bes. an den Atmungsorganen und am Herzen, auch an den Verdauungs- und Harnorganen. Als Krankheitszeichen ohne erkennbare körperl. Krankheit kommt A. vor u.a. bei Melancholie, Schizophrenie.

BRETON, S.: *A. als Krankheit. Angstanfälle, Panikattacken, Platzangst. A. d. Engl. Stuttgart* ^{2}*1991.* – RIEMANN, F.: *Grundformen der Angst. Eine tiefenpsycholog. Studie. München u. a. 570. Tsd. 1996.*

Angoulême: Kathedrale Saint-Pierre (1128 geweiht)

2) *Philosophie:* Die Welt als abgefallen von Gott deutend, wird der →Gnosis und dem frühen Christentum erstmals die Weltangst offenbar: Das Vertrauen in die kosmische Ordnung ist verloren gegangen. Nach S. Kierkegaard erwächst A. der menschlichen Freiheit zur Entscheidung und damit der Möglichkeit des Selbstverlusts. Hier anknüpfend interpretiert M. Heidegger A. als Grundbefindlichkeit menschlicher Existenz: In der A. erschließe sich, dass der Mensch in die Welt geworfen ist. An Heidegger orientieren sich J. P. Sartre, E. Fromm und E. Drewermann in ihren Theorien der Angst.

Angster [lat. angustus »eng«] *der,* Glasgefäß des 16. und 17. Jh. mit zwiebelförmigem Bauch und einem Hals aus umeinander geschlungenen Röhren.

Ångström ['ɔŋ-; nach A. J. Ångström] *das,* Einheitenzeichen **Å,** nichtgesetzliche Längeneinheit: $1\,\text{Å} = 10^{-10}\,\text{m} = 0{,}1\,\text{nm}$.

Anders Ångström

Ångström ['ɔŋ-], Anders Jonas, schwed. Astronom und Physiker, *Lögdö (Västernorrland) 13. 8. 1814, †Uppsala 21. 6. 1874; Mitbegründer der Astrophysik, entdeckte im Sonnenspektrum 1862 Spektrallinien des Wasserstoffs.

Anguilla [engl. æŋ'gwɪlə], **1)** Insel der Kleinen Antillen, Westindien.

2) brit. Kolonie, bestehend aus den Inseln A. (91 km^2) und Sombrero (5 km^2), 9 000 Ew.; Verw.sitz

The Valley; Salzgewinnung, Fischerei; Fremdenverkehr. – A. war 1650–1967 brit. Kolonie, gehörte 1967–80 zu Saint Kitts und Nevis, seitdem als Gebiet mit innerer Autonomie von Großbritannien abhängig.

angular [lat.], auf den Winkel bezogen, einen Winkel betreffend.

Angus ['æŋgəs], Local Authorty im O Schottlands, an der Nordsee, 2181 km², (1993) 111000 Ew.; umfasst das nördl. Hinterland von Dundee.

Anhalt, histor. Land an der Mittelelbe, unteren Mulde und Saale bis zum Unterharz, Hptst. war Dessau. Bei den Teilungen der →Askanier 1170–1212 wurden das askan. Stammland am Ostharz (Ballenstedt, Aschersleben, Bernburg) und das von →Albrecht dem Bären erworbene Land an der Elbe südöstlich von Magdeburg (Köthen, Dessau) ein Fürstentum, benannt nach der Burg A. im Selketal. 1526–34 wurde die Reformation eingeführt. Die Zerbster Linie starb 1793, die Köthener 1847, die Bernburger 1863 aus; so blieb nur die Dessauer Linie (Leopold I., der »Alte Dessauer«). 1806/07 wurden A.-Dessau, A.-Bernburg und A.-Köthen zum Herzogtum A. vereinigt, das 1918 zum Freistaat erklärt wurde. 1945 wurde A. mit Sachsen-A. vereinigt; 1952–90 war der größere Teil A.s dem DDR-Bezirk Halle, der kleinere dem DDR-Bez. Magdeburg zugeordnet; seitdem wieder Teil von Sachsen-Anhalt.

Anhalt Wappen des Herzogtums

Anhalt Wappen des Freistaats

Anhalt-Zerbst, Landkreis im RegBez. Dessau, Sachs.-Anh., 1225 km², (1996) 79500 Ew.; Krst. ist Zerbst.

Anhängegeräte, fahrbare landwirtsch. Maschinen oder Geräte, die an den Schlepper angehängt werden; im Unterschied zu →Anbaugeräten.

Anhängigkeit, →Rechtshängigkeit.

Anhidrose [grch.] *die,* Verminderung der Schweißabsonderung.

Anhui (Anhwei), Provinz im östl. China, beiderseits des Jangtsekiang und des Huai He, 139900 km², (1993) 58,34 Mio. Ew.; Hptst.: Hefei. Auf fruchtbaren Böden Anbau von Weizen, Reis, Gerste, Sojabohnen, Süßkartoffeln, Tee, Baumwolle; bed. Kohlebergbau, Eisen- und Kupferbergbau sowie -verhüttung.

Anhydrid [zu grch. ánhydros »wasserfrei«] *das,* chem. Verbindung, die durch die reversible Abspaltung von Wasser aus einer Säure (Säure-A.) entsteht; seltener auch Basen-A., die aus einer Base hervorgehen.

Anhydrit [grch.] *der,* weißes, zuweilen blau oder rötlich gefärbtes rhomb. Mineral, wasserfreies Calciumsulfat. Oft in großen Mengen mit Steinsalz in Salzlagerstätten; durch Wasseraufnahme Übergang in Gips.

Anhydrit (dichte Varietät)

Ani, Ruinenstadt in Ostanatolien, östlich von Kars; reich an Denkmälern der armen. Baukunst: u. a. Kathedrale (989–1001, Kuppelbasilika), Rundkirche des Hl. Gregorius (1001–20), Apostelkirche (Anfang 11. Jh.).

Aniene *der* (Teverone, im Altertum Anio), linker Nebenfluss des Tiber, 110 km lang, entspringt in den südl. Simbruiner Bergen, bildet bei Tivoli die berühmten Wasserfälle; mündet oberhalb von Rom.

Anilin [zu Sanskrit nila »dunkelblau«] *das* (Aminobenzol, Phenylamin), $C_6H_5NH_2$, einfachstes und technisch wichtigstes aromat. Amin, 1826 von O. Unverdorben (1806–73) bei der trockenen Destillation von Indigo entdeckt. Ausgangsstoff für viele Verbindungen, wie Farbstoffe (z. B. **A.-Blau**), Arzneimittel, Kunststoffe, Photochemikalien. Mit Säuren liefert A. Salze, z. B. mit Salzsäure das in der Farbenind. verwendete **A.-Salz. Anilinharze,** aus A. und Formaldehyd hergestellte thermoplast. Harze **(Aminharze)**.

Anilinvergiftung, Vergiftung durch Einatmen von Anilindämpfen, gekennzeichnet durch taumelnden Gang, Kopfschmerzen, Krämpfe. Behandlung: warmes Reinigungsbad, Sauerstoffbeatmung, Bluttransfusion.

Anima [lat. »Seele«] *die,* ein →Archetypus in der analyt. Psychologie von C. G. Jung; die Personifizierung der verdrängten gegengeschlechtl. Züge eines männl. Individuums (bei der Frau: **Animus**), deren Bewusstmachung im Individuationsprozess zum »Selbst« führt.

Animalismus [lat.] *der,* →Tierkult.

Animateur [-'tøːr, frz.] *der,* Freizeitberater in Ferienclubs und Hotels; organisiert Sport- und Freizeitaktivitäten und fördert Kontakte zw. den Urlaubern. Ausbildung und Berufsabschluss sind nicht erforderlich.

Animationsfilm, →Trickfilm.

animato [italien.] (con anima), *Musik:* lebhaft, beseelt.

Animismus *der,* bes. bei Naturvölkern der Glaube an die Beseeltheit der Natur und der Naturkräfte. Als Vorstufe gilt der Glaube an die Allbelebtheit **(Animatismus)**.

Animus [lat. »Geist«, »Gemüt«] *der,* →Anima.

Anion [grch.] *das,* negativ geladenes Ion, das im elektr. Feld zur Anode wandert.

Anis [grch. áneson »Dill«] *der* (Pimpinella anisum), weiß blühender Doldenblütler, urspr. aus dem östl. Mittelmeerbereich; bes. die weichhaarigen, ovalen Spaltfrüchte enthalten äther. Öl **(A.-Öl)** von würzigem Geruch und süßl. Geschmack; Verwendung als Würz- und Heilmittel.

Anis

Anisaldehyd (4-Methoxybenzaldehyd), nach Mimose, Weißdorn und Flieder duftender synthet. Seifenriechstoff.

Anisol *das* (Methylphenyl|äther), angenehm riechende, leicht entflammbare Flüssigkeit; Lösungs- und Wärmeübertragungsmittel, Zwischenprodukt bei Riechstoffsynthesen.

anisotrop [grch.], nicht →isotrop.

Anisotropie *die,* die Richtungsabhängigkeit verschiedener physikal. und chem. Eigenschaften eines Stoffes.

Anjou Wappen der Grafschaft

Anjou [ãˈʒu], ehem. Grafschaft (ab 1360 Herzogtum) in W-Frankreich mit der Hptst. →Angers. A. wird von der oberen Loire durchflossen. Das Gebiet war in der 2. Hälfte des 9. Jh. in der Hand der Robertiner (später Kapetinger). Unter den seit Mitte des 10. Jh. selbstständigen Grafen entwickelte sich A. zu einem bed. mittelalterl. Staat. Graf Gottfried (Geoffroy) V. (1129–51) mit dem Beinamen →Plantagenet nahm Mitte des 12. Jh. die Normandie in Besitz; sein Sohn gewann 1152 Aquitanien und wurde 1154 als Heinrich II. engl. König. Mit der Eroberung des Angevinischen Reiches (1204) durch den frz. König Philipp II. August kam A. an die frz. Krone, die es als Apanage jüngerer Prinzen vergab. Karl von A., der Bruder Ludwigs IX., gewann 1246 die Provence, 1265 das Königreich Neapel. Die von ihm ausgehende **ältere Linie A.-Neapel** erlangte auch die Kronen Ungarns (1308–82) und Polens (1370–82). Mit Ludwig I. von A., dem Sohn König Johanns II. von Frankreich, den 1380 Johanna I. von Neapel adoptierte, begann die **jüngere Linie A.-Neapel,** die 1481 ausstarb. »Duc d'A.« wurde ein Titel königl. Prinzen.

Anker 4): Ankerformen: Draggen (oben), Stockanker (Mitte) und Patentanker (unten)

Ankara (früher Angora), Hptst. der Türkei und der Provinz A., im nördl. Inneranatolien, zw. 800 und 1200 m ü. M., 2,55 Mio. Ew.; drei Univ., Konservatorium, TU; Goethe-Inst.; archäolog. u. a. Museen; Nahrungsmittel-, Textil-, Baustoffind., Maschinenbau; Verkehrsmittelpunkt; seit Ende 1996 besteht eine größtenteils unterirdische Stadtbahn (1996: 8,7 km). – Die Stadt wird von einer alten, auf einem Felskegel stehenden Zitadelle (7.[?] und 9. Jh.) überragt. In beherrschender Lage das Atatürk-Mausoleum. – A., das antike **Ankyra,** war Hauptstadt der Phryger, dann der Tektosagen, später der röm. Provinz Galatien. Die Außenwand des Tempels der Göttin Roma und des Augustus trägt Abschrift und grch. Übersetzung des von Augustus verfassten Tatenberichts **(Monumentum Ancyranum).** 1361 wurde die Stadt osmanisch. Seit 1923 ist A. Hauptstadt der Türkei.

Ankathete, die in einem rechtwinkligen Dreieck einem spitzen Winkel anliegende Kathete.

Anker [von lat. ancora], **1)** *Bautechnik:* stab- oder litzenförmiges Bauelement aus Stahl, Stahlbeton oder Kunststoff, das ein Bauwerk zusammenhält, z. B. Balken mit Mauer. Im Fels- und Tiefbau meist einbetonierter Rundstahl mit Gewinde und Schraubenmutter zur Sicherung von Baugruben- oder Tunnelwänden.

2) *Elektrotechnik:* bei rotierenden elektr. Maschinen der Teil, in dessen Wicklungen Spannungen induziert werden, die für die Arbeitsweise der Maschine bestimmend sind. Es können der Ständer als auch der Läufer A. sein. Auch der bewegl. Teil bei Schütz und Relais, der die Kontakte betätigt.

3) früheres *Hohlmaß* für Wein, Branntwein und Öl (ca. 34–46 l).

4) *Schifffahrt:* Gerät zum Festlegen von Schiffen gegen Wind, Strom und See. Unter den stählernen A., die sich mit hakenartigen Armen (Flunken) in den Grund selbsttätig eingraben, sind v. a. üblich: **Stock-** oder **Admiralitäts-A.** (der quer zum A.-Schaft oben angebrachte Stock legt sich bei Zug auf die A.-Kette flach, ein Flunken gräbt sich ein; heute v. a. auf Sport- und Segelschiffen verwendet); **stocklose (Patent-)A.,** wie Hall-A., Inglefield-A. u. a. (gegen den Schaft klappbare Flunken graben sich beide ein; heute allg. auf See- und Binnenschiffen verwendet); **Pilz-** oder **Schirm-A.** (bei Dauerliegern wie Feuerschiffen üblich, wird eingespült); **Draggen** (vier Flunken, kein Stock; von Flussschiffen oder als Such-A. benutzt). Ohne Bodenberührung leistet der **Treib-A.** Widerstand nur im Wasser: Ein trichterförmiger Segeltuchsack verringert die Abdrift. Gewicht des A. und Stärke der **A.-Kette** müssen der Schiffsgröße entsprechen. Die Kette führt von **A.-Klüse** über **A.-Spill** zum Kettenkasten. Das **A.-Spill** wird von Hand, durch Dampf oder elektrisch betrieben. Die durch Bojenreep mit dem A. verbundene **A.-Boje** kennzeichnet die Lage des Ankers. – Der A. war in der frühchristl. Kunst Symbol der Hoffnung, oft in Verbindung mit dem Kreuz.

Ankara: Stadtansicht mit Kocatepe-Moschee

5) *Uhrentechnik:* in mechan. Uhren A.-Hebel, der ein Drehmoment in eine Hin- und Herbewegung umwandelt.

Anking, chines. Stadt, →Anqing.

Anklage, bei Gericht gestellter Antrag auf Einleitung des Strafverfahrens gegen eine bestimmte

Person. Die A. wird i.d.R. durch die Staatsanwaltschaft (§ 152 StPO, **öffentl. Klage**), in den Ausnahmefällen der →Privatklage durch den Verletzten erhoben. Die A.-Erhebung erfolgt a) durch Einreichung der **A.-Schrift** bei Gericht (§ 170 StPO) oder b) in bestimmten Fällen mündlich in der Hauptverhandlung (§§ 212 a, 266 StPO); →Klageerzwingungsverfahren, →Nebenklage. – Ähnl. Regelungen in *Österreich* (§§ 207 ff. StPO) und in der *Schweiz* (Art. 125 ff. Ges. über Bundesstrafrechtspflege).

Anklageprozess, der vom Anklageprinzip beherrschte Strafprozess. Im Ggs. zum →Inquisitionsprozess liegen die Strafverfolgungs- und die Urteilstätigkeit bei jeweils versch. Organen. Im dt. Strafprozessrecht hängt das Tätigwerden des Gerichts von der Anklage der Staatsanwaltschaft ab, das Gericht übt alsdann aber gemäß dem Untersuchungsgrundsatz die Prozessführung aus.

Anklam, Kreisstadt des Landkreises Ostvorpommern, Meckl.-Vorp., am Unterlauf der Peene, 17 500 Ew.; Binnenhafen; Maschinen-, Möbelind., Zuckerfabrik, Fleischverarbeitung. Got. Marienkirche. – A. erhielt vor 1264 lüb. Recht; um 1283 Mitgl. der Hanse.

Anklang (Assonanz), →Reim (ÜBERSICHT).

Ankogel *der,* Gipfel (3 246 m ü. M.) in den Hohen Tauern.

Ankreis, der Kreis, der eine Seite eines Dreiecks von außen und die Verlängerungen der beiden anderen Seiten von innen berührt.

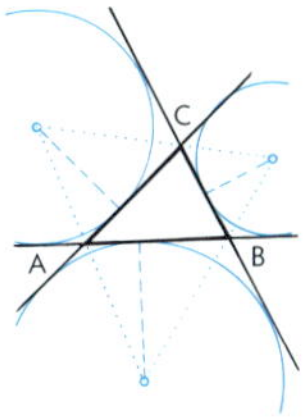

Ankreis

Ankylose [grch.] *die,* →Gelenkversteifung.

Ankylostomiasis [grch.] *die,* die →Hakenwurmkrankheit.

Ankyra, antike Stadt in Kleinasien, das heutige →Ankara.

Anlage, 1) i.w.S. die Gesamtheit der bei der Geburt vorhandenen Bestimmtheiten und Bereitschaften (Dispositionen), die sich im Verlauf der persönl. Entwicklung in Auseinandersetzung mit der Umwelt zu bestimmten Verhaltensbereitschaften, Fähigkeiten (Begabungen) oder Krankheitsneigungen herausprägen; i.e.S. die Erbanlage (→Gene, →Vererbung). Inwieweit die A.-Kapazität in der Entwicklung eines Individuums zum Durchbruch kommt, hängt von der Stärke (Expansivität) und der Durchsetzungskraft (Penetranz) bestimmter Merkmalsausprägungen innerhalb der Gesamtheit der individuellen A. ab. Die Frage nach dem Einfluss von A. und Milieu erlangte besondere Bedeutung bei der Intelligenzforschung.

2) die in der Entwicklung eines Lebewesens feststellbare erste Andeutung eines bestimmten Organs oder Organbereichs, z.B. die A. der Kiemen. Die befruchtete, noch ungeteilte Eizelle und die entsprechende pflanzl. Samenanlage enthalten die A. zu allen Organen des endgültigen Körpers.

Anlagepapiere, Wertpapiere mit geringen Kursschwankungen und stabilem Ertrag, die als langfristige Kapitalanlage geeignet sind, bes. festverzinsl. Staatsanleihen und Pfandbriefe, aber auch Aktien starker Unternehmen. Ggs.: Spekulationspapiere.

Anlagevermögen, investierte Vermögensteile, die zur Dauerverwendung in einem Unternehmen bestimmt sind: Sachanlagen (Grundstücke, Gebäude, Maschinen) und immaterielle Anlagen (z.B. Patente). Ggs.: Umlaufvermögen.

Anlandung, Verbreiterung des Ufers, die durch allmähl. Anspülung und Ablagerung oder durch Senkung des Wasserstandes eines Gewässers entsteht.

Anlassen, 1) *Maschinenbau:* alle Maßnahmen, die zum Anlauf von (elektr.) Maschinen notwendig sind.

2) *Werkstoffkunde:* die Wärmebehandlung von Metallen bei Temperaturen unterhalb etwa 700 °C, bes. von Stahl; die Metalle werden nach vorausgegangenem Härten oder Kaltverformen auf eine Temperatur unter dem Umwandlungspunkt erwärmt und für eine bestimmte Zeit **(Anlassdauer)** auf dieser Temperatur gehalten; anschließend erfolgt z.T. gesteuerte Abkühlung. Ziel des A. ist der Abbau innerer Spannungen bei verminderter Sprödigkeit und größerer Zähigkeit.

Anlasser, 1) *Elektrotechnik:* regelbarer Widerstand, der beim Anlassen eines Elektromotors eingeschaltet wird. Er verhindert unzulässige Stromaufnahme, solange der Motor noch nicht seine Betriebsdrehzahl erreicht hat.

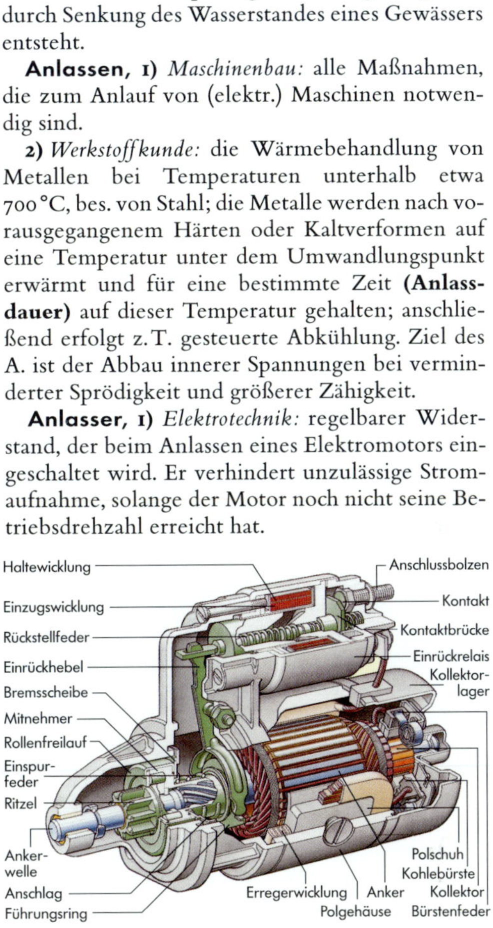

Anlasser 2) für Personenkraftfahrzeuge

2) *Maschinenbau:* (heute Starter) Durchdrehvorrichtung zum Anwerfen von Verbrennungsmotoren, meist ein kleiner batteriegespeister Hauptstrommotor **(elektr. A.),** der durch ein Ritzel das Schwungrad des Motortriebwerks antreibt. Wenn der Motor mit eigener Kraft läuft, wird die Verbindung zw. A. und Motor selbsttätig gelöst. Bei kleineren Verbrennungsmotoren Anlassen durch

Anna Boleyn (Ausschnitt aus einer Zeichnung von Hans Holbein d. J.)

Anna Stuart, Königin von England, Schottland und Irland

Anna Amalia (Ausschnitt aus einem Gemälde von J. F. A. Tischbein)

Handstartvorrichtung oder Fuß beim Motorrad **(Kickstarter)**.

Anlassfarben (Anlauffarben), auf blanken Metalloberflächen beim Erhitzen durch die allmählich dicker werdenden Oxidschichten erzeugte Farben. Sie entstehen durch Interferenz und verlaufen z. B. bei Stahl von Gelb, Rot, Blau nach Grau. Die A. geben einen Anhalt für die erreichte Temperatur.

Anlaufen, unerwünschte Veränderungen der Oberfläche eines Anstriches, bei Metallen die Bildung einer dünnen Oxid- oder Sulfidschicht.

Anlaufstrom, 1) der beim Einschalten eines Elektromotors auftretende Stromstoß.

2) bei Röhrendioden ein von der Kathodentemperatur abhängiger schwacher Anodenstrom.

Anlaut, der erste Laut einer Silbe **(Silben-A.)**, eines Wortes **(Wort-A.)** oder Satzes **(Satz-A.)**.

Anlegerschutz (Kapitalanlegerschutz), der Interessenschutz, den die Rechtsordnung Personen gewährt, die Geld (v. a. in Sondervermögen) aufgrund von Beratung oder Vermittlung anlegen. Mit dem 1995 in Kraft getretenen Wertpapierhandels-Ges. vom 26. 7. 1994 ist der A. weiter verbessert worden.

Anleihe, langfristige Kreditaufnahme am in- oder ausländ. Kapitalmarkt durch öffentl. oder private Schuldner. Zur Verbriefung der A.-Forderungen werden **A.-Papiere** (Schuldverschreibungen, Pfandbriefe, Obligationen) ausgegeben. Diese sind Wertpapiere mit festem Zinsertrag (im Ggs. zu Beteiligungen, z. B. Aktien). Zu **öffentl. A.** → Staatsschulden.

Anlieger, Eigentümer oder Nutzungsberechtigter eines Grundstücks, das an einer öffentl. Straße oder einem Wasserlauf liegt. Dem A. steht der freie und i. d. R. unentgeltl. **A.-Gebrauch**, der über den → Gemeingebrauch hinausgeht, zu, z. B. Aufstellen von Gerüsten im öffentl. Straßenraum. **A.-Beiträge** sind Abgaben, die die Gemeinden vom A. für Ver- und Entsorgungseinrichtungen neben Erschließungskosten erheben.

anluven, den Kurs eines Segelschiffes nach → Luv ändern; Ggs.: abfallen.

Anmeldung, Erklärung gegenüber Behörden oder Gerichten über Tatsachen oder Rechte; oft besteht eine rechtl. Pflicht zur A., z. B. bei der A. eines Gewerbes (→ Meldepflicht, → Meldewesen). Bei Forderungen, Rechten bedeutet A. deren Geltendmachung.

Anmusterung, Musterung, → Heuerverhältnis.

Anmutung, *Psychologie:* Eindruckserlebnis oft unbestimmter Art. **Anmutungsqualität** ist der Erlebniswert, der einem wahrgenommenen Gegenstand für das wahrnehmende Individuum anhaftet. Sie ist das erlebnismäßige Korrelat des → Aufforderungscharakters.

Anna, Mutter der Jungfrau Maria; Schutzheilige der Mütter, der Armen sowie der Berg- und Kaufleute. Heilige, Tag: 26. 7. (Annentag). → Anna selbdritt.

Anna, Herrscherinnen:

England: **1) A. Boleyn** ['bʊlɪn], Königin, * 1507 (?), † London 19. 5. 1536; ab 1533 zweite Gemahlin Heinrichs VIII., wegen (unbewiesenen) Ehebruchs enthauptet; Mutter von Elisabeth I.

2) A. Stuart ['stjʊət], Königin (1702–14) von England, Schottland (seit 1707 von Großbritannien) und Irland, * London 6. 2. 1665, † Kensington (heute zu London) 1. 8. 1714; zweite Tochter Jakobs II., seit 1683 ⚭ mit dem dän. Prinzen Georg, Nachfolgerin ihres Schwagers Wilhelm III. von Oranien. Unter ihr wurde der Span. Erbfolgekrieg erfolgreich beendet (→ Marlborough). Streng prot.-hochkirchlich gesinnt, regierte sie ab 1710 mit den Tories; letztes Mitgl. der Stuarts auf dem Thron.

Frankreich: **3) A. von Österreich,** Königin und Regentin, * Valladolid 22. 9. 1601, † Paris 20. 1. 1666; Habsburgerin, seit 1615 ⚭ mit Ludwig XIII. von Frankreich, 1643–51 Regentin für ihren Sohn Ludwig XIV. mit Mazarin als leitendem Minister.

Russland: **4) A. Iwanowna,** Kaiserin (1730–40), * Moskau 7. 2. 1693, † Sankt Petersburg 28. 10. 1740; Tochter Iwans V.; 1730 vom Hochadel zur Kaiserin erhoben, stellte sie die Autokratie wieder her und regierte durch ihren Günstling E. J. → Biron.

Sachsen-Weimar-Eisenach: **5) A. Amalia,** Herzogin, * Wolfenbüttel 24. 10. 1739, † Weimar 10. 4. 1807; Nichte Friedrichs II., d. Gr.; braunschweig. Prinzessin; 1756 ⚭ mit Herzog Ernst August Konstantin, 1758–75 Regentin für ihren Sohn Karl August. Durch die Berufung Wielands (1772) und die Förderung Goethes bahnte sie die große Zeit Weimars im dt. Geistesleben an.

Annaba (früher frz. Bône), Hafenstadt an der NO-Küste Algeriens, 227 800 Ew.; Univ. (seit 1975); Export von Phosphat, Roheisen, -stahl, Kupfer, Agrarprodukten, Düngemittelwerk; nahebei Hüttenwerk; internat. Flughafen.

Annaberg, 1) Landkreis im RegBez. Chemnitz, Sachsen, 438 km², (1996) 92 000 Ew.; Krst. ist Annaberg-Buchholz.

2) (poln. Góra Świętej Anny) höchste Erhebung Oberschlesiens, Polen, Basaltkuppe nw. von Gliwice, 385 m ü. M., Wallfahrtskirche. Am 21. 5. 1921 von dt. Selbstschutzverbänden im Kampf gegen poln. Aufständische erstürmt.

Annaberg-Buchholz, Krst. des Landkreises Annaberg, Sachsen, im oberen Erzgebirge, am Pöhlberg, 610 m ü. M., 23 900 Ew.; wirtsch. und kulturelles Zentrum des oberen Erzgebirges; Posamenten-, Leder-, Spielwaren-, Textil- und Bekleidungs-, Elektroind.; Adam-Ries-Museum, Erzgebirgsmuseum, Techn. Museum »Frohnauer Hammer« (Hammerwerk aus dem 17. Jh. in der Nachbargem. **Frohnau**). – 1492 als Bergbauort gegr., entwickelte sich **Annaberg** rasch durch den Silberbergbau. 1499–1525 entstand die reich ausgestattete Stadtkirche St. Annen (u.a. Bauplastik »Schöne Tür« von H. Witten). Später wurde Annaberg zum Welthandelsplatz für Erzeugnisse der Posamentenmacherei und Spitzenklöppelei (1561 von B. → Uttmann eingeführt. – 1949 wurde Annaberg mit **Buchholz** (1497 als Bergbaugemeinde gegr.; Katharinenkirche, 16. Jh.) vereinigt.

Annaberg-Buchholz: Spätgotische Stadtkirche St. Annen (1499–1525)

Annahme, *Recht:* Entgegennahme eines Gegenstandes als Erfüllung einer Verpflichtung; sie geht in ihrer rechtl. Wirkung über die tatsächl. Inbesitznahme (Abnahme) hinaus; ferner die Erklärung, mit einem Vertragsangebot einverstanden zu sein (§ 147 BGB).

Annahme als Kind (Annahme an Kindes statt, Adoption), zulässige Begründung eines neuen Verwandtschaftsverhältnisses, wenn dies dem Wohle des Kindes dient und zu erwarten ist, dass zw. dem Annehmenden und dem Kind ein Eltern-Kind-Verhältnis entsteht (§§ 1741 ff. BGB). Die A. a. K. soll primär ein Mittel der Fürsorge für elternlose und verlassene Kinder sein. Dementsprechend wird zw. A. a. K. von Minderjährigen und von Volljährigen unterschieden. Der Annehmende kann ledig sein, er muss das 25. Lebensjahr vollendet haben, bei annehmenden Ehepaaren muss der andere Partner mindestens 21 Jahre alt sein. Kinderlosigkeit der Annehmenden wird nicht vorausgesetzt. Die A. a. K. bedarf der Einwilligung des Kindes (bis zu dessen 14. Lebensjahr der des gesetzl. Vertreters) und der leibl. Eltern (bei nichtehel. Kindern muss sowohl die Mutter als auch der nichtehel. Vater zustimmen); die Einwilligung kann nicht erteilt werden, bevor das Kind acht Wochen alt ist. Das Kind soll voll in die Familie des Annehmenden integriert werden. Daher erhält es im Falle der A. a. K. durch Eheleute die Stellung eines ehel. Kindes. Die Verwandtschaft zur leibl. Familie und das Erbrecht dieser gegenüber erlöschen. Das Kind erhält den Familiennamen und ggf. die Staatsangehörigkeit des Annehmenden.

Die A. a. K. wird auf Antrag des Annehmenden vom Vormundschaftsgericht ausgesprochen. Die Vermittlung von Adoptionen ist aufgrund des Adoptionsvermittlungs-Ges. i. d. F. vom 27. 11. 1989 Sache der Jugendämter und der freien Wohlfahrtsverbände. Aufhebung der A. a. K. ist bei schwerwiegenden Gründen auf (fristgebundenen) Antrag hin möglich (§§ 1760 ff. BGB) und wirkt nur für die Zukunft. - Die Adoption Volljähriger soll nur erfolgen, wenn sie sittlich gerechtfertigt ist.

Übergangsregelungen für die neuen Bundesländer sind im Art. 234 § 13 Einführungs-Ges. zum BGB enthalten. Danach konnten Anträge auf Aufhebung von Adoptionen, welche vor dem Beitritt wirksam geworden sind, unter gesetzlich geregelten Voraussetzungen innerhalb einer Frist von drei Jahren nach dem Beitritt gestellt werden. – In *Österreich* sind für die Annahme an Kindes statt die Vorschriften der §§ 179 ff. ABGB maßgebend. Mindestalter der Wahleltern: Vater 30, Mutter 28 Jahre. – In der *Schweiz* muss der Annehmende das 35. Lebensjahr vollendet haben, bei annehmenden Ehepaaren muss die Ehe mindestens fünf Jahre bestehen (Art. 264 ZGB)

📖 *Adoption. Grundlagen, Vermittlung, Nachbetreuung, Beratung, hg. v.* R. A. C. HOKSBERGEN *u.* M. R. TEXTOR. *Freiburg im Breisgau 1993.* – ROTTMANN, V. S.: *Adoption. Voraussetzungen, Verfahren, Konsequenzen. München 1993.*

Annahme an Erfüllungs statt (Annahme an Zahlungs statt), *Recht:* das Erlöschen eines Schuldverhältnisses durch die Annahme einer anderen als der geschuldeten Leistung (§ 364 BGB), z. B. von Waren statt des geschuldeten Geldbetrages.

Annahmeverzug, *Recht:* der → Gläubigerverzug.

Annalen [zu lat. annus »Jahr«], Aufzeichnungen, in denen Ereignisse nach der Abfolge der Jahre geschildert werden.

Annam (Anam), ehem. Kaiserreich in Indochina, das Kernland von → Vietnam; Hptst.: Huê.

Annamiten, früherer Name der → Vietnamesen.

Kofi Annan

Annan, Kofi, ghanaischer Politiker und Diplomat, * 1938; studierte Ökonomie in den USA und in der Schweiz. Er trat 1962 in den Dienst der UNO und arbeitete 1976–83 in führenden Funktionen der UNHCR. 1983 übernahm er Funktionen in der Zentrale der UNO, v.a. im Personal- und Budget-Bereich. Als stellv. GenSekr. (1993–96) leitete er die Abteilung für die friedenserhaltenden Missionen der UNO. 1995–96 arbeitete er als UN-Vermittler im früheren Jugoslawien. Im Dez. 1996 wählte ihn die Generalversammlung der UNO zum GenSekr. (Amtsantritt: 1. 1. 1997).

Annapolis [əˈnæpəlɪs], Hptst. des Bundesstaates Maryland, USA, 33 200 Ew.; Marineakademie; Einfuhrhafen, Handelszentrum. – 1649 durch Puritaner gegründet.

Annapurna I, Berg im Himalaja, Zentralnepal, 8 091 m ü. M., Erstbesteigung 1950 durch die zweite frz. Himalaja-Expedition.

Ann Arbor [ˈæn ˈɑːbə], Stadt im SO von Michigan, USA, 109 600 Ew.; Univ. (gegr. 1817), Forschungsinstitute.

Anna selbdritt: Michelangelo Caravaggio, »Madonna dei Palafrenieri« (um 1605; Rom, Galleria Borghese)

Anna selbdritt, seit dem 14. Jh. Darstellung der hl. Anna mit ihrer Tochter Maria und dem Jesusknaben.

Annecy Stadtwappen

Annecy [anˈsi], Stadt in SO-Frankreich, Verw.-sitz des Dép. Haute-Savoie, 448 m ü. M., am See von A. (14 km lang, 27 km²), 49 600 Ew.; Elektro-, Maschinen-, Apparateind., Baumwollspinnerei. – Kurort; Bischofssitz; Kathedrale (16. Jh.), über der Stadt Schloss Menthon.

annehmbare Qualitätsgrenzlage, → AQL.

Anneliden [lat.], die → Ringelwürmer.

Annex [lat.] *der,* Zubehör, Anhängsel.

Annexion *die,* Besitzergreifung, bes. die Einverleibung fremden Staatsgebiets nach Eroberung. Seit dem Kellogg-Pakt (1928) und nach der Satzung der UNO ist gewaltsame A. sowie **Annexionismus** (auf A. basierende Politik) völkerrechtswidrig.

anni currentis [lat.], Abk. **a.c.,** des laufenden Jahres.

Annihilation [lat.] *die,* **1)** *allg.:* Vernichtung, Nichtigkeitserklärung.

2) *Physik:* Zerstrahlung, im Ggs. zur → Paarbildung.

Anniviers (Val d'A., dt. Eifischtal), Hochalpental im Kt. Wallis, Schweiz, von der Navisence durchflossen; 22 km lang, reicht von den Gletschern der Dent Blanche (4 357 m ü. M.), des Obergabelhorns (4 063 m ü. M.) und des Weißhorns (4 505 m ü. M.) nördlich bis zum Rhonetal bei Siders; Hauptort ist Vissoie; Almwirtschaft, Fremdenverkehr, Kraftwerke.

anno, Anno [lat.], Abk. **a.** oder **A.,** im Jahre. **Anno Domini,** Abk. **A. D.,** im Jahre des Herrn.

Anno II., Erzbischof von Köln (seit 1056), * um 1010, † Siegburg 4. 12. 1075; bemächtigte sich 1062 in Kaiserswerth des jungen Heinrich IV., leitete die Reichspolitik, seit 1063 mit Erzbischof Adalbert von Bremen. Heiliger; Tag: 4. 12.

Annobón, früherer Name der Insel → Pagalu.

Annolied, Legende in Reimpaaren (878 Verse) zu Ehren → Annos II., von einem Siegburger Geistlichen verfasst, wahrscheinlich zw. 1080 und 1085.

Annonce [aˈnɔ̃sə, frz.] *die,* → Anzeige.

Anno Santo [italien. »Heiliges Jahr«], das → Jubeljahr.

Annotation [lat.] *die,* Aufzeichnung, Vermerk, Anmerkung.

annuell [frz.], einjährig, z. B. annuelle Pflanzen.

Annuität [lat.] *die,* jährl. Zahlungsrate zur Abtragung einer Geldschuld. Sie besteht aus einem Zins- und einem Tilgungsanteil. Üblich ist die **feste A.** mit gleich bleibendem Ratenbetrag. Da durch die Tilgungszahlung der geschuldete Geldbetrag ständig sinkt, vermindert sich die Zinsbelastung.

Annulene [zu lat. annulus »kleiner Ring«], ungesättigte, zykl. Kohlenwasserstoffe mit großer, stets gerader Anzahl von Kohlenstoffatomen im Ring und durchlaufend konjugierten Doppelbindungen.

annullieren [lat.], für ungültig, nichtig erklären.

Annunziatenorden, höchster italien. Orden, 1362 von Amadeus VI. von Savoyen gestiftet; 1950 aufgehoben.

Annunzio, Gabriele D'A., italien. Schriftsteller, → D'Annunzio.

annus [lat.], Jahr; **annus civilis,** bürgerl. Jahr; **annus communis,** Gemeinjahr; **annus ecclesiasticus,** Kirchenjahr; **annus intercalaris,** Schaltjahr.

Annweiler am Trifels, Stadt im Landkreis Südl. Weinstraße, Rheinl.-Pf., an der Queich, 183 m ü. M., 7500 Ew., Luftkurort; Karton- und Messgeräteherstellung; Emaillewaren-, Glühlampen-, Schuhindustrie. – Oberhalb der Stadt die Burg →Trifels.

Anode [grch.] *die,* positive →Elektrode (Pluspol) in Elektronen- und Entladungsröhren, Elektrolysezellen u. a., zu der Elektronen oder negative Ionen (Anionen) wandern; Ggs. →Kathode. In Lösung finden an der A. stets Oxidationsvorgänge statt **(anod. Oxidation),** bei denen Anionen entladen werden und aus neutralen Atomen Kationen entstehen. Durch die dabei abgegebenen Elektronen wirkt die A. bei →elektrochemischen Elementen als Minuspol. Die zw. A. und Kathode einer Elektronenröhre liegende A.-Spannung erzeugt den **A.-Strom.** Ist die elektrisch geheizte A. eines Entladungsrohres mit Alkali- oder Erdalkalisalzen belegt, so gehen von ihr positive Metallionen **(A.-Strahlen)** aus, die durch Verdampfung und therm. Ionisation entstehen und im Spannungsfeld des Rohres beschleunigt werden.

Anodenschlamm, meist edelmetallhaltiger Rückstand bei der elektrolyt. Raffination von Metallen, wie Blei, Kupfer, Zinn.

anodische Oxidation, 1) *Elektrochemie:* →Anode.

2) *Oberflächentechnik:* elektrolyt. Herstellung von oxid. Schutzschichten auf Metallen, v. a. auf Aluminium und seinen Legierungen (»eloxieren«), die bei der Elektrolyse geeigneter Lösungen (bes. von Schwefel-, Oxal- und Chromsäure) auf den als Anoden in der Lösung befindl. Metallteilen entstehen; dienen bes. zum Schutz gegen Korrosion und Abrieb (»Hartanodisieren«), als elektr. Isolation oder als dekorativer Überzug.

Anökumene [grch.] der unbewohnte Teil der Erde (Polarländer, Hochgebirge, Hitzewüsten); Ggs.: Ökumene.

Anol® *das,* Kurzbez. für →Cyclohexanol.

Anomalie [zu grch. anómalos »uneben«] *die,* **1)** *allg.:* Abweichung von der Regel.

2) *Astronomie:* drei Winkelgrößen zur mathemat. Beschreibung der Stellung eines Himmelskörpers in seiner Bahn um einen anderen, z. B. eines Planeten um die Sonne.

3) *Physik:* (A. des Wassers) Eigenschaft von Wasser, sich im Ggs. zu fast allen anderen Stoffen oberhalb des Schmelzpunktes (im Bereich von 0 bis 4 °C) beim Erwärmen zusammenzuziehen. Wasser hat somit bei 4 °C seine größte Dichte ($\rho = 1\,g/cm^3$) und verhält sich erst oberhalb von 4 °C »normal«, d. h., es dehnt sich beim Erwärmen aus. Beim Übergang zu Eis ($\rho = 0{,}9168\,g/cm^3$ bei 0 °C) nimmt das Volumen zu, deshalb schwimmt das leichtere Eis auf dem Wasser ($\rho = 0{,}9999\,g/cm^3$ bei 0 °C).

anonym [grch. »namenlos«], ohne Namensnennung; anonyme Werke **(Anonyma)** sind urheberrechtlich geschützt. Anonymes Schrifttum ist verzeichnet in M. Holzmann und H. Bohatta: »Dt. Anonymen-Lex.« (7 Bde., 1902–28, Nachdruck 1983). **Anonymus,** unbekannter Verfasser.

Anonyme Alkoholiker, Abk. **A. A.,** Selbsthilfeorganisation alkoholkranker Menschen zum Zweck der Abstinenz bei Wahrung der Anonymität des Einzelnen. (→Suchtkrankenhilfe)

Anopheles [grch. »unnütz«] *die,* →Fiebermücken.

Anorak [eskimoisch] *der,* Kajakjacke der Eskimo; wetterfeste Sportjacke mit Kapuze.

Anordnung, 1) *allg.:* räumlich und zeitlich nebeneinander wirkende Teile eines Gegenstandes, der nicht notwendig eine körperl. Substanz hervorbringen muss, z. B. eine elektr. Schaltung; eine der Patentkategorien.

2) *Mathematik:* Kennzeichen von algebraischen Strukturen, deren Elemente einer linearen Ordnungsrelation unterliegen, z. B. die Kleiner- oder Größerrelation, und in der Monotonie und Transitivität gelten (angeordnete Struktur).

Anorexie [grch.] *die,* Appetitlosigkeit. **Anorexia nervosa,** die psychisch bedingte Pubertätsmagersucht (→Magersucht).

anorganisch [grch.], zur unbelebten Natur gehörig; **anorgan. Chemie,** →Chemie.

Anorgasmie [grch.] *die,* das Ausbleiben des Höhepunktes beim Geschlechtsverkehr (→Orgasmus); kann bei vereinzeltem Vorkommen normal sein, häufig Symptom neurot. Störungen.

Anorthit [grch.] *der,* Mineral, →Feldspäte.

Anorthosit [grch.] *der,* ein Tiefengestein, das fast nur aus Plagioklas besteht.

Anosmie [grch.] *die,* Fehlen des Geruchsvermögens.

A-Note, *Eis-, Rollkunstlauf:* techn. Wertung der Kür, beurteilt den sportl. Wert nach den gebotenen Schwierigkeiten (z. B. Sprünge, Pirouetten, Schrittkombinationen), außerdem Sicherheit und Mannigfaltigkeit der Übungen.

Anouilh [aˈnuj], Jean, frz. Dramatiker, * Bordeaux 23. 6. 1910, † Lausanne 3. 10. 1987; dramatisierte scharfsinnige psycholog. Konstruktionen mit geistreichen, iron. Dialogen; eine pessimist. Menschen- und Weltsicht beherrscht die antiken, bibl. oder modernen Stoffe, u. a. in »Eurydike« (1942), »Antigone« (1946), »Colombe« (1951), »Becket oder Die Ehre Gottes« (1959), »Seltsame Vögel« (1977), »Le nombril« (1981), »Das Leben ist unerhört« (Erinnerungen, 1987).

📖 MacIntyre, H. G.: *The theatre of J. A. London 1981.*

Anpassung, 1) *Elektrotechnik:* die Angleichung des Widerstandes eines Stromverbrauchers an den

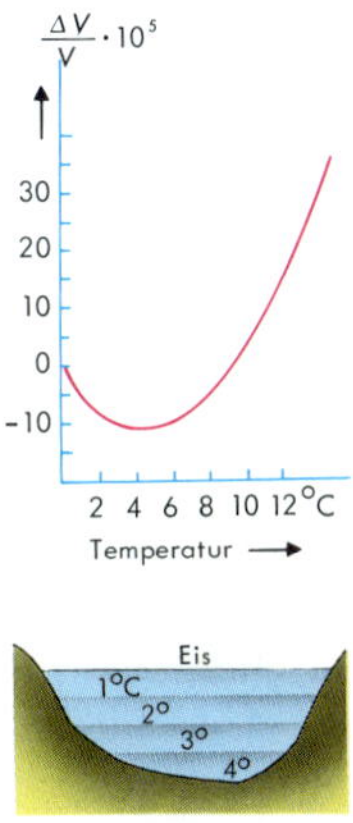

Anomalie 3): Diagramm der temperaturabhängigen Volumenänderung von Wasser (oben) und Temperaturschichtung beim Gefrieren eines Sees (unten)

Jean Anouilh

der Stromquelle, um einen Parameter optimal zu übertragen.

2) *Physiologie:* (Adaptation) die Angleichung von Organen und Organismen an bestimmte Umwelt-Reiz-Bedingungen. Sie betrifft Gestalt, Farbe, Körpervorgänge und Verhalten. Beispiele: Akklimatisation (stammesgeschichtl. Prozess durch Auslese), Herzvergrößerung (durch funktionelle Beanspruchung bei Ausdauertraining), Farbwechsel des Chamäleons (kurzfristig und vorübergehend).

3) *Soziologie:* (Adjustment) die Angleichung des menschl. Verhaltens an die normativen Forderungen der sozialen Umwelt, meist mit Sanktionen (Belohnung, Strafe) verknüpft.

Anqing (Anking, früher Huaining), Stadt in der Prov. Anhui, China, am Jangtsekiang, 200 000 Ew., Eisen-, Stahl-, Textilindustrie.

Anrainer, Anlieger, Grenznachbar, z.B. A.-Staat.

Ansbach 2)
Stadtwappen

Anrechnungszeiten (früher Ausfallzeiten), in der gesetzl. Rentenversicherung Zeiten, in denen der Versicherte aus bestimmten persönl. Gründen keine Beiträge zahlen konnte. Als A. gelten folgende Zeiten: Krankheit, medizin. Heilbehandlung oder Berufsförderung, Schwangerschaft, Schutzfristen bei Mutterschaft, Arbeitslosigkeit, Schulausbildung nach dem 17. Lebensjahr, Rentenbezugszeiten bis zum 55. Lebensjahr, danach soweit die Rente mit einer Zurechnungszeit zusammenfällt. A. zählen für die 35-jährige Wartezeit.

Ansbach 2): Innenraum der ehemaligen Stiftskirche Sankt Gumbert (11.–18. Jh.)

Anrede, Titel oder Fürwort für eine angesprochene Person. **A.-Formen:** Anstelle des einst übl. »Ihr« und des vom 15. bis 18. Jh. gebräuchl. »Er« ist das »Du« für den Verkehr mit näher Stehenden, das »Sie« für ferner Stehende üblich geworden. Daneben findet sich bei einigen Titeln (Majestät, Exzellenz, Magnifizenz usw.) noch das Fürwort »Eure« (Abk. Ew.).

Anregung, *Physik:* der durch Energiezufuhr (therm. A., Strahlungs-A., Stoß-A. u.a.) bewirkte Übergang eines mikrophysikal. Systems (Atom, Atomkern, Molekül) in einen energet. höheren (angeregten) Zustand.

Anregungsmittel (Stimulantia, Analeptika), i.w.S. Mittel, die Hirn-, Herz-Kreislauf-Funktion, Atmung oder Stoffwechsel anregen; i.e.S. Mittel, die auf Teile des Zentralnervensystems, bes. Atmungs- und Kreislaufzentrum, anregend wirken (z.B. → Weckamine).

Anreicherung, 1) *Chemie:* die Erhöhung des Gehalts eines Gemischs an nutzbaren Bestandteilen, z.B. eines Mineralgemischs durch Aufbereitung; insbesondere bei nuklearem Brennstoff die Vergrößerung des Anteils spaltbarer Isotope eines Elementes.

2) *Wasserbau:* → Grundwasseranreicherung.

Anreicherungstyp, *Nachrichtentechnik:* ein Feldeffekttransistor, → MOSFET.

Anreizsystem, Gratifikationsmaßnahmen, um Arbeitnehmer zum Verbleiben im Unternehmen bzw. zur Steigerung der Arbeitsleistung zu gewinnen.

Anrichte, schrankartiges Möbel (z.B. Kredenz, Sideboard) zum Abstellen der Speisen und zum Aufbewahren von Geschirr; auch der Raum zum Anrichten der Speisen.

Anrufbeantworter, Zusatzgerät zum Telefon, das zum selbstständigen Aufnehmen ankommender Anrufe dient. Zur Speicherung dient meist ein Magnettonband; moderne A. sind voll digitalisiert.

ANSA, Abk. für italien. **A**genzia **N**azionale **S**tampa **A**ssociata, führende italien. Nachrichtenagentur, Sitz: Rom; 1945 gegr., Nachfolgerin der **Agenzia Telegrafica Stefani** (gegr. 1853).

Ansatz, 1) *Mathematik:* die Formulierung des Lösungsweges einer mathemat. Aufgabe (meist »Textaufgabe«).

2) *Musik:* beim Gesang die Einstellung des Kehlkopfes und der resonanzverstärkenden Mund- und Rachenhohlräume im Moment des Tonbeginns.

Ansbach, 1) Landkreis im RegBez. Mittelfranken, Bayern, 1972 km², (1996) 178 300 Ew., Verw.sitz ist Ansbach.

2) kreisfreie Stadt in Bayern, Sitz der Verw. des RegBez. Mittelfranken und des Landkreises A., im Tal der Fränk. Rezat, 39 900 Ew.; Uhren-, elektrotechn., feinmechan., opt. und Nahrungsmittelind., Maschinen-, Werkzeugfabriken. – Die Jahrhunderte als Fürstenresidenz der Hohenzollern prägten das Stadtbild sowohl der Altstadt (Stiftskirche St. Gumbert, Johanniskirche, Landhaus – jetzt Stadthaus –, Hofkanzlei, Fachwerkhäuser) als auch der barocken »Markgrafenstadt« (Rokokoschloss,

Orangerie, Hofgarten). – A. entstand neben einem im 8. Jh. gegründeten Benediktinerkloster.

Ansbach-Bayreuth, ehem. fränkische Markgrafschaft, entstand um die Plassenburg oberhalb Kulmbachs. Die hohenzoller. Burggrafen von Nürnberg erwarben nach 1260 Bayreuth, 1331 Ansbach, 1338 Kulmbach. Mehrfach geteilt und wieder vereinigt, kam A.-B. 1791 an Preußen, 1805 fiel Ansbach, 1810 Bayreuth an Bayern.

Anschan, chines. Stadt, → Anshan.

Anscharius [-sç-], der Erzbischof → Ansgar.

Anschauung, 1) *Philosophie:* die unmittelbare, nichtbegriffl. Erfassung der empir. Wirklichkeit (Sensualismus); aber auch die übersinnl. geistige Schau idealer Erkenntnisgegenstände (Idealismus). So unterschied z. B. I. Kant zw. der inneren A. (auf die zeitl. Abläufe im Selbst bezogenen) und der äußeren (auf die Gegenstände im Raum bezogenen) A., der reinen A., die der Erfahrung besonderer Erscheinungen vorausgeht und deren Formen Raum und Zeit sind, und der intellektuellen A. als dem die Erfahrung überschreitenden Erfassen von Ideen, die allein Gott zukomme.

2) *Psychologie:* die auf Sinneswahrnehmungen (bes. optische) beruhende Aufnahme der Wirklichkeit, auch jegliches deutliche Erleben eines Gegenstandes ohne besondere begriffl. Vorarbeit.

Anschero-Sudschensk, russ. Stadt in W-Sibirien, an der Transsibir. Bahn, 108 000 Ew.; Steinkohlenbergbau, Maschinenbau, chemisch-pharmazeut. Industrie. – 1897 gegründet.

Anschlag, 1) *allg.:* Angriff, Vernichtungsversuch, Attentat.

2) *Schießen:* schussbereite Stellung des Schützen (liegend, kniend, stehend).

3) *Technik:* Vorsprung am Maschinenteil zur Begrenzung seiner Bewegung; Mauerfalz zur Aufnahme von Tür- oder Fensterblendrahmen.

Anschlagwinkel, rechter Winkel zum Anreißen oder Nachprüfen von Werkstücken.

Anschliff, für Untersuchungen mittels Auflichtmikroskops geschliffenes und poliertes Erz-, Gesteins- oder Kohlestück. (→ Dünnschliff)

Anschlussbahnen, Eisenbahnen des nichtöffentl. Verkehrs für den unmittelbaren Anschluss von Güterumschlagstellen, z. B. in Fabrikanlagen, an die Bahnen des öffentl. Verkehrs **(Anschlussgleise).**

Anschlussberufung, dem Berufungsbeklagten zustehender Rechtsbehelf, durch Anschließung an die Berufung des Gegners ein ihm günstiges Urteil zu erlangen (§§ 521 ff. ZPO, § 127 VwGO); die **Anschlussrevision** folgt im Wesentlichen den gleichen Grundsätzen (§ 556 ZPO).

Anschlussbewegung, die Bestrebungen zur staatl. Vereinigung Österreichs mit dem Dt. Reich (→ Österreich, Geschichte).

Anschlusskonkurs, → Vergleichsverfahren.

Anschlusspfändung, die Pfändung bereits gepfändeter Sachen durch einen anderen Gläubiger oder wegen einer anderen Forderung, um am Erlös teilzuhaben (§ 826 ZPO).

Anschlussstelle, → Autobahn.

Anschluss- und Benutzungszwang, der durch Gemeindesatzung auferlegte Zwang, bei dringendem öffentl. Bedürfnis Grundstücke an Wasserleitung, Kanalisation, Müllabfuhr, Straßenreinigung u. a. öffentl. Einrichtungen anzuschließen und diese zu benutzen.

Anschovis, → Anchovis.

Anschuldigung (falsche A.), → Verdächtigung.

Anschütz-Kaempfe, Hermann, Ingenieur, * Zweibrücken 3. 10. 1872, † München 6. 5. 1931; Erfinder des Kreiselkompasses (1904).

Anseilen, Sicherung durch Seilverbindung u. a. beim → Bergsteigen.

Anselm von Canterbury

Anselm von Canterbury [-'kæntəbərɪ], scholast. Theologe und Philosoph, * Aosta 1033, † Canterbury 21. 4. 1109; Benediktinerabt in Bec (Normandie), später Erzbischof von Canterbury, gilt als Vater der Mystik und Scholastik (Grundsatz: Credo, ut intelligam, »Ich glaube, um zu erkennen«). A. v. C. stellte den ontolog. → Gottesbeweis auf. Heiliger, Tag: 21. 4.

Ernest Ansermet

Ansermet [ãsɛr'mɛ], Ernest, schweizer. Dirigent, * Vevey 11. 11. 1883, † Genf 20. 2. 1969; war 1915–23 musikal. Leiter der Ballets Russes; gründete 1918 das »Orchestre de la Suisse Romande«.

Ansgar (Anskar, Anscharius), * in der Picardie 801, † Bremen 3. 2. 865; erster Bischof von Hamburg, seit 864 Erzbischof von Hamburg-Bremen, förderte als »Apostel des Nordens« die Ausbreitung des Christentums. Heiliger, Tag: 3. 2.

Anshan [-ʃ-] (Anschan), Industriestadt in NO-China, Prov. Liaoning, 1,2 Mio. Ew.; in der Umgebung reiche Eisenerz- und Kohlenlager, Grundlage einer metallurg. Großanlage (Kokereien, Hüttenwerke, Gießereien, Walzwerke).

Ansichtssendung, Probesendung von Waren ohne Kaufzwang. Bestellte A. sind bei Nichtabnahme auf eigene Kosten zurückzusenden. Ist die A. nicht bestellt, entsteht für den Empfänger keine Kauf- und Rücksendeverpflichtung, er muss sie nur eine angemessene Zeit zur Abholung durch den Absender bereithalten.

Ansitz, *Jägersprache:* → Anstand.

Anspruch, das Recht, von einem anderen ein Tun oder Unterlassen zu verlangen (§ 194 BGB), z. B. A. auf Schadensersatz.

Anstalt des öffentlichen Rechts, jurist. Person des öffentl. Rechts, die als organisatorisch oder rechtlich selbstständige Verw.einheit von persönl. oder sachl. Mitteln zur Erfüllung einer besonderen Verw.aufgabe errichtet wurde. Kraft Gesetz besit-

Die größte Expedition, die jemals in die **Antarktis** *unternommen wurde, war die von den USA organisierte Operation »Highjump« im südlichen Sommer 1946–47; ihr Leiter war Richard E. Byrd. An ihr waren 13 Schiffe beteiligt, darunter Flugzeugträger, Eisbrecher und ein U-Boot. 4000 Menschen, darunter auch Journalisten, besetzten vorübergehend Antarctica. Bei dieser Operation wurden 900 000 Quadratkilometer Land entdeckt und 60 Prozent der Küstenlinie fotografiert. Zweck der Übung war u.a., für die Vereinigten Staaten eine Grundlage für territoriale Ansprüche zu schaffen. Zum Glück wurden die politischen Auseinandersetzungen um den »siebten Kontinent« durch die Unterzeichnung des internationalen Antarktisvertrages 1961 beendet.*

zen A.d.ö.R. Anstaltsgewalt, in deren Rahmen sie ihre innere Organisation durch Anstaltsordnungen (Satzungen) regeln. Die Benutzung von A.d.ö.R. kann als Rechtsanspruch oder als Benutzungszwang ausgestaltet werden. Beispiele für A.d.ö.R.: kommunale Sparkassen, Rundfunkanstalten.

Anstand, *Jägersprache:* Jagdart, bei der von verdeckter Stelle aus im Stehen oder Sitzen **(Ansitz)** Wild beobachtet oder erlegt wird, auch dieser Platz selbst; meist getarnter **Hochstand (Hochsitz, Jagdkanzel).**

ansteckende Krankheiten, die →Infektionskrankheiten.

Antananarivo
Stadtwappen

Ansteckung, die →Infektion.

Anstehendes (anstehende Gesteine), Gesteine, die sich im natürl. Verband befinden und leicht zugänglich sind (»gewachsener Fels«).

Anstellwinkel, *Luftfahrt:* der Winkel zw. bestimmter Bezugslinie im Flügelprofil (meist Sehne) und der Anströmungs- oder Bewegungsrichtung; wesentl. Einflussgröße für den Auftriebsbeiwert.

Anstiftung, *Recht:* vorsätzl. Verleitung eines anderen zu einer vorsätzl. Straftat. Der **Anstifter** wird gleich dem Täter bestraft (§ 26 StGB, ebenso § 12 *österr.* und Art. 24 *schweizer.* StGB).

Antarktis: Teil der Paradiesbucht an der Nordwestküste der Antarktischen Halbinsel

Anstrich, Überzug auf Holz, Metall, Mauerwerk usw., teils zum Schutz gegen äußere Einflüsse (z.B. Nässe), teils zur Verschönerung. Mauer-A. werden gewöhnlich in Kalkfarben ausgeführt. Ölfarben-A. ergeben eine dichte, abwaschbare Oberfläche. Holz wird meist mit Firnis grundiert und erhält dann den eigentl. lasierenden (durchscheinenden) oder deckenden A. Stahl streicht man mit Bleimennige, Metalle mit Alkydharzfarbe (Korrosionsschutz) und darauf Deck-A. Feuer hemmende A. sind z.B. Silikate und bestimmte Kunstharzlacke.

ant... [grch.], →anti...

Antagonismus [grch.] *der,* **1)** *allg.:* Widerstreit, Gegenwirkung, Gegensatz.

2) *marxistisch-leninist. Theorie:* →Widerspruch.

3) *Physiologie:* die entgegengesetzte Wirkung zweier Komponenten **(Antagonisten),** z.B. von Muskeln (Beuger und Strecker), Nerven (Sympathikus und Parasympathikus), auch von chem. Substanzen, z.B. Hormonen (Insulin und Glucagon).

Antaios (lat. Antaeus), *grch. Mythos:* ein Riese, Sohn des Poseidon und der Gaia (Erde). Er war unbesiegbar, solange er die Erde berührte; daher erwürgte Herakles ihn in der Luft.

Antakya, Hptst. der Prov. Hatay im äußersten S der Türkei, am Orontes, 124 400 Ew.; Zitrus-, Ölbaumpflanzungen; archäolog. Museum. A. ist das antike →Antiochia.

Antalkidas, spartan. Stratege und Politiker, † 367 (?) v. Chr.; handelte 387 v. Chr. mit dem pers. Großkönig Artaxerxes II. den →Königsfrieden (Friede des A.) aus.

Antall ['ɔntɔl], József, ungar. Politiker (Ungar. Demokrat. Forum, UDF), *Budapest 7. 4. 1932, †ebd. 12. 12. 1993; Historiker, nahm am ungar. Volksaufstand 1956 teil und wurde nach dessen Niederschlagung verhaftet; einer der Gründer des UDF und seit 1989 dessen Vors. (im Dez. 1990 wieder gewählt); war ab April 1990 Ministerpräsident.

Antalya (früher Adalia), Hptst. der südtürk. Prov. A., überragt vom Taurus, 378 700 Ew., mit Hafen am Golf von A., Seebad an der »türk. Riviera«, Textil,-, Maschinen- und chem. Ind.; Flughafen.

Antananarivo (bis 1976 Tananarive), Hptst. von Madagaskar, im zentralen Hochland 1200 bis 1450 m ü. M., 1,053 Mio. Ew., Sitz eines kath. Erzbischofs, Univ. (gegr. 1961); Forschungsinstitute, Goethe-Inst.; Nahrungsmittel- und Textilind.; internat. Flughafen.

Antara Ibn Schaddad (Antar Ibn Schaddad), vorislam. arab. Dichter, † um 615; Held des **Antarromans,** eines vielschichtigen arab. Volksbuchs (um 1300).

Antarktis

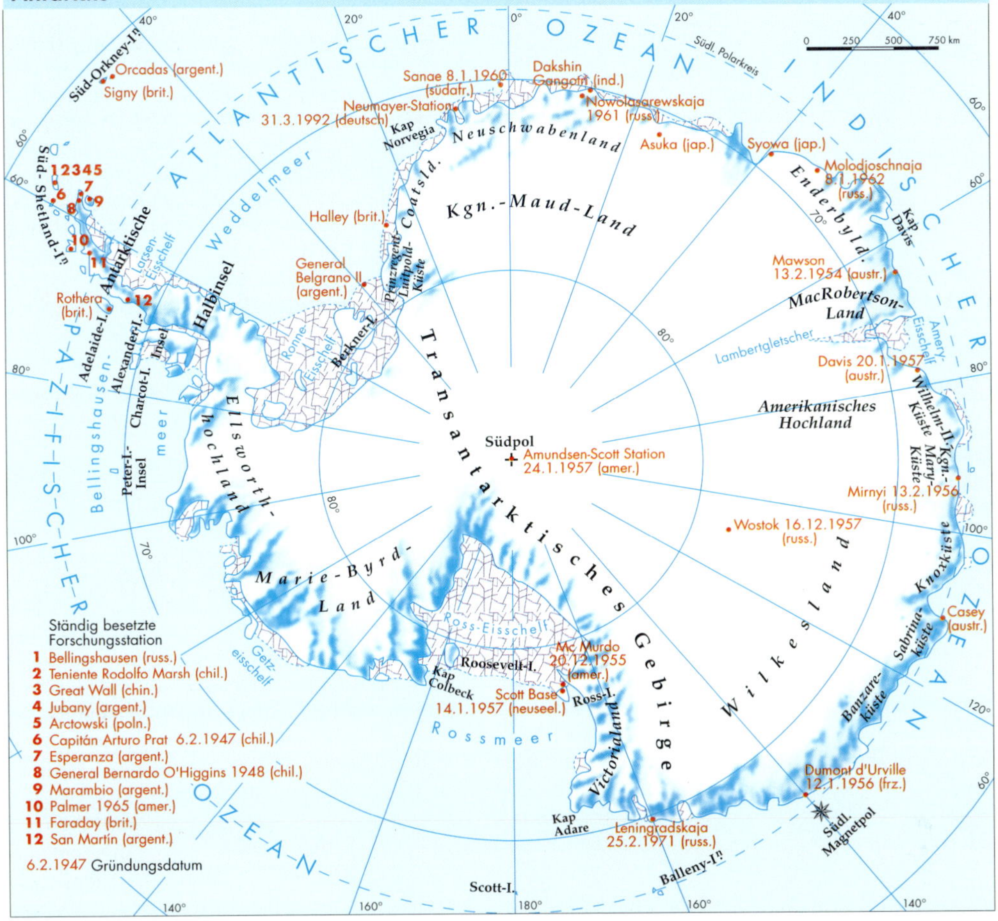

Antares [grch.] *der,* roter Stern 1. Größe, größter Stern (α) im Sternbild Skorpion.

Antarktika *die,* Bez. für die Landmasse des Südpolargebiets.

Antarktis *die,* Land- und Meeresgebiete um den Südpol, etwa 21,2 Mio. km². Während um den Nordpol eine mit Treibeis bedeckte Tiefsee liegt, befindet sich der Südpol in der Mitte einer großen Landmasse, **Antarktika** (12 393 000 km², einschl. der Schelfeistafeln 13 975 000 km²), die von einer im Mittel etwa 2000 m, aber auch z. T. über 4000 m mächtigen Inlandeisdecke eingenommen wird. Am Rand ragen hohe Gebirge aus dieser Eisdecke auf und zwingen das Eis, als Gletscher zw. ihnen abzufließen; die Gletscher schieben sich z. T. als Zungengletscher viele km weit ins Meer oder vereinigen sich zu riesigen schwimmenden Eistafeln; es entstehen Treibeis und Eisberge. Im Eis Antarktikas sind etwa 80 % der Süßwasservorräte der Erde gebunden. Der höchste Punkt der A. ist der Mount Vinson (5140 m ü. M.) in der Sentinel Range. Das eisfreie Gebiet nimmt eine Fläche von etwa 200 000 km² ein. Die Berge, die wie Inseln aus dem Inlandeis herausragen, sind eisfrei. An den Küsten gibt es stellenweise eisfreie Hügelgebiete, sog. »Oasen«. Die Anden S-Amerikas setzen sich in W-Antarktika in den Antarktanden fort, im Mount Jackson 4191 m hoch. Am Rand sind z. T. noch tätige Vulkane angelagert. In der Edsel Ford Range (Mount Avers, 1370 m ü. M.), an der Küste des Rossmeeres, findet der Faltenzug sein Ende. Südl. schließt sich das Elsworthhochland an. Den pazif. Rand der Ost-A. begleitet das 4100 km lange Transantarkt. Gebirge, das sich von hier aus bis zur O-Seite des Filchnerschelfeises erstreckt. Es wird an der Außenseite von einer großen Verwerfung begleitet, die durch tätige Vulkane (Mount Erebus, 3795 m ü. M.) markiert ist.

Klima: Es herrscht polares Klima, sehr kalte Winter, kühle, kurze Sommer, sehr geringe Niederschläge, außerordentlich trockene Luft. Im Sept. 1983 wurde mit –89,2 °C die tiefste Tempera-

Entdeckung und Erforschung der Antarktis

1772–75	J. Cook überquert bei seiner Weltumsegelung den südl. Polarkreis
1819–21	Erste russ. A.-Expedition unter F. G. von Bellingshausen, der 1821 die Alexander-I.-Insel und Peter-I.-Insel entdeckt
1822/23	J. Wedell dringt in das nach ihm benannte Wedellmeer vor
1839–43	J. C. Ross gelangt in die Nähe des südl. Magnetpols
1840	Nachweis der Existenz eines antarkt. Kontinents durch die Küstenfahrten von C. Wilkes; Entdeckung von Wilkesland
1898–1900	C. E. Borchgrevink unternimmt als erster Forschungen auf dem Festland (N von Victorialand)
1909	D. Mawson, Teilnehmer einer brit. Expedition unter E. Shackleton, findet den südl. Magnetpol
1911/12	R. Amundsen (14. 12. 1911) und R. F. Scott (18. 1. 1912) am geograph. Südpol
1929	Erster Flug zum Südpol durch R. E. Byrd
1938/39	Dt. »Schwabenland«-Expedition unter A. Ritscher erkundet Neuschwabenland
1946/47	Amerikan. Großexpedition unter R. E. Byrd
1956–58	Versch. Nationen errichten ständige Forschungsstationen
1957/58	Erste Transantarktisexpedition durch V. E. Fuchs
1981	Errichtung der Georg-von-Neumayer-Station
1989/90	R. Messner und A. Fuchs durchqueren ohne techn. Hilfmittel und Hundeschlitten die A. zu Fuß

tur der Erde in der A. gemessen. Besonderheiten des antarkt. Klimas sind kalte Fallwinde, die zu schweren Stürmen werden (sturmreichstes Gebiet ist →Adélieland), und der →White-out.

Pflanzen- und Tierwelt: Die A. ist das lebensfeindlichste Gebiet der Erde. Vorherrschend sind Flechten, Moose und Algen. Vertreten sind wirbellose Tiere (Insekten, Fadenwürmer u.a.). Im Ggs. zu dieser antarkt. Kältewüste auf dem Lande ist das Pflanzen- und Tierleben in und auf den antarkt. Meeren sehr viel reichhaltiger: Algen, Tange, Krill, Wale, Robben sowie Schwämme, Seesterne, Seeigel und Quallen; Albatrosse, Sturmvögel und Möwen nisten im Küstenbereich des antarkt. Kontinents. Der charakterist. Vogel der A. ist der Pinguin. – An *Bodenschätzen* sind Erdöl, Kohle, Eisen- und Kupfererze, Nickel u.a. nachgewiesen. Antarktika ist, von Forschungsstationen abgesehen, unbesiedelt. Größte Forschungsstation ist die amerikan. im McMurdo-Sund auf dem Ross-Schelfeis (im Sommer mit 1000 Personen). 1981 wurde die ständig besetzte dt. Georg-von-Neumayer-Station eingerichtet.

Völkerrecht: Die Rechtsverhältnisse für das Südpolargebiet sind durch den **A.-Vertrag** vom 1. 12. 1959 (in Kraft seit 23. 6. 1961) geregelt. Danach ist die A. ein internat. Gemeinschaftsraum zur ausschließlich friedl. Nutzung. Gebietsansprüche einzelner Staaten (bes. Argentiniens, Chiles) sind zurückgestellt. Der Vertrag wird durch die Konvention über die Ausbeutung von Bodenschätzen in der A. vom 2. 6. 1988 und das Madrider Umweltsschutzprotokoll vom 4. 10. 1991 ergänzt, wonach u.a. der Abbau von Bodenschätzen für 50 Jahre verboten ist.

Antenne 1): Linearstrahler mit horizontaler Rundabstrahlung

📖 Moss, S.: *A. Ökologie eines Naturreservats. A. d. Amerikan. Heidelberg u.a. 1992.* – Reinke-Kunze, C.: *A. Portrait eines Kontinents. Braunschweig 1992.* – Dreyer-Eimbcke, O.: *Auf den Spuren der Entdecker am südlichsten Ende der Welt. Meilensteine der Entdeckungs- u. Kartographiegeschichte vom 16. bis 20. Jahrhundert... Gotha 1996.*

Antarktische Halbinsel (früher Grahamland), zw. Weddell- und Bellingshausenmeer gelegene Halbinsel der Westantarktis, etwa 1200 km lang, von den bis 4191 m hohen Antarktanden durchzogen; mehrere Forschungsstationen.

Antarktisvertrag, →Antarktis.

Ante [grch.] *die,* pfeilerartiger Abschluss einer vorspringenden Mauer. Der **Antentempel** hat eine Vorhalle, deren Säulen zw. Anten stehen.

ante Christum (natum), Abk. **a. Chr. (n.),** vor Christi Geburt.

Anteil, Beteiligung an gemeinschaftl. Unternehmen, z.B. Aktie, Geschäfts-A. einer GmbH; der **Anteilschein** ist die Urkunde über einen solchen Anteil.

Antelami, Benedetto, italien. Bildhauer, nachweisbar 1178 bis nach 1200; geschult in der Provence, übertrug den in Frankreich ausgebildeten Typus der Statuenzyklen auf italien. Kirchenfassaden (Fidenza, Domfassade; Parma, Baptisterium).

ante meridiem, Abk. **a.m.,** vormittags.

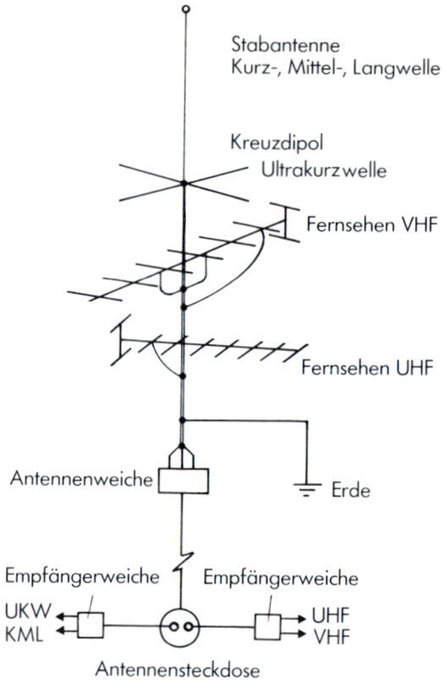

Antenne 1): Antenne für Hörfunk- und Fernsehempfang

Antenne [lat. antenna »(Segel)stange«] *die,* **1)** *Elektrotechnik:* Vorrichtung zum Senden oder Empfangen elektromagnet. Wellen; die Aufgabe der A. besteht in der Umwandlung der leitungsgeführten Energie des Senders in Strahlungsenergie **(Sende-A.)** bzw. der Strahlungsenergie in leitungsgeführte Energie für den Empfänger **(Empfangs-A.).** Der konstruktive Aufbau hängt von

Anwendungsfall und Frequenzbereich ab. **Linear-A.,** die man als offenen elektr. Schwingkreis betrachten kann, werden in zahlr. Bauformen in der Hochfrequenztechnik sowie im Lang-, Mittel- und Kurzwellenbereich eingesetzt. Grundelement

Antenne 1): Parabolantenne für den Funkverkehr mit Nachrichtensatelliten in der Erdfunkstelle bei Usingen im Hintertaunus

der Linear-A. ist ein elektr. Dipol, der als Einzeldraht (Halbdipol), Metallstabpaar, Falt-, Schleifen- oder Schlitzdipol realisiert wird. In der Höchstfrequenztechnik (Radar, Radioteleskop, Richtfunkverbindung) wird die **Flächenstrahler-A.** in versch. Bauformen eingesetzt. Üblich ist die Kombination von Primärstrahler und Sekundärreflektor. Als Primärstrahler dient ein Dipol oder ein trichterförmig erweiterter offener Hohlleiter (Hornstrahler) im Brennpunkt eines metall. Parabolspiegels **(Parabol-A.)** oder eines Paraboloidausschnittes, wobei die parabol. Fläche als Sekundärreflektor wirkt; damit wird eine erhebl. Richtwirkung erzielt. Eine wichtige Kenngröße für eine Richt-A. ist der A.-Gewinn, der bei der Sende-A. definiert ist als Verhältnis der Leistungen, die man einer Bezugs-A. und der betrachteten A. zuführen muss, damit der Empfänger in Hauptstrahlrichtung die gleiche Empfangsleistung aufnimmt.

📖 Rothammel, K.: *Rothammels Antennenbuch. Neu bearb. u. erw. v.* A. Krischke. *Stuttgart* [11]*1995.*

2) *Zoologie:* sehr verschiedenartig ausgebildeter Fühler am Kopf der Insekten, Krebstiere, Tausendfüßer und Stummelfüßer; die paarig angelegten A. tragen v.a. Geruchs- und Tastsinnesorgane.

Antennensynthese, die →Apertursynthese.

Antennenverstärker, elektron. Gerät zur Verstärkung der von der →Antenne empfangenen hochfrequenten Spannungen zur Vergrößerung des Abstands zw. Rausch- und Signalspannung am Empfänger.

Antependium [lat.] *das,* den Altarunterbau schmückende Verkleidung.

Antequera [-ˈkera], Stadt in Andalusien, Spanien, nw. von Málaga, 35 200 Ew.; Verarbeitung von Agrarprodukten, Textilindustrie; bei A. Megalithgräber (Cueva de Menga).

Antes, Horst, Maler, Grafiker und Plastiker, *Heppenheim (Bergstraße) 28. 10. 1936; stellt nach informellen Anfängen seit Beginn der 1960er-Jahre eine von ihm erfundene Kunstfigur, den »Kopffüßler«, signethaft in den Mittelpunkt seines Schaffens. A. ist einer der ersten Vertreter der →neuen Figuration. Bild S. 200

Antezedenz [lat.] *die,* Art der Talbildung, bei der ein Fluss bei einer Hebung des Untergrundes nicht seinen Lauf verlegt, sondern in dem Maß in die Tiefe erodiert, in dem sich das Gebirge hebt.

Anthelminthika [grch.], die →Wurmmittel.

Anthem [ˈænθəm, engl.] *das,* in der engl. Kirchenmusik eine motetten- oder kantatenartige Vertonung eines bibl. Textes.

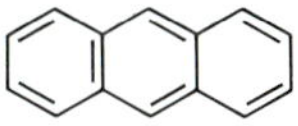

Anthracen

Anthemion [grch. »Blüte«] *das,* in der grch. Baukunst und Malerei ein aus Palmetten- und Lotosblüten gebildeter Ornamentfries.

Anthere [grch.] *die* (Staubbeutel), Teil der →Blüte.

Anthocyane [grch. »Blütenblau«], wasserlösl. blaue, violette, schwarze und rote glykosid. Blütenfarbstoffe; auch in Blättern und Früchten.

Anthologie [zu grch. ánthos »Blüte«] *die* (Blütenlese), Sammlung ausgewählter Gedichte, Sprüche, auch kurzer Prosastücke, im Unterschied zur →Chrestomathie meist ohne Lehrzweck.

Antependium: Frontseite des Antependiums aus dem Baseler Münster (um 1020; Paris, Musée de Cluny)

Anthozoen [grch.], die Blumentiere, →Korallen.

Anthracen [grch.] *das,* in Steinkohlenteer enthaltener, in gelbl. Blättchen kristallisierender aro-

Horst Antes: Zwei Figuren auf Stühlen (1982; Privatsammlung)

mat. Kohlenwasserstoff, der fast ausschließlich zu Anthrachinon weiterverarbeitet wird.

Anthrachinon [grch.] *das,* organ. Verbindung, gelbe Kristalle, die bei der Einwirkung von Sauerstoff auf Anthracen entstehen; Ausgangsprodukt für die **A.-Farbstoffe** (u.a. Alizarin). In den Indanthrenfarbstoffen sind A.-Kerne in komplizierten Ringsystemen gebunden.

Anthrakose [grch.] *die* (Kohlenstaublunge), eine gesundheitlich meist unbedenkl. Ablagerung von Kohlenstaub in der Lunge.

Anthrax [grch. »Kohle«] *der, Medizin:* der →Milzbrand.

Anthrazit [zu grch. ánthrax »Kohle«] *der,* harte, hochwertige, gasarme →Kohle

anthropisches Prinzip, von dem brit. Physiker Brandon Carter (*1942) formulierte Aussage des Inhalts, dass das Universum in seinen Naturgesetzen und Naturkonstanten so beschaffen ist, dass es irgendwann Leben und Intelligenz hervorbringen musste.

anthropo... [grch. ánthropos »Mensch«], Wortbildungselement mit der Bedeutung menschen...

Anthropogäa [grch. gaîa »Erde«] *die,* die vom Menschen durch Besiedlung sowie durch land- und gartenbaul. Nutzung gestaltete Landschaft.

Anthropogenie [grch.] *die* (Anthropogenese), Entstehung und Abstammung des Menschen.

Anthropogeographie, die Geographie des Menschen; Teil der allgemeinen Geographie, die sich mit den Wechselwirkungen zwischen Erde (Raum) und Mensch befasst. Ihr eigentl. Untersuchungsobjekt ist die komplexe Kulturlandschaft.

Anthropologie [grch.] *die,* **1)** die Wiss. vom Menschen sowie von den menschl. Verhaltensweisen in den Auseinandersetzungen mit der Umwelt. Nach dem in Dtl. vorherrschenden Sprachgebrauch umfasst der Begriff A. zunächst die **Anthropobiologie (Humanbiologie)** mit menschl. Erblehre, Konstitutionsforschung, Stammesgeschichte und Abstammungslehre. Bes. im engl. Sprachgebrauch umfasst die A. auch die Erscheinungen des kulturellen und gesellschaftlichen Lebens (Soziologie, Völkerkunde und Sozialpsychologie).

2) (philosophische A.) die Lehre von den Eigenschaften und Verhaltensweisen des Menschen, die ihm allgemein zukommen sollen. – Obwohl immer auch Thema der Philosophie, wird der Mensch erst spät ihr zentrales Objekt. Die antike Philosophie thematisierte primär den »Kosmos«, die des Mittelalters die von Gott geschaffene »Ordnung«, den Menschen als Teil von ihr. Zwar stellte die Neuzeit den Menschen auf sich selbst, indem sie seine moral. Autonomie (I. Kant), seine geschichtsformende Kraft (G. W. F. Hegel) entdeckte, ließ ihn aber letztlich, als »Subjekt« und »Vernunftwesen« gedeutet, in der Allvernunft wieder aufgehen. In seiner Besonderheit in den Blick kam der Mensch mit F. W. J. Schelling, S. Kierkegaard, F. Nietzsche und anderen Lebensphilosophen; er wird als selbstbezügliches, auf sich zurückgeworfenes Wesen, als jedem Begriff überlegenes »Leben« gedeutet. In seiner »Weltoffenheit« und seinem »Geist« erblickt M. Scheler die »Sonderstellung« des Menschen, A. Gehlen definiert ihn als »Mängelwesen« und »Kulturwesen«. A. ist das Tor zur Philosophie, die sich darin aber nicht erschöpfen kann.

📖 Blok, A.: *Anthropolog. Perspektiven. Einführung, Kritik u. Plädoyer. A. d. Niederländ. Stuttgart* ²*1995.*

Anthropomorphismus [grch.] *der,* Übertragung menschl. Eigenschaften auf Außermenschliches (bes. Götter, Gestirne).

Anthropophage [grch.] *der,* Menschenfresser (→Kannibalismus).

Anthroposophie [grch.] *die,* von R. Steiner 1902 begründete, gegen Mechanisierung und Verflachung des modernen Lebens gerichtete Weltanschauungs- und Erkenntnislehre. Orientiert an →Gnosis, →Kabbala, →indischer Philosophie und Goethe sieht die A. die Welt in stufenweiser Entwicklung begriffen, die der Mensch einfühlend und erkennend nachzuvollziehen hat, um »höhere« seelische Fähigkeiten zu entwickeln. (→Waldorfschulen)

📖 Steiner, R.: *Themen aus dem Gesamtwerk, Bd. 20: Die Aufgabe der A. 11 Vorträge, hg. v.* F. Dörmann. *Stuttgart 1995.*

Anthropotechnik (engl. Human Engineering), Zweig der Industrieanthropologie, der sich mit der Anpassung techn. Einrichtungen (z.B. Geräte, Maschinen, Verkehrsmittel) und Abläufe (bes. Arbeitsvorgänge, auch die Arbeitsplätze selbst) an die körperl. Eigenheiten des menschl. Organismus sowie mit den körperl., seelischen und sozialen Gegebenheiten des Menschen befasst. Ziel der A. ist einerseits die optimale Gestaltung der techn. Elemente hinsichtlich ihrer Anordnung und Formgebung (stat. Anpassung), andererseits die Optimierung von Mensch-Maschine-Systemen, d.h. die Abstimmung des als Regelkreis zu verstehenden Verhältnisses von Mensch und Maschine auf die spezifisch menschl. Bedürfnisse und Verhaltensweisen (dynam. Anpassung).

Anthuri|e [grch.] *die,* die →Flamingoblume.

anti... [grch.], vor Selbstlauten und h: **ant...,** Vorsilbe mit der Bedeutung gegen, gegenüber; z.B. Antithese, Antagonismus.

Antiallergika [grch.], Mittel zur Behandlung allerg. Krankheiten (→Allergie).

Antiandrogene [grch.], Stoffe, die die Wirkung des männl. Keimdrüsenhormons Testosteron auf die Körperzellen hemmen.

Antiatlas, dem →Atlas südlich vorgelagerter Gebirgszug in Marokko, am NW-Rand der Sahara, bis 2531 m ü. M., schüttere Vegetation, Schaf- und Ziegenweide.

antiautoritäre Erziehung (nichtautoritäre Erziehung), eine in den 1960er-Jahren entstandene Erziehungskonzeption, gestützt auf Theorien der Psychoanalyse (W. Reich, S. Bernfeld), Gesellschaftskritik (T. W. Adorno) und Reformpädagogik (A. S. Neill) u.a. Es wird ein weitgehender Verzicht auf autoritäre Einschränkung der Bedürfnisse und Interessen des Heranwachsenden gefordert. Die a. E. wird v.a. im Rahmen alternativer Lebensformen und in Kinderläden praktiziert.

Antibabypille [-ˈbeːbi-], →Empfängnisverhütung.

Antibes [ãˈtib], Stadt an der frz. Mittelmeerküste, Dép. Alpes-Maritimes, 62900 Ew., mit den Badeorten **Cap d'A.** und **Juan-les-Pins;** Kasino, Seewasseraquarium, Museum (Picasso-Samml.); Rosenzucht. – Bei A. landete Napoleon I. am 1. 3. 1815 auf der Rückkehr von Elba.

Antibiose [grch.] *die,* hemmende oder schädigende Wirkung der Stoffwechselprodukte versch. Mikroorganismen (z.B. von Bakterien, Pilzen, Flechten) auf andere Mikroorganismen.

Antibiotika [grch.], natürliche oder synthetisch nachgebildete Stoffwechselprodukte von Bakterien, Pilzen u.a., die Mikroorganismen abtöten **(bakterizide A.)** oder in ihrer Vermehrungsfähigkeit beeinträchtigen **(bakteriostatische A.).** Das erste Antibiotikum **(Penicillin)** fand A. →Fleming bei Schimmelpilzen. Andere gebräuchliche A. sind Streptomycin, Gentamicin, Neomycin. A. dienen zur Bekämpfung von Krankheitserregern. Ihre Verwendung bei der Viehmast wurde gesetzlich eingeschränkt, da A.-Rückstände im Fleisch zur Resistenzbildung bei Keimen und zur Sensibilisierung beim Menschen führen. Die **Breitband-A.** (z.B. Tetracycline) richten sich gegen viele Arten von Krankheitserregern zugleich.

Antiblockiersystem, →ABS.

Antichrist [grch.] (Widerchrist, bei Luther: Endchrist), aus dem N.T. (1. Joh. 2,18 und 22; 4,3; 2. Joh. 7) übernommene Vorstellung von einem Gegenspieler Christi, der vor der Wiederkunft Christi gegen das Reich Gottes auftritt, aber durch Christus überwunden wird; gelegentlich mit einer geschichtl. Person, z.B. Kaiser Nero, identifiziert.

Anticosti, Insel im Sankt-Lorenz-Golf, 7881 km², rd. 400 Ew., Hauptsiedlung ist der Fischereihafen **Port Menier.** – A. war bis 1763 in frz. Privatbesitz und gehört seit 1774 zu Kanada.

Antibes
Stadtwappen

Antidepressiva [grch.-lat.], →Psychopharmaka zur Behandlung von Depressionen.

Antidiabetika [grch.], Mittel zum Senken des Blutzuckers bei →Diabetes mellitus.

Antidiarrhoika [grch.], →stopfende Mittel zur Behandlung des Durchfalls.

Anti-Dive [-daɪv; engl. to dive »tauchen«] *der,* Bremsnickausgleich, konstruktive Maßnahme an der Radaufhängung, die die Nickbewegung des Kfz beim Bremsen mindert.

Antidot [grch.-lat.] *das,* Gegenmittel bei Vergiftungen.

Antibes: Blick über die Hafenbucht Port Vauban auf die Festung Fort Carrée

Anti-D-Prophylaxe, Verabreichen eines Anti-D-Immunglobulins (Anti-Rh-Globulin) an eine Mutter mit negativem Rhesusfaktor nach der Geburt eines Kindes mit positivem Rhesusfaktor. Einer Sensibilisierung durch Bildung von Rhesusantikörpern gegen die kindl. Blutkörperchen, die eine Gefahr für eine nachfolgende Schwangerschaft mit einem wiederum rh-positiven Kind bildet, wird dadurch vorgebeugt.

Anti|emetika [grch.] (Antemetika), Mittel zur Behandlung von Übelkeit und Erbrechen.

Antifaschismus, die Gegnerschaft gegen Faschismus und Nationalsozialismus; urspr. die in Italien seit 1922 entstandene Opposition gegen die

Antigua und Barbuda

Fläche: 442 km²
Einwohner: (1995) 66 000
Hauptstadt: Saint John's
Amtssprache: Englisch
Nationalfeiertag: 1. 11.
Währung: 1 Ostkarib. Dollar (EC$) = 100 Cents
Zeitzone: MEZ –5 Std.

Staatswappen

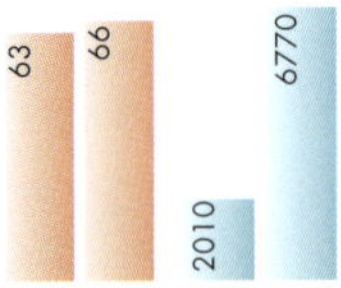

Bevölkerung (in 1000)

Bruttosozialprodukt je Ew. (in US-$)

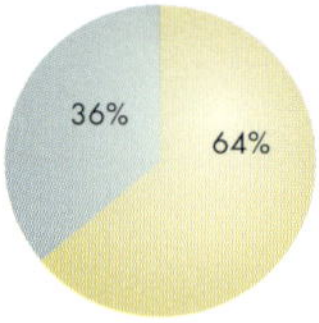

■ Stadt
■ Land

Bevölkerungsverteilung 1993

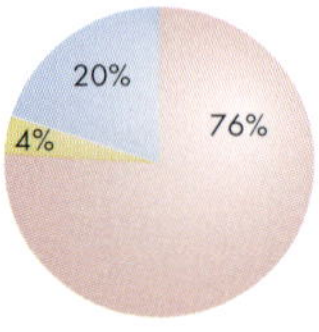

■ Industrie
■ Landwirtschaft
■ Dienstleistung

Bruttoinlandsprodukt 1990

faschist. Herrschaft. Nach der Machtübernahme durch den Nationalsozialismus in Dtl. gewann der A. internat. polit. Bedeutung. Während des 2. Weltkrieges fand sich unter der Bez. A. eine Vielzahl verschiedenartiger polit. und weltanschaul. Richtungen zusammen (→Widerstandsbewegung), oft verbunden mit dem Widerstand gegen die dt. Besatzungsmacht und die mit ihr zusammenarbeitenden Regierungen.

Nach dem Zusammenbruch von Faschismus und Nationalsozialismus (1944/45) bildeten sich antifaschist. Blöcke (»Antifa-Bewegungen«) mit dem Ziel, die ehem. Anhänger der bekämpften Herrschaftsform auszuschalten und das Wiederaufleben faschist. Richtungen zu verhindern. Darüber hinaus entwickelten die Kommunisten ihrerseits die antifaschist. Blöcke zugleich zu einem takt. Werkzeug der Machtübernahme in den Gebieten Mittel-, Ost- und Südosteuropas.

📖 GOTTSCHALD, E.: *A. u. Widerstand. Der Kampf gegen den dt. Faschismus 1933–1945. Ein Überblick. Heilbronn 1985.* – SIM, D.-S.: *Antifaschist. Lit. dt. Schriftsteller der inneren Emigration u. des Exils. Aachen 1994.* – GROEHLER, O. *u.* KESSLER, M.: *Die SED-Politik, der A. u. die Juden in der SBZ u. der frühen DDR, hg. vom Forscher- u. Diskussionskreis DDR-Geschichte. Berlin 1995.*

Antiferromagnetismus, Form der magnet. Ordnung in den →Übergangselementen und ihren Verbindungen **(Antiferromagnete),** z.B. Mangan-, Eisen-, Kobalt- und Nickeloxide und -fluoride. Die magnet. Momente der versch. Untergitter kompensieren sich gegenseitig, sodass im Ggs. zu Ferromagneten keine spontane Magnetisierung auftritt.

Antigen-Antikörper-Reaktion, Abk. **AAR,** Vereinigung eines Antigens mit dem spezif. Antikörper zu einem **Antigen-Antikörper-Komplex** (Immunkomplex). Die AAR ist Grundvorgang der →Abwehr von Organismen, von →Immunität und Überempfindlichkeitsreaktionen (z.B. →Allergie) und die Voraussetzung vieler Tests zur Konzentrationsbestimmung eines Antigens.

Antigene [grch.], Stoffe, die nach Berührung mit dem Organismus in Mensch und Tier die Bildung von →Antikörpern hervorrufen, z.B. wirken artfremde Eiweißstoffe tier. und pflanzl. Herkunft als A. **(Voll-A.);** über **Halb-A.** →Haptene.

Antigone, im grch. Mythos Tochter des Ödipus und der Iokaste, begleitete den verbannten Vater nach Kolonos; kehrte später nach Theben zurück und bestattete gegen Kreons Gebot ihren Bruder Polyneikes nach dessen Niederlage im Krieg der →Sieben gegen Theben und wird zur Strafe auf Kreons Befehl lebendig eingemauert. Als Vorbild der Erfüllung gottgewollter Pflicht gegen Menschenwillkür wurde A. von Sophokles in der Tragödie »Antigone« verherrlicht. Den Stoff behandeln auch Dramen von J. Anouilh, B. Brecht u.a. sowie Opern von C. Orff und A. Honegger.

Antigonos, Könige des Altertums:

Judäa: **1) A. II. Mattathias,** König (40–37 v. Chr.), der letzte Makkabäer, eroberte 40 v. Chr. Jerusalem, wurde von Herodes d. Gr. gestürzt und von den Römern in Antiochia hingerichtet.

Makedonien: **2) A. I. Monophthalmos,** König (seit 306 v. Chr.), *382 v. Chr., †(gefallen) bei Ipsos in Phrygien 301 v. Chr.; Feldherr Alexanders d. Gr., einer der →Diadochen, beherrschte 323/21–301 v. Chr. große Teile Vorderasiens.

3) A. II. Gonatas, König (seit 276 v. Chr.), *um 319 v. Chr., †239 v. Chr.; Neubegründer der makedon. Monarchie, Freund Zenons von Kition.

Antigua und Barbuda (amtlich engl. Antigua and Barbuda), Inselstaat im Karib. Meer, umfasst die Antilleninseln (Kleine Antillen) Antigua (280 km²), Barbuda (161 km²) und Redonda (1 km², unbewohnt).

Staat und Recht: Nach der Verf. von 1981 ist A. u. B. eine konstitutionelle Monarchie im Commonwealth. Staatsoberhaupt ist der brit. Monarch; das Zweikammerparlament besteht aus Senat und Repräsentantenhaus, Reg.chef ist der Premiermin.; stärkste Partei ist die Antigua Labour Party (ALP).

Landesnatur: Die Inseln sind vulkan. Ursprungs, großenteils mit Kalken überdeckt (Antigua bis 403 m ü. M.) und von Korallenriffen umgeben. Das Klima ist tropisch mit mittleren Jahrestemperaturen von 22–30 °C und Niederschlägen von etwa 1 000 mm (v. a. im Sommer).

Bevölkerung: Die Bev. besteht zu etwa 90 % aus Schwarzen afrikan. Abstammung; sie sind überwiegend Anglikaner, zunehmend auch Rastafarier.

Wirtschaft, Verkehr: Wirtsch. Grundlage sind der wachsende Fremdenverkehr sowie die Entwicklung zum Offshore-Finanzzentrum. In der Landwirtschaft überwiegt die Gemüse- und Obstproduktion; daneben Anbau von Baumwolle und Zuckerrohr; wichtigste Handelspartner sind die USA und die CARICOM-Länder.

Wichtigste Verkehrseinrichtungen sind neben dem Straßennetz der Tiefseehafen in Saint John's (für Kreuzfahrtschiffe) und der internat. Flughafen Coolidge auf Antigua.

Geschichte: Die Insel Antigua wurde 1493 von Kolumbus entdeckt und 1632 (Barbuda 1628) von engl. Siedlern kolonialisiert. 1871–1956 war das Gebiet Teil der brit. Kolonie Leeward Islands Federation, gehörte 1958–62 zur Westind. Föderation (seit 1960 mit Selbstverwaltungsverf.), wurde 1967 Mitgl. der Westind. Assoziierten Staaten und ist seit 1981 selbstständig.

Antihistaminika (Histaminantagonisten), Mittel, die die Wirkungen des Histamins auf die Gewebe aufheben oder abschwächen und deshalb bei allerg. Erkrankungen (→Allergie) angewendet werden.

Anti-Hitler-Koalition, die 1941–45 verbündeten Gegner (bes. Großbritannien, UdSSR, USA) des nat.-soz. Dtl. (2. →Weltkrieg).

Antike [zu lat. antiquus »alt«] *die,* das grch.-röm. Altertum. Als geschichtl. Beginn der A. gilt die frühgriech. Einwanderung in Hellas im 2. Jt. v. Chr; das Ende wird unterschiedlich angesetzt, als Epochenjahr wurden u. a. vorgeschlagen: 324 n. Chr. (Beginn der Alleinherrschaft Konstantins d. Gr., endgültiger Sieg des Christentums), 395 (Tod Theodosius' I., Ende der Einheit des Röm. Reiches) und 476 (Ende des weström. Kaisertums). Ebenfalls als Epochenjahr angesehen wird das Todesjahr Justinians I. (565), der Italien von der Herrschaft der Ostgoten befreite. Es wird aber auch – wie in der Kunstgeschichte – das Ende der A. mit dem Einbruch der Araber (7. Jh.) angesetzt. Die histor. Einheit der A. beruht weniger auf polit. Kontinuität als vielmehr auf einem durchgehenden kulturellen Traditionsbewusstsein. Die polit. Entwicklung teilt die A. in drei Abschnitte. Als eigentl. **griechische Geschichte** bezeichnet man die Epoche der Polis, der Stadtstaaten, die niemals eine polit. Einheit bildeten. Die **hellenistische Geschichte** wird von dem Großreich Alexanders d. Gr. und den aus ihm entstandenen Diadochenreichen bestimmt. Der letzte Abschnitt umfasst die **Geschichte Roms** bis zu seinem Untergang. Das lat. MA. hat die antike Tradition teils übernommen und an die Neuzeit weitergegeben (u. a. das röm. Recht), teils im Zuge einer Neubesinnung (v. a. →Renaissance) wieder entdeckt.

📖 *Lexikon der antiken Gestalten. Mit ihrem Fortleben in Kunst, Dichtung u. Musik, bearb. v.* E. M. MOORMANN *u.* W. UITTERHOEVE *A. d. Niederländ. Stuttgart 1995.*

Antiklinale (Antikline) [grch.] *die,* Sattel einer geolog. →Falte. **Antiklinorium,** Faltenbündel, das die Form einer großen A. hat.

Antiklopfmittel (Klopfbremsen), Zusatzstoffe, die die →Klopffestigkeit und Oktanzahl von Ottokraftstoffen erhöhen, z. B. Methanol, Methyl-tert.-butyläther (MTBE), tert.-Butylalkohol (TBA). Bleihaltige A. und Benzol sind in Dtl. seit 1996 nicht mehr zulässig.

Antigua und Barbuda: Die Bucht English Harbour mit Nelson's Dockyard auf Antigua, im 18. und 19. Jh. bedeutendster britischer Flottenstützpunkt in der Karibik

Antikoagulanzien [grch.], blutgerinnungshemmende Mittel, die zur Vermeidung von Thrombosen (z. B. nach Operationen) eingesetzt werden.

Antikominternpakt, dt.-japan. Abkommen von 1936 zur Abwehr der →Komintern: 1937 trat Italien bei, im 2. Weltkrieg folgten andere Verbündete Deutschlands.

Antikommunismus, vielschichtiger Begriff zur Bez. der geistig-polit. Gegnerschaft zum Kommunismus und bes. zu kommunistisch strukturierten Gesellschaftssystemen. Der A. trat in der Zeit des Kalten Krieges exemplarisch in der A.-Kampagne des amerikan. Senators J. R. McCarthy 1950–54 hervor.

antikonzeptionelle Mittel [lat.], empfängnisverhütende Mittel.

Antikörper, den Immunglobulinen zugehörige Eiweißmoleküle, die vom Organismus nach Kontakt mit Antigenen (z.B. Krankheitserregern) gebildet werden und diese unschädlich machen; Teil der Immunabwehr (→Antigen-Antikörper-Reaktion). (→monoklonale Antikörper)

Antilibanon: Ortschaft am Osthang des Gebirges mit Bewässerungsfeldbau

Antilibanon (arab. Djebel esch-Scharki), Gebirge in Vorderasien, bildet den Ostrand des Syr. Grabens, dessen Westrand der Libanon ist; verkarstet, erhält nur spärl. Niederschläge. Höchste Erhebung ist der Tall Musa (2629 m ü. M.).

Antillen *Pl.,* die Inselwelt Mittelamerikas (außer den Bahamas) im Karib. Meer; umfasst im N die **Großen A.** (Kuba, Jamaika, Hispaniola [mit Haiti und der Dominikanischen Republik], Puerto Rico), östlich und südlich davon die **Kleinen A.** mit den Inseln über dem Winde (Virgin Islands bis Trinidad) und den Inseln unter dem Winde (Aruba bis Isla de Margarita, vor der Küste Venezuelas). Die großen Inseln sind vorwiegend gebirgig (in Haiti bis 3175 m ü. M.), z.T. mit tätigen Vulkanen. Das Klima ist tropisch mit häufigen Wirbelstürmen. (→Westindien)

Antimonit (langsäulige Kristalle)

Antilopen [zu mittelgrch. anthólōps »Blumenauge«], umgangssprachl. Sammelbez. für viele Arten der Horntiere Afrikas und Asiens.

Antimachiavell [-makia-] *der,* Titel einer von Friedrich d. Gr. als Kronprinz 1739 entworfenen Schrift zur Widerlegung der Grundsätze Machiavellis (erschien 1740 und 1741 anonym in zwei von Voltaire bearbeiteten Fassungen).

Antimachos, grch. epischer Dichter aus Kolophon, *um 400 v. Chr.; verfasste das Epos »Thebais« und den Elegienzyklus »Lyde«.

Antimaterie, Form der Materie, deren atomare Bausteine (die **Antiatome**) ausschl. aus den →Antiteilchen, also Positronen (Antielektronen), Antiprotonen und Antineutronen, bestehen. Beim Zusammentreffen eines Teilchens mit dem entsprechenden Antiteilchen kommt es zur vollständigen Zerstrahlung **(Annihilation).** Für sich ist A. jedoch ebenso stabil wie Normalmaterie. Die A. wurde erstmals von P. A. M. Dirac postuliert, wenig später wies C. A. Anderson Positronen nach. Im Labor konnte u.a. **Antiwasserstoff** erzeugt werden. Weit entfernte Sternsysteme könnten aus A. aufgebaut sein, man geht jedoch zumeist davon aus, dass das Universum ausschließlich normale Materie enthält.

Antimetabolite [grch.], Stoffe, die aufgrund ihrer chem. Ähnlichkeit mit bestimmten Zellbestandteilen (Metaboliten) deren Platz am Enzym einnehmen. Dadurch treten Stoffwechselstörungen oder Hemmung der Zellteilung auf. A. werden z.T. als zytostat. Mittel und zur Chemotherapie von Bakterieninfektionen verwendet.

Antimodernisteneid, →Modernismus 2).

Antimon *das* (lat. Stibium), chem. Symbol **Sb,** silberweißes, sehr sprödes Halbmetall aus der 5. Hauptgruppe der 5. Periode des Periodensystems. Ordnungszahl 51, relative Atommasse 121,75, Dichte 6,684 g/cm^3, Schmelzpunkt 630 °C, Siedepunkt zw. 1380 und 1750 °C; giftig. – In der Natur kommt A. als sulfid. Erz vor. Durch Rösten der Erze erhält man das Oxid und gewinnt daraus A. durch Reduktion. Techn. Bedeutung hat A. u.a. als härtender Legierungszusatz, seine Verbindungen dienen zur Herstellung von Zündhölzern **(A.-Sulfid)** und Farbstoffen.

Antimonblüte (Valentinit), Sb_2O_3, farbloses bis graues rhomb. Mineral.

Antimonit *der* (Antimonglanz, Grauspießglanz, Stibnit), Sb_2S_3, bleigraues, metallisch glänzendes, rhomb. Mineral; wichtigstes Antimonerz.

Antimonpentasulfid (Goldschwefel), Sb_2S_5, orangerotes Pulver, früher zum Vulkanisieren von Kautschuk, heute für Zündhölzer, Feuerwerksartikel und Pigmente verwendet.

Antimonwasserstoff, SbH_3, farbloses, brennbares, sehr giftiges Gas, entsteht aus Magnesiumantimonid und Salzsäure; verwendet bei der →Dotierung von Siliziumhalbleitern.

Antimykotika [zu grch. mýkēs »Pilz«], Arzneimittel zur Behandlung von Pilzinfektionen, v.a. der Haut.

Antineuralgika [grch.], →schmerzstillende Mittel.

Antineutrino, *Physik:* das →Antiteilchen des →Neutrinos.

Antineutron, *Physik:* das →Antiteilchen des Neutrons.

Antinomie [zu grch. nómos »Gesetz«] *die,* **1)** *allg.:* unvereinbarer Widerspruch.

2) *mathemat. Logik:* die Aussage, dass ein Satz *A* und seine Negation ¬ A (nicht-*A*) gleichzeitig gültig sind.

3) *Philosophie:* der Widerstreit zweier entgegengesetzter Urteile, die beide in sich begründet sind.

4) *Recht:* Widerspruch zw. zwei Rechtssätzen desselben Gesetzes.

Antinomismus [grch.] *der,* die grundsätzl. Gegnerschaft gegen Gesetz und Gesetzlichkeit, die sich auch in anarchist. Ablehnung gesetzgeber. Autorität des Staates ausdrücken kann.

Antinoos, junger Bithynier, *110 n. Chr.; Liebling des röm. Kaisers Hadrian, ertrank 130 im Nil. Hadrian ließ ihn als göttlich verehren und durch Festspiele **(Antinoea)** feiern.

antiochenische Schule, theolog. Richtung des 4. und 5. Jh., bes. im syr. Antiochia, die sich v. a. mit christolog. Problemen befasste; betont das Menschsein Christi und legt Wert auf den wörtl. Sinn der Bibel; an Aristoteles geschult (→Arianismus). Hauptvertreter: Diodor von Tarsus, Johannes Chrysostomos und Theodoretos von Kyrrhos. Sie stand im Ggs. zur →alexandrinischen Schule.

ANTI-MACHIAVEL
OU
ESSAI DE CRITIQUE
SUR LE
PRINCE
DE
MACHIAVEL,
PUBLIE' PAR
MR. DE VOLTAIRE.
Imprimé sur l'Edition Originale de l'Editeur.
A GOTTINGEN,
CHEZ ABRAM. VANDENHOECK,
Libraire & Imprimeur de l'Université,
MD CC XLI.

Antimacchiavell: Titelblatt der Göttinger Ausgabe von 1741

Antiochia, 1) A. am Orontes, 300 v. Chr. gegr. Hptst. der Seleukiden in Syrien, eine der reichsten Handelsstädte des Altertums mit prächtigen Bauwerken, später Sitz des röm. Statthalters von Syrien. Hier entstand die erste heidenchristl. Gemeinde. – Nach der Eroberung durch die Perser (540 n. Chr.) und Araber (637) verfiel A., wurde 1098 von den Kreuzfahrern eingenommen und Hptst. des christl. Fürstentums **Antiochien.** 1268 wurde A. arabisch und kam 1516 an die Türkei; Nachfolgesiedlung ist das heutige →Antakya.

2) A. in Pisidien, antike Stadt des Seleukidenreiches in Kleinasien. Das hier entdeckte **Monumentum Antiochenum** ist als Tatenbericht des Augustus Gegenstück zum Monumentum Ancyranum (→Ankara).

Antiochos, Könige des Seleukidenreichs:

1) A. I. Soter [»Retter«], *Ende 324 v. Chr., †2. 6. 261 v. Chr.; König 281–261 v. Chr., gründete zahlr. Städte und führte den Herrscherkult ein.

2) A. III., der Große, *243/242 v. Chr., †bei Susa 187 v. Chr., Urenkel von 1); König 223–187 v. Chr., schlug die Parther und Baktrer, eroberte Phönikien und Palästina, unterlag gegen die Römer **(Antiochischer Krieg,** 192–189 v. Chr.) und musste Kleinasien westlich des Taurus abgeben.

Antiochos III., der Große (antike Kopie; Paris, Louvre)

Antiope, im grch. Mythos Tochter des Königs Nykteus von Theben, gebar dem Zeus Amphion und Zethos.

Antioxidantien, organ. Verbindungen (Phenole, Amine, Schwefel- und Phosphorverbindungen), die den oxidativen Abbau verhindern oder verzögern; finden als Alterungsschutzmittel für Kautschuk, Kunststoff, Anstriche u. a. Verwendung. Für Lebensmittel und Kosmetika allg. zugelassen sind z. B. Salze der Ascorbinsäure und Tocopherol (→Vitamine), die Verwendung z. B. von Gallaten und Butylhydroxyanisol ist beschränkt.

antiparallel, in entgegengesetzter Richtung parallel verlaufend.

Antiparallelschaltung, eine elektr. Schaltungsanordnung zweier stromrichtungsabhängiger Bauteile so, dass sie von entgegengesetzt gerichteten Strömen durchflossen werden, z. B. Wechselstromsteller mit zwei Thyristoren.

Antipathie [grch.] *die,* Abneigung gegen eine Person oder Sache; sie kann instinktiv, anerzogen oder durch Erfahrung erworben sein. Ggs.: Sympathie.

Antiphlogistika [grch.], →entzündungshemmende Mittel.

Antiphon [grch. »Gegengesang«] *die,* urspr. Gesang von Männer- und Frauenchören, in der christl. →Psalmodie v. a. Wechselgesang zw. zwei einstimmigen Chören. I. e. S. sind die A. Kehr- und Rahmenverse eines Psalms, im weiteren und späteren Gebrauch Chorgesänge überhaupt. (→Antiphonar)

Antiphon, att. Redner, *Rhamnus 480 v. Chr., †(hingerichtet) 411 v. Chr. als Führer der oligarch. Partei. Von ihm erhalten sind drei Prozessreden, Fragmente seiner eigenen Verteidigungsrede sowie 12 Musterreden, deren Echtheit angezweifelt wird. Die Identität mit dem Sophisten A. ist ungeklärt.

Antiphonar [grch.-lat.] *das* (Antiphonale), das liturg. Buch, das die Gesänge für das Offizium enthält (Antiphonen, Responsorien, Hymnen u. a.).

Antipode [grch. »Gegenfüßler«] *der,* **1)** *allg.:* Bewohner an einem diametral entgegengesetzten Punkt der Erde; übertragen: jemand, der einen entgegengesetzten Standpunkt vertritt.

2) *Chemie:* →Asymmetrie.

Antipodeninseln, unbewohnte zu Neuseeland gehörende Felseninseln, im S-Pazifik, 62 km² Landfläche; liegen 178°50' östl. Länge und 49°42' südl. Breite und damit nahezu antipodisch zu Greenwich (0° und 51°29' n. Br.); 1800 entdeckt.

Antiproton, *Physik:* negativ geladenes →Antiteilchen des Protons.

Antipyretika [zu grch. pyr »Feuer«], fiebersenkende Mittel (→Fiebermittel).

Antiqua (Littera antiqua) [lat. »alte Schrift«] *die,* die im zweiten Jahrzehnt des 15. Jh. in Italien aufgekommene handgeschriebene Buchschrift (im Ggs. zur spätmittelalterlichen got. »littera moderna«). Vorbild für ihre Großbuchstaben war das

Antiqua: Verschiedene Schriftformen

Alphabet der antiken Inschriften, für ihre Kleinbuchstaben die karoling. Minuskel. Der Humanismus förderte die Ausbreitung der A. und bewirkte zuerst in S- und W-Europa den allmähl. Rückgang der got. Schriftarten (→Fraktur).

Antiquariatsbuchhandel (Antiquariat), der Zweig des Buchhandels, der sich mit dem An- und Verkauf alter Bücher, Kunstblätter, Handschriften usw. befasst. Das **moderne Antiquariat** verwertet (»verramscht«) Restauflagen verlagsneuer Bücher, die zum ursprüngl. Ladenpreis nicht mehr abgesetzt werden können.

Antiquität [lat.] *die,* kunsthandwerkl. Gegenstand (Möbel, Porzellan, Schmuck u. a.), der ein bestimmtes Alter erreicht hat.

Antirheumatika [grch.], Mittel zur Behandlung des →Rheumatismus.

Antischaummittel, Substanzen (z. B. Siliconöle und Polyäthylenglykoläther), die an Gas-Flüssigkeits-Grenzflächen einen geschlossenen Film bilden und damit ein Schäumen verhindern (**Schaumverhütungsmittel**) oder einen vorhandenen Schaum zerstören (**Entschäumer**). Schaumregulatoren mindern die Schaumentwicklung der Tenside in Waschmitteln.

Antisemitismus *der,* Abneigung und Feindseligkeit gegenüber den Juden, insofern irreführend, als nicht die Gesamtheit der semit. Völker gemeint ist. Ursprünglich entzündete sich diese Feindschaft an der religiösen und sozialen Absonderung der Juden in den Gastländern, seit sie über die Welt verstreut wurden (Diaspora), sodass die jüd. Minderheiten schon vor der Durchsetzung des Christentums als fremdartig erschienen. Von dieser traditionellen Judenfeindschaft (Judenverfolgungen im Röm. Reich, Kampf gegen das Judentum im MA.) ist der moderne, v. a. gegen die Judenemanzipation (rechtl. und gesellschaftl. Gleichstellung seit dem 18./19. Jh.) gerichtete A. zu unterscheiden. Er wurde vorwiegend wirtsch. und politisch begründet und benutzt (z. B. J. A. Gobineau, H. S. Chamberlain). Seit dem Ende des 19. Jh. gewann der rassist. A. v. a. in Dtl., Österreich-Ungarn und auch in Osteuropa wachsenden polit. Einfluss. Nach dem 1. Weltkrieg wurde er für breite Schichten in diesen Ländern zur irrationalen Zwangsvorstellung und Schlüsselerklärung der sozialen und polit. Strukturkrise. Die hemmungslose antisemit. Agitation erklärte den Einfluss von Menschen jüd. Herkunft und Tradition in Wirtschaft, Kunst und Literatur als »zersetzend«; sie stellte alle Formen des Liberalismus, Kapitalismus und Sozialismus nur als versch. Ausprägungen einer zielgerichteten, »parasitären« jüd. »Unterwanderung« dar. Dieser bereits in seiner Gesinnung gewalttätige A. führte als fester Bestandteil der nat.-soz. Ideologie in Dtl. zu einer ständig sich steigernden Judenverfolgung von der Ausschaltung der Juden aus dem öffentl. Leben, der staatl. Provozierung von Pogromen bis zur »Endlösung der Judenfrage«, d. h. der Ermordung von etwa 6 Mio. Juden während des 2. Weltkrieges.

Nach 1945 ist der A. als kollektives Vorurteil weltweit noch keineswegs überwunden (z. B. Anschläge rechtsradikal-antisemit. Gruppen auf jüd. Einrichtungen in Dtl.). Im europ. Herrschaftsbereich des Marxismus-Leninismus war der A. nur oberflächlich überdeckt. In den angelsächs. Ländern hat der A. religiösen, wirtsch. oder gesellschaftlich-diskriminierenden Charakter. In den islam. Ländern besteht im Kampf der Araber gegen den Zionismus und den Staat Israel ein A. eigener Art. Auch sonst zeigen sich in neuerer Zeit Übergänge zw. A. und Antizionismus; dessen Motive können dann (unbewusst oder aus ideolog. Gründen) zu antisemit. Konsequenzen führen.

Der Beseitigung des A. dienen u. a. die internat. Verträge und die Bemühungen der UNO zur Gewährleistung der Menschenrechte sowie die innerstaatl. Verbote der unterschiedl. Behandlung von

Menschen wegen ihrer Abstammung, Rasse, Herkunft, ihres Glaubens, ihrer religiösen oder polit. Anschauung. Die →Gesellschaften für Christlich-Jüdische Zusammenarbeit bemühen sich, antisemit. Vorurteile an ihrer Wurzel zu bekämpfen; Religionsgespräche zw. Juden und Christen tragen zur weiterführenden Diskussion bei.

📖 POLIAKOV, L.: *Gesch. des A., 8 Bde. A. d. Frz. Worms u. a. 1–2 1977–88. – Bibliographie zum A., hg. v.* H. A. STRAUSS, *3 Bde. u. Register-Bd. München 1989–93.* – KATZ, J.: *Vom Vorurteil bis zur Vernichtung. Der A. 1700–1933. A. d. Engl. Neuausg. Berlin 1990.* – BERGMANN, W. *u.* ERB, R.: *A. in der Bundesrepublik Deutschland. Ergebnisse der empir. Forschung von 1946–1989. Opladen 1991. – A. in Osteuropa. Aspekte einer histor. Kontinuität, hg. v.* P. BETTELHEIM, *Beiträge v.* W. BENZ *u. a. Wien 1992. – A. Vorurteile und Mythen, hg. v.* J. H. SCHOEPS *u.* J. SCHLÖR. *München u. a. 1995.*

Antisepsis [grch.] *die* (Antiseptik), die Abtötung der Krankheitserreger in der Wunde mit chem. Mitteln **(Antiseptika).** (→Asepsis)

Antiskating-Einrichtung [-'skeɪtɪŋ-; engl. to skate »gleiten«], Vorrichtung an Plattenspielern zur Kompensation der den Tonarm gegen die innere Rillenflanke drückenden Kraft.

Antisklavereiakte, am 25. 9. 1926 in Genf unterzeichnetes Abkommen, das die Beteiligten zur Beseitigung des Sklavenhandels verpflichtet.

Antistatika (antistatische Mittel), oberflächenaktive Stoffe, die die elektrostat. Aufladung bes. bei Kunststoffgegenständen und Chemiefasertextilien verhindern sollen.

Antisthenes, grch. Philosoph aus Athen, * um 445 v. Chr., † um 360 v. Chr.; Schüler des Sokrates, Gründer der **kynischen Philosophenschule.** A. vertrat das Ideal der Bedürfnislosigkeit und Unabhängigkeit von äußeren Dingen. Nach Platon war A. Sensualist und Materialist: Er anerkannte nur sinnl. Vorstellungen; allg. Begriffe und Ideen sind ihm leeres Gerede.

Anti-Stokes-Linilen [-'stəʊks-], →Raman-Effekt.

Antiteilchen, Elementarteilchen, das sich vom zugehörigen Teilchen nur durch das Vorzeichen der Ladung (→Ladungskonjugation), bei Fermionen zusätzlich der Parität, unterscheidet; für Teilchen und A. sind deshalb z. B. Masse, Lebensdauer, Spin und Isospin gleich. Eine Deutung für das Auftreten von A. gibt die Quantenmechanik in ihrer relativist. Verallgemeinerung (P. A. M. Dirac), nach der die Teilchen neben positiven auch negative Energiezustände besitzen können (→Löchertheorie). Teilchen und A. verschwinden (zerstrahlen) ebenso gemeinsam (Paarvernichtung), wie sie gemeinsam entstehen (Paarbildung); aufgrund der Zerstrahlung sind A. nur äußerst kurzlebig darstellbar, obwohl sie die gleiche Lebensdauer haben wie die Teilchen. Positron, Antiproton und Antineutron sind die elementaren Bausteine von Antiatomen (→Antimaterie). Das Teilchen-A.-Konzept wird theoretisch durch das →CPT-Theorem gestützt.

Antithese [grch.], **1)** *Philosophie:* Gegenbehauptung, Gegenthese (→Dialektik).

2) *Stilistik:* Zusammenstellung gegensätzlicher Begriffe und Urteile, z. B. »Feuer und Wasser«.

antithetisch, *Geologie:* →Verwerfung.

Antitoxin [grch.], Gegengift, wird im menschl. und tier. Körper zur Unschädlichmachung eingedrungener Gifte (Toxine) gebildet; gehört zu den →Antikörpern.

Antitrinitarier, zusammenfassende Bez. für die Bestreiter der christl. Lehre von der →Trinität. (→Sozinianer, →Unitarier)

Antitrustgesetze [-'trʌst-], Gesetze gegen Wettbewerbsbeschränkungen und Monopolisierung in den USA, bes. der »Sherman Act« (1890, gegen Kartelle) und der »Clayton Act« (1914, gegen Preisdiskriminierung u.a.). (→Trust)

Antium, das antike →Anzio.

Antivalenz, eine Verknüpfung der →Schaltalgebra.

Antivitamine, chem. Stoffe (Antimetabolite), die die Wirksamkeit von Vitaminen zu hemmen vermögen. A. erlauben einen Eingriff in vitamingesteuerte Stoffwechselvorgänge und damit eine gezielte Behandlung mancher Krankheiten.

Antizipation [lat.] *die,* **1)** *allg.:* (gedankl.) Vorwegnahme zukünftigen Geschehens.

2) *Betriebswirtschaft:* Zahlung vor Fälligkeitstermin; hat z. T. Zinsvergütung oder Diskont zur Folge.

3) *Finanzwesen:* Vorgriff des Staates auf spätere (Steuer-)Einnahmen.

Antizipation 4): Bei der harmonischen Antizipation (1) wird der mit * bezeichnete Ton aus dem Folgeakkord vorgezogen und bewirkt so eine Dissonanz, bei der melodischen (2) ist dies ein Ton der Melodie

4) *Musik:* die Vorwegnahme eines oder mehrerer Töne, die erst der folgenden Harmonie angehören.

antizipative Posten, →Rechnungsabgrenzung.

antizyklisch, 1) *allg.:* in unregelmäßiger Folge wiederkehrend.

2) *Wirtschaft:* Konjunkturschwankungen entgegenwirkend, z. B. durch Maßnahmen der Finanz- oder Konjunkturpolitik.

Antonello da Messina: Der heilige Hieronymus im Gehäuse (um 1456; London, National Gallery)

Antizyklone [grch. »Gegenwirbel«], →Hochdruckgebiet.

Antofagasta, Hptst. der Provinz A. in N-Chile, 226 700 Ew.; Univ.; kath. Erzbischofssitz; wichtigster Erzausfuhrhafen Chiles (bes. Kupfererz), z.T. auch für Bolivien; Erzaufbereitung, Fischfang und -verarbeitung, Werften; auch Badeort. A. gehört seit 1884 zu Chile.

Michelangelo Antonioni

Antoine [ã'twan], André, frz. Bühnenleiter, *Limoges 31. 1. 1858, †Le Pouliguen (Dép. Loire-Atlantique) 19. 10. 1943; gründete 1887 das »Théâtre Libre« in Paris, wo er einen streng naturalist. Stil einführte; wirkte revolutionierend für das frz. Theater.

Anton, Herrscher:

Braunschweig-Wolfenbüttel: **1) A. Ulrich,** Herzog (1704–14), *Hitzacker (Kr. Lüchow-Dannenberg) 4. 10. 1633, †Salzdahlum (heute zu Wolfenbüttel) 27. 3. 1714; unterwarf 1671 die Stadt Braunschweig, wurde 1710 kath.; war Mitgl. der literar. »Fruchtbringenden Gesellschaft«, verfasste Kirchenlieder, Singspiele, Romane.

Marcus Antonius (Rom, Vatikanische Sammlungen)

Navarra: **2) A. von Bourbon,** König (1555–62), *La Fère-en-Tardenois (Dép. Aisne) 22. 4. 1518, ⚔Les Andelys (bei Rouen) 17. 11. 1562; heiratete 1548 die Erbin des Königreichs Navarra, Johanna von Albret; seit 1557 ein Führer der Hugenotten, wurde aber 1561 wieder kath.; fiel im 1. Hugenottenkrieg als Befehlshaber des kath. Heeres. Vater Heinrichs IV.

Antonello da Messina, italien. Maler, *Messina um 1430, †ebd. zw. 14. und 25. 2. 1479; vermittelte den venezian. Malern die altniederländ. Harzölmalerei; schuf Porträts und Altarbilder.

Antonescu, Ion, rumän. Marschall, *Pitești 14. 6. 1882, †(hingerichtet) Jilava (heute zu Bukarest) 1. 6. 1946; seit 1940 Militärdiktator, erzwang die Abdankung König Karls II., nahm 1941 am Krieg gegen die UdSSR teil; im Aug. 1944 verhaftet und 1946 durch den rumän. Volksgerichtshof als Kriegsverbrecher verurteilt.

Antoninus Pius, röm. Kaiser (138–161 n. Chr.), *Lanuvium (heute Lanuvio, bei Velletri) 19. 9. 86, †Lorium (bei Rom) 7. 3. 161; Adoptivsohn Hadrians, ein friedliebender, gerechter Herrscher. Er erweiterte in Mauretanien und Britannien das röm. Gebiet und ließ in Schottland einen Grenzwall **(Antoninuswall)** errichten. Seine Tochter Faustina war Gattin seines Adoptivsohns Mark Aurel.

Antonioni, Michelangelo, italien. Filmregisseur, *Ferrara 29. 9. 1912; dreht realistisch-pessimist., gesellschaftskrit. und psycholog. Filme: »Der Schrei« (1957), »Die Nacht« (1960), »Liebe 62« (1962), »Die Rote Wüste« (1963), »Blow-up« (1966), «Zabriskie Point« (1970), »Der Reporter« (1973), »Identifikation einer Frau« (1981).

Antonius, Marcus (Mark Anton), röm. Staatsmann und Feldherr, *um 82, †30 v. Chr.; Anhänger Caesars, wurde 44 mit diesem Konsul und bemächtigte sich nach dessen Ermordung der Herrschaft in Rom. Mit Octavian (→Augustus) und Lepidus schloss er 43 das 2. Triumvirat. 40 erhielt er bei der Aufteilung des Oberbefehls den Osten, Octavian den Westen, Lepidus zunächst Afrika. Misshelligkeiten zw. Octavian und A., der stark unter dem Einfluss der Kleopatra stand, führten zum Krieg und 31 zur Niederlage A.s bei Aktium; er floh nach Alexandria und tötete sich selbst. – Trauerspiel »A. und Kleopatra« von W. Shakespeare.

Antonius der Große, der »Vater des Mönchtums«, *Kome (heute Keman, Mittelägypten) 251/252, †356; lebte als Einsiedler in der Wüste. Schutzheiliger der Haustiere und gegen Feuersgefahr; formte das asket. Leben der Einsiedler. Heiliger, Tag: 17. 1.; Kennzeichen: Stab mit T-förmigem Kreuz **(Antoniuskreuz)** und Glocke. In der Kunst häufig dargestellt werden die Versuchungen des A. (u.a. von M. Schongauer, M. Grünewald, H. Bosch, S. Dalí, M. Ernst).

Antonius von Padua, Kirchenlehrer, *Lissabon 1195, †Arcella (heute zu Padua) 13. 6. 1231; erster Lehrer des Franziskanerordens; Schutzheiliger der Ehe, Bäcker, Bergleute, Pferde und verlorener Sachen; Tag: 13. 6. – Szenen aus seinem Leben zeigen Bronzereliefs von Donatello am Hochaltar seiner Grabeskirche und ein Fresko von Tizian in der Scuola del Santo (beide in Padua). – Als **Antoniusbrot** werden Almosen bezeichnet, die A. gespendet werden, um seine Fürsprache zu erlangen.

📖 ALKOFER, A.-P.: *A. von Padua. Franziskaner auf Umwegen. Würzburg u. a. 1994.*

Antrag, 1) *Recht:* schriftl. Gesuch als Voraussetzung behördl., namentlich gerichtl. Tätigkeit; im Zivilprozess Voraussetzung für jede richterl. Tätigkeit, deren Ziel und Begrenzung der A. angibt; im bürgerl. Recht die Aufforderung zum Vertragsabschluss **(Offerte).**

2) *Staatsrecht:* Vorschlag für einen Beschluss des Parlaments oder eines Beschlussorgans.

Antragsdelikt, *Recht:* strafbare Handlung, die nur auf Antrag des Verletzten oder anderer Antragsberechtigter verfolgt wird (z. B. Beleidigung). Das Recht, den Antrag zu stellen, erlischt nach drei Monaten, beginnend mit dem Tage, an dem der Berechtigte von der Handlung und der Person des Täters Kenntnis erlangt hat (§ 77b StGB).

Antrieb, 1) *Psychologie:* Gesamtheit der Willens-, Trieb-, Instinkt- und Verhaltensimpulse bei Mensch und Tier.

2) *Technik:* 1) der einem Körper zugeführte Impuls; übertragen auch die Kraftmaschine, die den mechan. A. liefert (z. B. Elektromotoren, Wärme-, Wasser- und Windkraftmaschinen); 2) die Teile einer Maschine oder Anlage, die die Bewegung vermitteln. Man unterscheidet nach dem Kraftmittel Hand-, Fuß-, elektr., hydraul. und pneumat. Antrieb.

Antonius der Große: Hieronymus Bosch, »Die Versuchung des heiligen Antonius« (um 1510; Madrid, Prado)

Antriebsbahn, bei einer Rakete der Teil der Flugbahn, den sie bis zum Brennschlusspunkt zurücklegt.

Antriebswelle, Maschinenelement zur Übertragung von Motorleistung (z. B. durch Kardan- oder Gelenkwellen) auf andere Maschinen oder Maschinenteile.

Antrim [ˈæntrɪm], Distr. in Nordirland, 578 km^2, (1991) 44 500 Ew.; weitgehend ein Basaltplateau mit Kliffküste (u. a. → Giant's Causeway).

Antwerpen 2): Der »Grote Markt« mit ehemaligen Zunfthäusern (16. Jh.)

Antsiranana (früher Diégo-Suarez), Provinzhauptstadt in N-Madagaskar, 100 000 Ew.; kath. Erzbischofssitz; Lebensmittelind., Hafen, Flughafen.

Antunes [-ʃ], António Lobo, portugies. Schriftsteller, *Lissabon 1. 9. 1942; Arzt, leistete Militärdienst in Angola, war als Gegner Salazars in Gefängnishaft; schreibt meisterhafte Romane mit autobiograph. Hintergrund (u. a. »Judaskuß«, 1979; »Der Reigen der Verdammten«, 1985; »Die natürl. Ordnung der Dinge«, 1992) sowie Essays.

Antung, chines. Stadt, → Dandong.

Antwerpen (frz. Anvers), **1)** Prov. in Belgien, 2 867 km^2, (1995) 1,63 Mio. Einwohner.

Antwerpen 1) Provinzwappen

Antwerpen 2) Stadtwappen

2) Hptst. der belg. Prov. A., am rechten Ufer der Schelde, 88 km oberhalb der Mündung in die Nordsee, 473 100 Ew.; kultureller Mittelpunkt der Flamen; königl. Museum der schönen Künste (mit Hauptwerken der fläm. Malerei), Rubenshaus, Oper, drei Univ. (gegr. 1852, 1965 und 1971), Inst. für trop. Medizin, Akademie der Schönen Künste, Konservatorium, Handelshochschule, Marineakademie, Schifffahrtsmuseum. Wichtige Handelsstadt (mit Diamantenbörse), die Ind. umfasst Erdölraffinerien, Eisen- und Stahlind., Großchemie, Automobilfabriken, Werften, Textilind.; Diamantenschleifereien. – Der ausgedehnte Hafen in den Marschen des Scheldebogens ist durch Kanäle mit Maas und Rhein verbunden. A. besitzt eine U-Bahn sowie einen internat. Flughafen.

Stadtbild: Bed. Bauwerke der Altstadt sind die Kathedrale (14.–16. Jh., das Hauptwerk der fläm. Spätgotik; mit Altarbildern von Rubens); spätgot.

Jakobskirche, Rathaus im Renaissancestil (16. Jh.) am Grote Markt, ehem. Zunfthäuser, königl. Rokokopalast. Der Steen an der Schelde ist ein Rest der alten Burg (von den Normannen 836 zerstört).

Geschichte: A. (früher auch **Antorf** gen.), wurde um 1000 Sitz eines Markgrafen und fiel Ende des 11. Jh. an Brabant; es erhielt 1291 Stadtrecht und war ab 1313 Mitgl. der Hanse. Mit Brabant kam A. 1430 zu den burgund., dann habsburg. Niederlanden und stieg nach der Versandung Brügges zur ersten Handelsstadt Europas (bes. unter Karl V.) auf. Nachdem A. während des niederländ. Aufstands 1585 von den Spaniern zurückerobert worden war und die Holländer die Scheldemündung sperrten, verlor es seine wirtsch. Stellung an Amsterdam. Im 19. Jh. entwickelte sich A. wieder zu einem der größten Handelsplätze des europ. Festlandes und wurde (seit 1859) zu einer der stärksten Festungen Europas (1918 und 1945 geschleift).

Antwortschein (internationaler A.), Gutschein für Postwertzeichen im Wert des Portos für einen Auslandsbrief; gültig im Bereich des Weltpostvereins.

Anubis: Relief aus dem Osiristempel Sethos' I. in Abydos mit Anubis und Sethos I. (um 1290 v. Chr.)

Anubis, ägypt. Totengott in Schakalgestalt oder als Mensch mit Schakalkopf; Totengott und Schutzherr der Gräber; von den Griechen als **Hermanubis** dem Götterboten Hermes gleichgesetzt.

ANUGA, Abk. für **A**llgemeine **N**ahrungs- **u**nd **G**enussmittel**a**usstellung. Seit 1951 alle zwei Jahre in Köln (zuerst 1919 in Stuttgart) abgehaltene Ausstellung der Nahrungs- und Genussmittelproduzenten.

Anuradhapura, Prov.-Hptst. in Sri Lanka, 46 000 Ew. A. war vom 5.(?)/3. Jh. v. Chr. bis zum 8. Jh. n. Chr. Hptst. von Ceylon; die weitläufige Ruinenstätte dieser Stadt (UNESCO-Weltkulturerbe) ist heute wieder Pilgerziel der Buddhisten; zu den wichtigsten Heiligtümern gehören die Thuparama- und die Ruanweli-Dagoba sowie der Felsentempel Issurumuniya u. a. mit den Mondsteinen.

Anurie [grch.] *die,* fehlende oder eingeschränkte Harnausscheidung.

Anus [lat. »Ring«] *der,* der →After; **A. praeternaturalis** (kurz **A. praeter**) der →Kunstafter.

Anuszkiewicz [ænʊʃˈkjevɪtʃ], Richard, amerikan. Maler, *Erie (Pa.) 23. 5. 1930; malt rein geometrisch aufgebaute Bilder im Stil der Op-Art.

Anvers [ãˈvɛːr], frz. Name von →Antwerpen.

Anwachsung, die kraft Gesetzes eintretende Erhöhung eines Anteils an einer Vermögensmasse, insbesondere die Erhöhung des Erbteils eines eingesetzten Erben infolge Wegfalls eines Miterben (§§ 2094, 2095 BGB).

Anwalt, →Rechtsanwalt.

Anwaltszwang, der gesetzl. Zwang, sich in einem Zivilprozess vor den Landgerichten und den höheren Gerichten durch einen bei dem Prozessgericht zugelassenen Rechtsanwalt vertreten zu lassen (**Anwaltsprozess,** § 78 ZPO). A. besteht auch vor dem Familien-, vor dem Bundes- und Landesarbeits-, vor dem Bundesverwaltungs- und Bundessozialgericht.

Anwartschaft, im Zivilrecht die rechtlich begründete, aber unsichere Aussicht auf einen zukünftigen Rechtserwerb; als **A.-Recht** (kann nicht mehr gegen den Willen des Inhabers entzogen werden) bedeutsam v. a. im Sachen- und Grundstücksrecht.

Anweisung, 1) *Informatik:* Teil eines Programms, das eine in der betreffenden Programmiersprache abgefasste Arbeitsvorschrift (Befehl, Aufruf u. a.) darstellt.

2) *Privatrecht:* schriftl. Willenserklärung, durch die jemand einen anderen anweist, einem Dritten (dem Begünstigten) Geld, Wertpapiere oder andere vertretbare Sachen zu leisten, und zugleich den Dritten ermächtigt, die Leistung im eigenen Namen zu erheben (§§ 783 ff. BGB). Besondere Arten der A. sind Wechsel, Scheck und die kaufmänn. A. (§ 363 HGB). Die Post-A. ist keine A. im Rechtssinn.

Anwendungsprogramm, ein Computerprogramm mit anwenderfreundl. Benutzung (Benutzerführung), z. B. Textverarbeitungs-, Datenverarbeitungs- oder Zeichenprogramme.

Anzahlung, bei Vertragsabschluss gegebene Teilzahlung.

Anzapfung, 1) *Elektrotechnik:* Maßnahme zur stufenweisen Änderung des Übersetzungsverhältnisses von Transformatoren.

2) *Geographie:* durch rückschreitende Erosion bewirktes Eingreifen eines Flusses in das Tal eines anderen Flusses.

Anuradhapura: Ruanweli-Dagoba (2. Jh. v. Chr.)

Anzeichen, *Medizin:* →Symptom.

Anzeige, 1) *Recht:* Die Mitteilung des Verdachts einer Straftat. A. können von jedermann bei der Staatsanwaltschaft, den Behörden und Beamten des Polizeidienstes und den Amtsgerichten schriftlich oder mündlich erstattet werden (§ 158 StPO; →Verdächtigung). Die A. ist vom →Strafantrag zu unterscheiden.

2) (Annonce, Inserat) in Zeitungen, Zeitschriften oder anderen Druckschriften aufgrund eines A.-Vertrages zw. Verleger und Auftraggeber abgedruckte Bild- und/oder Textinformation. Formal zu unterscheiden sind **offene A.** und **geheime A.** (**Kennwort-A.** oder **Chiffre-A.**), inhaltlich v. a. **private A., amtliche A.** und **geschäftliche A.** Letztere stellen wegen ihrer vielfältigen formalen und inhaltl. Ausgestaltbarkeit, kurzfristigen Disponierbarkeit, zielgruppenspezif. Streubarkeit und relativ geringen Kosten eines der am häufigsten eingesetzten Werbemittel dar. Die Preise für Geschäfts-A. sind v. a. von der durch die Mediaforschung ermittelten Reichweiten des Mediums (Tausenderpreis) sowie der Größe, Platzierung und Farbgebung abhängig.

Anzeigepflicht, 1) *Recht:* allg. die auf Gesetz oder Vertrag beruhende Rechtspflicht, Behörden, Vertragspartnern oder sonstigen Dritten bestimmte Tatsachen zur Kenntnis zu bringen (v. a. im Gewerbe-, Steuer- und Arbeitsrecht); im Strafrecht die Pflicht zur Anzeige bestimmter Verbrechen. Gemäß § 138 StGB ist die unterlassene Anzeige z. B. bei Hochverrat, Landesverrat, Geld- und Wertpapierfälschung, Mord, Totschlag, Menschenhandel strafbar, wenn glaubhafte Kenntnis von dem Vorhaben oder Beginn der Tat besteht und solange Ausführung oder Erfolg noch abgewendet werden kann. (→Meldepflicht)

2) *Versicherung:* Der Versicherungsnehmer unterliegt mehrfach der A. Bei Vertragsabschluss muss er dem Versicherer alle gefahrerhebl. Umstände, während der Laufzeit jede Gefahrerhöhung, schließlich bei Eintritt des Versicherungsfalles diesen Eintritt anzeigen.

Anzengruber, Ludwig, österr. Schriftsteller, * Wien 29. 11. 1839, † ebd. 10. 12. 1889; schrieb realist. Bauerndramen und -komödien, z. B. »Der Pfarrer von Kirchfeld« (1871), »Der Meineidbauer« (1871), »Die Kreuzelschreiber« (1872), »Der G'wissenswurm« (1874), und Romane »Der Schandfleck« (1877), »Der Sternsteinhof« (1885). A. bereicherte die volkstüml. Erzählkunst.

Ludwig Anzengruber

Anziehungskraft, Kraft, die den gegenseitigen Abstand zw. Körpern oder Teilchen zu verringern sucht, z. B. →Gravitation, →Austauschkraft, →Kernkräfte.

Anzin [ɑ̃'zɛ̃], Industriestadt im Dép. Nord, Frankreich, in der Agglomeration Valenciennes, 14 600 Ew.; Mittelpunkt des nordfrz. Steinkohlenbergbaus; Hüttenwerke, Stahlverarbeitung.

Anzio, Hafenstadt und Badeort in Latium, Italien, südlich von Rom, 37 200 Ew. – Das **Antium** der Volsker (338 v. Chr. von Rom unterworfen) war schon in röm. Zeit Villen- und Badeort, daher wurden hier viele antike Kunstwerke gefunden, u. a. das »Mädchen von Anzio« und der »Apoll vom Belvedere«.

ANZUS-Pakt ['ænzəs-; Abk. für engl. **A**ustralia, **N**ew **Z**ealand, **U**nited **S**tates], am 1. 9. 1951 von Australien, Neuseeland und den USA abgeschlossenes und 1952 in Kraft getretenes Verteidigungsbündnis; 1954 durch den Südostasiat. Sicherheitsvertrag (→SEATO) ergänzt. Wegen seiner Kernwaffen ablehnenden Politik wurde Neuseeland 1986 ausgeschlossen.

a. o., Abk. für **a**ußer**o**rdentlich; a. o. Prof., außerordentl. Professor.

AOK, Abk. für 1) **A**rmee**o**ber**k**ommando.

2) **A**llgemeine **O**rts**k**rankenkasse.

Äoli|er (Äoler), aus Thessalien und Böotien stammende altgrch. Bewohner der Landschaft **Äolis (Äolien)** in Kleinasien. Ihre Städte waren seit 545 v. Chr. von Persien abhängig, gehörten nach den Perserkriegen größtenteils zum Att. Seebund und standen 404 v. Chr. bis zur hellenist. Zeit wieder unter pers. Herrschaft.

Aosta
Stadtwappen

äolisch [nach Äolus], vom Wind geformt oder abgelagert.

Äolische Inseln, die →Liparischen Inseln.

äolischer Kirchenton, auf dem Grundton a stehende →Kirchentonart.

äolische Verse, in der antiken Metrik Verse mit fester Silbenzahl, in denen zw. den Längen ein und zwei Kürzen stehen, z. B. die Verse der sapphischen Strophe (ÜBERSICHT Metrik).

Äolsharfe (Windharfe, Geisterharfe), seit der Antike bekanntes Saiteninstrument, dessen über einen hölzernen Resonanzkörper gespannte, auf den gleichen Ton gestimmte Saiten unterschiedlicher Dicke durch Luftzug in Schwingung versetzt werden und versch. Obertöne des Grundtons erklingen lassen.

Äolus (grch. Aiolos), grch. Gott der Winde.

Aomen, amtlich chinesisch für →Macau.

Aomori, Hptst. der japan. Präfektur A., auf Honshū, 287 800 Ew.; Hafen durch Eisenbahnfähre und →Saikantunnel mit Hakodate auf Hokkaidō verbunden; Holzumschlag; bed. Fischerei.

Äon [grch. aiṓn »Zeit«] (Pl. Äonen), Ewigkeit, Weltalter.

Aorist [grch. »unbegrenzt«] *der,* Zeitform des Verbs (u. a. im Altind., Griech., Slaw.), die eine punktuelle Handlung ausdrückt, gewöhnlich die abgeschlossene Vergangenheitsform.

Aorta [grch.] *die* (Hauptschlagader), die aus dem Aortenvorhof der linken Herzkammer entspringende Arterie; sie gliedert sich anschließend

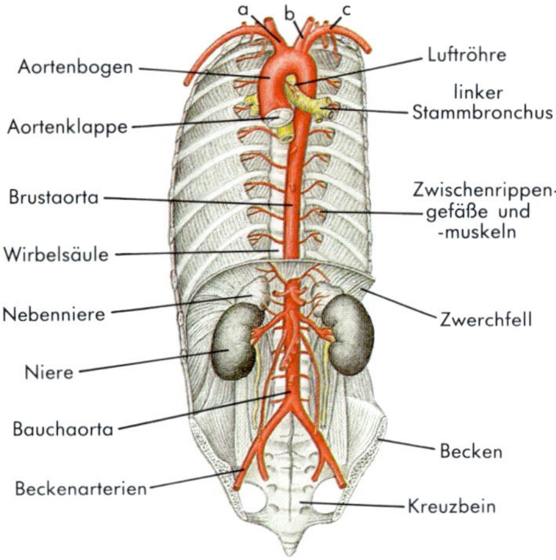

Aorta mit Aortenklappe; a Arterienstamm für rechte Arm- und Kopfseite, b Arterie für die linke Kopfseite, c linke Schlüsselbeinarterie

in **aufsteigende A., Aortenbogen** und **absteigende A.,** die bis zum Aortenschlitz des Zwerchfells als **Brust-A.** und unterhalb davon als **Bauch-A.** bezeichnet wird. Aus der A. gehen alle Arterien des Körpers hervor.

Aosta, Hptst. der autonomen Region Aostatal, Italien, im Tal der Dora Baltea, 35 800 Ew., 583 m ü. M., südl. Ausgangspunkt der Passstraße über den

Aostatal: Val de Gressoney an der Ostgrenze der Region

Großen Sankt Bernhard; Bischofssitz. – Zahlreiche röm. Baudenkmäler, got. Kathedrale, got. Kollegiatskirche Sant'Orso mit Kreuzgang.

Aostatal (italien. Valle d'Aosta), autonome Region in Norditalien, 3 264 km^2, (1994) 118 200 Ew.; Hptst.: Aosta; im N von den Walliser Alpen, im W vom Montblancmassiv und im S von den Grajischen Alpen (Nationalpark Gran Paradiso) umrahmt; durch die Passstraße über den Großen Sankt Bernhard mit der Schweiz, durch die Straßen über den Kleinen Sankt Bernhard und den Montblanctunnel mit Frankreich verbunden; Fremdenverkehr (bes. Wintersport); Weinbau. – Das A. gehörte seit 1191 zu Savoyen; als dieses 1860 zu Frankreich kam, blieb das A. bei Italien. Die Bestrebungen der überwiegend frz. sprechenden Bev. nach Selbstständigkeit brachte 1948 dem A. eine gewisse Autonomie.

AP [eɪˈpiː], Abk. für The **A**ssociated **P**ress, amerikan. Nachrichtenagentur, gegr. 1848; Sitz: New York.

a. p. (auch a. pr.), Abk. für **a**nni **p**raesentis [lat.], gegenwärtigen Jahres, auch für: **a**nni **p**raeteriti, vergangenen Jahres.

APA, Abk. für **A**ustria **P**resse **A**gentur, österr. Nachrichtenagentur, gegr. 1946; Sitz: Wien.

Apachen (Apatschen), Name einiger Indianerstämme (Athapasken) im SW der USA; etwa 23 000 Menschen; sie leben heute in Reservationen, bes. in Arizona und New Mexico, meist als Viehzüchter oder Ackerbauern.

📖 BAUMHAUER, N.: *Die A., 4 Bde. Wyk auf Föhr* [1-3]*1993–94.*

Apanage [-ʒə; frz., zu mlat. appanare »ausstatten«] *die,* Zuwendung (Geld oder Grundbesitz) an nicht regierende Mitglieder von Dynastien zur Sicherung ihres standesgemäßen Lebens.

Apartheid [afrikaans »Trennung«] *die,* in der Rep. Südafrika die bes. von den Buren, politisch von der Nationalen Partei getragene Politik der Rassentrennung (1948–94) zw. weißer und nichtweißer (Bantu, Mischlinge, Asiaten) Bevölkerung, die die Vorherrschaft der Weißen und die »gesonderte Entwicklung« der versch. ethn. Bevölkerungsteile sichern sollte. 1950 wurde jeder Südafrikaner durch Gesetz einer Rasse zugeordnet (Population Registration Act) und einem bestimmten Wohngebiet zugewiesen; die Weißen besaßen alle polit., sozialen und kulturellen Privilegien. In öffentl. Einrichtungen herrschte strikte Rassentrennung (»kleine A.«). Zur räuml. Segregation der Bantubevölkerung entstanden v.a. im Bereich der großen Städte →Townships und auf Gesamtstaatsebene »Bantuheimatländer« (Homelands, »große A.«). Der Kampf gegen das A.-System wurde v.a. getragen vom →African National Congress (ANC, 1960–90 verboten). Staatspräs. F. de Klerk (seit 1989) leitete eine vorsichtige Abkehr von der A. ein. 1990 begannen Gespräche zw. Reg. und ANC (unter ihrem Führer N. Mandela) über den Abbau des A.-Systems (Rep. →Südafrika). So wurde u.a. 1990 die gesetzlich fixierte Trennung von Weißen und Nichtweißen in öffentl. Einrichtungen, 1991 die Rassentrennung in Wohngebieten aufgehoben. Kontroverse Auffassungen der versch. Organisationen der Schwarzen (v.a. ANC, →Inkatha und →Pan African Congress) über den Weg zur Beseitigung der A. führten z.T. zu blutigen Auseinandersetzungen. Bei einem Referendum der weißen Bev. im März 1992 entschied sich die Mehrheit für die endgültige Abschaffung der A. Mit dem In-Kraft-Treten der zw. der Reg. de Klerk und bes. dem ANC ausgehandelten Übergangsverfassung im April 1994 wurde die A.-Gesetzgebung endgültig außer Kraft gesetzt.

📖 Sparks, A.: *Morgen ist ein anderes Land. Südafrikas geheime Revolution. A. d. Engl. Berlin 1995.*

Apartment [əˈpɑːtmənt, engl.] *das,* moderne, komfortable Kleinstwohnung.

Apastron [grch.] *das,* die Sternferne (→Apsiden).

Apathie [grch.] *die,* **1)** *allg.:* Teilnahmslosigkeit, Gleichgültigkeit.

2) *Medizin:* das Fehlen von Gefühlen und Affekten bei starker Erschöpfung, Depression, Schizophrenie.

3) *Philosophie:* →Stoa.

Apatit [grch.] *der,* hexagonales Mineral, Calciumphosphat mit Chlor (Chlor-A.) oder Fluor (Fluor-A.), $Ca_5[(F,Cl)|(PO_4)_3]$. Durch Ersatz der Kationen und Anionen entstehen zahlr. Varietäten, z.B. Hydroxyl-A., Carbonat-A. A. ist farblos, grün **(Spargelstein)** oder andersfarbig, klar bis durchscheinend; technisch wichtig als Düngemittel und zur Phosphorgewinnung. A. ist Knochen- und Zahnbestandteil. (→Phosphorit)

Apatit (Kristall)

a. p. Chr. (n.) [lat.], Abk. für **a**nno **p**ost **Chr**istum (**n**atum), im Jahre nach Christi (Geburt).

APC-Viren, veraltet für →Adenoviren.

APEC, Abk. für engl. **A**sian-**P**acific **E**conomic **C**ooperation (Asiatisch-Pazifische Wirtschaftliche Zusammenarbeit), Wirtschaftsforum von Staaten ursprünglich des asiatisch-pazif. Raumes (1993 um Mexiko und 1995 um Chile erweitert); 1989 in Canberra (Australien) gegr.; Hauptziele: Abbau von Handelshemmnissen, regionale und wirtsch. Zusammenarbeit, Technologietransfer, gemeinsame Interessenvertretung im Rahmen internat. Organisationen (z.B. Welthandelsorganisation, UNCTAD). 1994 wurde die Schaffung einer Freihandelszone bis zum Jahr 2020 beschlossen.

Apeiron *das,* →Anaximander.

Apel, Hans, Politiker (SPD), *Hamburg 25. 2. 1932; Volkswirtschaftler, 1965–90 MdB; 1974–78 Bundesfinanz-, 1978–82 Bundesverteidigungsmin.; 1983–88 stellv. Vors. der SPD-Bundestagsfraktion.

Apeldoorn: Königliches Schloss Het Loo mit französischem Landschaftspark

Apeldoorn, Gartenstadt in der niederländ. Prov. Gelderland, 148 700 Ew.; Schulstadt; Metall-, Textil-, Papier-, opt., chem. Industrie. – In der Nähe das königl. Schloss **Het Loo** (1686 begonnen).

Apelles, grch. Maler des 4. Jh. v. Chr.; galt noch im MA. und in der Renaissance als bedeutendster Maler der Antike, obwohl kein Werk von ihm erhalten geblieben ist.

Apennin *der* (Apenninen, italien. L'Appennino), das Italien südlich der Poebene durchziehende Gebirge; Hauptwasserscheide und wichtige

Klimascheide. Der A. beginnt am Ligurischen Golf, zieht sich von dort zur adriat. Küste nach Osten und biegt an ihr nach Südosten um, wo er in den Abruzzen seine größte Höhe erreicht (Gran Sasso d'Italia 2914 m ü. M.), und anschließend nach Süden, sodass er wieder die Westseite der Halbinsel **(A.-Halbinsel)** erreicht; er endet an der kalabr. Halbinsel. Er ist ein 1500 km langes, bis zu 100 km breites tertiäres Faltengebirge und besteht aus mesozoischen Kalken und Dolomiten, tertiären Sandsteinen, Schiefern, Mergeln und Tonen. Die Höhen zeigen wenig wechselnde, sanfte Formen, nur die Kalke in den Karstmassen der Abruzzen sind wild zerklüftet. Im Klima unterscheidet sich der A. vom übrigen Italien durch geringere Wärme, schärfere Temperaturgegensätze und größere Niederschläge (bis 2000 mm). Die Pflanzenwelt zeigt nur Reste des natürl. Waldkleides (Buchen, Nadelhölzer), sonst Sträucher und Grasland.

Apfel

Der Apfelbaum war in Mitteleuropa bereits in der Jungsteinzeit und der Bronzezeit verbreitet. Schon in den alten Kulturen galt der Apfel als Symbol der Fruchtbarkeit und als Liebesfrucht, wobei es sich allerdings meist um den Granatapfel handelt; er war u.a. der Aphrodite zugeordnet. In der nordischen Mythologie ist der Apfel die verjüngende Speise der Asen. Die Germanen kannten ihn als Symbol von Fruchtbarkeit und Leben, aber auch von Tod. Der Apfel spielte unter den Minnegaben, in der Einleitung der Werbung sowie in vielen Formen der Hochzeitsbräuche eine bedeutende Rolle. Zweige und Bäumchen wurden seit langem bei verschiedenen Anlässen des Familien- wie des Jahresbrauchtums gern mit Äpfeln behängt, so dann auch der Weihnachtsbaum. Nach der Legende sollen bestimmte Apfelbäume in der Christnacht blühen und zugleich Früchte (Christäpfel) tragen. In der christlichen Kunst gilt der Apfel als Symbol des Sündenfalls; Maria (als »neue Eva«) erhält ihn seit dem 11. Jahrhundert als Symbol der Überwindung der Sünde und der Erlösung, seit dem 12. Jahrhundert können sie oder Christus auch den Reichsapfel halten, der auf staatlicher Ebene ein altes Sinnbild der Weltherrschaft ist.

Apfel

Warum haben Äpfel rote Backen?
Äpfel produzieren den roten Farbstoff, um sich vor der Sonne zu schützen. Hätten sie ihn nicht, bekämen sie braune Flecken und würden zu faulen beginnen. Natürlich gibt es auch Äpfel, die gelb oder grün sind. Aber diese sind gegen die Sonnenstrahlung wesentlich resistenter. Ihnen fehlt, was die roten Äpfel auszeichnet und gleichzeitig empfindlicher macht: der höhere Zucker- und Fettgehalt.

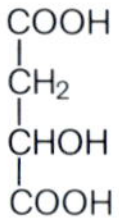
Apfelsäure

Apenrade (dän. Åbenrå), Stadt in Nordschleswig, Verw.sitz der Amtskommune Südl. Jütland, Dänemark, 21900 Ew.; alte Handels- und Hafenstadt mit Ind. (Milch, Futtermittel), Kraftwerk.

aper [ahd. abar], *süddt., österr., schweizerisch* für schneefrei. Als **Aperwind** wird in den Alpen ein Wind bezeichnet, der Tauwetter bringt.

Aperçu [-'sy, frz.] *das,* geistreiche, prägnant formulierte Bemerkung.

aperiodisch (unperiodisch), eine gedämpfte →Schwingung heißt a., wenn sich infolge der Dämpfung kein period. Schwingungsverlauf herausbildet. Der **aperiod. Grenzfall** bildet die Grenze zw. gedämpfter period. und aperiod. Schwingung **(aperiod. Kriechfall),** bei dem die Bewegung nach Erreichen eines Maximums ohne Schwingung asymptotisch gegen die Ruhelage geht. (→Dämpfung)

Aperitif [frz., zu lat. aperire »öffnen«] *der,* appetitanregendes (alkohol.) Getränk (z.B. Wermutwein, Sherry, aromatischer Weinessig).

Apertur [lat. »Öffnung«] *die,* **1)** *Medizin:* Eingang, Öffnung, bes. von Körperkanälen.

2) *Optik:* der Sinus des Öffnungswinkels σ eines kegelförmigen Strahlenbündels. Die **numer. A.** $A = n \cdot \sin \sigma$ (n = Brechzahl des opt. Mediums) bestimmt →Auflösungsvermögen und Bildhelligkeit opt. Systeme. Die **A.-Blende** (Öffnungsblende) dient der Begrenzung des Öffnungswinkels σ.

Apertursynthese (Antennensynthese), interferometr. Verfahren der →Radioastronomie zur genauen Positionsbestimmung und Beobachtung von kosm. Radioquellen. Die als **Array** oder **Syntheseteleskop** bezeichnete Kombination verschiebbarer (kleiner) →Radioteleskope erzielt (»synthetisiert«) unter Ausnutzung der Erdrotation das Beobachtungsbild eines Großteleskops.

apetal [grch.], ohne Blütenblätter (→Blüte).

Apex [lat.] *der,* **1)** *Astronomie:* Punkt des Himmels, auf den die Bewegung der Erde in ihrer Bahn um die Sonne gerichtet ist; der entgegengesetzte Punkt heißt **Antapex.** – Der **A. der Sonnenbewegung** ist der Punkt im Sternbild des Herkules, auf den hin sich unser Sonnensystem mit einer Geschwindigkeit von etwa 20 km/s bewegt.

2) *Metrik:* Zeichen (´) zur Kennzeichnung betonter Silben.

3) *Sprachwiss.:* diakrit. Zeichen (ˆ oder ´) zur Kennzeichnung langer Silben.

Apfel (Apfelbaum, Malus), eine weltweit in der nördl. gemäßigten Zone verbreitete Rosengewächsgattung. Als Stammformen des **Kulturapfelbaumes** bzw. **Gartenapfelbaumes** (Malus domestica) gelten u.a. der **Holzapfelbaum** (Malus sylvestris) und der **Süßapfelbaum** (Malus pumila). Der Kulturapfelbaum hat eiförmige zugespitzte Blätter, weiße bis rosafarbene Blüten sowie Früchte mit säuerlich-süßem Fleisch. Aus dem Fruchtknoten entsteht nur der Kernhausbereich mit fünf pergamentartigen Fruchtfächern. Das eigentl. Fleisch bildet sich aus dem Kelchgrund und

Apfel: Verschiedene Apfelsorten; von links nach rechts: Golden Delicious, Goldparmäne, Granny Smith, Morgenduft

aus der Blütenachse (Scheinfrucht). Für den Intensivanbau eignen sich u.a. **Goldparmänen** (sehr fest, süßlich), **Cox' Orangen-Renetten** (fest, hocharomatisch), **Golden Delicious** (fest, süß), **Boskoop** (angenehm säuerlich). Verschiedene Apfelbaumarten, Varietäten und Bastarde werden wegen ihrer auffallenden Blüten und Früchte als Zierpflanzen angebaut. – Der A. ist in der Mythologie, im Volksglauben und -brauch Sinnbild der Fruchtbarkeit und Liebe; in der christl. Kunst gilt er als Symbol des Sündenfalles (Eva mit dem A.), auf Mariendarstellungen seit dem 12. Jh. als Symbol der Weltherrschaft; aus der grch. Mythologie kommt der *Zankapfel* (→ Eris).

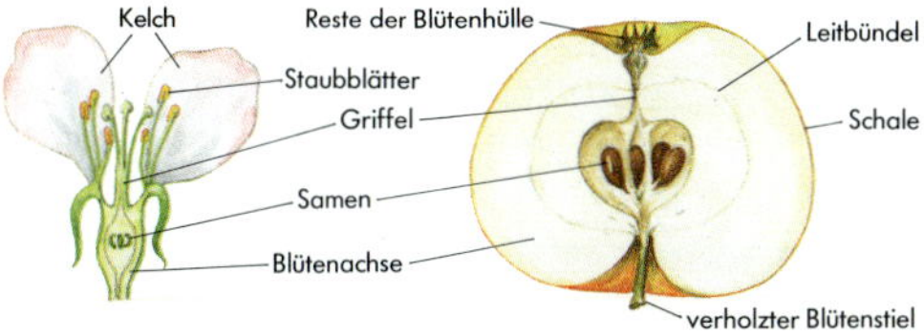

Apfel: Blüte (links) und Frucht im Längsschnitt (rechts)

Apfelblattsauger (Apfelblattfloh, Psylla mali), Apfelbaumschädling; seine Larven saugen an Jungtrieben und Blüten.

Apfelblütenstecher (Anthonomus pomorum), Rüsselkäfer, dessen Larve **(Kaiwurm)** die Apfelblütenknospen zerstört.

Apfelsäure (Äpfelsäure), organ. Säure, enthalten in unreifen Äpfeln, Vogelbeeren u.a.; ein Zwischenprodukt im → Zitronensäurezyklus. Die Salze und Ester der A. heißen **Malate.** Verwendung in der Lebensmittelindustrie.

Apfelschimmel, grau geflecktes weißes Pferd.

Apfelsine [aus niederländ. appelsien »Apfel aus China«] (Orange), gelbrote, apfelgroße, süß-säuerl. vitaminreiche Frucht der **A.-Pflanze** (Citrus sinensis), immergrüner Strauch oder kleiner Baum mit länglich-eiförmigen, ledrigen Blättern und weißen, stark duftenden Blüten. Hauptanbaugebiete sind die Mittelmeerländer, Kalifornien, Florida, Brasilien und China. Blutorangen, deren Fruchtfleisch auch einen roten Farbstoff enthält, kommen aus Sizilien; bei Navelorangen bildete sich an der Spitze der Frucht eine Nebenfrucht.

Apfelwein, Obstwein aus vergorenem Saft frischer Äpfel (mit hohem Säuregehalt).

Apfelwickler, Schmetterling, → Obstmaden.

Apg., Abk. für **Ap**ostel**g**eschichte. (→ Bibel)

Apgar-Schema [nach der amerikan. Ärztin Virginia Apgar, * 1909, † 1974], internat. verwendetes Punktsystem zur Beurteilung des Gesundheitszustandes (Herzfrequenz, Atmung, Muskeltonus, Hautdurchblutung, Reflexe) Neugeborener unmittelbar nach der Geburt.

Aphaia [grch.] (lat. Aphaea), urspr. von Kreta stammende Göttin, der der große Tempel auf → Ägina geweiht war.

Aphakie [grch.] *die,* das Fehlen der Linse im Auge nach Verletzung oder Operation.

Aphärese [grch.] *die,* Abfall eines oder mehrerer Laute am Wortanfang, z.B. *rein* (statt *herein*).

Aphasie [grch.] *die,* zerebral bedingte Sprachstörung bei intakter Funktion der Sprechorgane (Zunge, Kehlkopf). Unterformen: 1) **motor. A.,** Störung des Sprechvermögens mit Wortverstümmelung u.a.; 2) **sensor. A.,** starke Störung des Sprachverständnisses; 3) **amnest. A.,** Wortfindungsstörungen bei erhaltenem Sprachfluss.

Aphel [grch.] *das,* der sonnenfernste Punkt der Bahn eines Körpers um die Sonne. (→ Apsiden)

Aphidina [grch.], die → Blattläuse.

Aphonie [grch.] *die,* die Stimmlosigkeit; beruht auf Störungen der Stimmbandbeweglichkeit oder ist psychisch bedingt.

Aphorismus [grch.] *der,* knapper, prägnant geformter Satz, der überraschend eine Erkenntnis vermittelt; dt. A. schrieben u.a. G. C. Lichtenberg, Novalis, F. Nietzsche, E. Jünger.

Aphrodisiaka [nach Aphrodite], Mittel zur Steigerung von Geschlechtstrieb und Potenz, z.B. bestimmte Gewürze, Yohimbin, Hormone.

Aphrodite [zu grch. aphrós »Schaum« (die Schaumgeborene)], grch. Göttin der sinnl. Liebe, der Schönheit und Verführung, von den Römern der Venus gleichgestellt. A. war urspr. wahrscheinlich eine semit. Gottheit, die von den Griechen wohl in myken. Zeit über Zypern (Beiname »Kypris«) und die Kykladen übernommen wurde. Semit. Ursprungs ist auch die Verbindung der A. mit Adonis und die Tempelprostitution in Korinth. In

Apfelsine: Blüte (oben) und Frucht im Querschnitt (unten)

»Vom **Aphorismus** *Lebenshilfe zu erwarten heißt den Skorpion um eine Blutspende bitten.«*
Wolfdietrich Schnurre

»Einen Aphorismus, der schmeckt, statt zu ätzen, nennt man Bonmot.«
Wolfdietrich Schnurre

der Mythologie ist A. die Gemahlin des Hephaistos sowie Geliebte des Ares und des Anchises, dem sie Äneas gebar. – Eine Darstellung der A. in der Kunst findet sich schon kurz vor der Mitte des 7. Jh.

Aphrodite von Melos, auch Venus von Milo genannt (Marmorstatue, Höhe 202 cm; um 130/120 v. Chr.; Paris, Louvre)

in Naxos. Auf dem Ludovisischen Thron ist vermutlich die Geburt der A. dargestellt. Die A. von Knidos des Praxiteles war schon in der Antike berühmt. Die Venus von Milo (Melos) stammt aus dem späten 2. Jh. v. Chr. (Paris, Louvre), das Vorbild der mediceischen Venus (Florenz, Uffizien) aus dem 1. Jh. v. Chr.

Aphthe [grch.] *die,* herdförmige, entzündl., bis linsengroße Veränderung der Mundschleimhaut, mit weißl. Belag auf gerötetem Untergrund; oft infektiöser Natur.

Aphthenseuche, die →Maul- und Klauenseuche.

Apolda Stadtwappen

Apia, Hptst. von Westsamoa auf der Insel Upolu, 32 200 Ew.; meteorolog., vulkanolog. Beobachtungsstationen; Handelszentrum; Hafen, internat. Flughafen.

Apianus, Petrus, eigtl. Peter Bienewitz oder Bennewitz, Astronom und Geograph, *Leisnig 16. 4. 1495, †Ingolstadt 21. 4. 1552; schlug in seiner »Cosmographia« (1524) die Messung von Mondentfernungen zur Bestimmung geograph. Längen vor, beobachtete 1531, dass der Schweif eines Kometen stets von der Sonne abgewendet ist.

apikal [lat.], *Medizin* und *Biologie:* an der Spitze, am Scheitel, am Kopfende gelegen; nach oben gerichtet (bezogen auf das Wachstum einer Pflanze).

Apis [grch.] (ägypt. Hapi), hl. Stier, der in Memphis als Erscheinungsform des Gottes Ptah verehrt wurde. In der Ptolemäerzeit verschmolz der A.-Kult mit dem des →Sarapis.

Apitz, Bruno, Schriftsteller, *Leipzig 28. 4. 1900, †Berlin (Ost) 7. 4. 1979; schrieb den Roman »Nackt unter Wölfen« (1958).

APL, Abk. für engl. **a** **p**rogramming **l**anguage, eine 1962 in den USA entwickelte Programmiersprache für technisch-wiss., v. a. mathemat. Anwendungen.

Aplanat [lat.] *der, Optik:* Linsensystem mit verringertem Astigmatismus und ohne Verzeichnung, Koma und sphär. und chromat. Aberration (→Abbildungsfehler).

Aplit [grch.-lat.] *der,* helles, feinkörniges Ganggestein, das überwiegend aus Feldspäten und Quarz besteht.

Aplomb [aˈplɔ̃, frz.] *der,* **1)** *allg.:* sicheres Auftreten; Nachdruck (in der Rede).

2) *Ballett:* das Abfangen einer Bewegung in den unbewegten Stand.

Apnoe [grch.] *die,* →Atemstillstand.

apo... [grch.], vor Selbstlauten und vor h: **ap...,** Wortbildungselement mit der Bedeutung zurück, ab, fern, weg, z. B. *Apokope, Apostasie.*

APO, Abk. für →**a**ußer**p**arlamentarische **Oppo**sition.

Apochromat [zu grch. chrõma »Farbe«] *der, Optik:* Linsensystem mit bes. guter Korrektur der Farbfehler; verwendet z. B. als Objektiv für Mikroskope und Fernrohre.

apodiktisch [grch. »beweiskräftig«], unwiderleglich, notwendig; jeden Widerspruch von vornherein ausschließend. In der *Logik* Urteile, die log. Notwendigkeit oder unmittelbare Gewissheit ausdrücken. Als **Apodiktik** wird die Wiss. vom Beweis bezeichnet.

Apogäum [grch.] *das,* der erdfernste Punkt einer Mond- oder Satellitenbahn. (→Apsiden)

Apokalypse [grch. »Offenbarung«] *die,* prophet. Schrift über das Weltende (→Apokalyptik).

Apokalypse des Johannes (Offenbarung des Johannes, Geheime Offenbarung), Abk.: **Apk.,** das letzte Buch des N. T., um 96 n. Chr. entstanden; wegen Abweichungen in Sprache und Anschauungen vermutlich nicht vom Verfasser des Johannesevangeliums. Sie schildert in eindrucksvollen, schwer deutbaren Bildern den Zusammenbruch der Welt, dem nach Überwindung des Satans die Vollendung des Gottesreiches folgt (→Antichrist). – In der *Kunst* wurde die A. d. J. oft dargestellt, u. a. in der Buchmalerei (z. B. um 1000 in der Bamberger A.), auf den Bildteppichen von Angers (1375–79) und in Holzschnitten Dürers (1498, 1511).

Apokalyptik [grch.] *die,* allg. eine Sonderform der Eschatologie; i.e.S. die Gesamtheit der Literaturgatt. der Apokalypsen sowie die in ihnen enthaltenen Vorstellungen von den Ereignissen des Weltendes (Weltgericht und neue Welt). Die altchristl. A. (2.–7. Jh.) schließt sich an die spätjüd. A. an, die mit Bildern altoriental. Mythen ausgestattet ist. Beispiele gibt es auch im Parsismus, im Islam und in der german. Religion (Ragnarök, Völuspá).

apokalyptische Reiter, im N.T. (nach Apk. 6, 1–8) vier Reiter, die Pest, Krieg, Hunger und Tod versinnbildlichen.

Apokatastasis [grch. »Wiederherstellung«] *die,* nach Apg. 3, 21 die Erfüllung aller göttl. Verheißungen in der Endvollendung und die daraus gezogene Konsequenz, dass alle Menschen einst ewig gerettet werden (»Allversöhnung«). Anhänger waren u.a. Origenes, J. H. Jung-Stilling und F. D. E. Schleiermacher. Die A. wird in der christl. Glaubenslehre weitgehend abgelehnt.

Apokope [grch.] *die,* Wegfall eines oder mehrerer Laute am Wortende, z.B. *könnt' ich.*

Apoll: »Apollo von Piombino« (Bronzestatue, Höhe 115 cm; 2. Hälfte des 5. Jh. v. Chr.; Paris, Louvre)

Apokryphen [grch. »verborgene (Schriften)«], nicht zum →Kanon gerechnete jüd. oder christl. Zusatzschriften zum A.T. oder N.T. Die A. des A.T. werden von der kath. Kirche meist als deuterokanonisch zur Bibel gerechnet; sie bezeichnet die →Pseudepigraphen als A. Die A. des N.T. – u.a. die 1945/46 in Nag Hammadi gefundenen Texte (v.a. »Evangelium nach Thomas«) – enthalten wertvollen Stoff zur altkirchl. Theologie und Frömmigkeit.

Apolda, Krst. des Landkreises Weimarer Land, Thüringen, am O-Rand des Thüringer Beckens, 182 m ü. M., 27 700 Ew.; Herstellung von Strick- und Wirkwaren, Fleischwaren, Chemikalien, Maschinen; Glockenmuseum (1772–1988 bestand in A. eine Glockengießerei). – Spätgot. Pfarrkirche. – A. ist seit 1119 als Siedlung bezeugt, die Burg wird 1123 erstmals erwähnt.

Das größte Heiligtum der »schaumgeborenen Göttin« **Aphrodite** *befand sich im zyprischen Palaipaphos; es wurde etwa 1200 v. Chr. errichtet. In der großen Tempelanlage gab es keine Statue der Liebesgöttin, sondern nur einen 1,20 Meter hohen schwarzen Stein, der ihre unvergleichliche Schönheit symbolisieren sollte. Alle Besetzer Zyperns, seien es die Assyrer, die Phönizier, Perser, Griechen oder Römer gewesen, respektierten und schützten den Tempel. Erst der christliche Kaiser Theodosius ließ den Tempel 392 schließen. Neun Jahre später zerstörten die Götter durch ein Erdbeben die heilige Stätte, die 1600 Jahre lang die Menschen angezogen hatte.*

Apoll (grch. Apollon, lat. Apollo), einer der grch. Hauptgötter (sein wichtigster Kultort war Delphi). A. ist kleinasiat. Ursprungs und vereinigte viele, z.T. vorgriech. Kulte in sich (über 200 Kultnamen). An den Baumkult erinnert sein Name **A. Daphnites,** an den Steinkult seine Verehrung als Wegegott **A. Agyieus,** als Gott des Lichtes (verschmolz später mit →Helios) ist er **A. Phoibos** (der »Lichte«, »Reine«), als Gott der Künste **A. Musagetes** (»Führer der Musen«). Auch die Römer verehrten ihn seit dem 4. Jh. v. Chr. Augustus erhob ihn zu seinem Schutzgott. Nach dem Mythos war A. der Sohn des Zeus und der Leto, wurde mit seiner Zwillingsschwester Artemis auf der Insel Delos geboren, tötete den Drachen Python und übernahm das Orakel in Delphi, wo ihm zu Ehren die Pythischen Spiele gefeiert wurden. Attribute A.s sind Bogen, Leier, Lorbeer. – Die grch. Kunst verkörperte A. meist als nackten Jüngling, am hoheitsvollsten im W-Giebel des Zeustempels von Olympia (460 v. Chr.). Der »Kasseler A.« geht wohl auf ein Werk des Phidias, der »A. vom Belvedere« im Vatikan vielleicht auf ein Werk des Bildhauers Leochares zurück.

Guillaume Apollinaire (Zeichnung von Pablo Picasso, 1905)

Apollinaire [apɔliˈnɛːr], Guillaume, eigtl. Wilhelm Apollinaris de Kostrowitsky, frz. Schriftsteller, *Rom 26. 8. 1880, †Paris 9. 11. 1918; machte als Essayist die kubist. Malerei bekannt (»Die Maler des Kubismus«, 1913) und entwickelte in Lyrik, Prosa und Drama den surrealist. Stil; schrieb u.a. »Alkohol« (Gedichtsamml., 1913), »Der gemordete Dichter« (Erzählungen, 1916), »Calligrammes« (Gedichtsamml., 1918), »Die Brüste des Teiresias« (Drama, Uraufführung 1917).

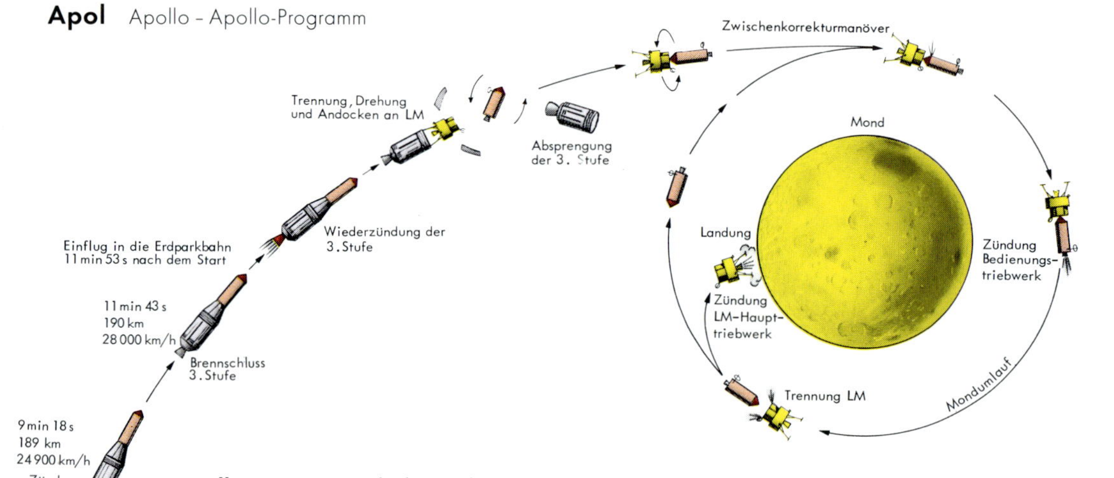

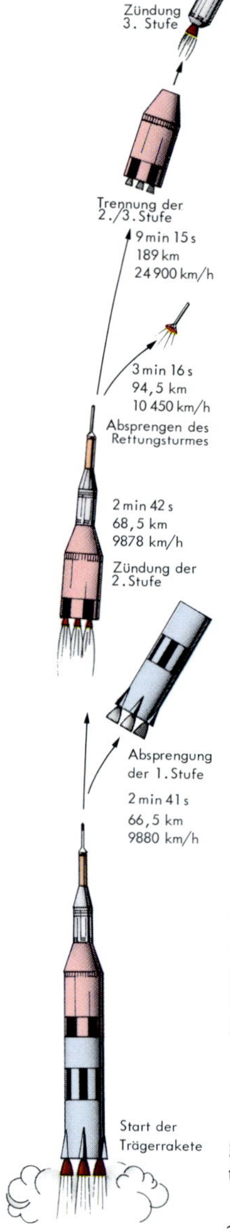

Apọllo, 1) 1932 entdeckter Planetoid, nach dem die Gruppe der →Apollo-Objekte benannt wurde.

2) amerikanisches Raumfahrzeug, →Apollo-Programm.

Apollodọr aus Damaskus, röm. Baumeister des 2. Jh. n. Chr.; baute u. a. die Donaubrücke bei Debrecen (Ungarn) und das Trajansforum in Rom (107/113).

Apọllofalter (Parnassius), Tagfalter aus der Fam. Edelfalter, meist mit roten, schwarz eingefassten Flecken; vom Aussterben bedroht.

Apollọnia, Märtyrerin aus Alexandria, †249, Schutzheilige gegen Zahn- und Kopfschmerzen; Tag: 9. 2.

Apollọnios, 1) A. Dỵskolos, grch. Grammatiker in Alexandria im 2. Jh. n. Chr.; verfasste die erste altgriech. Syntax aufgrund eingehender Analyse des Satzes.

2) A. von Pẹrge, grch. Mathematiker und Astronom, *Perge (Pamphylien, Kleinasien) um 262 v. Chr., †um 190 v. Chr.; lehrte in Alexandria; verdient um Theorie der →Kegelschnitte, führte die Bezeichnungen Ellipse, Parabel und Hyperbel ein, entwickelte die →Epizykeltheorie der Planetenbewegung.

3) A. von Rhọdos, grch. Dichter und Gelehrter des 3. Jh. v. Chr., Leiter der Alexandrinischen Bibliothek. Sein Epos »Argonautika« beeinflusste stark die röm. Literatur (Vergil).

apollọnischer Kreis [nach Apollonios von Perge], ein zwei festen Punkten A und B zugeordneter Kreis, für dessen sämtliche Peripheriepunkte C die Beziehung gilt, dass das Verhältnis ihrer Entfernungen von den Punkten A und B konstant ist:

$$\overline{CA} : \overline{CB} = k = \text{const.}$$

Apollọnius von Tyros, Held eines urspr. wohl grch. Romans über das Leben des Prinzen und späteren Königs A. von Tyros.

Apọllo-Objekte, Planetoiden, deren Bahnen die Erdbahn kreuzen. Zu den über 30 bekannten A.-O. gehören u. a. Apollo, Adonis, Hermes, Icarus.

Apọllo-Programm, Raumfahrtprogramm der USA, durchgeführt von der NASA zw. 1968 und 1972 im Anschluss an das →Mercury-Programm und →Gemini-Programm, mit drei Hauptzielen. 1. bemannte Mondflüge; 2. erdnahe Orbitallabors und Orbitalobservatorien; 3. unbemannte Sonden zu Mars und Venus. Für das A.-P. waren mehrere Raumfahrzeugeinheiten nötig: die rd. 5,8 t schwere Raumkapsel (selbstständige Kommando- und Rückkehreinheit, engl. Command Module, CM) mit dem Basisdurchmesser von 3,85 m, die Betriebs- und Versorgungseinheit (engl. Service Module, SM) von rd. 25 t, davon über 18 t Treibstoffe, und die 16 t schwere Mondlandeeinheit (engl. Lunar Module, LM), bestehend aus dem Lande- und Wiederaufstiegssystem. Als Trägerrakete diente eine dreistufige Saturn 5.

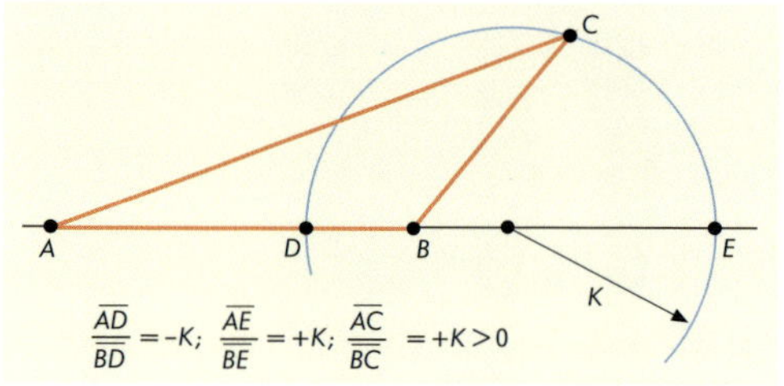

apollonischer Kreis

Die wiss. Hauptaufgaben des A.-P. auf dem Mond bestanden im Aufsammeln und Überbringen von Bodenproben, in der Aufstellung von kleineren Forschungsgeräten mit Radionuklidgenerator und in der fotograf. Dokumentation. Es gab insgesamt 17 Flüge; Apollo 1 bis 6 waren unbemannte Testflüge, Apollo 7 bis 10 bemannte Flüge auf Erd- und Mondumlaufbahnen, mit Apollo 11 gelang am 20. 7. 1969 die erste Mondlandung

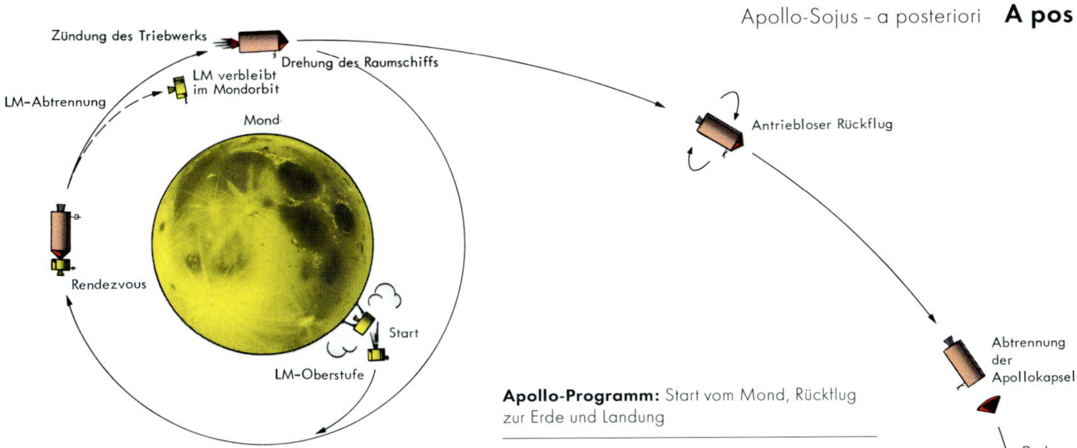

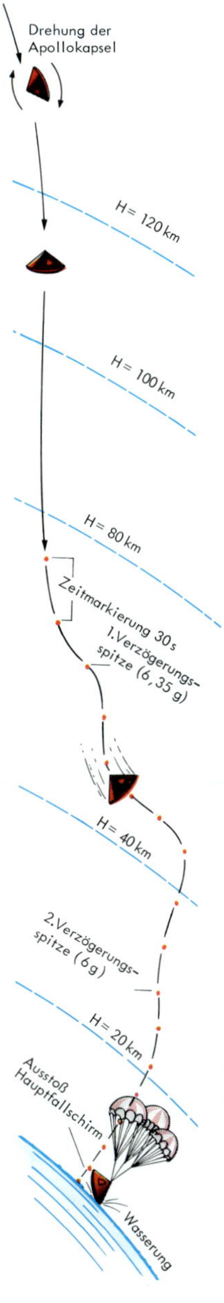

Apollo-Programm: Start vom Mond, Rückflug zur Erde und Landung

(→Armstrong 2), die sechste und letzte Mondlandung erfolgte mit Apollo 17, mit der das A.-P. abgeschlossen wurde. – Das **Apollo-Nachfolgeprogramm** umfasste die bemannten amerikan. Unternehmen Raumstation →Skylab (1973) und das amerikanisch-sowjet. Programm →Apollo-Sojus (1975). (ÜBERSICHT Raumfahrt)

📖 *Mondlandung. Dokumentation der Weltraumfahrt USA u. UdSSR, bearb. v.* M. MAEGRAITH. *A. d. Amerikan. Stuttgart ²1969.*

Apollo-Sojus (engl. Apollo Soyuz Test Project, Abk. ASTP), sowjetisch-amerikan. Raumfahrtprogramm zur Erprobung von Rendezvous- und Kopplungsvorrichtungen bemannter unterschiedl. Raumfahrzeuge; Start von Sojus 19 am 15. 7. 1975, etwa 7½ Stunden vor einer Apollo-Raumkapsel der NASA, Kopplung am 17. 7., Trennung am 19. 7. A.-S. war für die USA der letzte bemannte Raumflug bis zum 1. Start des →Spaceshuttle.

Apologet [grch.] *der,* Verteidiger einer Anschauung.

Apologeten, Schriftsteller des 2. Jh., die das Christentum gegen die Vorwürfe der nichtchristl. Religionen verteidigten (Justinus der Märtyrer, Tatian, Athenagoras u.a.).

Apologie [grch.] *die,* Verteidigung(srede), Rechtfertigung gegenüber Angriffen, bes. in religiösen und weltanschaul. Auseinandersetzungen, z.B. Platons »A. des Sokrates«.

Apophthegma [grch.] *das,* kurzer, treffender Sinnspruch; »geflügeltes Wort«, Sentenz.

Apophyse [grch.] *die,* **1)** *Anatomie:* Knochenvorsprung.

2) *Geologie:* Abzweigung eines magmat. Gesteins ins Nebengestein.

Apoplexie [grch. apoplexia »Schlagfluss«] *die, Medizin:* der →Schlaganfall.

Aporie [grch. »Weglosigkeit«] *die, Philosophie:* Unlösbarkeit eines log. Problems wegen immanenten Widerspruchs. **Aporem,** Satz, der eine A. enthält.

Apostasie [grch.] *die,* der Abfall vom Glauben.

Apostel [grch. »Sendbote«] *der,* **1)** die 12 von Jesus zur Verkündigung seiner Lehre ausgewählten Jünger: Petrus, Andreas, Jakobus d.Ä. (Jakobus Zebedäi), Johannes, Philippus, Bartholomäus, Matthäus, Thomas, Jakobus d. J. (Jakobus Alphäi), Thaddäus, Simon und Judas, nach dessen Verrat Matthias hinzugewählt wurde (Mt. 10, 1–4; Mk. 3, 13–19; Lk. 6, 13–16). Als A. der Heiden nahm auch Paulus die unmittelbare Berufung durch Christus in Anspruch (Gal. 1). – In der *bildenden Kunst* wird versucht, die A. zu typisieren, zuerst durch versch. Kopftypen, seit dem 13. Jh. durch Attribute; allg. Kennzeichen sind Schriftrolle oder Buch. Im MA. und später begegnen die A. häufig in Verbindung mit den Propheten (Goldene Pforte des Freiberger Doms; Merseburger Taufbecken; Bamberger Dom). INFOKASTEN u. BILD S. 220

2) Ehrenname für bed. Missionare des frühen Christentums, z.B. Bonifatius, der A. der Deutschen, die Slawen-A. Kyrillos und Methodios.

Apostel, Hans Erich, österr. Komponist, *Karlsruhe 22. 1. 1901, †Wien 30. 11. 1972; Schüler von A. Schönberg und A. Berg; schrieb Orchester-, Klavier- und Vokalmusik.

Apostelgeschichte (lat. Acta Apostolorum), Abk. **Apg.,** Fortsetzung des Lukasevangeliums des N.T., nach Stil und Grundgedanken vom gleichen Verfasser; schildert die Ausbreitung der Kirche nach Jesu Auferstehung von Jerusalem bis Rom, bes. die Aufnahme der Heidenchristen durch die Mission des Paulus.

Apostelkonzil, Zusammenkunft des Paulus u.a. Abgesandter der antiochen. Gemeinde mit der Urgemeinde in Jerusalem (etwa 48 n. Chr.) zur Klärung der Stellung der Heidenchristen zum jüd. Gesetz (Gal. 2; Apg. 15).

Apostellehre, *Theologie:* die →Didache.

a posteriori [lat. »aus dem Späteren«], *Philosophie:* aus der Erfahrung gewonnen; bei I. Kant erkenntnistheoret. Begriff. Ggs.: a priori.

Apostilb, Einheitenzeichen **asb,** veraltete Einheit der Leuchtdichte, Untereinheit des →Stilb; $1\,asb = (1/\pi)\,cd/m^2 \approx 0{,}318\,cd/m^2$.

apostolische Behörden, →Kurie.

Apostolische Majestät, Titel der Könige von Ungarn, zur Erinnerung an das apostol. Wirken Stephans des Heiligen.

apostolische Nachfolge (apostolische Sukzession), die ununterbrochene, auf die Apostel zurückgehende Weitergabe der bischöfl. Gewalt von Bischof zu Bischof.

Apostolischer Delegat, ständiger päpstl. Gesandter, der für die Bistümer oder Missionsbezirke eines oder mehrerer Staaten mit der kirchl. Aufsicht betraut ist; im Unterschied zum Apostol. →Nuntius ist er kein diplomat. Vertreter des Papstes.

apostolischer Segen, vom Papst oder mit seiner Ermächtigung auch von Bischöfen und Priestern gespendeter Segen.

Apostolischer Stuhl (Heiliger Stuhl, Päpstlicher Stuhl), **1)** der Bischofssitz des Papstes als Nachfolger des Apostels Petrus in Rom.

2) die päpstl. Regierung, →Kurie.

Apostolisches Glaubensbekenntnis (Apostolisches Symbolum, lat. Apostolicum), ältestes christl. Glaubensbekenntnis (»Ich glaube an Gott, den Vater ...«), das allen christl. Kirchen gemeinsam ist und nach der Überlieferung von den Aposteln in Jerusalem aufgestellt worden sein soll. Die älteste erkennbare Form scheint am Anfang des 2. Jh. in Rom, die heute anerkannte im 5. Jh. in Südgallien entstanden zu sein.

apostolische Väter, altchristl. Schriftsteller, deren Werke nicht in das N.T. aufgenommen, zeitweise den neutestamentl. Schriften gleichgestellt oder ihnen zugezählt wurden (Klemens von Rom, Ignatius von Antiochia, Hirt von Hermas u.a.).

Apostel 1): »Der ungläubige Thomas«, Relief im Kreuzgang des Klosters Santo Domingo de Silos, südöstlich von Burgos (um 1100)

Die **Apostel** *werden gewöhnlich in der Zwölfzahl dargestellt. Schon früh erhalten Petrus und Paulus die bevorzugten Plätze unmittelbar neben Christus. Sie sind auch die Ersten und für lange Zeit die Einzigen, die bestimmte Kopftypen aufweisen (Paulus: Kahlkopf; Petrus: Lockenkopf). Im Mittelalter wird ihnen ihre Vorzugsstellung von Johannes streitig gemacht: Dieser darf an der Brust des Herrn ruhen (Lieblingsjünger) und wird als Jüngling zu einem feststehenden Typus.*
Die anderen Apostel werden erst im Spätmittelalter in besonderer Weise ausgezeichnet, wobei sie in der Regel mit den seit dem 13. Jahrhundert üblichen Attributen – oft die Werkzeuge, mit denen sie gemartert wurden – als Unterscheidungsmerkmalen versehen sind. Andreas: Diagonalkreuz; Bartholomäus: Messer; Jakobus d. Ä.: Pilgerstab; Jakobus d. J.: Walkerstab; Johannes: Kelch mit Giftschlange; Matthäus: Schwert oder Hellebarde; Matthias: Beil; Philippus: Kreuzstab; Simon: Säge; Thomas: Winkelmaß. Die ältesten Attribute sind die des Petrus (Schlüssel) und des Paulus (Schwert).

Apostroph [grch.] *der,* Auslassungszeichen ('), steht für ausgelassene Laute bzw. Buchstaben oder zur Kennzeichnung des Genitivs bei Namen, die auf s, z oder x enden.

Apostrophe [grch.] *die, Rhetorik:* Hinwendung des Redners zu anderen als den bisher Angeredeten, auch zu abwesenden Personen oder leblosen Dingen; i. w. S. jede feierl. Anrede.

Apothecaries-System [əˈpɔθɪkərɪz-, engl.], Gewichtssystem in Großbritannien und den USA für Medikamente, gekennzeichnet durch die Abk. »apoth« in Großbritannien und »ap« in den USA hinter dem Einheitenzeichen.

Apotheke [grch. »Lager«, »Speicher«] *die,* Gewerbebetrieb für Zubereitung und Verkauf von Arzneimitteln nach ärztl. Vorschrift (Rezept) und für fertige Arzneimittel (der Pharmaindustrie), die vom Arzt verordnet wurden. Eine **Voll.-A.** besteht in der Regel aus **Offizin** (Verkaufsraum und Rezeptur), zwei Vorratsräumen, Laboratorium und Nachtdienstzimmer. Das A.-Wesen ist durch das – mehrfach (zuletzt 1987) geänderte – Gesetz vom 20. 8. 1960 bundeseinheitlich geregelt. In *Österreich* werden nach dem A.-Ges. vom 18. 12. 1906 Konzessionen verliehen; in der *Schweiz* ist das A.-Wesen kantonal geregelt.

Apotheker *der,* durch Approbation zur Leitung einer Apotheke befähigte Person **(Pharmazeut).**

Aufgabe des A. ist die Prüfung, Herstellung und Abgabe von Arzneimitteln nach ärztl. Rezept oder im Handverkauf. Die Befähigung zum Herstellungs- oder Kontrollleiter der pharmazeut. Ind. wird in Arzneimittelbetrieben durch zusätzliche 2-jährige Erfahrung erlangt. In der Approbationsordnung für A. vom 19. 7. 1989 ist eine Gesamtausbildungszeit von vier Jahren zuzüglich Famulatur von acht Wochen und Praktikum von zwölf Monaten festgelegt.

Apotheose [grch.] *die,* Vergöttlichung, Erhebung eines Menschen zum Gott oder Halbgott; eine Vorstufe zur vollen A. war in Griechenland der Heroenkult. Göttl. Verehrung eines Herrschers findet sich u.a. bei Alexander d. Gr., bei den Römern sowie in Japan (bis zum Ende des 2. Weltkrieges). In der bildenden Kunst wird die A. meist durch Wagenauffahrt oder Entrückung (z.B. auf einem Adler) dargestellt.

Appalachen (engl. Appalachian Mountains), Gebirgssystem im O Nordamerikas, von Neufundland (Kanada) bis Alabama (USA) reichend, rd. 2600 km lang, 200–300 km breit; aus paläozoischen Gesteinen aufgebautes Rumpfgebirge mit Mittelgebirgscharakter. Die Hudson-Mohawk-Furche trennt die nördl. A. von den südl. A.; die südl. A. gliedern sich in die A.-Plateaus, das →Alleghenygebirge, die Blue Ridge und das Piedmontplateau, getrennt durch mehrere Längstalzonen (z.B. Great Valley). Die A. sind größtenteils mit Wald bedeckt und reich an Bodenschätzen wie Kohle, Eisenerz, Erdöl.

Apparat [lat.] *der,* **1)** aus meist zahlreichen Bau- und Funktionselementen zusammengesetztes techn. Gerät, z.B. Fotoapparat.

2) Gesamtheit von Menschen und Hilfsmitteln für besondere Aufgaben in einer Organisation.

3) *Literaturwissenschaft:* in historisch-krit. Werkausgaben Lesartenverzeichnis und Anmerkungen (krit. Apparat).

Appartement [apartˈmã, frz.] *das,* Zimmerflucht (im Hotel); zusammenhängende Wohnraumgruppe, auch gleichbedeutend mit →Apartment gebraucht.

appassionato [italien.], *Musik:* leidenschaftlich, stürmisch.

Appeal [əˈpiːl, engl.] *der,* **1)** *allg.:* Anziehungskraft, Anreiz, z.B. Sexappeal.

2) *Recht:* ordentl. Rechtsmittel im engl. und amerikan. Prozessrecht, das nicht wie das kontinentaleurop. Recht scharf zw. Berufung und Revision unterscheidet.

Appeasement [əˈpiːzmənt, engl.] *das,* Beruhigung, Beschwichtigung, insbesondere Bez. für die von der brit. Reg. 1933–39 verfolgte Politik des Ausgleichs mit dem nat.-soz. Dtl. (Höhepunkt →Münchener Abkommen 1938).

Appellation contrôlée [apəlaˈsjɔ̃ kɔ̃trɔˈle], Abk. **A. C.**, in Frankreich auf dem Flaschenetikett erscheinende Kennzeichnung für Weine, die bestimmten, gesetzlich vorgeschriebenen Herkunfts- und Qualitätsnormen genügen müssen.

Apotheke: Die Pharmacie de la Charité in Lyon

Appellativ [lat.] *das,* der →Gattungsname.

Appendektomie [grch.] *die,* die Entfernung des Wurmfortsatzes des Blinddarms (Appendix vermiformis) durch Bauchschnitt. (→Blinddarmentzündung)

Appendikularien [lat. »kleine Anhängsel«], im Meer schwimmende walzenförmige Manteltiere mit Ruderschwanz.

Apotheose: Kaiser Antoninus Pius und seine Gemahlin Faustina werden von einem Genius emporgetragen; ihnen voran fliegt ein Adler, darunter sitzt Roma, die Personifikation der Stadt Rom (Relief am Sockel der Gedenksäule des Antoninus Pius, 161 errichtet; Rom, Vatikanische Sammlungen)

Appendix [lat.] *der,* **1)** *allg.:* Anhang eines Buches.

2) *Anatomie:* Anhangsgebilde an Organen, z.B. der Wurmfortsatz des →Blinddarms.

Appendizitis *die,* →Blinddarmentzündung.

Appenzell, zwei Kantone (urspr. einer) im NO der Schweiz, im Bereich des Alpsteins und dessen Vorland, Schweiz. Die Grundherrschaft im Gebiet des zuerst 1061 erwähnten Dorfes A. (lat. Abbatis

Appenzell: Häuserfassaden in der Hauptstraße

cella) hatte die Abtei St. Gallen, im 14. Jh. erwarb sie die Vogteirechte; als die Vogtei zur vollen Landesherrschaft ausgebaut werden sollte, erhoben sich die Landgemeinden 1403–08 gegen die Abtei im **Appenzeller Krieg,** der bis zum Bodensee und ins Allgäu übergriff. 1411 schloss A. ein Bündnis mit der Eidgenossenschaft und wurde 1513 gleichberechtigt in sie aufgenommen. Die der Reformation folgende Gegenreformation führte 1597 zur Spaltung in die heutigen Kantone:

Appenzell Ausserrhoden Kantonswappen

A. Ausserrhoden, 243 km², (1995) 54 200 Ew., Hauptort Herisau (14 600 Ew.); Almwirtschaft; Holz-, Kunststoffind., Maschinen- und Gerätebau; Fremdenverkehr.

Appenzell Innerrhoden Kantonswappen

A. Innerrhoden, 173 km², (1995) 14 700 Ew.; Hauptort Appenzell (4 800 Ew.); Viehwirtschaft; Fremdenverkehr; Textil- und Möbelindustrie.

Apperzeption [lat.] *die, Philosophie, Psychologie:* das klare und bewusste Erfassen eines Erlebnis-, Wahrnehmungs- oder Denkinhalts. Die **reine A. (transzendentale A.)** bei Kant ist die Fähigkeit des Bewusstseins, Begriffe und Anschauungen zur Einheit der Vorstellung eines Gegenstandes zu verknüpfen.

Appetenzverhalten, *Verhaltensphysiologie:* eine Verhaltensweise, die eine Situation erzeugt, die zu einer antriebsbefriedigenden Endhandlung führt, z. B. das Umherschweifen hungriger Tiere, bevor sie Beute jagen.

Appetit [lat. »Verlangen«] *der,* seelisch-körperl. Verlangen nach Nahrungsaufnahme, das durch Hunger, aber auch durch zahlr. andere Einflüsse ausgelöst werden kann. Im Verlauf versch. Krankheiten kann es zu **A.-Steigerung** (z. B. bei Diabetes mellitus), aber auch zu **Appetitlosigkeit** kommen. Auch aus psych. Gründen kann A.-Steigerung (→ Fettsucht) oder Appetitlosigkeit (→ Anorexie) auftreten.

Appetitzügler (Anorexika), Arzneimittel mit appetitvermindernder Wirkung, die bei Übergewicht eingenommen werden können. Ständiger unkontrollierter Gebrauch führt zu gesundheitl. Schäden.

Appian (lat. Appianus), grch. Geschichtsschreiber des 2. Jh. n. Chr. aus Alexandria; unter Mark Aurel kaiserl. Prokurator in Ägypten. Seine in grch. Sprache geschriebene röm. Geschichte reicht von den Anfängen bis ins 2. Jh. n. Chr.

Appleton ['æpltən], Sir (seit 1941) Edward Victor, engl. Physiker, * Bradford 6. 9. 1892, † Edinburgh 21. 4. 1965; erforschte die Ionosphäre und entdeckte dabei die oberhalb der Heaviside-Schicht (heute E-Schicht) gelegene F-Schicht (dafür Nobelpreis für Physik 1947); entwickelte die Radarortung von Flugzeugen mit.

Applikation [lat. applicare »anwenden«, »anfügen«] *die,* **1)** *Kunstgewerbe:* aufgenähte Stoff- oder Lederteile **(A.-Arbeit)** als Verzierung.

2) *Medizin:* Anwendung von Heilmitteln oder -verfahren.

Applikatur [lat.] *die, Musik:* der → Fingersatz.

Appoggiatura [apɔdʒa-, italien.] *die, Musik:* der → Vorschlag.

Apponyi ['ɔpɔɲi], Albert Georg Graf, ungar. Politiker, * Wien 29. 5. 1846, † Genf 7. 2. 1933, führte als Kultusmin. (1906–10) den unentgeltl. Volksschulunterricht ein; 1920 bei den Friedensverhandlungen in Paris (Trianon) und nach 1924 im Völkerbund Leiter der ungar. Delegation.

Applikation 1): Tanzdarstellungen tibetischer Gruppen aus dem Grenzbereich von Sikkim (2. Hälfte des 20. Jh.; Indien)

apportieren [frz.], Gegenstände (im Jagdwesen auch Wild) herbeibringen (von Hunden gesagt).

Apposition [lat. »Zusatz«] *die,* Beisatz, Beiordnung eines erläuternden Satzgliedes. (ÜBERSICHT Syntax)

Appretur [frz.] *die* (Ausrüstung), alle Arbeitsvorgänge oder Verfahren, durch deren Anwendung Textilien besseres Aussehen oder höhere Gebrauchseigenschaften erhalten: Pressen, Scheren, Walken, Rauen, Sengen, Mangeln, Dekatieren, Stärken, Krumpfecht-, Knitterfest-, Pflegeleicht- und Wasserabstoßendmachen. Die A.-Mittel werden meist im →Foulard auf- oder eingebracht.

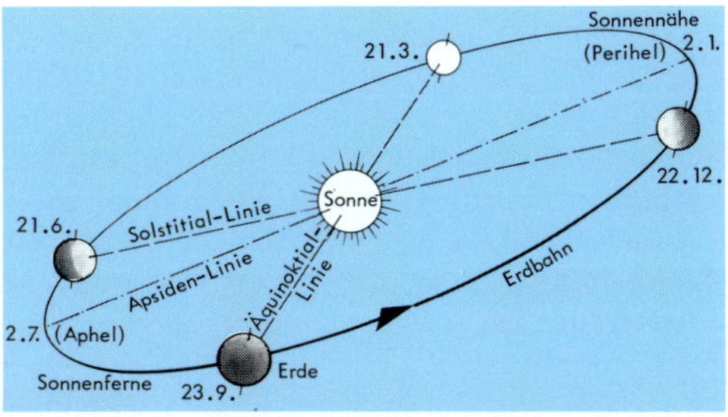

Apsiden: Perihel und Aphel der Erdbahn um die Sonne

Approbation [lat. »Billigung«] *die,* **1)** *kath. Kirchenrecht:* amtl. Genehmigung, Bestätigung eines Beschlusses oder einer kirchl. Gemeinschaft, Billigung eines Buches; Ermächtigung, z.B. eines Priesters, für die Spendung des Bußsakraments.

2) *Recht:* staatl. Zulassung für höhere Heilberufe. Die Voraussetzungen ihrer Erteilung, ihres Erlöschens und ihrer Rücknahme bestimmen sich für Ärzte nach der Bundesärzteordnung i.d.F. v. 16. 4. 1987 und der A.-Ordnung i.d.F. v. 14. 7. 1987, für Zahnärzte nach dem Ges. über die Ausübung der Zahnheilkunde i.d.F. v. 16. 4. 1987 und der Prüfungsordnung für Zahnärzte vom 26. 1. 1955, für Apotheker nach der Bundes-Apothekerordnung i.d.F. v. 19. 7. 1989 und der A.-Ordnung vom 19. 7. 1989, für Tierärzte nach der Bundes-Tierärzteordnung i.d.F. v. 20. 11. 1981 und der A.-Ordnung vom 22. 4. 1986. In der Bundesärzteordnung und entsprechenden Rechtsvorschriften für andere Heilberufe sind Bestimmungen über die Anerkennung von ärztl. Diplomen und sonstigen Befähigungsnachweisen aus Mitgliedsstaaten der EG enthalten. Ähnl. Bestimmungen gelten für *Österreich* und die *Schweiz.*

Approximation [lat.] *die, Mathematik:* →Näherung.

APRA, politische Bewegung in Lateinamerika, →**A**lianza **P**opular **R**evolucionaria **A**mericana.

Apraxie [grch.] *die,* durch Hirnschädigung bedingte Unfähigkeit, gezielte Bewegungen auszuführen, trotz Intaktheit von Muskeln und Nerven.

a. p. R. c., Abk. für lat. **a**nno **p**ost **R**omam **c**onditam, im Jahre nach der Gründung Roms (753 v. Chr.).

Aprikose [niederländ. abrikoos, über span. und arab., aus lat. praecoquus »frühreif«] *die* (Marille, Prunus armeniaca), Steinobst, ein Rosengewächs, blüht im März/April (weiß bis rosa, fast stiellos); die orangegelbe Frucht ist säuerlich-süß.

April, der 4. Monat des Jahres, Sinnbild des Wetterwendischen (A.-Wetter, A.-Schauer). – Der erste A. gilt als Geburts- oder Todestag von Judas, daher als Unglückstag. Der Brauch, jemanden »in den A. zu schicken«, d.h., ihn zu foppen **(A.-Scherz),** ist in Dtl. seit dem 17. Jh. bezeugt.

Edward Victor Appleton

a prima vista [italien. »auf den ersten Blick«] (a vista), vom Blatt spielen oder singen, d.h. ohne vorheriges Üben oder Proben.

a priori (apriorisch) [lat. »vom Früheren her«], das psychologisch, erkenntnistheoretisch oder transzendental dem Denken und der Erkenntnis Vorausgesetzte. **Aprior. Erkenntnis** gilt nach I. Kant unabhängig von der Erfahrung (aus bloßen Vernunftgründen), z.B. Sätze der Mathematik.

Apriorismus *der,* philosoph. Lehre, die eine Erkenntnis a priori für möglich hält, v.a. Idealismus und Rationalismus (→angeborene Ideen); auch in kritischem Sinn vom Empirismus zur Kennzeichnung aller Richtungen gebraucht, die von der Existenz und Erkennbarkeit erfahrungsunabhängiger Wahrheiten ausgehen.

Aprikose: Blüte und ganze Frucht (oben); Blätter und Frucht im Längsschnitt (unten)

apropos [apro'po, frz.], übrigens.

APS, Abk. für →**A**dvanced **P**hoto **S**ystem.

Apscheron, Halbinsel am W-Ufer des Kasp. Meeres, in Aserbaidschan; Erdölförderung (auch vor der Küste) bei Baku.

Apsiden [grch.], die beiden Punkte der ellipt. Bahn eines Himmelskörpers, in denen dieser dem Zentralkörper (Gravitationszentrum) am nächsten oder am fernsten ist; bei der Erdbahn **Perihel** (Sonnennähe) und **Aphel** (Sonnenferne), bei der Mondbahn und den Bahnen künstl. Erdsatelliten **Perigäum** (Erdnähe) und **Apogäum** (Erdferne), bei Doppelsternbahnen **Periastron** (Sternnähe) und **Apastron** (Sternferne).

Appetit

Der Appetit kommt beim Essen

Diese sprichwörtliche Redensart ist möglicherweise aus dem Französischen ins Deutsche gekommen. Die französische Form »L'appétit vient en mangeant« findet sich schon in François Rabelais' utopisch-burleskem und satirischem Abenteuerroman »Gargantua und Pantagruel« von 1535 (Pantagruel, der Sohn Gargantuas zeichnet sich unter anderem durch besondere Gefräßigkeit aus). Der französische Renaissancedichter stützte sich thematisch auf das 1532 in Lyon erschienene Volksbuch von den Riesen Gargantua und Pantagruel. Die erste deutsche Übersetzung von Gottlob Regis erschien 1832–41. Die Redensart wird heute einerseits konkret gebraucht, etwa als Aufforderung an jemanden, der keinen Appetit verspürt, trotzdem etwas zu essen. Andererseits gibt es aber auch eine übertragene Verwendung, bei der mit »Appetit« oft eher Habgier gemeint ist.

Apsis [grch. »Bogen«, »Wölbung«] (Apside), halbrunder, später auch vielseitiger, meist mit einer Halbkuppel überwölbter Raumteil; im frühchristl. und roman. Kirchenbau der Chorabschluss des Langhauses, oft mit kleineren Neben-A. an den Kreuzarmen oder am Chorumgang.

Aquädukt: Mittelalterlicher Aquädukt bei Nerja (Costa del Sol)

Apterygota [grch.], die → Urinsekten.

Apuleius, Lucius, röm. Schriftsteller, * Madaura (Numidien) um 125 n. Chr., † zw. 161 und 180; schrieb den Roman »Metamorphosen« (auch u. d. T. »Der goldene Esel«), der die Abenteuer eines in einen Esel verwandelten Mannes und seine Erlösung durch die Göttin Isis behandelt. In die Handlung sind zahlr. Novellen eingeflochten, darunter das Märchen von »Amor und Psyche«. Die Schriften »Über den Geist des Sokrates« und »Über Platon und seine Lehre« wurden zu einer Hauptquelle des Platonismus.

Apuli|en (italien. Puglia), Landschaft in SO-Italien, als Region 19 361 km^2, (1994) 4,066 Mio. Ew.; Hptst. ist Bari. A. besteht aus einer trockenen, fast siedlungsleeren Kalkhochfläche im Innern (Schafweide) und den fruchtbaren Küstenebenen mit Getreide-, Wein-, Mandel- und Olivenbau. Wichtige städt. Zentren sind neben den Hafenstädten Bari, Brindisi und Tarent noch Foggia und Lecce im Landesinneren. – A. war seit dem 4./3. Jh. v. Chr. römisch, wurde im 6. Jh. n. Chr. z. T. langobardisch (Herzogtum Benevent), der S blieb byzantinisch, 1059 von den Normannen erobert und als Herzogtum A. päpstl. Lehen, 1130 Teil des Königreichs Sizilien (Blüte unter den Staufern seit 1189), teilte seit 1282 die Geschichte des Königreichs Neapel.

📖 Legler, R.: *A. 7000 Jahre Gesch. u. Kunst im Land der Kathedralen, Kastelle u. Trulli.* Köln [3]1989.

Apure (Río A.), linker Nebenfluss des Orinoco in Venezuela, 1 600 km lang, entspringt in der Kordillere von Mérida, mündet unterhalb von San Fernando de Apure.

Apurímac (Río A.), linker Quellfluss des Ucayali in Peru, entspringt in der südl. Westkordillere, rund 900 km lang.

AQL, Abk. für engl. **a**cceptable **q**uality **l**evel (annehmbare Qualitätsgrenzlage), Wert für den maximalen Prozentsatz fehlerhafter Teile aus einem Lieferlos, der bei einer repräsentativen Stichprobenprüfung gerade noch als akzeptabler Durchschnitt angesehen wird.

Aqtöbe, Stadt in Kasachstan, → Aktöbe.

Aqua destillata [lat.] *das,* Abk. **aq. dest.,** destilliertes Wasser.

Aquädukt [lat. »Wasserleitung«] *der,* brückenartiges Steinbauwerk zur Überführung von Freispiegel-Wasserleitungen mit natürl. Gefälle über Täler oder andere Bodenunebenheiten. Großartige A. wurden für die Versorgung Roms in der Campagna gebaut (der erste 312 v. Chr. von Appius Claudius; um 110 n. Chr. gab es zehn A. von insges. 450 km Länge); antike A. ferner in Frankreich (Pont du Gard bei Nîmes) u. a. Ländern.

Aquae [lat. »Quellen«], röm. Name vieler Badeorte, z. B. **A.** (Baden bei Wien), **A. Aureliae** (Baden-Baden), **A. Granni** (Aachen), **A. Mattiacorum** (Wiesbaden), **A. Sextiae** (Aix-en-Provence).

Aquamanile [zu lat. aqua »Wasser« und manus »Hand«] *das, kath. Kirche:* Gießgefäß und Schüssel zum Händewaschen beim Hochamt des Bischofs; im MA. oft in Form eines Tieres (Löwe, Drache) aus Silber, Bronze oder Messing gebildet. Urspr. war A. nur die Bez. für die Schüssel, in der das Wasser aufgefangen wurde.

Aquamanile in Form eines Löwen (Messing mit Granataugen; Anfang des 13. Jh.)

Aquamarin [lat.] *der,* Mineral, → Beryll.

Aquaplaning [engl., zu lat. aqua »Wasser« und engl. to plane »gleiten«] *das* (Wasserglätte), Gleiten eines Autoreifens über einen Wasserfilm, verbunden mit dem Verlust der Antriebs-, Brems- und Lenkkräfte; kann bei nasser Straße, hoher Geschwindigkeit und geringer Profiltiefe eintreten.

Aquarellmalerei: Constantin Guys, »Dame zu Pferd« (um 1845; Oxford, Ashmolean Museum)

Aquarellmalerei [italien.], Malerei mit Wasserfarben, die aus feinsten Pigmenten, Pflanzenleim oder Dextrin und Netz- und Feuchthaltemitteln bestehen. A. lässt im Unterschied zur →Gouachemalerei den Malgrund durchscheinen. Beim Aquarell legt man das Bild meist erst in leichten Farbtönen an und übermalt diese, sobald sie getrocknet sind, mit stärkeren Farben. Weiße Stellen werden vom Malgrund ausgespart. In neuerer Zeit wird auch ohne Untertuschung mit nass ineinander verfließenden Farben gemalt. – Mit **Aquarellfarben** malten schon die alten Ägypter. Die Buchmaler des MA. bevorzugten Deckfarben, die auch im 16. Jh. neben Aquarellfarben verwendet wurden. Im 19. Jh. war die A. bes. in England beliebt, bei den dt. Romantikern die aquarellierte Zeichnung. Im 20. Jh. entwickelte sich bes. bei den Expressionisten (E. Nolde; C. Rohlfs; K. Schmidt-Rottluff, A. Macke, u.a.) ein neuer Stil der Aquarellmalerei.

📖 KOSCHATZKY, W.: *Die Kunst des Aquarells. Technik, Gesch., Meisterwerke. Unter Mitarb. v.* CHR. EKELHART *u. a. München 31.–34. Tsd. 1993.*

Aquarium [lat.] *das,* Behälter zur Züchtung und Haltung von Wassertieren und -pflanzen. Ein **Süßwasser-A.,** als **Kalt-** oder **Warmwasser-A.** (mit Heizung für trop. Zierfische) eingerichtet, hat meist Kiesboden, der mit sauberem Flusssand 3 cm hoch überschichtet ist. Für die Wasserpflanzen ist eine mäßige Beleuchtung erforderlich. Als **A.-Pflanzen** eignen sich z. B. von wurzelnden Unterwasserpflanzen: Hornkraut, Quellmoos, Wasserpest; von frei schwimmenden Pflanzen: Froschbiss, Wasserlinse und die tierfangenden Pflanzen Wasserfalle und Wasserschlauch. Als **A.-Tiere** werden Würmer, Moostierchen, Muscheln, Krebse und Insekten gehalten, von einheim. Fischen z. B. Bitterling, Elritze, Gründling, Stichling, von fremdländischen z. B. Buntbarsch, Labyrinthfisch, Sonnenbarsch, Zahnkarpfen. – Im **Meerwasser-** bzw. **Seewasser-A.** verwendet man dem Meer entnommenes Wasser oder Leitungswasser, dem bestimmte chem. Substanzen zugesetzt werden. Im Meerwasser-A. lassen sich z. B. Seerosen, Einsiedlerkrebse, Seesterne, Seeigel, Lippfische und Korallenfische halten; dagegen sind nur wenige Meerespflanzen geeignet.

Aquarius [lat.], das Sternbild →Wassermann.

Aquatinta [lat.-italien. »gefärbtes Wasser«] *die,* graf. Tiefdruckverfahren, bei dem auf die Kupferplatte nach dem Einritzen der Zeichnung gleichmäßig säurefeste Staubkörner (z. B. Kolophonium) aufgetragen und durch Erhitzen körnig angeschmolzen werden, sodass die Säure die Kupferplatte nur punktförmig angreift; eignet sich für die Herstellung großer, gleichmäßiger Flächen (F. Goya, M. Klinger).

Aquarellmalerei: Emil Nolde, »Reife Hagebutten« (Neukirchen, Stiftung Seebüll)

Äquator [lat. »Gleichmacher«] *der,* **1)** (Erd-Ä.) der größte Breitenkreis (→Breite) des Erdellipsoids oder der Erdkugel (→Erde), dessen Ebene auf der Erdachse senkrecht steht und von den Erdpolen einen Winkelabstand von 90° hat, teilt die Erde in die Nord- und Südhälfte. Er wird von den →Meridianen senkrecht geschnitten und in Längengrade (→Länge) geteilt. Seine Länge beträgt rd. 40 075 km.

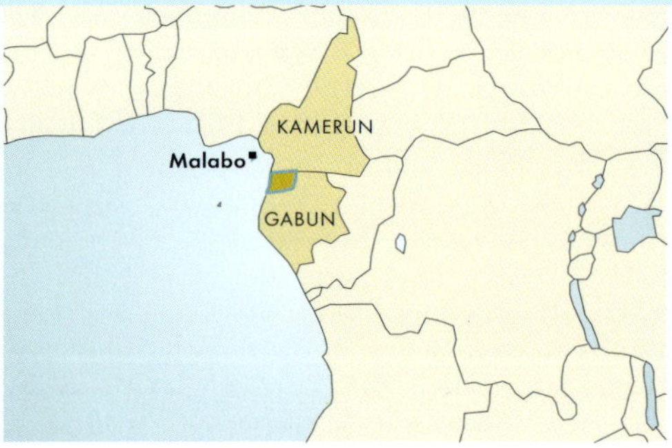

Äquatorialguinea

Fläche: 28 051
Einwohner: (1995) 400 000
Hauptstadt: Malabo
Verwaltungsgliederung: 2 Regionen mit 7 Provinzen
Amtssprache: Spanisch
Nationalfeiertag: 12. 10.
Währung: 1 CFA-Franc = 100 Centimes
Zeitzone: MEZ

Staatswappen

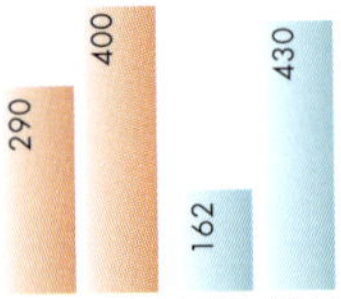

Bevölkerung (in 1000)
Bruttosozialprodukt je Ew. (in US-$)

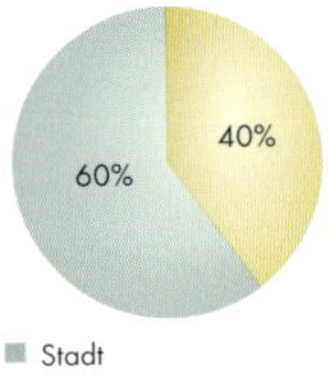

Bevölkerungsverteilung 1993

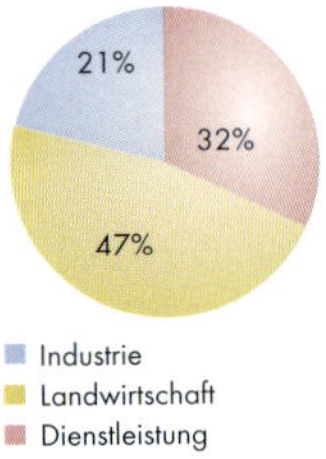

Bruttoinlandsprodukt 1992

2) *Astronomie:* (Himmels-Ä.) Schnittlinie der Ebene des Erd-Ä. mit der Himmelskugel. Er steht senkrecht auf der Himmelsachse und teilt den Himmel in die nördl. und die südl. Halbkugel. Eine Hälfte des Himmels-Ä. befindet sich über dem Horizont, die andere darunter. Steht die Sonne im Ä., herrscht Tagundnachtgleiche (→Äquinoktium). Die **Ä.-Höhe** ist der Winkel zw. der Ä.-Ebene und dem Horizont.

3) *Geophysik:* (erdmagnet. Ä., Akline) er verbindet Punkte mit der Inklination null des erdmagnet. Feldes (→Erdmagnetismus) und steht senkrecht auf der magnet. Achse der Erde.

4) *Meteorologie:* (kalor. Ä.) Breitenkreis, der von der Sonne im Sommer und Winter die gleiche Strahlungssumme erhält (~ 212° n. Br.); **therm. Ä.** (Wärme-Ä.), breitenkreisähnl. Linie, die Orte mit den durchschnittlich höchsten Temperaturen der Erde verbindet, liegt größtenteils nördlich des Erd-Ä.; **meteorolog. Ä.,** Konvergenzzone des NO- und SO-Passats, Grenzlinie zw. der nord- und südhemisphär. →Zirkulation der Atmosphäre.

Äquatorialguinea (amtlich span. República de Guinea Ecuatorial, dt. Republik Ä.), Staat in Westafrika, am Golf von Guinea, grenzt im N an Kamerun, im O und S an Gabun. Außerdem gehören zu Ä. die Inseln Bioko (früher Fernando Póo), Pagalu, Corisco, Elobey Grande und Elobey Chico.

Staat und Recht: Nach der Verf. vom 4. 12. 1991 ist Ä. eine präsidiale Rep. mit Mehrparteiensystem. Staatsoberhaupt ist der mit weitgehenden Vollmachten ausgestattete Präs. (auf sieben Jahre gewählt). Die Legislative liegt bei der Nationalversammlung (80 Abg., für fünf Jahre gewählt), Exekutivorgan ist die Reg. unter Vorsitz des MinPräs. Auf der Grundlage des Parteiengesetzes vom 8. 1. 1992 können neben der Demokrat. Partei Ä.s (PDGE) weitere Parteien zugelassen werden.

Landesnatur: Der festländ. Landesteil (Region Mbini, früher Río Muni) umfasst eine breite Küstenebene, die nach O zu einem Bergland (bis 1200 m hoch) ansteigt. Die Inseln im Golf von Guinea gehören zur Vulkankette der Kamerunlinie, die auf Bioko auf über 3000 m ü. M. ansteigt. Ä. besitzt äquatoriales Regenklima mit hohen Temperaturen und hoher Luftfeuchtigkeit. Trop. Regenwald ist weit verbreitet; an der festländ. Küste Mangroven.

Bevölkerung: Die Bev. setzt sich aus verschiedenen Bantuvölkern (v. a. Fang) zusammen; rd. 90 % sind römisch-katholisch. Es besteht 8-jährige allg. Schulpflicht vom 6. zum 14. Lebensjahr.

Wirtschaft, Verkehr: Ä. gehört zu den ärmsten Staaten Afrikas. Der Anbau von Kakao (v. a. auf Bioko) sowie die Gewinnung von trop. Edelhölzern (Mahagoni, Eben-, Teak- und Okouméholz) in Mbini und Kaffee bilden die Grundlage der Wirtschaft. Weitere Anbauprodukte sind Maniok, Bataten, Bananen und Kokosnüsse; Ölbaumkulturen v. a. an der Küste von Mbini. – Exportiert werden Kakao, Kaffee und trop. Hölzer, importiert v. a. Erdöl und Erdölprodukte, Nahrungsmittel, Maschinen und Fahrzeuge, bearbeitete Erzeugnisse (z. B. Eisen, Stahl, Metallwaren) sowie chem. Erzeugnisse. Wichtigster Handelspartner ist Spanien. – Eisenbahnen fehlen bis auf eine Werkbahn für den Holztransport. Das Straßennetz hat eine Gesamtlänge von rd. 2 700 km, davon sind 20 % befestigt. Urspr. gut ausgebaut (v. a. die Küstenstraße im nördl. Teil der Insel Bioko, die Straße im N von Mbini), befindet es sich in einem schlechten Zustand. Wichtigster Seehafen ist Bata; internat. Flughäfen haben Malabo und Bata.

Geschichte: Fernando Póo (seit 1778 spanisch) und Río Muni (seit 1900 im heutigen Umfang spanisch) wurden 1968 als Ä. unabhängig. Gestützt auf ihm ergebene polit. Organisationen, errichtete Staatspräs. F. Macías Nguema ein Terrorregime. 1979 wurde er durch einen Putsch gestürzt und später hingerichtet. Seitdem führt General T. Obiang Nguema Mbasogo als Staatspräs. – seit 1992 im Rahmen eines Mehrparteiensystems – die Regierung (1989 und 1996 im Amt bestätigt). Im Kontrast zu den formal demokrat. Herrschaftsstrukturen seit 1991 trägt das Reg.system Obiangs diktator. Züge. Die in einer »Plattform« vereinigte Opposition rief bei den Wahlen von 1993, bei der die PDGE fast alle Mandate gewann, zum Wahlboykott auf.

📖 *Handbuch der Dritten Welt, hg. v.* D. NOHLEN *u.* F. NUSCHELER, *Bd. 4: Westafrika u. Zentralafrika. Bonn* ³*1993.*

Äquatorialprojektion, Abbildungsform bei →Kartennetzentwürfen.

Äquatorialströme, Meeresströmungen im →Atlantischen Ozean, →Indischen Ozean und →Pazifischen Ozean.

Äquatortaufe (Linientaufe), seemänn. Brauch, nach dem Mitgl. der Schiffsbesatzung, die erstmalig den Äquator passieren, in derber Form für ihren Übertritt auf die südl. Erdhalbkugel »gereinigt« werden; heute auch auf Passagiere ausgedehnt.

à quatre [a'katr, frz.], zu vieren; *Musik:* **à quatre mains,** vierhändig; **à quatre parties,** vierstimmig.

Aquavit [lat. aqua vitae »Lebenswasser«] *der,* mit Kümmel u.a. Gewürzen aromatisierter Branntwein (mindestens 38 Vol.-% Alkohol); in Dänemark mit Kümmel gewürzter Kornbranntwein.

Äquer, mittelitalisches Bergvolk, das im Altertum östlich von Latium siedelte, 304 v. Chr. von den Römern unterworfen.

Äquidensiten [lat.], Linien oder Flächen gleicher Schwärzung (Dichte) oder Helligkeit in fotograf. Negativen.

Aquifer [lat.] *der,* internat. Bez. für Grundwasserleiter.

Aquila, lat. Bez. des Sternbilds →Adler.

Aquila degli Abruzzi [-'deʎi-], →L'Aquila.

Aquileja (italien. Aquileia), Gemeinde in der Prov. Udine, Italien, im Isonzodelta, 9 km von der Adria, 3400 Ew.; Fremdenverkehr; Reste röm. Bauten, roman. Basilika mit frühchristl. Mosaikfußboden, karoling. Krypta. – 181 v. Chr. als röm. Kolonie gegr., in der Kaiserzeit eine der größten Städte Italiens, 452 n. Chr. durch Attila zerstört. Mitte des 6. Jh. wurde A. Sitz eines Patriarchen, der beim Langobardeneinfall 568 nach Grado übersiedelte. So entstanden zwei (1180 von Rom anerkannte) Patriarchate, Alt- und Neu-A. Seit 1421 gehörte A. zu Venedig. Das Patriarchat Alt-A. war für die kaiserl. Italienpolitik von großer Bedeutung. Es verlor 1445 seine weltl. Herrschaft; 1751 von Papst Benedikt XIV. aufgelöst.

Äquilibrist [zu lat. aequilibrium »Gleichgewicht«] *der* (Equilibrist), Artist, der die Kunst des Gleichgewichthaltens beherrscht (v.a. Seiltänzer).

Aquino, Stadt in Latium, Italien, südlich von Frosinone, 5400 Ew. Auf der nahen Burg Roccasecca wurde Thomas von Aquin geboren.

Aquino [-'ki-], Corazon (Cory), philippin. Politikerin, * Manila 25. 1. 1933; Frau des 1983 ermordeten Oppositionspolitikers Benigno A. (* 1932); erreichte an der Spitze einer Volksbewegung den Sturz von Präs. F. Marcos (Febr. 1986) und übernahm das Amt des Staatspräs. (bis 1992).

Corazon Aquino

Äquinoktialstürme, regelmäßig zur Zeit der Äquinoktien (Tagundnachtgleichen) v.a. in den Subtropen auftretende Stürme.

Äquinoktium [lat. »Nachtgleiche«] *das,* Zeitpunkt der **Tagundnachtgleiche,** am Frühlingsanfang um den 21. März (Frühlings-Ä.) und am Herbstanfang um den 23. September (Herbst-Ä.). Die Sonne steht dann im Äquator und geht um 6 Uhr Ortszeit auf, um 18 Uhr unter. Die beiden Punkte des Himmelsäquators, an denen sie sich zur Zeit der Tagundnachtgleichen befindet, heißen **Äquinoktialpunkte** (Frühlings- oder Widderpunkt und Herbst- oder Waagepunkt).

Äquipotenzialfläche, in einem physikal. Feld Flächen gleichen →Potenzials.

Aquileja: Ausschnitt aus dem frühchristlichen Mosaikfußboden (4. Jh.) in der romanischen Basilika

Aquitanien, histor. Landschaft und Region in SW-Frankreich, 41308 km², (1990) 2,79 Mio. Ew. Hptst.: Bordeaux. Die Region umfasst den Kernraum des Aquitanischen Beckens, einer Hügellandschaft im Einzugsgebiet von Garonne und Dordogne, und die westl. Pyrenäen. Angebaut werden v.a. Getreide, Gemüse, Tabak und Obst; das Bordelais ist das größte frz. Weinbaugebiet. Erdgasvorkommen bei Lacq; nach dem 2. Weltkrieg Ausbau der Industrie: Erdölraffinerien, chem., Aluminiumind., Flugzeug- und Schiffbau u.a. An der Dünenküste bed. Fremdenverkehr. – Im alten Gallien das Land zw. den Pyrenäen, der

Garonne und dem Atlantik. Die röm. Provinz A. reichte bis zur Loire. 418 kam A. an die Westgoten, 507 an die Franken. Die Grafen von Poitou wurden um 950 Herzöge von A.; dieses Herzogtum fiel 1152 an die Grafen von →Anjou und damit 1154 an England. 1453 wurde A. mit Frankreich vereinigt.

🕮 SEIDLER, P.: *A. Bordeaux, Atlantik-Küste, Baskenland, Gascogne u. Dordogne. Kunst- u. Reiseführer mit Landeskunde. Stuttgart u. a. 1988.* – LEIBISCH, A.: *A. (Frankreich). Köln* [2]*1991.*

Ara:
Ararauna

Äquivalent [lat.] *das,* **1)** *allg.:* Gegenwert, vollwertiger Ersatz.

2) *Chemie:* a) kurz für →Äquivalentmasse. b) ein elektrochem. Ä. (→faradaysche Gesetze).

3) *Photometrie:* →photometrisches Strahlungsäquivalent.

4) *Physik:* a) mechan. Wärme-Ä.; b) elektr. Wärme-Ä. (→Wärme).

Äquivalentdosis, *Physik, Strahlenschutz:* →Dosis.

Äquivalentkonzentration, *Chemie:* →Normalität.

Äquivalentmasse (veraltet Äquivalentgewicht), Quotient aus der relativen Masse eines Stoffteilchens (Atom, Molekül, Ion) eines Stoffes und dessen Wertigkeit in einer chem. Verbindung. Ein **Äquivalent** oder Val eines Stoffes ist die Stoffmenge, die einem Mol Wasserstoff (1,008 g) äquivalent ist.

Äquivalenz [lat.] *die,* **1)** *allg.:* Gleichwertigkeit, Entsprechung.

2) *Logik:* →Bedingung.

3) *mathemat. Logik:* Bez. für zwei Aussagen mit demselben Wahrheitswert.

4) *Physik:* 1) **Ä. von Masse und Energie (einsteinsches Gesetz),** von A. Einstein 1905 in der speziellen Relativitätstheorie aufgestellte Beziehung über die Gleichwertigkeit von Ruhemasse m_0 und Energie E, $E = m_0 c^2$ (c = Lichtgeschwindigkeit).

Ausbreitung der Araber bis 750

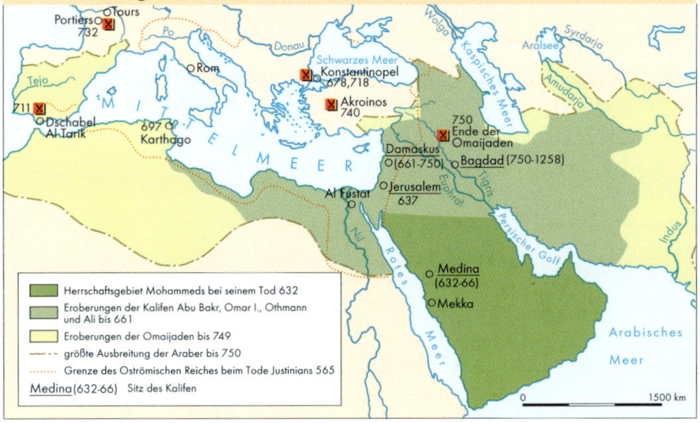

2) **Ä. von träger und schwerer Masse** (→Eötvös, →Relativitätstheorie). 3) **Relativitätsprinzip** über die Gleichwertigkeit von Koordinatensystemen (→Relativitätstheorie).

5) *Psychologie:* die Gleichwertigkeit von einander ähnl. Reizen, die einander ersetzen und gleichartige Reaktionen hervorrufen können; auch von gleich gebauten Testaufgaben, die zur Prüfung der →Reliabilität auf dasselbe Merkmal ausgerichtet sind.

Äquivalenzprinzip, Grundsatz in der Rechts- und der Finanzwissenschaft, wonach zw. dem Wert einzelner Leistungen der öffentl. Verwaltung und der dafür geforderten Gebühr ein ausgewogenes Verhältnis bestehen muss. Daneben gilt für das gesamte Gebührenwesen das →Kostendeckungsprinzip.

Äquivalenztheorie, *Recht:* →Verursachung.

Äquivokation [lat.] *die,* Mehrdeutigkeit gleich lautender **(äquivoker)** Begriffe, z. B. Feder (Schreibfeder, Vogelfeder).

Ar, chem. Symbol für →Argon.

Ar [lat. area »Fläche«], Einheitenzeichen **a,** gesetzl. Einheit zur Angabe der Fläche von Grund- und Flurstücken: 1 a = 100 m² (→Einheiten).

AR, *Astronomie:* Abk. für lat. **a**scensio **r**ecta (gerade Aufsteigung), →Rektaszension.

Ara [indian.] *der,* Gattung großer, langschwänziger, in den trop. Regenwäldern Mittel- und Südamerikas lebender Papageien, z. B. der **Ararauna** (A. ararauna) und der **Hellrote A.** (A. macao).

Ära [lat.] *die,* **1)** Zeitalter, Zeitrechnung. Den Anfangspunkt einer Ä. bildet ein Epochentag, gewöhnlich durch ein wichtiges geschichtl. Ereignis gekennzeichnet, nach dem die Ä. benannt wird. Die wichtigsten der noch gebräuchl. Ären sind: 1) die **christl. Ä.,** die nach Jahren seit Christi Geburt rechnet; im 6. Jh. durch den röm. Mönch Dionysius Exiguus zum ersten Mal angewendet. 2) die **jüd. Welt-Ä.,** von den Juden seit dem 11. Jh. gebraucht; Anfang: 7. 10. 3761 v. Chr. (nach jüd. Quellen die Erschaffung der Welt). 3) die **muslim. Ä., Hedschra,** beginnt mit der Flucht des Propheten am 16. 7. 622 n. Chr. 4) die **buddhist. Ä. (Nirwana);** als ihr Anfang gilt das Todesjahr Buddhas (meist 483 v. Chr. angesetzt). 5) die **japan. Ä. (Nengo),** wurde erstmals nach chines. Vorbild unter Kaiser Kotoku (645–654 n. Chr.) verwendet.

2) *Geologie:* größter Zeitraum der Erdgeschichte; Hauptzeit einer mehrphasigen Gebirgsbildung, z. B. varisk. Ära.

Araber, urspr. nur die semit. Stämme der Arab. Halbinsel, heute alle, die Arabisch als Muttersprache sprechen (über 230 Mio.). In Afrika liegt ihr zahlenmäßiges Schwergewicht (abgesehen von den über 40 Mio. Arabisch sprechenden Ägyptern) in den Staaten des Maghreb bis nach Mauretanien.

Die A. gehören im Bereich der Arab. Halbinsel ausschl., in den anderen Gebieten größtenteils dem Islam an. – Je nach Lebensraum und Wirtschaftsform waren die A. von alters her Nomaden (→Beduinen), Bauern (→Fellachen) mit hoch entwickelter Bewässerungstechnik sowie Handwerker und v. a. Händler, die zw. Asien, Afrika und Europa Handel trieben. – Nach einer verbreiteten Ansicht ist die Arab. Halbinsel ihre Urheimat. Seit dem 7. Jh. n. Chr. haben sie mit der Ausbreitung des Islam ihre heutige Ausdehnung erlangt. Über die Bestrebungen der A., sich über sprachl. und kulturelle Gemeinsamkeiten hinaus auch zu einer polit. Zusammenarbeit zu finden, →Arabische Liga, →panarabische Bewegung.

Arabẹske [frz. aus italien.] *die,* **1)** *Dekorationskunst:* stilisiertes Blattrankenornament in der islam. Kunst. Die A. entwickelte sich aus dem hellenistisch-röm. Rankenornament. Im 16. Jh. kam sie mit der maur. Kunst nach Europa und wurde dort zur →Maureske umgebildet.

2) *Musik:* Charakterstück, meist für Klavier, mit reich verzierter Melodik.

Arabesque [ara'bɛsk, frz.] *die,* Grundhaltung im klass. Tanz mit gestrecktem Standbein und um 90° gestreckt nach hinten gehobenem Spielbein.

Arabinọse *die,* eine Zuckerart, →Zucker.

arạbische Bewegung, →panarabische Bewegung.

Arạbische Emirạte, →Vereinigte Arabische Emirate.

Arabeske 1) aus einer persischen Handschrift (2. Hälfte des 15. Jh.)

Arạbische Halbinsel (Arabien, arab. Djesirat el-Arab, pers. und türk. Arabistan), die westlichste der drei großen südasiat. Halbinseln, rd. 3,5 Mio. km², fast ausschl. von →Arabern bewohnt. Staatlich gliedert sie sich in Saudi-Arabien, Jemen, Oman, die Vereinigten Arab. Emirate, Katar, Kuwait. Im N haben Irak und Jordanien Anteil; im Pers. Golf vorgelagert liegt Bahrein.

Landesnatur: Die A. H. ist von Afrika durch das Rote Meer, von den anatolisch-iran. Faltenketten durch eine lang gestreckte Senkungszone (Pers. Golf–Mesopotamien) getrennt. Im S ist sie am stärksten herausgehoben (bis 3760 m ü. M.) und bricht steil zum Roten Meer hin ab. Nach NO zu dacht sie sich langsam ab; auflagernde Sedimente bilden hier ein Schichtstufenland. Große Senken und Mulden der zentralen A. H. sind Sandwüste, v. a. die Wüste Nefud im NW und die Große Arab. Wüste (Rub al-Chali) im SO. Weit verbreitet sind eintönige Basaltblockfelder jungvulkan. Ergüsse. Klimatisch gehört die A. H. zum Trockengürtel der Alten Welt. Nur der N und die Gebirge von Oman erhalten (nach O zu abnehmend) spärl. Winterregen, der S (Jemen) etwas reichlichere Sommerregen; an den Küsten hohe Luftfeuchtigkeit. Im Inneren sind die Wärmeschwankungen zw. Sommer und Winter sowie zw. Tag und Nacht erheblich. Die A. H. ist nur sehr dünn besiedelt. Ihre wirtsch. Bedeutung liegt in dem Reichtum an Erdöllagerstätten. Feldbau (in den wenigen Oasen und in Randgebieten) und Viehhaltung spielen wertmäßig nur eine geringe Rolle.

Arabische Halbinsel: Feldbau im Hochland von Asir (Saudi-Arabien)

Geschichte: Der Süden der A. H. (Arabia Felix, arab. Jemen), Land des Weihrauchs und der Karawanenstapelplätze, hatte in vorislam. Zeit ein kontinuierl. staatl. Leben und eine eigene Kultur. Hier bestanden im 1. Jt. v. Chr. versch. selbstständige Reiche, so die der Sabäer (Hptst. Marib) und der Minäer, und um 300 n. Chr. ein südarab. Großreich. Das Gebiet war dann 525–575 n. Chr. unter abessin., danach unter pers. Oberhoheit. Im Innern der A. H. einschl. des heutigen Hedschas entwickelten sich infolge des unsteten Lebens der Beduinen die Handelsniederlassungen entlang der Weihrauchstraße (wie Mekka) nicht zu Staaten, bis der Islam die A. H. religiös und politisch unter Einschluss des S einte (7. Jh.), allerdings nur vorübergehend, denn das polit. Zentrum des islam. Weltreichs verlagerte sich schon Mitte des 7. Jh. von Medina nach Damaskus. Die Randgebiete, bes. der S und O, verselbstständigten sich wieder. Zu Beginn der Neuzeit setzten sich die Portugiesen in Maskat fest (1506), während die Osmanen mit wechselndem Erfolg versuchten, den Jemen und das Hidjas (mit Mekka und Medina) unter ihre

Herrschaft zu bringen. Im Innern, im Nedjd, kam es um 1740 unter den Wahhabiten zur Bildung eines arab. Staates, der 1818 osmanisch wurde und aus dem im 20. Jh. Saudi-Arabien (seit 1932) entstand. Von 1930/32 (Irak) bis 1971 (Vereinigte Arab. Emirate) erreichten die Länder der A. H. ihre Unabhängigkeit; die meisten (Saudi-Arabien, Irak, Kuwait, Bahrein, Katar, Vereinigte Arab. Emirate, Oman) kamen durch Erdölexporte zu Reichtum, 1981 wurde der Golfrat gegründet. Im Spannungsfeld von islam. Traditionen, arab. Nationalismus und dem Palästina-Problem (→ Nahostkonflikt) ist der arab. Raum zu einer Krisenregion geworden (→ Golfkrieg).

📖 Hourani, A. H.: *Die Gesch. der arab. Völker. A. d. Engl. Frankfurt am Main 26.–28. Tsd., [5]1992.* – *Gesch. der arab. Welt, hg. v.* U. Haarmann. *München [3]1994.* – Lewis, B.: *Die Araber. Aufstieg u. Niedergang eines Weltreichs. A. d. Engl. Wien u. a. 1995.* – Heck, G. *u.* Wöbcke, M.: *Arab. Halbinsel. Saudi-Arabien, Kuwait, Bahrain, Qatar, Vereinigte Arabische Emirate, Oman, Jemen. Köln 1996.* – Tibi, B.: *Das arab. Staatensystem. Mannheim u. a. 1996.*

arabische Kunst, → islamische Kunst.

Arabische Legion, militär. Verband, gegründet 1921 als »Wüstenpatrouille« in (Trans-)Jordanien, wurde von Glubb Pascha zu einer jordan. Elitetruppe geformt; ging 1956 in der Armee auf.

Arabische Liga, Zusammenschluss von 21 arab. Staaten und der Palästinensischen Befreiungsorganisation (PLO); gegr. 1945 von Ägypten (1979–89 war dessen Mitgliedschaft suspendiert), Irak, Jemen, (Trans-)Jordanien, Libanon, Saudi-Arabien und Syrien; Sitz: Kairo. Die A. L. erstrebt die polit., militär., wirtsch. und kulturelle Zusammenarbeit ihrer Mitglieder. Oberstes Beschlussorgan ist der Rat, in den jedes Mitgl. einen Vertreter entsendet. Der Rat kann kein Mitgl. gegen dessen Willen (Vetorecht) an einen Beschluss binden. Neben ihm bestehen mehrere Ausschüsse, bes. der Ausschuss der Außenminister. Geschäftsführendes Organ ist das Generalsekretariat, an dessen Spitze ein Generalsekretär steht. Spannungen zw. den Mitgl. beeinträchtigen oft die Zusammenarbeit.

arabische Literatur. Die a. L. wird seit dem Ende des 8. Jh. systematisch aufgezeichnet. Die Poesie auf der Arab. Halbinsel war schon im 6. Jh. hoch entwickelt. Zu ihren Themen gehörten u. a. Liebe, Jagd und Selbstruhm sowie Naturbeschreibungen. Mit dem Auftreten des Propheten Mohammed (†632) trat sie zurück, erreichte jedoch um 700 erneut einen Höhepunkt. Die zur gleichen Zeit in Mekka, Medina und Damaskus entstehende städt. Poesie pflegte bes. das anakreont. Liebes- und Trinklied. Zu voller Entfaltung kam sie mit der Konsolidierung des Abbasidenkalifats (seit 750) in Bagdad. In Irak entstand auch der »neue«

اَلْحَمْدُ لِلّٰهِ رَبِّ ٱلْعَالَمِينَ * ٱلرَّحْمٰنِ ٱلرَّحِيمِ

Arabische Schrift: Anfang der ersten Sure des Korans: »Lob sei Gott, dem Herrn der Welten, dem Barmherzigen, dem …«

Stil mit Gedichten auf Würdenträger, Kriegszüge, Stadtgründungen u. a. Mit dem Niedergang der kalifalen Zentralgewalt in Irak verlagerte sich das literar. Schaffen an kleinere Fürstenhöfe.

An Prosa ist aus vorislam. Zeit wenig überliefert: Sprichwörter und Reden mit dazugehörigen Geschichten sowie Berichte über »altarab. Kampftage«. An diese Tradition knüpften Erzähler der frühen Abbasidenzeit an. So entstand, stets vom ältesten arab. Prosabuch, dem Koran und seiner Interpretation, ausgehend, eine reiche Literatur über die verschiedensten Themen, darunter philolog. Abhandlungen, eine Geschichte des Propheten Mohammed im Rahmen einer Heilsgeschichte der Menschheit (Ibn Ishak, †768), Reichsgeschichten (z. B. von Tabari, †923), religiöse, theolog., philosoph. (al Ghasali) und jurist. Werke, geograph. Schriften (Jakut, †1229) und Reisebeschreibungen (Ibn Battuta) sowie enzyklopäd. Werke. Die Geschichtsdeutung des → Ibn Chaldun aus soziolog. Sicht war für das gesamte MA. in Morgen- und Abendland einzigartig. Die Welt der Märchen, Legenden und Sagen erlebte mit den Erzählungen aus → Tausendundeiner Nacht ihre Blüte.

Nach Jahrhunderten der Erstarrung entstand die a. L. in der 2. Hälfte des 19. Jh. neu. Der Anstoß ging von Europa aus. Literaten und Übersetzer bedienten sich der klass. Literatursprache, passten sie aber den Bedürfnissen des modernen Lebens an. Die erzählende Prosa wurde von engl. und frz. Vorbildern angeregt, durch den modernen Roman und die Kurzgeschichte zu neuer Blüte gebracht. Das arab. Theater wurde begründet. Inzwischen verstärken sich in der Literatur Bewusstsein und Zielvorstellung der Unabhängigkeit, Eigenständigkeit und partnerschaftl. Gleichberechtigung, bes. gegenüber Europa, eingebracht in den weiten Rahmen nationaler Erneuerung. Zu den Vertretern der modernen a. L. gehören u. a. in Ägypten Taha Husain, Taufik al-Hakim (*1898, †1987), Nagib Mahfus (Nobelpreis für Literatur 1988), Jussuf al-Kaid (*1944), im Libanon Michail Nuaima (*1889, †1988) und Adonis (*1930), in Syrien Saadalla Wannus (*1941).

📖 Sezgin, F.: *Gesch. des arab. Schrifttums, 9 Bde. Leiden 1967–84.* – Gibb, H. A. R. *u.* Landau, J. M.: *Arab. Literaturgesch. A. d. Engl. Zürich u. a. 1968.* – Haywood, J. A.: *Modern Arabic literature, 1800–1970. An introduction, with extras in translation. London 1971.* – Badawi, M. M.: *A short history of modern Arabic literature. Oxford 1993.*

arabische Musik, →orientalische Musik.

arabische Schrift. Sie geht auf die altsemit. Konsonantenschrift zurück. Seit dem 7. Jh. n. Chr. gibt es zwei Formen: eine eckige Monumentalschrift (die nicht mehr gebräuchliche **kufische Schrift**) und eine runde Kursivschrift, die bis heute übl. **Neschi-Schrift.** Die a. S. läuft von rechts nach links. (TAFEL Schrift)

arabische Wissenschaft: Karte mit den Himmelsrichtungen des Islam (der Pfeil zeigt nach Norden); in der Mitte die Kaaba, die zentrale Kultstätte des Islam in Mekka, auf dem Kreis die Namen der islamischen Länder (16. Jh.)

Arabisches Meer, der nordwestl., zw. Vorderindien und Arabien gelegene Teil des Ind. Ozeans mit dem Golf von Aden und dem Golf von Oman, 3000–4000 m tief.

arabische Sprache. Die a. S. bildet mit der äthiop. den südwestl. Teil des semit. Sprachstammes. Das **Südarabische** lebt nur noch in wenigen Volksdialekten fort, das **Nordarabische** hat durch den Siegeszug des Islam (7. Jh.) nicht nur die südarab. Schriftsprache verdrängt, sondern das Arabische in Vorderasien bis nach Zentral- und Südostasien, in Nordafrika und in Spanien verbreitet. Auch die islam. Völker, die der Arabisierung widerstanden (Perser, Türken, Inder, Malaien, Berber u.a.), übernahmen das Arabische als Schriftsprache in Religion und Wissenschaft. Daneben haben sich seit dem MA. arab. Dialekte entwickelt, die als Umgangssprache des tägl. Lebens im Gebrauch sind; es gibt fünf Hauptgruppen: 1) Halbinsel-Arabisch, 2) Irakisch, 3) Syrisch-Palästinensisch, 4) Ägyptisch, 5) Maghrebinisch.

arabische Wissenschaft. Um 750 begann man in Arabien mit der Übersetzung praktisch wichtiger Werke (bes. Medizin, Astronomie und Astrologie, Landwirtschaft, Logik) zunächst aus dem Persischen und Indischen, dann dem Griechischen. Im Verlauf von etwa 150 Jahren wurden so die wichtigsten wiss. Arbeiten der Antike ins Arabische übertragen. Einheim. Gelehrte, meist nichtarab. Herkunft, verarbeiteten das neue Wissensgut und entwickelten es selbstständig weiter, so die Philosophen al-Kindi, al-Farabi, Ibn Sina (Avicenna), die Mediziner Rhazes (†924), Ali ibn Abbas (Hali Abbas, †994), Abul Kasim (Abulcasis, †um 1013), die Mathematiker al-Charismi, Thabit Ibn Kurra (†901), Omar Chaj-jam, die Physiker Haitham (Alhazen) und Chasini (um 1125), die Astronomen al-Battani (Albategnius) und Chodjandi (†um 1000). Ihre Synthese oriental. und antiken Geistes hat die islam. Kultur entscheidend geformt. Manche Wissenszweige, z.B. Religionswiss., Chronologie, Experimentalphysik, Trigonometrie und Algebra, sind von islam. Gelehrten geschaffen worden oder fanden bei ihnen ihre erste gültige Ausprägung. Es sind v.a. die mathematisch-naturwiss. und techn. Disziplinen, deren Hochblüte im Ggs. zu den anderen Wiss. das 10.–12. Jh. überdauerte. Der westl. Zweig der islam. Kultur (Spanien, Maghreb) brachte bed. Männer wie die Astronomen Sarkala (Arzachel, †1100) und Djabir Ibn Aflach (Geber, 12. Jh.), den Pharmakologen Ibn al-Baitar (†1248), die Philosophen Ibn Ruschd (Averroes) und Ibn Badjdja (Avempace), den Historiker Ibn Chaldun hervor.

Im 11. bis 13. Jh. setzte hauptsächlich in Spanien und Sizilien eine lebhafte Übersetzungstätigkeit aus dem Arabischen ins Lateinische ein. Eine begrenzte Auswahl der a. W. wurde an das Abendland übermittelt, v.a. aber die grch. Klassiker, so

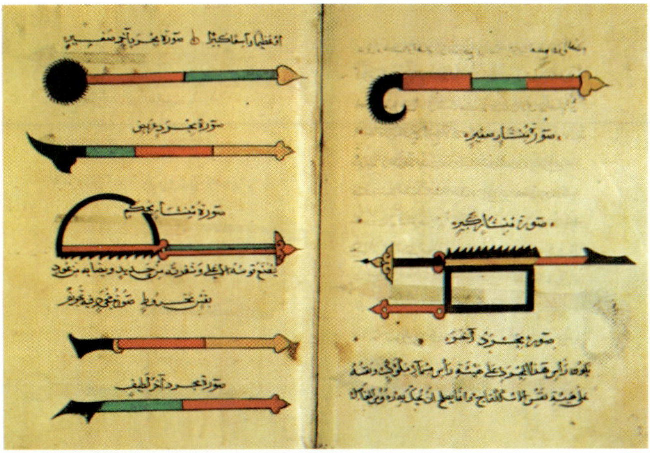

arabische Wissenschaft: Darstellungen ärztlicher Instrumente in einer Handschrift des Abul Kasim: Instrumente zum Ausschaben und Auskratzen, eine Säge, zwei Schabeisen (links); Säge mit gebogenem Blatt, große Amputationssäge (rechts)

fast der gesamte Aristoteles und damit die wiss. Tradition des Griechentums, aber auch die scholast. Methode. Ende des 15. Jh. erstarrte die a. W. insgesamt, stand aber noch bis zum Einsetzen der Renaissance in hohem Ansehen. Vom Einfluss der arab. Astronomie zeugen bis heute Ausdrücke wie Zenit, Azimut und viele Sternnamen; in der Mathematik Begriffe wie Algebra, Algorithmus, Sinus und Kosinus.

Jasir Arafat

Arabische Wüste, Gebirgswüste in Ägypten, zw. Nil und Rotem Meer, bis 2187 m hoch.

arabische Ziffern, die heute gebräuchl. →Ziffern, die von den Arabern übernommenen, urspr. ind. Zahlzeichen für die Zahlen 1 bis 9 und die Null. Die in Europa übl. Form entstand im 10. Jh. in Katalonien; im 15. Jh. verdrängten die a. Z. in Dtl. die →römischen Ziffern.

Arabistik *die,* die kulturhistor., politolog., ökonom. und soziolog. Erforschung des arab. Raumes, urspr. der arab. Philologie.

Aracaju [-ka'ʒu], Hauptstadt des Staates Sergipe, NO-Brasilien, 401 700 Ew.; Erzbischofssitz; Handels- und Industriezentrum (Häute, Zucker, Baumwolle, Ölfrüchte) mit Hafen.

Arachnida [grch.], die →Spinnentiere.

Dominique Arago

Arad, 1) Hpst. des Bezirks A. in Rumänien, an der Maros, 190 100 Ew.; Philharmonie; Textilind., Maschinen- und Waggonbau; Flughafen. – A. wurde 1551 von den Türken, 1685 von den Österreichern erobert; im ungar. Aufstand 1848/49 zeitweise Sitz der Reg. Kossuth. 1920 fiel es an Rumänien.

2) Stadt in Israel, im Negev, 12 400 Ew.; als Wohnstadt für die Arbeiter der Kaliwerke am Toten Meer 1963 gegründet.

Arafat, Jasir Mohammed, eigtl. Rahman Abd ar-Rauf A. al-Qudwa al-Husaini, nach anderen Angaben Mohammed Abd ar-Rauf A., (zeitweiliger) Deckname Abu Ammar, palästinens. Politiker, *Jerusalem (nach anderen Angaben: Kairo) 27. 8. 1929; urspr. Ingenieur, Gründer (1958) und Führer der Guerillaorganisation Al-Fatah, seit 1969 Vors. des ZK der »Palästinens. Befreiungsorganisation« (PLO); tritt als Sprecher der palästinens. Araber hervor, wurde im April 1989 zum Präs. des im Nov. 1988 proklamierten Staates Palästina ausgerufen. In Geheimverhandlungen mit Vertretern Israels erreichte A. die Anerkennung der PLO durch Israel und eine begrenzte Autonomie der Palästinenser im Gazastreifen und im Gebiet von Jericho (»Gaza-Jericho-Abkommen«, Sept. 1993, →Nahostkonflikt). Gemeinsam mit I. Rabin und S. Peres erhielt er 1994 den Friedensnobelpreis. Im Jan. 1996 wählte ihn die Bev. in den autonomen Gebieten zum »Rais« und damit zum Vors. des Exekutivrates des Palästinens. Autonomierates (→Palästina).

Louis Aragon

Arafurasee, Randmeer des Pazif. Ozeans, zw. Neuguinea und Australien, in das es mit dem Carpentariagolf eingreift.

Arago, Dominique François Jean, frz. Physiker und Astronom, *Estagel (bei Perpignan) 26. 2. 1786, †Paris 2. 10. 1853; Untersuchungen zur Polarisation des Lichtes und zur magnet. Wirkung elektr. Ströme.

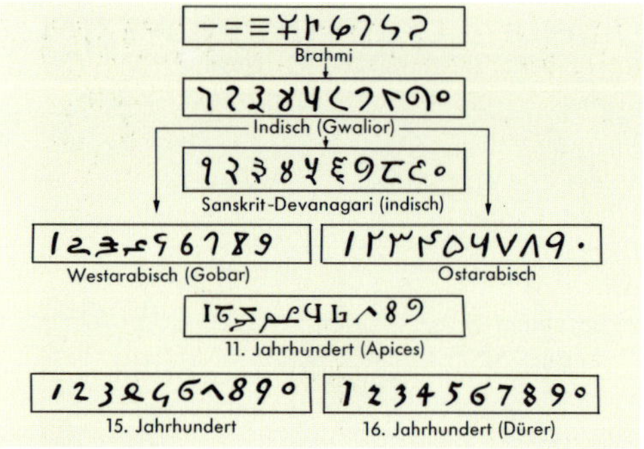

arabische Ziffern (Entwicklung)

Aragon [-'gɔ̃], Louis, frz. Schriftsteller, *Paris 3. 10. 1897, †ebd. 24. 12. 1982; begann als Dadaist, Mitbegründer der surrealist. Bewegung; wurde 1927 Kommunist; ⚭ mit E. Triolet, schrieb politisch engagierte histor. Romane, darunter die Romanfolge »Die wirkl. Welt« (»Die Glocken von Basel«, 1934; »Die Viertel der Reichen«, 1936; »Die Reisenden der Oberklasse«, 1942; »Aurélien«, 1944); »Die Kommunisten« (5 Bde., 1949–51), »Die Karwoche« (1958), »Blanche oder das Vergessen« (1967) und Gedichte (»Le crève-cœur«, 1941; »Les yeux d'Elsa«, 1942; »Le fou d'Elsa«, 1963).

Aragonien (span. Aragón), Region in NO-Spanien, umfasst die drei Provinzen Huesca, Saragossa und Teruel, 47 720 km², 1,189 Mio. Ew. A. hat Anteil an den Pyrenäen, am Ebrobecken und dem Iber. Randgebirge. Kontinentales Klima mit kalten Wintern, heißen Sommern und geringen Niederschlägen herrscht vor. Die Besiedlung ist dünn und auf die Täler beschränkt, wo Bewässerungsanlagen neben Viehzucht (Rinder, Schafe, Ziegen) auch den Anbau von Weizen, Zuckerrüben, Wein, Oliven, Safran gestatten. Im Bergland ist nur extensive Weidewirtschaft möglich. Durch Stauanlagen mit Kraftwerken wird die industrielle Verarbeitung bes. von Zuckerrüben und Oliven ermöglicht. Im S von A. werden Kohle, Blei- und Eisenerz sowie Schwefel und Marmor abgebaut, im N Salzlager.

Geschichte: A. gehörte im Altertum zur röm. Prov. Tarraconensis, wurde 415 n. Chr. von den Westgoten und 713 von den Mauren unterworfen. Die selbstständige Grafschaft A., vom Anfang des 10. Jh. bis 1035 und 1076–1134 mit Navarra vereinigt, wurde unter Ramiro I. (1035–63) Königreich und 1068 päpstl. Lehen. 1118 wurde Saragossa (fortan Hauptstadt) erobert. Der Zusammenschluss mit Katalonien (1137) und Valencia (1238) begründete die Vormachtstellung A.s im westl. Mittelmeer. Durch die Heirat Ferdinands II. mit Isabella I. von Kastilien (1469) entstand der span. Gesamtstaat. 1982 erhielt die Region A. ein Autonomiestatut (→Spanien, Geschichte).

Aragonit [nach Aragonien] *der,* rhomb. Mineral, $CaCO_3$, sehr ähnlich dem Calcit; farblos, weiß oder verschiedenfarbig; oft Mehrlingskristalle. Vorkommen in Hohlräumen von Ergussgesteinen, in Sedimenten und heißen Quellen als Krusten **(Sprudelstein)** oder als Kügelchen **(Erbsenstein, Pisolith);** weiße, verzweigte Aggregate **(Eisenblüte).** A. ist Bestandteil der Schalen und Gerüste vieler Tiere.

Arago-Punkt, →Himmelsstrahlung.

Araguaia *der,* linker Nebenfluss des Rio Tocantins in Brasilien, rd. 2600 km lang, entspringt im Mato Grosso. Im Mittellauf die **Ilha do Bananal,** mit rd. 20000 km² eine der größten Flussinseln der Erde; Nationalpark, Indianerreservat.

Araisch (Al-A., früher span. Larache), Hafenstadt an der atlant. Küste Marokkos, 60000 Ew.; Ausfuhr von Kork, Wolle, Bohnen, Zitrusfrüchten. – Alte span. Festung.

Arakan (birman. Rakhine), Küstenlandschaft im westl. Birma, im **A.-Gebirge** bis 3053 m hoch. Heute wird das Gebiet vom **Arakanstaat,** einem Minoritätengebiet im Range eines Verwaltungsgebiets, eingenommen.

Araks *der* (Arax, Aras), Fluss in Armenien, 1072 km lang, entspringt südlich von Erzurum (Türkei), ist im Mittellauf türkisch-armen. und iranisch-aserbaidschan. Grenzfluss, mündet in Aserbaidschan in die Kura; im Unterlauf zur Bewässerung genutzt.

Araktschejew, Alexei Andrejewitsch, russ. General, *Garussowo (Gebiet Twer) 4. 10. 1769, †Grusino (Gebiet Nowgorod) 3. 5. 1834; 1808–10 Kriegsmin., seit 1817 Leiter der wegen Zwang und Härte verhassten Militärkolonien; einflussreicher Günstling Alexanders I.

Aral AG, Bochum, Mineralölhandelsunternehmen, gegr. 1898, Beteiligungsgesellschaft des VEBA-Konzerns.

Aralilengewächse (Efeugewächse, Araliaceae), Pflanzenfamilie mit etwa 700 meist trop. Arten, Holzpflanzen mit kleinen Blüten und beerenartigen Früchten; z. B. Efeu, Ginseng.

Aralsee, abflussloser See im Tiefland von Turan, in Kasachstan und Usbekistan, gespeist von Amudarja und Syrdarja, die den See jedoch nur noch in feuchten Jahren erreichen. Der urspr. viertgrößte See der Erde (1975 noch 54400 km²) ist durch rigorosen Wasserentzug für Bewässerungszwecke bis 1991 auf eine Fläche von 37100 km² geschrumpft und in einen großen und einen kleinen A. geteilt. Der Salzgehalt beträgt heute 30% (früher 10 bis 14%), das einsetzende Fischsterben beendete Fischerei und Fischverarbeitung.

📖 LÉTOLLE, R. *u.* MAINGUET, M.: *Der A. Eine ökolog. Katastrophe. A. d. Frz. Berlin u. a. 1996.*

Aram (Aramäa) [»Hochland«], im A. T. das Gebiet zw. Libanon, Taurus, Armenien, dem oberen Tigris, dem Euphrat und der Arab. Wüste. Die **Aramäer** (in hethit. und assyr. Quellen **Achlamu**) sind ein semit. Nomadenvolk aus der Arab. Wüste. Ihre Reiche in Nordsyrien wurden im 9. und 8. Jh. v. Chr. von den Assyrern erobert. Von der **aramäischen Kultur** ist wenig bekannt. Sie zeigt starke Einflüsse aus Mesopotamien, Syrien und Kleinasien, in der Religion v. a. aus Mesopotamien; Hauptgott war Hadad. Für die Baukunst ist bei den Tor- und Palastanlagen die Verkleidung der Wände mit Orthostaten aus Basalt kennzeichnend. Aus dem nordsyrisch-aramäischen Raum stammen die meisten der mit Relief versehenen Metallschalen von Zypern.

aramäische Sprache, gehört zum nordwestsemit. Zweig der semit. Sprachen; altaramäische Inschriften stammen aus dem 10.–8. Jh. v. Chr. Seit 1000 v. Chr. verdrängte die a. S. die älteren Sprachen Babyloniens, Assyriens, Syriens und Palästinas. Auch die von der phönik. Konsonantenschrift abgeleitete **aramäische Schrift** wurde weithin, bes. im Perserreich, übernommen. Erst im 7. Jh. n. Chr. wich das Aramäische dem Arabischen.

Aramide, aromat. Polyamide von hoher Festigkeit und Temperaturbeständigkeit, die zu flammgeschützten Fasern, elektr. Isoliermaterialien und Reifencord verarbeitet werden.

Aranda, Pedro Pablo Abarca de Bolea, Graf (seit 1766) von A., span. General und Staatsmann, *Siétamo (Prov. Huesca) 18. 12. 1718 oder 1719, †Épila (Prov. Saragossa) 9. 1. 1798; führte als Präs. des Rats von Kastilien (1766–73) umfassende Reformen im Sinn des aufgeklärten Absolutismus

Aragonit: Drillingskristall (oben); ästiges Aggregat (Eisenblüte, unten)

Aranjuez: Palast Philipps II. (erbaut 1561–67 durch J. B. de Toledo und J. de Herrera; nach Bränden mehrfach verändert)

durch, u.a. die Vertreibung der Jesuiten (1767); 1792–94 Erster Minister.

Araninseln ['ærən-], Inselgruppe vor der Galwaybucht, Rep. Irland, insgesamt 47 km^2; die etwa 1100 Bewohner leben auf den Hauptinseln **Inishmore, Inishmaan** und **Inisheer.** Prähistor. und frühchristl. Kulturdenkmäler.

Aranjuez

Die schönen Tage in Aranjuez sind nun zu Ende

Bei diesem, oft auch in der Form »Die schönen Tage von Aranjuez sind nun vorbei« angeführten Zitat handelt es sich um die Anfangszeilen von Schillers »Don Carlos«, die Pater Domingo, der Beichtvater König Philipps, an dessen Sohn Carlos richtet. Aranjuez war schon vor Philipp II. ein beliebter Sommeraufenthalt von Isabella der Katholischen und Karl V.; Philipp erhob die Domäne des Ritterordens von Santiago zu seiner Sommerresidenz. Im Theaterstück wird die Rückkehr des Hofes nach Madrid angesprochen. Das Zitat verwendet man, um anzudeuten, dass ein schöner Aufenthalt, eine glückliche Zeit für jemanden zu Ende geht.

Aranjuez [araŋ'xuεθ], Stadt in der span. Prov. Madrid, am Tajo, 36000 Ew.; Sommerresidenz der span. Könige mit königl. Palast (16., 18. Jh.). – Von A. ging 1808 die Erhebung gegen Frankreich aus. BILD S. 233

Arany ['ɔrɔnj], János, ungar. Dichter, * Nagyszalonta (heute Salonta, Rumänien) 2. 3. 1817, † Budapest 22. 10. 1882; neben S. Petőfi bedeutendster ungar. Lyriker des 19. Jh. Sein volkstüml. Versepos »Toldi« (1846) gilt als erstes klass. Werk des ungar. Realismus.

Aräometer [grch.] (Senkwaage, Senkspindel), Gerät zur Dichtebestimmung von Flüssigkeiten nach dem archimed. Prinzip (→Auftrieb); besteht aus einer am Fuß beschwerten Glasspindel, die nach oben in ein zylindr. Glasrohr mit Skala ausläuft. Die Sinktiefe des Ä. in einer Flüssigkeit ist ein Maß für deren Dichte.

Ara Pacis Augustae [lat. »Altar des Augustusfriedens«], Altar, den der röm. Senat 9 v. Chr. für die Heimkehr des Augustus nach Befriedung aller Provinzen stiftete, 13 v. Chr. auf dem Marsfeld in Rom geweiht. Der Altar ist umgeben von einer Umfassungsmauer mit ornamentalen und figürl. Reliefs mytholog. Gestalten und einer Opferprozession der Priester, der kaiserl. Familie und röm. Bürger; das Hauptwerk der klass. Kunst der Augusteischen Zeit wurde 1937/38 aus gefundenen Originalstücken und Abgüssen in der Nähe des Augustusmausoleums wieder aufgebaut.

Ara Pacis Augustae: »Prozession« (Relief auf der Südseite des Altars; 13–9 v. Chr.)

Arapaima [indian.] *der,* →Knochenzüngler.

Ärar [zu Ärarium] *das, österr.:* Fiskus, Staatskasse, Staatsvermögen.

Araratho chland (Armenisches Hochland), im W zur Türkei, im O zu Armenien, im S zu Iran gehörendes Hochland mit rauem, meist trockenem Klima. Es wird von Beckenlandschaften mit Seen (z.B. Vansee) und Hochplateaus aufgebaut, über die Gebirgsrücken bis über 3000 m und Vulkanberge bis über 5000 m aufragen. Zu Letzteren gehört der zweigipflige **Ararat,** im Hauptgipfel **Großer Ararat** (5137 m ü. M.). Nur in den Becken findet sich Getreidebau und in Vorzugslagen etwas Obstbau (Ufer des Vansees). Das übrige Steppenland dient der Weidewirtschaft (Rinder, Schafe, Ziegen).

Ärarium [lat.] *das,* bei den Römern der Staatsschatz im Saturntempel.

Araukaner, Sprach- und Kulturgruppe südamerikan. Indianer in den S-Anden (Chile: Mapuche, Huilliche; Argentinien: Pehuenche). Ihre aus dem Inkareich übernommene Kultur ist heute stark spanisch beeinflusst. Sie treiben Ackerbau, wandern aber zunehmend in die Städte ab. Die krieger. A. wurden erst in der 2. Hälfte des 19. Jh. besiegt und in Reservate abgedrängt.

Araukarie *die* (Araucaria), Nadelbaumgattung, bis 60 m hohe Bäume. Nadeln hat die A. der Norfolkinsel **(Norfolktanne,** im Jugendzustand **Zimmertanne),** Schuppenblätter die **Chilen. A. (Andentanne).**

Arax, Fluss in Transkaukasien, →Araks.

Arazzi [italien.], Wandteppiche, die in Arras (auch anderen flandr. Städten) nach den Entwürfen bed. Maler gewirkt wurden.

Arbe, italien. Name der dalmatin. Insel →Rab.

ARBED S. A., Abk. für **A**ciéries **R**éunies de **B**urbach-**E**ich-**D**udelange **S. A.,** Luxemburg, luxemburg. Stahlkonzern, gegr. 1882.

Arbeit [ahd. ar(a)beit »Mühe«, »Plage«], **1)** bewusstes, zielgerichtetes Handeln des Menschen zum Zweck der Existenzsicherung wie der Befriedigung von Einzelbedürfnissen; zugleich wesentl. Moment der Daseinserfüllung.

In der Volkswirtschaftslehre wird A. als einer der →Produktionsfaktoren erkannt, dem entscheidende Bedeutung für die Erzeugung wirtsch. Güter und Dienstleistungen zukommt. Im Einzelnen richtet sich die A. im ökonom. Sinn auf Vorproduktion (Gewinnung von Naturerzeugnissen), Gewerbe (Rohstoffveredlung und -verarbeitung), Vermittlung und Verteilung von Gütern (Handel, Verkehr), Wirtschaftsdisposition (Geldverkehr, Verwaltung) sowie Erzeugung und Pflege kultureller Werte. Die Grenze zw. körperl. und geistiger A. ist fließend. – Die betriebswirtschaftlich orientierte Definition unterscheidet zw. dem Elementarfaktor der **ausführenden A.** und der **dispositiven A.** (planende und leitende Tätigkeiten). Steuerrechtlich relevant ist v.a. die Unterscheidung von **selbstständiger A.** (Tätigkeit in eigener Verantwortung und auf eigene Rechnung) und **unselbstständiger A.** (Tätigkeit auf Anweisung eines Arbeitgebers, d.h. auf fremde Rechnung). Die **Arbeitskapazität** einer Bev. wird bes. durch Altersaufbau, Gesundheit und Ausbildungsstand, die **Arbeitsproduktivität** (Leistung je Arbeitsstunde) durch optimale Kombination mit den übrigen Produktionsfaktoren bestimmt.

Die Industrialisierung hat den Charakter der A. tief greifend verändert (→industrielle Revolution). Durch zunehmende →Arbeitsteilung, Steigerung des Arbeitstempos mittels Technisierung und Mechanisierung ging für den Arbeiter z.T. der Überblick über Arbeitsverrichtung und Arbeitsobjekte als Ganzes verloren; hieraus ergaben sich Gefahren der Monotonie und Ermüdung. Seit den 1970er-Jahren entwickelte sich die Forderung nach **Humanisierung der A.,** d.h. einer menschengerechten Gestaltung der Arbeitsplätze mit entsprechenden Untersuchungen im Rahmen der Arbeitswissenschaft. Danach soll die Gestaltung der Produktionsmittel, -organisation und -bedingungen soweit wie möglich an den Menschen angepasst werden (Entwicklung von Schutznormen, Automatisierung gefährl. A., Verringerung des Arbeitstempos und -pensums, selbstständige Bestimmung der Arbeitsverteilung, z.B. in Form gleitender Arbeitszeit, Beteiligung an der Planung, Selbstkontrolle von Arbeitsablauf und -ergebnis). Zur Verhinderung phys. und psych. Überforderung wird ein Abbau des Leistungsdrucks angestrebt. Zur Arbeitsvariation gehören Arbeitswechsel (Jobrotation), Arbeitserweiterung (Jobenlargement) und Arbeitsbereicherung (Jobenrichment). In den letzten Jahren widmen sich ergonom. Untersuchungen vermehrt der Frage, wie Bildschirm- und PC-Arbeitsplätze und -programme ausgestaltet sein müssen, um den menschl. Anforderungen besser zu genügen.

Kulturgeschichte: Die Einschätzung der A. hat sich im Lauf der abendländ. Geschichte entscheidend gewandelt. Im klass. Altertum wurde die ausführende, bes. die körperl. A. im Unterschied zur

Ararathochland: Der Große Ararat (5 137 m ü. M.)

wiss. und polit. Tätigkeit als eines freien Menschen unwürdig betrachtet und meist von Sklaven ausgeübt. Nach den Aussagen des A.T. ist A. Mühsal und geschieht im Schweiße des Angesichts (1. Mos. 3,17 und 19). Die erfüllte Ruhe nach der A. wird beispielhaft im 7. Schöpfungstag gesehen. Zunächst wurde weltl. A. nur als Lebenspflicht und Buße verstanden, seit der Reformation aber als Gottesdienst und als Dienst am Mitmenschen gesehen, im Kalvinismus allerdings auch an ihrem Erfolgswert gemessen. Neben diesen religiösen, eth. und prakt. Aspekten wurde die A. v.a. seit G. W. F. Hegel, der sie als Mittel der Selbstbewusstwerdung und zur Befreiung des Menschen charakterisierte, und von ihm ausgehend im System des histor. Materialismus von K. Marx theoretisch-systematisch behandelt. Auch in der neuzeitl. philosoph. Anthropologie wird die A. innerhalb der Definition des menschl. Wesens überwiegend als dessen bestimmendes Merkmal gesehen.

Demgegenüber wurde auf die gleichwertige Bedeutung von Muße und Besinnung im menschl. Dasein hingewiesen oder sogar in einer erneuten Umwertung zur Ablehnung der A. geschritten. Der Marxismus sieht in der Abschaffung der kapitalist. Gesellschaft die Voraussetzung für die Beseitigung von Ausbeutung und Entfremdung in der A.; Erscheinungen dieser Art sucht die nichtmarxist. Kritik durch Veränderung der technisch-organisator. und der sozialen Arbeitsbedingungen zu beheben. Vor dem Hintergrund abnehmender Arbeitszeiten und Arbeitslosigkeit sowie einer Zunahme dispositiver A. wurde in den letzten Jahren vermehrt die These erörtert, ob sich die Gesellschaft von einer Arbeits- in eine Freizeitgesellschaft gewandelt habe (→Freizeit).

📖 OFFE, C.: *»Arbeitsgesellschaft«. Strukturprobleme u. Zukunftsperspektiven. Frankfurt am Main u. a. 1984. – A. der Zukunft, Zukunft der A., hg. v. der Alfred-Herrhausen-Gesellschaft für Internationalen Dialog. Stuttgart 1994. – Wege aus der Krise der Ar-*

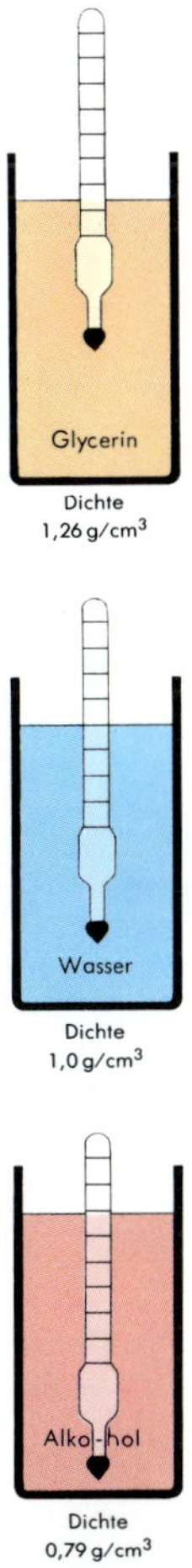

Aräometer: Das Aräometer sinkt in einer Flüssigkeit umso tiefer ein, je geringer die Dichte der Flüssigkeit ist (von oben)

beitsgesellschaft. Beiträge u. Ergebnisse der 4. Tagung »Sozialunion in Deutschland«, hg. v. D. DATHE. *Berlin 1994. – A. u. Gesellschaft. Auswahlbibliographie, Nachweis von Aufsätzen aus deutschsprachigen Zeitschriften, bearb. v. der Redaktion Zeitschriftendienst des Deutschen Bibliotheksinstituts. Berlin 1996.*

Das Recht auf Arbeit

Das politische Schlagwort vom Recht auf Arbeit stammt von dem französischen Sozialphilosophen Charles Fourier, und zwar aus seinem 1808 erschienenen Werk »Théorie des quatre mouvements et des destinées générales«, einem umfassenden System des utopischen Sozialismus. Das Verurteiltsein des Menschen zur Arbeit seit dem Sündenfall wird hier als Menschenrecht umgedeutet.

2) physikal. Größe, Formelzeichen W oder A; in der Mechanik definiert als das skalare Produkt $W = F \cdot s = F \cdot s \cdot \cos\alpha$ aus der an einem Körper oder Massenpunkt angreifenden konstanten Kraft F und dem unter ihrer Einwirkung von ihm zurückgelegten geradlinigen Weg s (α Winkel zw. Kraft und Wegrichtung); haben Kraft und Weg die gleiche Richtung, so gilt $W = F \cdot s$. Ändert sich die Kraft längs des Weges und/oder ist der Weg gekrümmt, muss über jedes infinitesimale Wegelement ds mit den jeweils angreifenden Kraftvektoren integriert werden, sodass für die von s_1 nach s_2 verrichtete A. folgt:

$$W = \int_{s_1}^{s_2} F\,\mathrm{d}s = \int_{s_1}^{s_2} F(s)\cos\alpha(s)\,\mathrm{d}s.$$

Bei dieser Definition der A. wird bei $W > 0$ von der Kraft A. verrichtet, bei $W < 0$ gegen die Kraft A. aufgewendet. – Ein Spezialfall der mechan. A. ist z.B. die **Hub-A.,** die erforderlich ist, einen Körper der Masse m gegen die →Schwerkraft um die Höhe h zu heben: $W = m \cdot g \cdot h$ (g Erdbeschleunigung). Der gehobene Körper ist in der Lage, bei Rückkehr in seine Ausgangslage A. zu verrichten. Die

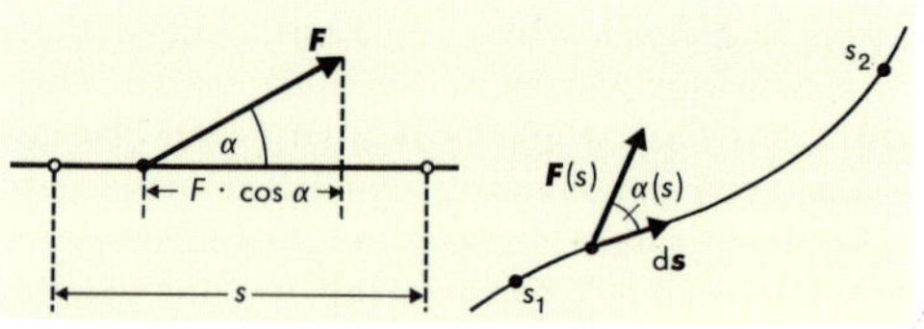

Arbeit 2): Geradliniger Weg unter Einwirkung einer konstanten Kraft (links); krummliniger Weg in einem Kraftfeld (rechts)

einem Körper zugeführte A. wird als →Energie gespeichert. – Der Begriff A. ist auch auf anderen Gebieten der Physik zentral: Im elektr. Feld muss eine **elektr. A.** $W_{el} = Q \cdot U$ aufgewendet werden, um eine Ladung Q gegen eine Spannung U zwischen 2 Punkten zu bewegen; wegen $I = Qt$ ergibt sich daraus $W_{el} = U \cdot I \cdot t$, wenn ein konstanter Strom I eine Zeit t fließt. Beispiel für die **thermodynam. A.,** die durch Änderung der äußeren Parameter an thermodynam. Systemen geleistet wird, ist die Kompressions- oder Volumenarbeit $W = \int p(V)\mathrm{d}V$ beim Komprimieren eines Gases des Druckes p und des Volumen V. – SI-Einheit der A. ist das Joule (J) oder Newtonmeter (Nm), 1 J = 1 Nm.

Arbeiter, 1) *allg.:* jeder (körperlich oder geistig) arbeitende Mensch; i.e.S. jedoch die Lohn-A., die ihre Arbeitskraft dem Arbeitgeber gegen Entgelt zur Verfügung stellen und insbes. ausführende, oft überwiegend körperl. Arbeit verrichten. Die Wirtschaftsstatistik zählt die A. zu den unselbstständig oder abhängig Beschäftigten; arbeitsrechtlich gehören die A. mit den Angestellten zu den Arbeitnehmern. Eine genaue Abgrenzung gegenüber den Angestellten ist v.a. auf Facharbeiterniveau vielfach nicht mehr möglich, weil die früheren Unterschiede (vorwiegend körperl. Arbeit, Zahlung von Wochen- oder Stundenlohn u.a.) oft nicht mehr zutreffen.

Nach berufl. Vorbildung und Qualifikation unterteilt man A. in **ungelernte A.** (Hilfs-A.), die für die auszuübende Tätigkeit in wenigen Tagen oder Stunden angelernt werden können, in **angelernte A.,** deren Anlernzeit mindestens drei Monate umfasst, sowie in **gelernte A.** oder **Fach-A.,** die eine geregelte Berufsausbildung absolviert haben oder eine entsprechende Qualifikation durch mehrjährige Berufstätigkeit erlangt haben.

2) *Zoologie:* in Insektenstaaten Tiere (meist Weibchen, bei Termiten auch Männchen), deren Keimdrüsen verkümmert sind und die für Nestbau, Brutpflege, Nahrungsbeschaffung sowie für Verteidigung sorgen.

Arbeiterbewegung, organisierte Bestrebungen der abhängigen Lohnarbeiter zur Verbesserung ihrer Lebensbedingungen. Die Verelendung der mit der Industrialisierung entstehenden Industriearbeiterschaft und die damit verbundene Verschärfung der sozialen Spannungen führten seit Beginn des 19. Jh. in Großbritannien zu Protestaktionen (»Maschinenstürmerei«) und zu Zusammenschlüssen der Arbeiter (→Chartismus). In Dtl. entwickelten zuerst in der Ind. beschäftigte Handwerksgesellen Selbsthilfeorganisationsformen; 1863 gründete Lassalle den »Allg. Dt. Arbeiterverein«. 1869 entstand unter Führung von A. Bebel und W. Liebknecht die »Sozialdemokrat. Arbeiterpartei«. Beide Organisationen vereinigten sich 1875 zur »Sozialist. Arbeiterpartei Deutschlands« (seit 1890 SPD), an der sich später die meisten europ. Arbeiterparteien orientierten. Parallel dazu entwickelte sich 1868 eine dt. Gewerkschaftsbewegung, teils auf marxistisch-sozialist., teils auf liberal-christl. Basis. 1864 wurde unter dem Einfluss von Marx und Engels in London die Internat. Arbeiterassoziation geschaffen (→Internationale). Der 1. Weltkrieg führte zur Auflösung der internat. und nat. Einheit der sozialist. A.; nach 1918/20 kam es zu einer z.T. strengen Teilung in Kommunisten und Sozialisten bzw. Sozialdemokraten. Heute sind Arbeiterparteien und Gewerkschaften überwiegend fest in das jeweilige wirtsch., soziale und polit. System integriert. Der Zusammenbruch der kommunist. Regime in Mittel-, O- und SO-Europa 1989/91, die Auflösung der ehemals herrschenden kommunist. Parteien bzw. ihre Wandlung in sozialist. bzw. sozialdemokrat. Parteien sowie die Neugründung von Parteien leitete eine theoret. Neuorientierung der internat. A. ein (→Kommunismus).

Arbeiterbildungswesen, Bestrebungen, den Arbeitern die Voraussetzungen für geistigen, sozialen und wirtsch. Aufstieg zu verschaffen. Die Maßnahmen der Arbeiterbildung zielen entweder auf die Befähigung zur persönl. und solidar. Interessenwahrnehmung (Träger: bes. die Gewerkschaften und Arbeiterparteien) oder auf den Bereich der individuellen Lebensgestaltung (Träger: Kirchen, christl. Arbeitervereine, Dt. Kolpingwerk, Volkshochschulen). Die Arbeiterbildung wird in steigendem Maß zu einem Teilbereich der →Erwachsenenbildung.

Arbeiterkolonien, Einrichtungen der Obdachlosenfürsorge für Menschen, die arbeitslos, arbeitswillig und ohne festen Wohnsitz sind. Die erste A. wurde 1882 von F. von Bodelschwingh in Wilhelmsdorf bei Bielefeld gegründet.

Arbeiterliteratur, Sammelbez. für von Arbeitern geschriebene Werke über ihre Lebensbedingungen in der industriellen Welt; gegen Ende des

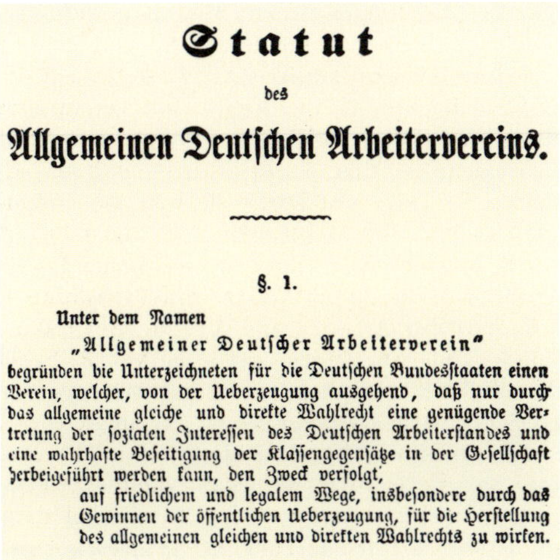

Statut

des

Allgemeinen Deutschen Arbeitervereins.

§. 1.

Unter dem Namen

„Allgemeiner Deutscher Arbeiterverein“

begründen die Unterzeichneten für die Deutschen Bundesstaaten einen Verein, welcher, von der Ueberzeugung ausgehend, daß nur durch das allgemeine gleiche und direkte Wahlrecht eine genügende Vertretung der sozialen Interessen des Deutschen Arbeiterstandes und eine wahrhafte Beseitigung der Klassengegensätze in der Gesellschaft herbeigeführt werden kann, den Zweck verfolgt,

auf friedlichem und legalem Wege, insbesondere durch das Gewinnen der öffentlichen Ueberzeugung, für die Herstellung des allgemeinen gleichen und direkten Wahlrechts zu wirken.

Arbeiterbewegung: Statut des Allgemeinen Deutschen Arbeitervereins (gegründet 1863 von Ferdinand Lasalle)

Arbeiterbewegung: Plakat aus der Zeit um 1900

19. Jh. entstanden, in den Zwanzigerjahren oft hymnisch-romantisch (H. Lersch, K. Bröger, C. Engelke u.a.), aber auch am Marxismus orientiert (Bund proletarisch-revolutionärer Schriftsteller), bes. nach dem 2. Weltkrieg kritisch-realistisch (Dortmunder »Gruppe 61«, M. von der Grün u.a.; davon abgespalten die »Werkkreise«). In der DDR wurde zeitweise der »Bitterfelder Weg« (»Bewegung schreibender Arbeiter«, →Bitterfeld) propagiert.

📖 *Handbuch zur dt. A., hg. v.* H. L. ARNOLD, *2 Bde. München 1977.* – BOGDAL, K.-M.: *Zwischen Alltag u. Utopie. A. als Diskurs des 19. Jahrhunderts. Opladen 1991.*

Arbeiterpriester, kath. Priester, als Arbeiter tätig. A. kamen in Frankreich vor dem 2. Weltkrieg auf, 1954 wurde ihr Wirken wegen polit. Radikalisierung unterbunden; im Priesterdekret des 2. Vatikan. Konzils als eigener klerikaler Stand anerkannt (heute großenteils in der »Mission de France«).

Arbeiter-Samariter-Bund Deutschland e.V., Abk. **ASB,** Organisation der freien Wohlfahrtspflege, gegr. 1888, Sitz: Köln; tätig u.a. im Rettungsdienst, sozialen Diensten, in der Kinder- und Jugendhilfe.

ASB Arbeiter-Samariter-Bund

Arbeiter-Samariter-Bund Deutschland e.V.

Arbeiter-und-Bauern-Fakultät, Abk. **ABF,** in der DDR Vorstudieneinrichtung für Arbeiter- und Bauernkinder; seit 1961 schrittweise aufgelöst.

Arbeiter- und Soldatenräte, →Rätesystem.

Arbeiterwohlfahrt e. V., Abk. **AWO,** Spitzenverband der freien Wohlfahrtspflege, hervorgegangen aus der dt. Arbeiterbewegung, gegr. 1919, Sitz: Bonn, tätig auf allen Gebieten der Sozialarbeit, seit 1959 auch in der Entwicklungshilfe. Die AWO arbeitet mit zahlr. Partnern in Europa zus. und stellt die Präsidentschaft der europ. Verbändegemeinschaft SOLIDAR.

Arbeiterwohlfahrt e. V.

Arbeitgeber, natürl. oder jurist. Person, die einen anderen als →Arbeitnehmer beschäftigt. Gesetzl. Vertreter jurist. Personen, z.B. die Vorstandsmitglieder von AG und die Geschäftsführer von GmbH, üben die Funktion von A. aus, sind aber aufgrund ihrer Anstellung Arbeitnehmer der jurist. Person. Entsprechendes gilt für →leitende Angestellte. Im Rahmen u.a. des Betriebsverfassungs- und des Kündigungsschutz-Ges. gelten diese jedoch nicht als Arbeitnehmer.

Arbeitgeberanteil, der Beitragsanteil des Arbeitgebers zur Sozialversicherung seiner Arbeitnehmer. In der Arbeitslosen-, Renten-, Kranken- und Pflegeversicherung betragen der A. und der **Arbeitnehmeranteil** jeweils 50% des Beitrages. In der Pflegeversicherung sind die Länder verpflichtet, zur Entlastung der Arbeitgeber einen gesetzlichen, landesweiten Feiertag aufzuheben, andernfalls entfällt ein höherer Beitragssatz auf die Arbeitnehmer (so in Sachsen). In der Unfallversicherung tragen die Arbeitgeber den Anteil alleine. In *Österreich* **(Dienstgeberanteil)** und in der *Schweiz* gilt eine ähnl. Regelung.

Arbeitgeberverbände, freiwillige Zusammenschlüsse von Arbeitgebern (bes. als Vertrags- und Verhandlungspartner [»Tarifpartner«] gegenüber den Gewerkschaften) in Form privatrechtl. Vereine mit fachl. und regionaler Untergliederung. In Dtl. sind die A. in der **Bundesvereinigung der Dt. A. e. V. (BDA),** Köln, zusammengeschlossen. Sie hat die Aufgabe, die gemeinschaftl. sozialpolit. Belange zu wahren und umfasst 48 Fachspitzenverbände und 15 überfachl. Landesverbände. Wesentliche Aufgaben der Verbandsarbeit werden in den versch. Ausschüssen (z.B. für Lohnpolitik, Eigentumsbildung, Berufsberatung) durchgeführt. Die A. sind über die Bundesvereinigung dem Gemeinschaftsausschuss der Dt. Gewerbl. Wirtschaft und seit 1951 der »Internat. Arbeitgeberorganisation«, Brüssel, sowie dem »Business and Industry Advisory Committee to OECD«, Brüssel, und dem »Generalrat der Europ. Industrieverbände«, Paris, angeschlossen.

Arbeitnehmer, jeder, der sich einem anderen (Arbeitgeber) gegen Entgelt (Lohn, Gehalt) zur Leistung von Diensten verpflichtet hat. Nach Art des Arbeitsbereichs zählen die A. zum öffentl. Dienst oder zur privaten Wirtschaft. Man unterscheidet →Angestellte und →Arbeiter, dazu kommen Volontäre, Praktikanten, Auszubildende. In der Heimarbeit Beschäftigte u.a. gelten als **arbeitnehmerähnl. Personen.** Nicht zu den A. zählen Beamte, Selbstständige, mithelfende Familienangehörige. Freiwillige Zusammenschlüsse der A. sind die →Gewerkschaften.

Arbeitnehmeranteil, →Arbeitgeberanteil.

Arbeitnehmererfindung, nach dem Gesetz über A. von 1957 Erfindung eines Arbeitnehmers während der Dauer eines Arbeitsverhältnisses. Erfindungen, die aus der Tätigkeit im Betrieb entstanden sind oder auf Erfahrungen aus dieser Tätigkeit beruhen **(Diensterfindungen),** sind dem Arbeitgeber zu melden; dieser kann sie gegen eine angemessene Vergütung beschränkt oder unbeschränkt in Anspruch nehmen. Für alle anderen Erfindungen **(freie Erfindungen)** besteht gegenüber dem Arbeitgeber Mitteilungspflicht und Anbietungspflicht zur nichtausschl. Benutzung. Davon ausgenommen sind Erfindungen, die für den Betrieb des Arbeitgebers offensichtlich nicht verwendbar sind.

Arbeitnehmerfreibetrag, →Arbeitnehmer-Pauschbetrag.

Arbeitnehmerfreizügigkeit, nach dem Recht der EG das Recht der Arbeitnehmer, a) sich ungehindert um angebotene Stellen in Mitgliedsstaaten bewerben zu können, b) sich aus diesem Grund im Hoheitsgebiet der Mitgliedsstaaten frei bewegen zu können, c) sich im jeweiligen Mitgliedsstaat aufhalten zu können, um nach den dort für Arbeitnehmer geltenden Rechtsvorschriften arbeiten zu können, d) nach Beendigung der Beschäftigung in diesem Mitgliedsstaat unter bestimmten Bedingungen verbleiben zu können.

Arbeitnehmerkammern, Pflichtzusammenschlüsse der Arbeiter und Angestellten zur Vertretung ihrer wirtsch., gesellschaftl. und kulturellen Interessen; sie sind Körperschaften des öffentl. Rechts. Seit 1921 bestehen in Bremen eine Angestellten- und eine Arbeiterkammer, im Saarland wurde 1951 eine Arbeitskammer errichtet. – In *Österreich* wurden durch Gesetz vom Februar 1920 Kammern für Arbeiter und Angestellte in neun Bundesländern errichtet, 1938 aufgelöst, 1945 wieder errichtet, 1954 neu geordnet, zusammengefasst im Österr. Arbeiterkammertag.

Arbeitnehmer-Pauschbetrag, in Dtl. der 1990 anstelle des Arbeitnehmer- und des Weihnachtsfreibetrages eingeführte Freibetrag von 2000 DM, der bei der Ermittlung des Gesamtbetrags der Einkünfte abgezogen wird (§9 Nr. 1a EStG).

Arbeitnehmerüberlassung (Personalleasing), zeitlich begrenzte Überlassung von vertraglich gebundenen Arbeitnehmern an Dritte (Entleiher) zur Arbeitsleistung. Die A. bedarf der Zustimmung des Arbeitnehmers. Der Arbeitnehmer unterliegt dem Weisungsrecht des Entleihers, behält aber den Vergütungsanspruch gegen seinen eigentl. Arbeitgeber (Verleiher); sozialversicherungsrechtlich haften Ver- und Entleiher. – Die gewerbl. A. bedarf nach dem A.-Ges. vom 7. 8. 1972 der behördl. Erlaubnis; im Baugewerbe ist sie gesetzlich verboten.

Arbeitnehmerverbände, → Gewerkschaften, → Angestelltengewerkschaften.

Arbeitsamt, unterste Verwaltungsstelle der Bundesanstalt für Arbeit (BFA). Aufgaben: → Arbeitsvermittlung, Berufsberatung, Förderung der berufl. Bildung, Abwicklung der Arbeitslosenversicherung u.a. In hierarch. Gliederung bilden A., Landes-A. und BFA die Arbeitsverwaltung.

Arbeitsbeschaffungsmaßnahmen, Abk. **ABM,** Leistungen der Bundesanstalt für Arbeit nach dem → Arbeitsförderungsgesetz zur Schaffung von Arbeitsplätzen (ABM-Stellen). Arbeiten, die im öffentl. Interesse liegen, können durch Gewährung von Zuschüssen an deren Träger (jurist. Personen des öffentl. Rechts, Unternehmen des privaten Rechts) gefördert werden, wenn die Arbeiten sonst nicht oder erst später durchgeführt werden könnten und die Förderung arbeitsmarktpolitisch zweckmäßig erscheint. Bevorzugt zu fördern sind Arbeiten, durch die Dauerarbeitsplätze geschaffen werden. Arbeitgeber erhalten für die zugewiesenen Arbeitnehmer (schwer vermittelbare Arbeitslose werden bevorzugt vermittelt) Lohnkostenzuschüsse. Angesichts hoher Arbeitslosigkeit haben A. eine zunehmende Bedeutung erhalten, insbesondere in den neuen Bundesländern (Sonderregelungen).

Arbeitsbescheinigung, Bescheinigung, die vom Arbeitgeber bei Beendigung des Arbeitsverhältnisses dem Arbeitnehmer über alle Tatsachen, die bei der Beanspruchung von Arbeitslosengeld erheblich sein können, auszustellen ist (Art der Tätigkeit, Dauer des Arbeitsverhältnisses, Verdienst, Abfindungen, Grund des Ausscheidens); sie ist vom Zeugnis zu unterscheiden.

Arbeitsbewertung, arbeitswiss. Methode, die für die Arbeitsschwierigkeit, ausgedrückt durch die körperl., geistigen und seel. Anforderungen an einen personalen Arbeitsträger zur Erfüllung einer bestimmten Arbeitsaufgabe, eine Wertzahl **(Arbeitswert)** ermittelt; dient der Bestimmung eines anforderungsgerechten Lohnes und dem rationellen Einsatz der Arbeitskräfte.

Arbeitsdienst, 1920 in Bulgarien entstandene und von mehreren Ländern übernommene Einrichtung, um Jugendliche zur Ableistung gemeinsamer Arbeit für den Staat gegen bescheidenes Entgelt zusammenzufassen, auch zu Notstandsarbeiten in Zeiten der Arbeitslosigkeit. Ein freiwilliger A. bestand in den Niederlanden, Polen und den USA (1936–43). In Dtl. wurde 1931 von der Reg. Brüning der freiwillige A. auf gesetzl. Grundlagen gestellt. Eine A.-Pflicht gab es in Dtl. 1935–45 (→ Reichsarbeitsdienst).

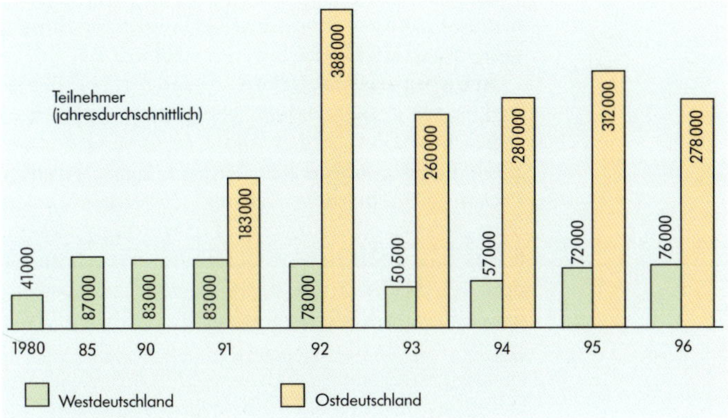

Arbeitsbeschaffungsmaßnahmen: Teilnehmer an Arbeitsbeschaffungsmaßnahmen im Jahresdurchschnitt (1980–96)

Arbeitsdirektor, das für Sozial- und Personalangelegenheiten zuständige Mitgl. des zur gesetzl. Vertretung befugten Organs in Unternehmen, die dem Mitbestimmungs-Ges. unterliegen. Nach § 33 Mitbestimmungs-Ges. vom 4. 5. 1976 ist in AG, GmbH u.a., die i.d.R. mehr als 2000 Arbeitnehmer beschäftigen, ein A. zu bestellen. Er ist nach den allg. Vorschriften über die Wahl eines Vorstandsmitglieds einzusetzen (also keine Zustimmung der Arbeitnehmer erforderlich). Der bereits nach dem Montan-Mitbestimmungs-Ges. vom 21. 5. 1951 vorgesehene A. darf jedoch nicht gegen die Stimmen der Mehrheit der Arbeitnehmervertreter im Aufsichtsrat bestellt werden. In den Holdinggesellschaften der Montanindustrie ist die Wahl des A. genauso wie die anderer Vorstandsmitglieder geregelt (Ges. vom 7. 8. 1956).

Arbeitseinkommen, alle Einkünfte aus Arbeitsleistung (Löhne und Gehälter der Arbeiter, Angestellten, Beamten). Selbstständiges A. ist der Verdienst der Unternehmer und der Angehörigen freier Berufe **(Unternehmerlohn).** Vom A. zu unterscheiden sind → Transfereinkommen und → Vermögenseinkommen.

Arbeitserlaubnis, besondere Erlaubnis der Arbeitsverwaltung, die zum Aufenthalt berechtigte ausländ. Arbeitnehmer für eine Arbeitsaufnahme in Dtl. benötigen (§ 19 Arbeitsförderungs-Ges.), soweit zwischenstaatlich nichts anderes vereinbart ist. Ausgenommen von dieser Regelung sind

Staatsangehörige aus EU-Mitgliedsstaaten (→Arbeitnehmerfreizügigkeit) und heimatlose Ausländer. (→Ausländer)

Arbeitserziehungsanstalt, →Arbeitshaus.

Arbeitsförderungsgesetz, Abk. **AFG,** Gesetz vom 25. 6. 1969, das die Aufgaben und Leistungen der Bundesanstalt für Arbeit und deren Finanzierung regelte. Schwerpunkte waren u.a. die →Arbeitslosenversicherung, die Berufsberatung, die →Arbeitsvermittlung, die Förderung der berufl. Bildung und →Arbeitsbeschaffungsmaßnahmen. 1998 ersetzt durch das Sozialgesetzbuch III.

Arbeitsgerichtsbarkeit, besondere Gerichtsbarkeit für Arbeitssachen, geregelt im Arbeitsgerichts-Ges. i.d.F. v. 2. 7. 1979; ergänzend gilt die ZPO. Dazu gehören bes. bürgerl. Rechtsstreitigkeiten zw. Arbeitnehmern und Arbeitgebern aus dem Arbeitsverhältnis, zw. Tarifvertragsparteien, ferner solche, die sich aus den Betriebsverfassungs- und den Mitbestimmungs-Ges. ergeben. Zuständig sind die **Arbeitsgerichte** als 1. Instanz, die

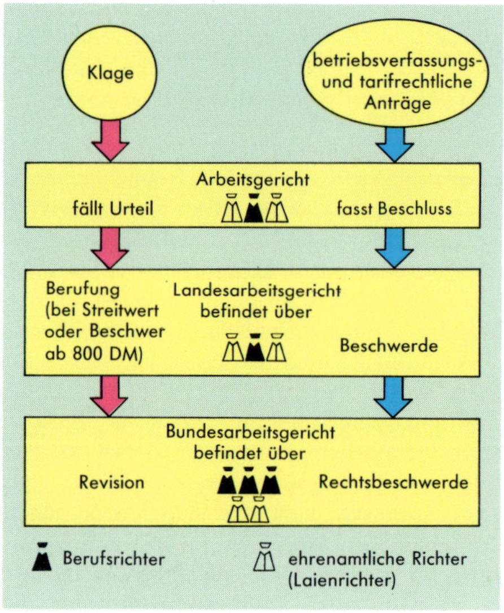

Arbeitsgerichtsbarkeit: Instanzenweg

Landesarbeitsgerichte als Berufungs- und Beschwerdeinstanz und das **Bundesarbeitsgericht** als Revisionsinstanz. Berufung ist zulässig, wenn der Wert des Beschwerdegegenstandes 800 DM übersteigt oder sie vom Arbeitsgericht zugelassen wurde, Revision, wenn das Landesarbeitsgericht die Revision für zulässig erklärt hat. Die Kammern der Arbeits- und der Landesarbeitsgerichte sind jeweils mit einem Vorsitzenden (Berufsrichter) und zwei ehrenamtl. Richtern (je ein Arbeitnehmer- und ein Arbeitgebervertreter) besetzt, beim Bundesarbeitsgericht – hier entscheiden Senate – um zwei Berufsrichter erweitert. Bei Letzterem besteht ein Großer Senat, der entscheidet, wenn ein Senat in einer Rechtsfrage von der Entscheidung eines anderen Senats oder des Großen Senats abweichen will.

Soll das arbeitsgerichtl. Verfahren durch Urteil (also nicht durch Beschluss) enden, hat die mündl. Verhandlung mit einem Güteverfahren zu beginnen, um eine gütl. Einigung zu versuchen. Die Verfahrenskosten sind von Gesetzes wegen gemindert; im ersten Rechtszug hat die obsiegende Partei grundsätzlich keinen Kostenerstattungsanspruch. In *Österreich* wurde die A. durch das Arbeits- und Sozialgerichts-Ges. vom 7. 3. 1985 neu gestaltet. In der *Schweiz* haben die Kt. für arbeitsrechtl. Streitigkeiten bis 5000 Franken durch Bundesrecht ein einfaches, rasches Verfahren vorgesehen.

Arbeitshaus, Besserungs- und Sicherungsanstalt, mit In-Kraft-Treten des 1. Strafrechtsreform-Ges. von 1969 weggefallen. In der *Schweiz* gibt es die Einrichtung einer Arbeitserziehungsanstalt (Art. 100bis StGB) zur Förderung der charakterl. Entwicklung junger erwachsener Straffälliger bis 25 Jahren.

Arbeitshygi|ene, →Arbeitsmedizin.

Arbeitskampf, im Rahmen von Art. 9 Abs. 3 GG zulässige kollektive Kampfmaßnahme von Arbeitnehmern oder Arbeitgebern zur Durchsetzung oder Abwehr von Forderungen in Bezug auf Vergütungen, Arbeitsbedingungen und Ausgestaltung der Arbeitsbeziehungen; strittig ist die Zulässigkeit von A. im Rahmen polit. Auseinandersetzungen. Mittel des A. sind →Streik, →Aussperrung, →Boykott.

Arbeitskosten (Personalkosten), →Lohnkosten.

Arbeitslied, ein zur körperl. Arbeit gesungenes Gruppenlied, dessen Taktart, Rhythmus und sprachl. Aussage einer gruppenspezif. Arbeitsbewegung (Mähen, Rudern, Spinnen u.a.) angepasst ist, oft im Wechsel zw. Vorsänger und Chor.

Arbeitslohn, Leistungsentgelt, →Lohn.

Arbeitslosengeld, Entgelt bei Lohnausfall (→Arbeitslosenversicherung).

Arbeitslosenhilfe, Entgelt bei Lohnausfall (→Arbeitslosenversicherung).

Arbeitslosenversicherung, staatl. Pflichtversicherung der Arbeitnehmer gegen die wirtsch. Folgen der Arbeitslosigkeit, geregelt im Sozialgesetzbuch III. Träger ist die Bundesanstalt für Arbeit mit ihren (Landes-)Arbeitsämtern. Finanziert wird die A. je zur Hälfte von Arbeitnehmern und Arbeitgebern (1999 jeweils 3,25% des Bruttoarbeitsentgelts bis zur →Beitragsbemessungsgrenze) sowie durch Bundeszuschüsse. Versicherungspflichtig sind grundsätzlich alle gegen Entgelt oder zu ihrer Berufsausbildung beschäftigten Arbeitnehmer (auch Heimarbeiter). Hauptleistungen und Maßnahmen der A. sind Arbeitslosengeld, Teilarbeitslosengeld, Arbeitslosenhilfe, Kurzarbeitergeld (→Kurzarbeit), Konkursausfallgeld (→Konkurs), →Winterausfallgeld, →Arbeitsbeschaffungsmaßnahmen, Förderung der berufl. Bildung (→Umschulung), Berufsberatung, Maßnahmen der Rehabilitation, Existenzgründungshilfen und Arbeitsvermittlung.

Anspruch auf **Arbeitslosengeld** hat, wer arbeitslos ist (also vorübergehend nicht in einem Beschäftigungsverhältnis steht oder nur eine kurzzeitige Beschäftigung ausübt), der Arbeitsvermittlung zur Verfügung steht (eine zumutbare Beschäftigung ausüben kann und dazu bereit ist), die Anwartschaft erfüllt (in den letzten drei Jahren vor Beginn der Arbeitslosigkeit 12 Monate beitragspflichtig beschäftigt war), sich beim Arbeitsamt arbeitslos gemeldet und Arbeitslosengeld beantragt hat. Abhängig von der vorherigen beitragspflichtigen Beschäftigung und vom Lebensalter wird es z.B. nach einer Beschäftigung von 12 (16, 20, 24) Monaten und vor Vollendung des 45. Lebensjahres 6 (8, 10, 12) Monate gewährt; die maximale Dauer beträgt 32 Monate. Das Arbeitslosengeld beträgt für Arbeitslose mit Kind 67%, für die Übrigen 60% des früheren Netto-Arbeitsentgelts. Weigert sich der Arbeitslose, eine zumutbare Arbeit anzunehmen oder an einer notwendigen Maßnahme zur berufl. Fortbildung oder Umschulung teilzunehmen, kann das Arbeitslosengeld bis zu 12 Wochen versagt werden (Sperrzeit), ebenso, wenn er eine Arbeitsstelle ohne wichtigen Grund aufgibt.

Anders als Arbeitslosengeld wird die **Arbeitslosenhilfe** aus dem Bundeshaushalt finanziert. Diese erhält, wer seinen Anspruch auf Arbeitslosengeld ausgeschöpft hat oder mindestens 5 Monate A.-Beiträge gezahlt hat oder einen »Ersatztatbestand« erfüllt. Zusätzl. zu den Anspruchsvoraussetzungen wie beim Arbeitslosengeld wird die Bedürftigkeit geprüft, wobei das persönl. Einkommen und Vermögen sowie ggf. Ehepartnereinkommen oder Unterhaltsansprüche eine Rolle spielen. Die Arbeitslosenhilfe beträgt 57% für Arbeitslose mit Kind, ansonsten 53% des Netto-Arbeitsentgelts. Während des Bezugs von Leistungen der A. zahlt das Arbeitsamt in bestimmten Fällen auch die Sozialversicherungsbeiträge der Leistungsempfänger.

Auch in *Österreich* ist die A. staatliche Pflichtversicherung. Versicherungspflichtig sind insbes. Dienstnehmer, Lehrlinge sowie Heimarbeiter; ihre Leistungen sind: 1) Arbeitslosengeld (bis zu 80% des letzten Entgelts), 2) Notstandshilfe (mit Bedürftigkeitsprüfung), 3) Karenzurlaubsgeld für Dienstnehmerinnen und zugleich Mütter bzw. Väter zwei Jahre lang nach Geburt des Kindes. In der *Schweiz* wurde die A. 1976 obligatorisch; versicherungspflichtig sind bes. die Pflichtversicherten der Alters- und Hinterlassenenversicherung. Leistungen: Arbeitslosenentschädigungen in Form von Tagegeldern, bestehend aus Grundentschädigung (70–80% des versicherten Tagesverdienstes) und Zulagen für Unterhalts- und Unterstützungspflichtige; ferner Kurzarbeits-, Schlechtwetter- und Insolvenzentschädigungen.

Geschichte: Die Anfänge der A. gehen auf Selbsthilfe der Arbeiter zurück. Die dt. Gewerkschaften gingen frühzeitig dazu über, ihre arbeitslosen Mitgl. zu unterstützen. Die erste staatl. Pflichtversicherung wurde 1911 in Großbritannien eingeführt. In Dtl. wurde 1918 die Arbeitslosenunterstützung durch Reichs-VO den Gemeinden übertragen und 1923 Arbeitgeber und Arbeitnehmer zur Beitragsleistung herangezogen. Die staatl. Pflichtversicherung wurde durch das Gesetz über Arbeitsvermittlung und A. (AVAVG) 1927 eingeführt.

📖 STASCHEIT, U. *u.* TURK, E.: *Leitfaden für Arbeitslose. Frankfurt am Main* [11]*1994.* – SCHMID, HANS *u. a.: Arbeitslosigkeit u. A. aus ökonom. Sicht. Bern u. a. 1995.*

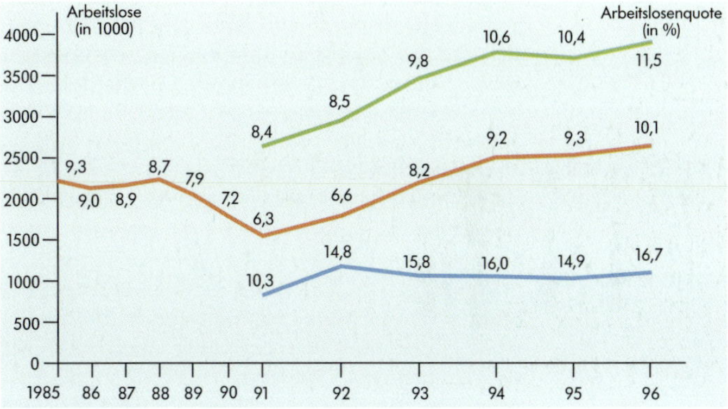

Arbeitslosigkeit: Entwicklung der Arbeitslosigkeit 1985–96 in den alten (rote Kurve) und den neuen Bundesländern (blaue Kurve) sowie in Gesamtdeutschland (grüne Kurve)

Arbeitslosigkeit, Ungleichgewicht am Arbeitsmarkt, bei dem die angebotene Art und Menge von Arbeitsleistungen die nachgefragte Art und Menge von Arbeitsleistungen übersteigt, sodass ein Teil der Erwerbspersonen zeitweise ohne Beschäftigung ist. Man unterscheidet: a) die mit dem Wechsel des Arbeitsplatzes verbundene normale und vorübergehende **friktionelle A.;** b) die **saisonale A.** als Folge der Saisonabhängigkeit bestimmter Berufe (z.B. in Landwirtschaft, Baugewerbe, Tourismus); c) die **konjunkturelle A.,** die durch die konjunkturellen Schwankungen hervorgerufen wird; d) die **strukturelle A.,** die auf tief greifende Veränderungen der Bev.-Zahl und der

Nachfragestruktur, auf techn. Fortschritt durch Prozess- und Produktinnovationen **(technolog. A.)** und auf die Errichtung von Handelsschranken u.Ä. zurückgeht. A. kann schließlich auch in einem überhöhten Lohnniveau bei fehlender Preis- und Lohnelastizität begründet sein. – Hinsichtlich der statist. Erfassung wird zw. registrierter und nicht registrierter A. unterschieden. Letztere ist gegeben, wenn Arbeitskräfte aus dem Erwerbsleben (zeitweilig) ausscheiden (z.B. wegen vorzeitigem Ruhestand, längeren Erziehungszeiten), ohne sich arbeitslos zu melden, oder später eintreten (z.B. wegen Ausbildung), oder wenn die Arbeitszeit zeitweilig verringert wird (Kurzarbeit), oder wenn sich die Arbeitnehmer in Umschulungsmaßnahmen befinden. Die Größe dieser als **stille Reserve** bezeichneten Personengruppe kann deshalb nur geschätzt werden. Wenn Arbeitnehmer unproduktiv beschäftigt sind, spricht man von versteckter A. In den letzten Jahren stellt die **Langzeit-A.** (Personen, die länger als ein Jahr arbeitslos sind) ein besonderes Problem dar, sowohl für die Betroffenen (psych. Belastung, Einkommensverluste bis hin zur Verarmung) als auch für die Volkswirtschaft (Steuerausfälle, geringere Sozialversicherungseinnahmen, Nachfragerückgang, steigende Ausgaben für die Arbeitslosenversicherung und die Sozialhilfe) und die Gesellschaft. Die fiskal. Kosten der A. beliefen sich 1994 in West-Dtl. (Ost-Dtl.) auf 104 (35,9) Mrd. DM oder durchschnittlich 40702 (31411) DM pro Arbeitslosen und Jahr; davon entfielen 26% (24%) auf Mindereinnahmen in der Sozialversicherung und 23% (23%) bei den Steuern, den größten Teil stellen die Ausgaben der Bundesanstalt für Arbeit dar. Statt »A. zu finanzieren« (Zahlung von Arbeitslosengeld und -hilfe) wurden die Bemühungen verstärkt, Gelder für Schaffung oder Erhalt von Arbeitsplätzen bereitzustellen, v.a. durch →Arbeitsbeschaffungsmaßnahmen.

Arbeitslosigkeit: jahresdurchschnittl. Arbeitslosenquoten[1] (in %)

Land	1970–80	1980–90	1993	1994	1995	1996[2]
Deutschland[3]	2,5	5,7	7,9	8,4	8,2	9,1
Frankreich	4,1	9,0	11,7	12,3	11,6	12,5
Großbritannien	3,8	9,5	10,4	9,6	8,8	7,9
Italien	6,5	9,3	10,3	11,4	11,9	12,2[4]
Japan	1,7	2,5	2,5	2,9	3,1	3,4
Österreich	1,8	4,2	4,1	4,0	3,8	4,1
Schweiz	0,4	0,6	4,5	4,7	4,2	4,8
USA	6,2	7,0	6,8	6,1	5,6	5,2

[1] Anteil der registrierten Arbeitslosen an der zivilen Erwerbsbevölkerung. – [2] Okt. 1996. – [3] Ab 1993 alte und neue Bundesländer. – [4] Sept. 1996.

Die Weltwirtschaftskrise brachte erstmals das Phänomen der **Massen-A.**, dem mit unterschiedl. Maßnahmen, z.B. in Dtl. durch staatl. Arbeitsbeschaffung und Aufrüstung und in den USA mit dem New Deal, begegnet wurde. Seit Mitte der 1970er-Jahre und im Gefolge der Rezession Anfang der 1990er-Jahre ist die A. in fast allen Industrieländern wieder zu einem gravierenden gesellschaftl. Problem geworden. Verschärfend wirkt, dass die A. im konjunkturellen Aufschwung zwar abnimmt, dann aber auf einem relativ hohen Niveau verharrt (Sockel-A.).

Zur Bekämpfung konjunktureller A. fordert der Keynesianismus eine expansive Beeinflussung der gesamtwirtschaftl. Nachfrage durch antizyklische Geld- und Fiskalpolitik (Globalsteuerung; z.B. Erhöhung der Staatsausgaben, Steuersenkungen, Konjunktur- bzw. Beschäftigungsprogramme). Aus der Kritik an der Wirksamkeit des keynesian. Instrumentariums fordert die neoklassisch-monetarist. Position einen Verzicht auf antizykl. Eingriffe und stattdessen eine verstetigte, am gesamtwirtschaftl. Produktionspotenzial orientierte Geld- und Fiskalpolitik.

📖 HUCKEMANN, S. *u.* SUNTUM, U. VAN: *Beschäftigungspolitik im internationalen Vergleich. Länder-Ranking 1980–93. Haupt- u. Tabellen-Bd. Gütersloh* [1-2]*1994. – Arbeitsmarkt Deutschland. Bibliographie zur Beschäftigung u. A. in Deutschland, bearb. v.* J. MICHEL. *Kiel 1995.* – JAHODA, M. *u.a.: Die Arbeitslosen von Marienthal. Ein soziograph. Versuch über die Wirkungen langandauernder A. Neuausg. Frankfurt am Main 1996.*

Arbeitsmarkt, Zusammentreffen von Angebot an und Nachfrage nach menschl. Arbeitsleistung. Der A. kann in Teilmärkte, z.B. für bestimmte Berufs- und Wirtschaftszweige, aufgeteilt werden. Auf dem A. werden Höhe des Arbeitsentgeltes und Arbeitsbedingungen durch die Beteiligten ausgehandelt. Die Arbeitnehmer haben sich zur Stärkung ihrer Stellung in Gewerkschaften, die Arbeitgeber in Arbeitgeberverbänden organisiert. Diese Monopolisierung des Arbeitsangebots und der Arbeitsnachfrage macht den A. zu einem bilateralen Monopol. Damit wird die Preisbildung, d.h. die Lohnhöhe, durch die Machtpositionen am A. beeinflusst. – Die **A.-Politik** umfasst alle Maßnahmen, die zu einer ausgeglichenen A.-Lage führen, also Arbeitslosigkeit oder Arbeitskräftemangel abbauen und/oder verhindern. Für (untertariflich bezahlte) Arbeitsplätze, die durch die besonderen Maßnahmen der A.-Politik geschaffen wurden, ist die Bez. »Zweiter A.« aufgekommen. Die für die A.-Politik zuständige Institution in Dtl. ist die Bundesanstalt für Arbeit, in *Österreich* das Bundesministerium für Arbeit und Soziales, in der *Schweiz* das Bundesamt für Ind., Gewerbe und Arbeit (BIGA).

📖 *A. Deutschland. Bibliographie zur Beschäftigung u. Arbeitslosigkeit in Deutschland, bearb. v.* J. MICHEL. *Kiel 1995.*

Arbeitsmaschinen, Maschinen, die von Menschen- oder Tierkraft oder →Kraftmaschinen angetrieben werden und eine Arbeit verrichten, z.B. Krane, Bagger, Pumpen, Landmaschinen, Werkzeugmaschinen.

Arbeitsmedizin, auf den arbeitenden Menschen gerichtete Medizin; sie umfasst Arbeitshygiene, -physiologie, -pathologie, teilweise auch -psychologie und wirkt sich auf Arbeitsschutz- und Sozialgesetzgebung aus.

Arbeitsnorm, Bemessungssätze für die Arbeitsleistung und ihre Entlohnung, v.a. bei Akkord- und Prämienlöhnen.

Arbeitspapiere, Urkunden, die in Zusammenhang mit einem Arbeitsverhältnis stehen, z.B. Zeugnis, Lohnsteuerkarte, Versicherungsnachweise, Arbeitsbescheinigung; sie sind dem Arbeitnehmer bei Lösung des Arbeitsverhältnisses auszuhändigen.

Arbeitsphysiologie (Leistungsphysiologie), Teilgebiet der Arbeitsmedizin; erstrebt schonenden Einsatz der menschl. Arbeitskraft und zeigt Wege zu rationellen und wirtschaftlichen Arbeitsformen.

Arbeitsplatz, jede (räumlich gebundene) Stelle im Betrieb, auf der eine Person beschäftigt ist. Der Aufbau des A. beeinflusst das Arbeitsergebnis, die Belastung und Sicherheit des arbeitenden Menschen; daher wird die optimale Gestaltung des A. angestrebt. Grundlage der **A.-Gestaltung** bildet die personenunabhängige **A.-Beschreibung** (engl. »job description«); hierbei wird von arbeitswiss. Erkenntnissen ausgegangen (→Arbeitsstudie).

Arbeitspsychologie, Zweig der angewandten Psychologie, untersucht die Beziehungen zw. Arbeitswelt und psych. Faktoren (Berufseignung, Verbesserung der Arbeitsbedingungen u.a.).

Arbeitspunkt, Betriebspunkt im Kennlinienfeld, →Kennlinie.

Arbeitsrecht, Teil des Rechts, der die Stellung des unselbstständigen Arbeitnehmers regelt. Es ist als Sonderrecht seit dem 19. Jh. entwickelt worden und in eine Vielzahl von Einzelgesetzen zersplittert. – Der älteste Teil des A. ist das Recht des →Arbeitsvertrages, der im Mittelpunkt des **Individual-A.** steht. Die Entwicklung des A. wurde durch den Zweck bestimmt, den wirtschaftlich schwächeren Arbeitnehmer zu schützen. Nach dem Inhalt ist zu unterscheiden zw. Schutz gegen Gefahr bei Ausführung der Arbeit und Vorschriften über die Arbeitszeit. Der Erstere ist u.a. geregelt in der Arbeitsstätten-VO vom 20. 3. 1975, die einheitl. Anforderungen an die Sicherheit von Arbeitsstätten aufstellt. Der Rahmen für die Arbeitszeit ist von Gesetzes wegen im Arbeitszeitrechts-Ges. vom 6. 6. 1994 festgelegt. Ferner bestehen Schutzbestimmungen für einzelne Gruppen von Arbeitnehmern, z.B. werdende Mütter. Ein weiterer, wesentl. Teil des A. ist das Kündigungsschutzrecht, das das freie vertragl. Kündigungsrecht einschränkt (→Kündigung). Durch die Anerkennung der Gewerkschaften als gleichberechtigte Vertragspartner entstand das **kollektive A.,** das das Tarifvertrags- und →Betriebsverfassungsgesetz sowie das Mitbestimmungsrecht (→Mitbestimmung) umfasst. Schließlich ist auch das Recht der Arbeitsstreitigkeiten ein Bestandteil des A. (→Arbeitsgerichtsbarkeit, →Schlichtung). Für →Beamte gelten die Sonderregelungen des Beamtenrechts.

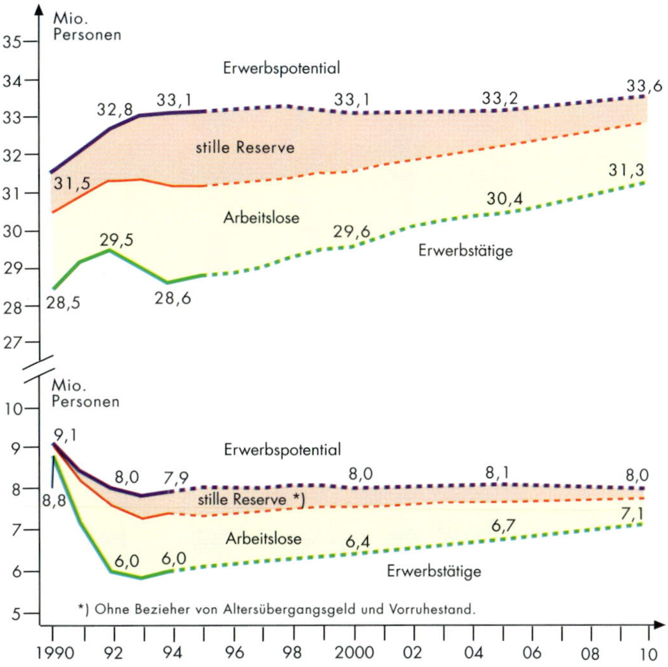

Arbeitsmarkt: Arbeitsmarktbilanz der alten (oben) und der neuen Bundesländer (unten) 1990 bis 2010 (1990–94 effektive Werte)

In *Österreich* haben zahlr. Sonder-Ges. die Geltung der §§ 1153–1164 ABGB zurückgedrängt. (Ungünstigen) Einzelverträgen gehen zudem die zahlr. bestehenden Kollektivverträge und Betriebsvereinbarungen vor. Verschiedene Schutz-Ges. sichern Leben und Gesundheit von Arbeitnehmern. In der *Schweiz* ist das A. weitgehend Bundessache. Den Arbeitsvertrag regelt das OR (Art. 319 ff.), doch gehen dem Einzelvertrag auf weiten Gebieten die Gesamtarbeitsverträge vor, die nach Ges. von 1956 allg. verbindlich erklärt werden können. Das Arbeits-Ges. vom 13. 3. 1964 regelt umfassend das öffentl. A. bezüglich Arbeitszeit, Lohnzahlungen bei Krankheit, Schutzvorkehrungen zugunsten von Kindern und weibl. Arbeitskräften.

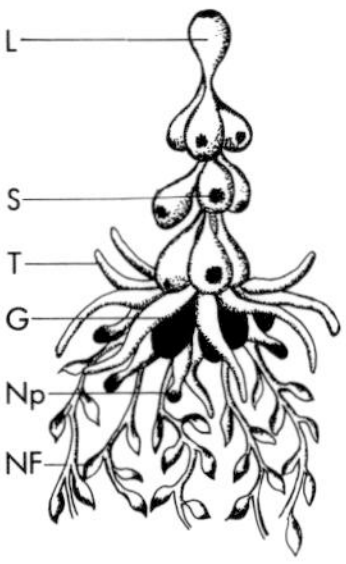

Arbeitsteilung 1): Schema einer Staatsqualle (Physophora hydrostatica); L Luftflasche, S Schwimmglocke, T Tastpolypen, G Geschlechtspolypen, Np Nährpolypen, NF Nessel- oder Fangpolypen

Arbeitsschule, 1) im 18. und 19. Jh. eine Schule, die Unterricht und (wirtsch.) Handarbeit verband. **2)** heute eine Unterrichtsweise, die die Selbsttätigkeit des Schülers pflegt und ihn zum selbstständigen Schaffen anregen soll. Grundgedanken der A. finden sich bei den Philanthropen, bei J. H. Pestalozzi und F. Fröbel. Zum anerkannten Grundsatz des Schulunterrichts **(Arbeitsunterricht)** wurde die A. seit Beginn des 20. Jh. durch G. Kerschensteiner, später durch H. Gaudig. Arbeit bedeutete zunächst Handtätigkeit, dann immer mehr Selbsttätigkeit überhaupt (in fast allen Fächern).

Arbeitsschutz, Gesamtheit sozialpolit. und techn. Maßnahmen zum Schutz der abhängig Arbeitenden gegen Schädigungen und Gefahren aus der berufl. Tätigkeit. Zum A. gehören die Verhütung von Arbeitsunfällen und Berufskrankheiten (techn. und gesundheitl. A.), der Arbeitszeit-, Kinder-, Jugendlichen-, Frauen- und Mutterschutz und der Schutz bei Lohnpfändung (sozialer A.). (→Betriebsschutz, →Gewerbeaufsicht)

Arbeitsspeicher (Hauptspeicher), Bestandteil der Zentraleinheit eines Computers zur Bereithaltung der für die gerade ablaufende Bearbeitung benötigten Programme und Daten.

Arbeitsstätte, in der Statistik erfasste organisator. Einheit, die als räumlich abgegrenzte baul. Einheit in Erscheinung tritt und in der mindestens eine Person ständig haupt- bzw. nebenberuflich tätig ist. Zu den A. gehören u. a. gewerbl., land- und forstwirtsch. Betriebe, öffentl. Einrichtungen, freiberufl. Praxen.

Arbeitsstudi|e, Oberbegriff für alle betriebl. Methoden zur systemat. Untersuchung der menschl. Arbeit mit dem Ziel, die Arbeit ökonomisch und menschengerecht zu gestalten, ihren Umfang zu messen und ihre Anforderungen zu analysieren. Daraus folgend werden drei method. Instrumente zum Begriff der A. zusammengefasst: 1) Die **Arbeitsgestaltungsstudie** dient durch Analyse der Arbeitsvorgänge und des Arbeitsplatzaufbaus (Arbeitsplatzstudie) v. a. der Rationalisierung des Arbeitsablaufs. 2) Mithilfe der **Arbeitszeitstudie** soll eine Leistungsvorgabe für die Arbeitskraft ermittelt werden; dazu sind Vorgabezeiten zu errechnen und Leistungsgrade zu schätzen. 3) Die **Arbeitswertstudie** erfasst die Arbeitsschwierigkeit zur Angabe von Anforderungsprofilen für Arbeitskräfte, die eine bestimmte Arbeit ausführen. (→Arbeitsbewertung)

Arbeitstakt, Takt eines →Verbrennungsmotors, bei dem durch die Verbrennungsgase Arbeit an den Kolben abgegeben wird.

Arbeitsteilung, 1) *Biologie:* Aufgabenteilung der Lebensfunktionen bei Organismen. Die A. einzelliger Pflanzen und Tiere zeigt sich darin, dass bestimmte Teile der Zelle (Organellen) besondere Funktionen übernehmen. Bei vielzelligen Lebewesen besteht durch Differenzierung der Zellen in Gewebe und Organe ebenfalls eine A. In den Tierstaaten der Hautflügler treten sterile Weibchen auf, die versch. Arbeiten verrichten. Bei den Kolonien bildenden Hohltieren, Moostierchen und Manteltieren nehmen alle in ihrer Anlage gleichen Einzelwesen durch Differenzierung eine funktionsentsprechende Gestalt an (bes. die Staatsquallen). A. brutpflegender Wirbeltiere gibt es bei Bewachung und Nahrungsversorgung.

2) *Soziologie* und *Wirtschaftswissenschaft:* Aufgliederung von Arbeitsprozessen in Teilverrichtungen und deren Verteilung auf versch. Erwerbszweige und Berufe. Die A. ist ein Grundzug schon einfachster Kulturen, in bes. hohem Maß aber der entwickelten Volkswirtschaften. Formen der A.: **Arbeitszerlegung,** die Aufgliederung von Produktionsprozessen in Teilprozesse; **räuml. A.,** Spezialisierung auf die standortmäßig günstigste Produktion, mit dem Spezialfall der **internat. A.** (Rohstoff-, Ind.-Länder u. a.), deren theoretische Grundlage das Theorem der →komparativen Kosten bildet. Vorteile der A.: Produktionssteigerungen und bessere Ausnutzung der Arbeitskraft; Nachteile: geringere Möglichkeiten des Berufswechsels, Monotonie u. Ä., bei weitgehender internat. A. mögl. Abhängigkeit der Volkswirtschaften von Schwankungen der Weltmarktpreise. – Ökonomisch, soziologisch oder gesellschaftskritisch orientierte Theorien der A. wurden bes. von A. Ferguson, E. Durkheim, G. von Schmoller und K. Marx entwickelt.

Arbeitstherapie, Behandlung von Kranken, bes. bei lang dauerndem Klinikaufenthalt, durch Arbeit, meist in Form leichter Ind.anfertigungen. Die A. hat u. a. zum Ziel, den Übergang zum tägl. Leben zu erleichtern (Rehabilitationsmaßnahme). Für A. und Beschäftigungstherapie wird häufig die Bez. **Ergotherapie** verwendet.

Arbeitsunfähigkeit, durch Krankheit bewirktes Unvermögen zur Arbeit. Bei A. treten Lohnfortzahlung und/oder die Leistungen der Kranken- und ggf. der Unfallversicherung ein.

Arbeitsunfall, Unfall, den ein Versicherter der gesetzl. Unfallversicherung bei einer versicherten Tätigkeit, bes. bei Verrichtung einer abhängigen Arbeit oder auf dem Weg zur oder von der Arbeitsstätte (»Wegeunfall«) erleidet. Dem A. ist in der Unfallversicherung der Eintritt bestimmter Berufskrankheiten gleichgestellt.

Arbeitsverhältnis, das zwischen Arbeitgeber und Arbeitnehmer bestehende Rechtsverhältnis, gleichgültig, ob dies durch einen förml. Arbeitsvertrag oder durch tatsächl. Arbeitsaufnahme **(fakt. A.)** begründet wurde. Die sich aus dem A. ergebenden Rechte und Pflichten sind z. T. durch

Gesetz geregelt (z.B. BGB, HGB, GewO), z.T. durch Tarifvertrag und Betriebsvereinbarung. Zusätzlich zu den Grundpflichten des Arbeitgebers (Lohnzahlung, Urlaubsgewährung) und des Arbeitnehmers (Arbeitsleistung) wirken Nebenpflichten (→ Fürsorgepflicht, → Treuepflicht).

Arbeitsvermittlung, Vermittlung geeigneter Arbeitsstellen an Arbeitsuchende und umgekehrt. Die A. durfte bis zur Zulassung von privaten Vermittlern seit dem 1. 8. 1994 nur von den Arbeitsämtern betrieben werden. Die private A. bedarf der Erlaubnis der Bundesanstalt für Arbeit, die diese zu erteilen hat, wenn gesetzl. Anforderungen (v.a. persönl. Eignung und Zuverlässigkeit) erfüllt sind. Die A. durch die Arbeitsämter erfolgt grundsätzlich unentgeltlich.

Arbeitsvertrag, privatrechtlicher, schuldrechtl. Vertrag, durch den sich ein Arbeitnehmer zur Leistung abhängiger Arbeit und der Arbeitgeber zur Zahlung der Arbeitsvergütung und anderer Leistungen verpflichtet; Schriftform ist nicht erforderlich. Der A. ist eine Unterart des Dienstvertrags (§§ 611 ff. BGB). Sonderbestimmungen enthält das HGB für kaufmänn. Angestellte, die GewO für gewerbl. Arbeitnehmer. Ergänzend gelten Tarifverträge und Betriebsvereinbarungen. Eine bestimmte Form für den A. ist i.d.R. nicht vorgesehen. Der A. endet durch Zeitablauf, Kündigung, Aufhebungsvertrag oder Tod des Arbeitnehmers, nicht aber durch Betriebsübergang.

Arbeitsverweigerung, auf Widersetzlichkeit beruhendes, unbefugtes Verweigern der Arbeitsleistung. Beharrliche A. ist ein Grund zu fristloser Entlassung (→ Kündigung), aber nicht bei Streik oder unzumutbarer Arbeit.

Arbeitsvorbereitung, Maßnahmen der Produktionsprozessplanung und -steuerung mit dem Ziel, einen reibungslosen, termingerechten und ökonomisch effizienten Ablauf der industriellen Fertigung sicherzustellen. Die A. umfasst Auftragsvorbereitung, Beschaffung der techn. Unterlagen, Arbeitszeitermittlung, Lager-, Werkstatt-, Transport- und Versandvorbereitung.

Arbeitswerttheorie, von A. Smith, D. Ricardo, K. Marx u.a. vertretene objektive Werttheorie, die den Tauschwert (Preis) der Güter aus dem Wert der Arbeit als dem alleinigen Produktionsfaktor erklärt. Nach Smith kosten alle Produkte nur Arbeit, daher ist ihr Wert nur durch diese bestimmt. Bei Ricardo werden die Güter im Verhältnis der auf sie verwendeten Arbeit, gemessen an der Zeit, getauscht. Bei Marx ist Arbeit sowohl Substanz (abstrakte Arbeit) als auch Maß des Wertes (gesellschaftlich notwendige Arbeitszeit), zu dem die Waren auf dem Markt getauscht werden. Die A. bildet eine der Hauptthesen der marxistischen Kritik des Kapitalismus.

Arbeitswissenschaft, interdisziplinär angewandte Wiss., die sich mit allen Fragen menschl. Arbeit im Betrieb befasst. Im Mittelpunkt steht der ökonom. Einsatz menschl. Arbeitskraft unter Anpassung der Arbeitsbedingungen an die körperl., geistigen und seel. Eigenschaften des Menschen. Das Betriebsverfassungsgesetz fordert von Arbeitgeber und Betriebsrat Erkenntnisse der A. zu berücksichtigen (§ 90).

Arbeitszeit, durch Tarifvertrag oder Betriebsvereinbarungen geregelte Zeit vom Beginn bis zum Ende der Arbeit (ohne Ruhepausen). Unterschieden werden muss zw. tariflich festgelegter A., geleisteter A. (mit Überstunden) und bezahlter A. (die auch Urlaub, Krankheit u.a. einschließt). – Ein Abgehen von der starren A.-Regelung brachte der Übergang zur gleitenden A., bei der die Arbeitnehmer um eine feste Kernzeit ihre Arbeitsstunden (bei Einhaltung einer Gesamtstundenzahl) variieren können (Gleitzeit). Die Ausgestaltung der Gleitzeit wird meist in einer Betriebsvereinbarung geregelt. – Den rechtl. Rahmen bildet das Arbeitszeit-Ges., ArbZG (= § 1 des Arbeitszeitrechts-Ges. von 1994), das die Arbeitszeitordnung (AZO) von 1938 ablöste. Das ArbZG regelt den öffentlich-rechtl. Arbeitsschutz, v.a. die gesetzlichen Höchstarbeitszeiten (acht Stunden werktags, bei entsprechendem Ausgleich bis zu zehn Stunden, 48 Stunden pro Woche), Mindestruhepausen und -zeiten sowie den Nachtarbeitnehmerschutz. Es gilt grundsätzlich für alle Arbeitnehmer in sämtl. Beschäftigungszweigen (Ausnahmen u.a. für Bäckereien, Kauffahrteischiffe).

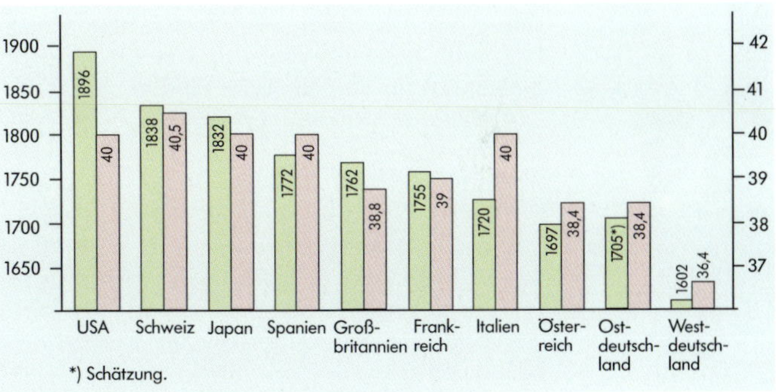

Arbeitszeit: Internationaler Vergleich der tariflichen Jahresarbeitszeit (jeweils linke Säule) und der tariflichen Wochenarbeitszeit (rechte Säule) eines Industriearbeiters/Arbeiters im verarbeitenden Gewerbe 1995 in Stunden

Der Kampf um die Verkürzung der A. spielte in der Arbeiterbewegung aller Industrieländer eine ähnl. Rolle wie der Kampf um den Lohn. Erst nach 1918 hat sich der Achtstundentag allg. durchgesetzt (48-Stunden-Woche). In Dtl. setzten sich die Gewerkschaften seit Mitte der 50er-Jahre für eine tarifvertragl. Regelung ein und erzielten eine Herabsetzung der A. bei vollem Lohnausgleich. Seit den 80er-Jahren traten das Streben nach Verkürzung der Wochen-A. auf rd. 35 Stunden sowie Überlegungen zu Änderungen der individuellen Monats-, Jahres- und Lebens-A. (längerer Urlaub, niedrigeres Rentenalter) in den Mittelpunkt gewerkschaftl. Forderungen. Angesichts hoher Arbeitslosigkeit wird heute kontrovers über den Abbau der immer noch hohen Zahl von geleisteten Überstunden (trotz des Wunsches bei vielen Beschäftigten nach A.-Verkürzung) diskutiert. Im Interesse einer größeren Flexibilität ist eine Vervielfältigkeit von A.-Modellen zu beobachten.

📖 BUSCHMANN, R. *u.* ULBER, J.: *Arbeitszeitrechtsgesetz. Mit weiteren Arbeitszeitvorschriften. Textausgabe mit Kurzkommentierung. Köln 1994.* – *Arbeitszeitmodelle. Flexibilisierung u. Individualisierung, hg. v.* D. WAGNER. *Göttingen 1995.* – GARHAMMER, M.: *Balanceakt Zeit. Auswirkungen flexibler Arbeitszeiten auf Alltag, Freizeit u. Familie. Berlin ²1996.*

Arber *der,* höchste Berggruppe des Böhmerwaldes, auf bayer. Gebiet, mit dem **Großen A.** (1456 m ü. M.) und dem **Kleinen A.** (1384 m ü. M.) und zwei Karseen (Großer und Kleiner Arbersee).

Werner Arber

Arber, Werner, schweizer. Mikrobiologe, *Gränichen (Kt. Aargau) 3. 6. 1929; Prof. für Molekularbiologie in Basel; erhielt 1978 für die Entdeckung der →Restriktionsenzyme in der Molekulargenetik mit D. Nathans und H. O. Smith den Nobelpreis für Medizin oder Physiologie.

Arbil, Stadt in Irak, →Erbil.

Arbitrage [-'traːʒə; frz., aus lat. arbitrium »Entscheidung«] *die,* **1)** *Börsenwesen:* die Ausnutzung von Preis-, Zins- und Kursunterschieden zw. verschiedenen Börsenplätzen durch Kauf an Plätzen mit niedrigem und gleichzeitigen Verkauf an Plätzen mit hohem Preis. Je nach der Art der betreffenden Börsenwerte unterscheidet man Devisen-, Edelmetall-(Gold-), Zins-, Effekten-, Warenarbitrage.

2) *Handelsrecht:* je nach örtl. Handelsbrauch die Erledigung von Meinungsverschiedenheiten tatsächl. Art durch Schiedsgutachter oder die Entscheidung eines Streits durch ein Schiedsgericht; ferner eine Klausel, wonach der Käufer beanstandete Ware behalten muss und nur ein Minderungsrecht hat.

Arbitration [engl. ɑːbɪ'treɪʃən] *die,* Schiedsverfahren, Schiedsgerichtsverfahren; die außergerichtl. Erledigung von Streitigkeiten im angelsächs. Recht sowie im internat. Handelsverkehr; auch im Völkerrecht ein Mittel der Streitbeilegung.

Arbogast, fränk. Offizier in röm. Diensten, †(Freitod) 394; war seit 388 Regent unter Kaiser Valentinian II.

Arbois [ar'bwa], Stadt im Dép. Jura, Frankreich, 3900 Ew.; Weinbauzentrum mit Weinbaumuseum; roman. Kirche. – In der Nähe große Höhlen (Grottes des Planches, unterird. Flusslauf; Grottes des Moidous, Tropfsteinhöhle).

Arbon, Bezirkshauptort im Kt. Thurgau, Schweiz, am Bodensee, 12500 Ew.; Maschinen- und Fahrzeugbau. An der Stelle des Römerkastells **Arbor Felix** liegt heute das Schloss (10.–16. Jh.).

Arbor Day ['ɑːbə deɪ; engl. »Tag des Baumes«], in den USA ein Schul- und Volksfeiertag, wird im Frühjahr mit dem Pflanzen von Bäumen begangen.

Arboretum [lat.] *das,* Anpflanzung in- und ausländ. Gehölze in Anlagen, botan. Gärten oder Forstgärten.

Arboviren, kurz für engl. **ar**thropod-**bo**rne viruses [»in Gliederfüßern entstandene Viren«], Gruppe von etwa 180 kleinen Virusarten, die, von stechenden Insekten übertragen, bei warmblütigen Wirbeltieren und beim Menschen schwere Krankheiten **(Arbovirosen)** hervorrufen (z. B. Gelbfieber, Gehirnentzündung).

Arbus ['ɑːbəs], Diane, amerikan. Fotografin, *New York 14. 3. 1923, †(Freitod) ebd. 26. 7. 1971; wurde mit sachl., sozialkrit. Porträtaufnahmen von Randgruppen der Gesellschaft sowie von körperlich und geistig Behinderten bekannt.

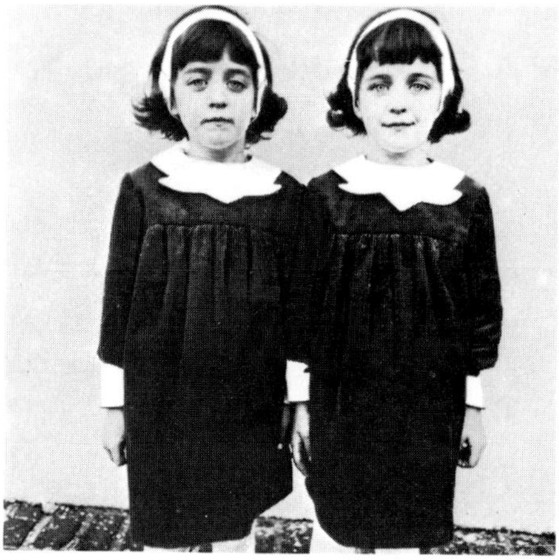

Diane Arbus: Zwillinge in Roselle (New Jersey, 1967)

Arbusow, Alexei Nikolajewitsch, russ. Dramatiker, *Moskau 26. 5. 1908, †ebd. 20. 4. 1986; verfasste Dramen über gesellschaftl. Probleme, bes. der Jugend (»Der weite Weg«, 1935; »Tanja«, 1938; »Irkutsker Geschichte«, 1959).

arc, Abk. für **arc**us [lat. »Bogen«], *Mathematik:* →Bogenmaß.

Arcachon [arka'ʃɔ̃], frz. Seebad an der S-Küste des Bassin d'Arcachon, Dép. Gironde, 13300 Ew.; Austernzucht, Bootsbau, Jachthafen. Südlich von

A. Seebäder, u.a. Pilat-Plage mit der höchsten Düne Europas (über 100 m hoch).

Arc de Triomphe [ark də tri'ɔ̃:f, frz.] *der,* Triumphbogen; bes. der A. de T. de l'Étoile in Paris (erbaut 1836).

Arc de Triomphe: Der Arc de Triomphe de l'Étoile in Paris, erbaut 1806–36

Archaebakterien [grch.] (Archea), von den bisher bekannten Bakterien zu unterscheidende Lebensformen, deren Wände kein Murein (Stützsubstanz) enthalten und deren Membranen gegen chemisch-physikal. Einflüsse widerstandsfähig sowie durch Antibiotika nicht angreifbar sind. A. entdeckte man auf isländ. Vulkanfeldern in schwefelreichem Wasser sehr heißer Quellen.

Archaeopteryx [grch. »Urvogel«] *der,* fossile Gattung etwa taubengroßer Tiere aus dem Oberen Jura; zeigt noch Merkmale der Kriechtiere. Bisher wurden sieben Exemplare als Fossilien, alle im Solnhofener Plattenkalk, gefunden (u.a. in Eichstätt, Berlin und London ausgestellt). Das zuletzt (1992) gefundene Exemplar ist kleiner; es könnte eine zweite Art der Gattung A. belegen.

Archaikum *das* (Archäikum), Hauptabschnitt des →Präkambriums.

archaisch [grch. archaios »ursprünglich«, »alt«], altertümlich, aus alter Zeit stammend. In der grch. Kunst die Periode vor ihrer Entfaltung zum klass. Stil, also vor 480 v. Chr. (→griechische Kunst).

Archaismus [grch.] *der,* Rückgriff auf ältere Sprach- und Stilformen, Altertümelei.

Archanes, Ort auf Kreta, Griechenland, 3700 Ew., 10 km südlich von Knossos. In A. wurden Teile einer palastartigen minoischen Anlage ausgegraben, die in die 2. Hälfte des 3. Jt. v. Chr. zurückreicht.

Archangelsk, Hptst. des Gebiets A. im europ. N Russlands, an der Nördl. Dwina, 45 km oberhalb ihrer Mündung ins Weiße Meer, 416000 Ew.; mehrere Hochschulen; Werft, Holzind., Fischverarbeitung, Maschinenbau; Eisenbahnendpunkt; Hafen, der sechs Monate im Jahr mit Eisbrechern eisfrei gehalten wird. – 1584 von Engländern als Handelsplatz gegr., seit 1613 heutiger Name.

Archangelsk Historisches Stadtwappen

Archanthropinen [grch.], selbstständiger Zweig der Euhomininen (echte Menschen); werden als **Homo erectus** zusammengefasst. A. gelten als direkte Vorfahren von Homo sapiens. (→Altsteinzeit)

Archäologie [grch.] *die,* die Altertumskunde; urspr. die Erforschung nicht zur Sprachwissenschaft gehörender Gebiete des Altertums (Geschichte, Sitten, Mythen), dann seit K. O. Müller (*1797, †1840) die Wiss. von den Kunst- und Baudenkmälern des Altertums; heute wieder allgemeiner gefasst als die Wiss. vom Altertum und anderen frühen Hochkulturen, soweit sich diese aus Denkmälern, Bodenfunden und Schriftquellen erschließen lassen.

Als histor. Wiss. hat die A. die möglichst weitgehende Erforschung einer älteren Kultur zum Inhalt. Insofern lassen sich ebenso viele Bereiche der A. unterscheiden, wie es Kulturbereiche gibt. Dabei ist die Herausbildung spezieller Fachgebiete von der histor. Situation in den einzelnen Ländern abhängig, so hat es z.B. in China schon in der Songzeit (900–1279) eine einheim. A. gegeben. In Europa steht seit Humanismus und Renaissance die Erforschung der grch.-röm. Antike **(klass. A.)** im Vordergrund. Die zunehmende Materialfülle ließ Spezialbereiche entstehen **(kretisch-myken. A., etrusk. A., provinzialröm. A.)**; zeitlich schließt die **christl. A.** an. Weitere Zweige der A., meist im Bereich anderer Wissenschaften angesiedelt, sind **bibl. A., ind. A., nordamerikan. A., mittel-** und **südamerikan. A.** und **chines. A.,** größere Eigenständigkeit besitzen die **Vor-** und **Frühgeschichte** und die **A. des Alten Orients.**

Die heutige A., die nicht mehr vorwiegend kunsthistorisch orientiert ist (**Kunst-A.,** seit J. J. Winckelmann), bemüht sich aufgrund der Aus-

Archaeopteryx: 1987 im Solnhofener Plattenkalk gefundenes Exemplar der Art Archaeopteryx lithographica (Solnhofen, Bürgermeister-Müller-Museum)

Archäologie

1

3

| **1** Luftaufnahme des ehemaligen, heute vom Kebanstausee überfluteten Ruinenhügels Norşun Tepe in der Osttürkei | **2** Luftbild des römischen Hilfstruppenkastells Celeusum in der Nähe von Pförring (Landkreis Eichstätt, Bayern). In der Falschfarbenaufnahme werden die Grundmauern anhand des helleren Bewuchses erkennbar | **3** Zeichnung des Lagers Pförring: im Zentrum der Gesamtanlage die seit längerem bekannte Kommandantur (1) einschließlich des apsidenförmigen Fahnenheiligtums (2). Neu entdeckt wurden mithilfe der Luftbildarchäologie die Grundrisse zweier weiterer Gebäude (3, 4) sowie einer Kirche, die in späterer Zeit über der bereits zerstörten Vorhalle der Kommandatur errichtet wurde (5)

wertung von Denkmälern, Bodenfunden und Schriftquellen, das Bild einer geographisch und zeitlich begrenzten Kultur nachzuzeichnen. Im Zentrum stehen die Fragen nach Wirtschafts- und Siedlungswesen, Formen des Alltagslebens, Totenbrauchtum und religiösen Vorstellungen. Soweit möglich durchdringen sich theoret. und prakt. Forschung, bei der zunehmend auch moderne Technik eingesetzt wird (Luftbild-A. Unterwasser-A.). Bei der Auswertung von Bodenfunden und Denkmälern einschl. ihrer Datierung gewinnt die Zusammenarbeit mit Anthropologie, Paläobotanik, Geologie, Physik und Chemie zunehmend an Bedeutung. – Durch Ausgrabungen, systemat. Erfassung von Museumsbeständen und Denkmälerklassen, die Gründung der ersten archäolog. Auslandsinstitute und die Institutionalisierung eines selbstständigen Faches A. an den dt. Univ. wurden im 19. Jh. die wesentl. Grundlagen für die heutige Forschung geschaffen.

Etwa seit dem Ersten Weltkrieg versucht man in der **Archäologie,** *durch Aufnahmen aus der Luft archäologische Tatbestände zu erforschen und zu klären. Zum Beispiel zeichnen sich überwachsene Überreste von Mauern oder Straßen durch schwächeren Bewuchs (bei gleichartigen Bewuchsdecken) auf den Aufnahmen deutlich ab. Andererseits heben sich mit (zum Teil organischem) Lockermaterial aufgefüllte Vertiefungen (Gruben, Gräben u. a.) durch stärkeren Bewuchs hervor, da sie das Wasser besser halten als die Umgebung. Dabei hat die Infrarotfotografie, die sich besonders dafür eignet, Kontraste hervorzuheben, die Methodik der Luftbildarchäologie erheblich verfeinert. Ebenso verbesserte die Photogrammetrie (Vermessung und kartographische Aufnahme von Geländeabschnitten mit fotografisch aufgezeichneten Messbildern) die Detailerfassung.*

📖 Gorys, E.: *Handbuch der A. Ausgrabungen u. Ausgräber, Methoden u. Begriffe. Augsburg 1989.* – *Vorstoß in die Vergangenheit. Archäolog. Entdeckungen in Deutschland, hg. v.* G. Graichen *u.* H. H. Hillrichs. *München 1992.* – *A. in der Bundesrepublik Deutschland, bearb. v.* H. Fritsch. *Stuttgart* [3]*1994.* – *Computer u. A., hg. v.* O. Stoll. *St. Katharinen 1994.* – Niemeyer, H. G.: *Einführung in die A. Darmstadt* [4]*1995.* – *Schliemanns Erben. Entschlüsseln Archäologen unsere Zukunft?, hg. v.* G. Graichen *u.* M. Siebler. *Mainz 1996.*

Archäozoikum *das,* Teil des →Präkambriums.

Arche [grch.] *die,* Anfang, Urgrund (→griechische Philosophie); Grundsatz (metaphys. Art); auch Herrschaft, Macht.

Arche [lat. arca »Kasten«] *die,* hausartiges Schiff, mit dem Noah sich aus der Sintflut rettete (1. Mos. 13 ff.).

Archegonium [grch.] *das,* flaschenförmiger Eizellenbehälter der Moose und Farnpflanzen.

Archetypus [grch. »Urtypus«, »Urbild«] *der,* **1)** in der spätantiken Philosophie Urbild oder Idee; ähnlich in der Psychologie C. G. Jungs urtüml., angeborene Leitbilder von Verhalten, Vorstellung und Erfahrung im →kollektiven Unbewussten.

2) älteste überlieferte oder erschließbare Fassung einer Handschrift, eines Druckes.

Archidiakon [auch -'di-; grch. »oberster Diener«] (Archidiakonus), in der alten christl. Kirche der erste Gehilfe und Vertreter des Bischofs, später der Vorsteher eines Kirchensprengels, eines **Archidiakonats;** in der anglikan. Kirche noch jetzt in dieser Stellung, in der kath. Kirche durch den bischöfl. Generalvikar ersetzt.

Archilochos, neben Kallinos der älteste Lyriker der Griechen, *auf Paros, lebte um 650 v. Chr.; schrieb Spottverse und Gedichte.

Archimandrit [grch.] *der, Ostkirchen:* der Abt einer Klosteranlage oder eines Klosterverbandes; auch Ehrentitel von Mönchspriestern mit besonderen Aufgaben.

Archimedes, grch. Mechaniker und Mathematiker, *Syrakus um 285 v. Chr., †ebd. 212, getötet bei der röm. Eroberung (→noli turbare circulos meos). Er lehrte die Darstellung beliebig großer Zahlen, die Bestimmung der Quadratwurzel und der Zahl π, die Lösung kub. Gleichungen, die Berechnung von krummlinig begrenzten Flächen und Rotationskörpern usw.; entdeckte den Schwerpunkt, das Hebelgesetz, die geneigte Ebene, den stat. Auftrieb, das spezif. Gewicht. Er baute ferner hydraul. Maschinen und Kriegsmaschinen, durch die Syrakus zwei Jahre lang der röm. Belagerung widerstehen konnte.

Archimedes: Der Tod des Archimedes (Mosaik aus Herculaneum)

Der große Erfinder **Archimedes** *soll nicht nur bei der Erfindung des Flaschenzuges »Heureka!«, »Ich hab's gefunden!« gerufen haben. Ein Bonmot sagt, dass er zum Dank für diese Entdeckung hundert Ochsen geopfert habe und dass seitdem alle Ochsen zittern, wenn jemand eine Entdeckung macht. Der Erfinder der Infinitesimalrechnung und Berechner der Zahl Pi soll auch in der Stunde des Sterbens für eine Anekdote gesorgt haben: Archimedes konstruierte bei der Belagerung der Stadt Syrakus durch die Römer Verteidigungsmaschinen und soll beim Nachdenken über eine in den Sand gemalte mathematische Zeichnung geistesabwesend zu einem Hereintretenden gesagt haben: »Störe meine Kreise nicht!« (noli turbare circulos meos), aber der Hereintretende war dann leider ein römischer Soldat, der ihn sofort erschlug.*

📖 Schneider, I.: *A. Ingenieur, Naturwissenschaftler u. Mathematiker. Darmstadt 1979.*

archimedischer Punkt, gedachter fester Punkt außerhalb der Erde, nach einem legendären Ausspruch des Archimedes: »Gebt mir einen Platz, wo ich stehen kann, so will ich (mit meinem Hebel) die Erde bewegen.«

Archimedes *bekam die Aufgabe gestellt herauszufinden, ob eine königliche Krone aus reinem Gold bestand oder nicht.*
Als ihm beim Besteigen der Badewanne das Wasser überlief, hatte er die Lösung gefunden. Er bemaß, wie viel Wasser die Krone verdrängte, und verglich das Ergebnis mit der Wassermenge, die ein Klumpen reines Gold gleichen Gewichts verdrängte. Was für Archimedes eine Erleuchtung war, endete für den Hersteller der Krone tragisch. Die königliche Krone verdrängte mehr Wasser, war also aus einer weniger dichten Legierung hergestellt. Der Goldschmied wurde hingerichtet.

archimedisches Prinzip, Lehrsatz vom statischen →Auftrieb.

Archipel *der,* Inselgruppe.

Archipelagos, die Inselwelt im Ägäischen Meer zw. Griechenland und Kleinasien.

Archipenko, Alexander, amerikan. Bildhauer ukrain. Herkunft, *Kiew 30. 5. 1887, †New York 25. 2. 1964; ging 1908 nach Paris, lebte seit 1923 in den USA; schuf v. a. weibl. Akte von stark abstrahierender Gestaltung.

Archipoeta [lat.-grch. »Erzdichter«], bedeutendster mlat. Vagantenlyriker, der eigentl. Name ist unbekannt, *in Dtl. zw. 1130 und 1140. Nach ihm heißen auch andere lat. Dichter des MA. »Archipoeta«.

Architekt [grch. »Baumeister«] *der,* Bauberuf (meist als freier Beruf ausgeübt), dessen Aufgabe in der Gestaltung der baul. Umwelt in künstlerisch befriedigender Form besteht. Der A. plant und gestaltet Bauwerke, überwacht die Ausführung und arbeitet an städtebaul. Aufgaben mit. **Innen-A.** haben sich auf die Inneneinrichtung, **Garten-** und **Landschafts-A.** auf die Gestaltung von Gartenanlagen sowie die Landschaftsplanung spezialisiert.

Architektur

Architektur ist erstarrte Musik

Bei Friedrich Wilhelm Joseph von Schelling steht der zum Topos gewordene Satz in seiner 1802/03 in Jena und 1804/05 in Würzburg gehaltenen Vorlesung über die Philosophie der Kunst in folgender Form: »Wenn die Architektur überhaupt die erstarrte Musik ist ...«. Vor Schelling spricht der italienische Architekt und Kunsttheoretiker Leon Battista Alberti von Musik angesichts der Fassade der von ihm umgestalteten gotischen Kirche San Francesco in Rimini. Alberti war seinerseits beeinflusst von dem römischen Architekten Vitruv, der in seinem Lehrwerk über die Architektur (De Architectura, um 25 v. Chr.) bereits über die Beziehung zwischen beiden Künsten reflektiert und vom Architekten musikalische Kenntnisse verlangt. Goethe zitiert dieses Postulat Vitruvs in seiner Übersetzung der Autobiographie des Florentiner Goldschmieds und Bildhauers Benvenuto Cellini und greift auch Schellings Formel in »Maximen und Reflexionen« (Nr. 1133) und in den Gesprächen mit Eckermann (23.3.1829) auf. Arthur Schopenhauer schließlich lehnt die Vorstellung, dass Architektur gefrorene Musik sei, als keckes Witzwort ab (»Die Welt als Wille und Vorstellung«, Bd. 2, Buch 3, Kap. 39).

Die berufl. Ausbildung erfolgt an Fachhochschulen oder Hochschulen.

Architektur [grch.] *die,* **1)** (Baukunst) Unter A. versteht man i. Allg. den Hochbau, in dem sich, im Unterschied zum Tiefbau, Zweckerfüllung mit künstler. Gestaltung verbindet. Nach den unterschiedl. Aufgabenbereichen unterscheidet man

Architekturbild: Pieter Saenredam, »Buurkerk in Utrecht« (1644; London, National Gallery)

Sakralbau (Kirchen, Tempel) und **Profanbau** (öffentl. und private Bauten, Paläste, Burgen, Schlösser). In den Frühzeiten entwickelten sich Kunst und Technik vornehmlich in Verbindung mit Sakralbauten. Durch den Herrscherkult bedingt, erreichten in den Hochkulturen die profanen Grabbauten und Paläste Ausmaße und Wesen der sakralen Architektur. Die Geschichte der grch. A. ist eine Geschichte des Tempelbaus. Die Römer waren im Abendland die Ersten, die zeitweise dem **Zweckbau** (Aquädukte, Brücken, Thermen, Platz- und Stadtanlagen) den Vorrang vor der Sakral-A. gaben. Das MA. ist durch ein Nebeneinander von Sakral- und Zweckbau (Wehr-, Wohn-, Verwaltungsbau) gekennzeichnet. Im Abendland wurden erstmals im Hellenismus Einzelbauten durch Achsen und Plätze im Sinn einer **Stadtbaukunst** geordnet. Sie galt erneut in der Renaissance als höchstes gestalter. Ziel der Architekten. Nachdem im 19. Jh. der Sinn dafür vielfach verloren gegangen war, suchte das 20. Jh. in seinen besten Leistungen wieder A. als Ausdruck eines Ordnungswillens zu verwirklichen (→ moderne Architektur). – Über die Geschichte der A. vgl. die Artikel über die Kunst der einzelnen Völker (z. B. dt. Kunst) und Epochen (z. B. Barock).

📖 *Lexikon der Weltarchitektur. Mit einer umfassenden Bibliographie u. einem Ortsregister der Abbildungen, bearb. v.* N. PEVSNER *u. a. A. d. Engl. München* ^{3}*1992.* – CHING, F. D.: *Bildlexikon der A. A. d. Engl. Frankfurt am Main u. a. 1996.* – *Kleines Wörterbuch der A. Stuttgart* ^{3}*1996.*

2) (Rechner-A., System-A.) in der Datenverarbeitung Aufbau und grundsätzl. Struktur von Rechnern, Rechnerkomponenten und -netzen.

Architekturbild, Gattung der Malerei, die Innen- oder Außenansichten von Bauwerken darstellt; hatte seine Blütezeit im 17. Jh. in den Niederlanden.

Architekturmodell, plast. Nachbildung eines Bauwerks in verkleinertem Maßstab; dient v. a. als Entwurfsmodell, auch für Lehr- und Anschauungszwecke. Das älteste beglaubigte A. ist das des Tempels von Delphi. Seit dem 14. Jh. tauchte das A. zuerst wieder in Italien auf und gewann an Bedeutung im Verlauf der Renaissance und des Barocks.

Architrav [lat.] *der* (grch. Epistylion), von einer Säulen- oder Pfeilerreihe getragener Balken. Im Altertum bestand der A. bei größeren Bauten aus zwei oder drei Balken.

Archiv [lat., aus grch. archeīon »Rathaus«] *das,* Einrichtung zur systemat. Erfassung, Ordnung, Verwahrung, Verwaltung und Verwertung von Schriftgut, Bild- und/oder Tonträgern (Archivalien). Seit dem 19. Jh. werden die A. v. a. für die Geschichtsforschung benutzt. Bed. A.: Bundes-A. in Koblenz, Österr. Staats-A. in Wien.

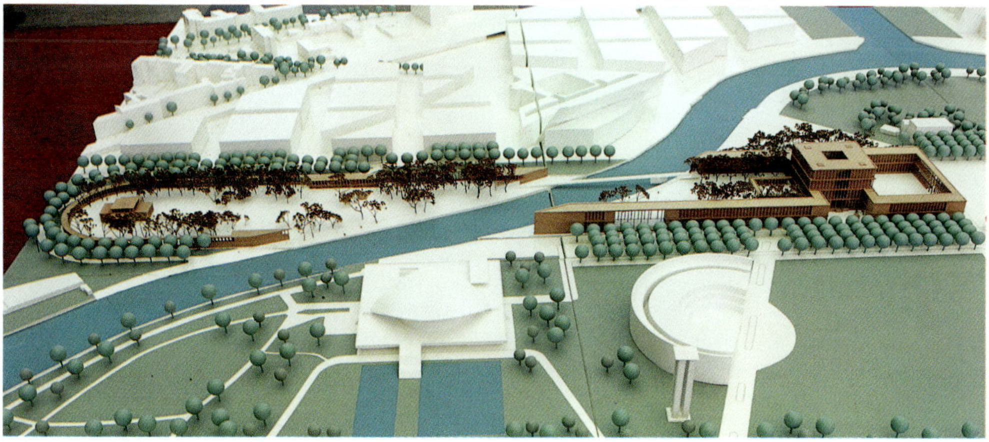

Architekturmodell: Preisgekrönter Entwurf für die architektonische Neugestaltung des Parlaments- und Regierungsviertels in Berlin vom Architektenteam Torsten Krüger, Christiane Schuberth und Bertram Vandreike

Archivar *der,* in einem Archiv Beschäftigte(r); im öffentl. gehobenen Dienst Beruf mit 3-jähriger Ausbildungszeit; Zugangsvoraussetzung: Fachhochschul- oder Hochschulreife. A. ordnen und erschließen Schriftgut, Film-, Bild-, Tondokumente sowie EDV-Materialien der Verwaltungen.

Giuseppe Arcimboldo: Allegorie des Feuers (1566; Wien, Kunsthistorisches Museum)

Archivolte [lat.] *die,* profilierte Stirnseite eines Rundbogens, im Scheitel oft mit einem Schlussstein; auch Bogenlauf eines mittelalterl. Portals als Fortsetzung der Gewändegliederung.

Archon [grch. »Herrscher«] *der* (Pl. Archonten), Amtsname der obersten Staatsbeamten in manchen grch. Stadtstaaten. Nach dem an der Spitze stehenden **A. Eponymos** (»Namengeber«) wurde das Jahr benannt.

Arcimboldo [-tʃ-] (Arcimboldi), Giuseppe, italien. Maler, *Mailand 1527, †ebd. 11. 7. 1593. Bed. sind seine allegor. Bilder, meist Köpfe, die aus realistisch gemaltem Obst und Gemüse, Fischen, Büchern u. a. zusammengesetzt sind.

Architrav

Arco, Georg Graf von, Physiker und Ingenieur, *Großgorschütz (heute Gorzyce bei Racibórz) 30. 8. 1869, †Berlin 5. 5. 1940; führte den Hochfrequenzmaschinensender mit magnet. Frequenzwandler in der Funktechnik ein.

Arcos de la Frontera, Stadt in S-Spanien, am Rand des Andalus. Gebirges nahe des Guadalete (Stausee), 24 900 Ew.; Weinkellereien, Brennereien. – Schloss der Herzöge von Arcos.

Arctostaphylos *der,* →Bärentraube.

Arcus [lat. »Bogen«] (Arkus), →Bogenmaß.

ARD, Abk. für **A**rbeitsgemeinschaft der öffentlich-rechtlichen **R**undfunkanstalten der Bundesrepublik **D**eutschland, →Rundfunk.

Archivolte

Ardebil (Ardabil), Hauptstadt der iran. Prov. Ost-Aserbaidschan, 1 300 m ü. M., 311 000 Ew.; Teppichknüpfereien, Handelszentrum. – Das Mausoleum des Scheichs Safi, des Gründers der Safawidendynastie, ist Wallfahrtsort der iran. Schiiten.

Ardèche [arˈdɛʃ], **1)** *die,* rechter Nebenfluss der Rhone, 120 km lang, entspringt in den Cevennen und mündet bei Pont-Saint-Esprit.

2) Dép. in Südfrankreich, 5 529 km², (1990) 277 600 Ew. Hptst.: Privas.

Arden [ɑːdn], John, engl. Dramatiker, *Barnsley (Yorkshire) 26. 10. 1930; schreibt realist. Bühnenstücke, u. a. »Der Tanz des Sergeanten Musgrave« (1959), »Armstrong sagt der Welt Lebewohl« (1965).

John Arden

Ardenne, Manfred Baron von, Physiker, *Hamburg 20. 1. 1907, †Dresden 26. 5. 1997. Nach

Arecibo: Das größte zusammenhängende Radioteleskop (Durchmesser 304 m) in einem Talkessel bei Arecibo erfasst mithilfe der ortsfesten Kugelschale während der Erdrotation einen etwa 15° breiten Himmelsstreifen

zahlr. Erfindungen in Funk- und Fernsehtechnik und Elektronenoptik wandte sich A. der angewandten Kernphysik zu; 1945–55 in der UdSSR tätig, leitete 1955–1990 das Forschungsinstitut »M. v. A.« in Dresden; ab 1965 Forschungen zur Krebsbehandlung und Zellregeneration (Sauerstoff-Mehrschritt-Therapie); war Leiter des 1991 gegr. A.-Instituts für angewandte medizin. Forschung. Schrieb »Ein glückl. Leben für Technik u. Forschung« (1972) u. d. T. »Die Erinnerungen« (1990).

Manfred von Ardenne

Ardẹnnen (in Luxemburg Ösling, frz. Ardennes), die westl. Fortsetzung des Rhein. Schiefergebirges in Luxemburg, Südbelgien und dem angrenzenden Nordfrankreich. Die **Hoch-A.** im S sind im Hohen Venn bis 694 m hoch und bilden ein waldreiches Hochland aus Quarziten, Schiefern und Grauwacken, von windungsreichen Tälern, bes. von Maas und Semois, durchschnitten. Sie sind ein Gebiet der Forst- und Viehwirtschaft, in den Tälern mit Kleineisen-, Stein- und Textilindustrie. Die nördlich anschließenden **Nieder-A.** sind ein 200–350 m hohes Hügelland, fruchtbarer und dichter besiedelt. Den Nordrand bildet die industriereiche Sambre-Maas-Furche.

Erich Arendt

Ardennes [ar'dɛn], Dép. in N-Frankreich, in der Champagne, 5229 km^2, (1990) 296400 Ew.; Hptst.: Charleville-Mézières.

Ardey *der,* westl. Ausläufer der Haar am östl. Rand des Ruhrgebiets, bis 278 m ü. M., aus Gesteinen des Karbons aufgebaut.

Arduịno, Giovanni, italien. Geologe, *Caprino Veronese 16. 10. 1714, †Venedig 21. 10. 1795; von seinen Zeitgenossen »Vater der Geologie« genannt.

Hannah Arendt

Areafunktionen, Umkehrfunktionen der Hyperbelfunktionen.

Areal [lat.] *das,* Fläche, Flächeninhalt; z. B. in der Biologie das Verbreitungsgebiet einer systemat. Gruppe von Pflanzen oder Tieren.

Arecibo [are'siβo], Hafenstadt an der N-Küste von Puerto Rico, 93400 Ew.; Beobachtungsstation für Ionosphärenforschung, Radioteleskop (Durchmesser des Reflektors 304 m).

Arecolin *das,* Hauptalkaloid der Betelnuss.

Arelat, von der Hptst. Arles abgeleiteter Name für das Königreich →Burgund.

Arẹna [lat. »Sand«] *die,* urspr. mit Sand bestreuter Kampfplatz im Amphitheater, Zirkus und Stadion; heute Austragungsort sportl. Wettkämpfe, Kampfbahn.

Arendsee (Altmark), Stadt und Luftkurort im Altmarkkreis Salzwedel, Sa.-Anh., am Arendsee (5,5 km^2); 3000 Ew.; Getränkeherstellung.

Arendt, 1) Erich, Schriftsteller, *Neuruppin 15. 4. 1903, †Berlin (Ost) 25. 9. 1984; schuf eleg. Gedichte in bildhafter Sprache; bed. Nachdichter span. und lateinamerikan. Lyrik.

2) Hannah, Soziologin und Politologin, *Hannover 14. 10. 1906, †New York 4. 12. 1975; Schülerin von M. Heidegger, E. Husserl und K. Jaspers, musste als Jüdin 1933 nach Frankreich, 1940 in die USA emigrieren; seit 1959 Prof. für Politik in Princeton. Sie befasste sich v. a. mit der Erforschung des Totalitarismus und politisch-philosoph. Grundsatzfragen

Werke: Elemente und Ursprünge totaler Herrschaft (1951); Rahel Varnhagen (1959); Vita activa oder Vom tätigen Leben (1960); Eichmann in Jerusalem (1963); Über die Revolution (1963).

📖 YOUNG-BRUEHL, E.: *H. A. Leben, Werk u. Zeit. A. d. Amerikan. Tb-Ausg. Frankfurt am Main 1991.*

Arẹne, aromat. Kohlenwasserstoffe mit mindestens einem Benzolring.

Arenịt *der,* Bez. für klast. Carbonatsedimente (Korngröße 0,063–2,0 mm).

Arensburg, Stadt auf Saaremaa, →Kuressaare.

Arẹnski, Anton Stepanowitsch, russ. Komponist, *Nowgorod 12. 7. 1861, †Terioki (heute Selenogorsk) 25. 2. 1906; steht in seinen Werken (Opern, Sinfonien, Kammermusik) P. J. Tschaikowski nahe.

Areopag [grch. »Areshügel«] *der,* Hügel in Athen westlich der Akropolis, auf dem der nach ihm benannte Alte Rat tagte. Dieser war nach Beseitigung des Königtums die eigentl. Regierungsbehörde, seit dem 5. Jh. v. Chr. nur noch auf die Blutgerichtsbarkeit und auf religiöse Funktionen beschränkt.

Arequipa [-'ki-], Hptst. des Dep. A., Peru, am Westabhang der Anden, 2363 m ü. M., 620500 Ew.; Erzbischofssitz, 2 Univ.; Handelszentrum S-Perus; Textil- und Nahrungsmittelindustrie.

Ares, der grch. Kriegsgott, Sohn des Zeus und der Hera, Liebhaber der Aphrodite, von den Römern dem Mars gleich gesetzt; wurde als bärtiger

Argentinien

Fläche: 2 766 889 km²
Einwohner: (1995) 34,587 Mio.
Hauptstadt: Buenos Aires
Verwaltungsgliederung: 24 Provinzen
Amtssprache: Spanisch
Nationalfeiertage: 25. 5. und 9. 7.
Währung: 1 Argentin. Peso (arg $) = 100 Centavos (c)
Zeitzone: MEZ −4 Std.

Krieger, später als kräftiger, jugendl. Mann dargestellt (Parthenonfries; A. Ludovisi).

Arete [grch.] *die,* in der Antike allg. Tüchtigkeit. – Seit Sokrates hat das Wort in der philosoph. Ethik die Bedeutung »Tugend«.

Aretino, Pietro, italien. Schriftsteller, *Arezzo 20. 4. 1492, †Venedig 21. 10. 1556. Zu seinen Werken gehören gefürchtete Schmähschriften, burleske und satir. Komödien, eine Tragödie (»L'Orazia«, 1546), die »Ragionamenti« (2 Tle., 1533–36; dt. u.a. als »Kurtisanengespräche«) und sein Briefwechsel (»Lettere«, 6 Bde., 1537–57) mit bed. Zeitgenossen.

Arezzo, 1) Provinz im O der Toskana, Mittelitalien, 3 232 km², (1995) 316 300 Ew.

Arezzo 2): Die romanische Kirche Santa Maria della Pieve (spätes 12. Jh.) mit dem über 59 m hohen Glockenturm (fertig gestellt 1330) am Corso Italia

2) Hptst. von 1), am Arno, 90 900 Ew.; Kunstakademie; Handel mit Wein und anderen landwirtsch. Produkten; Textilind., Maschinenbau, Schmuckherstellung, keram. Werkstätten. – Got. Kirche San Francesco mit Fresken von Piero della Francesca, roman. Pfarrkirche Santa Maria della Pieve aus dem 12. Jh., Paläste und Loggien. – A. war im Altertum als **Arretium** eine der wichtigsten altetrusk. Städte.

Argelander, Friedrich Wilhelm August, Astronom, *Memel (heute Klaipėda) 22. 3. 1799, †Bonn 17. 2. 1875. 1852–61 führte A. die **Bonner Durchmusterung** ein, einen Sternkatalog mit Atlas von 324 198 Sternen.

Argenteuil [arʒãˈtœj], Industriestadt im nordwestl. Vorortbereich von Paris, an der Seine, im Dép. Val d'Oise, 94 200 Ew.; Maschinen- und Flugzeugbau, chem. Industrie; Spargelanbau.

Argentinien (amtl. span. República Argentina), zweitgrößter Staat Südamerikas, grenzt im N an Bolivien und Paraguay, im O an Brasilien und Uruguay, südlich des Río de la Plata an den Atlant. Ozean sowie im W in den Anden an Chile. A. erhebt Anspruch auf die Falklandinseln sowie andere südatlant. Inseln (Südgeorgien, Süd-Shetland-, Süd-Sandwich- und Süd-Orkney-Inseln, insges. 981 000 km²).

Staat und Recht: Nach der Verf. von 1994 ist A. eine föderalist., republikanische Präsidialdemokratie. Staatsoberhaupt, Reg.-Chef und Oberbefehlshaber der Streitkräfte ist der auf vier Jahre direkt gewählte Präs. (unmittelbare einmalige Wiederwahl möglich). Die Legislative liegt beim Kongress, bestehend aus Senat (72 Mgl., Amtszeit neun Jahre) und Deputiertenkammer (259 Abg., Legislaturperiode vier Jahre). Dominierende Parteien: Partido Justicialista (PJ; Peronisten) und Unión Cívica Radical (UCR). A. ist verwaltungsmäßig in 24 Prov., einschl. des Bundesdistr. von Buenos Aires und des früheren Nationalterritoriums Feuerland gegliedert.

Landesnatur: A. erstreckt sich von 22° s. Br. nach S über rd. 3 700 km bis 55° s. Br. im S von Feuerland und vom Kamm der Anden nach O bis zur Küste des Atlantik (größte Breite 1577 km). Histor. und wirtsch. Kerngebiet ist das fruchtbare Tiefland der →Pampa am unteren Paraná und am Río

Staatswappen

RA

Internationales Kfz-Kennzeichen

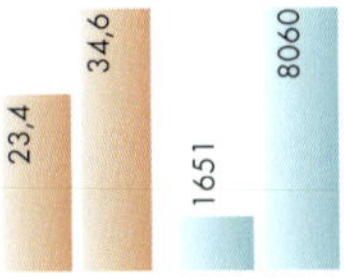

1970 1995 Bevölkerung (in Mio.)
1970 1994 Bruttosozialprodukt je Ew. (in US-$)

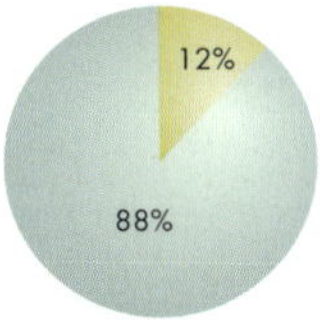

■ Stadt
■ Land

Bevölkerungsverteilung 1994

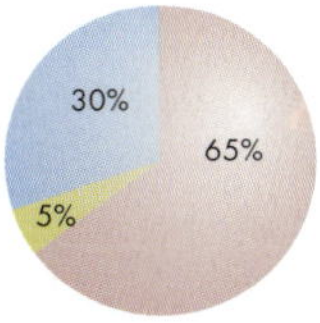

■ Industrie
■ Landwirtschaft
■ Dienstleistung

Bruttoinlandsprodukt 1994

de la Plata, eine weit gespannte, geologisch junge Aufschüttungsebene mit weiten Grasfluren, die nach N allmählich in die subtrop. Trockenwald- und Buschsavannen des →Gran Chaco übergehen. In das Tiefland zw. den sumpfigen Stromauen von Paraná und Uruguay (»Zwischenstromland«) reichen im NO bewaldete Ausläufer des Brasilian. Berglands. Südl. des Colorado schließt sich an die Pampa das bis auf 1500 m ansteigende, von dürftiger Steppe bedeckte Tafel- und Schichtstufenland →Patagoniens an, das mit buchtenreicher, felsiger Steilküste zum Meer abfällt. Im W reicht A. bis auf die Höhe der Anden (Aconcagua 6959 m ü. M.). Ihnen vorgelagert sind als einzelne isolierte Bergzüge die →Pampinen Sierren. Zw. den Ketten der Anden erstrecken sich im N wüstenhafte Hochgebirgsbecken (→Puna). Wichtigstes Flusssystem ist das des Paraná. – Das Klima ist im größten Teil des Landes warm gemäßigt, im N subtropisch warm gemäßigt, im Chaco heiß, im S trocken kühl.

Bevölkerung: Sie ist aufgrund der starken Einwanderung seit etwa 1850 (bis 1970 über 9 Mio.) überwiegend europ. Abstammung (bes. Spanier, Italiener, rd. 230 000 Deutschstämmige); kleine Restgruppen von Indianern (rd. 35 000) leben im Chaco und in Patagonien. In der Agglomeration Buenos Aires leben fast 40 % der Gesamtbevölkerung. Der jährl. Bev.zuwachs beträgt durchschnittlich 1,2 %. – Allg. Schulpflicht besteht vom 6. bis 14. Lebensjahr. A. hat eine der niedrigsten Analphabetenraten (4,7 %) Lateinamerikas bei erhebl. Unterschieden zw. Stadt und Land. Es bestehen 24 staatl. und 17 private Univ. Die älteste Univ. wurde 1613 in Córdoba gegründet. 91 % der Bev. sind Katholiken, 2,5 % Protestanten.

Wirtschaft, Verkehr: Das Bruttosozialprodukt je Kopf der Bev. ist das höchste in Lateinamerika. Damit zählt A. zu den Entwicklungsländern mit mittleren Einkommen, z. T. wird A. auch zu den Schwellenländern gerechnet. Im Ganzen marktwirtschaftlich orientiert, nahm der Staat wichtige Zweige (Kohle, Stahl, Erdöl, Transportwesen) unter Kontrolle. Infolge anhaltender polit. und wirtsch. Instabilität verlangsamte sich das Wirtschaftswachstum und erhöhten sich die Auslandsschulden. – A. verfügt über eine stark mechanisierte Landwirtschaft und eine aufstrebende Industrie. Die Landwirtschaft, die rd. 65 % der Gesamtfläche nutzt, erbringt rd. 6 % des Bruttoinlandsprodukts, ist jedoch mit rd. 62 % der Exporteinnahmen Hauptdevisenbringer. Der größte Teil der landwirtsch. Betriebsflächen ist Eigentum nur weniger Familien. Kerngebiet ist die Pampa. Haupterzeugnisse sind Weizen, Mais, Sorghum, ferner Leinsamen, Sonnenblumenkerne, Erdnüsse, Zuckerrohr, Gemüse, Zitrusfrüchte, Obst, Wein, Tabak, Matetee. A. ist trotz abnehmender Tendenz einer der größten Fleischproduzenten (Rinder, Schafe) der Erde (Dauerwiesen und -weiden nehmen 51 % der Gesamtfläche A. ein). Die Schafzucht konzentriert sich v. a. auf O-Patagonien. Die Forstwirtschaft (Wald nimmt 21 % der Landesfläche ein, meist Busch- und Trockenwald) ist überwiegend Ausbeutungswirtschaft. Aus dem Quebrachobaum wird der Gerbstoff Tannin gewonnen. Der Fischfang (Küsten- und Hochseefischerei) zeigt aufsteigende Tendenzen. – Der Bergbau fördert Erdöl (nahezu Selbstversorgung), Erdgas, Steinkohle, ferner Eisenerz, Kupfer. – Die Ind., die sich bes. um Buenos Aires konzentriert, erbringt rd. 31 % des Bruttoinlandsprodukts und deckt im Wesentlichen den Konsumgüterbedarf des Landes; ihr Schwerpunkt liegt in der Verarbeitung von Agrarprodukten (Gefrierfleisch-, Zuckerfabriken, Getreide-, Ölmühlen, Textilind.). Die Stahlerzeugung stieg beträchtlich. Die relativ junge chem. Ind. (in Rosario) und die Kfz-Industrie (Córdoba) gewinnen an Bedeutung. Die Elektroenergieproduktion erfolgt zu fast 41% durch Wasserkraftwerke und zu 52% durch Wärmekraftwerke; Kernkraftwerke bestehen in Atucha und Río Tercero. – Hauptausfuhrprodukte sind landwirtsch. Erzeugnisse, Hauptabnehmer: die USA, Brasilien, die Niederlande; Haupteinfuhren: Maschinen, chem. Produkte, Metalle, mineral. Brennstoffe, v.a. aus den USA, Brasilien, Dtl., Italien, Bolivien. – *Verkehr:* Das Schienennetz (33000 km) ist seit 1970 stark reduziert worden. Über zwei transandine Strecken ist A. mit dem chilen. Eisenbahnnetz verbunden. Die Länge des Straßennetzes beträgt 211400 km, davon sind rd. 17% Nat.straßen. Der Paraná ist der wichtigste Binnenschifffahrtsweg (für Hochseeschiffe bis Rosario, z.T. auch bis Santa Fe). Haupthäfen sind Buenos Aires, La Plata, Rosario. Wichtigster internat. Flughafen ist der von Buenos Aires; staatl. Luftverkehrsgesellschaft: Aerolíneas Argentinas.

Geschichte: Anfang 1516 wurde die Mündung des La Plata von den Spaniern entdeckt und 1536 Buenos Aires gegründet; nach seinem vermuteten Silberreichtum erhielt das Land den Namen (lat. argentum »Silber«). Seit 1776 bildete es das span. Vizekönigreich Buenos Aires oder La Plata. Die Kreolen begannen 1810 den Aufstand gegen Spanien und erklärten 1816 ihre Unabhängigkeit. Der sich anschließende Parteikampf zw. den Unitariern (Buenos Aires) und den Föderalisten des Binnenlandes mündete in einen Bürgerkrieg, aus dem 1825 die Föderalisten als Sieger hervorgingen. Ihr Führer, General Rosas, Diktator von A. 1829–52, schuf die Grundlage der argentin. Staatseinheit. Nach seinem Sturz kam die formell heute noch gültige Verf. von 1853 zustande. 1865–70 nahm A. am Krieg gegen Paraguay teil. Die Entwicklung zum Einheitsstaat mit der Hptst. Buenos Aires war erst 1880 abgeschlossen. In dieser Zeit wurde auch Patagonien unterworfen. Das Wirtschaftsleben nahm einen raschen Aufschwung: A. wurde eines der großen Getreide- und Wollausfuhrländer der Welt. Im Kampf gegen die Reg., die den Interessen der Großgrundbesitzer nahe stand, organisierte sich der städt. Mittelstand zur »Unión Cívica Radical« (Aufstände 1890 und 1893). Ihr Führer Irigoyen war 1916–22 und 1928–30 Präs.; im 1. Weltkrieg, der den Beginn der Industrialisierung brachte, bewahrte A. strenge Neutralität. Während der Weltwirtschaftskrise gelangten durch einen Militärputsch 1930 wieder die Konservativen zur Herrschaft, die 1943 durch eine Militärdiktatur abgelöst wurden. Im März 1945 erklärte A. Japan und Dtl. den Krieg. In der Zeit der Militärdiktatur gewann J. D. Perón mithilfe der Gewerkschaften und der Arbeiterpartei (gegr. 1945; Peronisten) eine große Anhängerschaft bes. unter den ärmsten Schichten. Nach seiner Wahl zum Präs. (1946) unterwarf er die Wirtschaft der Kontrolle des Staates, leitete eine finanziell aufwendige Industrialisierung ein und führte unter dem Einfluss seiner Frau, Eva Duarte, Reformen durch (u.a. Frauenwahlrecht, Sozialversicherung). Seine diktator. Herrschaft unterdrückte jede Opposition und führte den Staat in eine schwere Finanzkrise. 1955 stürzte die Armee Perón, der ins Exil ging. Nach dem Verbot der Arbeiterpartei bildeten die Gewerkschaften das Rückgrat des Peronismus. Die Sanierung von Wirtschaft und Staatsfinanzen, die

Argentinien: Mascardi-See im Nahuel-Huapí-Nationalpark in den Südanden

Argentinien: Viehweide in der Pampa mit künstlich angelegter Viehtränke

Auseinandersetzung mit den Peronisten und der Kampf gegen den Terrorismus stellten die wechselnden Zivil- und Militärreg. vor nicht zu lösende innenpolit. Probleme. Unter dem Druck seiner Anhänger konnte Perón 1973 nach A. zurückkehren (Versuch eines gesellschaftl. und polit. Ausgleichs durch einen »Sozialpakt«). Nach seinem Tod (1974) wurde seine Witwe und Nachfolgerin, Isabel Perón, 1976 durch einen Militärputsch unter Führung von General J. R. Videla gestürzt.

Gestützt auf eine von den Oberbefehlshabern von Heer, Marine und Luftwaffe gebildete Junta, errichtete die Militärführung unter Staatspräs. J. R. Videla (1976-81) und seinen Nachfolgern ein diktator. Regierungssystem, das im Zeichen eines sich ständig steigernden Staatsterrorismus nicht allein die terrorist. Aktivitäten linksperonist. und sozialist. Gruppen bekämpfte, sondern die gesamte Opposition unterdrückte. 1982 scheiterte ein Versuch, mit militär. Mitteln die argentin. Ansprüche auf die →Falklandinseln gewaltsam gegenüber Großbritannien durchzusetzen.

Argentino: Nebenarm des Argentino mit Morenogletscher

Nach dem Sturz der regierenden Militärjunta und der Einleitung eines Redemokratisierungsprozesses (1982) wählte die Bev. R. Alfonsín 1983 zum Staatspräs., seine Partei, die UCR, gewann die absolute Mehrheit. Nachdem 1985 Angehörige der früheren Militärjunta z.T. zu hohen Gefängnisstrafen verurteilt worden waren, spielte die Frage einer Amnestie bei wachsendem Widerstand in den Streitkräften (1987 und 1988 Putschversuche) eine innenpolitisch stark umstrittene Rolle. Bei den allgemeinen Wahlen von 1989 gewann der Peronist M. C. S. Menem das Amt des Staatspräs. (1995 wieder gewählt), seine Partei, der peronist. Partido Justicialista (PJ), die absolute Mehrheit der Mandate im Parlament. Im Dez. 1990 amnestierte die Regierung alle Beteiligten an den terrorist. Aktivitäten des früheren Militärregimes. Mit einem radikalen neoliberalen Wirtschaftsprogramm bemühte sie sich mit unterschiedl. Erfolg um die Sanierung der Wirtschaft (1995 schwere Finanzkrise). 1994 verabschiedete eine im selben Jahr gewählte Verfassunggebende Versammlung eine neue Verfassung. – 1995 trat A. dem Kernwaffensperrvertrag bei.

📖 BÜNSTORF, J.: *A. Stuttgart u. a. 1992.* – JUNGHANS, R.: *A.-Handbuch. Karten v.* G. SIEBKE. *Kiel ²1992.* – MACK, C. E.: *Der Falkland-(Malvinas)-Konflikt. Frankfurt am Main u. a. 1992.* – *A. Zehn Jahre Demokratie, hg. v. der Argentinien-Gruppe Stuttgart. Beiträge v.* A. PEREZ ESQUIVEL *u. a. Stuttgart 1994.* – *Politik u. Gesch. in A. u. Guatemala (19./20. Jahrhundert), hg. v.* M. RIEKENBERG. *Frankfurt am Main 1994.* – SZAFOWAL, N.: *Die Instabilität des polit. Systems in A. 1930–1983. Regensburg 1994.* – *Transformation im südl. Lateinamerika. Chancen u. Risiken einer aktiven Weltmarktintegration in A., Chile u. Uruguay, hg. v.* B. TÖPPER *u.* U. MÜLLER-PLANTENBERG. *Frankfurt am Main 1994.* – *Nationalsozialismus u. A. Beziehungen, Einflüsse u. Nachwirkungen, hg. v.* H. M. MEDING. *Frankfurt am Main 1995.*

argentinische Literatur, →lateinamerikanische Literaturen.

Argentino [arxɛnˈtinɔ] (Lago A.), See im östl. Vorland der argentin. Südkordillere, seine westl. Arme werden von Gletschern gespeist; gehört zum Nationalpark »Los Glaciares«, 1414 km² groß.

Argentit [lat.] *der,* Silbererz, →Silberglanz.

Argentum [lat.] *das,* →Silber.

ärgere Hand, nach altem dt. Recht der dem Stand nach niedrigere Ehegatte. Das Kind einer solchen »ungleichen Ehe« gehörte meist auch dem niederen Stand an (→linke Hand).

Argerich [arxeˈritʃ], Martha, argentin. Pianistin, *Buenos Aires 5. 6. 1941; v.a. bekannt als Interpretin virtuoser Klaviermusik der Romantik und Nachromantik.

Ärgernis, Verletzung bes. des sittl. Gefühls. Nach § 183a StGB ist die absichtl. Erregung öffentl. Ä. durch die Vornahme sexueller Handlungen in der Öffentlichkeit strafbar; ähnlich in *Österreich.*

Argeș [ˈardʒeʃ] *der,* linker Nebenfluss der Donau in Rumänien, 344 km, entspringt in den Südkarpaten, mündet bei Oltenița, nicht schiffbar; Wasserkraftwerk bei Vidraru.

Argillit [lat.] *der,* verfestigtes Tongestein.

Arginin [grch.] *das,* halb essenzielle, stark bas. Aminosäure. A. kommt in allen Organismen vor, bes. in bas. Proteinen der Zellkerne.

Argiver, 1) die Bewohner von Argos.

2) bei Homer alle Griechen.

arglistige Täuschung, vorsätzl. Erregung oder Erhaltung eines Irrtums in einem anderen durch bewusste Angabe falscher oder Unterdrückung wahrer Tatsachen. Wer zur Abgabe einer Willenserklärung durch a. T. bestimmt worden ist, kann die Erklärung binnen Jahresfrist nach Entdeckung der Täuschung anfechten (§§ 123, 124 BGB). Durch die Anfechtung wird das Rechtsgeschäft nichtig (§ 142 BGB).

Argo *die,* **1)** Schiff der →Argonauten, mithilfe der Göttin Athene gebaut.

2) das Sternbild →Schiff Argo.

Argolis, Landschaft im NO der Peloponnes, Griechenland, gliedert sich in die gebirgige Halbinsel Akti und das fruchtbare Becken von Argos (Intensivkulturen, v.a. Zitrusfrüchte, und Getreide). Wichtigste Städte sind Argos und Nauplion (Hafen). Kernland der myken. Kultur (→Mykene).

Argon [grch. argós »untätig«] *das,* **Ar,** chem. Element aus der Gruppe der Edelgase, 4. Periode des Periodensystems; Ordnungszahl 18, Litergewicht 1,664 g, Schmelzpunkt −189,2 °C, Siedepunkt −185,9 °C, krit. Temperatur −122,5 °C. Vorkommen v.a. in der Luft, in Mineralquellen; Verwendung als Glühlampen- und Leuchtröhrenfüllung, als Schutzgas beim elektr. Schweißen.

Argonauten [grch.], im grch. Mythos Helden unter Führung Iasons; sie holten mit dem Schiff Argo und mithilfe →Medeas das von einem Drachen bewachte Goldene Vlies von →Kolchis nach Griechenland. Drama von Grillparzer, Erzählung von A. Seghers.

Århus: Der im 13. Jh. erbaute und im 15. Jh. umgebaute Dom

Argonnen (Argonnerwald, frz. L'Argonne), dicht bewaldete Hochebene in NO-Frankreich, zw. der oberen Aisne im W und dem Airetal im O, bis über 300 m hoch.

Argos, Stadt in der →Argolis, Griechenland, 20 700 Ew. – 146 v. Chr. kam A. unter röm. Herrschaft. Reste der griechisch-röm. Stadt wurden am Fuß des Burghügels Larissa ausgegraben.

Argot [ar'go, frz.] *das* oder *der,* die Sondersprache einer begrenzten gesellschaftl. Gruppe (engl. etwa **Slang,** dt. **Rotwelsch**). Seit dem MA. ist das A. der Gauner und Diebe bezeugt, später haben andere Gruppen (Studenten, Soldaten u.a.) ein eigenes A. entwickelt.

Martha Argerich

Argument [lat.] *das,* **1)** *allg.:* Beweisgrund.

2) *Mathematik:* a) unabhängige Veränderliche in einer →Funktion; b) Winkel φ in der Polarkoordinatendarstellung $z=|z|(\cos\varphi+i\varphi)$ einer komplexen Zahl z.

Argun (Ergun He, im Oberlauf Hailar), rechter Quellfluss des Amur in Ostasien, 1620 km, entspringt im Großen Chingan, bildet auf 944 km die chinesisch-russ. Grenze.

Argus (grch. Argos), *grch. Mythos:* ein vieläugiger Riese, von Hera zum Wächter der →Io bestellt, wurde von Hermes getötet. **Argusaugen,** scharf beobachtende Augen.

Argusfasan (Argusianus argus), Pfau der trop. Regenwälder Hinterindiens, Sumatras und Borneos, benannt nach den »1000 Augen« auf seinen Flügeln.

Argyll and Bute [ɑːˈgaɪl ænd bjuːt], Verw.gebiet (Local Authority) im W von Schottland, 6 930 km², (1993) 90 500 Ew.; umfasst auch die der Küste vorgelagerten Inseln Mull, Jura und Islay; zentrale Orte sind Inverary und Oban.

Argyropulos, Johannes, byzantin. Humanist, *Konstantinopel um 1415, †Rom 26. 6. 1487; übersetzte und kommentierte bes. Aristoteles, begründete die grch. Philologie in Italien; Lehrer u.a. von A. Poliziano, M. Ficino, J. Reuchlin.

Århus
Stadtwappen

Århus ['ɔrhus] (früher Aarhus), zweitgrößte Stadt Dänemarks, wichtiger Handelshafen an der Ostküste Jütlands, 274 500 Ew.; Bischofssitz (seit 948), Univ. (gegr. 1928) u.a. Hochschulen, Museen (nahebei das Freilichtmuseum »Den Gamle By«); Pflanzenöl-, Maschinen-, Textil- u.a. Ind., Werften; Flughafen. – Roman. Dom.

ARI, Abk. für **A**utofahrer-**R**undfunk-**I**nformationssystem, →Verkehrsfunk.

Ariadne, auf Kreta und den Ägäischen Inseln heim. Vegetationsgöttin, im grch. Mythos die Tochter des Königs Minos. Sie gab →Theseus das Garnknäuel, mit dem er aus dem →Labyrinth herausfand **(A.-Faden).** A. flüchtete mit ihm, wurde aber von ihm auf Naxos zurückgelassen; Dionysos machte sie zu seiner Gattin. Von der antiken Kunst wurde A. dargestellt in Bildwerken des Minotaurus-Abenteuers, später als verlassene Ariadne. Neuzeitliche Darstellungen: Gemälde von Tizian (1523, London, Nat.galerie), Fresko von A. Carracci

Oscar Arias Sánchez

Ludovico Ariosto (Kupferstich nach einer Zeichnung von Tizian)

Jean-Bertrand Aristide

Aristionstele

(Rom, Palazzo Farnese). Dramen von T. Corneille, A. Gide, Opern von C. Monteverdi, R. Strauss.

Ariane, dreistufige Trägerrakete der Europ. Weltraumorganisation (ESA), wurde nach dem Scheitern der früheren Europaraketen zw. 1973 und 1981 unter frz. Führung entwickelt, um Europa eine von anderen Nationen unabhängige Startkapazität zu geben. Im Juni 1988 kam erstmals die verbesserte Version A.-4 zum Einsatz. Bis Ende Nov. 1995 wurden insgesamt 80 A.-Raketen gestartet – davon sieben erfolglos – und über 120 Satelliten in Erdumlaufbahnen gebracht. Der erste Start der neuen Version A.-5 (51 m Höhe, 725–735 t Startmasse insgesamt) ist am 4. Juni 1996 bereits nach 37 s aufgrund eines Softwarefehlers gescheitert. Mit der A.-5 sind auch vier ESA-Forschungssatelliten zerstört worden.

Arianismus *der,* Lehre des alexandrin. Priesters →Arius, nach der Christus nicht gottgleich und ewig, sondern vornehmstes Geschöpf Gottes sei, als »Logos« eine Zwischenstellung zw. Gott und Welt einnehme. Der A. wurde auf den Konzilen von Nikaia (Nicäa) 325 und Konstantinopel 381 verdammt. German. Stämme (Goten, Wandalen, Langobarden) waren z. T. bis ins 6. Jh. **Arianer.**

📖 *Jesus der Christus im Glauben der Kirche, Beiträge v.* A. Grillmeier *u. a. Bd. 1: Von der apostolischen Zeit bis zum Konzil von Chalcedon (451). Freiburg im Breisgau u. a.* [3]*1990.*

Arias Sánchez [-s], Oscar, costarican. Politiker, *Heredia 13. 9. 1941; Rechtsanwalt, Gen.-Sekr. des »Partido de la Liberación Nacional« (PLN), setzte sich als Präs. seines Landes (1986–90) für den Frieden in Zentralamerika, bes. in Nicaragua, ein und erhielt dafür 1987 den Friedensnobelpreis.

Arica, Hafenstadt in N-Chile, südlich der peruan. Grenze, 169 200 Ew.; Seebad; Erzausfuhr. Bahnen nach La Paz (Bolivien) und Tacna (Peru); Erdölleitung von Santa Cruz (Bolivien).

arid, trocken, dürr. Im **ariden Klima** ist die Verdunstung stärker als der Niederschlag.

Ari|e [italien. aria] *die,* in sich geschlossenes, instrumental begleitetes Sologesangstück, Teil eines größeren Musikwerks (Oper, Oratorium, Kantate) oder selbstständig als **Konzertarie** Die A. bildete sich um 1600 als Gegenpol zum deklamator. Sprechgesang des Rezitativs heraus. Bei der in der italien. Oper des 17. Jh. entwickelten **Da-capo-A.** wird der Hauptteil nach dem Mittelteil wiederholt. Virtuose A. sind die **Koloratur-** oder **Bravourarie.**

Ariège [aˈrjɛːʒ], **1)** *die,* rechter Nebenfluss der Garonne in S-Frankreich, entspringt in den östl. Pyrenäen, mündet oberhalb von Toulouse, 170 km lang.

2) Dép. im südl. Frankreich, 4890 km^2, (1990) 136 500 Ew.; Hptst.: Foix.

Ari|el [hebr.], **1)** Name eines Luftgeistes in Shakespeares »Sturm«; von Goethe in den »Faust« übernommen.

2) ein Mond des Uranus.

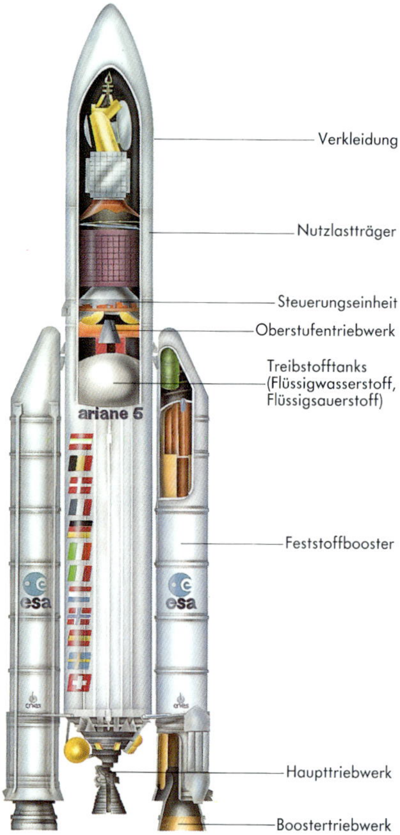

Ariane: Ariane-5

Ari|er [altind. arya »der Edle«], die Völker, die eine der **arischen Sprachen** (indogerman. Sprachfamilie) sprechen. A. nannten sich urspr. indogerman. Adelsgruppen in Vorderasien und Indien. – Von der europ. Sprachwissenschaft des 19. Jh. wurden die zunächst rein sprachwiss. Begriffe A. und arisch zeitweise den Begriffen »Indogermanen, indogermanisch« gleichgesetzt; in Anthropologie und Rassenkunde nahmen sie allmählich die Bedeutung »Angehörige der nord. Rasse«, schließlich im Nationalsozialismus in willkürlicher und falscher Einengung »Nichtjuden« an.

Ari|es [lat.] *der,* das Sternbild →Widder.

Arillus [lat. »Mantel«] *der,* Samenmantel, z. B. bei der →Eibe.

Arine, instabile zykl. Verbindungen mit zwei Doppel- und einer Dreifachbindung im gleichen Ring.

Arion, grch. Dichter und Sänger aus Methymna auf Lesbos, um 600 v. Chr.; gilt als Erfinder des Dithyrambos. Nach der Legende wollten ihn Schiffer auf hoher See ausrauben; A. sang noch einmal zur Leier, stürzte sich ins Meer und wurde von einem Delphin gerettet.

arioso [italien.] *Musik:* arienhaft. **Arioso,** kurzes Gesangstück in der Haltung zw. Rezitativ und Arie.

Ariosti, Attilio, italien. Komponist, *Bologna 5. 11. 1666, †in England 1729 (?); Mönch (seit 1688), war Hofkomponist in Berlin, danach Opernkomponist in London (Rivale G. F. Händels).

Ariosto, Ludovico, italien. Dichter, *Reggio nell'Emilia 8. 9. 1474, †Ferrara 6. 7. 1533; verfasste italien. und lat. Gedichte und Lustspiele nach lat. Muster, ferner Satiren und Episteln. In seinem Hauptwerk, dem Stanzenepos »Orlando furioso« (»Der rasende Roland«) in 40 Gesängen (1516–21; 1532 auf 46 Gesänge erweitert), entfaltet sich die Renaissancepoesie in vollem Glanz. In ihm wird die zu Liebeswahn gesteigerte Liebe Orlandos zu der morgenländ. Prinzessin Angelica und damit die Welt des sich zu Ende neigenden Rittertums ironisch und mit vielen kom. Zügen dargestellt.

Ariovist, Heerführer der german. Sweben, †um 54 v. Chr.; drang 71 v. Chr. über den Rhein vor und unterstützte die Sequaner gegen die Aeduer, die er 61 besiegte; siedelte danach german. Stämme im heutigen Rheinhessen, im Elsass und in der Pfalz an; von Cäsar 58 v. Chr. in der Gegend von Mülhausen geschlagen.

Arisch (El-Arisch), ägypt. Stadt nahe der N-Küste der Halbinsel Sinai, am Wadi El-Arisch, 67600 Ew. Liegt an der Stelle des alten **Rhinokorura,** des Verbannungsorts der Pharaonen; zur Zeit der Kreuzzüge hieß es **Laris.** – 1967–79 von Israel besetzt.

Aristarchos, 1) A. von Samos, grch. Astronom, *Samos um 310 v. Chr., †um 230 v. Chr.; vertrat als Erster das heliozentr. Weltsystem; versuchte das Verhältnis der Entfernungen von Sonne und Mond zu bestimmen.

2) A. von Samothrake, bed. Textkritiker des Altertums, *um 217, †auf Zypern 145 v. Chr.; lebte in Alexandria; kommentierte grch. Dichter, bes. Homer.

Aristide [-'tid], Jean-Bertrand, haitian. Politiker und Priester, *Port-Salut 15. 7. 1953; Vertreter der Befreiungstheologie, im Dez. 1990 bei den ersten freien Präsidentschaftswahlen in Haiti zum Präs. gewählt (seit Febr. 1991 im Amt); im Sept. 1991 durch einen Militärputsch gestürzt, danach im Exil, konnte bes. auf Druck der OAS und der UNO auf die Militärmachthaber Haitis und unter dem militär. Schutz der USA im Okt. 1994 in sein Amt zurückkehren; trat im Febr. 1996 zurück.

Ludovico Ariosto

Der rasende Roland

Im Jahre 1532 veröffentlichte Ludovico Ariosto die endgültige Fassung seiner epischen Dichtung »Orlando furioso«. Darin wird die bis zum Wahn gesteigerte Liebe Orlandos, eines Paladins Karls des Großen, zu der morgenländischen Prinzessin Angelica geschildert. Man bezeichnet heute mit diesem Ausdruck – ohne jeden Bezug auf Ariostos Werk – einen wütenden, wie eine Furie rasenden Menschen. Gelegentlich wird auch jemand, der mit übersteigerter Betriebsamkeit, in fieberhafter Eile agiert, so genannt. Eine ironische Verwendung fand »Der rasende Roland« als Name eines langsamen Eisenbahnzuges, der auf der Insel Rügen auf einer Schmalspurstrecke verkehrt.

Aristides (grch. Aristeides), athen. Staatsmann und Feldherr, *um 550 v. Chr., †um 467 v. Chr.; war bei Marathon (490) einer der zehn Strategen, wurde 482 als Gegner des Themistokles aus Athen verbannt, 480 zurückgerufen. Er kämpfte bei Salamis, führte 479 die Athener in der Schlacht bei Platää und hatte entscheidenden Anteil an der Gründung des 1. Att. Seebundes (477). Seine besonnene Festsetzung von Steuerbeiträgen der einzelnen Mitgliedstaaten trug im später den Beinamen »der Gerechte« ein.

Aristides

Plutarch erzählt die folgende Anekdote über den athenischen Staatsmann Aristides. Es geht um den in Athen geübten Brauch des Ostrakismos.
»Als man die Stimmscherben beschriftete, gab ein des Schreibens nicht kundiger Bauer dem Aristeides (Aristides) seine Scherbe und bat, den Namen Aristeides darauf zu schreiben. ... ›Ich kenne den Mann gar nicht, aber ich bin es leid, dass alle ihn nur den Gerechten nennen.‹ Aristeides sagte darauf nichts, sondern schrieb nur seinen eigenen Namen auf das Ostrakon und gab es zurück.«

Aristionstele, Grabrelief des Kriegers Aristion, um 510 v. Chr. von dem Bildhauer Aristokles geschaffen, mit Resten einstiger Bemalung (Athen, Archäolog. Nationalmuseum).

Aristippos, grch. Philosoph aus Kyrene, *um 435 v. Chr., †um 366 v. Chr.; Schüler des Sokrates, gründete die →kyrenaische Schule. Als Erkenntnisgründe ließ er nur die Empfindungen gelten, als höchsten Wert die Lust (→ Hedonismus).

Aristogeiton (Aristogiton), einer der athen. Tyrannenmörder, →Harmodios.

Aristokratie [grch. »Herrschaft der Vornehmsten«] *die,* **1)** selten verwirklichte Staatsform, bei der ein durch vornehme Geburt oder durch Besitz bevorrechtigter Stand die Staatsgewalt innehat. Oft sind Elemente aristokrat. Herrschaft mit solchen der Monarchie oder der Demokratie verbunden.

2) der bevorrechtete Stand selbst. (→Adel)

Aristophanes: Szene aus einer seiner Komödien auf einer Amphora (4. Jh. v. Chr.)

Aristolochia [grch.] *die,* die Pflanzengattung →Osterluzei.

Aristophanes (Neapel, Museo Archeologico Nazionale)

Aristophanes, grch. Komödiendichter, * Athen um 445 v. Chr., † ebd. um 385 v. Chr.; bed. Vertreter der att. Komödie; elf Werke sind erhalten, sie bilden eine reiche Quelle zur Kenntnis der Staatspolitik, des geistigen Lebens und der Sitten seiner Zeit. Themen- und Figurenvielfalt, Fantasie, Anmut und derbe Realistik, hohe Dichtersprache und Vulgarismen kennzeichnen seine Stücke.

Werke: Die Acharner (425); Die Ritter (424); Die Wolken (423); Die Wespen (422); Der Friede (421); Die Vögel (414); Lysistrata (411); Die Weiber beim Feste der Demeter Thesmophoros (411); Die Frösche (405); Die Weibervolksversammlung (vielleicht 392); Der Reichtum (388).

Aristophanes von Byzanz, grch. Philologe, * um 257 v. Chr., † 180 v. Chr.; Vorsteher der →Alexandrinischen Bibliothek.

Aristoteles, grch. Philosoph, * Stagira in Makedonien 384 v. Chr., † Chalkis auf Euböa 322 v. Chr.; nach seinem Geburtsort Stagirit genannt, Schüler Platons, seit 342/41 Erzieher Alexanders d. Gr., ging 334 nach Athen und begründete im Lykaion eine Philosophenschule, die nach den dortigen Wandelgängen (peripatoi) die **Peripatet. Schule** genannt wurde. Nach dem Tod Alexanders musste A. Athen verlassen.

In seiner für das Abendland überaus einflussreichen Philosophie, die auf die greifbare Welt des Alltags konzentriert ist, wirken die Ideen in den Dingen als bewegende Kraft. A. band das umfangreiche Erfahrungswissen seiner Zeit, welches er sämtlich beherrschte, in eine durch spekulative Grundhaltung gekennzeichnete Systematik, als deren Instrument er die formale →Logik entwickelte. Die Prinzipien, aus denen die Einzelerkenntnisse abgeleitet werden können (z. B. der Satz vom ausgeschlossenen Widerspruch), untersuchte er im Einzelnen in seiner Metaphysik und entwickelte einen für das Abendland richtungweisenden begriffl. Apparat mit Begriffspaaren wie Substanz – Akzidenz, Stoff – Form, Potenz – Akt. Insbesondere bestimmte er das Verhältnis der wechselnden Erscheinungen (des Seienden) zum Sein, indem er Bewegung, das Werden und das Geschehen als Verwirklichung (Form, Akt) einer Möglichkeit (Stoff, Potenz) kennzeichnete. Die Zielbestimmung des an sich unbestimmten Stoffes unterliegt einem zweckmäßig gestaltenden Formprinzip (→Entelechie): So ist ihm die Seele »Entelechie« des Leibes. Ursache allen Werdens ist nach A. der unbewegte Beweger als reine Form, reiner Akt und vollkommenes Sein. In seiner Ethik, die um die Frage der Glückseligkeit als das höchste Gut kreist, schuf er eine Jahrhunderte überdauernde Tugendlehre. Sie mündet in die Staatslehre, die den Menschen als »zoon politikon«, ein auf Gemeinschaft hin veranlagtes Wesen, definiert und eine Einteilung und Kritik der Staatsformen unternimmt: Monarchie, Aristokratie, Tyrannis, Oligarchie, Demokratie. Seine »Poetik« wirkte bes. durch die Definition der Tragödie, als deren Ziel er die »Katharsis«, die Reinigung der Seele von Affekten, bestimmt.

Aristoteles: Römisches Porträt des Philosophen, vermutlich eine Abbildung der von Alexander dem Großen in Auftrag gegebenen Statue des Aristoteles (Wien, Kunst-historisches Museum)

Weitere Werke: Organon (log. Schriften); Physik; Metaphysik; Über die Seele; Nikomachische Ethik; Politik; Rhetorik; Poetik.

📖 Zemb, J.-M.: *A. Reinbek 61.–64. Tsd. 1995.* – Höffe, O.: *A. München 1996.*

Aristotelismus *der,* Sammelbez. für Rezeption, Aus- und Umbau der philosoph. Lehren des Aristoteles. Von den Neuplatonikern wurden seine Werke mit Kommentaren versehen. Durch Vermittlung der arab. und jüd. Philosophen gelangten sie gegen Ende des 12. Jh. in das übrige Abendland. Sie wurden im 13. Jh. ins Lateinische übersetzt und bes. von Thomas von Aquin (mit wesentl., durch das Christentum bedingten Änderungen) in die christl. Philosophie der Scholastik aufgenommen. Obwohl der A. seit Descartes und der Entwicklung der neuzeitl. Naturwissenschaft an Bedeutung verlor, regte seine Lehre noch Leibniz, C. Wolf, Hegel u.a. entscheidend an und wirkt z.B. in wissenschaftstheoret. Grundlagendiskussionen fort.

Aristoxenos von Tarent, grch. Philosoph, *Tarent um 354 v. Chr., †Athen um 300 v. Chr.; Forschungen zur Musiktheorie; Schüler des Aristoteles.

Arithmetik [grch.] *die,* Teilgebiet der Mathematik, das sich mit den Zahlen und ihren Rechenregeln befasst. Zur A. gehören auch die Behandlung arithmet. und geometr. Reihen bzw. Folgen, die Kombinatorik sowie die Zahlentheorie.

arithmetisches Mittel, →Mittelwert.

Arius, altkirchl. Theologe, *in Libyen um 260 (?), †Konstantinopel 336; seit dem frühen 4. Jh. Priester (Presbyter) in Alexandria; wegen seiner Christologie (→Arianismus) als Häretiker verurteilt und exkommuniziert.

Arizona [engl. ærɪˈzəʊnə], Abk. **Ariz.,** Bundesstaat im SW der USA, 295 276 km², (1994) 4,07 Mio. Ew.; Hptst.: Phoenix. Der N wird vom Coloradoplateau, einem 1500 bis 3000 m hohen, von tiefen Cañons (Grand Canyon) zerschnittenen Tafelland, eingenommen, das nach S und W steil abfällt.

Die sich südlich daran anschließende Basin and Range Province umfasst im SW die ebene Gilawüste. Trotz hoher Sommerniederschläge herrscht im Großteil des Staates Trockenheit. Strauchsteppe, Riesenkakteen und Yuccabäume bestimmen in den Ebenen das Vegetationsbild. – A. hat die größte Anzahl an Indianern unter den Bundesstaaten (Apachen, Navajo, Hopi), bedeutend ist auch der Anteil an spanisch sprechenden Einwohnern. Haupterzeugnisse der Landwirtschaft sind Weizen, auf bewässerten Flächen (Stauanlage Hoover Dam) Baumwolle, Südfrüchte und Wintergemüse. A. ist ein bed. Zuwanderungsland mit neuen Industrieansiedlungen, bes. im Flugzeug- und Raketenbau. Eine große Rolle spielt die Kupfererzförderung, außerdem Molybdän, Kohle, Erdöl; daneben Bedeutung als Reiseland (Grand Canyon, Petrified Forest National Park, prähistor. Indianerbauten). – Das im 16. Jh. von Spaniern besiedelte A. wurde zw. 1848 (Vertrag von Guadalupe Hidalgo) und 1853 (Gadsden-Kaufvertrag) von Mexiko an die USA abgetreten; seit 1912 48. Bundesstaat.

Arkade [frz., zu lat. arcus »Bogen«] *die, Architektur:* von zwei Pfeilern oder Säulen getragener Bogen, meist als fortlaufende Reihe; auch der davon eingefasste, mindestens nach einer Seite offene Gang (Bogengang).

Arkadien, gebirgige Landschaft auf der Peloponnes, Griechenland, zw. schroffen Karstgebirgen (bis 2376 m ü. M.) liegen eine Reihe von z.T. versumpften Becken. Hauptort: Tripolis. In den Becken intensive Landwirtschaft, in den Bergen Weide-, z.T. auch Waldwirtschaft. – A. ging in die bukol. Dichtung wie in die Schäferdichtung des 17. Jh. als Schauplatz idyll. Landlebens ein.

Aristophanes

Wenn man von jemandem sagt, dass er in einem Wolkenkuckucksheim lebt, so drückt man damit aus, dass er sich in eine Fantasiewelt von völliger Realitätsferne eingesponnen hat, dass der mangelnde Bezug zum wirklichen Leben falsche Vorstellungen von der Realität bei ihm entstehen lässt. Der Ausdruck ist eine Übersetzung des griechischen Wortes ›nephelokokkygía‹, das Aristophanes in der Komödie »Die Vögel« als Bezeichnung für eine von Vögeln in der Luft gebaute Stadt prägte.

Arkadios, erster oström. Kaiser (395–408), *in Spanien um 377, †Konstantinopel 1. 5. 408; Sohn Theodosius' I., stand unter dem Einfluss seiner Beamten Rufinus und Eutropius sowie seiner Gattin Eudoxia.

arkadische Dichtung, die →Schäferdichtung.

Arkandisziplin [lat. arcanus »geheim«], Geheimhaltung von Lehre und Kult einer Religionsgemeinschaft vor Außenstehenden.

Arizona
Flagge

Arkansas [engl. ˈɑːkənsɔː], Abk. **Ark.,** Bundesstaat im SO der USA, westlich vom Mississippi, 137 754 km², (1993) 2,42 Mio. Ew.; Hptst.: Little Rock. A. hat Anteil an der Schwemmlandebene des Mississippi und an der Golfküstenebene sowie an Teilen des Ozarkplateaus und der Ouachita Mountains. Das Klima bringt milde Winter, warme Sommer und reichlich Niederschläge während des ganzen Jahres. Etwa die Hälfte des Bundesstaates ist bewaldet. Wichtigster Wirtschaftszweig ist die Landwirtschaft: Anbau von Sojabohnen, Reis, Obst, Weizen und Baumwolle; Geflügelzucht; Waldwirtschaft und Holz verarbeitende Industrie. A. besitzt reiche Bodenschätze: v.a. Bauxit, Kohle, Erdöl, Erdgas; Textil- und Nahrungsmittelindustrie. – A. gehörte im 18. Jh. zur frz. Kolonie Louisiana. 1803 kam es durch Kauf an die USA und wurde 1836 deren 25. Bundesstaat.

Arkansas
Flagge

Arkansas River [ˈɑːkənsɔː ˈrɪvə], rechter Nebenfluss des Mississippi, entspringt der Sawatchkette der Rocky Mountains, mündet nördlich von Greenville, 2333 km lang.

Arkanum [lat.] *das,* Geheimnis; Geheimmittel, bes. in der Alchimie.

Arkebuse [frz. arquebuse, vielleicht aus niederländ. haakbus »Hakenbüchse«] *die,* urspr. eine Armbrust, seit dem 15. Jh. ein Feuerrohr, wurde beim Schießen auf eine Hakenstange gelegt. **Arkebusier,** mit der A. bewaffneter Soldat.

Arkesilaos, grch. Philosoph, *Pitane in Äolien um 316 v. Chr., †241 v. Chr.; führte den →Skepti-

Arktis: links: Axel Heiberg Island im Kanadisch-Arktischen Archipel; **rechts:** Tundra im Delta des Mackenzie River im nördlichen Kanada

zismus in die platon. Akademie ein (»mittlere Akademie«).

Arkona, das nördl., steil aufragende Vorgebirge der Insel Rügen, Meckl.-Vorp., 46 m hoch, besteht aus Kreidegestein, trägt Leuchtturm und Signalstation. – An der O-Seite der 10–13 m hohe Wall der Burg; barg das letzte slaw. Heiligtum, das viergesichtige Holzstandbild des Gottes **Swantewit.** 1168 eroberte der Dänenkönig Waldemar I. A., zerstörte die Anlage und verbrannte das Bild.

Entdeckung und Erforschung der Arktis

982	Erich der Rote gelangt von Island aus nach Grönland
1194	Erstentdeckung Spitzbergens durch Normannen
1576	M. Frobisher entdeckt Baffin Island
1594–96	W. Barents erreicht die W-Küste von Nowaja Semlja und findet u. a. die Băreninsel (Wiederentdeckung Spitzbergens)
1616	W. Baffin gelangt längs der grönländ. W-Küste in die nach ihm benannte Meeresbucht
1734–43	Die russ. »Große Nord. Expedition« unter V. Bering u. a. erforscht die N-Küste Sibiriens, die Beringstraße, Alaska, die Aleuten
1778	J. Cook erkundet die Beringstraße und dringt auf der Suche nach der Nordwestpassage im Nordpolarmeer bis zur Eisgrenze vor
1831	J. C. Ross bestimmt auf der kanad. Halbinsel Boothia Felix die Lage des nördl. Magnetpols
1845	J. Franklin auf der Suche nach der Nordwestpassage verschollen
1848–49	Bei etwa 40 Expeditionen zur Suche nach J. Franklin werden große Teile des Kanadisch-Arkt. Archipels entdeckt
1878/79	A. E. Nordenskiöld gelingt (mit der »Vega«) erstmals die Nordostpassage
1893–96	F. Nansens Driftfahrt mit der »Fram«; Schlittenvorstoß bis 86° 14' n. Br.
1903–06	R. Amundsen bezwingt erstmals die Nordwestpassage
1908	F. A. Cook (umstritten) und
1909	R. E. Peary (nahe) am geograph. Nordpol
1921–24	»Thule«-Expedition K. Rasmussens von Grönland bis zur Beringstraße
1926	Flüge zum Nordpol mit dem Flugzeug (R. E. Byrd; Angabe umstritten) und dem Luftschiff (U. Nobile zusammen mit R. Amundsen)
1937/38	Sowjet. Forschungsstation unter I. D. Papanin driftet auf einer Eisscholle vom Nordpol bis zur SO-Küste Grönlands
1958	Amerikan. U-Boot »Nautilus« (mit Kernenergieantrieb) unterquert den Nordpol
1977	Sowjet. Atomeisbrecher »Arktika« erreicht von der Laptewsee den Nordpol
1978	Der Japaner Naomi Uemura erreicht als erster Mensch im Alleingang (mit Hundeschlitten) den Nordpol
1991	Errichtung der dt. Koldewey-Station auf Spitzbergen

Arkose [frz.] *die,* Sandstein mit mehr als 25% Feldspat.

Arkosolium [lat.] *das* (Arkosol), mit Tonnengewölbe oder Bogen überspanntes Nischengrab in antiken Felsgräbern und Katakomben.

Arktis [zu grch. árktos »Bär«, »Großer Bär« (Nordgestirn)], die um den Nordpol gelegenen Land- und Meergebiete; mathematisch begrenzt durch den nördl. Polarkreis (66° 33' n. Br.), umfasst die A. 21,2 Mio. km²; im System der Klima- und Landschaftszonen wird sie durch die 10 °C-Juli-Isotherme bzw. die polare Waldgrenze begrenzt und hat so eine Größe von 26 Mio. km², davon 8 Mio. km² Land und 18 Mio. km² Meer. Zentrum der A. ist das vereiste Nordpolarmeer mit den Nebenmeeren Barents-, Kara-, Laptew-, Ostsibir., Tschuktschen-, Beaufort- und Grönlandsee. Zur terrestr. A. gehören die nördlichsten Teile Amerikas, Skandinaviens und Russlands sowie als wichtigste Inselgruppen und Inseln der Kanadisch-Arkt. Archipel, Grönland, Jan Mayen, Bäreninsel, Spitzbergen, Franz-Joseph-Land, Nowaja Semlja, Sewernaja Semlja, Neusibir. Inseln, Wrangelinsel. Island liegt am Rande (Subarktis). – Hauptlandschaftstypen sind Eis- und Frostschuttwüsten sowie Tundren (mit Flechten, Moosen, Gräsern, niedrigen Gebüschen aus Rhododendron und Wacholder oder kriechenden Weiden und Birken). – Das Klima zeichnet sich durch kalte Winter, kühle Sommer und niedrige mittlere Jahrestemperaturen aus (Monatsmittel für Juli etwa zw. 1 und 8 °C, für Februar bis unter −40 °C). Das arkt. Klima ist meist trocken, jedoch mit häufigen und verbreiteten Nebeln, bes. an den Küsten und im Sommer. – Die Tierwelt ist artenarm: Eisbär, Polarfuchs, Lemming, Polarhase, Rentier, Vielfraß, Hermelin

Arktis

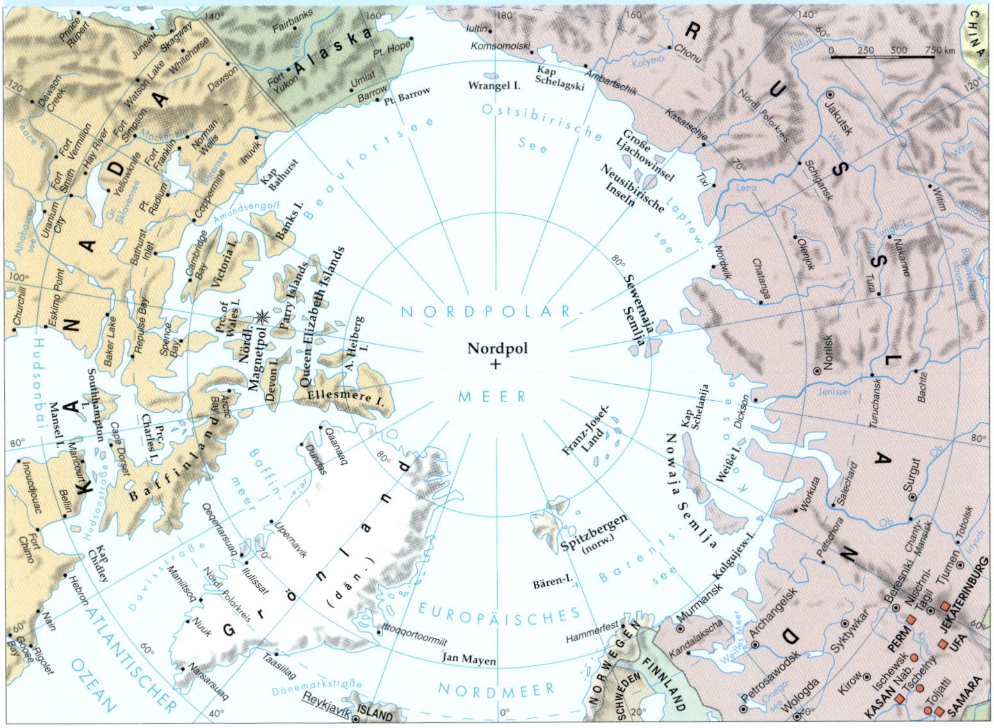

und Polarwolf; in Kanada und auf Grönland der Moschusochse; zahlr. See- und Wasservögel; in den Küstengewässern Fische, Robben, Seehunde, Wale. – Die Bev. bestand noch vor einigen Jahrzehnten vorwiegend aus Polarvölkern; die gegenwärtigen Bewohner (1,5–2 Mio.) stammen meist aus südlicheren Kulturzonen.

Arktu̲r [grch. »Bärenhüter«] (Arcturus), Stern erster Größe (α) im Sternbild Bootes.

Ạrkus (Arcus) [lat.] *der,* Abk. **arc,** → Bogenmaß eines Winkels. **Arkusfunktion,** → Winkelfunktionen.

Ạrlberg, Alpenpass in Österreich, 1793 m ü. M., auf der Wasserscheide zw. Donau und Rhein, Grenze zw. Tirol und Vorarlberg. Das A.-Gebiet ist internat. Mittelpunkt des alpinen Skilaufs. Die **A.-Bahn** (Tunnel 10,3 km) und **A.-Straße** (Tunnel 13,97 km) unterfahren den Pass (ÜBERSICHT Alpenstraßen, Alpenbahnen, Alpenpässe).

Arlecchino [arlɛ'ki:no, italien.] *der,* derb-komische Dienergestalt der → Commedia dell'Arte (→ Harlekin).

Arles [arl], Stadt im frz. Dép. Bouches-du-Rhône, 52 600 Ew., am Beginn des Rhonedeltas; Meersalzgewinnung, Reisanbau, chem. und metallurg. Ind., Herstellung von Erdölbohrgeräten. – Röm. Amphitheater (um 46 v. Chr. errichtet und im MA. als Festung umgebaut; heute Stierkampfarena); Kathedrale Saint-Trophime (auf karoling. Vorgängerbau, v. a. 12. Jh.) mit bed. Skulpturen (Westfassade, Kreuzgang). Die röm. und roman. Denkmäler von A. wurden von der UNESCO zum Weltkulturerbe erklärt. – A., eine grch. Gründung aus dem 6. Jh. v. Chr. **(Theline),** wurde 46 v. Chr. röm. Kolonie und Ende des 4. Jh. Hauptort Galliens. Seit 536 unter fränk. Herrschaft, war A. Hptst. der Provence, später des Königreichs Arelat; kam 1481 an die frz. Krone.

Arles: Stadtkern mit Kathedrale Saint-Trophime und dem römischen Theater

Arlesheim, Bezirkshauptort im Kanton Basel-Landschaft, Schweiz, rechts der Birs, 8300 Ew.; barocke Domkirche.

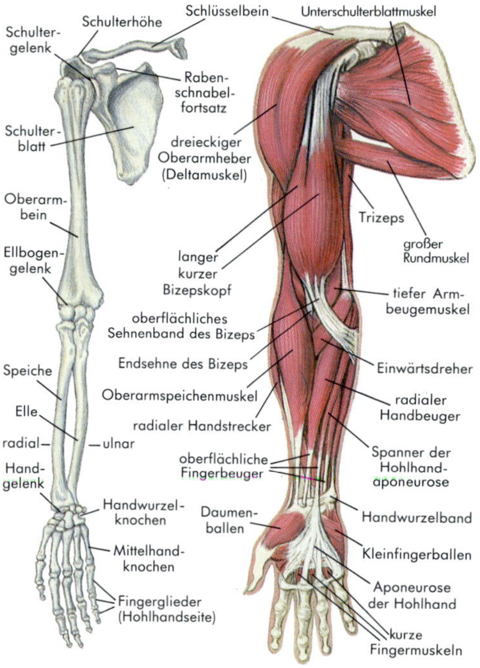

Arm: Skelett (links), Muskeln und Sehnen (rechts)

Arlington ['ɑ:lɪŋtən], Wohnvorort von Washington (D. C.), USA, auf der gegenüberliegenden Seite des Potomac, in Virginia; Sitz des US-Verteidigungsministeriums (Pentagon); seit 1864 Nationalfriedhof mit Gräbern von Soldaten, bed. Staatsmännern und Forschern.

Arlon [ar'lɔ̃] (dt. Arel, fläm. Aarlen), Hptst. der belg. Prov. Luxemburg, 24200 Ew.; Museen. Fremdenverkehr.

Arm, *Anatomie:* obere oder vordere paarige Gliedmaße des Menschen und der Affen; besteht aus Ober-A., Unter-A. und →Hand. Das Skelett des Ober-A. wird aus dem Oberarmbein (Humerus), das des Unter-A. aus Elle (Ulna) und Speiche (Radius) gebildet. Der A. entspricht bei anderen Wirbeltieren dem Vorderbein bzw. Flügel.

Armada [span. »bewaffnete Macht«] *die,* starke Kriegsflotte, bes. die 1588 von Philipp II. gegen England ausgesandte große spanische Flotte (130 Kriegsschiffe) unter dem Herzog von Medina Sidonia; wurde in den Kanalschlachten vom 31. 7. bis 8. 8. 1588 von den nach der Zahl der Schiffe unterlegenen Engländern unter C. Howard und F. Drake besiegt; der Rest ging auf der Rückfahrt großenteils durch Stürme zugrunde.

Armagh [ɑ:'mɑ:], **1)** Distrikt in Nordirland, 671 km², (1991) 51800 Ew.

2) Verw.sitz von 1), 13000 Ew.; Sitz eines kath. und eines anglikan. Erzbischofs; Textilind., Fleischverarbeitung.

Armagnac [-'ɲak], **1)** Landschaft in S-Frankreich; Kerngebiet der Gascogne; etwa das heutige Dép. Gers (Verw.sitz Auch). Neben der Landwirtschaft steht der Weinbau im Vordergrund. – Die im 10. Jh. als karoling. Gau entstandene Grafschaft fiel 1607 an die frz. Krone. Die **Armagnaken** (in Dtl. **Arme Gecken** gen.) waren zügellose Söldner (seit 1410) des Grafen von A., der zeitweise Frankreich beherrschte. Die von König Karl VII. und Kaiser Friedrich III. gegen die Schweizer gesandten Armagnaken wurden 1444 in der Schlacht bei St. Jakob an der Birs abgewehrt; verheerten danach das Elsass und Schwaben (bis 1445).

2) *der,* Weinbrand aus dem Weinbaugebiet Armagnac.

Armalcolit [nach den Apollo-11-Astronauten N. A. **Arm**strong, E. E. **Al**drin und M. **Col**lins] *der,* rhomb. Mineral (Fe,Mg)Ti_2O_5, erstmals in Mondgestein (zus. mit Ilmenit), neuerdings auch in terrestr. Impakt- und Tiefseegesteinen nachgewiesen.

Armatur [lat. »Bewaffnung«] *die,* im Maschinen- und Rohrleitungsbau Regel-, Steuer-, Mess- oder Absperrorgan für Flüssigkeiten, Gase oder Dickstoffe. Anzeigende und registrierende A. sind in der **Armaturentafel,** beim Kfz im **Armaturenbrett** angeordnet.

Armawir, Stadt in der Region Krasnodar, Russ. Föderation, am N-Fuß des Großen Kaukasus, am Kuban, 178300 Ew., Bahnknotenpunkt; Metallverarbeitung, Maschinenbau, Nahrungsmittelindustrie.

Armband: Griechischer Goldreif mit Granat in Form zweier Schlangen (um 300 v. Chr.; Pforzheim, Schmuckmuseum)

Armband, band- oder ringförmiger Armreif, am Ober- oder Unterarm; bei versch. Völkern Rangabzeichen. Im MA. gehörte es zum Krönungsornat der dt. Kaiser und Könige.

Armbrust [aus lat. arcuballista], Fernwaffe, entwickelt aus dem Bogen, bestehend aus Bogen,

Armenien

Fläche: 29 800 km^2
Einwohner: (1995) 3,6 Mio.
Hauptstadt: Jerewan
Verwaltungsgliederung: 37 Bezirke
Amtssprache: Armenisch
Nationalfeiertage: 28. 5. und 23. 8.
Währung: 1 Dram (ARD) = 100 Luma (Lm)
Zeitzone: MEZ +3 Std.

Sehne und Säule; Geschosse waren Pfeile, Bolzen oder Kugeln; im 15. Jh. von der Handfeuerwaffe abgelöst.

Armee [frz., zu lat. armare »bewaffnen«], i. w. S. die Streitkräfte eines Staates, svw. Heer; i. e. S. ein großer Heeresverband, i. d. R. aus einer Anzahl von Armeekorps gebildet.

Armee im Lande (Heimatarmee, poln. Armia Krajowa), poln. Untergrundarmee im 2. Weltkrieg (→ Polen, Geschichte).

Armeekorps, → Korps.

Armeeoberkommando, Abk. **AOK,** im 1. und 2. Weltkrieg gebildeter Stab zur operativen und logist. Führung einer Armee und ihres rückwärtigen Gebietes.

Ärmelkanal (Der Kanal, engl. English Channel, frz. La Manche), die Verbindung von Atlantik und Nordsee zw. der frz. N- und der engl. S-Küste, mittlere Tiefe 50 m, an der engsten Stelle 32 km breit. 1986 wurde zw. Frankreich und Großbritannien der Bau eines Eisenbahntunnels zw. Fréthun (bei Calais) und Cheriton (bei Folkestone) vereinbart, der 1994 eröffnet wurde. → Eurotunnel.

Armenbibel (lat. Biblia Pauperum), eine Ende des 13. Jh. entstandene Bilderbibel, in der auf jeder Seite eine Begebenheit aus dem N. T. dargestellt ist, umgeben von vier Prophetenfiguren und zwei Szenen aus dem A. T., die mit diesem in heilsgeschichtl. Zusammenhang stehen. – Der Name A. wird sowohl auf die der Schrift unkundigen Armen wie auf die armen Geistlichen bezogen, für die die Bibelhandschriften zu teuer waren; evtl. auch als Kampfbuch gegen die Katharer, die »Armen Christi«, zu verstehen.

Armenia, Hptst. des Dep. Quindío, Kolumbien, 1550 m ü. M., am W-Hang der Zentralkordilleren, 180 200 Ew.; Univ.; Kaffeeanbauzentrum.

Armeni|en (amtlich armen. Hayastani Hanrapetut'yun, dt. Republik A.), Binnenstaat in SW-Asien, grenzt im N an Georgien, im O an Aserbaidschan, im S an Iran, im SW und im W an die Türkei; im SW schiebt sich die aserbaidschan. Exklave Naxçıvan (früher Nachitschewan) in den Grenzraum ein.

Staat und Recht: A. ist eine unabhängige Rep. mit Präsidialsystem; Verf. von 1995. Staatsoberhaupt ist der für fünf Jahre direkt gewählte Präs.; die Legislative liegt beim Parlament (190 Abg., davon 150 im Mehrheits-, 40 im Verhältniswahlsystem für vier Jahre gewählt); die Exekutive wird von der Reg. unter Vorsitz des vom Präs. ernannten MinPräs. wahrgenommen.

Landesnatur: A. ist ein im Mittel um 1800 m ü. M. gelegenes, erdbebengefährdetes Bergland in Transkaukasien. Es umfasst im N die Gebirgsketten des Kleinen Kaukasus, die von einem dichten Netz tief eingeschnittener Täler durchzogen sind. Der größere Landesteil wird vom nordöstl. Ararathochland (im Aragaz 4090 m) eingenommen. Das Hochland gliedert sich in einzelne Becken (z. B. das Becken des 1900 m ü. M. gelegenen Sewansees). Im SW hat A. Anteil an der tief eingesenkten Araratebene am Grenzfluss Araks. In der subtrop. Zone gelegen, ist das Klima der Täler und Vorgebirge durch trockene, heiße Sommer und kalte, schneearme Winter (Julimittel 24–26 °C, Januarmittel –5 °C, 200–400 mm Jahresniederschläge) gekennzeichnet; auf den Hochebenen und in mittleren Höhenlagen ist es gemäßigt (Julimittel 18 °C, Januarmittel –2 bis –8 °C bei hoher Schneedecke, 600–800 mm Jahresniederschläge). Das Gebirgsland (mittlere Höhe 1800 m) hat überwiegend Halbwüsten- und Steppenvegetation: nur 13 % der Fläche sind von Sträuchern und lichten Kiefern-, Buchen-, Eichen- und Wacholderwäldern bedeckt.

Bevölkerung: Sie besteht (1989) zu 93,3 % aus Armeniern; die rd. 2,6 % Aserbaidschaner wurden vertrieben oder sind weitgehend abgewandert, außerdem Kurden (1,7 %), Russen (1,6 %) und Angehörige anderer Nationalitäten (0,8 % Ukrainer, Assyrer, Griechen). Mit Ausnahme der Gebirge und der Plateaus ist die Bevölkerungsdichte recht hoch. Der größte Teil der Bev. lebt in und um Jerewan, der größten Stadt des Landes. Die Armenier sind Christen, sie gehören der armen. Kirche an. Es be-

Staatswappen

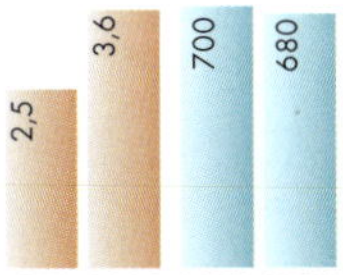

Bevölkerung (in Mio.)
Bruttosozialprodukt je Ew. (in US-$)

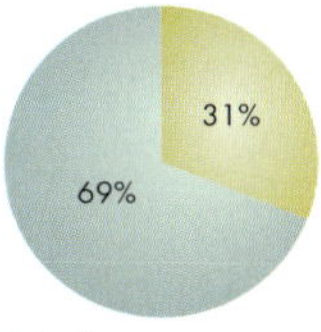

Stadt
Land
Bevölkerungsverteilung 1994

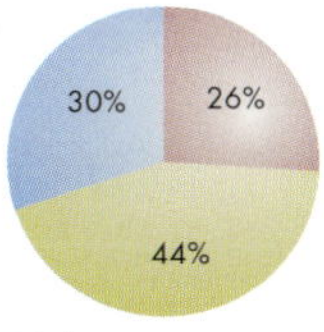

Industrie
Landwirtschaft
Dienstleistung
Bruttoinlandsprodukt 1994

steht eine 10-jährige Grundschulpflicht. Neben der Armen. Akademie der Wiss. gibt es eine Univ. (in Jerewan) sowie mehrere Hochschulen.

Wirtschaft, Verkehr: Seit der polit. Unabhängigkeit ist die Entwicklung marktwirtsch. orientiert. Neben den Folgen der sozialist. Planwirtschaft mit erhebl. negativen Auswirkungen auf die Umwelt wirkt sich der militär. Konflikt mit Aserbaidschan (u.a. Unterbrechung der Verkehrsverbindungen, Sperrung der Energiezufuhr) zusätzlich erschwerend auf die Wirtschaft aus. Etwa ein

Armenien: Klosteranlage Geghard östlich der Hauptstadt Jerewan (13. Jh.)

Drittel der landwirtsch. Nutzfläche ist Ackerland, das zum größten Teil bewässert wird. Hauptlandwirtschaftsgebiete sind die Araratebene (am Grenzfluss Araks) und das Becken von Jerewan. Bis in Höhenlagen von 900 m werden Baumwolle, Reis, Tabak, Wein und Obst angebaut, bis 2300 m teilweise Getreide. Neben Schafzucht wird auch Rinderzucht betrieben. – In dem rohstoffarmen Land werden geringe Mengen an Kupfer, Molybdän, Nephelin und Zink gewonnen. In der Ind. überwiegt der Maschinenbau, gefolgt von der chem. und Buntmetallindustrie. Die Nahrungsmittelind. ist auf Verarbeitung von Wein, Südfrüchten und Gemüse, die Leichtind. auf Wollerzeugnisse und Schuhe ausgerichtet. Die Energieerzeugung erfolgt hauptsächlich durch Erdgaskraftwerke; am Rasdan kleine Wasserkraftwerke. – Ausgeführt werden Nahrungs- und Genussmittel (bes. Spirituosen), Buntmetalle, Chemieprodukte (bes. synthet. Kautschuk), künstl. Diamanten, Maschinen und Geräte, elektrotechn. Erzeugnisse und Textilien, eingeführt Brennstoffe, Eisen und Stahl, Rohstoffe, Produkte der Leicht- und Nahrungsmittelind. und Getreide. – Das Verkehrsnetz umfasst (1992) 830 km Eisenbahnlinien und 10 200 km Straßen, davon 9 500 km mit fester Decke. In Jerewan befindet sich ein internat. Flughafen. An Mineralquellen entstanden mehrere Kurorte (Arsni, Dschermuk, Dilischan).

Geschichte: Das Gebiet der heutigen Rep. A. umfasst nur einen Teil des histor. Siedlungsraumes der Armenier, der sich etwa zw. dem anatol. und iran. Hochland sowie zw. dem Kaukasus und der Tiefebene Mesopotamiens erstreckte (→Ararathochland). Dieses Territorium, bereits im 3. Jt. v. Chr. Ziel von Kriegszügen altmesopotam. Herrscher, wurde erstmals im Reich Urartu (9.–6. Jh. v. Chr.) vereint. In dessen westl. und südl. Grenzgebieten siedelten sich im 7. Jh. v. Chr. die aus SO-Europa kommenden Armenier an und verschmolzen unter med. (um 585 v. Chr.), dann pers. (um 550 v. Chr.) Oberhoheit mit der Bev. von Urartu. Der Name A. wird zuerst in einer Inschrift Dareios' d. Gr. genannt. A. gehörte dem Achaimenidenreich an, später nominell dem Reich Alexanders d. Gr., der es weiterhin durch pers. oder einheim. Satrapen regieren ließ, in hellenist. Zeit zum Herrschaftsraum der Seleukiden. Die Niederlage des Seleukidenkönigs Antiochos III. gegen die Römer 190 v. Chr. führte zur Bildung zweier armen. Staaten, des östl. Groß-A. und des westl. Klein-A. Das von der Dynastie der Artaxiden geführte Groß-A. erlebte unter Tigranes II. (95 bis um 55 v. Chr.) den Höhepunkt seiner Macht, verlor jedoch nach einer Niederlage (69 v. Chr.) gegen Rom alle Eroberungen und musste sich diesem 66 v. Chr. unterwerfen. Im 1. Jh. n. Chr. kam das Land an die parth. Arsakiden, im 3. Jh. an die pers. Sassaniden; es befreite sich mit röm. Hilfe wieder und trat 301 unter Tiridates zum Christentum über. 387 wurde Groß-A. zw. Ostrom und Persien geteilt. Im 7. Jh. unterwarfen die Araber große Teile von A., bis 885 der Armenier Aschot I. wieder eine selbstständige Herrschaft (Königtum der Bagratiden) schuf. Mitte des 11. Jh. eroberten die Byzantiner das Land, nach 1171 die Seldschuken. Daraufhin setzte sich der Bagratide Tuben in Kilikien fest. Sein Reich nahm den Namen »Klein-A.« an; es unterlag 1375 den ägyptischen Mamelucken und wurde später dem Osman. Reich eingegliedert.

1242 eroberten die Mongolen Armenien. Von Timur um 1390 verwüstet, geriet A. 1468 unter die Herrschaft der Turkmenen, 1472 der Perser, die 1541 den Hauptteil des Landes an die Türken verloren.

Im 19. Jh. entrissen die Russen Persien das Gebiet von Jerewan (1828), der Türkei das Gebiet von Kars, Ardahan und Batumi (1878). Die blutige Verfolgung der Armenier unter türk. Herrschaft

(Pogrome 1894–96 und 1909; Massenmord und Deportation 1915/1916, rd. 1,5 Mio. Tote) führte zu ihrer Flucht aus Türkisch-A. in den russ. Landesteil und in andere Staaten. Nach dem 1. Weltkrieg sah der Frieden von Sèvres (1920) ein großes freies A. vor, aber der W blieb unter türk. Herrschaft. Den O (Russisch-A.) proklamierte ein von der Partei der Daschnaken geführter »Armen. Nationalrat« 1918 zur unabhängigen Rep. A., gegen die die Türkei 1920 Krieg führte. Am 29. 11. 1920 errichteten die Bolschewiki mithilfe der Roten Armee in A. eine Sowjetrep., die (nach Abtretung von Kars u.a. Gebieten 1921 an die Türkei) 1922–36 zus. mit Georgien und Aserbaidschan die Transkaukas. Sozialist. Föderative Sowjetrep. bildete. 1921 wurden Berg-Karabach und Naxçıvan administrativ Aserbaidschan angegliedert. Seit 1936 Unionsrepublik der UdSSR, erklärte A. am 23. 8. 1990 seine Unabhängigkeit (am 21. 9. 1991 durch Referendum bestätigt). Die 1990 entstandene Pannationale Bewegung entwickelte sich schnell zur einflussreichsten Partei; die »histor.« Partei Daschnakzutjun (gegr. 1890, mit starken Verbindungen ins Ausland) war 1994–98 verboten. Unter Präsident L. Ter-Petrosjan (1991–98) trat A. im Dez. 1991 der GUS bei. Der Streit zw. A. und Aserbaidschan um die mehrheitlich von Armeniern bewohnte aserbaidschan. Enklave →Berg-Karabach löste 1992 einen militär. Konflikt zw. beiden Republiken aus (1994 Waffenstillstand). 1993 vereinbarte A. mit Russland ein Abkommen über Freundschaft und Zusammenarbeit und 1995 einen Stützpunktvertrag. 1994 trat A. der NATO-Initiative »Partnerschaft für den Frieden« bei und schloss 1996 einen Partnerschaftsvertrag mit der EU. Bei den Präsidentschaftswahlen 1998 setzte sich der 1997–98 als MinPräs. amtierende R. Kotscharjan durch.

🕮 Brentjes, B.: *Drei Jahrtausende A. Leipzig 1984.* – *Armenia and Karabagh. The struggle for unity, hg. v.* C. J. Walker. *London 1991.* – Gust, W.: *Der Völkermord an den Armeniern. München u.a. 1993.* – Hofmann, Tessa: *Die Armenier. Schicksal, Kultur, Geschichte. Nürnberg 1993.* – *Armenier u. A. Heimat u. Exil, hg. v.* Tessa Hofmann. *Reinbek bei Hamburg 1994.*

Armeni|er (Eigenbez. Haikh), indogerman. Volk, seit dem 7. Jh. v. Chr. in Armenien ansässig; etwa 6,5 Mio. Menschen, davon leben etwa 3,1 Mio. in Armenien und 1,5 Mio. in anderen GUS-Staaten sowie, bes. nach den türk. Verfolgungen 1894–96, 1909, 1915/16 und 1917/18–21 1,9 Mio. weltweit (bes. Iran, Türkei, USA, Frankreich). Obwohl ständig unter der Herrschaft anderer Völker, konnten die A. die Einheit von Sprache, Kultur und Religion bewahren. Symbol der Zusammengehörigkeit war die armen. Kirche, deren Oberhaupt eine führende Rolle innehatte.

armenische Kirche (armenische apostolische Kirche), die christl. Kirche der Armenier, die um 300 durch Bischof Gregor, den Erleuchter (daher auch **gregorian. Kirche** gen.), und die Bibelübersetzung des armen. Kirchenvaters Mesrop (5. Jh.) festen Bestand erhielt. Ihre Lehre ist seit dem 6. Jh. monophysitisch, Verfassung und Gottesdienst ähnlich der orth. Kirche. Oberhaupt des größeren Teils der a. K. ist der Katholikos (»allgemeiner Bischof«) mit Sitz in Etschmiadsin (seit 1443); ihm zugeordnet sind die Patriarchate von Jerusalem (seit 1311) und Istanbul (seit 1438); daneben besteht seit dem 11. Jh. ein selbstständiges Patriarchat in Kilikien (Sis; 1921 nach Antelyas bei Beirut verlegt); weltweit etwa 5–6 Mio. armen. Christen. Ein kleiner Teil der a. K. hat sich 1439 mit Rom vereinigt (**Unierte Armenier,** auch **Armenisch-Unierte;** Sitz: Beirut), jedoch mit eigener Kirchenordnung.

armenische Kunst, erste Zeugnisse auf armen. Gebiet gibt es seit dem 4. Jt. v. Chr. Die christl. Kunst setzte seit dem 4. Jh. mit einer bed. Baukunst ein. Ihr Ausgangspunkt waren ein- oder dreischiffige Langhausbauten, die seit dem 6. Jh. Kuppeln erhielten. Durch Raumverkürzung entstanden parallel zur byzantin. Entwicklung Kreuzkuppelkirchen (Etschmiadsin, Mren; 7. Jh.?). Der Reichtum der armen. Baukunst entfaltete sich bes. in den Zentralbauten: Mastara (Mitte 7. Jh.), mit Innenstützen: Bagaran (624–31) und Etschmiadsin. Die vollendete Umsetzung fremder Anregungen ins Armenische zeigen die Bauten der Bagratidenzeit: Ahtamar (915–26), Etschmiadsin, Hripsimekirche (618), Ani, Apostelkirche (11. Jh.). Daneben spielten seit dem 11. Jh. Vier-, Sechs- und Achtpassanlagen eine große Rolle. Infolge der tataromongol. Heerzüge sowie der persisch-türk. Herrschaft

armenische Kunst: Kreuzstein (Relief, 1220; Kloster Haghbat)

armenische Kunst: Hripsimekirche in Etschmiadsin (erbaut 618, erneuert 1652)

kam die armen. Baukunst für mehrere Jahrhunderte nahezu zum Erliegen. Im 19. Jh. erfolgte eine Rekonstruktion der Städte nach europ. Muster. Unter der Sowjetmacht begann die Rekonstruktion der Städte sowie der Neubau ganzer Stadtkomplexe nach Generalbebauungsplänen (Jerewan, 1924; Kumairi, heute Gümri, 1925; Kirowakan, heute Karaklis, 1930). – Die Plastik blieb im

armenische Kunst: »Geburt Christi« (Miniatur aus einem Menologium, 1489; Dublin, Chester Beatty Library)

Allg. auf figürl. und dekorative Reliefs und Schmuckbänder am Außenbau sowie an Kapitellen beschränkt, bes. in Ahtamar. Fresken sind kaum erhalten. Mit dem 10. Jh. (Evangeliar der Königin Mlke, 902, veröffentlicht 1967 in San Lazzaro bei Venedig; Etschmiadsin-Evangeliar, 989) setzte eine reiche Entwicklung der Buchmalerei ein. Im 16./17. Jh. nahmen Buchdruck und Kupferstich und unter dem Einfluss der russ. Kunst Porträt- und Landschaftsmalerei, später Genre- und Historienmalerei einen Aufschwung. 1923 wurde der 1. Künstlerverband gegründet, es entwickelte sich eine nat. Schule, die vom sozialist. Realismus geprägt war. Die moderne Malerei und Grafik verarbeiten neben Traditionen armen. Volkskunst bes. Anregungen internat. Stilrichtungen.

🕮 BRENTJES, B. *u. a.: Kunst des Mittelalters in Armenien. Berlin-Ost 1981. – Armenien. 5 000 Jahre Kunst u. Kultur, hg. vom Museum Bochum u. der Stiftung für Armenische Studien, Bochum. Beiträge v.* K. PLATT *u. a. Tübingen 1995.*

armenische Literatur. Die **altarmen. Literatur** beginnt mit der Erfindung des Alphabets (um 400) durch Mesrop und der Bibelübersetzung, die von ihm, dem Katholikos Sahak und ihren Schülern stammt. Seit dem 5. Jh. setzte eine rege literar. Tätigkeit ein.

Seit dem 13. Jh. entwickelte sich neben der altarmen. eine **mittelarmen. Literatur** vorwiegend weltl. Inhalts (medizin. Handbücher, Fabelsammlungen, Lyrik, jurist., histor. und naturwiss. Werke). Für die Entstehung einer neueren a. L. ist die Mechitharistenkongregation in San Lazzaro bei Venedig von Bedeutung (18. Jh., wiss. Werke zur a. L.). Im 19. Jh. setzte die Entwicklung der beiden Zweige der neuarmen. Literatur (**neuwestarmen.** und **neuostarmen.**) ein, in der alle westeurop. Gattungen (Roman, Drama, Lyrik, Satire u. a.) vertreten sind. Unter den Westarmeniern ragen u. a. hervor: H. Paronjan (*1843, †1891) und A. Arpiarean (*1852, †1908), unter den Ostarmeniern u. a. C. Abowjan (*1805, †1848), R. G. Patkanjan (*1830, †1892), M. Nalbandjan (*1829, †1866), Raffi (*1833, †1888). Seit 1920 entwickelte sich die neuostarmen. Literatur im Rahmen der sowjet. Literatur. Die zeitgenöss. Autoren bedienen sich v. a. lyr. (O. Schiras, G. Ermin, S. Kaputikjan) und ep. Gattungen (W. Ananjan, *1905, †1980; G. Matewosjan, *1935; W. Petrosjan, *1932; P. Sejtunzjan, R. Owsepjan).

armenische Musik, die von der grch., byzantin. und pers. Musikkultur beeinflusste Musik der Armenier. Sie ist im Wesentlichen einstimmig, Lied- und Tanzmelodik sind reich ornamentiert und in klangl. und metrisch-rhythm. Hinsicht sehr vielfältig. Träger der Volksmusik waren jahrhundertelang die umherziehenden dichtenden Sänger, die eine hohe Improvisationskunst entwickelten. Typische armen. Musikinstrumente sind Blul, Düdük, Zurna (Blasinstrumente), Kamangha, Saz, Santur, Tar (Saiteninstrumente) und Dohol (Trommel).

Bedeutendes bei der Herausbildung des eigenständigen armen. Nationalstils leistete um 1900 Komitas (eigtl. S. G. Sogomonjan). Um die Entwicklung der nationalen klass. Sinfonik machte sich A. Spendiarow verdient. Zu den bedeutenden armenischen Komponisten des 20. Jh. zählen u. a. A. Chatschaturjan, A. Arutjunjan, A. Babadschanjan, L. Sarjan, A. Terterjan, E. Oganessjan und T. Manssurjan.

armenische Schrift, von Mesrop um 400 n. Chr. geschaffene Schrift, wahrscheinlich auf der Grundlage des grch. Alphabets, mit 38 Zeichen.

Armenisches Hochland, → Ararathochland.

armenische Sprache. Die a. S. ist ein eigenständiger Zweig der indogerman. Sprachfamilie. Durch eine Lautverschiebung hat sich ihr Lautsystem stark vom Indogermanischen entfernt, Kasussystem, Syntax und Verbalsystem blieben (gegenüber dem Indogermanischen stark vereinfacht) weitgehend erhalten.

Armenrecht, → Prozesskostenhilfe.

Armenschulen, mittelalterl. Elementarschulen, gegr. von Städten oder Orden, oft für Waisen und Verwahrloste. Durch die Schulgründungen von A. H. Francke, J. H. Pestalozzi, P. E. Fellenberg, Don Bosco verschwanden sie allmählich.

Armer Konrad, geheimer aufständ. Bauernbund in Württemberg (→ Bauernkrieg).

arme Seelen, nach traditioneller kath. Lehre die noch im Fegefeuer befindl. Seelen (→ Allerseelen).

Armflosser (Lophiiformes), Ordnung der Knochenfische. Mit den verlängerten Wurzelknochen der Brustflossen können die A. am Boden entlangkriechen.

Armfüßer (Brachiopoda), festsitzende Meerestiere, muschelartig von zweiklappiger Schale umschlossen; die im Erdaltertum sehr formenreiche Gruppe umfasst heute nur noch wenige Arten.

Armillarsphäre [lat.-grch.] (Armilla), altes astronom. Messgerät zur Bestimmung der astronom. Koordinatensysteme; die konzentr., teilweise bewegl. Ringe stellen die wichtigsten Kreise der Himmelskugel dar, v. a Äquator, Ekliptik, Wendekreise, Polarkreise, Horizont.

Arminianer (Remonstranten), Anhänger einer von dem reformierten Prediger Jakob Arminius (* Oudewater 1560, † Leiden 1609) gegr. Gruppe in der reformierten Kirche der Niederlande. Die A. verwarfen die unbedingte Prädestinationslehre Calvins und betonten die Geltung der menschl. Willensfreiheit und den Vorrang der Bibel vor den kirchl. Bekenntnissen; gründeten eigene Gemeinden (Niederlande, England, USA).

Armleuchteralgen: Chara foetida (links) und Chara hispida (rechts)

Arminius (Armin, verdeutscht Hermann), Cheruskerfürst, * zw. 18 und 16 v. Chr., † um 21 n. Chr.; ⚭ mit Thusnelda, stand zunächst in röm. Kriegsdiensten und erhielt das röm. Bürgerrecht sowie die Ritterwürde; vereinigte nach seiner Rückkehr die Cherusker und andere Stämme zur Erhebung gegen die Römer und vernichtete 9 n. Chr. das Heer des röm. Statthalters in Germanien Varus (→ Teutoburger Wald). Nach dem Sieg (17 n. Chr.) über den Markomannenkönig Marbod wurde A. von Verwandten ermordet.

Louis Armstrong, *weltbekannt als »Satchmo« (von englisch satchel mouth = Mund so groß wie eine Tasche), wurde 1900 in New Orleans in einem der ärmsten Viertel geboren. Der Vater Willie verließ die Familie, und Louis hatte eine von Hunger und Not geprägte Jugend. Er verdiente sein Geld als Gelegenheitsarbeiter, gründete aber schon mit 13 Jahren seine erste Jazzband, ein Gesangsquartett, das an den Docks und auf der Straße auftrat.*
Nach einem Revolverschuss, den er als Neujahrssalut abgegeben hatte, wurde Louis in eine Erziehungsanstalt gesteckt – und erhielt dort Trompetenunterricht. Das erste Stück, das er lernte, war »Home sweet home«. Nach seiner Entlassung 1915 tauchte er tief ein in die vielfältige Jazzszene von New Orleans. Auf den Vergnügungsdampfern des Mississippi, »schwimmende Konservatorien« genannt, lernte er Notenlesen, Blattspiel und Arrangieren.
Diesen frühen Erfahrungen blieb später der erfolgreichste Jazztrompeter und -sänger, der Jazzgeschichte schrieb, ebenso verbunden, wie er stolz war auf seine, wie er annahm, rein afrikanische Abstammung von der ghanaischen Goldküste. Dorthin reiste er wiederholt, um das Land seiner Vorfahren kennen zu lernen.

Armitage ['ɑːmɪtɪdʒ], Kenneth, engl. Bildhauer, * Leeds 18. 7. 1916; nach elementaren Ausdruckswerten strebende Plastik mit vereinfachten Figuren (v. a. in Bronze).

Armleuchteralgen (Charales), Ordnung regelmäßig quirlig gegliederter Grünalgen im Schlamm von Seen und Bächen; sind durch Rhizoiden im Boden verankert.

Armorial [frz.] *das,* Wappenbuch (→ Wappen).

Armorikanisches Gebirge [lat. Armorica »Bretagne«], Teil des → Variskischen Gebirges.

Armstrong ['ɑːm-], **1)** Louis Daniel, gen. Satchmo, amerikan. Jazztrompeter und -sänger, * New Orleans 4. 7. 1900, † New York 6. 7. 1971; bed. Vertreter des klass. Jazzstils; jahrzehntelang für sein Instrument schulebildend; als Vokalist trug er maßgeblich zur Entwicklung des Scatgesangs bei.

Louis Armstrong

2) Neil Alden, amerikan. Astronaut, * Wapakoneta (Oh.) 5. 8. 1930; setzte im Rahmen des Apollo-11-Fluges mit E. E. Aldrin am 20. 7. 1969 mit der Mondfähre »Eagle« auf dem Mond im Meer der Ruhe auf; betrat am 21. 7. 1969 als erster Mensch den Mond. Die Kommando- und Rückkehreinheit wurde von Michael Collins (* 1930) gesteuert. INFOKASTEN S. 270

Neil Armstrong

Armut, wirtsch. Situation, in der es Einzelnen oder Gruppen nicht möglich ist, ihr Existenzminimum aus eigenen Kräften zu beschaffen **(objektive A.). Subjektive A.** ist ein Gefühl des Mangels an Mitteln zur Bedürfnisbefriedigung. Als **absolute A.** gilt eine Mangelsituation, in der die phys. Existenz von Menschen unmittelbar oder mittelbar bedroht ist. Bei **relativer A.** ist zwar das phys. Existenzminimum gesichert, jedoch wird das soziokulturelle Existenzminimum deutlich unterschritten. Das Aufstellen objektiver A.-Parameter von überregionaler und überzeitl. Geltung ist problematisch. Gegenwärtig wird A. bes. als Problem der Entwicklungsländer begriffen, dem die Industrienationen mit Entwicklungshilfe bzw. durch Neuordnung der Weltwirtschaftsordnung begegnen müssen. Aber auch in führenden Industriestaaten sind seit Mitte der 1970er-Jahre Bevölkerungsgruppen (Langzeitarbeitslose, allein Erziehende, Seniorinnen, Obdachlose, Suchtkranke u.a.) von A. betroffen. Dieser **neuen A.** kann nur durch komplexe wirtsch., sozialpolit. (→Sozialhilfe), erzieher. und fürsorger. Maßnahmen begegnet werden. Anfang der 1990er-Jahre galten 10–12% der Bev. in West-Dtl. als arm. Die Hälfte dieser Menschen lebte in »strenger A.« (weniger als 40% des Durchschnittseinkommens). Massen-A. in neuen Dimensionen entwickelt sich in einigen osteurop. Staaten mit dem Zusammenbruch der Planwirtschaft und dem Transformationsprozess zur Marktwirtschaft. Die Weltbank schätzt die Zahl der Armen für die 1990er-Jahre auf weltweit eine Milliarde Menschen.

Neil Armstrong

Dies ist ein kleiner Schritt für einen Menschen

Dieses Zitat geht auf den amerikanischen Astronauten Neil Armstrong zurück. Als er am 20.7.1969 die Mondfähre verließ und als erster Mensch seinen Fuß auf den Mond setzte, sprach er die über die Medien weltweit verbreiteten Worte: That's one small step for a man, one giant leap for mankind (»Dies ist ein kleiner Schritt für einen Menschen, ein riesiger Sprung für die Menschheit«). Man kommentiert mit diesem Zitat Aktionen oder Leistungen, die für sich genommen eher unbedeutend erscheinen, aber im Zusammenhang mit großen, umwälzenden Veränderungen in der Gesellschaft oder in einem Fachbereich stehen.

Geschichtliches: Absolute A. ist eine ständige Bedrohung der frühen menschl. Gesellschaften, v.a. im Zusammenhang mit Naturkatastrophen (Überschwemmungen, Missernten, Schädlingsfraß u.a.) und Naturprozessen wie Klimaveränderungen. Mit der im MA. zu einem Abschluss gelangenden, zunächst an Grundbesitz und dann zunehmend an Produktionseinrichtungen gebundenen Schichtung der Gesellschaft (ständ. Schichtung, frühe Klassenbildung) trat relative A. – neben der absoluten A. in Kriegs- und Krisenzeiten – als Dauererscheinung auf. Sieht man wegen der für sie geltenden Besonderheiten von den Sklaven haltenden Gesellschaften der Antike ab, so kann jedenfalls bereits im kaiserl. Rom von A. im heutigen, relativen Sinn und von subjektiver A. gesprochen werden. Mit dem Übergang zu Vorformen der Fernhandels- und Manufakturgesellschaft trat als chancenbestimmender Faktor das Geld an die Seite des gegenständl. Besitzes. Geldvermögenslosigkeit begründete, trotz theoretisch renditefähigen Eigentums (Boden, Werkstatt), relative A. und bezog so bislang nicht als arm angesehene Stände (Bauern, Handwerker) ein. Beim Übergang zur Neuzeit wurden Kapital-, Grund- und Produktionsvermögen in einer absolut gesehen dünnen Bevölkerungsschicht konzentriert, damit wurde die große Mehrheit der Bev. von A. gefährdet, da Einkommenslosigkeit bei fehlenden Ressourcen (Renditevermögen, zureichende Unterhaltsansprüche) unverzüglich zu relativer, meist auch absoluter A. führte.

Lange Zeit gab es eine religiös motivierte **freiwillige A.**, die z.T. als der Versuch angesehen werden kann, asketisch die von den eigentl. Heilszielen ablenkenden Formen des Lebens- und Daseinsgenusses zu überwinden (so im frühen Buddhismus) oder die z.T., wie im frühen Christentum und in den A.-Bewegungen des MA., von der Intention bestimmt war, dem weltüberwindenden Vorbild des sich freiwillig erniedrigenden Christus nachzueifern, dessen Wirken in der Welt als Solidarität mit den Armen und Erniedrigten aufgefasst wurde (z.B. Waldenser, Franziskaner). So wurde A. als Möglichkeit gesehen, das Heil über den Weg der Bedürfnislosigkeit und die Solidarität mit den Armen zu erlangen. Im MA. trafen diese Bestrebungen auf den Widerstand der Kirche und führten zum **Armutsstreit.** Gleichwohl blieb die christl. A.-Bewegung eine breite Strömung innerhalb der Kirche und führte zu einem ausgeprägten christl. Bettelwesen. Dies wurde erst durch Luther zurückgedrängt, der das A.-Ideal als egoist. Heilsinteresse und als ein auf die eigene Vervollkommnung zielendes Streben kritisierte.

📖 *A. in Deutschland, hg. v.* W. HANESCH *u.a. Reinbek 11.-18. Tsd. 1994. – A. in Entwicklungsländern, hg. v.* H.-B. SCHÄFER *u.a. Berlin 1994. – Einmal arm, immer arm? Neue Befunde zur A. in Deutschland, hg. v.* M. M. ZWICK. *Frankfurt am Main u.a. 1994.* – BUHR, P.: *Dynamik von A. Opladen 1995. – Sozialpolit. Strategien gegen A., hg. v.* W. HANESCH. *Opladen 1995.*

Arnauld [arˈno], frz. Familie, aus der Jesuitengegner und führende Jansenisten (→Jansenismus)

Arnheim: Marktplatz mit Grote Kerk (15./16. Jh.)

kamen, u.a. Antoine A., *Paris 5. 2. 1612, †Brüssel 8. 8. 1694; umfangreiches literar. Schaffen gegen Jesuiten und Kalvinisten.

Arnauten, Name der Albaner bei Bulgaren und Türken, aus dem ngrch. **Arwanites** entlehnt.

Arndt, Ernst Moritz, Schriftsteller, Historiker und Politiker, *Schoritz (bei Garz auf Rügen) 26. 12. 1769, †Bonn 29. 1. 1860; seit 1800 an der Univ. Greifswald. 1812–15 wirkte er als Privatsekretär des Freiherrn vom Stein mit leidenschaftl. polit. Flugblättern und Liedern (»Was ist des Deutschen Vaterland?«, »Der Gott, der Eisen wachsen ließ«) für die nat. Erhebung gegen Napoleon I. A. trat für die Einheit Dtl. ein und wandte sich gegen die polit. Reaktion. 1818 wurde er Prof. der Geschichte in Bonn, aber wegen seiner politisch unerwünschten Ansichten 1820 seines Amtes enthoben und erst 1840 wieder eingesetzt. 1848/49 war A. Mitgl. der Frankfurter Nationalversammlung.

Weitere Werke: Fragmente über Menschenbildung, 3 Bde. (1805–19); Geist der Zeit, 4 Bde. (1806–18); Lieder für Teutsche (1813); Der Rhein, Teutschlands Strom, aber nicht Teutschlands Grenze (1813); Erinnerungen aus dem äußeren Leben (1840); Schriften für und an seine lieben Deutschen, 4 Bde. (1845–55); Meine Wanderungen und Wandelungen mit dem Reichsfreiherrn H. K. F. vom Stein (1858).

📖 SICHELSCHMID, G.: *E. M. A. Berlin 1981.*

Arnheim (niederländ. Arnhem), Hptst. der niederländischen Prov. Gelderland, am Neder-Rijn, 133 300 Ew.; Akademien und Museen; Metallind., Gummi- und Chemiefasererzeugung, Nahrungsmittel-, Maschinen-, Druckindustrie. – Bauten aus dem 15. und 16. Jh., u.a. die Grote Kerk am Marktplatz. – A., 893 erstmals urkundlich erwähnt, erhielt 1233 Stadtrecht und war seit 1440 Mitgl. der Hanse; wurde unter Kaiser Karl V. Verw.zentrum Gelderns; 1672–74 und 1795–1813 frz.; 1944 in der Schlacht bei A. um die Übergänge über Maas, Rhein und Waal erlitt die Stadt schwerste Zerstörungen.

Arnheim, Hans Georg von, →Arnim 3).

Arnhemland ['ɑ:nəmlænd], gebirgige Halbinsel in N-Australien, zw. Timorsee und Carpentariagolf, z.T. mit trop. Regenwald bestanden. Die Nutzung der bed. Uran- und Bauxitlager ist bedenklich, da A. größtenteils Reservat für die Aborigines und auch Naturschutzgebiet ist.

Arni [Hindi] *der,* →Büffel.

Arnika [nlat.] *die* (Wohlverleih, Arnica), Korbblütlergattung; der **Bergwohlverleih** (Arnica montana) ist eine geschützte Staude feuchter Bergwiesen, mit großem, dottergelbem Blütenkörbchen; Heilpflanze; **A.-Tinktur** wird zur Wundheilung und gegen Blutergüsse verwendet.

Arnim, märk. Adelsgeschlecht. Die Boitzenburger Linie, seit 1786 gräflich, besaß die großen Herrschaften Boitzenburg (Uckermark) und Muskau.

1) Achim (Ludwig Joachim) von, Dichter, *Berlin 26. 1. 1781, †Wiepersdorf (bei Jüterbog) 21. 1. 1831, seit 1811 ⚭ mit 2); gab mit C. Brentano in Heidelberg die Volksliedsammlung »Des Knaben Wunderhorn« (3 Bde., 1806–08), allein die »Zeitung für Einsiedler« heraus (in Buchform »Tröst Einsamkeit«, 1808). A. ist ein Hauptvertreter der jüngeren Romantik. Seine Werke verbinden stark konservatives mit romantisch-fantast. Lebensgefühl; verfasste Dramen (»Halle und Jerusalem«, 1811; »Schaubühne«, 1813), Erzählungen (»Isabella von Ägypten«, 1812; »Der tolle Invalide auf dem Fort Ratonneau«, 1818; »Die Majoratsherren«, 1819) und Romane (»Armuth, Reichthum, Schuld und Buße der Gräfin Dolores«, 1810; »Die Kronenwächter«, Bd. 1, 1817, Bd. 2, 1854).

📖 RILEY, H. M. K.: *A. v. A. Neuausg. Reinbek 1994.*

2) Bettina (Bettine, eigtl. Anna Elisabeth) von, Dichterin, *Frankfurt am Main 4. 4. 1785, †Berlin 20. 1. 1859, seit 1811 ⚭ mit 1); Tochter der Maximiliane La Roche, Schwester von C. Brentano. In Briefsammlungen, deren urspr. echten Grundbestand sie mit eigenwilliger Fantasie umdichtete, hat sie ihrer enthusiast. Liebe zu Goethe, Karoline von Günderode und ihrem Bruder Clemens Ausdruck gegeben (»Goethes Briefwechsel mit einem Kinde«, 1835; »Die Günderode«, 1840; »Dies Buch gehört dem König«, 1843; »Clemens Brentanos Frühlingskranz«, 1844).

📖 DREWITZ, I.: *Bettine v. A. Romantik, Revolution, Utopie. Eine Biographie. Neuausg. Hildesheim 1992.* – BÖTTGER, F.: *B. v. A. Zwischen Romantik u. Revolution. Neudr. München 1995.* – HIRSCH, H.: *Bettine v. A. Reinbek 15.–16. Tsd. 1996.*

3) (auch Arnheim) Hans Georg von, Feldmarschall, *Boitzenburg (vermutlich) 1583, †Dresden

Ernst Moritz Arndt

Achim von Arnim

Bettina von Arnim

28. 4. 1641; in schwed., poln., dann in kaiserl. Diensten, belagerte 1628 Stralsund. 1631–35 befehligte er das kursächs. Heer gegen die Kaiserlichen; als Gegner der schwed. Politik verhandelte er 1632/33 mit Wallenstein, später dessen bedeutendster Gegenspieler.

Klas Pontus Arnoldson

4) Harry Graf (seit 1870) von A.-Suckow, Diplomat, *Moitzelfitz (heute Mysłowice, Wwschaft Koszalin) 3. 10. 1824, †Nizza 19. 5. 1881; wurde 1872 Botschafter in Paris, geriet aber in Ggs. zu Bismarck (1874 abberufen). Da er sich bei seinem Abgang Dokumente angeeignet hatte, wurde er auf Betreiben Bismarcks zu neun Monaten Gefängnis verurteilt. A. flüchtete und wurde 1876 in Abwesenheit wegen Landesverrats zu fünf Jahren Zuchthaus verurteilt. Das Urteil ist rechtlich umstritten.

Arno [lat. Arnus] *der,* Fluss in Italien, 241 km, entspringt in 1358 m Höhe am Monte Falterona im Etrusk. Apennin, mündet bei Pisa in das Ligur. Meer.

Arnsberg 2)
Stadtwappen

Arnold von Brescia [-ˈbrɛʃʃa], Augustinerchorherr, *Brescia um 1100, †Rom um 1155; Schüler Abaelards in Paris, predigte in Brescia gegen die Verweltlichung der Geistlichkeit und später in Rom gegen die weltl. Herrschaft des Papsttums; unter Papst Hadrian IV. 1155 aus Rom vertrieben, von Kaiser Friedrich I. ausgeliefert und in Rom vom päpstl. Stadtpräfekten hingerichtet.

Arnold von Bruck, niederländ. Komponist, *Brügge um 1490, †Linz 6. 2. 1554; 1527 als Kapellmeister Ferdinands I. bezeugt, schrieb Motetten sowie weltl. und geistl. mehrstimmige Lieder.

Arnold, 1) Gottfried, evang. Theologe, *Annaberg (heute zu Annaberg-Buchholz) 5. 9. 1666, †Perleberg 30. 5. 1714; Anhänger des Pietismus; zeigte in seiner »Unparteiischen Kirchen- und Ketzerhistorie« (2 Bde., 1699–1700) die »Ketzer« als die wahren Christen.

2) Karl, Karikaturist, *Neustadt b. Coburg 1. 4. 1883, †München 29. 11. 1953; schuf humorvoll-satir. Zeichnungen, bes. für den »Simplicissimus«.

3) Karl, Politiker (CDU), *Herrlishöfen (Landkreis Biberach) 21. 3. 1901, †Düsseldorf 29. 6. 1958; bis 1933 in der Zentrumspartei und der christl. Gewerkschaftsbewegung tätig, 1945 Mitbegründer der CDU, 1947–56 MinPräs. von NRW.

Arnstadt
Stadtwappen

4) [ˈɑːnəld], Matthew, engl. Dichter und Kritiker, *Laleham (heute zu Staines) 24. 12. 1822, †Liverpool 15. 4. 1888; schrieb v. a. Gedichte, Essays, kulturphilosoph. Schriften. A. prägte die Formel, Dichtung sei Kritik oder Deutung des Lebens.

Arnoldscher Prozess, Prozess des Müllers Johann Arnold aus Pommerzig (Neumark) gegen seinen Erbpachtherrn Graf von Schmettau. Friedrich d. Gr. glaubte, dass die Richter parteiisch zugunsten des Grafen geurteilt hätten; er hob das Urteil auf, setzte die Richter gefangen und verurteilte sie zu Schadensersatz (1779). Erst bei der Wiederaufnahme des Prozesses nach Friedrichs Tod wurden die Richter freigesprochen; der A. P. gilt als Beispiel der Kabinettsjustiz.

Arnoldson, Klas Pontus, schwed. Schriftsteller, *Göteborg 27. 10. 1844, †Stockholm 20. 2. 1916; verfasste pazifist. Schriften, gründete den schwed. Friedensverein (1883); erhielt den Friedensnobelpreis 1908 (mit F. Bajer).

Arnolfo di Cambio, italien. Baumeister und Bildhauer, *Colle di Val d'Elsa um 1240/45, †Florenz zw. 1302 und 1310; dort Dombaumeister, als Bildhauer bes. in Rom tätig (Grabmäler und Tabernakel).

Arnsberg, 1) RegBez. in NRW, 8002 km², (1996) 3,827 Mio. Ew.; umfasst die kreisfreien Städte Bochum, Dortmund, Hagen, Hamm, Herne sowie die Kreise Ennepe-Ruhr-Kreis, Hochsauerlandkreis, Märkischer Kreis, Olpe, Siegen-Wittgenstein, Soest und Unna.

2) Stadt im Hochsauerlandkreis und Sitz der Verwaltung des RegBez. A., NRW, 212 m ü. M., an der Ruhr, Luftkurort zw. **Arnsberger Wald** und Lennegebirge, 79 000 Ew.; Schulstadt; in Neheim-Hüsten Herstellung von Metallwaren, Beleuchtungskörpern; Leuchtenmuseum; in Oeventrop Holzverarbeitung. – Kath. Propsteikirche St. Laurentius (got.), Hirschberger Tor (1753 von J. C. Schlaun), altes Rathaus (1710). – Die Grafen von A., Nachkommen der Grafen von Werl, übertrugen die Grafschaft A. 1368 an Kurköln. In A. stand der Oberfreistuhl der westfäl. Femegerichte.

Karl Arnold: »Bei dem Wetter schlag i' Pinakothek oder Löwenbräu vor! San S' für die Pinakothek, so erwart' ich Sie derweil im Löwenbräu« (1926)

Arnstadt, Stadt in Thür., Krst. des Ilm-Kreises, 285 m ü. M., an der Gera, 26 900 Ew.; elektrotechn., Maschinen-, Handschuh-, Leder-, Möbel-, Kristallglasindustrie. – Bachgedenkstätte, Museen; Liebfrauenkirche (roman. Langhaus, um 1200), Rathaus (1583–85), Schloss (1728–32). – A., 704 erwähnt, geistl. Besitz von Utrecht und Hersfeld, kam 1382 an die Grafen von Schwarzburg (1684–1716 Residenz). 1266 Stadtrecht.

Arnulf, Herrscher:

Bayern: **1) A. der Böse,** Herzog (907–937), † Regensburg 14. 7. 937; Sohn des Markgrafen Luitpold, erneuerte das bayer. Stammesherzogtum.

Hans Arp: Kopf (1929; Privatbesitz)

Metz: **2) A. von Metz,** * um 582, † Remiremont 18. 7. 640 (?); Ahnherr der → Karolinger, wurde 610/11 Bischof von Metz und regierte seit 622 unter König Dagobert I. mit dem Hausmeier Pippin das ostfränk. Reich (Austrasien); ging um 629 als Einsiedler in die Vogesen. Heiliger (Tag: 19. 8.).

Ostfränk. Reich: **3) A. von Kärnten,** König der Franken (887–899), * um 850, † Regensburg 8. 12. 899; natürl. Sohn des ostfränk. Königs Karlmann, erhielt 876 die Markgrafschaft Kärnten, wurde 887 zum König erhoben, besiegte 891 die Normannen bei Löwen. 894 und 895 zog er nach Italien und wurde 896 in Rom zum Kaiser gekrönt.

Arolsen, Stadt in Hessen, → Bad Arolsen.

Aroma [grch.] *das,* Wohlgeruch, meist bewirkt durch flüchtige äther. Öle, die viele Pflanzen (auch Tiere, → Ambra) absondern. Künstl. A. sind meist Gemische synthet. Geschmacksstoffe, abgerundet durch Zusätze von echten Fruchtextrakten.

Aromaten (aromatische Verbindungen), zykl. organ. Verbindungen, die nur aus Benzolmolekülen aufgebaut sind, einschl. ihrer Substitutionsprodukte. Der Name geht auf den angenehm aromat. Geruch einiger aus Pflanzen isolierter Abkömmlinge des Benzols zurück. Die Stellung von Substituenten am Benzolring kann durch Bezifferung oder Verwendung der Präfixe **ortho-, meta-** und **para-** (Abk. **o-, m-, p-**) angegeben werden. Das bevorzugte Eingehen von Substitutionsreaktionen (→ Substitution) ist durch die Strukturformel mit lokalisierten Doppelbindungen im Ring nicht erklärbar (→ Benzol, Benzolformeln). Die heutige Theorie nimmt deshalb für die A. eine gleichmäßige Verteilung aller Doppelbindungs-π-Elektronen über den ganzen Ring an. Die übl. Valenzstrichformeln haben jetzt die Bedeutung von Grenzformeln der Mesomerie-Theorie (→ Mesomerie). Auch heterozykl. Verbindungen können Aromatizität zeigen. Sie werden als **Hetero-A.** bezeichnet. Techn. Bedeutung haben die **BTX-A.** (Abk. für **B**enzol, **T**oluol, **X**ylol), die aus aromatenreichen Benzinfraktionen isoliert werden.

Aromatika [grch.], Drogen (Fenchel, Pfefferminze u. a.) und synthet. Stoffe, die würzige Substanzen (v. a. äther. Öle) enthalten; sie wirken leicht erregend auf die Nerven und regen die Magen- und Darmtätigkeit an.

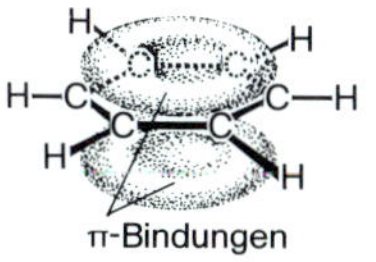

Aromaten: Delokalisierte π-Bindungen bei Benzol

Aromunen, Nachkommen der alteingesessenen romanisierten Balkanbevölkerung mit makedorumän. Sprache. Früher über die ganze Balkanhalbinsel südlich der Donau verbreitet, leben sie heute in Sprachinseln in Griechenland, Bulgarien, Makedonien und Albanien. Von anderen Völkern werden sie **Walachen,** von den Serben **Zinzaren,** von den Griechen **Kutzowalachen** genannt.

Aron, Bruder des Moses, → Aaron.

Aron [a'rɔ̃], Raymond Claude Ferdinand, frz. Soziologe, * Paris 14. 3. 1905, † ebd. 17. 10. 1983; befasste sich mit der Analyse der modernen Industriegesellschaft und ihren politischen Problemen; schrieb: »Opium für Intellektuelle« (1955), »Die industrielle Gesellschaft« (1962), »Demokratie und Totalitarismus« (1965), »Die heiligen Familien des Marxismus« (1970), »Clausewitz. Den Krieg denken« (1976).

Aronstab (Arum), Gattung der **A.-Gewächse** (Araceae), einkeimblättrige Pflanzen mit grundständigen pfeilspitzenförmigen Blättern. Der in seinem oberen Teil übel riechende Blütenkolben steht in einem meist weißen Hüllblatt. Die Früchte sind rote, giftige Beeren. In mittel- und südeurop. Laubwäldern wächst der giftige **Gefleckte A.** (Arum maculatum) mit oft braunfleckigen Blättern.

Aronstab: Fruchtstand (links) und Pflanze (rechts) des Gefleckten Aronstabes

Arosa, Kurort und Wintersportplatz im Kt. Graubünden, Schweiz, oberhalb Chur, 1800 m ü. M., 3800 Ew.; lichtklimat. Observatorium; Bergbahnen.

Arouet [a'rwɛ], Familienname von → Voltaire.

Arp, Hans, Schriftsteller, Maler, Bildhauer, Straßburg 16. 9. 1887, † Basel 7. 6. 1966; war 1916 Mitbegründer des Dadaismus, später Surrealist, schrieb wortspieler. Lyrik (»die wolkenpumpe«, 1920; »wortträume und schwarze Sterne«, 1954). Als bildender Künstler Vertreter der konkreten Kunst.

Árpád ['a:rpa:d], erster Großfürst der Ungarn, † um 907; führte die von den Angriffen der Petschenegen bedrohten Ungarn 895/896 in ihr jetziges Gebiet. Das von ihm begründete ungar. Herrscherhaus der **Árpáden** starb 1301 mit Andreas III. im Mannesstamm aus; ihm entstammte auch die hl. Elisabeth von Thüringen.

Claudio Arrau

arpeggio [-ddʒo; italien, von arpa »Harfe«], Spielart für Akkorde auf Tasten-, Streich- und Zupfinstrumenten, bei der die Töne harfenartig nacheinander (meist von unten nach oben) erklingen; Zeichen ⌇.

Arrabal, Fernando, span. Schriftsteller, *Melilla 11. 8. 1932; Gegner des Francoregimes, lebt seit 1955 in Frankreich, schreibt überwiegend in frz. Sprache, beeinflusst vom Surrealismus und A. Artauds »Theater der Grausamkeit«, im Geist des →absurden Theaters. Dramen: »Der Architekt und der Kaiser von Assyrien« (1966), »Garten der Lüste« (1969), »Der Turm von Babel« (1976), Romane: »Baal Babylon« (1959; 1971 von ihm selbst verfilmt) »Hohe Türme trifft der Blitz« (1983), »La tueuse du jardin d'hiver« (1994); Gedichte, Essays.

Arrak [arab.] *der* (Arak, Rack), oriental. Branntwein aus Reis, Kokospalmensaft und Zuckerrohrmelasse; **Original-A.** mit 60 Vol.-%, **Echter A.** mit 38 Vol.-% Alkohol in Trinkstärke.

Svante August Arrhenius

Arrangement [arãʒ'mã, frz.] *das,* **1)** *allg.:* Anordnung, Vorbereitung; Übereinkommen.

2) *Musik:* Bearbeitung eines Musikstücks für eine bestimmte Besetzung, insbesondere in der Tanzmusik und im Jazz.

3) *Psychologie:* in der Individualpsychologie A. Adlers ein unbewusster, meist neurot. Abwehrmechanismus zur Sicherung der eigenen Geltung.

Arras, Hptst. des Dép. Pas-de-Calais (Frankreich), an der Scarpe, 39000 Ew.; früher Mittelpunkt der Bildwirkerei (→Arazzi); Wollind., Maschinen- und Fahrzeugbau. – Fläm. Stadtbild. – A., die Hptst. der gall. Atrebaten, wurde 450 von Attila und 880 von den Normannen zerstört. 1093 wurde es Bischofssitz, 1237 Hptst. der Grafschaft →Artois.

Arras: Das Stadtzentrum mit dem zwischen der Grande Place (links) und der Place des Héros (rechts) gelegenen Rathaus (16. Jh.) und Giebelhäusern (17. Jh.)

Arrau, Claudio, chilen. Pianist, *Chillán 6. 2. 1903, †Mürzzuschlag (Österreich) 9. 6. 1991; herausragender Interpret klass. und romant. Klaviermusik.

Arrauschildkröte (Podocnemis expansa), südamerikan. Flussschildkröte, bis 75 cm lang.

Array [ə'reɪ; engl. »Reihe«] *das,* **1)** *Astronomie:* Anordnung mehrerer →Radioteleskope zur →Apertursynthese.

2) *Elektronik:* matrixförmige Anordnung gleichartiger elektron. Bauelemente und log. Schaltungen.

3) *Informatik:* Datenfeld, das eine Zuammenfassung von untereinander gleichartigen Einzelkomponenten darstellt.

4) *Nachrichtentechnik:* spezielle Antennenanordnung.

Arrecife [arrɛ'θife], Hauptort der Kanareninsel Lanzarote, Spanien, 30000 Ew.; Fischerei- und Handelshafen mit Festungen an der O-Küste.

Arrest [mlat.] *der,* **1)** im *Zivilprozess* ähnlich der einstweiligen Verfügung ein im Eilverfahren zu beantragendes Mittel zur Sicherung der Zwangsvollstreckung wegen Geldforderungen, wenn die künftige Vollstreckung gefährdet ist, z. B. wegen Vermögensverschlechterung oder Manipulationen des Schuldners (§§ 916–934 ZPO). Der A. findet entweder als **dingl. A.** gegen Vermögensgegenstände des Schuldners oder als **persönl. A.** gegen die Person des Schuldners (Haft) statt. Der A. bedarf gerichtl. Entscheidung, gegen die Rechtsmittel zulässig sind (→offener Arrest).

2) *Strafrecht:* →Jugendarrest. – *Wehrstrafrecht:* →Strafarrest.

arretieren, *Technik:* sperren, anhalten (Geräteteile).

arretinische Keramik, →Terra sigillata.

Arrha [lat.] *die, Recht:* die →Draufgabe.

Arrhenius, Svante August, schwed. Physikochemiker, *Gut Vik bei Uppsala 19. 2. 1859, †Stockholm 2. 10. 1927; entwickelte seit 1882 die Lehre von der elektrolyt. Dissoziation, wofür er 1903 den Nobelpreis für Chemie erhielt; seit 1905 Leiter des Nobelinstituts für physikal. Chemie in Stockholm. Die **A.-Gleichung** gibt die Abhängigkeit der Reaktionsgeschwindigkeiten von der Temperatur an (→Säure-Base-Theorie).

Arrhenotokie [grch.] *die,* Entstehung von Männchen aus unbefruchteten Eiern und von Weibchen aus befruchteten Eiern bei Bienen u. a. Hautflüglern.

Arrhythmie [grch., »Ungleichmäßigkeit«] *die,* Rhythmusstörung der regelmäßigen Herzschlagfolge.

Arrian (grch. Arrianos, lat. Arrianus), Flavius, grch. Schriftsteller, *um 95, †175; aus Nikomedeia in Bithynien; war etwa 128/129 röm. Konsul, nach 130 Statthalter von Kappadokien. Sein Hauptwerk, die **Anabasis Alexanders d. Gr.**, ist eine wichtige Quelle für dessen Geschichte.

Arrival [ə'raɪvəl, engl.], Ankunft (Hinweis auf Flughäfen).

Arrondissement [arɔ̃dis'mɑ̃, frz.] *das,* Unterbezirk eines frz. Départements, in Paris die kommunalen Verwaltungsbezirke.

Arrosion [lat. »Annagung«] *die, Medizin:* Schädigung von Geweben, v.a. von Gefäßwänden, durch Geschwüre u.a.

Arrow ['ærəʊ], Kenneth Joseph, amerikan. Volkswirtschaftler, *New York 23. 8. 1921; erhielt 1972 den Nobelpreis für Wirtschaftswiss. (mit J. Hicks); beschäftigte sich v.a. mit der allg. Theorie des ökonom. Gleichgewichts sowie mit Problemen der Wohlfahrts- und Wachstumstheorie.

Arrowroot ['ærəʊru:t, engl.] *das,* Stärkeart aus Wurzeln und Knollen trop. Pflanzen; Nahrungsmittel in S-Amerika (→Maniok, →Marante).

Arruda, Diogo de, portugies. Baumeister, †Évora um 1531; Werkmeister des Klosters in Tomar, wo er bedeutende Beispiele des Emanuelstils schuf. Nach Plänen seines Bruders Francisco (†15. 11. 1547) wurde der Torre de Belém (bei Lissabon) errichtet.

Arrupe, Pedro, span. Theologe, *Bilbao 14. 11. 1907, †Rom 5. 2. 1991; 1965–83 Generaloberer der Jesuiten, förderte das soziale Engagement des Ordens in der Dritten Welt, erregte Aufsehen durch seine Bereitschaft zum Dialog mit Marxisten; verfasste Werke zur Kirchengeschichte.

Ars [lat.] *die* (Pl. Artes), Kunst, in der lat. Bedeutung bis zum MA. auch Wissenschaft, Geschicklichkeit. **Artes liberales,** →freie Künste.

Arsakiden, parth. Dynastie, benannt nach dem Gründer Arsakes I.; herrschte vom 3. Jh. v. Chr. bis 224 n. Chr. in Iran. Die A. leisteten erfolgreichen Widerstand gegen das Ausgreifen der röm. Herrschaft. Eine Seitenlinie regierte vom 1. Jh. n. Chr. bis 428 n. Chr. in Großarmenien (→Armenien).

Ars Amandi [lat.] *die,* Liebeskunst, insbesondere das gleichnamige Werk des Ovid.

Ars antiqua [lat. »alte Kunst«] *die,* Gegenbegriff zur →Ars nova, bezeichnet die wesentlich auf Frankreich zentrierte, an die Anfänge der Mensuralnotation gebundene mehrstimmige Musik um 1230 bis 1320. Hauptform ist die Motette.

Arsen *das,* chem. Symbol **As,** dem Phosphor und Antimon verwandtes →Halbmetall aus der 5. Hauptgruppe des Periodensystems. Ordnungszahl 33, rel. Atommasse 74,9216; das einzig stabile Isotop ist ^{75}As. – Die beständigste Form ist eine graue metall. Modifikation, daneben treten eine gelbe nichtmetall. und einige amorphe Formen auf. Natürlich vorkommendes gediegenes A. heißt **Scherbenkobalt.** Zur Gewinnung von A. werden A.-Minerale (z.B. A.-Kies) erhitzt und der Dampf in eisernen Vorlagen verdichtet. A. wird zur Härtung von Blei- und Kupferlegierungen sowie zur Herstellung von Halbleitern (z.B. Gallium-Arsenid) verwendet. A. und seine Verbindungen sind sehr giftig.

Kenneth Arrow

Arsenal [italien., aus arab. dār aṣ-ṣinā^{c}a^h »Haus des Handwerks«] *das,* früher der Aufbewahrungsort für Vorräte an Kriegsmaterial.

Arsenik *das* (Arsentrioxid), As_2O_3, giftige Arsenverbindung, wird zur Schädlingsbekämpfung, Konservierung von Fellen und zu bestimmten Arsenverbindungen verwendet.

Arsenkies (Arsenopyrit), FeAsS, silbergraues, monoklines Mineral, wichtiges Arsenerz, häufig auf Erzgängen.

Arsenkies (Kristalle)

Arsenpilz (Penicillium brevicaule), Schimmelpilz, dient als Nachweis von Arsenspuren.

Arsenvergiftung, Vergiftung durch Arsenverbindungen. Die **akute A.** nach Verschlucken des Giftes äußert sich in heftigen Durchfällen, Leibschmerzen, Verwirrtheit und Krämpfen. Die **chron. A.** tritt meist als gewerbl. Vergiftung auf mit **Arsenmelanose** (dunkle Hautverfärbung), Lähmungen, krebsigen Entartungen an Haut, Bronchien und Leber **(Arsenkrebs).** A. sind entschädigungspflichtige Berufskrankheiten.

Arsenwasserstoff, AsH_3, farbloses, sehr giftiges, widerlich riechendes Gas, entsteht bei Einwirkung von naszierendem Wasserstoff auf Arsenik. A. dient zum Dotieren von Silicium-Halbleitern. Wird A. durch ein erhitztes Glasrohr geleitet, bildet sich hinter der erhitzten Stelle ein dunkler, glänzender Belag von metall. Arsen (Arsenspiegel; Marsh-Probe zum Nachweis von Arsen). Wasserstoffersatz durch einwertige organ. Reste führt zu den **Arsinen,** die im 1. Weltkrieg als Kampfstoffe eingesetzt wurden.

Arsino|e II., Tochter Ptolemaios' I., *um 316, †9. 7. 270 v. Chr.; heiratete den thrak. König Lysimachos, dann ihren Stiefbruder Ptolemaios Keraunos, um 279 ihren leibl. Bruder Ptolemaios II. Philadelphos. Beide wurden schon zu Lebzeiten als die »Geschwistergötter« verehrt.

Arsis [grch. »Hebung«] *die, Musik:* der unbetonte (leichte) Taktteil; Ggs.: →Thesis.

Arslan-Taş [-taʃ], Ruinenstätte östlich des oberen Euphrat bei Karkemisch, an der Stelle der altassyr. Stadt Hadatu. Ausgrabungen (seit 1928) legten Palast- und Tempelbauten frei. BILD S. 276

Ars Moriendi [lat. »die Kunst zu sterben«] *die,* Erbauungsbuch des späten MA., das in einer Folge von Bildern den Kampf der Engel und Teufel um die Seele des Sterbenden darstellt.

Ars multiplicata [lat. »vervielfältigte Kunst«, Titel einer Ausstellung in Köln 1968] *die,* Bez. für Werke v.a. zeitgenöss. Kunst, die im Unterschied zur bloßen Reproduktion Originalität auch in der Vervielfältigung bewahren, z.B. als Papierabzüge desselben Holzstocks (Auflagengrafik, →Multiples).

Ars nova [lat. »neue Kunst«] *die,* die mehrstimmige Musik des 14. Jh. bes. in Frankreich mit gegenüber der →Ars antiqua weiterentwickelter Mensuralnotation und differenzierterer Satztechnik.

Antonin Artaud

Ars poetica [lat.] *die,* Dichtkunst, insbesondere das gleichnamige Werk des Horaz.

Art (Spezies, lat. species, Abk. spec.), Grundeinheit im System der Lebewesen (→Systematik). Die Individuen einer A. bilden i. Allg. eine natürl. Fortpflanzungsgemeinschaft, die sich nicht mit anderen A. vermischt und sich durch bestimmte Merkmale von ihnen unterscheidet.

Arta, das antike **Ambrakia,** Stadt in Epirus, W-Griechenland, 19100 Ew.; Sitz eines orth. Erzbischofs; landwirtsch. Handelszentrum. – Kirche Panhagia Parigoritissa (Ende 13. Jh.).

ARTE

Artaud [ar'to], Antonin, frz. Schriftsteller, *Marseille 4. 9. 1896, †Ivry-sur-Seine 4. 3. 1948; Schauspieler und Regisseur; hatte mit seinen theatertheoret. Schriften (Sammlung »Das Theater und sein Double«, 1938; darin das Manifest »Le théâtre de la cruauté« [»Das Theater der Grausamkeit«] großen Einfluss auf die Dramatiker der Avantgarde nach dem 2. Weltkrieg; auch surrealist. Prosagedichte und ein Drama (»Les Cenci«; Urauff. 1935).

Art

Tausende Tier- und Pflanzenarten sind im Lauf der Erdgeschichte ausgestorben. Das wissen wir von den zahlreichen Fossilien, die auf der ganzen Erde im Sedimentgestein aufgefunden wurden, denn vielen davon entspricht keine der heute lebenden Arten. Die meisten gingen wahrscheinlich deshalb zugrunde, weil sie mit Klimaänderungen nicht zurechtkamen, die in der Erdgeschichte ebenfalls nicht selten sind. Aussterben gehört also untrennbar zur Evolution, weil in einer sich ständig wandelnden Umwelt die jeweils besser angepassten Arten andere verdrängen. Allerdings verzeichnet die Erdgeschichte auch Zeitabschnitte mit ausgesprochenem Massensterben. Das größte Ereignis dieser Art fand Ende des Erdaltertums statt, also vor ungefähr 250 Millionen Jahren. Forscher schätzen, dass damals 90% aller Arten ausgestorben sind. Die Tierwelt brauchte Jahrmillionen, um sich von dieser Katastrophe zu erholen. Ein weiteres Massensterben gab es vor 65 Millionen Jahren, als die Dinosaurier verschwanden, aber auch die Ammoniten und viele andere Meeresbewohner.

In den letzten zweihundert Jahren nun sind mehr als 50 Vogel- und über 75 Säugerarten ausgestorben; heute aber, sagen die Wissenschaftler, stirbt alle paar Minuten eine Tier- oder Pflanzenart aus.

Arslan-Taş: Frau im Fenster (Elfenbeinrelief über einer Fensterbalustrade, 8. Jh. v. Chr.; Karlsruhe, Badisches Landesmuseum)

Artaxerxes, persische Könige:

1) A. I. Makrocheir [grch. »Langhand«], †um 424 v. Chr.; Sohn Xerxes' I., regierte seit 464; schloss 449/448 mit Athen den →Kalliasfrieden, der die Perserkriege beendete.

2) A. II. Mnemon [grch. »der Gedenkende«], *um 451 (oder 443) v. Chr., †um 359/358 v. Chr.; Sohn Dareios' II., regierte seit 404. Der von A. nach dem Sieg über die Flotte Spartas bei Knidos (394) diktierte »Friede des Antalkidas« (→Königsfriede) 387/386 machte den Perserkönig zum Schiedsrichter der zerstrittenen grch. Staaten.

Art brut [a:r 'bryt; frz. »unverbildete Kunst«] *der,* Begriff für das spontan und unreflektiert Gestaltete (z.B. von Geisteskranken, auch Kindern oder Amateurmalern).

Art concret [a:rkɔ̃'krɛ, frz.] *der,* →konkrete Kunst.

Art déco [a:r de'ko, frz.] *der* oder *das,* von der Ausstellung für Kunstgewerbe (frz. »arts décoratifs«) in Paris (1925) abgeleitete Stilbez. für Kunsthandwerk und Malerei zw. 1920 und 1930. A. d. ging vom späten Jugendstil aus, hatte eine üppig ornamentale, gelegentlich exot. Richtung, war vom Kubismus und Futurismus beeinflusst.

📖 STRÖHLE, R.: *Faszination A. d. München 1993.*

ARTE, Abk. für frz. **A**ssociation **R**elative à la **T**élévision **E**uropéenne, von ARD, ZDF und dem frz. Sender La Sept-ARTE (Paris) betriebener europ. Fernsehkanal, Sitz: Straßburg (für ARTE Deutschland TV GmbH: Baden-Baden); Sendestart: 1992.

Arte cifra [-'tʃifra; italien. »Ziffer«, »Chiffre«] *die,* eine Richtung der italien. Kunst, die sich seit Mitte der 1970er-Jahre als Gegenreaktion auf die Conceptart und Arte povera entwickelte.

Artefakt [lat.] *das,* **1)** *allg.:* von Menschenhand Geschaffenes, Kunstprodukt.

2) *Histologie:* Ergebnisverfälschung an einem Präparat durch Nebeneinflüsse, apparative Störgrößen.

3) *Vorgeschichte:* Stein, der durch Bearbeitung Werkzeugcharakter erhalten hat; auch die Abschläge bei der Steinbearbeitung.

Artel [russ.] *das,* im zarist. Russland verbreitete genossenschaftl. Vereinigung von Personen gleichen Berufs (Handwerker, Bauern), die sich auf gemeinsame Rechnung zur Arbeit verdingten und z.T. zusammen siedelten; in der Sowjetunion eine Form des genossenschaftl. Zusammenschlusses von Produzenten in versch. Bereichen (z.B. Landwirtschaft, Handwerk, Fischereiwesen).

Artemidoros von Ephesos, grch. Geograph, um 100 v. Chr.; beschrieb die ganze damals bekannte Welt in den elf fragmentarisch erhaltenen Büchern »Geographumena«, die Strabo als Quelle dienten.

Artemis, grch. Göttin, Zwillingsschwester des Apoll, von den Römern der Diana gleichgestellt; wurde als Göttin der Jagd und Fruchtbarkeit verehrt. In der archaischen Kunst wird A. zw. Hirschen, Löwen und Vögeln dargestellt, in der klass. als Jagdgöttin mit Bogen und Köcher. Als Göttin der Geburt trägt sie Züge einer alten kleinasiat. Muttergottheit. Deren berühmtestes Heiligtum **(Artemision)** war das von Ephesos mit der vielbrüstigen Kultstatue. Es wurde im 6. Jh. v. Chr. von Chersiphron als ion. Großtempel errichtet, 356 von Herostratos in Brand gesteckt, im 4./3. Jh. wieder aufgebaut; galt als eines der →sieben Weltwunder.

Artemis: Die Göttin hetzt die Hunde des Aktaion auf ihren Herrn, da dieser Artemis auf der Jagd beim Bad überrascht hatte (Metopenrelief vom Tempel E in Seliunt, 460–450 v. Chr.; Palermo, Museo Archeologico Nazionale)

📖 SIMON, E.: *Die Götter der Griechen. München* [3]*1985.* – OTTO, W. F.: *Die Götter Griechenlands. Frankfurt am Main* [8]*1987.*

Artemisia [grch.] *die,* die Korbblütlergattung →Beifuß.

Artenschutz, der durch versch., v.a. behördl. Maßnahmen angestrebte Lebensschutz von Pflanzen und Tieren in der freien Natur. Internat. Grundlage ist das →Washingtoner Artenschutzübereinkommen. Dadurch wird der gewerbsmäßige Handel mit Exemplaren gefährdeter Arten frei lebender Tiere und Pflanzen erfasst (z.B. in der →Roten Liste), verboten bzw. kontrolliert. Speziell für Dtl. gilt die Bundesartenschutz-VO i.d.F. v. 18. 9. 1989. Zum A. gehört auch der Biotopschutz (→Biotop).

Arte povera [italien. »arme Kunst«] *die,* eine Form der Objektkunst, v.a. in Italien in den späten 1960er- und frühen 70er-Jahren; will mit der Verwendung »armer« Materialien wie Erde, Holz, Schnur, Filz, aber auch Neonröhren u.a. die poet. Komplexität und kreative Ausstrahlungskraft dieser Dinge aufzeigen; z.T. Überschneidung mit der Conceptart und der Minimalart; Vertreter der A.p. sind u.a. M. Merz, G. Penone und J. Kounellis.

Arterilen [grch.] (Schlagadern, Pulsadern), das Blut vom Herzen wegführende Gefäße. Die A.-Wand besteht aus drei Schichten **(Interna, Media, Externa)** und ist im Vergleich zu den Venen bedeutend stärker gebaut. Die mittlere, stärkste Schicht der Gefäßwand (Media) enthält elast. Fasern und glatte Muskulatur. Nach ihrem mengenmäßigen Anteil unterscheidet man **A. elast. Typs** (Aorta sowie die von ihr abgehenden großen A.) von **A. muskulösen Typs** (A. im peripheren Teil des Blutkreislaufs). Erstere fangen bevorzugt Querspannungen ab, Letztere regulieren die Gefäßweite.

Arterilenverkalkung, →Arteriosklerose.

Arteriographie [grch.] *die,* die Darstellung der Körperarterien im Röntgenbild nach Einspritzen eines Kontrastmittels; sie dient dem Nachweis von Gefäßwandveränderungen, Missbildungen, Durchblutungsstörungen, Geschwülsten.

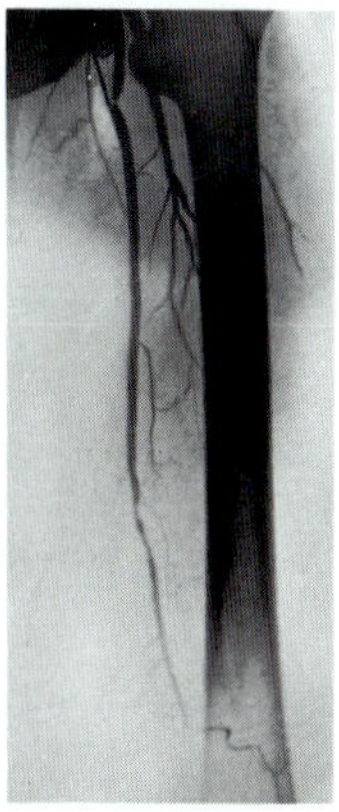

Arteriographie: Aufnahme der Hauptoberschenkelarterie

Arteriolen [grch.], kleinste Arterien, die sich in die Kapillaren aufspalten.

Arteriosklerose *die* (Arterienverkalkung), ein nach dem 40. Lebensjahr häufiges, chronisch verlaufendes Blutgefäßleiden, das heute in den entwickelten Ländern die häufigste Todesursache darstellt. Bei A. kommt es zu ständig fortschreitenden Veränderungen der Arterienwand **(Atherosklerose).** Sie entstehen durch Bindegewebswucherung und führen zu Verhärtung und Verdickung der Wandung. Durch Einlagerung von Cholesterin, Fettsäuren sowie Kalk kommt es zu degenerativ-nekrotisierenden Veränderungen **(Atheromatose),** verbunden mit Elastizitätsverlust und Lichtungseinengung von Arterien. Dabei können einzelne Gebiete (Hirnarterien und Herzkranzarterien) bes. stark betroffen sein. Die A. der Hirnarterien kann hochgradige Persönlichkeitsveränderungen (z.B. Intelligenzverlust, Vergesslichkeit) hervorrufen und Schlaganfälle bewirken. Ursachen für die Entstehung der A. sind außer Alters- und genet. Faktoren auch Übergewicht, Bluthochdruck, Rauchen sowie Fett- und andere Stoffwechselstörungen (z.B. Diabetes mellitus, Gicht), aber auch vermehrter Stress.

Behandlung: medikamentöse und diät. Beeinflussung von Bluthochdruck, Diabetes mellitus und anderen Begleitkrankheiten, Ausschalten der Risikofaktoren (Übergewicht, Rauchen, Bewegungsmangel).

Ạrtern/Ụnstrut, Stadt im Kyffhäuserkreis, Thür., am Rand der Goldenen Aue, an der Unstrut, 7300 Ew.; Zuckerfabrik, Maschinenbau, Brauerei. – A., 786 erstmals erwähnt, erhielt im 14. Jh. Stadtrecht; kam 1579 zu Kursachsen, 1815 zu Preußen.

artẹsischer Brunnen, → Brunnen.

Ạrtes liberạles [lat.], die → freien Künste.

Ạrtevelde, Jakob van, fläm. Volksführer, *Gent um 1290, †ebd. 17. 7. 1345; wurde nach einem von ihm geführten Aufstand gegen den Grafen von Flandern 1338 Stadthauptmann von Gent und erlangte die Herrschaft über ganz Flandern mit dem Ziel, die wirtsch. Interessen der flandr. Tuchhersteller gegen die Feudalherrschaft durchzusetzen; wurde während eines Weberaufstandes ermordet. Sein Sohn Philipp A. (*1340, †1382) wurde nach der Einnahme von Brügge 1382 Statthalter von Flandern; fiel im Kampf gegen die Franzosen.

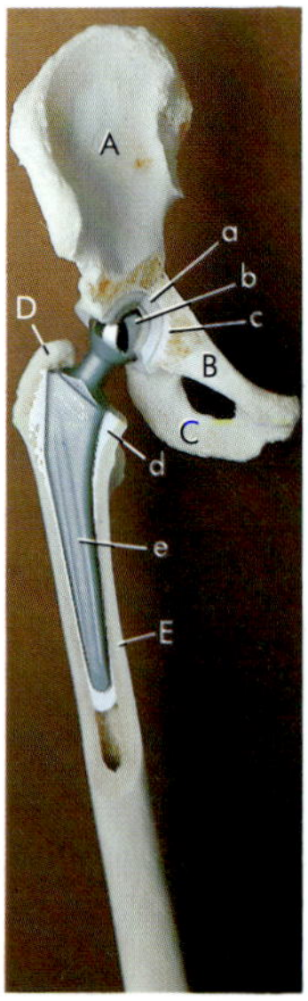

Arthroplastik: Hüfttotalendoprothese (Geradschaftendoprothese nach M. E. Müller); A Darmbein, B Schambein, C Sitzbein, D großer Rollhügel, E Oberschenkel, a Kunststoffpfanne, b Metallkopf, c und d Zement, e Metallstiel

Arthrịtis [grch.] *die,* Gelenkentzündung (→ Gelenkkrankheiten).

arthro... [grch. árthron »Gelenk«], Gelenk..., Glied(er)...

Arthroplạstik, der operative Gelenkersatz schwer geschädigter Gelenke (z.B. → Hüftgelenkersatz). **Auto-A.,** Einpflanzen von körpereigenem Gewebe zw. die Gelenkflächen nach Entfernen des Gelenkknorpels. **Allo-A.,** Verwendung von Fremdmaterial (Endoprothesen), v.a. aus korrosionsfesten Legierungen, Kunststoffen, Keramik.

Arthropọden, die → Gliederfüßer.

Arthrọse [grch.] *die,* nichtentzündliche Gelenkerkrankung, z.B. **Arthrosis deformans** (→ Gelenkkrankheiten).

Arthroskopie [grch.] *die,* Gelenkspiegelung; endoskop. Untersuchung eines Gelenkinnenraumes.

artifiziẹll [frz.], künstlich; gekünstelt.

Artịkel [aus lat. articulus »kleines Gelenk«, »Glied«] *der,* **1)** *allg.:* Abk. **Art.,** Teil, Abschnitt (z.B. eines Gesetzes); Warengattung; schriftsteller. oder publizist. Beitrag.

2) *Sprachwissenschaft:* Wortart, die einen durch ein Substantiv bezeichneten Gegenstand als bestimmt bezeichnet. Der A. kann versch. Formen haben je nach dem Genus (Geschlecht) des Substantivs (daher: **Geschlechtswort**). Der **bestimmte A.** (im Deutschen »der«, »die«, »das«) steht meist vor, in einigen Sprachen (z.B. im Rumänischen, Bulgarischen und in den skandinav. Sprachen) jedoch hinter dem Substantiv. Manche Sprachen bezeichnen auch die Gegenstände, die nicht bestimmt sind, ausdrücklich als solche durch einen **unbestimmten A.** (im Deutschen »ein«, »eine«), der aus dem Zahlwort eins hervorgegangen ist. Es gibt auch artikellose Sprachen, z.B. das Lateinische, Russische und Finnische.

Artikulạten (Articulata) [lat.], die → Gliedertiere.

Artikulatiọn [lat.] *die,* **1)** *Musik:* die Kunst, sinnvoll zu gliedern und durch die Art der gegenseitigen Abgrenzung der einzelnen Töne (Akkorde) sprechenden Ausdruck zu erreichen.

2) *Phonetik:* die Gesamtheit der Vorgänge, die die Sprachlaute erzeugen. Mit der **A.-Art** (z.B. Verschluss, orale und nasale Öffnung) wird die spezif. Einstellung der A.-Organe (z.B. Zunge, Lippen; **A.-Apparat**) an der **A.-Stelle** (die Stelle, an der der Laut entsteht) beschrieben. Nach dieser unterscheidet man Labiale, Dentale usw. (→ Laut). Die **A.-Basis** ist die Grundeinstellung der Sprechwerkzeuge vor Beginn und nach Abschluss der A.

3) *Zahnheilkunde:* komplexe Bewegungsabläufe (Öffnen, Schließen, Vor- und Seitwärtsbewegung) der Zahnreihen des Ober- und Unterkiefers, bes. beim Kauen.

Artillerie [frz., zu altfrz. artill(i)er »mit Kriegsgerät ausrüsten«] *die,* 1) Bez. sowohl für eine Anzahl von Geschützen als auch i.w.S. für deren Gesamtheit; 2) **Artillerietruppe,** mit Geschützen und Raketenwerfern ausgerüstete Truppengattung der Landstreitkräfte. Sie dient der Unterstützung der Kampftruppen in allen Gefechtsarten.

Die A. wird unterteilt in die »Schießende A.« und die »Aufklärende A.«. Zur **Schießenden A.** gehören die Panzer-A., die Feld-A. und die Raketen-A. Für besondere Einsatzarten (Kampf im Gebirge, Luftlandeunternehmen) gibt es die mit speziellem Material ausgestattete Gebirgs-A. und Luftlande-A., zum Schutz von Küstenabschnitten die meist zur Marine gehörende Küsten-A. Die Geschützbestückung größerer Kriegsschiffe wird als Schiffs-A. bezeichnet. Flugabwehrgeschütze werden i.d.R. nicht zur A. gerechnet; sie sind in der Flugabwehrtruppe zusammengefasst.

Die **Aufklärende A.** hat die Aufgabe, durch Zielortung und Gefechtsfeldüberwachung ein genaues Feindbild zu vermitteln; sie bedient sich hierzu techn. Verfahren wie Schallmessung, Lichtmessung und Radaraufklärung. Diese Aufklärungsmittel sind in Beobachtungsbatterien zusammengefasst. Daneben steht u.a. der Bundeswehr das Lenkflugkörpersystem →Drohne zur Verfügung.

Geschichte: Bereits vor der ersten waffentechn. Verwendung des Schießpulvers setzte sich im Hoch- und Spät-MA. der Name A. (auch in Abwandlungen wie z.B. »Artollerei«, »Artellarey«) als Gattungsbegriff für die seit dem Altertum bekannten Kriegsmaschinen durch. Die Bez. wurde dann mit dem Aufkommen der Feuerwaffen auf die neuen Pulvergeschütze (»A.-Geschütze«) übertragen.

In der zweiten Hälfte des 15. Jh. erfuhr das A.-Wesen v.a. durch Karl den Kühnen und Kaiser Maximilian I. einen großen Aufschwung. Im 17. Jh. führte der schwed. König Gustav II. Adolf kleine Begleitgeschütze für die Infanterie ein. Im 18. Jh. verbesserte Friedrich d. Gr. durch die Bildung einer »Reitenden A.« die Beweglichkeit und den takt. Einsatz der A. Napoleon I. baute die frz. A. zu einer eigenständigen Truppengattung aus.

In der zweiten Hälfte des 19. Jh. wurde die A. durch waffentechn. Neuerungen (Hinterlader, gezogene Rohre, Langgeschosse) entscheidend verbessert. Zu dieser Zeit unterschied man Feld-A. (leichte und mittlere Geschütze) und **Fuß-A.** (schwere und schwerste Geschütze mit Kalibern bis zu 42 cm) sowie **Festungsartillerie.**

Im 2. Weltkrieg wurde v.a. die Beweglichkeit der bis dahin pferdebespannten A. kontinuierlich gesteigert, bes. mit motorisierten Zugmaschinen und Selbstfahrlafetten. Die **Flak-A.,** seit 1935 eine Waffengattung im Rahmen der Luftwaffe, verfügte über Flugabwehrgeschütze des leichten bis mittleren Kaliberbereichs (2–12 cm). Die Raketen-A. wurde im 2. Weltkrieg geschaffen; bekannt geworden sind v.a. die dt. »Nebelwerfer« und die sowjet. »Stalinorgeln«.

Art informel [a:r ɛ̃fɔr'mɛl, frz.] *die,* →informelle Kunst.

Artiodactyla [grch.] →Paarhufer.

Artischocke [italien. aus arab.] (Cynara scolymus), distelartiger Korbblütler, der bes. in Südeuropa angebaut wird, bis 2 m hoch, mit starken blauroten Blütenköpfen. Essbar sind der fleischige Blütenhüllboden und die Unterteile der Blattschuppen der Blütenhülle.

Artist [zu lat. ars »Kunst«] *der,* in Dtl. die ausschließlich in Zirkus und Varietee auftretenden Künstler; Berufsorganisation: Internat. Artistenloge (gegr. 1901), Hamburg.

Artjomowsk (ukrain. Artjomiwsk, bis 1924 Bachmut), Stadt in der Ukraine, im Gebiet Donezk, 91 000 Ew.; Steinsalzabbau; Maschinenbau, Leichtindustrie.

Artmann, H. (Hans) C. (Carl), österr. Schriftsteller, *Wien 12. 6. 1921; wurde als Mitgl. der »Wiener Gruppe« mit Wiener Dialektgedichten »med ana schwoazzn dintn« (1958) bekannt; verfasste zahlr. Werke in der Tradition barocker österr. Sprachartistik (u.a. »Ein lilienweißer Brief aus Lincolnshire«, 1969, Lyriksamml.; »Die Fahrt zur Insel Nantucket«, 1969, Dramensamml.; »gedichte von der wollust des dichtens in worte gefaßt«, 1989); auch Übersetzungen z.B. der Werke von F. Villon.

Art nouveau [a:rnu'vo, frz.] *die,* in Frankreich, auch in den angloamerikan. Ländern verwendete Bez. für den →Jugendstil.

Artois [ar'twa] *das,* historische Landschaft in N-Frankreich zw. Picardie und der flandr. Ebene, Hptst. Arras, umfasst etwa das Gebiet des heutigen Dép. Pas-de-Calais; intensiver Weizen- und Zuckerrübenanbau. – Das A. gehörte vom 9.–12. Jh. den Grafen von Flandern, kam 1180 an Frankreich, 1384 an Burgund. 1477 erbte Kaiser Maximilian das A. Im Pyrenäenfrieden von 1659 fiel der größere Teil, im Frieden von Nimwegen von 1678 der Rest an Frankreich.

Arts and Crafts Movement ['ɑ:ts ənd 'krɑ:fts 'mu:vmənt] *das,* engl. Bewegung zur Reform des Kunsthandwerks im 19. Jh. Sie ging von W. Morris aus, der 1861 mit Architekten und präraffaelit. Malern eine Gesellschaft zur Herstellung kunsthandwerklicher Gegenstände gründete, um der industriellen Massenproduktion minderwertiger Gebrauchsgegenstände entgegenzuwirken. Aus dieser Bewegung ging die 1888 gegr. **Arts and Crafts Society** hervor, die kunstgewerbl. Ausstellungen veranstaltete. Einflussreich auf die Erneuerung des Kunstgewerbes um 1900 (Jugendstil und Art nouveau), auf den Dt. Werkbund und das Bauhaus.

Artschwager, Richard, amerikan. Maler und Bildhauer, *Washington (D. C.) 26. 12. 1924; gestaltet Bilder nach fotograf. Vorlagen auf grobkörnigem Malgrund; auch kub. Skulpturen und Möbelobjekte.

Artus (Arthus, Arthur), sagenhafter König der kelt. Briten; vermutlich britann. Heerführer, der um 500 n. Chr. gegen die eindringenden Sachsen gekämpft und in der Schlacht am Camlann 537 gefallen sein soll. In der »Historia regum Britanniae« (um 1135) des Geoffrey of Monmouth wird A. vom lokalen Helden zum glanzvollen Herrscher von weltpolit. Bedeutung erhoben, der mit seiner Gattin Guanhamara (Guinevere) prunkvoll Hof hält. In einer Schlacht gegen seinen Neffen Modred, der ihn um Reich und Gattin betrog, wird er schwer verwundet und auf die Feeninsel Avalon entrückt; von dort soll er einst wiederkehren. Der anglonormann. Dichter Wace stilisierte A. in seiner frz. Übersetzung (»Roman de Brut«, 1155) zum feudalhöf. Kriegsherrn. Er berichtete als Erster von **König Artus' Tafelrunde** auserwählter und vorbildl. Ritter. Die aus dem kelt. Mythos erwachsene Sage

Artischocke: Geschlossener (oben) und offener Blütenstand

H. C. Artmann

um A., der u.a. die Sagen von Parzival, vom Gral und von Tristan angegliedert wurden, verbreitete sich in Prosa- und Verserzählungen in ganz Europa. Den Sagenstoff verwendeten z.B. Chrétien de Troyes, Hartmann von Aue, Gottfried von Straßburg, Wolfram von Eschenbach, später Sir Thomas Malory, A. Tennyson, J. Cocteau, T. Dorst, C. Hein.

📖 Gottzmann, C. L.: *Artusdichtung. Stuttgart 1989.* – Westphal, W.: *»Einst wird kommen ein König ...«. A., Wahrheit u. Legende. Braunschweig 1989.* – Phillips, G. *u.* Keatman, M.: *A. Die Wahrheit über den legendären König der Kelten. A.d. Engl. München ³1996.*

Artus: Der König im Kreis der zwölf Ritter der Tafelrunde bei einer Hochzeit (Miniatur, 13. Jh.; München, Bayerische Staatsbibliothek)

Artushof (Junkerhof), mittelalterl. Festvereinigung nach Art der Tafelrunde des Königs Artus; der Name übertrug sich auch auf das Gebäude, in dem die Festlichkeiten stattfanden (z.B. in Danzig).

Aruba, westlichste der niederländ. Inseln der Kleinen Antillen, vor der Nordküste Südamerikas, 193 km², 68900 Ew.; Hptst. (Freihafen): Oranjestad. Phosphatlager; seit 1970 zunehmender Fremdenverkehr. – A. gehörte seit 1642 der niederländ. Westind. Kompanie und wurde 1791 direkter Regierungskontrolle unterstellt. Seit 1986 hat die Insel einen eigenen Status innerhalb der autonomen Inselgemeinschaft »Union der Niederländ. Antillen und Aruba«. (→ Niederländische Antillen)

Aryballos

Aruinseln, Inselgruppe der S-Molukken, sechs Haupt- und 80 kleine Inseln zw. Neuguinea und Australien, zu Indonesien gehörig; 8563 km², rd. 34000 Ew.; Fischerei; Hauptort und Hafen ist **Dobo.**

Lew Andrejewitsch Arzimowitsch

Arunachal Pradesh [engl. ærʊˈnɑːtʃəl prəˈdeɪʃ], Unionsstaat (seit 1987, vorher Unionsterritorium) in NO-Indien, 83743 km², (1991) 864500 Ew.; Hauptstadt ist Itanagar; erstreckt sich entlang der Grenze gegen Bhutan, China und Birma; durchweg gebirgig.

Arusha [-ʃ-], Stadt in NO-Tansania, Verkehrsknotenpunkt am Südfuß des Meru, 55300 Ew.; Handels- und Ind.zentrum. Nördlich v. A. liegt der **A.-Nationalpark** (137 km²).

Arusha [-ʃ-], Feldanbau treibender Stamm der nilohamit. → Masai.

Aruwimi *der,* rechter Nebenfluss des Kongo, in der Demokrat. Rep. Kongo, entspringt westlich des Albertsees, mündet bei Basoko; rd. 1300 km lang. Am Oberlauf, **Ituri** gen., leben die Mbuti (→ Pygmäen).

Arve, Zirbelkiefer (→ Kiefer).

Arve [arv] *die,* linker Nebenfluss der Rhone, 100 km lang, entspringt im Montblancmassiv, mündet unterhalb von Genf.

Arverner, kelt. Volk in der heutigen Auvergne; der A. Vercingetorix war 52 v. Chr. Führer des gesamtgall. Aufstandes gegen Cäsar.

Arx, Caesar von, schweizer. Schriftsteller, *Basel 23. 5. 1895, †(Freitod) Niedererlinsbach (bei Aarau) 14. 7. 1949; Dramen aus der schweizer. Geschichte, z.T. in Mundart.

Aryballos [grch.] *der,* kleines altgrch. Salbgefäß; kugelig mit urspr. einem Henkel.

Aryl..., Bez. für die einbindigen aromat. Kohlenwasserstoffgruppen, die formal durch Abtrennung eines H-Atoms aus einem Arenmolekül entstehen, z.B. Phenyl, C_6H_5–.

Arzberg, Stadt im Kr. Wunsiedel i. Fichtelgebirge, Bayern, 6800 Ew.; seit 1838 Porzellanindustrie, Großkraftwerk.

Arzimowitsch, Lew Andrejewitsch, russ. Physiker, *Moskau 25. 2. 1909, †ebd. 1. 3. 1973; bed. Arbeiten zur Plasmaphysik und zur gesteuerten Kernfusion.

Arzneibuch (Pharmakopöe), amtl. Sammlung wiss. anerkannter Regeln über Bereitung, Qualität, Prüfung, Lagerung, Abgabe, Dosierung und Bez. von Arzneimitteln.

Arzneimittel (Medikamente, Pharmaka), Stoffe zur Erkennung, Verhütung und Behandlung von Krankheiten und Beschwerden. Verwendet werden: Pflanzenteile (→ Arzneipflanzen) als Aufguss oder Tinktur, aus Drogen isolierte Wirkstoffe, z.B. Alkaloide, Glykoside, Hormone, Stoffwechselprodukte von Mikroorganismen (→ Antibiotika) und zahlr. synthet. chem. Verbindungen. **A.-Formen** sind u.a. Tabletten, Dragees, Zäpfchen, Salben, Injektionslösungen. A. können äußerlich (auf Haut und Schleimhaut) oder innerlich angewendet werden. Bei der inneren Anwendung werden A. meist über den Magen-Darm-Kanal (oral, durch den Mund, oder rektal, über den Mastdarm) oder unter Umgehung des Magen-Darm-Kanals (parenteral) aufgenommen. Formen parenteraler Verabreichung sind: Aufnahme gasförmiger Stoffe (Aerosole) über die Lunge, Aufnahme von A. über die Haut durch wirkstoffabgebende »Pflaster« (transdermal), Einspritzen gelöster Stoffe unter die

Haut (subkutan), in die Muskulatur (intramuskulär), in die Blutbahn (intravenös oder intraarteriell), in ein Gelenk (intraartikulär), ins Herz (intrakardial), in den Rückenmarkkanal (intralumbal) oder in die Bauchhöhle (intraperitoneal). Die Dosis eines A. ist die angewendete Menge, Maximaldosis die festgelegte Höchstmenge für eine einmalige oder tägl. Anwendung. Durch das **A.-Gesetz** von 1976 (in Kraft seit 1. 1. 1978) werden Herstellung, Kennzeichnung, Verschreibung (Rezeptpflicht), Abgabe (Apothekenpflicht) u.a. geregelt; das Gesetz soll die Sicherheit im Verkehr mit A. gewährleisten, es legt eine Gefährdungshaftung des pharmazeut. Unternehmers für A.-Schäden fest.

Geschichte: Die Ärzte des Altertums bereiteten ihre A. selbst. In Dtl. sind Apotheken, als Zubereitungsstätten für A., zuerst im 13. Jh. nachweisbar. Um 1800 wurde die A.-Herstellung auf naturwiss. Grundlagen gestellt.

🕮 *Unerwünschte Arzneimittelwirkungen, bearb v.* W. KLINGER *u. a. Jena [5]1989.* – HAAS, H.: *Arzneipflanzenkunde. Mannheim u. a. 1991. – Allgemeine u. spezielle Pharmakologie u. Toxikologie, hg. v.* W. FORTH *u. a. Mannheim u. a. [6]1992, 2. Nachdr. Heidelberg u. a. 1996.* – KÖRNER, H. H.: *Betäubungsmittelgesetz, Arzneimittelgesetz. München [4]1994.* – MUTSCHLER, E. *u. a.: Arzneimittelwirkungen. Lehrbuch der Pharmakologie u. Toxikologie. Stuttgart [7]1996.*

Arzneipflanzen (Heilpflanzen), Pflanzen zur Arzneiherstellung oder zu anderen Heilzwecken.

Arzt [ahd. arzât, von grch. archíatros »Oberheilkundiger«], Berufsbez. für Männer oder Frauen **(Ärztinnen),** die nach einer wiss. Ausbildung den Heilberuf ausüben und zum Führen dieser Bez. aufgrund der Approbation berechtigt sind. Der A. ist durch das Genfer »Ärztegelöbnis« (1948, früher »Eid des Hippokrates«) verpflichtet, seinen Beruf mit Gewissenhaftigkeit und Würde auszuüben. Der A.-Beruf ist kein Gewerbe, sondern ein freier Beruf. Grundlage des Verhältnisses im Rechtssinne zw. A. und Patient ist ein Dienst- oder Werkvertrag. Außer in Notfällen besteht für den A. keine Behandlungspflicht. Die Ausbildung des A. in Dtl. ist in der Approbationsordnung i. d. F. v. 14. 7. 1987 gesetzlich geregelt: Sie findet auf der Grundlage der Hochschulreife an den medizin. Fakultäten der wiss. Hochschulen statt und gliedert sich in einen vorklin. (bes. theoretisch-naturwiss.) Teil (mindestens vier Semester) mit ärztl. Vorprüfung und einen klin. Teil (mindestens sechs Semester) sowie ein prakt. Jahr in einem dafür zugelassenen Krankenhaus. Nach Bestehen der Prüfungen erteilt der Staat eine befristete Berufserlaubnis als Arzt. Die Approbation wird erst nach einer anschließenden Praktikumszeit (*A. im Praktikum;* seit 1. 7. 1987 18 Monate) erteilt. Bestandteile der Ausbildung sind eine Ausbildung in erster Hilfe, ein Krankenpflegedienst von zwei Monaten und eine Famulatur von vier Monaten.

Der A. hat dem Kranken gegenüber eine Aufklärungspflicht über Natur und Behandlung seines Leidens; ihre Grenzen sind zwar umstritten, doch muss der A. wenigstens »im Großen und Ganzen« den Patienten über die mit der Behandlung verbundenen Gefahren informieren. Nach der staatl. Approbation kann sich der A. freiwillig einer geregelten Weiterbildung (4–6 Jahre) in einer Reihe von Gebieten und Teilgebieten unterziehen. Die Anerkennung der abgeleisteten Weiterbildung (früher »Facharztanerkennung«) erfolgt durch einen Prüfungsausschuss der Ärztekammer. – Gebiete und Teilgebiete nach den an die Stelle der Fachordnungen getretenen Weiterbildungsordnungen:

1. Allgemeinmedizin; 2. Anästhesiologie; 3. Arbeitsmedizin; 4. Augenheilkunde; 5. Chirurgie (Teilgebiete: Kinder-, Gefäß-, plast. Chirurgie, Thorax- und Kardiovaskularchirurgie, Unfallchirurgie); 6. Frauenheilkunde und Geburtshilfe; 7. Hals-Nasen-Ohren-Heilkunde (Teilgebiete: Phoniatrie, Pädaudiologie); 8. Haut- und Geschlechtskrankheiten; 9. Hygiene; 10. Innere Medizin (Teilgebiete: Endokrinologie, Gastroenterologie, Hämatologie, Kardiologie, Lungen- und Bronchialheilkunde, Nephrologie, Rheumatologie); 11. Kinderheilkunde (Teilgebiet: Kinderkardiologie); 12. Kinder- und Jugendpsychiatrie; 13. Laboratoriumsmedizin; 14. Mikrobiologie und Infektionsepidemiologie; 15. Mund-Kiefer-Gesichtschirurgie; 16. Nervenheilkunde (Neurologie und Psychiatrie); 17. Neurochirurgie; 18. Neurologie; 19. Nuklearmedizin; 20. öffentl. Gesundheitswesen; 21. Orthopädie (Teilgebiet: Rheumatologie); 22. Pathologie (Teilgebiet: Neuropathologie); 23. Pharmakologie und Toxikologie (Teilgebiet: klin. Pharmakologie); 24. Psychiatrie; 25. Radiologie (Teilgebiet: Strahlentherapie); 26. Rechtsmedizin; 27. Urologie.

Außerdem können Zusatzbezeichnungen z.B. für Bereiche wie Homöopathie, Psychotherapie oder Sportmedizin geführt werden. – Gesetzlich berufene Standesvertretungen sind die **Ärztekammern** und die **Kassenärztl. Vereinigungen.** Berufspolit. Verbände sind z.B. der Hartmannbund (Verband der Ärzte Dtl.), der Marburger Bund (Verband der angestellten Ärzte Dtl.). Nach einer VO der EG (in Kraft seit 20. 12. 1976) dürfen Ärzte aus Ländern der EG (EU) in jedem Mitgliedsland praktizieren.

🕮 *A. u. Heilkunde. Vom Asklepiospriester zum Klinikarzt, bearb. v.* H. GOERKE. *München [2]1987.* – STOBRAWA, F. F.: *Die ärztl. Organisationen. Düsseldorf [2]1989. – A. u. Kranker. Ethische u. humanitäre*

Fragen in der Medizin, hg. v. J. R. BIERICH. *Tübingen 1992.* – LAUFS, A.: *Arztrecht. München* ^{5}*1993.* – TRICHTEL, F.: *Ärzte, Bastler u. Schamanen. Krit. Auseinandersetzung mit den Irrwegen der Medizin u. deren Lösungsversuchen. Frankfurt am Main 1995.* – WIESING, U.: *Zur Verantwortung des Arztes. Stuttgart-Bad Cannstatt 1995.*

Asam: Von Egid Quirin Asam geschaffener Oberbau des Hochaltars der Klosterkirche in Rohr in Niederbayern (geweiht 1722)

Ärzte ohne Grenzen e. V., der in Dtl. seit 1993 bestehende Zweig (Sitz: Bonn) des internat. Netzwerks **Médicins sans Frontières** (MSF, gegr. 1971 in Frankreich, internat. Koordinationsbüro in Brüssel) mit dem Ziel, Menschen schnell und unbürokratisch zu versorgen, die durch Krieg, Naturkatastrophen oder durch den Zusammenbruch von Gesellschaftsstrukturen in Not geraten sind. Die Hilfe umfasst medizin. Basisversorgung, Hygiene- und Sanitätsmaßnahmen, Impf- und Ernährungsprogramme. Die Organisation arbeitet neutral und parteilos; sie ist weitgehend durch private Spenden finanziert und wird auf Anfrage von UNO-Organisationen oder einzelner Länder tätig.

Arzthelfer, Ausbildungsberuf mit dreijähriger Ausbildung; vermittelt u.a. Fertigkeiten und Kenntnisse über das Gesundheitswesen und die ärztl. Praxis sowie die Durchführung des Abrechnungswesens.

Arztwahl (freie A.), freie Wahl unter den zugelassenen Ärzten (Kassenärzte) für Mitglieder einer gesetzl. Krankenversicherung.

as, 1) *das,* Halbton unter a.

2) Zeichen für: as-Moll. **As,** Zeichen für: As-Dur.

As: Postume Münze des Germanicus, Vorder- und Rückseite (Bronze, 1. Jh.)

As [lat.] *der,* Gewicht und Münze im alten Rom, unterteilt in 12 Unzen; in republikan. Zeit Grundlage der röm. Geldrechnung, als Münze später im Wert stark vermindert.

As, 1) chem. Symbol für → Arsen.

2) Einheitenzeichen für **A**mpere**s**ekunde, die heute → Coulomb genannte Ladungsmenge.

Aš [aʃ] (dt. Asch), Stadt im Westböhm. Gebiet, Tschech. Rep., zw. Fichtel- und Erzgebirge, 13 400 Ew.; Textil- u.a. Industrie.

ASA, Abk. für engl. **A**merican **S**tandards **A**ssociation, Normenstelle der USA, u.a. für die Empfindlichkeitsbestimmung fotografischen Materials (z.B. 50 ASA ≙ 50 ISO ≙ 18°).

Ạsad, Hafis as-, → Assad.

Asạhikawa, Stadt auf der Insel Hokkaido, Japan, 359 100 Ew., am Stadtrand Ainudorf mit Museum; Holz verarbeitende u.a. Industrie.

Ạsam, bayer. Künstlerfamilie des 17./18. Jh.: **Cosmas Damian A.,** Maler und Baumeister, *Benediktbeuern 28. 9. 1686, †München 10. 5. 1739; sein Bruder **Egid Quirin A.,** Bildhauer und Baumeister, getauft Tegernsee 1. 9. 1692, †Mannheim 29. 4. 1750; Söhne des Kirchenfreskenmalers **Hans Georg A.,** *Rott a. Inn 12. 10. 1649, †Sulzbach (heute zu Sulzbach-Rosenberg) 7. 3. 1711; beide Söhne in Rom ausgebildet, wirkten sie als Vielbeschäftigte meist gemeinsam für süddt. Kirchen und Klöster. Cosmas schuf v.a. Deckenfresken, die den Raum ins scheinbar Unbegrenzte erweitern, Egid Bildwerke und Stuckaturen. Ihre Meisterwerke: Klosterkirchen in Weltenburg (seit 1717) und Rohr (1717–22), Umgestaltung des Doms in Freising (1723/24, Johanneskapelle um 1729), Johann-Nepomuk-Kirche in München (seit 1733).

📖 RUPPRECHT, B. *u.* MÜLBE, W.-C. VON DER: *Die Brüder A., Regensburg* ^{3}*1987.*

Asama *der,* einer der aktivsten Vulkane Japans, 140 km nordwestl. von Tokio, 2542 m ü. M.; verheerender Ausbruch 1783.

Asạnt *der* (Stinkasant, Teufelsdreck, Asa foetida), unangenehm riechendes und schmeckendes Gummiharz versch. Arten der Doldenblütlergattung Ferula.

Asarhạddon, Assyrerkönig (seit 680 v. Chr.), †669 v. Chr., eroberte 671 Ägypten bis Memphis.

asb, Einheitenzeichen für → Apostilb.

Asbẹst [von grch. ásbestos »unauslöschlich«] *der,* verfilzte, faserige Silikatminerale. Die gröberen A. sind Amphibole **(Hornblende-A.),** die feineren **Serpentin-A.** Sie sind weiß oder hellgrün oder -braun, säure- und feuerbeständig. Verwendung: früher für feuerfeste Schutzkleidung, Dichtungen, als Isolator für Wärme und Elektrizität (**A.-Platten** oder **A.-Pappe**), rein oder mit anderen Fasern gemischt als nicht entflammbares **A.-Gewebe.** Seit Anfang der 1980er-Jahre wird die

Verwendung von A. stark eingeschränkt, weil die Verarbeitung und techn. Anwendung Staub erzeugt, der sich in Korngrößen unter 3 µm als erheblich gesundheitsschädlich erwiesen hat (→Asbestose). Für den Umgang mit A. wurde deshalb 1984 ein TRK-Wert von 0,05 mg Feinstaub pro m^3 festgelegt. In der Gefahrstoff-VO i.d.F. v. 25. 9. 1991 sind die asbesthaltigen Stoffe, Zubereitungen und Erzeugnisse genannt, die nicht mehr in den Verkehr gebracht werden dürfen. Von der Bundesanstalt für Arbeitsschutz wurde eine umfangreiche Ersatzstoffliste veröffentlicht. Hauptfundstätten: Kanada, Russland, Kasachstan. Welterzeugung: (1994) 2,7 Mio. t.

Aschaffenburg 2): Das vierflügelige Renaissanceschloss Johannisburg (1605–14)

Asbest (früher Kudelka), Stadt im Gebiet Swertlowsk, Russland, am O-Rand des Ural, 83 000 Ew.; in der Nähe großes Asbestvorkommen und -verarbeitungszentrum.

Asbestose *die,* eine Staubinhalationskrankheit durch jahrelanges Einatmen von Asbeststaub; äußert sich in Atemfunktionsstörungen, Anfälligkeit für Bronchialkrebs; Berufskrankheit.

Asbestzement, Gemisch aus Asbestfasern und Zement unter Wasserzugabe, für Bauplatten **(Eternit)** u.a.; Import, Produktion und Anwendung von A. wurden 1994 in Dtl. verboten.

Asbuka *die,* das kyrill. Alphabet nach seinen ersten beiden Buchstaben a (slaw. as) und b (slaw. buki). **Graschdanskaja A.** (»bürgerl. Alphabet«), die kyrill. Schrift, die Peter d. Gr. 1708 in Amsterdam gießen ließ und für nichtreligiöse Veröffentlichungen verbindlich machte.

Ascanius, *grch.-röm. Mythos:* Sohn des →Äneas.

Ascaris [grch.], Gattung der Spulwürmer. **Ascaridiasis,** Erkrankung durch Spulwürmer.

Ascension [əˈsenʃən], brit. Vulkaninsel im südl. Atlantik, 88 km^2, 9 700 Ew.; Hauptort ist Georgetown; Satellitenstation.

Asch, tschech. Stadt, →Aš.

Asch, Schalom, jidd. Schriftsteller, * Kutno (Polen) 1. 11. 1880, † London 10. 7. 1957; Milieuschilderungen des Ostjudentums, Stoffe aus der jüd. Geschichte; schrieb Romane, u.a. »Vor der Sintflut« (Trilogie, 1927–32), und Dramen, u.a. »Der Gott der Rache« (1907).

Aschaffenburg, 1) Landkreis in Unterfranken, Bayern, 699 km^2, (1996) 170 600 Ew.

2) kreisfreie Stadt und Sitz der Verwaltung des Landkreises A., Bayern, 129 m ü. M., 66 400 Ew. A., am rechten Ufer des unteren schiffbaren Mains, ist Ind.- und Handelsplatz: Stahl-, Maschinen- und Fahrzeugbau; Bekleidungsindustrie. – Stiftskirche St. Peter und Alexander (12.–13. Jh.) mit Werk Grünewalds, Renaissanceschloss der Erzbischöfe von Mainz (erbaut 1605–14). – A. wurde 974 erstmals urkundlich genannt und kam 982 an das Hochstift Mainz; Stadtrecht Ende 12. Jh.; ab etwa 1220 Nebenresidenz der Mainzer Erzbischöfe. 1803 wurde ein Fürstentum A. für den Reichserzkanzler Dalberg gebildet, das 1810 ein Departement des Großherzogtums Frankfurt wurde; kam 1816 zu Bayern.

Aschanti (Asante), Volk in Ghana, →Ashanti.

Aschchabad (turkmen. Aşgabad), Hptst. von Turkmenistan, in einer Oase am N-Fuß des Koppe Dagh, an der Transkasp. Bahn nahe der iran. Grenze, 416 000 Ew.; Univ. und Turkmen. Akademie der Wiss., Hochschulen, Zoo; Seidenverarbeitung, Baumwollind., Maschinenbau, Nahrungsmittelind. – Durch ein Erdbeben wurde A. 1948 schwer zerstört, danach wieder aufgebaut.

Aschdod, Stadt in Israel, →Ashdod.

Asche, 1) die bei der restlosen Verbrennung pflanzl. oder tier. Stoffe zurückbleibenden anorgan. Bestandteile. **Pflanzen-A.** enthält als wasserlösl. Bestandteile Kalium- und Natriumcarbonate, -sulfate und -chloride. **Kohlen-A.** enthält bes. Ton, Eisenoxid und Sulfate. **Knochen-A.** besteht im Wesentl. aus Calciumphosphat; sie ist ein wertvoller Rohstoff für künstl. Phosphatdünger.

2) (vulkan. A.) staubartiges bis sandiges vulkan. Lockermaterial, das über weite Strecken und in sehr große Höhen getragen werden kann.

Äsche

Äsche (Europäische Ä., Thymallus thymallus), nord- und mitteleurop. Lachsfisch, bis 50 cm lang, der als Standfisch v.a. in der »Äschenregion« schnell fließender, klarer Flüsse vorkommt.

Aschenbrödel [mhd. aschenbrodele »Küchenjunge«] (Aschenputtel, engl. Cinderella), Figur aus

Asbest: Hornblendeasbest (oben) und Serpentinasbest

Schalom Asch (Porträtskizze von Emil Orlik)

Ludwig Aschoff

europ. Märchen; die jüngste von drei Schwestern, die zu Hause erniedrigt wird und dennoch den Königssohn gewinnt; Stoff auch für Oper (G. Rossini, »La Cenerentola«), Ballett (S. S. Prokofjew) und Film (u. a. W. Disney).

Aschendorf, Stadtteil von →Papenburg.

Aschenpflanze, die Pflanzengatt. →Zinerarie.

Äscher, *Lederherstellung:* Prozess zum Enthaaren und Auflockern der zu gerbenden Häute, auch die dazu verwendeten chem. Mittel: Kalkmilch mit Natriumsulfid und Calciumhydroxid.

Aschermittwoch, *lat. Liturgie:* der Tag nach Fastnacht (Karneval), der 1. Tag der 40-tägigen Fastenzeit; an ihm wird den Gläubigen zur Bußmahnung ein kleines Aschenkreuz auf die Stirn gestrichen. – Der Brauch des Aschenkreuzes ist in der kath. Kirche seit Ende des 11. Jh. üblich.

Aschersleben, Krst. des Landkr. A.-Staßfurt, Sa.-Anh., am NO-Rand des Harzes, 120 m ü. M., 29 700 Ew.; Maschinenbau, Papierverarbeitung, Getreide-, Zuckerrüben-, Hopfen-, Gewürzkräuteranbau, Saatzucht. – Alte Stadtbefestigung (15 Türme), Rathaus (1517), Stephanskirche (15. Jh.), Marktkirche (15. Jh.). – A., Besitz der Askanier, erhielt 1266 Stadtrecht, fiel nach 1315 an das Hochstift Halberstadt, 1648 an Brandenburg-Preußen.

Aschersleben-Staßfurt, Landkreis im RegBez. Magdeburg, Sa.-Anh., 655 km² und (1996) 109 300 Ew.; Krst. ist Ascherleben.

Aschheim-Zondek-Reaktion [nach den Gynäkologen S. Aschheim, *1878, †1965, und B. Zondek, *1891, †1966], erster sicherer biolog. Schwangerschaftstest (1927); inzwischen ist der immunolog. Schwangerschaftstest üblich (→Schwangerschaftsreaktionen).

Aschkelon, Stadt in Israel, →Ashqelon.

Aschkenasim, mittel- und osteurop. Juden, im Unterschied zu den spanisch-portugies. Juden **(Sephardim).**

Aschoff, Ludwig, Pathologe, *Berlin 10. 1. 1866, †Freiburg im Breisgau 24. 6. 1942; Prof. in Marburg und Freiburg i. Br.; erforschte u. a. das »Reizleitungssystem« des Herzens und stellte die Lehre vom Monozyten-Makrophagen-System auf, Entdecker des A.-Rheumaknotens im Herzmuskel.

In einem der Edikte, die im eroberten Kalinga gefunden wurden, sagt ***Aschoka:*** *»Alle Menschen sind für mich (wie meine) Kinder. Wie ich für meine Kinder wünsche, dass sie allen Heils und Glückes im Diesseits und im Jenseits teilhaftig werden, so wünsche ich es auch für alle Menschen.«*

Aschoka (Ashoka, Asoka), ind. König (seit 273 oder 268 v. Chr.) aus der Dynastie der Maurya, †232 v. Chr.; errichtete das erste ind. Großreich, das große Teile des ind. Subkontinents und Gebiete Afghanistans umfasste; Anhänger und Förderer des Buddhismus; hinterließ zahlr. Fels- und Säuleninschriften.

📖 KERN, F.: *Aśoka. Kaiser u. Missionar. Bern 1956.*

Äschylus, grch. Dichter, →Aischylos.

ASCII, Abk. für engl. **a**merican **s**tandard **c**ode for **i**nformation **i**nterchange, in der Datenverarbeitung verwendeter 7-Bit-Code für Ziffern, Buchstaben und Sonderzeichen.

Ascoli Piceno [-pi'tʃɛ:no], **1)** Provinz in der mittelitalien. Region Marken, 2 087 km², (1994) 364 100 Ew.

2) Hptst. der italien. Prov. A. P., 53 000 Ew.; Papier-, Glas-, Keramik-, Seidenherstellung; Bischofssitz. – Bauwerke der Gotik und der Renaissance, u. a. die Piazza del Popolo mit Palazzo del Popolo, Loggia der Kaufleute, Kirche S. Francesco, Geschlechtertürme. – A. P., das röm. **Asculum** in der Landschaft Picenum war vor der röm. Annexion 268 v. Chr. Hauptort der Picenter. In A. P. ist der Buchdruck früh nachweisbar (1477).

Ascomycetes [grch.], die →Schlauchpilze.

Ascona, Kurort am Lago Maggiore, Kt. Tessin, Schweiz, 4 800 Ew.; malerischer Ortskern mit Parks und Gärten mit subtrop. Vegetation; Museum.

Aschersleben: Rathaus (errichtet 1517, danach mehrfach umgebaut)

Ascorbinsäure (Askorbinsäure, Vitamin C), $C_6H_8O_6$, bildet leicht wasserlösl. farblose Kristalle, sehr sauerstoffempfindlich, bes. in Gegenwart von Schwermetallen (→Vitamine).

Ascot ['æskət], Ort in der engl. Cty. Berkshire, nahe Windsor, 8 000 Ew.; Pferderennbahn (seit 1711), auf der u. a. alljährlich im Juni die A.-Rennwoche stattfindet.

ASEAN, Abk. für →**A**ssociation of **S**outh **E**ast **A**sian **N**ations.

a secco (al secco) [italien. »aufs Trockene«], Wandmalerei auf den trockenen Putz, im Ggs. zur →Freskomalerei.

Asen, in der nord. Mythologie german. Göttergeschlecht, an dessen Spitze Odin herrscht und zu dem u. a. Thor, Tyr, Baldr, Heimdall und die Göttinnen Frija, Nanna, Sif gehören; ihnen gegenüber das ältere Göttergeschlecht, die →Vanen. Der Untergang der A. bedeutet das Ende der Welt, die Götterdämmerung (→Ragnarök) und den Beginn einer lichtvollen Zukunft.

Aserbaidschan

Fläche: 86 600 km²
Einwohner: (1995) 7,56 Mio.
Hauptstadt: Baku
Verwaltungsgliederung: 65 Kreise und 9 kreisfreie Städte
Amtssprache: Aserbaidschanisch (Azeri)
Nationalfeiertag: 28. 5.
Währung: 1 Aserbaidschan-Manat (A.M.) = 100 Gepik (G)
Zeitzone: MEZ +3 Std.

🕮 DEROLEZ, R. L.: *Götter u. Mythen der Germanen. A. d. Niederländ. Neuausg. Wiesbaden 1976.*

Asepsis [grch.] *die,* durch die **Aseptik** (Keimabtötung außerhalb des Wundbereichs, Sterilisation) angestrebte Keimfreiheit, z.B. bei Wundbehandlung, Operation oder Pflege von Frühgeborenen.

Aserbaidschan, histor. Gebiet in Vorderasien, zw. dem südl. Kaukasus, dem Armen. Hochland und dem Kasp. Meer. A. umfasst die Republik →Aserbaidschan und die iran. Provinzen **Ost-A.** (Hptst. Täbris), **West-A.** (Hptst. Urmia) und Teile der Prov. Ardebil, zusammen rd. 100 000 km², 6,1 Mio. Ew.; ein vulkan. Hochland (bis 4 811 m) mit heißen Quellen. Die Täler und Becken sind dicht besiedelt von Aserbaidschanern, in den westl. Gebirgen auch Kurden. Bodenschätze sind wenig erschlossen. Außer Getreide, Reis und Baumwolle gedeihen Wein und Obst. Teppichknüpfereien bes. in Täbris, das zugleich bedeutender Handelsplatz Irans ist. – A., von den Römern **Albania** genannt, gehörte seit dem 3. Jh. zum Sassanidenreich und wurde im 7. Jh. von den Arabern erobert (Einführung des Islam). Nach Einwanderung türk. Stämme im 11. Jh. (Seldschukenherrschaft) und dem Einfall der Mongolen im 13. Jh. war A. vom 16. bis 18. Jh. Streitobjekt zw. Persien und der Türkei. 1828 kam der N-Teil an Russland. Das bei Persien verbliebene restl. Gebiet war 1909–17 von russ., danach bis 1921 von brit. Truppen besetzt und geriet zeitweise unter türk. Einfluss. Nach Besetzung durch die UdSSR (1941–46) fiel es wieder an Iran.

🕮 GRONKE, M.: *Derwische im Vorhof der Macht. Sozial- u. Wirtschaftsgeschichte Nordwestirans im 13. u. 14. Jahrhundert. Stuttgart 1993.*

Aserbaidschan (amtl. aserbaidschan. Azärbaycan Respublikası, dt. Aserbaidschanische Republik), Staat in SW-Asien, grenzt im W an Armenien, im NW an Georgien, im N an Russland, im O an das Kasp. Meer und im S an Iran. Zu A. gehört als Exklave (durch armen. Gebiet getrennt) die Autonome Rep. Naxçıvan (russ. Nachitschewan). Innerhalb A.s liegt das von Armenien beanspruchte (und seit 1994 weitgehend besetzte) Gebiet Bergkarabach.

Staat und Recht: Seit der Unabhängigkeitserklärung vom 30. 8. 1991 ist A. eine unabhängige Republik mit Präsidialsystem; Verf. von 1995. Staatsoberhaupt ist der direkt gewählte Präs.; die Legislative liegt beim Einkammerparlament (350 Abg., für vier Jahre gewählt); die Exekutive wird von der Reg. unter Vorsitz des MinPräs. wahrgenommen. Das Mehrparteiensystem wird u.a. von der Nat. Volksfront A., der Nat. Unabhängigkeitspartei und der Sozialdemokrat. Partei repräsentiert. Die Nat. Volksfront fordert seit März 1992 vom Parlament die Übertragung der gesetzgebenden Macht auf den Nationalrat (100 Mitgl.), ein von ihr dominiertes Abgeordnetengremium.

Landesnatur: A. liegt im östl. Teil Transkaukasiens; es erstreckt sich vom Großen Kaukasus im N bis ins Ararathochland im SW und zum Ufer des Kasp. Meeres im O. Kernland ist das Kuratal und die Kura-Araks-Niederung, die sich zum Kasp. Meer öffnet, sowie die Halbinsel Apscheron. Im N umfasst A. den östl. Haupt- und Seitenkamm des Großen Kaukasus (bis 4 466 m ü. M.) sowie Teile des Kleinen Kaukasus mit dem vulkan. Hochland von Karabach. Der südl. Zipfel der Kura-Araks-Niederung, die Länkäranniederung, wird vom Talyschgebirge begrenzt, das bis in iran. Staatsgebiet hineinreicht. In der subtrop. Zone gelegen, zeigt das Klima reliefbedingte (rd. die Hälfte des Landes ist gebirgig) Unterschiede. Halbwüsten- und Steppenklima herrscht in den Niederungen (Julimittel 25–27 °C, Januarmittel 0–3 °C, 200–300 mm Jahresniederschlag), subtropisch feuchtes in der Länkäranniederung (Julimittel 27 °C, Januarmittel 6 °C, 1100–1800 mm Jahresniederschlag). Eichen-, Buchen-, Kastanienwälder und Strauchformationen bedecken rd. 13 % der Fläche. Im Tiefland herrscht Halbwüsten-, stellenweise auch Wüstenvegetation.

Bevölkerung: Sie setzte sich 1989 zu 82,7 % aus Aserbaidschanern, 5,6 % Russen, 5,6 % Armeniern

Staatswappen

AZ

Internationales Kfz-Kennzeichen

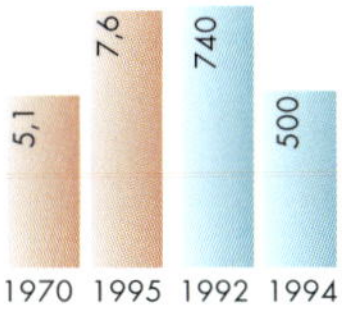

Bevölkerung (in Mio.)
Bruttosozialprodukt je Ew. (in US-$)

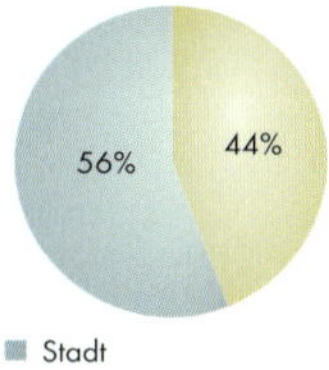

Stadt
Land
Bevölkerungsverteilung 1994

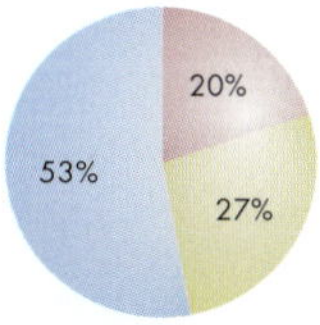

Industrie
Landwirtschaft
Dienstleistung
Bruttoinlandsprodukt 1993

Aserbaidschan

(heute zum großen Teil nach Armenien geflüchtet), 2,4 % Lesgiern sowie 3,7 % Angehörigen anderer Nationalitäten (Ukrainer, Tataren u. a.) zusammen. 45 % der Bewohner leben in Höhenlagen bis 500 m ü. M. (bes. dicht besiedelt sind die Halbinsel Apscheron um Baku sowie die Länkäranniederung), 110 bis 1000 m ü. M., etwa 7 % bis 2000 m ü. M. und 3 % über 2000 m ü. M. Die Aserbaidschaner sind mit den Türken eng verwandt; 62 % der Bev. sind schiit., 26 % sunnit. Muslime. Es besteht eine 10-jährige Grundschulpflicht. Neben der Aserbaidschan. Akademie der Wiss. gibt es in A. 23 Hochschulen, darunter eine Univ. in Baku.

Wirtschaft, Verkehr: Die Industrie hat gegenüber der Landwirtschaft größere Bedeutung. Nach der polit. Unabhängigkeit ist die Entwicklung marktwirtschaftlich orientiert. Neben vielfach maroden Ind.- und Agrarbetrieben sowie der zurückgebliebenen Infrastruktur wirkt sich der militär. Konflikt mit Armenien behindernd auf die wirtsch. Umgestaltung aus. Etwa 30 % der landwirtsch. Nutzfläche, die knapp die Hälfte der Landesfläche einnimmt, ist Ackerland, das zu 70 % künstlich bewässert wird. Hauptanbauprodukte sind Baumwolle, Weizen, Reis, Gemüse, Tabak und Wein. Die Länkäranniederung ist Anbauschwerpunkt für Zitrusfrüchte und Tee. Maulbeerbaumkulturen sind die Grundlage der traditionellen Seidenraupenzucht. Die Viehzucht (Schafe, Rinder, Ziegen) verfügt über Sommerweiden im Gebirge und Winterweiden im Tiefland. – Wichtigster Wirtschaftszweig ist die Erdölind., die 1871 mit der Erdölförderung im Raum Baku einsetzte und 1949 auf die untermeer. Lagerstätten ausgedehnt wurde. Heute stammen 70 % des gewonnenen Erdöls und 90 % des Erdgases aus dem Uferbereich des Kasp. Meeres. Das Erdöl ist von hoher Qualität, die Lagerstätten sind jedoch im Uferbereich stark erschöpft; zunehmend müssen Offshorelagerstätten kostenträchtig genutzt werden. Weitere Bodenschätze sind Eisen-, Kupfer-, Molybdän- u. a. Erze, Alunit, Schwefelkies, Steinsalz. – In der Ind. überwiegen Petrochemie, Eisen-, Stahl-, Aluminiumerzeugung, Maschinenbau (Baku, Sumqayıt, Gäncä), die traditionelle Baumwoll-, Seiden-, Teppich- sowie die Nahrungs- und Genussmittelindustrie. – Ausgeführt wurden Erdöl und -produkte, Erdgas, Eisenmetalle, Baumwolle, Maschinen, Aggregate, Chemieprodukte und Tee, eingeführt Metalle, Apatit, Bauxit, Steinkohle, Pkw, Traktoren, Landmaschinen, Holz und Nahrungsmittel. – Das Verkehrsnetz umfasst (1993) 2125 km Eisenbahnlinien und 30 400 km Straßen, davon 28 600 km mit fester Decke. Von Baku, in dessen Nähe sich ein internat. Flughafen befindet, führen Schiffsverbindungen nach Turkmenbaschi (Turkmenistan), Aktau (Kasachstan) und zu iran. Häfen.

Geschichte: Das histor. Gebiet in Vorderasien, westlich des Kasp. Meeres gelegen, gehört heute mit dem nördl. Teil zur Republik A. und mit seinem südl. Teil zur gleichnamigen iran. Provinz. In der Antike war A. im Wesentlichen unter dem Namen Albania bekannt. 643 von den Arabern erobert, die den Islam einführten. Im 11. Jh. wanderten türk. Stämme ein; A. kam unter die Herrschaft der Seldschuken und wurde türkisiert. 1120 gerieten Teile von A. unter georg. Herrschaft (bis ins 13. Jh.). 1221/22 und 1235/39 mongol. Invasionen; nach dem Zerfall des mongol. Großreiches zw. den Teilreichen der Ilchane und der Goldenen Horde umkämpft. Unter der pers. Dynastie der Safawiden erlebte A. einen wirtsch. Aufschwung. Nach kurzer Herrschaft der Osmanen eroberte Schah Abbas I., der Große, A. 1603 zurück. Das nördl. A. fiel 1828 an Russland.

Aserbaidschan: Hochgebirgsweide an der Südabdachung des Großen Kaukasus

1918 errichteten bolschewist. Kräfte im russ. Teil von A. zunächst eine Rätemacht (Bakuer Kommune), gegen die sich mit türk. Hilfe im Sommer 1918 die von einem »Muslim. Nationalrat« in Tiflis proklamierte »Aserbaidschan. Republik« durchsetzte. Nach Besetzung durch die Rote Armee wurde A. 1920 Sowjetrepublik. Diese bildete 1922–36 zus. mit Armenien und Georgien die Transkaukas. Sozialist. Föderative Sowjetrepublik. 1921 wurden Bergkarabach und Naxçıvan administrativ A. angegliedert. Seit 1936 Unionsrep. der UdSSR, erklärte A. am 30. 8. 1991 seine Unabhängigkeit. Im Sept. 1991 löste sich die KP auf. Im Dez. 1991 schloss sich A. der Gemeinschaft Unabhängiger Staaten (GUS) an (1992–93 Aussetzung der Mitgliedschaft); es entwickelte auch enge Beziehungen zur Türkei. Der 1988 ausgebrochene Streit zw. A. und Armenien um das mehrheitlich von Armeniern bewohnte →Bergkarabach führte 1992 zum militär. Konflikt zw. den beiden Republiken, in dessen Verlauf etwa 20% des aserbaidschan. Territoriums von armen. Truppen besetzt wurden; 1994 vermittelte Russland einen Waffenstillstand.

Der Konflikt um Bergkarabach löste in Verbindung mit anderen Fragen (u.a. die bisherige ökonom. Fremdbestimmung und die Kontrolle der im Islam wurzelnden Kultur durch die sowjet. Herrschaft) eine intensive Suche nach nat. Identität aus, eine facettenreiche Bewegung, die auch zu schweren Auseinandersetzungen zw. der national orientierten »Volksfront« und der »alten« Machtelite aus sowjet. Zeit führte. Vor diesem Hintergrund kam es zu häufigen Putschversuchen und Machtwechseln. Nach dem Sturz des seit 1992 amtierenden Präs. A. Eltschibej (Volksfront) übernahm 1993 Gejdar Ali Alijew (u.a. 1982–87 Mitgl. des Politbüros des ZK der KPdSU) dessen Nachfolge. Im Nov. 1995 stimmte die Bev. einer neuen Verf. zu, die die Stellung des amtierenden Präs. weiter stärkte. 1994 unterzeichnete A. das NATO-Dokument »Partnerschaft für den Frieden«, 1996 ein Kooperationsabkommen mit der EU. Im Okt. 1998 wurde Alijew durch Wahlen im Amt des Staatspräs. bestätigt.

📖 BISCHOF, H.: *Regimewechsel in A. u. der Krieg um Berg-Karabach. Bonn 1992.* – YAZDANI, A. O.: *Geteiltes A. Blick auf ein bedrohtes Volk. Berlin 1993.*

Aserbaidschaner (Eigenbez.: Aseri, Azeri), türksprachiges Volk in Aserbaidschan (etwa 5,8 Mio.), Georgien, Russland u.a. Republiken der GUS (insgesamt etwa 1 Mio.) sowie in Iran (etwa 4 Mio.); gehören ethnisch zu den transkaukas. Gruppen (Albaner, Meder, Kaspier); betreiben Acker- und Gartenbau, Viehzucht und Handel; sind bekannt für ihre Teppichknüpferei. Die Gläubigen sind vorwiegend schiit. Muslime.

Asgard, der Wohnsitz der →Asen.

Ashanti [-ʃ-] (Aschanti, Asante), Volk in S-Ghana, Westafrika, etwa 3 Mio. Das Gebiet des Königreichs A. (im 17. Jh. gegr., bis 1900 von Großbritannien unterworfen) bildet heute die Regionen Brong-Ahofo und A.; reiche Gold- und Bauxitlager. Kultureller Mittelpunkt der A. ist →Kumasi. Bed. Goldschmiedekunst, Weberei, Töpferei, Holzschnitzkunst.

Ashanti: Schminkdose aus Messingblech

Ashar-Moschee [-ʃ-], Moschee und islam. Hochschule in Kairo, gegr. 972, bis heute geistiges Zentrum des sunnit. Islam; rechtswiss., philolog. (Arabistik) und religionswiss. Fakultät.

Ashby [ˈæʃbɪ], Hal, amerikan. Filmregisseur, *Ogden (Utah) 1939, †Malibu (Calif.) 27. 12. 1988; thematisierte das Unkonventionelle in der modernen Massengesellschaft. Filme: u.a. Harold und Maude (1971); Shampoo (1974); Coming home – Sie kehren heim (1977); Die Frau des Profis (1985).

Ashcroft [ˈæʃkrɔft], Dame (seit 1956) Peggy, engl. Schauspielerin, *Croydon (heute zu London) 22. 12. 1907, †London 14. 6. 1991; herausragende Shakespeare-Darstellerin, auch Filmrollen (»39 Stufen«, 1935; »Reise nach Indien«, 1984).

Ashdod [-ʃ-] (Aschdod), Stadt in Israel, südlich von Tel Aviv, 1956 gegr., 90100 Ew.; Hauptausfuhrhafen Israels, Erdölraffinerie, chem., kosmet., Fahrzeug- u. a. Industrie, Diamantenschleifereien. – Das alte A., 3 km weiter südlich, war in bibl. Zeit Mitgl. des Fünfstädtebundes der Philister, bis in die byzantin. Zeit besiedelt.

Ashikaga [-ʃ-], Stadt auf Honshū, nördlich Tokio, Japan, 167700 Ew.; Zentrum der Seidenverarbeitung in der Kantō-Ebene, Kunstfaserindustrie.

Ashkenazy [aʃkeˈnazi], Wladimir Dawidowitsch, isländ. Pianist und Dirigent russ. Herkunft, *Gorki (heute Nischni Nowgorod) 6. 7. 1937; trat bes. als Interpret der Werke von S. W. Rachmaninow, F. Liszt, S. S. Prokofjew und F. Chopin hervor.

Wladimir Ashkenazy

Ashoka, →Aschoka.

Ashqelon [-ʃk-] (Aschkelon), Hafenstadt und Seebad an der südl. Mittelmeerküste Israels, 64200 Ew.; rd. 18 km nordöstl. von Gaza, 1949 als Gartenstadt neu gegründet; Betonröhrenfabrik, Holzverarbeitung. – Das alte **Askalon** war Mitgl. des Fünfstädtebundes der Philister; seit 104 v. Chr. selbstständiger Stadtstaat; unter röm. Protektorat (4.–6. Jh.) bed. Handelsstadt; seit 640 arabisch, im 12. Jh. mehrmals von Kreuzfahrern und Arabern erobert, 1270 durch die Mamelucken zerstört. Die Ruinenstadt ist heute Nationalpark.

Ashton [ˈæʃtən], Sir (seit 1962) Frederick William Mallandaine, engl. Tänzer und Choreograph, *Guayaquil (Ecuador) 17. 9. 1904, †Suffolk 18. 8. 1988; zählt zu den Begründern des Neoklassizismus im engl. Ballett.

Frederick Ashton

Ashton-under-Lyne [ˈæʃtən ˈʌndə laɪn], Industriestadt in der Metrop. Cty. Greater Manchester, England, 45000 Ew.; Maschinenbau und Konsumgüterindustrie.

Ashvagosha [aʃvaˈgoːʃa], buddhist. Sanskritdichter, um 100 n. Chr., schrieb u.a. das »Buddhacarita«, eine dichter. Buddhabiographie.

Asianismus *der,* in Kleinasien (um 250 v. Chr.) ausgebildete Form der grch. Rhetorik, die durch einen übertrieben pathet. Stil und einen unruhigen Satzrhythmus gekennzeichnet war (→Attizismus).

Asiatische Entwicklungsbank (engl. Asian Development Bank, Abk. ADB), Finanzinstitut zur Förderung der wirtsch. Entwicklung im asiatisch-pazif. Raum, gegr. 1966, Sitz: Manila.

Asiatische Spiele, erstmals 1951 in Neu-Delhi durchgeführte Spiele der asiat. Länder mit olymp. Programm, finden seit 1954 alle vier Jahre in versch. asiat. Städten statt, 1994 in Hiroshima.

ASIC [ˈeɪsɪk; Abk. für engl. **a**pplication-**s**pecific **i**ntegrated **c**ircuit »anwendungsspezifische integrierte Schaltung«], *Elektronik:* Bez. für jede hochintegrierte Digitalschaltung, deren Funktion vom Kunden bestimmt wird.

Asien, der größte Erdteil, umfasst einschließlich seiner Inseln 33% der Landfläche der Erde. Flächenmäßig ist A. viermal so groß wie Europa, beide Erdteile bilden die zusammenhängende Landmasse **Eurasien.**

Lage: Die konventionelle Abgrenzung A.s gegen Europa bilden Gebirge und Fluss Ural, Kasp. Meer, Manytschniederung, Schwarzes Meer, Bosporus, Marmarameer, Dardanellen und Ägäisches Meer, gegen Afrika Suezkanal und Rotes Meer, gegen Amerika die Beringstraße und gegen Australien – unter Einschluss des Malaiischen Archipels – eine östl. der Molukken und Timors gedachte Linie. So erstreckt sich A. von 26° 04' ö. L. bis 169° 40' w. L. und von 77° 43' n. Br. bis 1° 16' s. Br. In dieser Abgrenzung hat es mit seiner Inselwelt und seinen Binnenmeeren eine Fläche von 44,4 Mio. km².

Oberflächengestalt: Die Festlandmasse ist nur wenig durch Randmeere gegliedert. Die wichtigsten Halbinseln sind: Kleinasien, Arabien, Vorderindien, Hinterindien, Korea, Kamtschatka und die Tschuktschenhalbinsel. Mit Afrika steht A. durch die Landenge von Suez in Verbindung, nach Australien leitet die Inselbrücke des Malaiischen Archipels hinüber, nach Amerika die Beringstraße und die Aleuten. Im O sind dem Festland Japan, die Philippinen und im SO die Malaiischen Inseln vorgelagert. Charakteristisch für weite Teile der den N Asiens einnehmenden Sibirischen Tafel ist der Dauerfrostboden. Im Inneren des Festlands liegen die ausgedehntesten Hochländer der Erde: das Tarimbecken, die Dsungarei, das Hochland der Mongolei und schließlich das Hochland von Tibet (etwa 4000 m ü. M.), dessen Randgebirge die höchsten Gipfel der Erde tragen, z.B. den Mount Everest im Himalaja mit 8872 m ü. M. Sie gehören zu dem Zug junger Faltengebirge, die im W Europas (Pyrenäen) ihren Ausgang nehmen und den gesamten asiat. Kontinent in mehreren Bogen durchziehen. Der Karakorum, das am stärksten vergletscherte Gebirge A.s, wurde schon im Paläozoikum gefaltet. Den NW A.s nehmen Tiefländer (z.B. Turan, Westsibirien) und Tafelländer ein; die Halbinseln Arabien und Vorderindien sind Tafelländer mit randl. Stromtiefebenen. Ein großer Teil Inner-A.s und weite Gebiete Vorder-A.s sind ohne Abfluss zum Weltmeer; die Gewässer fließen zum Kasp. Meer, dem Aralsee oder anderen Binnenmeeren, verdunsten oder enden in Salzsümpfen. Zum Einzugsgebiet des Nordpolarmeers gehören u.a. das Ob-Irtysch-System, die Lena und der Jenissei, zu dem des Pazifik Amur, Hwangho und Jangtsekiang, zu dem des Ind. Ozeans Ganges, Indus, Euphrat und Tigris.

Asien

1

4

1 Schibam, eine der typischen Hochhausstädte im Wadi Hadramaut, Jemen; die bis zu 29 m hohen Lehmbauten wurden von der UNESCO zum Weltkulturerbe erklärt

Klima, Vegetation: Die große Ausdehnung und wechselnde Höhenlage bewirken starke klimat. Unterschiede. Das Klima A.s ist in weiten Teilen kontinental mit großen tägl. und jahreszeitl. Temperaturschwankungen, in Ostsibirien mit äußerster Winterkälte (Kältepol der Nordhalbkugel Oimjakon mit Temperaturen unter –70 °C) und mäßig warmem Sommer, in Arabien und Mittel-A. mit heißem Sommer und großer Trockenheit, in Vorder-A. mäßig winterfeucht (Mittelmeerklima). Die südl. und südöstl. Randgebiete stehen unter dem Einfluss der Monsune, mit Wechsel von Regen- und Trockenzeit und an der Regenseite der Gebirge z.T. hohen Niederschlagsmengen (NO-Indien bis über 10 000 mm im Jahresmittel). Die Südspitze Hinterindiens, Ceylon und die Malaiischen Inseln haben heißes, immer feuchtes Tropenklima. – Entlang der Küste des Nordpolarmeeres erstreckt sich die bis 1000 km breite Tundra, eine Steppe, in der nur Moose, Flechten und Zwergsträucher wachsen; sie geht südwärts in den von Sümpfen und Gebirgstundra durchsetzten Gürtel des sibir. Nadelwalds (Taiga) über. Vorder- und Mittel-A. bis in die Mandschurei sind mit Ausnahme der Gebirge und Küsten von Steppen, Salzsteppen und Wüsten mit Fluss- und Grundwasseroasen bedeckt. In Süd- und Ost-A. wechseln Steppen und Buschland mit zur Regenzeit grünen Laub- und Mischwäldern, in den heißfeuchten Tropengebieten herrschen im äußersten Süden immergrüne Regenwälder vor.

Tierwelt: Der äußerste Norden des Kontinents birgt eine artenarme, an arkt. Verhältnisse angepasste Tundrenfauna; dort leben Rentier, Lem-

| 2

| 3

| 5

| 6

| **2** Lamakloster Tengpoche im Everestgebiet des Himalaja, Nepal | **3** Turm- und Kegelkarstlandschaft in Südchina | **4** Reisfelder auf Sumatra

| **5** Straßenszene in Jaipur, Indien | **6** Gemüsemarkt in Hông Gai, Vietnam

Staatliche Gliederung (Schätzung, 1995)

Staat	Staatsform	Fläche (km²)	Ew. (in 1 000)	Hauptstadt
Afghanistan	Rep.	652 090	20 141	Kabul
Armenien	Rep.	29 800	3 599	Jerewan
Aserbaidschan	Rep.	86 600	7 558	Baku
Bahrain	Emirat	678	564	Menama
Bangladesh	Rep.	143 998	120 433	Dhaka
Bhutan	Königreich	47 000	1 638	Thimphu
Birma (Myanmar)	Rep.	676 558	46 527	Rangun
Brunei	Sultanat	5 765	285	Bandar Seri Begawan
China	Rep.	9 572 900	1 200 336	Peking
Georgien	Rep.	69 700	5 457	Tiflis
Indien	Rep.	3 287 590	935 744	Delhi
Indonesien[2]	Rep.	1 919 317	197 588	Jakarta
Irak	Rep.	438 317	20 449	Bagdad
Iran	Rep.	1 648 000	67 283	Teheran
Israel	Rep.	20 770	5 629	Jerusalem
Japan	Kaiserreich	377 801	125 095	Tokio
Jemen	Rep.	527 968	14 501	Sanaa
Jordanien	Königreich	88 946	5 439	Amman
Kambodscha	Rep.	181 035	10 251	Phnom Penh
Kasachstan[1]	Rep.	2 717 300	17 111	Almaty
Katar	Emirat	11 000	551	Doha
Kirgistan	Rep.	198 500	4 745	Bischkek
Korea (Nord)	Rep.	122 762	23 917	Pjöngjang
Korea (Süd)	Rep.	99 263	44 995	Seoul
Kuwait	Emirat	17 818	1 547	Kuwait
Laos	Rep.	236 800	4 882	Vientiane
Libanon	Rep.	10 452	3 009	Beirut
Malaysia	Wahlmonarchie	329 758	20 140	Kuala Lumpur
Malediven	Rep.	298	254	Male
Mongolei	Rep.	1 566 500	2 410	Ulan-Bator
Nepal	Königreich	147 181	46 527	Kathmandu
Oman	Sultanat	212 457	2 163	Maskat
Pakistan	Rep.	796 095	140 497	Islamabad
Philippinen	Rep.	300 000	67 581	Manila
Russland[1] (asiat. Teil)	Rep.	12 650 500	33 242	-
Saudi-Arabien	Königreich	2 150 000	17 880	Riad
Singapur	Rep.	626	2 848	Singapur
Sri Lanka	Rep.	65 610	18 354	Colombo
Syrien	Rep.	185 180	14 661	Damaskus
Tadschikistan	Rep.	143 100	6 101	Duschanbe
Taiwan	Rep.	36 000	21 126	Taipeh
Thailand	Königreich	513 115	58 791	Bangkok
Türkei (mit europ. Teil)	Rep.	779 452	61 945	Ankara
Turkmenistan	Rep.	488 100	4 099	Aschchabad
Usbekistan	Rep.	447 400	22 843	Taschkent
Vereinigte Arab. Emirate	Föderation	83 600	1 904	Abu Dhabi
Vietnam	Rep.	329 566	74 545	Hanoi
Zypern	Rep.	9 251	742	Nikosia

abhängige Gebiete

von Großbritannien[3]: Hongkong	1 091	5 865	Victoria
von Portugal: Macao	17	410	Macao

[1] Als Begrenzung Asiens wurden die Nordgrenzen Georgiens und Aserbaidschans, der Ural und die äußerste Westgrenze Kasachstans zugrunde gelegt. – [2] mit Osttimor und Irian Jaya. – [3] bis 30. 6. 1997

ming, Schneehase, Eisbär. Weitaus artenreicher ist die sich südlich anschließende Waldregion mit Bär, Wolf, Elch und vielen Pelztieren. In den Steppen Mittel-A.s kommen Antilopen, Wildesel, Wolf, Nagetiere, Wildkamele vor. In den Hochlagen der Gebirge treten Wildschaf, Wildziege, Schneeleopard u. a. auf. Die Tierwelt Vorder-A.s schließt sich eng an die Mittelmeerfauna an. Die Tierwelt Süd- und Südost-A.s ist durchweg tropisch geprägt mit Halbaffen, Affen, Nashorn, Elefant, Königstiger, vielen Schlangen, Kloakentieren, trop. Vögeln und Insekten.

Bevölkerung: A. ist Heimat und Hauptverbreitungsgebiet der Mongoliden, Ursprungsland der Indianiden und Eskimiden. Von W und SW drangen Europide weit nach A. hinein. Durch prähistorische Wanderzüge gelangten sie bis in den äußersten NO des Kontinents, wo die Ainu einen letzten Rest darstellen. Europide haben am Bevölkerungsaufbau Süd-A.s mit armeniden und orientalid-mediterranen Elementen von Vorder-A. bis Indien (Indide) wesentl. Anteil. Die »Turkvölker« des asiat. Steppengürtels sind eine durch Vermischungsprozesse entstandene europid-mongolide Zwischen- und Übergangsform. In Süd- und Südost-A. finden sich neben Elementen europider und mongolider Herkunft Reste älterer Siedlungsschichten, z.B. der Wedda, der kleinwüchsigen Negritos und anderer Restgruppen. – Die Einwohnerzahl A.s betrug 1895 nur 830 Mio., 1950 bereits 1,3 Mrd.; seitdem hat sie fast explosionsartig zugenommen und betrug 1996 mit mehr als 3 Mrd. Einwohnern mehr als die Hälfte der Erdbevölkerung. Gründe sind die hohen Geburtenziffern, der Rückgang der Säuglingssterblichkeit sowie die höhere Lebenserwartung dank der Fortschritte von Medizin und Hygiene. Die bevölkerungsreichsten Staaten sind China, Indien, Indonesien und Japan.

Geschichte

Funde aus der Altsteinzeit sind aus vielen Teilen A.s bekannt. Die Madras-Kultur S-Indiens und das Patjitanian in Java sind dem Chelléen-Acheuléen formverwandt. Die meisten altpaläolith. Formenkreise Südost-A.s führen anstelle von Faustkeilen Hau- und Schabgeräte aus Steingeröllen (Choppers); so das Soanien in NW-Indien, das Anyathian in Birma und die vom Sinanthropus geprägte Kultur von Zhoukoudian in N-China. Das Jungpaläolithikum ist in Nord-A. (→Sibirien) und in Vorder-A. durch Klingenkulturen aus dem Formenkreis des Aurignacien vertreten. In Süd- und Ost-A. wurden jungpaläolith. Kulturen mit Haugeräten (Chopping-Tools) vereinzelt nachgewiesen.

Für die Jungsteinzeit ist A. von weltgeschichtl. Bedeutung. In Vorder-A. vollzog sich erstmals der Übergang von der mittelsteinzeitl. Jägerkultur zum sesshaften Bauerntum mit Ackerbau und Viehzucht (8./7. Jt. v. Chr.). Schwerpunkte des bäuerl. Neolithikums liegen im nördl. Zweistrom-

Asien

NORDPOLARMEER
Spitzbergen (norw.)
Franz-Joseph-Land
Barentssee
K. Schelanija
Nowaja Semlja
Weiße I.
Karasee
Sewernaja Semlja
Taimyrsee
Laptewsee
Neusibirische In
Ostsibirische See
Große Ljachowinsel
Wrangel-I.
Kap Schelagski
Komsomolski
Iultin
Uelen
St. Lawrence I. (USA)
Anadyrgolf
BERINGMEER
Anadyr
Beringowski
Kamenskoje
K. Oljutorski
Karaginski-I.
Beringinsel
Trondheim
Narvik
Hammerfest
Nordkap
NORWEGEN
SCHWEDEN
FINNLAND
Stockholm
Tampere
Turku
Oulu
Luleå
Umeå
Helsinki
Tallinn
ESTL.
Riga
LETTL.
LIT.
WEISS.
MINSK
UKRAINE
Murmansk
Kandalakscha
Kolgujew-I.
Archangelsk
Petrosawodsk
Narjan-Mar
Workuta
Petschora
Uchta
Beresowo
Salechard
Syktywkar
ST. PETERSBURG
Nowgorod
Pskow
Wologda
Jaroslawl
MOSKAU
Smolensk
Tula
Gomel
NOWGOROD
Kirow
Ischewsk
KASAN
PERM
Toljatti
SAMARA
UFA
Pensa
Saratow
Woronesch
CHARKOW
DONEZK
ROSTOW AM DON
WOLGOGRAD
Orenburg
Uralsk
Astrachan
Grosny
TIFLIS
ASERBAI.
DSCHAN
BAKU
Rascht
Ghaswin
TEHERAN
Ghom
ISFAHAN
IRAN
Jasd
Kerman
Bandar Abbas
Maskat
OMAN
Sur
Al Masira
JEKATERINBURG
TSCHELJABINSK
Tjumen
Magnitogorsk
Orsk
Aktjubinsk
Atyrau
Aktau
Kaspisches Meer
KASACHSTAN
Aralsk
Aralsee
Dscheskasgan
Balchaschsee
Balchasch
Karaganda
Akmola
Koktschetaw
Petropawlowsk
OMSK
NOWOSIBIRSK
Barnaul
Nowokusnezk
Bisk
Rubzowsk
Semipalatinsk
Ust-Kamenogorsk
Taldy-Kurgan
Ksyl-Orda
Tschimkent
Syrdarja
Amudarja
USBEKISTAN
TURKMENISTAN
Nukus
Urgentsch
Buchara
Aschchabad
MESCHHED
Mary
TASCHKENT
Bischkek
ALMATY
KIRGISTAN
Namangan
Andischan
Samarkand
TADSCHIKISTAN
Duschanbe
Kaschgar
Herat
AFGHANISTAN
KABUL
Kandahar
Quetta
Gilgit
Islamabad
Peschawar
Rawalpindi
Srinagar
LAHORE
FAISALABAD
PAKISTAN
Multan
Bahawalpur
Sukkur
Hyderabad
KARATSCHI
Amritsar
LUDHIANA
Chandigarh
DELHI
Bikaner
Jodhpur
JAIPUR
Agra
Rampur
LUCKNOW
KANPUR
Varanasi
AHMADABAD
VADODARA
INDORE
BHOPAL
Allahabad
Jabalpur
Patna
SURAT
BOMBAY
Narmada
Amravati
NAGPUR
Ranchi
Jamshedpur
Raipur
DHAKA
Haora
KALKUTTA
Cuttack
INDIEN
PUNE
Godavari
Kolhapur
Solapur
Belgaum
Krishna
Hubli
HYDERABAD
Vishakhapatnam
Kakinada
Guntur
Kurnool
Mangalore
BANGALORE
Nellore
Mysore
MADRAS
Coimbatore
Salem
Kochi
Madurai
Jaffna
Thiruvananthapuram
Trincomalee
Colombo
SRI LANKA
Kandy
Galle
Sri Jayawardanapura
Lakkadiven (ind.)
Male
MALEDIVEN
ARABISCHES MEER
Golf von Bengalen
Andamanen (ind.)
Andamanensee
Nikobaren (ind.)
INDISCHER OZEAN
RUSSLAND
Dudinka
Norilsk
Jenissei
Tareja
Goltschicha
Wolotschanka
Chatanga
Nordwik
Saskylach
Tiksi
Ary
Olenjok
Schigansk
Lena
Sangar
Jakutsk
Urengoi
Krasnoselkup
Turuchansk
Nördl. Polarkreis
Tura
Unt. Tunguska
Nakanno
Surgut
Chanty-Mansisk
Bachta
Nischnewartowsk
Ob
Jenisseisk
Kolpaschewo
Tomsk
Kemerowo
Krasnojarsk
Bogutschanystausee
Ust-Ilimsker Stausee
Bratsk
Bratsker Stausee
Ust-Kut
Kirensk
Witim
Bodaibo
Nischneangarsk
Baikalsee
Kalakan
Tscheremchowo
Irkutsk
Tschita
Ulan-Ude
Kysyl
Olekminsk
Tommot
Aldan
Tschagda
Solotinka
Ust-Maja
Chandyga
Seimtschan
Kolyma
Srednekolymsk
Druschina
Ambartschik
Kasatschje
Tschokurdach
Chonuu
Schepetkowo
Magadan
Ochotsk
Kurun-Urjach
Ajan
Tschumikan
Koboldo
Magdagatschi
Komsomolsk am Amur
Nikolajewsk am Amur
Ocha
Schantar-In
Sachalin
Alexandrowsk-Sachalinski
Juschno-Sachalinsk
OCHOTSKISCHES MEER
Kurilen
Palana
Ust-Kamtschatsk
Petropawlowsk-Kamtschatski
Ust-Bolscherezk
Schelichowgolf
Blagoweschtschensk
Amur
Chabarowsk
Wanino
Ussurisk
Wladiwostok
Hailar
Manzhouli
QIQIHAR
HARBIN
Jiamusi
JILIN
CHANGCHUN
FUSHUN
Fuxin
Benxi
ANSHAN
SHENYANG
Chongjin
NORDKOREA
PJÖNGJANG
DALIAN
SEOUL
INCH'ON
SÜD-KOREA
TAEGU
PUSAN
KWANGJU
Ulan Bator
Darchan
Erdenet
Chowd
Tsetserleg
MONGOLEI
Mandalgowi
Sainschand
Dalandsadgad
Baruun Urt
Ulan Hot
Shihezi
Yining
ÜRÜMQI
Turfan
Hami
Qiemo
Ruoqiang
Jiuquan
Hotan
Golmud
Qinghai Hu
Xining
LANZHOU
Yinchuan
BAOTOU
Hohhot
PEKING
TANGSHAN
Datong
TIENTSIN
TAIYUAN
SHIJIAZHUANG
JINAN
ZIBO
TSINGTAU
Xuzhou
Handan
Luoyang
ZHENGZHOU
Baoji
XI'AN
HUAINAN
NANKING
Wuxi
Hefei
Suzhou
SCHANGHAI
HANGZHOU
CHINA
Dêgê
Mekong
Salween
Tsangpo
Lhasa
Nanchong
Wanxian
WUHAN
CHENGDU
CHONGQING
CHANGSHA
Zhuzhou
NANCHANG
Wenzhou
FUZHOU
Hengyang
Ganzhou
Keelung
KUNMING
GUIYANG
Guilin
Liuzhou
Xiamen
TAIPEH
TAIWAN
KAOHSIUNG
Tainan
KANTON
KOWLOON
VICTORIA
Hongkong (brit.)
Macao (port.)
Nanning
Zhanjiang
Gejiu
Lashio
Jangtsekiang
Hwangho
OSTCHINESISCHES MEER
JAPANISCHES MEER
Kathmandu
NEPAL
Thimphu
BHUT.
Brahmaputra
Gauhati
Imphal
BANGLADESH
CHITTAGONG
Myitkyina
Mandalay
BIRMA
Myingyan
Prome
Akyab
Henzada
RANGUN
Tavoy
Moulmein
THAILAND
BANGKOK
Vientiane
LAOS
HANOI
HAIPHONG
Haikou
Hainan
Hue
Da Nang
VIETNAM
Qui Nhon
KAMBODSCHA
Phnom Penh
THANH PHO HO CHI MINH
Golf v. Thailand
Long Xuyen
Kap Ca Mau
Songkhla
Phuket
Kota Baharu
George Town
Ipoh
MALAYSIA
KUALA LUMPUR
Melaka
SINGAPUR
Malakkastr.
Banda Aceh
MEDAN
Sumatra
Pematangsiantar
Nias
Pakanbaru
Padang
Siberut
Telanaipura
PALEMBANG
Bangka
Belitung
Bengkulu
Pontianak
Kuching
Natuna-In
Borneo
Kota Kinabalu
BRUNEI
Bandar Seri Begawan
Sandakan
Samarinda
Banjarmasin
Große Sundainseln
INDONESIEN
Makassarstr.
Celebes
Celebessee
Palu
Kendari
Buru
Butung
Ujung Pandang
Bandasee
Tanimbar-In
Manado
Gorontalo
Ternate
Halmahera
Waigeo
Obi
Sorong
Ceram
Fakfak
Molukken
Talaud
Morotai
SÜDCHINESISCHES MEER
Sulusee
PHILIPPINEN
Babuyan-In
Laoag
San Fernando
Luzon
Tarlac
MANILA
QUEZON CITY
Batangas
Mindoro
Palawan
Panay
Iloilo
Negros
Samar
Leyte
Cebu
Cagayan de Oro
Mindanao
Zamboanga
Davao
Ryukyuinseln
Amami-In
Okinawa-In
Naha
Nördl. Wendekreis
SAPPORO
Hokkaido
Asahikawa
Obihiro
Wakkanai
Hakodate
Aomori
Akita
Morioka
Sendai
Honshu
TOKIO
YOKOHAMA
NAGOYA
KYOTO
OSAKA
KOBE
HIROSHIMA
KITAKYUSHU
FUKUOKA
Shikoku
Kumamoto
Kyushu
Kagoshima
JAPAN
PAZIFISCHER OZEAN
Äquator
0 250 500 750 km

Südwestasien

land, in Syrien-Palästina, in Iran, in Indien und China. In NW-Indien entstanden im 4. Jt. zahlreiche Bergdörfer und Flachansiedlungen auf bäuerl. Wirtschaftsgrundlage. In China, wo sich neolith. Kulturen auf Henan und Gansu konzentrierten, war die Bevölkerungsdichte schon im 3. Jt. erheblich. Die Yangshaokultur weist in ihrer Töpferkunst Beziehungen zu Vorder-A. und O-Europa auf.

Indien erlebte mit der zur Bronzezeit überleitenden Induskultur (3./2. Jt. v. Chr.) die ersten Stadtgründungen (Mohenjo-Daro, Harappa). In China entfaltete sich in der Shangzeit (etwa 16.–11. Jh. v. Chr.) eine bronzezeitl. Kultur auf städt. Grundlage mit hoher Wirtschafts- und Kulturblüte. In Nord-A. (Sibirien) bildete die Agrarproduktion neben der Jagd die Lebensgrundlage der spätneolith. Afanasjewokultur. Die Andronowokultur der Bronzezeit verbindet Nord-A. mit O-Europa. In der spätbronzezeitl. Karassukkultur wurden die Beziehungen Sibiriens zu China bes. eng. Die eigentl. Bronzezeit beginnt in Vorder-A., bes. in Mesopotamien, Anatolien und Syrien, mit dem 2. Jt. Der Übergang zur Eisenzeit erfolgte in den nahöstl. Hochkulturen im 9. Jh. v. Chr. Weiteres → Sibirien, → Vorderindien.

Im Altertum wurde der Ggs. zw. den Stromtalkulturen (Zweistromland, Indien, China) und den Nomaden der innerasiat. Steppen und Arabiens bestimmend. Vorder-A. stand seit Alexander d. Gr. in engen kulturellen Beziehungen zu Europa; Teile von Vorder-A. gehörten zum Röm. und zum Byzantin. Reich. Letzteres hielt bis 1453 (Fall Konstantinopels) den Eroberungsversuchen der Osmanen stand, die auch bis nach S-Europa vordrangen, während die aus Inner-A. kommenden Nomadenvölker (Hunnen, Awaren, Ungarn, Turkvölker) teilweise bis W-Europa gelangten. Das nach zahlr. Heerzügen von Dschingis Khan im 13. Jh. begründete Weltreich der Mongolen vereinte erstmals große Teile von Vorder-, Mittel- und Ost-A. China, das als »Reich der Mitte« lange Zeit eine dominierende Stellung innehatte (mit starkem kulturellen Einfluss auf die Nachbarvölker), geriet im 13./14. Jh. unter mongol. Herrschaft und konnte erst unter der Mingdynastie (1368–1644) wieder imperiale Ausmaße erreichen.

Seit der Entdeckung des Seeweges nach Indien (1498) durch Vasco da Gama erschlossen die Portugiesen, Niederländer, Spanier, seit dem 18. Jh. die Briten und seit dem 19. Jh. die Franzosen A. als Kolonialgebiet. Mit dem Rückgang des Einflusses des Osman. Reiches, der Safawiden in Iran und der Großmoguln in Indien wurde Russland zum Machtfaktor in Nord- und Ost-A. (seit 1581 Eroberung Sibiriens, in der 2. Hälfte des 19. Jh. Kasachstans und W-Turkestans). China verlor im 19. Jh. Gebietsteile im N und W an Russland. Innere Auseinandersetzungen, der Opiumkrieg (1842) und der Boxeraufstand (1900) erwiesen Chinas Schwäche, die trotz des Versuchs einer inneren Umgestaltung (Reformbewegung 1898, Revolution 1911) weiter anhielt. Japan stieg seit seiner erzwungenen Öffnung für Amerikaner und Europäer (1854) und der 1868 einsetzenden gesellschaftl. Modernisierung (Meijireform) rasch zu einer Großmacht auf, behauptete seine Stellung in den Kriegen gegen China (1894/95) und Russland (1904/05) und dehnte mit der Annexion Koreas (1910), der Mandschurei (1931) und großer Teile Chinas (ab 1937) seinen Machtbereich in Ost-A. aus. Mit dem Zusammenbruch des Osman. Reiches im 1. Weltkrieg (1918) gerieten Palästina und Irak unter brit. Einfluss, Syrien unter frz. Herrschaft. Die Türkei unter Kemal Atatürk und Iran unter Resa Schah erfuhren eine sich an Europa orientierende innere Erneuerung. Arabien wurde durch Ibn Saud größtenteils geeinigt. In den Kolonialgebieten Süd- und Südost-A.s (Britisch-Indien, Niederländisch-Indien, Französisch-Indochina) erstarkten die seit Beginn des 20. Jh.s entstandenen Nationalbewegungen bes. während der beiden Weltkriege.

Im 2. Weltkrieg nutzte das zum →Dreimächtepakt gehörende Japan die Schwäche der europ. Kolonialmächte, um Indochina, die Philippinen, Niederländisch-Indien und Teile der Malaiischen Halbinsel zu besetzen, und konnte erst durch die militärisch überlegenen USA besiegt werden. Mit der in der Nachkriegszeit einsetzenden Entkolonialisierung und dem oft erzwungenen Rückzug der europ. Mächte aus ihren Herrschaftsgebieten (z. B. Frankreichs im Indochinakrieg 1946–54) entstanden dort neue Staaten, u. a. Indien, Pakistan, Indonesien, Malaysia; die Länder Indochinas – Laos, Kambodscha und Vietnam – erlangten die staatl. Unabhängigkeit, Vietnam jedoch in Gestalt zweier Staaten mit konträren gesellschaftl. Systemen, der Demokrat. Republik (Nord-)Vietnam und der Republik (Süd-)Vietnam. Zahlreiche asiat. Länder sahen sich nach Erlangung ihrer Unabhängigkeit mit enormen wirtsch. Problemen, einer anhaltenden Bevölkerungsexplosion (bes. China), einer Vielzahl ethnisch-religiöser Konflikte (u. a. Indien, Sri Lanka), Gebietsstreitigkeiten (z. B. zwischen Indien und Pakistan um Kaschmir) und mit Bürgerkriegen (z. B. China 1945–49, [das geteilte] Vietnam 1957–75, Ostpakistan [heute Bangladesh] 1971/72, Kambodscha 1970–75 und 1979–91, Libanon 1975–91) konfrontiert.

Der europ. Einfluss in A. wurde durch ein wachsendes politisch-militär. Gewicht der USA zurückgedrängt (Anlage eines Netzes militär. Stützpunkte, Abschluss der Militärpakte SEATO, CENTO). In vielfältigen Missionen suchten die Vereinten Nationen (→UN) bis heute friedenserhaltend oder friedensstiftend zu wirken. Seit der Bandungkonferenz (1955) bemühten sich die nicht paktgebundenen Staaten A.s zus. mit denen Afrikas im Rahmen der Bewegung blockfreier Staaten um ein eigenes weltpolit. Gewicht. Als regional bedeutsame Vereinigung südostasiat. Staaten entstand 1967 die ASEAN. Japan konnte trotz seiner Niederlage im 2. Weltkrieg im Verlauf der 50er- und 60er-Jahre wieder eine bedeutende Stellung in Ost-A. gewinnen und sich zu einer wirtsch. Großmacht entwickeln, die in ökonom. Konkurrenz zu den USA und den in der EG verbundenen europ. Staaten trat. Neben Japan wurden weitere asiat. Staaten während der 80er-Jahre aufstrebende Wirtschaftsmächte, bes. Süd-Korea, Taiwan, Singapur, Hongkong und Thailand.

Entdeckung und Erforschung Asiens

um 510 v. Chr.	Skylax von Karyanda befährt mit dem Schiff den Indus und (von dessen Mündung bis zum Pers. Golf) die Küste des Ind. Ozeans
um 450 v. Chr.	Herodot bereist Kleinasien, Syrien und Mesopotamien
329–324 v. Chr.	Alexander d. Gr. dringt auf seinen Feldzügen in Zentral-A. bis zum Oxus (Amudarja) und Jaxartes (Syrdarja) sowie in Indien bis über den Indus vor
um 160 n. Chr.	Ptolemäus fasst das antike Wissen über A. zusammen (Zentral-A. bis zum Syrdarja, die Küsten Vorder- und Hinterindiens bis an die Grenzen Chinas und Teile des Malaiischen Archipels)
um 850	Der andalus. Kaufmann Soliman bereist die muslim. Länder Vorderasiens
seit Ende des 11. Jh.	Kreuzzüge erweitern die Kenntnisse des Abendlandes von Vorderasien
1246	Der Franziskaner G. Carpini gelangt als päpstl. Gesandter nach Karakorum, dem Sitz des mongol. Großkhans; nach ihm treffen dort auch die Missionare A. von Longjumeau und W. von Rubruk ein
1271–95	M. Polo reist durch Inner-A. nach China (bis ins 16. Jh. wichtigster Bericht über A.)
1325–49	Ibn Battuta besucht Vorder-A., Indien, die Sundainseln und China und erreicht im N Samarkand
um 1330	Der Franziskaner O. da Pordenone durchzieht als erster Europäer Tibet
1419–44	Der Venezianer N. dei Conti erkundet das Innere Indiens und gelangt zum Malaiischen Archipel
1497–98	V. da Gama findet den Seeweg nach Indien
1511	A. de Albuquerque erobert Malakka; D. Fernandes gelangt nach Siam (Thailand)
1512	A. de Abreu findet die Gewürzinseln (Molukken); F. Perez de Andrade entdeckt die Malediven und erkundet Sumatra
1521	F. de Magalhães erreicht auf seiner Weltumseglung die Philippinen
1542	F. M. Pinto gelangt als erster Europäer nach Japan
1581	Kosaken unter Jermak Timofejewitsch beginnen mit der Eroberung Sibiriens
1635–39	A. Olearius bereist Kaukasien und Persien
1639	Kosaken erreichen das Ochotskische Meer
1643	M. de Vries entdeckt die südl. Kurilen, N-Hokkaido und S-Sachalin
1648	S. L. Deschnjow umsegelt das Nordostkap Asiens
1661	J. Grueber und A. Dorville erreichen von Peking aus Lhasa und als erste Europäer Nepal
1668	Schiffbrüchige Holländer finden Korea
1690–92	E. Kaempfer erforscht Japan
1697–99	W. W. Atlassow erkundet und erobert Kamtschatka
1733–43	Die große Nord. Expedition unter V. Bering und A. I. Tschirikow erforscht N- und O-Sibirien
1761–67	C. Niebuhr auf der Arab. Halbinsel, in Indien, Persien, Mesopotamien und Palästina
1768–74	P. S. Pallas bereist W-Sibirien, den Altai und Transbaikalien
1787	J. F. la Pérouse erforscht fernöstl. Küstengebiete (Korea, Sachalin) und entdeckt die nach ihm ben. Meeresstraße
1809–17	J. Burckhardt bereist Syrien und die arab. Küstengebiete am Roten Meer (1814/15 in Mekka und Medina)
1823–37	J. Crawford erkundet Birma und das Irawadital (bis 1826) und durchwandert 1830–37 das Gebiet des Salween, Laos und Thailand
1823–30 und 1859–62	P. F. von Siebold kommt als Arzt von Niederländisch-Ostindien aus nach Japan
1829	A. von Humboldt bereist Sibirien bis zum Altai und zur Dsungarei

Entdeckung und Erforschung Asiens (Fortsetzung)

1839–48 und 1855–64	F. W. Junghuhn unternimmt zahlreiche Reisen durch Java und Teile Sumatras
1856	Die Gebrüder Schlagintweit überqueren Himalaja und Karakorum, das Hochland von Tibet, den Kunlun und dringen bis ins Tarimbecken vor
1861–65	A. Bastian durchquert Hinterindien und erforscht die Malaiische Inselwelt
1868–72	F. von Richthofen erforscht China
1870–85	Vier Reisen N. Prschewalskis durch die Mongolei, N-Tibet, die Wüste Gobi und das Tarimbecken
1887–90	F. E. Younghusband gelingt die erste Durchquerung Inner-A.
1894–1935	S. Hedin erforscht auf mehreren Reisen Inner-A.
1900/01, 1906–08 und 1913–16	A. Steins Reisen durch Zentral-A., wo er den alten Handelsstraßen folgt und Ruinenfelder (u. a. Hotan in O-Turkestan) entdeckt
1917	H. Philby durchquert Arabien vom Pers. Golf zum Roten Meer
1926	S. W. Obrutschew entdeckt das Tscherskigebirge (NO-Sibirien)
1926–28 und 1934–38	W. Filchner führt erdmagnetische Messungen in Zentral-A. (Tibet) durch
1931	B. Thomas durchquert als erster Europäer die Rub al-Chali

China, seit 1949 eine Volksrepublik nach kommunist. Muster, stieg zu einer weltpolitisch bedeutsamen Macht auf und geriet seit den 50er-Jahren in einen Interessengegensatz zur Sowjetunion. Neben der VR China etablierten sich zunächst in Nord-Korea (1948) und Nord-Vietnam (seit 1955), später auch in Laos und Kambodscha kommunist. Regierungssysteme.

Im Spannungsfeld des Ost-West-Gegensatzes kam es zum →Koreakrieg (1950–53). Der Bürgerkrieg in Süd-Vietnam zw. kommunist. Aufständischen und der Regierung weitete sich nach Eingreifen der USA aufseiten Süd-Vietnams (bes. seit 1964) und der damit einhergehenden militär. Konfrontation mit dem von der Sowjetunion unterstützten Nord-Vietnam zum →Vietnamkrieg aus; seit 1970 waren auch Kambodscha und Laos in diesen militär. Konflikt einbezogen. Nach seinem Sieg im Vietnamkrieg besetzte das seit 1976 unter kommunist. Bedingungen vereinigte Vietnam 1979 Kambodscha, was zu einem Krieg mit China (Febr./März 1979) und langjähriger chinesisch-vietnames. Gegnerschaft führte (erst 1992 Normalisierung der Beziehungen).

Im Unterschied zu Mittel- und Osteuropa konnten sich auch nach 1989 in China (blutige Niederschlagung der Demokratiebewegung), Vietnam und Nord-Korea kommunist. Gesellschafts- und Reg.systeme an der Macht halten, waren jedoch zu wirtsch. (bes. China) und z. T. polit. (Vietnam) Reformen gezwungen. Mit dem Zerfall der Sowjetunion 1991 entstanden fünf unabhängige zentralasiat. Republiken mit einer überwiegend muslim. Bevölkerung. Die Errichtung nationalstaatl. Strukturen löste dort innerstaatl. und zwischenstaatl. Konflikte aus, die weit in die Geschichte dieser Länder zurückgehen, durch die sowjet. Zentralgewalt aber mithilfe einer verbindl. Ideologie und einer auf ihr aufbauenden diktator. Einparteienherrschaft bis dahin neutralisiert worden waren.

Ausgehend von der Proklamation einer »Islam. Republik« in Iran (1979) verstärkten sich in den mehrheitlich von Muslimen bewohnten Staaten Bestrebungen, den Islam unmittelbar in Staat und Gesellschaft zu verankern (z. B. Einführung der Scharia).

Machtkämpfe innerhalb der kommunist. Führungsschicht Afghanistans nutzte die Sowjetunion 1979 unter dem Protest der Weltöffentlichkeit, bes. jedoch der islam. Welt, zu einer militär. Intervention in diesem Land aus. Sie löste damit in der Folgezeit jedoch zugleich einen Aufstand fundamentalistisch-islam. Kräfte gegen das kommunist. Reg.system Afghanistans und die zu seinem Schutz operierenden sowjet. Truppen aus. Nach dem Rückzug der sowjet. Streitkräfte 1989 brach das kommunist. Regime 1992 zusammen. Im Zeichen religiöser und ethn. Gegensätze zw. den versch. fundamentalistisch-islam. Kräften setzte sich der Bürgerkrieg mit anderen politisch-militär. Fronten fort (seit 1994 Eroberung eines Großteils des Landes durch die Taliban-Milizen).

In Vorder-A. führte die Bildung des Staates Israel (1948) zum →Nahostkonflikt, der – nach den ersten Ansätzen 1979 (Camp David) – mit den Autonomieregelungen für den Gazastreifen und das Westjordanland (1993–95) trotz schleppender Umsetzung der Verträge z. T. entschärft werden konnte. Zu einem ebenfalls brisanten Problem in Vorder-A. entwickelte sich der Kampf der →Kurden für Gleichberechtigung bzw. nationale Eigenständigkeit (»Kurdistan«).

Zu Beginn der 80er-Jahre bildete sich ein neuer Krisenherd am Pers. Golf heraus, wo es 1980–88 zu einem iranisch-irak. Krieg und 1991 zum Krieg zw. Irak und einer von den USA geführten internat. Militärallianz zur Befreiung des 1990 von irak. Truppen besetzten Kuwait kam (→Golfkrieg). Durch die Anbahnung vielfältiger Kontakte zu den islamisch geprägten früheren Gliedstaaten der UdSSR suchten sich die Türkei und Iran als Mittelmächte im vorder- und mittelasiat. Raum zu profilieren.

1997/98 wurden viele ost- und südostasiat. Länder (darunter Japan und die wirtschaftl. »Tigerstaaten«) von einer schweren Banken- und Wirtschaftskrise erfasst (z. T. mit polit. Folgen, u. a. Sturz der Regierung Suharto 1998 in Indonesien). Rivalität in der Kernwaffenentwicklung und -rüstung sowie das Wiederaufleben des Konflikts um Kaschmir führten 1998/99 zu neuen Spannungen zw. Indien und Pakistan.

A. nach dem Ende der Sowjetunion. Die Auswirkungen des Zerfalls der sowjet. Großmacht auf Politik, Gesellschaft u. Wirtschaft der asiat. Staaten, hg. v. W. Draguhn. *Heidelberg 1993. – A. in der Neuzeit 1500–1950. Sieben histor. Stationen, hg. v.* J. Osterhammel. *Beiträge v.* S. Dabringhaus *u. a. Frankfurt am Main 1994.* – Weggel, O.: *Die Asiaten. Gesellschaftsordnungen, Wirtschaftssysteme, Denkformen, Glaubensweisen, Alltagsleben, Verhaltensstile. Taschenbuch-Ausg. München 1994. – Nationalismus u. regionale Kooperation in A., hg. v.* B. Staiger. *Hamburg 1995. – Südostasien. Kunst u. Kultur, bearb. von* M. Girard-Geslan *u. a. Freiburg u. a. 1995.*

Asiento [span.] *der,* Vertrag, bes. der **A. de negros,** durch den der König von Spanien das Monopol erteilte, Negersklaven nach Amerika zu liefern, zuerst von Karl V. 1518 an die Genuesen vergeben; bis ins 18. Jh. praktiziert.

Asimov [əˈsiːmɔv], Isaac, amerikan. Biochemiker und Schriftsteller russ. Herkunft, * Petrowsk (Gebiet Saratow) 2. 1. 1920, † New York 6. 4. 1992; verfasste zahlreiche naturwiss. Abhandlungen, Kriminalromane und Sciencefiction.

Asine, felsige Höhe am Argol. Golf südöstlich der grch. Stadt Nauplion auf der Peloponnes, mit hellenist. Wehrmauer; auf Terrassen über dem Meer Reste früh- bis späthellad. Siedlungen.

Asinius Pollio, Gaius, röm. Staatsmann und Schriftsteller, * 76 v. Chr., † 5 n. Chr.; förderte u. a. Vergil und Horaz, stiftete die erste öffentl. Bibliothek in Rom (39 v. Chr.). Von seinen Tragödien, Reden und einer Geschichte des Bürgerkriegs zw. Cäsar und Pompeius sind nur Reste erhalten.

Asir, Landschaft und Prov. im SW von Saudi-Arabien, Bergland, das von der Küstenebene bis auf 2800 m ansteigt; sommerl. Regenfeldbau, in den Gebirgstälern Bewässerungsfeldbau.

Asjut, Stadt in Ägypten, → Assiut.

Askalon, Stadt in Israel, → Ashqelon.

Askanier [nach der Grafschaft Aschersleben (= Ascharien; daraus mythologisierend Askanien, zu Ascanius)], dt. Grafen- und Fürstengeschlecht; stammte urspr. aus Schwaben, ältester bekannter Angehöriger ist im 11. Jh. Esiko von Ballenstedt. Albrecht der Bär, Gründer der Mark Brandenburg, unterlag Heinrich dem Löwen im Streit um das Herzogtum Sachsen, doch wurde sein Sohn Bernhard nach dessen Tod (1180) Herzog von Sachsen; dessen Sohn Heinrich I. gründete die Linie Anhalt, die, geschwächt durch mehrere Teilungen (zuletzt im 17. Jh.), bis 1918 herrschte. Die anderen Linien starben frühzeitig aus (Brandenburg 1319, [Sachsen-]Wittenberg 1422, [Sachsen-]Lauenburg 1689).

Askanija Nowa, Naturschutzgebiet im Gebiet Cherson, Ukraine, 110 km²; Federgrassteppe in der Schwarzmeerniederung; Forschungsinstitute für Tierzüchtung und Akklimatisation. A. N. geht auf eine Stiftung der dt. Gutsbesitzerfamilie von Falz-Fein (1888) zurück.

Askari [arab., türk. »Soldat«] *der,* im ostafrikan. Sprachraum früher gebräuchl. Bez. für farbige Soldaten, bes. der dt. Schutztruppe (1890–1918) in Dt.-Ostafrika.

Askenase, Stefan, belg. Pianist poln. Herkunft, * Lemberg 10. 7. 1896, † Bonn 18. 10. 1985; berühmter Chopin-Interpret.

Stefan Askenase

Aškenazy [ˈaʃkɛnazi], Ludvík, tschech. Schriftsteller, * Český Těšín 24. 2. 1921, † Bozen 18. 3. 1986; lebte seit 1968 in der Bundesrep. Dtl.; lyr. und humorist. Erz., Dramen, Hörspiele, Kinderliteratur.

Askese [grch. »Übung«] *die,* urspr. die Zucht, das Training und die Enthaltsamkeit der Athleten; dann allg. die Enthaltsamkeit im eth. Sinne, mit verschiedenen Ausprägungen und Stufen: das Meiden von bestimmten Speisen und Getränken, geschlechtl. Genüssen, bis hin zur völligen Abkehr von weltl. Freuden auch im Seelischen und zur bewussten Lenkung des Erlebens, Vorstellens, Denkens und Wollens auf wenige Inhalte. Die A. soll der inneren Sammlung und Vergeistigung von Triebregungen und unbewussten Energien dienen. Sie ist in fast allen Religionen zu finden, bes. im Buddhismus und Christentum.

Äskulapnatter

Asklepiades, 1) grch. Dichter aus Samos, um 300 v. Chr.; Verfasser meist erot. Epigramme.

2) grch. Arzt, * Prusa in Bithynien 124 v. Chr., † Rom um 60 v. Chr.; baute auf der atomist. Philosophie eine Lebens- und Krankheitslehre auf.

Asklepios, grch. Heilgott, → Äskulap.

Askorbinsäure, → Ascorbinsäure.

Äskulap (grch. Asklepios, lat. Aesculapius), urspr. thessalischer Erddämon, galt als Sohn des Apoll und der Koronis, entwickelte sich zum grch. Heilgott; anlässlich einer Seuche in Rom 293 v. Chr. dort eingeführt. Das berühmteste seiner Heiligtümer **(Asklepieion)** stand in Epidauros. Abzeichen des Ä. ist die **Ä.-Schlange** oder der schlangenumwundene **Ä.-Stab** (Zeichen des ärztl. Standes). In der Kunst wurde Ä. seit Ende des 5. Jh. v. Chr. als in einen Mantel gehüllter bärtiger Mann

Äskulap:
Äskulapstab

mit dem meist von der hl. Schlange umwundenen Stab dargestellt. (→Hygieia)

Äskulapnatter (Elaphe longissima), bis 2 m lange, ungiftige Natter; in Dtl. nur bei Schlangenbad, Hirschhorn, Lörrach und Passau. BILD S. 295

Aslan, Raoul Maria, österr. Schauspieler und Regisseur armen. Herkunft, *Saloniki 16. 10. 1886, †Litzlberg (Gem. Seewalchen am Attersee) 18. 6. 1958; war 1945–48 Direktor des Wiener Burgtheaters; spielte v.a. Heldenrollen.

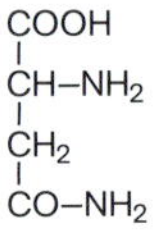
Asparagin

Asmara, Hptst. von Eritrea, am Steilrand des äthiop. Hochlandes, 2350 m ü. M., 368 000 Ew.; Univ.; Textil- u.a. Ind., Handelszentrum eines Kaffeeanbaugebietes; internat. Flughafen.

Äsop: Vasenbild mit der Darstellung Äsops im Gespräch mit dem Fuchs (5. Jh. v. Chr.; Rom, Vatikanische Museen)

Asmodi, im A.T. Name eines Dämons (u.a. Tob. 3, 8); im Talmud Fürst der Dämonen; im →Parsismus: Dämon der Begierde und des Zorns.

Asmus, Dieter, Maler, *Hamburg 1. 3. 1939; 1965 Mitbegründer der Gruppe Zebra, malt nach fotograf. Vorlagen in einem plastisch übersteigerten Realismus.

Asmussen, Hans Christian, evang. Theologe, *Flensburg 21. 8. 1898, †Speyer 30. 12. 1968; führend in der Bekennenden Kirche; 1949–55 Propst von Kiel. A. trat für den Dialog mit der kath. Kirche ein.

Asnam, Stadt in Algerien, →El-Asnam.

Asnières-sur-Seine [a'njɛ:rsyr'sɛ:n], Stadt nordwestlich von Paris, Dép. Hauts-de-Seine, 71 100 Ew.; Metall-, Textil-, Lebensmittel-, Parfüm- und pharmazeut. Ind.; Wohnstadt.

Äsop (grch. Aisopos, lat. Aesopus), Held einer frühgrch. volkstüml. Erzählung (6. Jh. v. Chr.), dann eines »Romans« des 1. Jh. n. Chr. Danach war Ä. ein phryg. Sklave voller Schnurren und Eulenspiegeleien. Die unter seinem Namen erhaltene Sammlung **(Äsopische Fabeln)** stammt aus dem 1.–6. Jahrhundert.

Asow, Hafenstadt im Gebiet Rostow, Russland, am Don, oberhalb seiner Mündung ins Asowsche Meer, 81 000 Ew.; Werft, Fischerei, Fischverarbeitung. – In der Nähe von A. lag die griech. Kolonie **Tanais.**

Asowsches Meer, nordöstl. Nebenmeer des Schwarzen Meeres, durch die Straße von Kertsch mit diesem verbunden, 38 000 km², nur bis 14,5 m tief; Fischfang. Haupthäfen: Taganrog, Mariupol, Jejsk, Berdjansk.

asozial, unfähig zum Leben in der Gemeinschaft, den sozialen Interessen zuwiderlaufend. Als **Asoziale** werden Menschen bezeichnet, die sich den normativen Mindestforderungen und Verhaltensmustern einer Gesellschaft nicht anpassen können oder wollen.

Asparagin [zu grch. aspáragos »Spargel«] *das,* nichtessenzielle Aminosäure in vielen Peptiden und Eiweißstoffen; findet sich u.a. in Spargel und Keimlingen von Schmetterlingsblütlern sowie Kartoffeln. A. wird durch das Enzym **Asparaginase** in A.-Säure und Ammoniak gespalten.

Aspartam [Kw.] *das,* weiße kristalline Verbindung, in der die Aminosäuren Asparaginsäure und Phenylalanin durch eine Peptidbindung miteinander verknüpft sind und die wie ein Eiweißstoff im Körper abgebaut wird. A. ist ein Süßstoff mit etwa der 200fachen Süßkraft des Rohrzuckers, u.a. für Diätgetränke verwendet.

Aspasia, eine der berühmtesten Frauen des grch. Altertums, 2. Gattin des Perikles, aus Milet, kam bald nach 450 v. Chr. nach Athen. Geistreich und von großem Einfluss auf ihren Gatten, wurde sie das Angriffsziel seiner polit. Gegner.

Aspekt [lat. aspectus »Hinsehen«] *der,* **1)** *allg.:* Gesichtspunkt; Blickwinkel.

2) *Astronomie:* (Konstellation) von der Erde aus gesehene (Winkel-)Stellung von Sonne, Planeten, Erde und Mond zueinander. **Konjunktion**

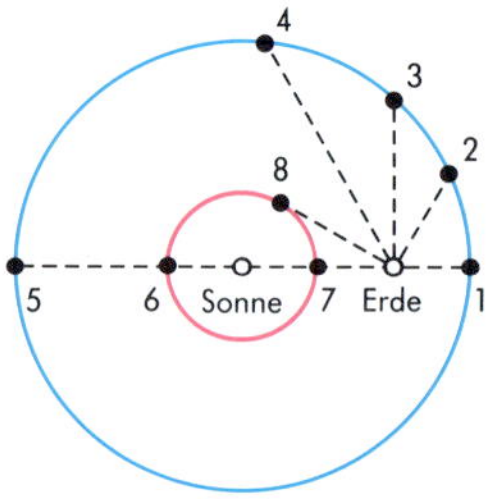

Aspekt 2): Von der Erde aus gesehene Stellungen von Planeten zur Sonne; äußerer Planet: 1 Opposition, 2 Trigonalschein, 3 Quadratur, 4 Sextilschein, 5 Konjunktion; innerer Planet: 6 obere Konjunktion, 7 untere Konjunktion, 8 größte Elongation

(Gleichschein; Zeichen ☌) findet statt, wenn zwei Gestirne auf dem gleichen Längenkreis stehen, **Opposition** (Gegenschein; ☍) tritt ein, wenn der Längenunterschied 180° beträgt. Sonne und Mond in Konjunktion bedeutet Neumond und bei gleicher Breite Sonnenfinsternis; Sonne und Mond in Opposition bedeutet Vollmond und bei genügend kleinem Breitenunterschied Mondfinsternis. Quadratur (Geviertschein; □) bedeutet 90°, Trigonalschein (△) 120°, Sextilschein (*) 60° Längenunterschied. – Eine besondere Rolle spielen die A. in der Astrologie.

3) *Sprachwissenschaft:* grammat. Kategorie des Verbs, bes. in den slaw. Sprachen. Der **imperfektive A.** stellt einen Sachverhalt in seinem Verlauf (unvollendet), der **perfektive A.** als Tatsache (vollendet) dar.

Aspen ['æspən], Stadt in W-Colorado, USA, 2400 m ü. M. in den Rocky Mountains, 4000 Ew.; nach dem Rückgang des Silberbergbaus bed. Fremdenverkehrszentrum (Wintersport).

asper [lat.], rau; **Spiritus a.,** → Spiritus.

Asper, 1) Hans, schweizer. Maler, * Zürich 1499, † ebd. 21. 3. 1571; neben H. Holbein d. J. einer der bedeutendsten Porträtmaler seiner Zeit.

2) Hans Conrad, schweizer. Bildhauer und Baumeister, * Zürich um 1588, † Konstanz (?) um 1666; einer der Wegbereiter des Frühbarock, beteiligt u. a. am Bau von Kirche und Kloster der Karmeliten in München (1654–60).

Asperg, Stadt im Kreis Ludwigsburg, Bad.-Württ., 260 m ü. M., am Fuß der ehem. Festung → Hohenasperg, 12100 Ew.; chem. und Möbelind., Metallverarbeitung.

Aspergill [lat.] *das,* Weihwasserwedel.

Aspermie [grch.] *die,* das Fehlen von Samenzellen und Samenreifungszellen im Sperma.

Aspern, 1905 nach Wien eingemeindet, seit 1938 Teil des 22. Bezirks. – Die Schlacht bei A. und Eßling am 21./22. 5. 1809 war die erste, in der Napoleon I. besiegt wurde: Die Österreicher unter Erzherzog Karl verhinderten den Donau-Übergang der Franzosen.

Aspersion [lat.] *die,* Besprengung mit Weihwasser.

Asphalt [von grch. ásphaltos »Erdpech«] *der, Materialkunde:* natürl. oder künstl. braunes bis schwarzes, zähes Gemisch aus → Bitumen und Mineralstoffen. **Natur-A.** entsteht aus der Oxidation und Polymerisation des → Erdöls. Technisch hergestellter A. wird überwiegend für den Straßenbau verwendet. **Asphaltite** sind Natur-A. von großer Härte und niedrigem Mineralstoffgehalt. **A.-Lack,** schwarzes, oft glänzendes, lufttrocknendes Anstrichmittel als Korrosionsschutz.

asphärisch, *Mathematik:* nicht kugelförmig.

Asphyxie [grch. »Pulslosigkeit«] *die,* das Aussetzen der Atmung durch Störung des Atemzentrums; Notfallsituation, erfordert Wiederbelebung; i. w. S. alle Fälle lebensbedrohenden Atmungsausfalls bei Neugeborenen, z. B. auch durch Nabelschnurumschlingung.

Aspidistra [zu grch. aspís »Schild«] *die* (Schildblume), japan. Liliengewächs mit braungelben, halb in der Erde steckenden Blüten und dem Boden aufliegendem Wurzelstock.

Aspik [frz.] *der,* auch *das,* Fisch-, Fleisch-, Geflügel- oder Wildgelee; auch die damit bereiteten Speisen.

Aspirant [lat. aspirare »anhauchen«, »hinstreben«] *der,* Anwärter, Bewerber.

Aspirata *die,* Hauchlaut (→ Laut).

Aspiration *die,* **1)** *Medizin:* das Eindringen von Fremdkörpern (Blut, Mageninhalt u. Ä.) in die Atemwege während der Einatmung, bes. bei Bewusstlosen.

2) *Phonetik:* Behauchung (eines Lautes).

Aspirationskürettage [-ʒə], Methode zur Gewinnung von Gebärmutterschleimhaut (→ Ausschabung) zu diagnost. Zwecken.

Aspirin® *das,* Handelsname eines häufig verwendeten Schmerzmittels, chemisch Acetylsalicylsäure, wirkt u. a. auch fiebersenkend und entzündungshemmend.

Aspisviper [grch. aspís »Natter«], der Kreuzotter ähnl. giftige Viper; bes. in den Pyrenäen (in Dtl. nur im S-Schwarzwald).

Asplund, Gunnar, schwed. Architekt, * Stockholm 22. 9. 1885, † ebd. 20. 10. 1940; vollzog den Übergang von der klassizist. zur modernen Architektur (Stadtbibliothek Stockholm, 1927; Bauten zur Stockholmer Ausstellung 1930).

Aspropotamos *der,* grch. Fluss, → Acheloos.

Asquith ['æskwɪθ], Herbert Henry, Earl of Oxford and A. (seit 1925), brit. liberaler Politiker, * Morley (Cty. Yorkshire) 12. 9. 1852, † London 15. 2. 1928; war 1892–95 Innenmin., 1908–16 Premiermin., danach Führer der liberalen Opposition.

Herbert Henry Asquith

Ass [frz.] *das,* höchstes Blatt der frz. Spielkarten; im Würfelspiel die Eins. (→ Daus)

Assad (Asad), Hafis al-, syr. General und Politiker, * Kardaha (bei Latakia) 6. 10. 1930; 1966–70 Luftwaffenchef und Verteidigungsmin.; nach Militärputsch 1970/71 MinPräs. und seit 1971 (autokratisch herrschender) Staatspräs.; erstrebt eine Führungsrolle Syriens in der arab. Welt.

Hafis al-Assad

Asphalt

*Im 19. Jahrhundert reiste man noch ziemlich rumpelig auf Kies- und Schotterstraßen durch Europa. Die erste asphaltierte Straße konzipierte der Westschweizer Ingenieur Albert Merian (*1794, †1880; nicht verwandt mit den Kupferstechern). Sie führte von Travers im Kanton Neuenburg nach Pontarlier im französischen Jura. Für den Bau dieser Straße (1854) wurde Naturasphalt verwendet, der aus der Oxidation und Polymerisation von Erdöl entsteht und rein z. B. im Asphaltsee Pitch Lake auf der Karibikinsel Trinidad vorkommt. Die nächsten asphaltierten Straßen waren dann schon die Boulevards von Paris.*

Assagai (Azagai, Zagai) *der,* Hauptwaffe südafrikan. Stämme (1–2 m lang) mit eiserner Spitze; wurde 30–40 m weit geworfen; nur die Zulu benutzten ihn als Stoßwaffe.

assai [italien. »genug«, »ziemlich«], gibt die Steigerung einer musikal. Tempo- oder Vortragsbezeichnung an, z. B. adagio a.: recht langsam.

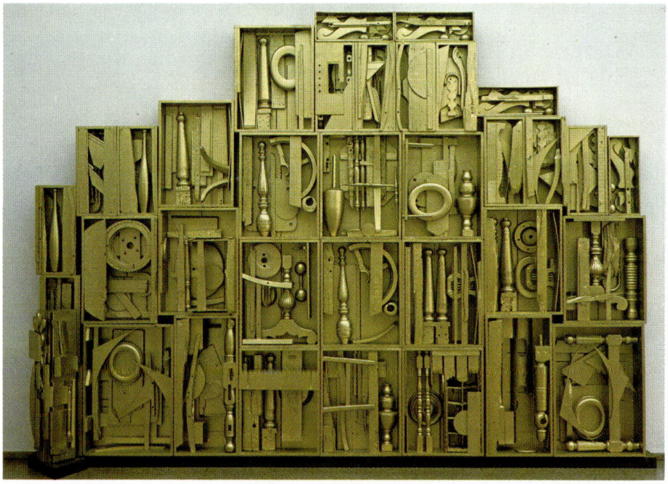

Assemblage: Louis Nevelson, »Royal Tide IV« (Holz, 1960; Köln, Museum Ludwig)

Assam, Bundesstaat im NO Indiens; umfasst das hochgebirgsumrahmte Brahmaputratal, hat feuchtheißes Klima mit den höchsten Niederschlägen der Erde (10 800 mm/Jahr). Die Bev. besteht zu etwa 70 % aus Hindus, zu 20 % aus Muslimen und zu 10 % aus Christen. Anbau: 80 % des ind. Tees (Teeanbau seit 1830); Reis, Baumwolle, Jute; Erdöl-, Erdgas- und Kohlevorkommen. – Nach Eroberung durch die →Ahom seit dem 13. Jh. ein eigenes Reich, wurde A. 1816 von Birmanen besetzt und stand seit 1826 unter brit. Herrschaft; seit 1950 Staat der Ind. Union. Versch. Gebiete wurden später ausgegliedert (→Arunachal Pradesh, →Meghalaya, →Mizoram, →Nagaland).

assamische Sprache, Hauptsprache des ind. Bundesstaates Assam, die östlichste der neuindoar. Sprachen.

Assassinen [arab. »Haschischraucher«], wohl erst später übl. Bez. eines gegen Ende des 11. Jh. von den Ismaeliten abgespaltenen islam. Geheimbundes in Persien und Syrien (der dortige Führer trägt den Titel Scheich al-Djebel, dt. Alter vom Berge); bedrohte durch Meuchelmörder bis ins 13. Jh. islam. Fürsten und die Kreuzfahrer; kleine religiöse Gruppen der seit langem friedl. A. leben noch in Syrien.

Asse *die,* Höhenrücken im nördl. Harzvorland. In einem ehem. Salzbergwerk bei Wolfenbüttel Deponie für schwach radioaktive Abfälle.

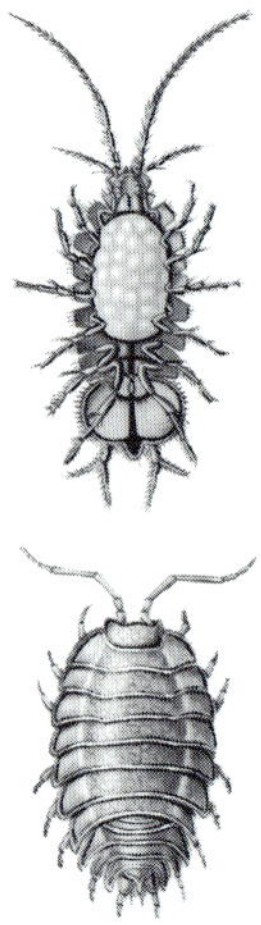

Asseln: Wasserassel, Bauchseite (oben); Kellerassel, Rückenansicht (unten); beide vergrößert

Assekuranz [lat.] *die,* veraltend für die Privatversicherung.

Asseln (Isopoda), Krebstiere mit meist plattem Körper und gegliedertem Rumpf. Körperlänge: 1–27 cm (Riesen-A. der Tiefsee). Die Wasser-A. lebt im Süßwasser. Keller-A. und Roll-A. sind Luftatmer an feuchten Orten.

Asselspinnen (Pantopoda), meerbewohnende Gliederfüßer mit unsicherer phylogenet. Stellung (rd. 500 Arten).

Assemblage [asãˈblaːʒ, frz.] *die,* Technik des Materialbildes, bei der vorgefundene oder vorgefertigte plast. Objekte bzw. Materialfragmente auf der Fläche montiert werden und dadurch räumlich-plast. Wirkung erhalten; Weiterentwicklung der →Collage.

Assemblée [asãˈble, frz.] *die,* Versammlung, in Frankreich v. a. Bezeichnung für Volksvertretungen und öffentl. Körperschaften. **A. nationale,** →Nationalversammlung. **A. nationale constituante,** die verfassunggebende Nationalversammlung, z. B. die 1789 aus den Generalständen hervorgegangene.

Assembler [əˈsemblə, engl.] *der,* Übersetzungsprogramm, auch Bez. für eine maschinenorientierte →Programmiersprache.

Assen [ˈasə], Hptst. der Prov. Drente, Niederlande, 52 200 Ew.; Drentemuseum; graf. Gewerbe; durch Kanäle mit Zwolle, Groningen und Leeuwarden verbunden.

Asser, Tobias Michael Carel, niederländ. Rechtsgelehrter, *Amsterdam 28. 4. 1838, †Den Haag 29. 7. 1913; 1862–93 Prof. der Rechte in Amsterdam, wurde 1893 Mitgl. des Staatsrats, 1904 Staatsmin.; war Delegierter bei den Haager Friedenskonferenzen 1899 und 1907; erhielt 1911 den Friedensnobelpreis.

Assertion [lat.] *die,* Feststellung, Behauptung. **assertorisch** heißen in der Logik Aussagen oder Urteile, die ohne Beweis Gültigkeit beanspruchen.

Asservat [lat.] *das,* amtlich aufbewahrte Sache (z. B. bei Gericht verwahrte Beweisgegenstände). **Asservatenkammern,** bei Polizeistellen oder Gerichten eingerichtete Aufbewahrungsorte für A. **Asservatenkonto,** gesperrtes Verwahrkonto bei einer Bank.

Assessment-Center [əˈsesmənt ˈsentə; engl. »Beurteilungszentrum«], in der Personalauswahl und -entwicklung eingesetztes eignungsdiagnost. Instrument, bei dem Berufssituationen möglichst realitätsnah in standardisierten Spiel- und Testsituationen simuliert werden.

Assessor [lat. »Beisitzer«], früher Dienstbez. für auf Probe eingestellte Richter und Beamte des höheren Dienstes, z. B. Gerichts-, Studien-A. Heute wird die Bez. des Eingangsamtes mit dem Zusatz »z. A.« (zur Anstellung, z. B. Regierungsrat

z. A.) geführt. Des Weiteren darf die Bez. A. führen, wer die 2. jurist. Staatsprüfung bestanden hat.

Im *spätröm. Recht* war der Titel A. für die Berater des Kaisers bei dessen Rechtsprechung üblich. Seit dem MA. waren A. am Reichskammergericht und Reichshofrat, bei den Instanzgerichten der Territorien und an den jurist. Fakultäten tätig, wo sie oft zeitlich begrenzte Recht sprechende Tätigkeit ausübten.

Assibilierung [lat.], *Sprachwissenschaft:* die Verwandlung eines Verschlusslautes [k, t] in eine Affrikata [ts, tʃ] oder in einen Zischlaut [s, ʃ], z. B. wird lat. causa zu frz. chose [ʃo:z].

Assignaten [frz., zu lat. assignare »anweisen«], das Papiergeld der Frz. Revolution; 1797 für ungültig erklärt.

Assimilation [lat. »das Ähnlichmachen«] *die,* **1)** *Biologie:* die unter Energieverbrauch erfolgende Bildung körpereigener, organ. Substanz aus von außen aufgenommenen, anorgan. (bei den meisten Pflanzen) oder vorwiegend organ. Stoffen (u. a. bei allen Pilzen, fast allen Bakterien, den Tieren und Menschen). Die **Kohlendioxid-A.** der Pflanzen bildet die Grundlage des Lebens auf der Erde. Dabei werden aus dem Kohlendioxid der Luft und aus Wasser mittels Lichtenergie **(Photosynthese)** oder chem. Energie **(Chemosynthese)** Kohlenhydrate (Zucker, Stärke) u. a. organ. Verbindungen gebildet.

2) *Petrologie:* (magmat. A., Syntexis) die Aufnahme, Umwandlung und Einschmelzung von Fremdgestein in Magma, wobei dessen Chemismus wesentlich verändert wird.

Assisi: Die einschiffige Kirche Santa Chiara in Form eines lateinischen Kreuzes (1257–60)

3) *Phonetik:* Abstimmung zweier Laute aufeinander hinsichtlich ihrer Artikulationsart; z. B. wird mhd. *lamb* zu nhd. *Lamm.*

Die **Assignaten,** *das Papiergeld der Französischen Revolution, waren durch die seit 1789 enteigneten Kirchengüter, königlichen Domänen und den Emigrantenbesitz gedeckt. Sie wurden in Umlauf gebracht, um die vom absolutistischen Staat verursachte Finanzmisere zu beheben. Die Assignaten waren zunächst verzinsliche Staatsobligationen, seit 1792 waren sie alleiniges Zahlungsmittel.*
Die ungeheure Menge der immer weiter ausgegebenen Assignaten – um 1796 sollen Assignaten für fast 46 Milliarden Livres im Umlauf gewesen sein – führte zu einem rapiden Wertverfall, sodass der seit 1790 festgesetzte Zwangskurs stetig sank (von 90 % Anfang 1791 auf 1/3 % 1796). Im Februar 1796 wurden daher die Assignaten außer Kraft gesetzt und gegen ein neues Papiergeld, die »Territorialmandate«, umgetauscht, die gleichfalls durch Güter gedeckt, im Umlauf aber auf 2,4 Milliarden Livres begrenzt wurden.
Trotz des Zwangskurses verfielen aber auch diese Papiere rasch, Ende 1796 hatten sie nur noch 2 1/2 %, 1797 nur noch 1/4000 des Nennwerts. Im Mai 1797 wurden auch diese für ungültig erklärt, da dank militärischer Erfolge wieder genügend Münzgeld vorhanden war. Inzwischen waren weite Teile der Bevölkerung verarmt.

4) *Psychologie:* die Verschmelzung von früheren Wahrnehmungen mit neu hinzukommenden. Bleibt dabei die frühere Wahrnehmung vorherrschend, so kommt es zu einer unangemessenen Beurteilung der Wirklichkeit.

5) *Soziologie:* Vorgang, bei dem Einzelne oder Gruppen die Traditionen, Gefühle und Einstellungen anderer Gruppen übernehmen und in diesen allmählich aufgehen (z. B. Einschmelzung verschiedenartiger Einwanderergruppen in den USA); ferner jede Angleichung des Einzelnen an die umgebenden Gruppen (Familie, Berufsverband, Staat u. a.). Die A. ist ein wesentl. Faktor des Wachstums von Stämmen, Völkern, Sprach- und Religionsgemeinschaften.

Tobias Asser

Assiniboine [əsɪnɪˈbɔɪn] *der,* Fluss in S-Kanada, rd. 1070 km lang, mündet bei Winnipeg in den Red River. Das **A.-Tal** ist eines der wichtigsten Weizenanbaugebiete Kanadas.

Assise [frz., zu asseoir »setzen«] *die,* **1)** Sitzung; seit dem 12. Jh. in der Normandie und in England die Versammlung der Vasallen unter Vorsitz des Lehnsherrn, dann auch die von ihnen beschlossenen Gesetze; z. B. die A. von Jerusalem (Ende 12. bis Ende 13. Jh.), das in den Königreichen Jerusalem und Zypern geltende Rechtsbuch.

2) Schwurgericht in Frankreich und in der Schweiz.

Assisi, Stadt in Umbrien, Prov. Perugia, Italien, 24 600 Ew. – In der Unterstadt Textil-, Nahrungsmittel-, Metallind.; die Oberstadt ist Wallfahrtsort mit mittelalterl. Stadtbild; Bischofssitz. Das A. des MA. wurde für die christl. Welt als Heimat des hl. Franz von A. bekannt, dessen Leichnam im Grabgewölbe der Doppelkirche San Francesco (1228–53, Fresken von Cimabue, Giotto u.a.) ruht. Weitere bed. Kirchen sind u.a. Santa Maria sopra Minerva (über einem röm. Minervatempel) und Santa Chiara (1257–60, Grablege der hl. Klara).

Assistent [lat.] *der,* 1) Beruf, der durch ein- bis dreijährigen Besuch der Berufsfachschule erlernt wird. A. unterstützen die Arbeit v.a. von Naturwissenschaftlern, Ingenieuren und Ärzten. 2) Ausbildungsberuf (zwei Jahre) als A. an Bibliotheken. 3) Fachkraft, die einen leitend Tätigen entlastet, z.B. als wiss. Mitarbeiter an Hochschulen und in Forschungsinstituten, auch in Wirtschaft oder Politik.

Assiut (Asyut, Asjut), Prov.-Hptst. in Oberägypten, am linken Nilufer, 273200 Ew.; Univ. (gegr. 1957), islam. Hochschule; Baumwoll-, Düngemittelind.; Kunsthandwerk; Flughafen. – Bei A. Nilstaudamm (833 m lang) mit Straße.

Aßlar, Stadt im Lahn-Dill-Kreis, Hessen, im Dilltal, 13900 Ew.; Drahtwerke, Hochvakuumtechnik, opt. Industrie.

Aßmann, Richard, Meteorologe, *Magdeburg 13. 4. 1845, †Gießen 28. 5. 1918; förderte durch instrumentelle Entwicklungen die Aerologie, entdeckte die Stratosphäre (1902). →Atmosphäre.

Assmannshausen, Stadtteil von Rüdesheim am Rhein, Hessen, 86 m ü. M., am rechten Rheinufer unterhalb des Binger Lochs, am Fuß des Niederwalds (Seilbahn); Weinbau (v.a. Assmannshäuser Rotwein), Thermalquelle; spätgot. Pfarrkirche.

Associated Press [əˈsəʊʃɪeɪtɪd pres], →AP.

Association of South East Asian Nations [əsəʊsɪˈeɪʃn əv saʊθ iːst ˈeɪʃn ˈneɪʃnz], Abk. **ASEAN,** Vereinigung südostasiat. Staaten, gegr. 1967 von Indonesien, Malaysia, den Philippinen, Singapur und Thailand; 1984 Beitritt von Brunei, 1995 von Vietnam; Sitz Jakarta. Ziel ist die Förderung der wirtsch. und sozialen Entwicklung sowie der polit. Stabilität in Südostasien. 1992 beschlossen die Reg.chefs der Mitgl.staaten den langfristigen Zusammenschluss zur **Asiat. Freihandelsgemeinschaft** (AFTA).

Assonanz [lat. »Anklang«] *die,* unvollständiger →Reim (Übersicht), bei dem sich nur die Vokale von der letzten betonten Silbe an decken. Beispiel: sorgsam/kostbar.

assortieren [frz.], vervollständigen, nach Warengattungen ordnen, um ein auf den Kundenbedarf abgestimmtes Sortiment anbieten zu können.

Assoziation [lat.] *die,* **1)** *allg.:* Vereinigung, Zusammenschluss.

2) *Astronomie:* (Stern-A.) lockere Ansammlung von gemeinsam entstandenen und physikalisch ähnl. Sternen; ist die Ansammlung kompakter, spricht man von →Sternhaufen.

3) *Chemie:* Zusammenlagerung zweier oder mehrerer Einzelmoleküle zu Molekülkomplexen.

4) *Pflanzengeographie:* Grundeinheit der Pflanzengesellschaften, für die eine bestimmte Zusammensetzung von Pflanzenarten vorausgesetzt wird.

5) *Psychologie:* Verknüpfung zweier oder mehrerer Erlebnisinhalte miteinander. Auf diese Weise können A.-Ketten entstehen, die als Grundlage der Gedächtnisleistung gelten. Mit der Beobachtung, Beschreibung und Erfassung der A. beschäftigte sich zunächst die Philosophie (Aristoteles, engl. Empirismus u.a.), bevor sie Gegenstand psycholog. Forschung wurde (J. F. Herbart, J. Ebbinghaus, G.E. Müller u.a.). Das Ergebnis waren die **A.-Gesetze:** Hiernach entstehen A. bes. durch Ähnlichkeit, Kontrast und räuml. wie zeitl. Nachbarschaft. Abwandlungen sind gegeben u.a. durch Dauer, Stellung, Festigkeit der A. und individuelle Unterschiede der Assoziierenden. A. können sowohl bewusster als auch unbewusster Art sein und in Wechselbeziehung (z.B. Hemmung, Verstärkung) miteinander stehen, zudem durch Inhalte des Bewussten wie Unbewussten gesteuert werden. Die Erkenntnisse fanden Anwendung in der Lernpsychologie (Ebbinghaus, C. L. Hull, B. F. Skinner) und Diagnostik. **Unmittelbare A. (freie A.)** dienen in der Psychoanalyse dazu, unbewusste Regungen aufzuspüren und verdrängte Erlebnisse aufzudecken. **Gerichtete A.** zu Träumen sind in der Psychotherapie der Schlüssel zur Traumanalyse. **Mittelbare A.** zu standardisiertem Material, z.B. Wortvorlagen, Kleckbilder (projektive Tests), sind ein wichtiger Zugangsweg zur Persönlichkeitsdiagnose.

6) *Recht:* Vereinigung von Personen oder Kapitalien zu einem gemeinschaftl. Zweck, z.B. Genossenschaften und Koalitionen.

Assoziativgesetz, *Mathematik:* Verknüpfungsgesetz bei der Addition oder Multiplikation: $(a+b)+c = a+(b+c)$ bzw. $(a \cdot b) \cdot c = a \cdot (b \cdot c)$. Das A. gilt für alle Zahlen, aber z.B. nicht für alle Funktionen.

Assoziativspeicher, *Datenverarbeitung:* ein Speicher mit wahlfreiem Zugriff, bei dem der Zugriff gleichzeitig auf alle Speicherzellen erfolgt, die bestimmte Inhaltsmerkmale erfüllen.

Assoziierung, Form der Beteiligung eines Staates an einer Staatenverbindung, bes. einer Zoll- oder Wirtschaftsunion. Die A. bedeutet keine Vollmitgliedschaft.

ASSR, Abk. für **A**utonome **S**ozialistische **S**owjet**r**epublik.

Assuan (Aswan), Hptst. der Provinz A., Oberägypten, am rechten Nilufer unterhalb des »ersten

Katarakts« (eine Granitschwelle), 196 000 Ew.; Univ. (seit 1986); Handelszentrum; Düngemittelfabrik, Wasserkraftwerke, Eisenbahnstation, Flughafen; bed. Fremdenverkehr (→Elephantine, →Abu Simbel, →Kalabscha, Agilkia mit dem Tempel von →Philae). – Südlich von A. liegt der **Assuanstaudamm** (1902 fertig gestellt), 7 km südlich davon der neue 111 m hohe und 5 km lange **Assuanhochdamm** (1960–70 erbaut), der den →Nil zum 550 km langen **Nassersee** staut.

Assumptionisten [zu spätlat. assumptio »(Mariä) Himmelfahrt«] (lat. Augustiani ab Assumptione), Abk. **A. A.,** 1845 gegründete Kongregation nach der Augustinerregel, seit 1929 dem Dritten Orden der Augustiner angeschlossen.

Assunta [italien. »die Aufgenommene«] *die,* Name für die in den Himmel aufgenommene Maria und die Darstellung ihrer Himmelfahrt.

Assur, alte assyr. Stadt, am rechten Tigrisufer, heute der Ruinenhügel **Kalat Scherkat,** Irak, im 2. Jt. v. Chr. Hptst. Assyriens; wurde von Kalach und Ninive zurückgedrängt, 614 v. Chr. von den Medern zerstört; erlebte eine späte Blüte unter den Parthern (140 v. Chr. bis 256 n. Chr.); 1903–14 z. T. ausgegraben (Festungswerke, Tempel).

Assur, Hauptgott der Stadt Assur, Reichsgott von Assyrien.

Assurbanipal, assyr. König (668 bis etwa 627 v. Chr.), Sohn des Asarhaddon; eroberte 648 v. Chr. Babylon, verlor Ägypten. Seine in Ninive gefundene Tontafelbibliothek ist die bedeutendste Sammlung babylonisch-assyr. Literaturdenkmäler (heute zum größten Teil im Brit. Museum, London).

Assyrer, Volk des Altertums, die Bewohner von Assyrien.

Assyri|en, im Altertum das Gebiet am mittleren Tigris um die Stadt →Assur (heute der N-Teil von Irak), umfasste etwa die Landschaft nördlich des Djebel Hamrin bis in die Täler der armen. und kurd. Berge im N und O. Das Gebiet des späteren A. war bereits im 4. Jt. v. Chr. besiedelt. Seit dem 2. Jt. v. Chr. ist Assur als Zentrum eines Kleinstaates nachweisbar. Um 1950 v. Chr. machte sich A. von Babylon unabhängig. Später kam das assyr. Reich zeitweise unter die Oberherrschaft von Mitanni, bis Assur-Uballit I. (1364–28) die Unabhängigkeit erstritt. Tukulti-Ninurta I. (1233–1197) beherrschte sogar für kurze Zeit Babylon; danach folgte ein rascher Niedergang. Tiglatpileser I. (1114–1076) konnte bis zum Mittelmeer und zum Vansee vordringen; doch erst unter Adad-Nerari II. (912–891; Babylon kam wieder unter assyr. Oberhoheit) und bes. Assurnasirpal II. (883–859; mit seiner neuen Residenz Kalach) wurde A. zur wichtigsten Macht Vordersiens. Salmanassar V. (726–722) eroberte 722 Samaria und deportierte die Bevölkerung Israels; Sargon II. (722–704, neue Residenz Dur-Scharrukin) schlug Urartu entscheidend und kämpfte gegen das aufständ. Babylon, das sein Sohn Sanherib (704–681, Residenz Ninive) 689 zerstörte. Asarhaddon (680–669) eroberte 671 Ägypten. Ein letztes Mal gelang es seinem jüngeren Sohn Assurbanipal (669 bis etwa 627), das Reich geeint zu erhalten. 625 wurde Babylonien unabhängig. 614 fiel Assur, 612 Ninive und Kalach unter dem Druck der Meder und Babylonier.

Assyrien

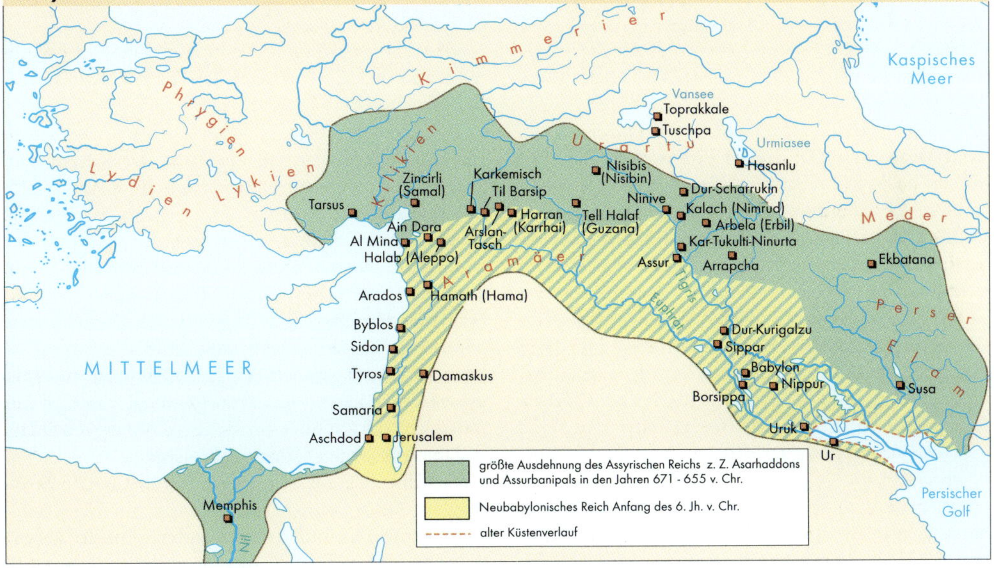

1

2

3

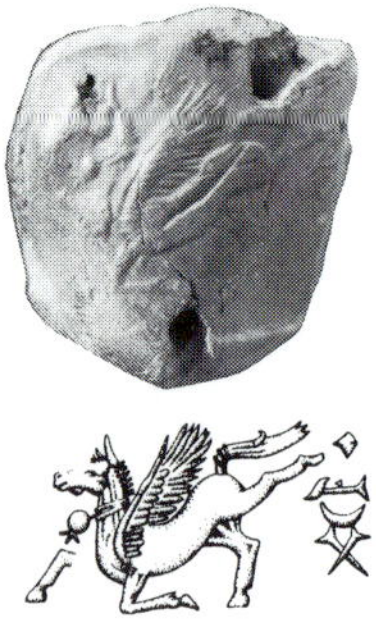

4

5

| **1** Symbolsockel aus dem Ischtartempel in Assur mit der Darstellung des Königs Tukulti-Ninurta I. (Alabaster, um 1220 v. Chr.; Staatl. Museen zu Berlin – Preußischer Kulturbesitz, Vorderasiatisches Museum) | **2** Die rekonstruierten Mauern der assyrischen Residenzstadt Ninive mit dem Tor des Gottes Schamasch | **3** Sargon II. (rechts) mit einem Würdenträger, vielleicht Kronprinz Sanherib (Relief aus Dur-Scharrukin, 8. Jh. v. Chr.; Paris, Louvre) | **4** Abrollung eines Rollsiegels aus Dur-Katlimmu auf Ton mit Umrisszeichnung des Abdrucks (13. Jh. v. Chr.; Deir ez-Zor, Museum) | **5** Verwundete Löwin (Detail eines Alabasterreliefs aus Ninive, um 600 v. Chr.; London, Britisches Museum)

📖 MEISSNER, B.: *Babylonien u. A., 2 Bde. Heidelberg 1920–25.* – *Reallexikon der Assyriologie u. vorderasiat. Archäologie, begr. v.* E. EBELING *u.* B. MEISSNER, *fortgef. v.* E. WEIDNER *u.* W. VON SODEN, *hg. v.* D. O. EDZARD. *Auf mehrere Bde. ber. Berlin u. a. 1932 ff. (bisher 8 Bde. erschienen).* – FREYDANK, H.: *Beiträge zur mittelassyr. Chronologie u. Gesch. Berlin 1991.* – LAMPRICHS, R.: *Die Westexpansion des neuassyr. Reiches. Eine Strukturanalyse. Kevelaer u. a. 1995.* – MAYER, WALTER: *Politik u. Kriegskunst der Assyrer. Münster 1995.*

Assyriologie *die,* **1)** frühere Bez. für Altorientalistik.

2) seit dem 19. Jh. Disziplin der Altorientalistik, die sich mit Geschichte, Kultur, Religion, Recht, Wirtschaft der alten Länder Sumer, Akkad, Babylonien, Assyrien sowie deren in Keilschrift geschriebenen Sprachen Sumerisch und Akkadisch beschäftigt.

assyrische Kunst, die Kunst der Assyrer, die immer in Wechselbeziehung zur babylon., aber auch zur hurrit. und hethit. Kunst stand; sie umfasst drei Epochen: die **altassyrische Kunst** (etwa 2000–1750 v. Chr.), nach dem Machtzerfall Assyriens in den folgenden Jahrhunderten die **mittelassyrische Kunst** (etwa 1400–1000 v. Chr.) und die **neuassyrische Kunst** (etwa 1000–600 v. Chr.), in der die a. K. ihren Höhepunkt erreicht.

Von der assyr. Baukunst sind in den assyr. Residenzen Assur, Ninive, Kalach u. a. im Wesentlichen nur die Grundrisse von Befestigungsmauern, Palästen, Tempeln, Tempeltürmen (→Zikkurat) und von Wohnhäusern erhalten. Von assyr. Plastik ist wenig erhalten. Kennzeichnend sind ihre Starre und Monumentalität. Von hoher Vollendung sind die Reliefs, die sich in der neuassyr. Epoche von starrer schemat. Komposition zu freier Gestaltung fortentwickeln. Die Tierdarstellung zeichnet sich durch genaue Beobachtung und Wiedergabe des Vorbildes aus. Die Kriegstaten der Könige werden in detailliertem Realismus geschildert; im Mittelpunkt der religiösen Darstellungen steht das uralte Symbol des heiligen Baumes. In der Kleinkunst nimmt neben der Elfenbeinschnitzerei die Siegelkunst mit dem Rollsiegel (→Siegel) einen besonderen Platz ein.

🕮 PARROT, A.: *Assur. Die mesopotam. Kunst vom XIII. vorchristl. Jahrhundert bis zum Tode Alexanders des Großen. A. d. Engl. München ²1972.* – HEINRICH, E.: *Die Tempel u. Heiligtümer im alten Mesopotamien. Typologie, Morphologie u. Gesch. Unter Mitarbeit von* U. SEIDL, *2 Bde. Berlin 1982.*

assyrische Literatur, →babylonisch-assyrische Literatur.

assyrische Sprache, Dialekt der akkad. Sprache, gehört zu den →semitischen Sprachen. Man unterscheidet **Altassyrisch** (etwa 1950–1750 v. Chr.), **Mittelassyrisch** (etwa 1500–1000 v. Chr.) und **Neuassyrisch** (etwa 1000–600 v. Chr.).

a. St., *Zeitrechnung:* Abk. für →alter Stil. (→Kalender)

AStA, Abk. für **A**llgemeiner **St**udenten**a**usschuss (→Studentenschaft).

astabile Kippschaltung, →Multivibrator.

Astafjew, Wiktor Petrowitsch, russ. Schriftsteller, *Owsjanka (Region Krasnojarsk) 1. 5. 1924; schreibt autobiographisch gefärbte Erzählungen und Romane, die das Leben in den Dörfern seiner sibir. Heimat schildern, u.a. »Die Floßfahrt« (Erzählung, 1959), »Ferne Jahre der Kindheit« (Erzählung, 1968), »Satjossi« (Publizistik, 1984).

Astaire [əsˈteə], Fred, eigtl. Frederick Austerlitz, amerikan. Filmschauspieler, *Omaha (Nebr.) 10. 5. 1899, †Los Angeles 22. 6. 1987; Tänzer und Sänger in Musik-, Revue- und Tanzfilmen.

Fred Astaire

Astarte (Aschtarte), die der babylon. Ischtar entsprechende Fruchtbarkeits- und Kriegsgöttin Palästina-Syriens.

Astasierung [grch.], Beseitigung der Einwirkung elektr. und magnet. Störfelder bei Präzisionsmessgeräten.

Astat [grch.] *das* (früher Astatin), chem. Symbol **At,** radioaktives instabiles Element aus der Gruppe der →Halogene; Ordnungszahl 85, bekannt sind 28 Isotope (Massenzahlen 196 bis 219) mit Halbwertzeiten zwischen 0,1 µs und 83 Stunden (^{210}At). A. ist das seltenste aller Elemente (die größte bislang erzeugte Menge betrug 50 µg); chemisch ist A. dem Polonium ähnlicher als dem Jod.

Aster [grch. »Stern«], Gattung der Korbblütler mit etwa 600 Arten, meist ein- bis mehrjährige Kräuter. Die **Alpen-A.** (A. alpinus) hat goldgelbe Scheiben- und violettblaue Strahlenblüten, das **Alpenmaßlieb** (A. bellidiastrum) weiße bis rötl. Strahlenblüten. Auf Heidewiesen, Triften und buschigen Hügeln wächst die **Goldhaar-A.** (A. linosyris), eine Kompasspflanze; die **Strand-A.** (A. tripolium) wächst nur auf salzigem Boden. Eine nordamerikanische Zuchtform ist die **Herbst-A. (Stauden-A.).** Die **Garten-A.** (**Sommer-A.,** A. chinensis) ist formenreich.

Aster: Alpenaster (oben) und Herbstaster (unten)

Asteriskus [grch. »Sternchen«] *der, Sprachwissenschaft:* Zeichen (*) vor nicht belegten, sondern nur erschlossenen Formen, z.B. indogerman. *pətēr »Vater«.

Asterismus [zu grch. astḗr »Stern«] *der,* Eigenschaft mancher Kristalle, auffallendes Licht in Form heller Streifen, Kreise oder Sterne zu reflektieren; Ursachen sind feine Hohlkanäle oder fremdmineral. Einschlüsse.

Asterix, Titelheld einer frz. Comicserie (seit 1959) über die fiktiven Abenteuer eines listigen Galliers in röm. Zeit, geschrieben von R. Goscinny (*1926, †1977), gezeichnet von A. Uderzo (*1927); in zahlreichen Zeichentrickfilmen verfilmt.

A-Sterne, Sterne der →Spektralklasse A.

Asteroiden [grch.], die →Planetoiden.

Asthenie [grch. »Kraftlosigkeit«] *die,* Schwäche, (krankheitsbedingter) Kräfteverfall.

Astheniker, Mensch mit schmalem, schmächtigen, dünnknochigen Körperbau (→Konstitutionstypen).

Asthenopie [grch.] *die* (Sehschwäche), Ermüdbarkeit der Augen beim Sehen in der Nähe, die z.B. auf Überanstrengung der bei der Naharbeit wirksamen Augenmuskeln beruht. Die **nervöse A.** ist durch psych. Einflüsse bedingt.

Asthenosphäre [grch.], Fließzone des oberen Erdmantels unterhalb der Lithosphäre.

Ästhet [grch.] *der,* Mensch, dessen besonderes Interesse v.a. dem Schönen und der Kunst gilt (→Ästhetizismus).

Ästhetik [grch. »Wahrnehmung«] *die,* Wissenschaft, die i.w.S. allgemeine Probleme der Kunst, i.e.S. Probleme des Schönen (Erhabenen, Hässlichen, Tragischen, Komischen usw.) behandelt. Sie untersucht (teils auf erkenntnistheoret. Wege, teils mit empir. Methoden) zum einen die Bedingungen der Konstruktion von Kunstwerken, die Strukturen des ästhet. Gegenstandes in Kunst und Natur, das Verhältnis von Kunst und Wirklichkeit, zum anderen die Bedingungen und Formen der ästhet. Rezeption durch den Einzelnen sowie durch die Gesellschaft. – Neben der Ä. als philosoph. Disziplin (1750 von A. G. Baumgarten begründet) konstituierte sich im 19. Jh. die Ä. als empir. (z.T.

experimentelle) Einzelwissenschaft. Sowohl die philosoph. als auch die einzelwiss. Ä. kann die erforschten Sachverhalte beschreiben **(deskriptive Ä.)** oder darüber hinaus Normen für ein Kunstwerk entwickeln **(normative Ä.).** – Dass auf dem Gebiet der Ä. eine systematisch begründete Theorie möglich sei, wird vielfach bestritten; ästhet. Urteile werden aber auch häufig als bloß subjektive Äußerungen angesehen oder in die empir. Psychologie verwiesen.

Geschichtliches: Heraklit sah die Schönheit in einer zu harmonischer Einheit gefassten Mannigfaltigkeit begründet. Polyklet fand sie in einem nach Maß und Zahl geordneten Formverhältnis. Für Platon ist das eigtl. Schöne das göttlich Schöne, die absolute Wahrheit; das einzelne Schöne kann hiervon nur ein »Ab-Bild« sein. Aristoteles betont die Bedeutung von Symmetrie und Geordnetheit, der Neuplatonismus (Plotin) jedoch wieder die geistige Schönheit (Identifizierung von schön, göttlich und sittlich). Die Renaissance nahm die antike Proportionslehre auf und suchte das Schöne vom Menschen her (als Lebensideal) zu bestimmen. Weiterentwickelt wurde die Ä. im 18. Jh. in England, Frankreich und Dtl.; eine erste zusammenhängende Ä. im Geist rationalist. Schulphilosophie schrieb A. G. Baumgarten. A. Shaftesbury sieht das Universum als schön an und postuliert die Identität der Schönheit und des Guten. Für J.-J. Rousseau und D. Diderot gibt die Natur – im Ggs. zu Kunstregeln – die Richtschnur für das Schöne. I. Kant bezeichnet als das Schöne das, was »ohne Interesse« gefällt; das ästhet. Werturteil des »interesselosen Wohlgefallens« ist subjektiv, hat jedoch Anspruch auf eine gewisse Allgemeinheit. Goethes Begriff des Schönen ist bezogen auf Natur in ihrer Gesetzlichkeit und auf Lebendiges in seiner Vollkommenheit. Für Schiller verwirklicht die Kunst als Spiel, in der Vereinigung von niederem Stofftrieb und höherem Formtrieb, das Schöne. Für G. W. F. Hegel ist das Schöne das »sinnl. Scheinen der Idee«, Kunst gilt ihm in der Entwicklungsgeschichte des Geistes als eine gegenüber der Philosophie niedrigere Stufe. Bei F. W. J. Schelling ist sie dagegen der Philosophie gleichgestellt, einige Romantiker geben ihr als »absoluter Kunst« den höchsten Rang. Für A. Schopenhauer bedeutet Kunst Darstellung der reinen ewigen Ideen.

Francis Aston

Im weiteren Verlauf des 19. Jh. wurde die Ä. allmählich mehr psychologisch betrachtet (F. T. Vischer, J. Volkelt); diese Art der Ä. wirkte im 20. Jh. zunächst noch weiter (T. Lipps u. a.), wobei der Begriff Einfühlung im Zentrum stand; sie wurde aber durch die von E. Husserl ausgehende phänomenolog. Ä. überwunden: Sie führt den Begriff des »ästhet. Gegenstandes« ein, der vom Auffassenden im »ästhet. Erleben« realisiert wird. Insbesondere R. Ingarden entwickelte eine Ontologie der Kunst, in anderer Weise N. Hartmann. Von der Phänomenologie gingen auch H.-G. Gadamer, der eine hermeneut. Kunstphilosophie entwickelte, und M. Heidegger aus, der der Kunst (unter Verzicht auf den Begriff Ä.) metaphys. Bedeutung zuspricht: Kunst ist »Dichtung« und eine Stiftung von Wahrheit. Für die marxistisch beeinflusste Ä. ist Kunst zu verstehen als Widerspiegelung der Wirklichkeit (G. Lukács). Ästhet. Verhalten erscheint aber auch, über das Schaffen von Kunst hinaus, als ein allg. Verhalten zur Wirklichkeit. Die neomarxist. Ä. (etwa T. W. Adorno) sieht im Kunstwerk ein zugleich autonomes und gesellschaftl. Phänomen; Kunst ist auf Wahrheit gerichtet und (E. Bloch) eine Vorwegnahme einer utopisch freien Gesellschaft. Extreme neomarxist. Richtungen lehnen die Kunst insgesamt als »bürgerlich« ab oder fordern ihre vollständige Politisierung. Die semant. Ä., vom Neopositivismus beeinflusst, betont die sinnlich erfassbaren Strukturen des Kunstwerks, deren ästhet. Zeichenkomplexe (quantitativ in der Informations-Ä. von M. Bense) entschlüsselt werden können. Ä. wird damit zu einer Kommunikationswissenschaft.

📖 LYPP, B.: *Die Erschütterung des Alltäglichen. Kunst-philosoph. Studien. München u. a. 1991.* – *Ä. nach Adorno, bearb. v.* R. ALTHAMMER *u. a. Essen 1992.* – WELSCH, W.: *Ästhetisches Denken. Stuttgart* [3]*1993.* – BUBNER, R.: *Ästhetische Erfahrung. Frankfurt am Main* [3]*1994.* – KNODT, R.: *Ästhetische Korrespondenzen. Denken im techn. Raum. Stuttgart 1994.* – BÖHME, G.: *Atmosphäre. Essays zur neuen Ä. Frankfurt am Main 1995.*

Ästhetizismus *der,* die Auffassung, die im Ästhetischen, bes. in der Kunst, den höchsten aller Werte und das Ziel der Kultur sieht, dem sich Religion, Sittlichkeit, Wiss. usw. unterzuordnen haben. Neigung zum Ä. zeigen bes. die Renaissance, die dt. Romantik, die →Dekadenz des »Fin de Siècle« und die Bewegung des →L'art pour l'art.

Asthma [grch. »Beklemmung«] *das,* anfallweise auftretende Atemnot. 1) **Bronchial-A. (A. bronchiale)** beruht auf einer Verengung der bronchialen Atemwege, bes. der feineren Luftröhrenäste mit Schwellung der Schleimhaut und zähflüssigem weißl. Auswurf. Im Anfall, der bes. nachts auftritt, sind die Lungen gebläht, die Atmung pfeifend. Bronchial-A. kann durch Allergie, oft auf erbl. Grundlage, ausgelöst werden (z. B. Heu-A., →Heuschnupfen); es kann auch nach Infektionen der Luftwege auftreten oder psychisch bedingt sein. 2) **Herz-A. (A. cardiale),** eine anfallweise auftretende Atemnot infolge Blutstauung in den Lungen bei Linksherzschwäche, tritt z. B. bei Herzklappenfehlern und arteriellem Hochdruck auf. Übergang in ein →Lungenödem ist möglich.

Asti, 1) Provinz in Piemont, Italien, 1511 km², (1994) 209600 Ew.; Hptst. Asti.

2) Hptst. von 1), 73800 Ew.; Bischofssitz; got. Kathedrale, roman. Baptisterium; Textil- und Nahrungsmittelind., Handels- und Weinbauzentrum (u. a. Schaumwein: **Asti Spumante**). A. ist das antike Hasta.

Astigmatismus [grch. »Nichtpunktmäßigkeit«] *der,* **1)** *Medizin:* (Stabsichtigkeit) auf abnormer Wölbung der Hornhaut beruhender →Brechungsfehler des Auges.

2) *Physik:* ein →Abbildungsfehler.

Astilbe *die* (Scheingeißbart), Gattung der Steinbrechgewächse; Zierpflanzen mit weißen bis rötl. Blütenrispen.

Aston ['æstən], Francis William, brit. Chemiker, *Harborne (heute zu Birmingham) 1. 9. 1877, †Cambridge 20. 11. 1945; wurde 1909 Mitarbeiter von J. J. Thomson bei dessen Versuchen über Ionenstrahlen, fand dabei die Existenz von zwei Neonisotopen; entwickelte den →Massenspektrographen. Seit 1921 war A. Mitglied der Royal Society, 1922 erhielt er den Nobelpreis für Chemie.

Astor, Johannes Jakob, amerikan. Unternehmer, *Walldorf (bei Heidelberg) 17. 7. 1763, †New York 29. 3. 1848; wanderte 1783 nach Amerika aus, erwarb durch Pelzhandel und Grundstücksgeschäfte eines der größten Vermögen der USA; stiftete die **A.-Bibliothek** in New York (seit 1895 New York Public Library).

Astrolabium 1): Planisphärisches Astrolabium (Messing vergoldet, 1532)

Astorga, Stadt in der Region Kastilien und León, Prov. León, Spanien, in Spornlage am Rand der Montes von León, 14000 Ew. – Reste der röm. Stadtmauer, got. Kathedrale, bischöfl. Palast (von A. Gaudí, 1887–93).

ASTP, Abk. für engl. **A**pollo **S**oyuz **T**est **P**roject, →Apollo-Sojus.

Astra [lat. »Sterne«], Name eines Systems europ. Rundfunksatelliten, deren erster Satellit (A. 1 A) 1988 seinen Betrieb aufnahm, es folgten bis 1996 A. 1 B–F. Die A.-Satelliten übertragen sowohl Fernseh- als auch Rundfunkprogramme, die in Direktausstrahlung vom Nutzer mittels Parabolantenne empfangen werden können. Seit 1993 strahlen u. a. ARD und ZDF ihre Hauptprogramme über A. aus. A.-Betreibergesellschaft ist die Société Européenne des Satellites (SES, Luxemburg).

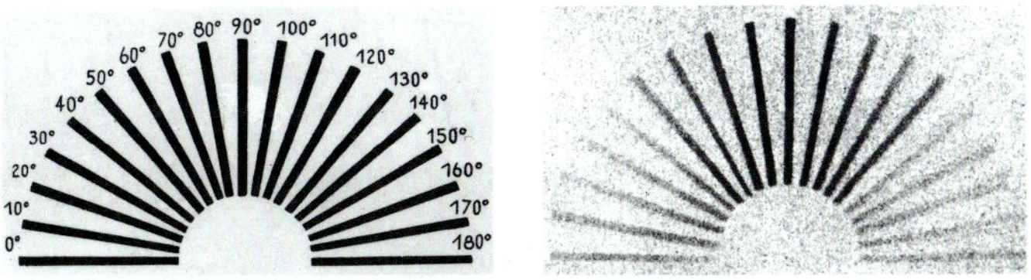

Astigmatismus 1): Von einem gesunden Auge (links) und von einem kurzsichtigen astigmatischen Auge (rechts) gesehene Strahlenfigur

Astrabad, früherer Name der iran. Stadt →Gorgan.

Astrachan, Hptst. des Gebiets A. (44100 km², 1 Mio. Ew.), Russland, im Wolgadelta, 509000 Ew.; Hochschulen; Fluss-, See- und bed. Fischereihafen; Fischverarbeitung (Kaviar); Schiff- und Maschinenbau, chem. u. a. Ind.; im Gebiet A. Erdöl- und Erdgasförderung. – Einst russ. Grenzfestung und Zentrum des Orienthandels; Kreml (1580), Uspenski-Kathedrale (1700–17).

Astrachan *der,* **1)** das Fell jung geschlachteter Lämmer des **A.-Schafs,** einer Art der Fettschwanzschafe aus der kirgis. Steppe.

2) ein Plüschgewebe, Pelzimitat.

Astragal [grch.] *der* (Perlstab), *Baukunst:* Rundprofil, durch runde oder längl. Perlen zw. flachen Scheiben gegliedert.

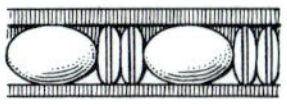

Astragal

astral [grch.], auf die Gestirne bezogen.

Astralleib (Ätherleib), in der Anthroposophie der äther. gedachte Träger des Lebens im Körper des Menschen. Die Vorstellung vom A. geht auf Aristoteles' Ätherbegriff (→Quintessenz) und Platons →Weltseele zurück.

Astralmythologie (Astrolatrie), die religiöse Verehrung der Gestirne als Götter oder Sitze von Göttern. Entsprechende Mythen gehen meist mit genauen Himmelsbeobachtungen einher und finden sich in auffallender Übereinstimmung in allen Kulturkreisen (babylonisch-assyr., grch., röm., german. Mythologie, Hauptbestandteil der ägypt. Mythologie; Gleichsetzung der Hauptgötter mit Planeten). Im Hellenismus entwickelten sich aus der A. die naturwiss. Astronomie und die Astrologie.

Astronomie

Schon seit etwa 5000 Jahren fasziniert den Menschen die Erforschung des Weltalls, seiner Systeme und einzelner Planeten. Anfänglich beruhte die Astronomie auf Beobachtungen mit dem bloßen Auge, im Laufe der Zeit wurden Hilfsmittel entwickelt, und heute wird sie mit hoch entwickelten technischen Verfahren und Geräten (beispielsweise Satelliten) betrieben.

| 1

| 2

| 3

| 4

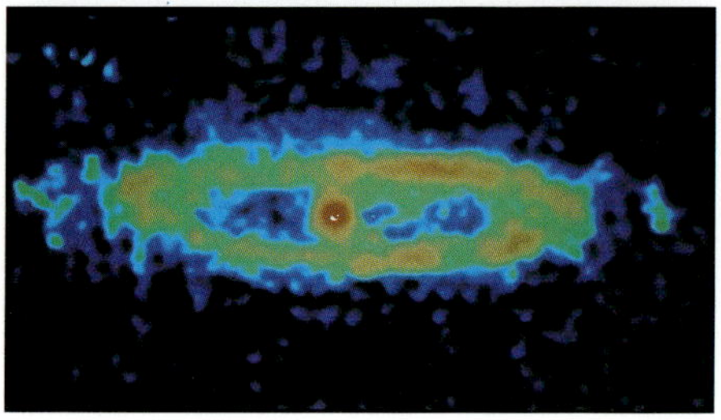

| 5

| **1** Das Hubble-Weltraumteleskop auf der Wartungsplattform des Raumtransporters Endeavor, kurz nach der Bergung im Dezember 1993 | **2** Saturn, Aufnahme von Voyager 2 im Juli 1981 | **3** Kugelsternhaufen M 13 im Sternbild Herkules | **4** Spiralgalaxie NGC 6946 im Sternbild Jagdhunde | **5** Aufnahme des Andromedanebels mit dem 100-m-Radioteleskop in Effelsberg im 11-cm-Wellenlängenbereich

Astrilden [afrikaans], die →Prachtfinken.

Astro [Abk. für engl. **astr**onomy **o**bservatory, »astronom. Observatorium«], wieder verwendbares amerikan. Weltraumobservatorium.

astro... [grch. ástron »Gestirn«], stern..., weltraum...

Astrobiologie, →Kosmobiologie.

Astroblem [grch.] *das,* die Aufschlagstelle von Meteoriten (Meteoritenkrater) auf der Erde.

Astrodynamik, die Anwendung der →Himmelsmechanik auf Planung und Berechnung der Bahnen von Raumflugkörpern einschließlich künstl. Satelliten.

Astrofotografie, die Anwendung der Fotografie zur Aufnahme von Himmelskörpern mit Fernrohren.

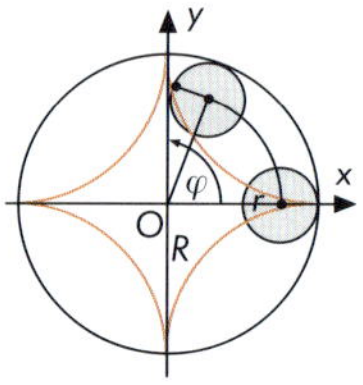

Astroide

Astroide [grch.] *die* (Sternkurve), sternförmige ebene Figur mit vier Spitzen, die ein Punkt eines Kreises vom Radius r beschreibt, der innen auf einem Kreis vom Radius $R = 4r$ abrollt; Evolute einer Ellipse.

Astrolabium [grch.] *das,* **1)** schon von Ptolemäus benutztes, von den Arabern überliefertes astronom. Instrument in Scheibenform mit Visiergerät **(Planisphäre),** zur mechan. Lösung von astronom., astronomisch-geograph. und astrolog. Aufgaben. BILD S. 305

2) antike Bez. für die →Armillarsphäre.

3) astronomisch-geodät. Beobachtungsinstrument (→Prismenastrolabium).

Astrologie [grch.] *die* (Sterndeutung), der Versuch, Wesen und Schicksal der Menschen aus Gestirnstellungen zu deuten und vorherzusagen. Die A. behauptet eine erfassbare geregelte Beziehung zw. Gestirnwelt und ird. Vorgängen, bes. der menschl. Existenz. Dabei wird den 12 Abschnitten des Tierkreises **(Tierkreiszeichen)** eine besondere Wirkung zugeschrieben. Da rationale Beweise dafür fehlen, wird die A. zu einer Glaubensfrage. In der Gewinnung rechner. Anhaltspunkte hingegen, in der Aufstellung der **Konstellation,** war die A. mit der Entwicklung der Mathematik und Astronomie verknüpft. – Die Anfänge der A. liegen in Babylonien, Assyrien und Ägypten. Davon zeugen die Keilinschriften aus der Bibliothek Assurbanipals (um 640 v. Chr.) und der noch heute verwendete **Tetrabiblos** (»Werk in vier Büchern«) des Ptolemäus (um 150 n. Chr.). Bis in die Neuzeit beherrschte die A. in christl. Gewand das gesamte abendländ. Denken, alle Astronomen bis ins 17. Jh. waren auch Astrologen. Mit dem kopernikanischen Weltbild und der Aufklärung (18. Jh.) verlor die A. ihre Grundlage, hielt sich jedoch im Volksglauben (Aberglaube) trotz Kritik bis heute, z. B. als (Zeitungs-)**Horoskop**.

📖 SAHIHI, A.: *Das neue Lexikon der A. Genf u. a. 1991.* – NIEHENKE, P.: *A. Eine Einführung. Stuttgart 1994.* – OPPENHEIMER, W.: *Die Macht der Sterne. Astrologie u. Geschichte. München 1994.* – BOCK, W.: *A. u. Aufklärung. Über modernen Aberglauben. Stuttgart 1995.*

Astromantie [grch.] *die,* Wahrsagung aus den Planeten und Tierkreisbildern.

Astrometrie [grch.] *die* (Positionsastronomie), Teilgebiet der Astronomie, das sich v. a. mit der Messung von Sternörtern (→astronomischer Ort) befasst. Astrometr. Messungen sind die Grundlage für die Stellarastronomie und die astronom. Orts- und Zeitbestimmung.

Astronaut *der,* →Raumfahrer.

Astronautik [grch.-lat.] *die,* →Raumfahrt.

Astronom [grch.] *der* (Astrophysiker), Wissenschaftler auf dem Gebiet der Astronomie; häufig an einer Sternwarte tätig.

Astronomie [grch.] *die* (Himmelskunde, Sternkunde), zusammenfassende Bez. für die Wissenschaften, die sich mit der Erforschung des Universums befassen. Die A. untersucht Verteilung, Bewegung, physikal. Zustand und Aufbau der kosm. Materie sowie deren Entstehung und Entwicklung. Grundlage ist die Analyse der aus dem Kosmos ankommenden elektromagnet. Strahlung. Zu den klass. Teilgebieten der A. gehören Astrometrie und Himmelsmechanik, die sich mit der Bestimmung von Position (Ort, Bahn) bzw. Bewegung der Himmelskörper unter dem Einfluss der Gravitation befassen, sowie die Stellar-A. (insbesondere die Stellarstatistik), die die Verteilung und Dynamik von Sternen innerhalb versch. Systeme (z. B. Milchstraße) analysiert. Die Ausdehnung des beobachteten Spektralbereichs der elektromagnet. Strahlung über das sichtbare Licht **(optische A.)** hinaus brachte u. a. die **Radio-** und **Radar-A.** und Methoden wie Ballon-, Raketen- und Satelliten-A. hervor; neue Spezialdisziplinen sind Gamma-, Röntgen-, Ultraviolett-, Infrarot-A. Sie lieferten zahlr. neue Erkenntnisse über die unterschiedlichsten kosm. Strahlungsquellen, die in der →Astrophysik behandelt werden; von ihnen profitieren

Astronomie, Geschichte

4. Jt. v. Chr.	Zeitrechnung nach einem 365-tägigen Sonnenjahr durch die Ägypter.
um 2750 v. Chr.	Namengebung für Sternbilder durch die Babylonier.
6. Jh. v. Chr.	Pythagoreer lehren die Kugelgestalt der Erde.
um 220 v. Chr.	Eratosthenes unternimmt die erste Messung des Erdumfangs.
um 150 v. Chr.	Hipparch von Nizäa legt den ersten Fixsternkatalog an.
um 150 n. Chr.	Ptolemäus verfasst das Handbuch über das Gesamtwissen der griech. Astronomie.
1000	Gründung der Sternwarte Kairo.
1543	Kopernikus' Schrift »De revolutionibus orbium coelestium libri VI« (Sechs Bücher über die Kreisbewegungen der Weltkörper) erscheint.
1588	Tycho Brahe veröffentlicht seine Planetentheorie.
1609	Galilei richtet zum ersten Mal ein Fernrohr gegen den Himmel und entdeckt u. a. die Mondgebirge, vier Jupitermonde und die Sonnenflecken.
1609	Kepler veröffentlicht seine Planetengesetze.
1676	Römer bestimmt die Lichtgeschwindigkeit.
1686	Newton veröffentlicht sein Hauptwerk »Philosophiae naturalis principia mathematica« (Mathemat. Prinzipien der Naturlehre).
1706	Halley entdeckt die Wiederkehr von Kometen.
1781	Herschel entdeckt Uranus.
1801	Piazzi entdeckt den Planetoid Ceres.
1809	Gauß veröffentlicht seine Methode der Planetenbahn-Berechnung.
1838	Bessel bestimmt die erste Fixsternparallaxe.
1846	Bahnberechnung und Entdeckung von Neptun.
1852	Die »Bonner Durchmusterung« von Argelander erscheint.
1859	Kirchhoff und Bunsen entdecken das Prinzip der Spektralanalyse.
1887	Wolf begründet die Himmelsfotografie.
1905	Einstein formuliert die spezielle Relativitätstheorie.
1920	Wolf beweist die Existenz interstellarer Materie.
1923	Hubble bestimmt die Entfernung von Spiralnebeln.
1930	Als 9. Planet wird Pluto entdeckt.
1932	Jansky empfängt Radiostrahlung aus der Milchstraße.
1938	Energieerzeugung in Sternen wird verständlich (Bethe-Weizsäcker-Zyklus).
1945	Radarecho vom Mond festgestellt.
1949	21-cm-Linie des neutralen interstellaren Wasserstoffs gemessen.
1957	Erster künstlicher Erdsatellit (Sputnik, UdSSR).
1963	Deutung der Quasar-Spektren.
1967	Erster Pulsar entdeckt.
1969	Armstrong und Aldrin landen als erste Menschen auf dem Mond.
1973	Pionier 10 verlässt als erste Raumsonde das Sonnensystem.
1978/79	Erforschung des Planeten Jupiter und seiner Monde durch die Raumsonden Voyager 1 und 2.
1980/81	Erforschung des Planeten Saturn und seiner Monde durch die Raumsonden Voyager 1 und 2.
1986	Vorbeiflug der Raumsonde Giotto am Komet Halley in 500 km Entfernung.
1987	Supernova in der Großen Magellanschen Wolke.
1989	Start der Raumsonden Magellan zur Venus bzw. Galileo zum Planeten Jupiter.
1989	Erforschung des Planeten Neptun und seiner Monde durch die Raumsonde Voyager 2.
1989	Beginn einer Durchmusterung zur Erstellung eines Sternkataloges durch den Astrometriesatelliten Hipparcos.
1989	Erkundung der kosmischen Hintergrundstrahlung mit dem Satelliten COBE, Bestätigung der Urknalltheorie.

Astronomie, Geschichte (Fortsetzung)

1990 Inbetriebnahme des Hubble-Weltraumteleskops, Reparatur im All 1993, Aufrüstung 1997.
1990 Start des Röntgensatelliten ROSAT, damit erste vollständige Himmelsdurchmusterung im Röntgenbereich.
1991 Start des Gamma Ray Observatory GRO, Nachweis zahlreicher Pulsare.
1991 Gallex-Experiment zum Nachweis der Sonnenneutrinos.
1993 PPM-Sternkatalog des Südhimmels abgeschlossen.
1997 Start der Saturnsonde Cassini.

auch die →Kosmologie und →Kosmogonie. Über die elektromagnet. Strahlung hinaus werden u.a. auch die von der Sonne ausgehenden Neutrinos (Neutrino-A.) untersucht, ferner gibt es Versuche, →Gravitationswellen nachzuweisen.

Geschichte: Um 3000 v. Chr. begannen die Chinesen, Inder, Ägypter und Babylonier mit systemat. Himmelsbeobachtungen, die v.a. der Kalender- und Zeitbestimmung dienten. Die Babylonier führten u.a. den zwölfteiligen Tierkreis, die Ekliptik (nach 2000 v. Chr.) und um 500 v. Chr. den 19-jährigen Schaltzyklus für das Mond-Sonnen-Jahr ein. Grch. Gelehrte bemühten sich seit etwa 600 v. Chr. um Erklärung der Himmelserscheinungen. Aristarchos von Samos schlug bereits um 260 v. Chr. ein heliozentr. Weltbild vor, das u.a. auf der Kenntnis der Kugelgestalt der Erde und deren Eigendrehung basierte. Dennoch blieb das geozentr. Weltbild, das Ptolemäus **(ptolemäisches Weltbild)** um 150 n. Chr. in seinem »Almagest« zusammenfasste, bis ins ausgehende MA. unangefochten.

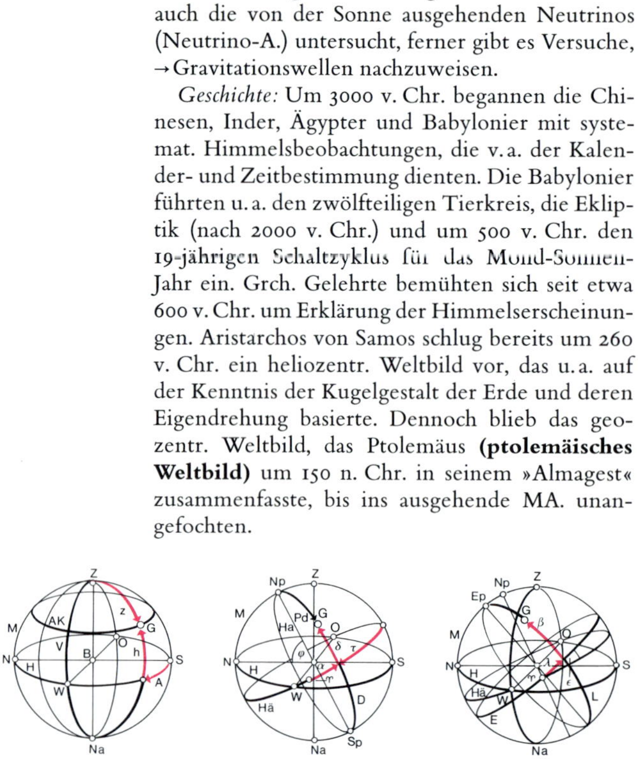

astronomische Koordinaten: Azimut- oder Horizontsystem (links); festes Äquator- oder Stundenwinkelsystem (Mitte); Ekliptikalsystem (rechts); A Azimut, AK Azimutalkreis, B Beobachter, D Deklinations-, Stundenkreis, E Ekliptik, Ep Pol der Ekliptik, G Gestirn, H Horizont, Ha Himmelsachse, Hä Himmelsäquator, L Längenkreis, M Meridian, N Nordpunkt, Na Nadir, Np Nordpol, O Ostpunkt, Pd Poldistanz, S Südpunkt, Sp Südpol, V Erster Vertikal, W Westpunkt, Z Zenit, *h* Höhe (Elevation), *z* Zenitdistanz, α Rektaszension, β ekliptikale Breite, δ Deklination, ε Ekliptikschiefe (23°27′), λ ekliptikale Länge, ♈ Frühlingspunkt, τ Stundenwinkel, +α = Stundenwinkel des Frühlingspunktes, φ geographische Breite

Die Erneuerung der A. ging im 15. Jh. von Dtl. aus (z.B. von Regiomontanus). Besondere Bedeutung haben die Arbeiten von N. Kopernikus, der die Grundlagen für das heliozentr. Weltbild schuf, von T. Brahe und von J. Kepler, der die Gesetze der Planetenbewegung formulierte (→keplersche Gesetze). Die Erfindung des Fernrohrs um 1608 (H. Lippershey) ermöglichte weitere und genauere Beobachtungen: Entdeckung der Jupitermonde durch G. Galilei 1610, der Sonnenflecke durch J. Fabricius, C. Scheiner und Galilei 1611, des Andromedanebels durch Simon Mayr 1612. Die ersten Sternwarten wurden in Paris (1669) und Greenwich (1676) gegründet; 1675 bestimmte O. Römer die Lichtgeschwindigkeit. Endgültig anerkannt wurde das **kopernikan. Weltbild** aber erst mit der Formulierung des Gravitationsgesetzes von I. Newton 1666. – Im 18. Jh. wurde die theoret. A. durch L. Euler, A. C. Clairaut, J.-B. d'Alembert, J. L. Lagrange und P. S. Laplace, die prakt. A. u.a. durch J. Bradley (Aberration des Lichtes), E. Halley (Sonnenparallaxe), F. W. Herschel (Uranus, Doppelsterne, Sternhaufen, Nebel), P. L. Maupertuis (Abplattung der Erde) gefördert. Im 19. Jh. gab C. F. Gauß neue Methoden der Bahnbestimmung der Planeten und Kometen an, F. W. Bessel bestimmte erstmals die Entfernung eines Fixsterns, J. G. Galle entdeckte aufgrund der Berechnungen von U. J. J. Le Verrier und J. C. Adams den Neptun.

Durch verstärkte Anwendung physikalischer Erkenntnisse und Messmethoden (Photometrie, Spektroskopie u.a.) etablierte sich die Astrophysik, sodass die Untersuchung von Sternspektren (→Hertzsprung-Russell-Diagramm, 1931), Nebeln, Galaxien und deren Entfernungen zueinander (→Hubble-Effekt, 1929) zu weiteren Erkenntnissen über die Sternentwicklung und den Bau des Weltalls führten. Mit der Begründung der Radio-A., die zur Entdeckung der Quasare und Pulsare führte, wurde auch die Beobachtung der interstellaren Materie möglich. Von großer Bedeutung für die astronom. Forschung waren der Nachweis der kosm. Hintergrundstrahlung (1965) und die Entdeckung der ersten Gravitationslinsen.

Ein neues Zeitalter für die A. begann mit dem Start des ersten künstl. Erdsatelliten »Sputnik« am 4. 10. 1957. Durch die Entwicklung der Raumfahrt und die Entsendung unbemannter Raumsonden (z.B. Voyager, Giotto) haben in jüngerer Zeit v.a. die Planeten- und Kometenforschung einen starken Auftrieb erfahren; auch die Computertechnik und die modernen Methoden der elektron. Bildaufnahme und -verarbeitung sind in der A. unentbehrlich geworden. Schwerpunkte der astronom. Forschung der kommenden Jahre sind die Infrarot-A. und die Weiterentwicklung adaptiver Optiken (VLT) sowie die Beobachtungen des Hubble-Weltraum-Teleskops.

📖 *Cambridge-Enzyklopädie der Astronomie, hg. v.* S. Mitton. *A. d. Engl. Neuausg. München 1989.* – Henkel, H. R.: *A. Thun u. a. [4]1991.* – Szabó, A.: *Das geozentr. Weltbild. A., Geographie u. Mathematik der Griechen. München 1992.* – Herrmann, J.:

dtv-Atlas zur A. München [11]*1993.* – *Meyers Hb. Weltall, bearb. v.* J. KRAUTTER *u. a. Mannheim u. a.* [7]*1994.* – ZIMMERMANN, H. *u.* WEIGERT, A.: *ABC-Lexikon A. Heidelberg u. a.* [8]*1995.* – WEIGERT, A. *u.* WENDKER, H. J.: *A. u. Astrophysik. Ein Grundkurs. Weinheim u. a.* [3]*1996.*

Astronomische Einheit, Einheitenzeichen **AE,** international auch **AU** (von engl. **a**stronomical **u**nit), Längeneinheit in der Astronomie: 1 AE = 149 597 870 km, entspricht etwa dem mittleren Abstand Erde–Sonne.

Astronomische Gesellschaft, internat. Vereinigung von Astronomen und Freunden der Himmelskunde, gegr. 1863 in Leipzig, Sitz: Hamburg. Die A. G. ist Mitgl. der Internat. Astronom. Union.

astronomische Instrumente, Geräte zur Beobachtung und Messung der von kosm. Objekten ausgesandten Strahlung, wie Fernrohre, Radioteleskope, Heliostaten u. a. Durch Zusatzinstrumente wie Spektralapparate, Thermoelemente und Interferometer kann die aufgenommene Strahlung hinsichtlich versch. Parameter untersucht werden. Hilfsinstrumente sind das Durchgangsinstrument (Bestimmung von astronom. Zeiten) oder Meridiankreis, Vertikalkreis, Prismenastrolabium, Sextanten (astronom. Örter).

astronomische Jahrbücher, →Jahrbücher.

astronomische Koordinaten, Zahlenpaar zur Festlegung der astronom. Örter der Gestirne an der Himmelskugel. A. K. sind jeweils durch einen **Grundkreis** (Grundebene) um den Ursprung (z. B. den Beobachter, Erdmittelpunkt) und zwei Pole bestimmt und weisen versch. Großkreise auf.

1) Grundkreis für das **Azimut-** oder **Horizontalsystem** (mit dem Beobachter im Zentrum) ist der Horizont; die beiden a. K. sind das Azimut A und die Höhe h über dem Horizont. A wird von S über W, N und O (von 0° bis 360°) gezählt; statt h wird auch die Zenitdistanz z vom Zenit zum Horizont ($z = 90° - h$) angegeben.

2) Grundkreis des **Äquatorsystems** (mit dem Erdmittelpunkt im Zentrum) ist der Himmelsäquator. Beim **festen Äquator-** oder **Stundenwinkelsystem** (für die Beobachtung am Fernrohr) ist der Stundenwinkel τ (→Stundenkreis) die erste, die Deklination δ die zweite a. K.; τ wird längs des Himmelsäquators von dessen Schnittpunkt mit dem Meridian in westl. Richtung (von 0 bis 24 Stunden) gezählt, δ vom Himmelsäquator in Richtung der Pole (von 0° bis ±90°). Die a. K. beim **bewegl. Äquator-** oder **Rektaszensionssystem** (für Sternkarten, Kataloge) sind die Rektaszension α und die Deklination.

3) Grundkreis für das **ekliptikale System** (Positionsbestimmung innerhalb des Sonnensystems) ist die Ekliptik. Die beiden a. K. sind die ekliptikale Länge λ und die ekliptikale Breite β. 4) Grundebene beim **galakt. System** (für die Untersuchung der Milchstraße) ist die Milchstraßenebene (galakt. Äquator), von der aus die galakt. Länge l und die galakt. Breite b gemessen werden.

astronomischer Ort (Sternort), Position eines Gestirns an der Himmelskugel, wird meist durch Rektaszension und Deklination, seltener durch Länge und Breite angegeben. (→astronomische Koordinaten)

astronomisches Dreieck (nautisches Dreieck), das aus den Eckpunkten Himmelspol, Zenit und Stern bestehende sphär. Dreieck.

astronomische Spiegel, *Astronomie:* opt. Elemente, deren Reflexionseigenschaften man zur Abbildung der Strahlung von beobachtenden Objekten nützt. Im Vergleich zu Linsen sind sie einfacher herzustellen und handzuhaben.

astronomische Uhr, 1) handwerklich kunstvolle Uhr, die außer der Zeit auch den Planetenlauf, Gezeiten, bewegl. Feste, Himmelserscheinungen u. a. anzeigt, z. B. die 1571–74 von I. Habrecht erbaute Uhr im Straßburger Münster.

2) Präzisionsuhr in geodät. Instituten, Observatorien und Sternwarten zur astronom. Beobachtung und zur Zeithaltung zw. astronom. Zeitbestimmungen.

Himmelskörper	Wochentag	Metall	Tierkreis	
☉ Sonne	Sonntag	Gold	♈ Widder	♎ Waage
☿ Merkur	Mittwoch	Quecksilber	♉ Stier	♏ Skorpion
♀ Venus	Freitag	Kupfer	♊ Zwillinge	♐ Schütze
♁ Erde		Antimon	♋ Krebs	♑ Steinbock
☾ Mond	Montag	Silber	♌ Löwe	♒ Wassermann
♂ Mars	Dienstag	Eisen	♍ Jungfrau	♓ Fische
♃ Jupiter	Donnerstag	Zinn		
♄ Saturn	Samstag	Blei		
⛢ Uranus				
♆ Neptun				
♇ Pluto				

Aspekt	Mondphase
☌ Konjunktion	● Neumond
□ Quadratur	☽ erstes Viertel
☍ Opposition	○ Vollmond
	☾ letztes Viertel

astronomische Zeichen

astronomische Zeichen, Symbole für Planeten (sowie die ihnen in der Antike und im MA. zugeordneten Wochentage und Metalle), Zeichen des Tierkreises, der Aspekte u. a. Sie entstanden aus Abkürzungen ihrer grch. Namen oder aus Bildern; in der übl. Form sind sie (bis auf die Zeichen für die später entdeckten Planeten Uranus, Neptun und Pluto) seit dem Spät-MA. in Gebrauch.

Astrophotometrie [grch.] *die,* Messung der Strahlung und scheinbaren Helligkeit von Himmelskörpern.

Astrophysik [grch.], Teilgebiet der →Astronomie, das sich mit den physikal. Eigenschaften von Himmelskörpern u.a. kosm. Objekten sowie von →interstellarer Materie befasst und dabei Gesetze und Methoden der Physik anwendet, z.B. Spektralanalyse, Photometrie. Die A. liefert u.a. Aussagen über den inneren Aufbau der Himmelskörper, die Energieerzeugung im Sterninnern, die →Sternentwicklung sowie über kosm. Magnetfelder und Teilchenströme.

Miguel Ángel Asturias

Astrospektroskopie [grch.] *die,* Anwendung der →Spektralanalyse auf Himmelskörper.

Ästuar [lat.] *das,* unter dem Einfluss der Gezeitenströme schlauch- oder trichterförmig erweiterte Flussmündung, z.B. bei Elbe, Themse, Garonne.

Asturias, Miguel Ángel, guatemaltek. Schriftsteller, * Guatemala 19.10.1899, † Madrid 9.6.1974; seit 1944 in diplomat. Dienst, 1954–66 im Exil; schrieb Werke eines »mag. Realismus«, teils auf indian. Mythen aufbauend, teils politisch engagiert und sozialkritisch; 1967 Nobelpreis für Literatur. Verfasste Romane (»Der Herr Präsident«, 1946; »Die Maismänner«, 1949; »Bananen-Trilogie«, 1950–60; »Der böse Schächer«, 1969), Erz. (»Legenden aus Guatemala«, 1930), Gedichte, Dramen.

📖 MARROQUÍN, C.: *M. A. A. Leipzig 1988.*

Asturilen (span. Asturias), histor. Landschaft in NW-Spanien, am Nordhang des Kantabr. Gebirges (in den Picos de Europa bis 2648 m ü. M.); umfasst heute als Region die Prov. Oviedo, 10604 km², (1991) 1,094 Mio. Ew.; auf der Grundlage von Steinkohlen- und Erzbergbau entwickelte sich A. im 19. Jh. zu einem Zentrum der Montanindustrie (heute mangels Rentabilität stark von Produktionsrückgang, Arbeitslosigkeit und Abwanderung betroffen); außerdem Aluminiumerzeugung, Schiffbau, Metallverarbeitung, chem. Ind. und Maschinenbau; im Hinterland Obst- und Maisanbau, Viehwirtschaft (im N Rinder und Schweine, im S Schafe).

Die iber. Asturer wurden 25 v. Chr. von den Römern unterworfen. In A. hielten sich nach der Eroberung Spaniens durch die Araber (711–713) die letzten Westgoten. Mit dem astur. Sieg bei Covadonga 722 begann die christl. →Reconquista. Alfons III. (866–910) dehnte die astur. Herrschaft über den Duero hinaus aus. Die Hptst. wurde 925 nach León verlegt. 1230 ging A.-León im Königreich Kastilien auf. 1982 erhielt A. ein Autonomiestatut.

Asunción [asun'sjɔn], Hptst. von Paraguay, am linken Ufer des Paraguay, 502400 Ew.; Verwaltungs-, Kultur-, Wirtschafts- und Verkehrszentrum des Landes; zwei Univ.; kath. Erzbischofssitz; Erdölraffinerien, Textil-, Tabakind.; Flusshafen, internat. Flughafen. – 1537 gegr., war A. während der frühen Kolonialzeit Hptst. der span. La-Plata-Länder; Kolonisationszentrum der Spanier im südöstl. Südamerika (seit 1588 Missionstätigkeit der Jesuiten unter den Guaraní-Indianern); 1868–76 brasilianisch.

Aswan, Stadt in Oberägypten, →Assuan.

ASW-Flugzeug [Abk. für engl. **a**nti**s**ubmarine **w**arfare], Militärflugzeug mit extremer Reichweite und Flugdauer, zur Bekämpfung von U-Booten mit besonderen Zielsuchgeräten sowie Angriffswaffen ausgerüstet.

Asyl [grch. ásylon »Freistatt«] *das,* Heim, Unterkunft; Zufluchtsstätte.

Asylrecht, *allgemein* und *historisch* das Recht auf Schutz vor politisch motivierter Verfolgung. Schon in frühen Kulturen erlangten Verfolgte Schutz durch das Betreten hl. Stätten oder durch Berühren hl. Gegenstände. Verletzung des A. galt als Frevel. Während das A. bes. bei Juden und Griechen geachtet wurde, schwächten es die Römer dort ab, wo es mit ihrem Machtanspruch kollidierte. Seit Kaiser Konstantin I. wurde das A. in christl. Stätten, Kirchen, Klöstern u.Ä. respektiert. Die kath. Kirche hält seit 1983 am kirchl. Aysl formell nicht mehr fest, wie überhaupt das in der jüngeren A.-Diskussion oft zitierte **Kirchenasyl** zugunsten von Abschiebung Bedrohter staatsrechtlich keinen Schutz genießt.

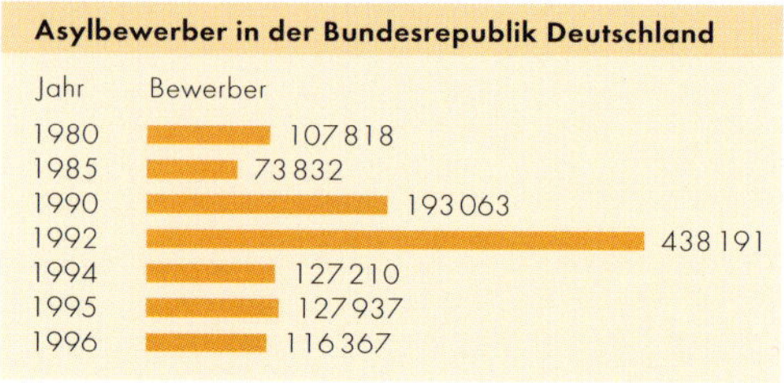

Völkerrecht: Das allgemeine Völkerrecht gibt dem Einzelnen kein Recht, in einem Staat seiner Wahl Zuflucht zu suchen, garantiert den Staaten aber das Recht, Asyl zu gewähren, sei es auf seinem Territorium (territoriales Asyl) oder in seiner Auslandsvertretung (diplomat. Asyl).

Geltendes A.: Das dt. GG gewährt politisch Verfolgten auch nach den zur Jahresmitte 1993 in Kraft getretenen Änderungen des A. unter bestimmten Voraussetzungen einen gerichtlich durchsetzbaren Anspruch auf Asyl (Art. 16 a Abs. 1). Politisch Verfolgter ist jeder, der wegen seiner Rasse, Religion, Nationalität, Zugehörigkeit zu einer sozialen Gruppe oder wegen seiner polit. Überzeugung verfolgt und bedroht wird. Auf dieses Recht kann sich aber nicht berufen, wer aus einem Staat der Europ. Union oder aus einem anderen vor Verfolgung »sicheren Drittstaat« einreist (Art. 16 a Abs. 2). Asylbewerber, die aus diesen Staaten einzureisen suchen, können sofort zurückgewiesen werden. Grundgedanke hierfür ist die Vorstellung, dass diese Staatengruppe einen dem dt. A. vergleichbaren Rechtsstandard bietet. Darüber hinaus sieht der bes. heftig umstrittene Art. 16 a Abs. 3 vor, dass Asylbewerber aus gesetzlich benannten »sicheren Herkunftsstaaten«, in denen anhand gesetzlich fixierter Kriterien polit. Verfolgung oder unmenschl. oder erniedrigende Behandlung ausgeschlossen erscheinen, das A. nur in Anspruch nehmen können, wenn sie Tatsachen vorbringen können, aus denen auf ihre Verfolgung zu schließen ist. Beide Staatengruppen werden durch Gesetz bestimmt.

Grundlage der Verfahren ist das Asylverfahrens-Ges. i. d. F. v. 27. 7. 1993. Von großer prakt. Bedeutung ist die »Flughafenregelung«, die es erlaubt, Asylbewerber, die auf dem Luftweg nach Dtl. einreisen, bis zu 19 Tagen auf dem Flughafengelände festzuhalten und das Asylverfahren dort durchzuführen.

In *Österreich* gelten für die Einreise von Asylbewerbern die Bestimmungen des Pass-Ges. von 1992, des Fremden-Ges. von 1992 und des Asyl-Ges. von 1991. Österreich folgt dem »Grundsatz des sicheren Erstasyllandes«.

In der *Schweiz* ist das Asyl-Ges. am 22. 6. 1990 umfassend revidiert worden, um die Verfahren zu beschleunigen und den stark gestiegenen Asylbewerberzahlen entgegenzuwirken.

📖 *Österreichisches A. unter besonderer Berücksichtigung der Rechtsprechung des Verwaltungsgerichtshofes, bearb. v.* J. W. STEINER. *Wien 1990.* – TREIBER, W.: *Die Asylrelevanz von Folter, Todesstrafe u. sonstiger unmenschl. Behandlung. Rheinfelden 1990.* – HAILBRONNER, K.: *Reform des A.s. Steuerung u. Kontrolle des Zuzugs von Ausländern. Konstanz 1994.* – *Hb. des Ausländer- u. Asylrechts, hg. v.* B. HUBER, *bearb. v.* H. ALEXY *u. a. Loseblatt-Ausg. München 1994 ff.* – BAMBERGER, W.: *Ausländerrecht u. Asylverfahrensrecht. München 1995.*

Asymmetrie [grch.], **1)** *Chemie:* das Fehlen einer Symmetrieebene und eines Symmetriezentrums bei Molekülen. Von asymmetr. Verbindungen gibt es zwei Formen (→Isomerie), die sich in ihrem räuml. Bau wie Bild und Spiegelbild verhalten (Chiralität). Sie werden als **Enantiomere** oder als **(opt.) Antipoden** bezeichnet, da die A. Ursache für ihre →optische Aktivität ist. In organ. Verbindungen tritt A. immer dann auf, wenn ein Kohlenstoffatom an vier versch. Reste gebunden ist **(asymmetr. Kohlenstoffatom).**

2) *Geographie:* von **Tal-A.** spricht man, wenn auf längere Erstreckung ein steiler Talhang einem Flachhang gegenüberliegt.

Asymmetriefehler (Koma), *Physik:* →Abbildungsfehler.

Asylrecht: Hauptherkunftsländer 1996

Land	Anzahl der Asylbewerber in Deutschland	Veränderung gegenüber Vorjahr (%)
Türkei	23 814	−6,7
Jugoslawien	18 085	−31,0
Irak	10 842	+57,6
Afghanistan	5 663	−24,6
Sri Lanka	4 962	−17,6
Iran	4 809	+23,1
Armenien	3 510	+3,8
Zaire	2 971	+16,7
Indien	2 772	+3,0
Pakistan	2 596	−16,7

Asymptote [zu grch. asýmptōtos »nicht zusammenfallend«] *die, Mathematik:* Gerade, an die sich eine Kurve beliebig nähert, ohne sie jedoch (im Endlichen) zu erreichen.

asynchron [grch.], nicht gleichlaufend.

Asynchronmotor, ein Elektromotor, dessen Läufer nicht mit der gleichen Frequenz umläuft wie das induzierte Drehfeld.

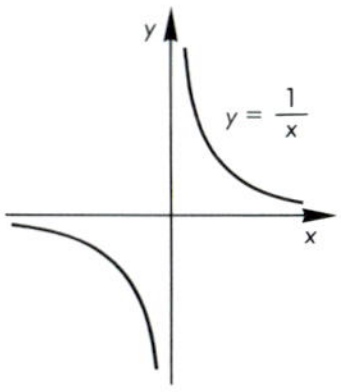

Asymptote: x- und y-Achse als Asymptoten der Hyperbel y = 1/x

Asyndeton [grch. »Unverbundenes«] *das,* Anreihung gleich geordneter Wörter, Wortgruppen, Sätze oder Satzglieder ohne Konjunktion. (ÜBERSICHT Redefiguren)

aszendent [lat. »aufsteigend«], *Geologie:* aus der Tiefe aufsteigende Dämpfe, auch Bez. für deren Abscheidungen (z. B. aszendente Erzlagerstätten). Ggs.: deszendent.

Aszendent *der,* **1)** *Astrologie:* Aufgangspunkt eines Gestirns.

2) *Genealogie:* Verwandter in →aufsteigender Linie, Vorfahr (→Ahnen).

Aszendenztafel, die →Ahnentafel.

Aszites [grch.-lat.] *der,* die →Bauchwassersucht.

at, Einheitenzeichen für technische **At**mosphäre.

At, chem. Symbol für →Astat.

A. T., Abk. für **A**ltes **T**estament. (→Bibel)

Atacama, Wüstengebiet im nördl. Chile; besteht aus einer Reihe von abflusslosen Becken zw. der Küstenkordillere und den Andenketten. Auf dem Hochland der Anden erstreckt sich die **Puna de A.** mit Hochbecken, in denen z. T. ausgedehnte Salzpfannen liegen. Die A. birgt reiche Bodenschätze. Wichtig bleiben Kupfererzabbau (seit dem 19. Jh.) und -verhüttung, v. a. in Chuquicamata; der früher bed. Salpeterabbau (Salpeterkrieg gegen Peru und Bolivien) ist heute auf einen Betrieb beschränkt (auch Jodgewinnung). Die Guanolager an der Küste sind erschöpft. Siedlungen und Hafenstädte sind auf Wasserzufuhr aus der Hochkordillere angewiesen; nur wenige Flüsse erreichen das Meer. BILD S. 312

Atacamit [nach der Wüste Atacama] *der,* sekundäres, grünes, rhomb. Kupfermineral, $Cu_2(OH)_3Cl$; Fundorte in Australien, Südamerika, S-Afrika.

Atahualpa, letzter Herrscher des Inkareichs, *1502, † Cajamarca (Peru) 29. 8. 1533; stürzte 1532 seinen Stiefbruder Huáscar; von Pizarro gefangen genommen und hingerichtet.

Atair [arab. »der fliegende (Adler)«] (Altair), hellster Stern (α) im Sternbild des Adlers.

Atalante, *grch. Mythos:* arkad. Jägerin; sie erlegte den kalydonischen Eber und nahm am Argonautenzug teil.

Ataman *der,* russ. Bez. für den Führer der Kosaken (→ Hetman).

Ataraktika [grch.], Gruppe der → Psychopharmaka.

Ataraxie [grch.] *die,* Freiheit von seelischen Erschütterungen und Lust der Ruhe: der zu erstrebende Seelenzustand im → Hedonismus des Epikur.

Atargatis, syr. Göttin, → Derketo.

Atassi, Haschem al-, syr. Politiker, *Homs 1875, † ebd. 6. 12. 1960, trat für die Unabhängigkeit Syriens ein, 1936–39, 1949–51 und 1954/55 Staatspräsident.

Atatürk, türk. Politiker, → Kemal Atatürk.

Atavismus [zu lat. atavus »Vorfahr«] *der* (Rückschlag), **1)** *allg.:* Rückfall in urtüml. Zustände.

2) *Biologie:* das Wiederauftreten von Eigenschaften weit entfernter Vorfahren, beim Menschen z. B. extrem starke Körperbehaarung, überzählige Schneide- und Backenzähne.

Ataxie [grch. »Unordnung«] *die,* Störung des geordneten Zusammenwirkens ganzer Muskelgruppen bei Bewegungsabläufen; bedingt durch Schädigung des Gehirns oder des Rückenmarks.

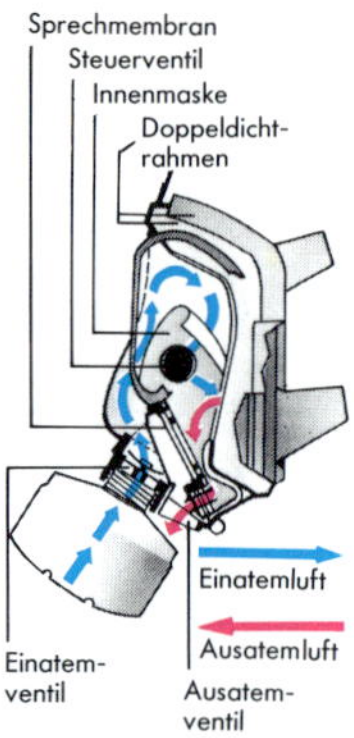

Atemschutzgeräte: Darstellung der Atemluftwege bei einer Vollmaske

Atbara, 1) *der,* rechter Nebenfluss des Nils, 1120 km lang, entspringt nördl. vom Tanasee in Äthiopien, mündet bei der Stadt A.; bei Hochwasser schiffbar; gestaut bei Khashm el-Girba.

2) Stadt im Sudan, 73 000 Ew.; Zementwerk, Verkehrsknotenpunkt.

Ate, *grch. Mythos:* bei Homer Tochter des Zeus; Verkörperung der Verblendung.

Atelier [atəˈlje, frz.] *das,* Werkstatt eines Malers, Bildhauers, Maßschneiders; auch Raum für Film-, Fernseh- oder Fotoaufnahmen.

Atellanen [nach der osk. Stadt Atella in Kampanien], unteritalische Possenspiele des Altertums von derber Komik. Sie fanden Anfang des 1. Jh. v. Chr. Eingang in die lat. Literatur.

Atem, der Luftstrom, der beim Ausatmen durch die Lungen entweicht (→ Atmung).

Atemgeräte, 1) Vorrichtungen zur Durchführung der künstl. Beatmung (→ künstliche Atmung).

2) → Atemschutzgeräte.

Atemgeräusch (Atmungsgeräusch), Geräusch, das beim Abhorchen (Auskultation) des Atemvorganges wahrgenommen wird; gibt Hinweise auf Erkrankungen der Atmungsorgane.

Atemgifte, gesundheitsschädl. Stoffe, die bevorzugt über die Atemwege aufgenommen werden. Einige A., z. B. die Reizgase Schwefeldioxid, Chlor und Phosgen, schädigen das Lungengewebe, andere A. wirken erst nach Aufnahme in das Blut und stören verschiedene Stoffwechselvorgänge, z. B. Blausäure, Phosphorsäureester. Über den militär. Einsatz → Kampfstoffe.

Atacama: Blick auf die Puna de Atacama in Chile

Atemgymnastik (Atemtherapie), Übungen zur Verbesserung der Atmung und Kräftigung der Atmungsorgane; z. B. bei chron. Bronchitis und Bronchialasthma angewendet.

Atemnot (Kurzatmigkeit, Dyspnoe), erschwertes Atmen mit Beklemmungs- und Angstgefühl durch Sauerstoffmangel und Kohlendioxidanhäufung im Blut; bes. bei körperl. Anstrengungen, Lungen- und Kreislaufkrankheiten. **Anfallweise A.,** → Asthma.

a tempo [italien.], Abk **a. t.,** *Musik:* Vorschrift für die Wiederaufnahme des Grundzeitmaßes nach vorübergehender Änderung des Tempos.

Atemschutzgeräte, Arbeits- und/oder Rettungsgeräte zum Schutz oder zur Aufrechterhaltung der Atmung. A. ermöglichen ein Arbeiten in schädl. (bes. kohlenoxidhaltigen) Gasen (Bergbau, Feuerwehr) oder in großen Höhen; es gibt Filter-, Schlauch- (→ Frischluftgeräte), Behälter- und Regenerationsgeräte (→ Sauerstoffgeräte).

Atemschutzmaske, Gesichtsmaske zum gasdichten Anschluss von Atemschutzgeräten (z. B. über Atemfilter); als Voll- oder Halbmaske. Vollsichtmasken sind mit einem Sichtfester und eingebauter Funksprechverbindung ausgerüstet.

Atemspende, Verfahren der → künstlichen Atmung.

Atemstillstand (Apnoe), das Aufhören der Atembewegungen infolge zentraler oder peripherer Atemlähmung oder einer Fremdkörperaspiration. Die Sofortbehandlung umfasst Freimachen und Freihalten der Atemwege, Beatmung oder Atemspende.

Atemwurzeln, aus der Erde herauswachsende Wurzeln tropischer Sumpfpflanzen (z. B. Mangroven), die der Sauerstoffversorgung des übrigen Wurzelsystems dienen.

Aterau, Stadt in Kasachstan, → Atyrau.

Atget [ad'ʒe], Jean-Eugène-Auguste, frz. Fotograf, * Libourne (Dép. Gironde) 12. 2. 1857, † Paris 4. 8. 1927; schuf die umfassende »Photograph. Sammlung des alten Paris«; Wegbereiter der modernen Fotografie in den 20er-Jahren.

Äth... (fachsprachlich Eth...), *Chemie:* Namensbestandteil von Verbindungen mit zwei C-Atomen, z. B. Äthanol – Ethanol.

Athabasca [engl. æθə'bæskə] (Athapaska) *der,* Fluss in Kanada, 1231 km, entspringt in den kanad. Rocky Mountains, mündet in den **Athabascasee** (7936 km^2); längs des A.-Tales Ölsandvorkommen (Abbau bei → Fort McMurray).

Äthan *das* (Ethan), gasförmiger Kohlenwasserstoff aus der Gruppe der → Alkane; in Erd- und Raffineriegasen; zur Äthylenherstellung.

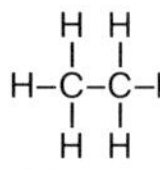
Äthan

Äthanal (Ethanal) *das,* der → Acetaldehyd.

Athanasianisches Glaubensbekenntnis (Quicumque), neben dem Apostol. und dem Nicänisch-Konstantinopolitan. das dritte der drei allg. christl. Glaubensbekenntnisse.

Athanasios (Athanasius), grch. Kirchenlehrer, * um 295, † Alexandria 2. 5. 373; seit 328 ebd. Bischof. Im Streit gegen die Arianer vertrat A. die Lehre von der Wesensgleichheit Christi mit Gott. Heiliger, Tag: 2. 5.

Äthanol [grch.] *das* (Ethanol, Äthylalkohol, Ethylalkohol, Spiritus, Alkohol, Weingeist), C_2H_5OH, eine farblose, brennend schmeckende, würzig riechende und leicht entzündl. Flüssigkeit aus der Gruppe der → Alkohole. Dichte 0,789 g/cm^3, Siedepunkt 78,3 °C, in hoher Konzentration giftig. Ä. entsteht durch die **alkoholische Gärung** von zucker- oder stärkehaltigen Substanzen, die durch Hefe in Ä. und Kohlendioxid gespalten werden. Das gewöhnl. Ä. des Handels **(Sprit)** ist 96 %ig. Durch Azeotropdestillation (→ azeotropes Gemisch) entsteht das wasserfreie **absolute Ä.** – Weitaus das meiste Ä. wird in Form von alkohol. Getränken verwendet. Ferner dient es als vielseitiges Lösungsmittel (z. B. für Lacke und Kosmetika), als Ausgangsstoff in der chemisch-pharmazeut. Ind., als Desinfektionsmittel, zur Konservierung und als Kraftstoffzusatz.

Äthanolamine (Ethanolamine), ölige Flüssigkeiten (Mono-Ä., Tri-Ä.) oder kristalline (Di-Ä.), in Wasser und Äthanol leicht lösl. Stoffe; verwendet als Emulsionen zur Textil-, Leder- und Holzbehandlung, als Emulsionsbrecher u. a. bei Ölbohrungen.

Athapasken, Sprachfamilie nordamerikan. Indianer in Kanada und Alaska; auch die athapaskische Sprachen sprechenden Navaho und Apachen im SW der USA.

Athaulf, König der Westgoten (seit 410), † (ermordet) Barcelona 415; führte die Goten 412 nach Gallien, heiratete 414 → Galla Placidia, die Tochter Kaiser Theodosius' I. Vom röm. Heer nach Spanien abgedrängt, fiel er der Blutrache zum Opfer.

Atheismus [zu grch. átheos »ohne Gott«] *der,* die Leugnung der Existenz eines persönlichen Gottes oder persönlicher Götter jenseits der erfahrbaren Welt.

Geschichte: Früheste Formen des A. finden sich in alten indischen Religionen ohne Gott, wie dem → Jinismus, dem → Samkhya und dem ursprünglichen Buddhismus. Letzterer spricht zwar von Göttern, sie sind aber wie die Menschen in den innerweltlichen Kreislauf des Werdens und Vergehens eingebunden, kommen also für die menschliche Erlösung nicht in Betracht. In der grch. Philosophie zeugen die Fragmente mancher → Vorsokratiker von einem A., wie die des Demokrit und Kritias, die die Götter als menschliche Erfindung deuten, die ein wirksames Schreckmittel zur Erhaltung der moralischen Ordnung bereitstellen sollen. Im Allg. jedoch blieb der A. Sache intellektueller Einzelgänger, da in der Antike noch ein naturreligiöses Lebensgefühl vorherrschte. Im christl. MA. gab es zwar keinen ausformulierten A., seit dem 13. Jh. nahm die Skepsis gegenüber den kirchlichen Lehren aber zu. So wendete sich z. B. Siger von Brabant, beeinflusst von Schriften des arab. Aristoteleskommentators Averroes (→ Ibn Ruschd), gegen die christl. Schöpfungs- und Seelenlehre (→ Averroismus). Zur Ausbildung eines verallgemeinerten A. im westl. Geistesleben der Neuzeit tragen v. a. drei Ursachen bei: 1) der christl. Schöpfungsglaube selbst; er führt zur Entsakralisierung und Entgötterung der Natur; 2) die Entwicklung der Wissenschaften, v. a. der Physik; sie praktizieren einen **methodischen A.,** indem sie die Welt ohne Zuhilfenahme Gottes als Erklärungsgrund zu verstehen suchen. Vom methodischen A. führte die Entwicklung zum **doktrinären A.** einiger frz. Aufklärer (Voltaire), zu den dt. Materialisten des 19. Jh. (L. Büchner, E. Haeckel) bis zur Systematisierung des dialekt. Materialismus (→ Marxismus) durch F. Engels; 3) die Entwicklung der Lehre vom Menschen; dem **humanist. A.** erscheint die Annahme eines Gottes nicht mit der freien Selbstverwirklichung des Menschen vereinbar. So verwerfen L. Feuerbach, der auf ihm aufbauende **marxist. A.** und die Existenzphilosophie (J. P. Sartre) Gott als Konkurrenten.

Sprachkritisch argumentieren demgegenüber der → Positivismus und die Neopositivismen. Weil aus sprachtheoretischen Gründen das Wort »Gott« bedeutungsleer sei, führen diese Philosophien zum **skeptischen** bzw. **agnostischen Atheismus.**

📖 BOCKMÜHL, K.: *A. in der Christenheit. 2 Bde. Gießen $^{2-3}$1984–85.* – PÖHLMANN, H. G.: *Der A. oder der Streit um Gott. Gütersloh ^{7}1996.*

Athen

Platon über die athenische Staatsordnung (»Menexenos« 238 A. ff.): »Die Staatsordnung war einst wie heute stets dieselbe; eine Aristokratie, unter der wir ... die ganze Zeit demokratisch lebten. Es nennt sich nun eine Demokratie, der andere, wie es ihm beliebt. In Wahrheit ist sie aber eine Aristokratie unter Billigung der Masse. Könige nämlich gibt es immer bei uns; diese aber sind bald durch Abkunft, bald durch Wahl bestimmt. In unserer Stadt aber hat die meiste Gewalt die Menge. Sie teilt die Ämter und Gewalt denen zu, welche jedesmal dafür gelten, die Besten zu sein ... Der Grund für die Staatsordnung ist für uns die Gleichheit der Geburt ... Wir aber alle, von einer Mutter als Brüder entsprossen, wollen nicht Sklaven noch Herren untereinander sein. Die Gleichheit der Geburt nach der Natur nötigt uns, auch nach dem Gesetz Gleichheit vor dem Gesetz zu erstreben. Einzig und allein auf den Ruf des Verdienstes und der Einsicht hin sind wir bereit, uns unterzuordnen. So sind wir denn in völliger Freiheit erzogen und von edler Abkunft. Die Väter dieser unserer Gefallenen wie die Gefallenen selbst ... erachten es für notwendig, für die Freiheit gegen Hellenen für Hellenen zu kämpfen wie auch gegen Barbaren für alle Hellenen zusammen.«

Athen
Stadtwappen

Athen (Athina, Athinä), Hptst. von Griechenland und des Verwaltungsgebiets Attika, 772 100 Ew., städt. Agglomeration (einschl. Piräus) 3,07 Mio. Ew. (fast 1/3 der grch. Bevölkerung).

A. liegt in Attika, 5 km vom Meer entfernt, umgeben von Hymettos (1028 m), Pentelikon (1109 m), Parnes (1413 m) und Ägaleos (468 m), und wird durch die »Türkenberge« (bis 338 m) geteilt, die sich im Lykabettos (277 m) und südlich davon noch einmal in der Akropolis (156 m) erheben. A. ist eine lebhafte Geschäfts- und Handelsstadt, Industriezentrum (im Raum A.-Piräus bes. Textil- und chem. Ind., Erdölraffinerie, Werften), Wirtschaftsmittelpunkt und Finanzzentrum Griechenlands, Mittler im See- und Luftverkehr (Flughafen Hellenikon) mit dem Orient, geistiger Mittelpunkt mit Univ., TH und anderen Hochschulen, Museen (National-, Akropolis-, Byzantin. Museum u. a.), Sitz des Oberhaupts der grch.-orth. Staatskirche. Mit Piräus ist A. durch Schnellstraße, Eisenbahn und Schnellbahn verbunden.

Stadtbild: Im *Altertum* war A. die Hptst. von Attika. Der älteste Teil ist die →Akropolis, die im Laufe der Jahrhunderte mit bed. Schöpfungen grch. Baukunst ausgestaltet wurde. Rings um die Akropolis lag die Stadt, die ebenfalls reich war an glanzvollen Bauwerken, darunter v. a. Hallen (Stoa poikile) und Tempel um die Agora nördlich der Akropolis, viele Stadttore (Dipylon), das Dionysostheater am S-Hang der Akropolis und das Olympieion im SO der Stadt. Die Areopaghöhe wurde Sitz des Adelsrates. Die Stadt erhielt unter Themistokles einen Mauerring (Gesamtumfang 6,5 km) und wurde unter Perikles durch die »Langen Mauern« mit dem Hafen Piräus verbunden. Außerhalb der Stadt am Ilissos lag das von Lykurg erbaute panathenäische Stadion, das heute dort in Marmor neu errichtet ist.

Geschichte: Die Besiedlung von A., bes. auf der Akropolis, ist seit der Jungsteinzeit (3. Jt. v. Chr.) nachweisbar. Der Sage nach unter Theseus, tatsächlich in jahrhundertelangem Prozess der Vereinigung (Synoikismos) Attikas, wurde A. Staat. A. durchlief in archaischer und vorklass. Zeit den innenpolit. Entwicklungsprozess von der Monarchie zur Demokratie, wobei die aristokrat. Oberschicht lange Zeit starke polit. und wirtsch. Geltung besaß. Nach der Gesetzgebung Drakons um 624 (621?) schuf bes. Solon (ab 594) die Grundlagen der athen. Demokratie, die nach der Tyrannis der Peisistratiden in der Staatsordnung des Kleisthenes (ab 508/507) und schließlich des Ephialtes (462) ihre Form fand. Die Gründung des Attisch-Del. Seebundes (477) dokumentierte den Aufstieg A.s zur Vormacht der Griechen. Die athen. Machtstellung wurde im Peloponnes. Krieg (431–404) durch Sparta erschüttert, in der Schlacht bei Chaironeia (338) endgültig zerschlagen. A. wurde 86 v. Chr. von Sulla erobert, war dann röm., später byzantin. Provinzstadt; 529 schloss Justinian I. die Akademie. Seit 1204 im Besitz der Kreuzfahrer; ab 1205 vom burgund. Geschlecht de la Roche, 1311–86 von der Katalan. Kompanie, dann von der florentin. Patrizierfamilie Acciaiuoli beherrscht. 1456 wurde A. türkisch, 1834 (nach der grch. Unabhängigkeit) Hptst. Griechenlands und Residenz des Königs.

📖 *Knaurs Kulturführer in Farbe, Athen u. Attika, hg. v.* M. MEHLING. *Beiträge v.* E. KONSTANTINOU *u. a. München 1984.* – WELWEI, K.-W.: *A. Vom neolith. Siedlungsplatz zur archaischen Großpolis. Darmstadt 1992.* – BLEICKEN, J.: *Die athen. Demokratie. Paderborn u. a. ^{4}1995.* – HABICHT, CHR.: *A. Die Gesch. der Stadt in hellenist. Zeit. München 1995.* – MEIER, CHRISTIAN: *A. Ein Neubeginn der Weltgeschichte. Tb.-Ausg. München 1995.*

Äthen *das* (Ethen), systemat. Bez. für →Äthylen.

Athenagoras I., eigtl. Aristokles Spyrou, orth. Geistlicher, * Tsaraplana (heute Vassilikon, Epirus) 25. 3. 1886, † Istanbul 7. 7. 1972; war 1949–72 Ökumen. Patriarch von Konstantinopel. Seine Begegnungen mit Papst Paul VI. (1964, 1967) stehen am Anfang einer neuen Gesprächsbereitschaft zw. Orthodoxie und kath. Kirche.

Athen: Blick auf den Parthenon; im Vordergrund Odeon des Herodes Atticus und Stoa des Eumenes

Athenäum (grch. Athenaion, lat. Athenaeum) *das,* urspr. ein Heiligtum der Göttin Athene; dann die von Hadrian in Rom gegründete Hochschule für Rhetorik, in der Dichter und Gelehrte ihre Werke vortrugen.

Athenäum, von den Brüdern A. W. und F. Schlegel 1798–1800 in Berlin herausgegebene literar. Zeitschrift; führende Zeitschrift der Romantik.

Athenäus (grch. Athenaios), grch. Schriftsteller aus Naukratis in Ägypten, um 200 n. Chr. Sein »Deipnosophistai« (»Gastmahl der Gelehrten«) enthält eine Fülle gelehrten Wissens über altgrch. Lebensgewohnheiten und viele Anekdoten.

Athene: Rastender Herakles, von Athene bewirtet; Innenseite einer Schale des griechischen Malers Duris (um 470 v. Chr.; München, Staatliche Antikensammlung)

Athene (Pallas A.), *grch. Mythos:* Göttin, Tochter des Zeus, dem Haupt ihres Vaters entsprungen und ewig jungfräulich **(A. Parthenos),** Schutzherrin der Helden, der Städte, des Ackerbaus, der Wiss. und der Künste. Ihre Attribute waren der Ölbaum und die Eule. Von den Römern wurde A. der Minerva gleichgesetzt. In der Kunst erscheint sie schon im 6. Jh. v. Chr. mit Helm, →Aigis und Speer, so auf den Giebeln des Aphaiatempels in Ägina. Ihre in der Antike berühmteste Darstellung war das nicht mehr erhaltene Goldelfenbeinbild des Phidias im Parthenon in Athen.

Äther [grch. aithḗr »die obere Luft«] *der,* **1)** in der grch. Kosmologie die obere Himmelsregion, auch die sie ausfüllende Substanz (→Quintessenz).

2) *Chemie:* (Ether) Bez. für organ. Verbindungen der allg. Formel R^1–O–R^2 (R^1, R^2 – gleiche oder unterschiedl. Alkyl- oder Arylgruppen), meist leicht flüchtige, brennbare Flüssigkeiten. Ä.-Bindungen treten in vielen Naturstoffen auf (Zucker, Stärke). Der wichtigste Ä. ist der **Diäthyl-Ä.,** ein ausgezeichnetes Lösungsmittel für viele Stoffe, aber extrem feuergefährlich (Siedepunkt 34,5 °C); früher auch als Narkosemittel verwendet.

$CH_3CH_2{-}O{-}CH_2CH_3$

Äther 2): Diäthyläther ($C_4H_{10}O$)

3) *Physik:* im 19. Jh. Vorstellung eines allgegenwärtigen Stoffes als Träger der Lichtwellen; durch die →Relativitätstheorie hinfällig.

ätherische Öle (etherische Öle), flüchtige, stark riechende Öle, die sich bes. in Blüten, Samen und Blättern von Pflanzen finden. Geruchsbestimmend sind →Terpene und Sesquiterpene. Gewinnung meist durch Destillation mit Wasser oder Wasserdampf und Abtrennung vom Kondenswasser. Ä. Ö. sind für die Riechstoffind., Pharmazie, Kosmetik und viele Zweige der Lebensmittelind. von Bedeutung.

Ätherleib, →Astralleib.

atherman (adiatherman) [grch.], wärmeundurchlässig, v. a. undurchlässig für Wärmestrahlung; Ggs.: diatherman. Einige Stoffe, z. B. Glas, sind in einem bestimmten Wellenlängenbereich diatherman, darüber hinaus atherman.

Atherom [grch.] *das* (Balggeschwulst, Grützbeutel), Zyste in der Haut, die Talg und Hornmaterial enthält; sie entsteht durch Keimverspren-

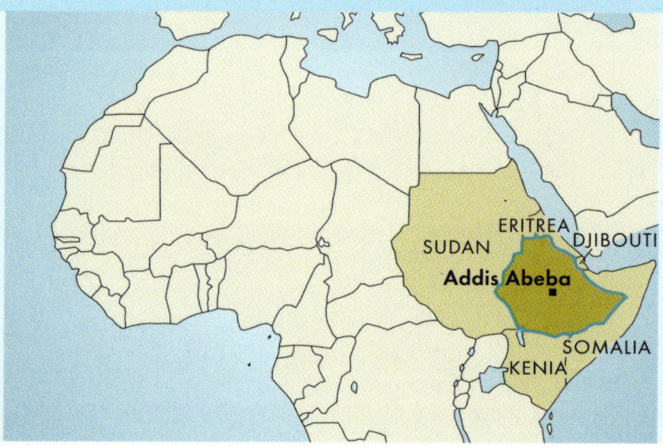

Äthiopien

Fläche: 1 130 139 km²
Einwohner: (1995) 55,05 Mio.
Hauptstadt: Addis Abeba
Verwaltungsgliederung: 9 Regionen, Hauptstadt mit Sonderstatus
Amtssprache: Amharisch
Nationalfeiertag: 12. 9.
Währung: 1 Birr (Br) = 100 Cents (ct.)
Zeitzone: MEZ +2 Std.

Wappen

(ETH)

Internationales Kfz-Zeichen

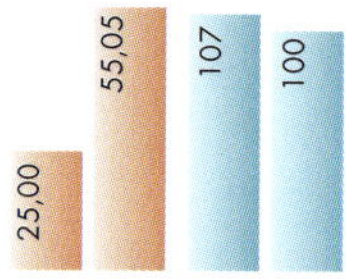

Bevölkerung (in Mio.)

Bruttosozialprodukt je Ew. (in US-$)

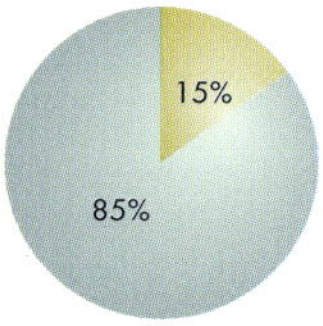

Stadt
Land

Bevölkerungsverteilung 1994

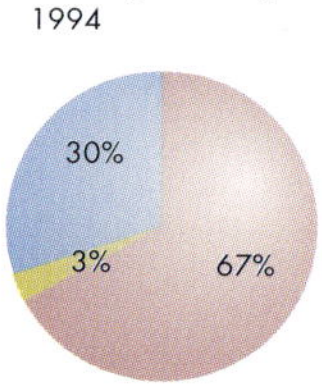

Industrie
Landwirtschaft
Dienstleistung

Bruttoinlandsprodukt 1994

gung von Talgdrüsenepithelien (»echtes A.«) oder durch Verstopfung des Talgdrüsenausführungsganges (»falsches A.«). Entzündungen sind möglich. Die Entfernung erfolgt operativ.

Äthin (Ethin) *das,* systemat. Bez. für → Acetylen.

Athinä [-θ-] (Athina), neugrch. für → Athen.

Äthiopide, typolog. Kategorie, der die Mehrheit der Bevölkerung N-Afrikas angehören soll, eine Mischung von europiden (Form-) und negriden (Farb-)Merkmalen: hoher Wuchs, lange Kopfform und Gliedmaßen, locker-krauses schwarzes Haar, dunkle Augen, dunkle Hautfarbe. Ä. sind nach Sprache und Kultur Osthamiten.

Äthiopien (amhar. Ityopia), Binnenstaat in NO-Afrika, grenzt im NO an Eritrea, im O und SO an Djibouti und Somalia, im S an Kenia und im W an die Rep. Sudan.

Staat und Recht: Nach der Verfassung vom 7. 5. 1995 ist Ä. eine parlamentar. Rep. mit bundesstaatl. Ordnung; den versch. ethn. Gruppen wird weitgehende Autonomie gewährt. Die neu gebildeten Regionen haben das Recht auf Sezession. Staatsoberhaupt ist der vom Parlament ernannte Präs.; die Exekutive liegt beim MinPräs., die Legislative auf Bundesebene bei der Nat.versammlung (Shengo; 548 Abg.). Die neun Regionen haben eigene gewählte Legislativ- und Exekutivorgane.

Landesnatur: Ä. ist das höchstgelegene Land Afrikas; 50% der Fläche liegen höher als 1200 m, mehr als 25% über 1800 m, über 5% erreichen noch Höhen über 3500 m ü. M. Dennoch hat der größte Teil des Hochlands Mittelgebirgscharakter. Der Ostafrikan. Graben teilt Ä. in das Äthiop. Hochland im W (im Ras Daschān bis 4620 m ü. M.) und das nach SO geneigte Somalihochland. In den Grabenzonen ist die vulkan. Tätigkeit bis heute noch nicht erloschen. In den von mächtigen Basaltdecken überlagerten Hochländern haben sich die wasserreichen Flüsse (Atbara, Blauer Nil u. a.) in tiefen cañonartigen Tälern eingeschnitten. Im Ostafrikan. Graben liegen eine Reihe von abflusslosen Seen.

Ä. liegt im trop. Klimabereich; die starken klimat. Unterschiede sind in erster Linie durch die großen Höhenunterschiede bedingt. Die Niederschläge steigen allg. mit der Höhe an, außerdem wird es kühler. Das wüstenhafte Danakiltiefland im NO erhält nur mäßige Winterregen und ist im Sommer trocken; in den übrigen Landesteilen fallen die Niederschläge vorwiegend im Sommer. Es haben sich besondere Klima- und Vegetationsstufen herausgebildet: Bis 1500 m ü. M. reicht die tropisch heiße Kolla (Halbwüste, Dornsavanne, verschiedene Typen der Trockensavanne); von 1500–2400 m ü. M. die warm gemäßigte Woina Dega (urspr. Bergwälder, heute weitgehend Kulturland); darüber die kühle Dega (baumarmes Höhengrasland; bevorzugtes Weidegebiet), über 3900 m ü. M. die Fels- und Eisregion der Tschoke.

Äthiopien

Bevölkerung: Die im Hochland lebenden → Amhara, Tigre (insges. 40%) und Gurage (2%) sowie Tigrinja und Harari sprechen semit. Sprachen und sind meist Christen (Angehörige der äthiop. Kirche); die Falascha (rd. 25 000 »schwarze Juden«) wurden fast alle 1984/85 und 1991 nach Israel ausgesiedelt. Die Oromo (Galla; 35%), die Somal (2 %), Sidamo (4 %), Danakil und Bedja sprechen kuschit. Sprachen und bekennen sich vorwiegend zum Islam (heute über 50 % der Gesamtbev.); negride Gruppen (4 %) mit hamit. und nilot. Sprachen leben vorwiegend im S des Landes. Die allg. Schulpflicht konnte nicht überall durchgesetzt werden (über 20 % Analphabeten); eine Univ. besteht in Addis Abeba.

Wirtschaft, Verkehr: Ä. ist eines der ärmsten Länder der Erde, das durch den Bürgerkrieg wirtsch. stark zerrüttet wurde. Grundlage ist die Landwirtschaft, von ihr leben 90 % der Bev. Dürrebedingte Ernteausfälle führten zu Hungerkatastrophen und Flüchtlingselend. Der Versuch, die wirtsch. Lage durch die sozialist. Planwirtschaft (seit 1975 Verstaatlichung von Banken, Versicherungen und Großunternehmen, Enteignung des Adel und Kirche gehörenden Großgrundbesitzes) zu stabilisieren, scheiterte. – Größte Bedeutung hat der Anbau von Kaffee (zwei Drittel des Ausfuhrwertes), für den Export werden in geringen Mengen auch Obst, Gemüse, Zuckerrohr, für den Eigenbedarf Getreide (bes. die Hirseart Teff), Hülsenfrüchte und Ölsaaten sowie die Bananenpflanze Ensete (Scheinstamm und Rhizom werden gegessen, auch als Brotfrucht; Fasergewinnung) erzeugt. Trotz großer Viehbestände spielt die nomadisch betriebene Viehhaltung eine untergeordnete Rolle. Die Bodenschätze (Gold, Platin, Nickel, Kupfer, Zink, Kali- und Steinsalz) sind noch wenig erschlossen und werden nur in kleinem Umfang abgebaut. Die Ind. ist von geringer Bedeutung (überwiegend in Addis Abeba konzentriert) und verarbeitet meist landwirtsch. Erzeugnisse. – Außenhandel: Ausfuhr von Agrarprodukten, Einfuhr von Nahrungsmitteln, Erdöl, Maschinen, Fahrzeugen und Gebrauchsgütern. Wichtigste Handelspartner sind die USA, Dtl. und Japan. Der Außenhandel erfolgt überwiegend über den Hafen Djibouti. – Verkehr: Es existieren nur ein weitläufiges Straßennetz (1989: 39 000 km Straßen, davon rd. 20 % befestigt) und 782 km Eisenbahnlinie der für den Außenhandel wichtigen Strecke Addis Abeba–Djibouti (durch den Bürgerkrieg teilweise unterbrochen). Der Luftverkehr verfügt über mehrere nat. Flughäfen und einen internat. Flughafen in Addis Abeba.

Geschichte: Der Name Ä., grch. **Aithiopia,** hebr. **Kusch,** bezeichnete urspr. das Land südlich des ersten Nilkatarakts (Assuan), also etwa das heutige Nubien (Sudan und Ägypten), in grch.-röm. Zeit das ganze afrikan. Land südl. von Ägypten, danach auch Länder östl. des Roten Meeres.

Lange vor Christi Geburt wanderten südarab. (semit.) Stämme, v.a. die Habaschat, von denen sich der Name **Abessinien** für Ä. ableitet, und die Geez, in Ä. ein; sie gründeten →Aksum. Im Altertum stand Ä. unter ägypt. und grch. Einfluss und nahm im 4. Jh. das Christentum an (→äthiopische Kirche). Das Eindringen der Muslime (16. Jh.) und der heidn. Oromo sowie innere Streitigkeiten bedrohten das Reich wiederholt. Ä. war ein Gesamtstaat unter einem Herrscher (Negus) und mehreren Statthaltern (Ras), bis diese sich im 18. Jh. unabhängig machten. 1853/54 eroberte Ras Kasa von Gondar das ganze Land und regierte 1855–68 als Theodorus II., Negus Negesti (König der Könige). Sein Nachfolger, Johannes IV., kämpfte erfolgreich gegen Ägypten und Italien, das sich seit 1882 in Eritrea festsetzte, fiel aber 1889 gegen die Anhänger des Mahdi. Der Erneuerer Ä., Kaiser Menelik II. (1889–1913), eroberte weite Gebiete und schloss mit mehreren europ. Staaten Handels- und Freundschaftsverträge. Als Italien die Herrschaft über das ganze Land beanspruchte, verteidigte sich Ä. und erreichte nach dem Sieg bei Adua am 1. 3. 1896 die Anerkennung der Unabhängigkeit.

Äthiopien: Hochlandweide in der Region Schoa während der Regenzeit

Auf Menelik II. folgte 1913 sein Enkel Lidsch Ijasu, nach seinem Sturz (1917) Meneliks Tochter Zauditu; Regent war ihr Neffe Ras Tafari, der nach ihrem Tod als Haile Selassie 1930 zum Kaiser gekrönt wurde und Ä. eine Verf. gab (1931). 1935/36 eroberte Italien das Land, vereinigte es mit Eritrea und Somaliland zu Italienisch-Ostafrika; 1941 wurde Ä. von den Briten zurückerobert (5. 5. 1941 Rückkehr des Kaisers). Diese stellten 1942 die Unabhängigkeit Ä.s wieder her. 1952–62 wurde Eritrea schrittweise in den Staat eingegliedert. Außenpolitisch schloss sich Ä. den →blockfreien Staaten an; 1963 trug Haile Selassie entscheidend zur Gründung der »Organisation für Afrikan. Einheit« (OAU) bei. Nach Unruhen (Febr. 1974) musste er auf Druck der Armee im Nov. 1974 abdanken. Der »Provisor. Militärverwaltungsrat« (Reg.) setzte sich bes. die Zerschlagung des Feudalsystems zum

Ziel und rief 1975 die Rep. aus. Nach blutigen Revolten (1974 und 1977) setzte sich Mengistu Haile Mariam als Staats- und Reg.chef durch. Er leitete die Umwandlung Ä.s nach marxist. Vorbild ein. Jede Opposition wurde durch Terrormaßnahmen unterdrückt. Die Agrarreform (1975) steigerte sich zur »grünen Revolution« (seit 1979). Mithilfe sowjet. Waffenlieferungen und kuban. Truppen bekämpfte Ä. 1978 den Aufstand in →Ogaden (1977/78) und →Eritrea, in dem seit 1974 die »Eritreische Volksbefreiungsfront« (EPLF) mit Waffengewalt die staatl. Unabhängigkeit durchzusetzen versuchte. Die Kämpfe in Ogaden entwickelten sich zu einem Krieg mit Somalia, das seinerseits Ansprüche auf das Ogadengebiet erhob. Ein Autonomieangebot der Reg. an die Prov. Eritrea wurde 1987 von der EPLF abgelehnt. Der Krieg mit Somalia wurde 1988 in einem Friedensvertrag beendet.

Äthiopien: Für die sesshaften Völker Äthiopiens typische zylindrische Kegeldachhäuser in der Region Wollo

1984 etablierte sich die marxist. »Äthiop. Arbeiterpartei« unter Mengistu Haile Mariam. Mit In-Kraft-Treten einer neuen Verfassung 1987 ging die Militärherrschaft in ein ziviles Reg.system über; Staatspräs. wurde Mengistu Haile Mariam. Inzwischen hatte sich im Kampf gegen das kommunist. Reg.-System die in der Prov. Tigre operierende »Volksbefreiungsarmee von Tigre« (TPLF) gebildet, die im März 1989 die Provinz-Hptst. Makale eroberte. Getragen v.a. von der TPLF, bildete sich dort im selben Jahr als polit. Formation der Aufstandsbewegung die Äthiop. Volksrevolutionäre Demokrat. Front (EPRDF). Im Febr. 1991 begannen die TPLF (von Tigre aus) und die EPLF (von Eritrea aus) eine gemeinsame militär. Offensive gegen die Zentral-Reg. in Addis Abbeba. Im Mai 1991 nahmen sie Addis Abeba ein und stürzten das kommunist. Reg.system; Mengistu Haile Mariam floh nach Simbabwe. Neuer Staatspräs. wurde im Juli 1991 Meles Zenawi, der Führer der EPRDF, der Tamirat Layne als MinPräs. einer Übergangsreg. einsetzte. Mit der Bildung einer eigenen Regierung für Eritrea erreichte diese Provinz faktisch ihre Unabhängigkeit und schied 1993 endgültig aus dem äthiop. Staatsverband aus.

Aus den Parlamentswahlen von 1995 ging die EPRDF als weitaus stärkste Gruppe hervor und stellt mit Meles Zenawi nunmehr den MinPräs.; Staatspräs. ist seitdem Negaso Gidada. Im Juni 1998 kam es wegen differierender Gebietsansprüche zu einem Grenzkrieg zw. Ä. und Eritrea, der 1999 erneut aufflammte.

Der lang anhaltende Bürgerkrieg sowie übergroße Dürre führten mehrfach zu Hungerkatastrophen.

📖 GERSTER, G.: *Äthiopien – das Dach Afrikas. Zürich u.a. 1974.* – BARTNICKI, A. u. MANTEL-NIEČKO, J.: *Geschichte Äthiopiens. Von den Anfängen bis zur Gegenwart. 2 Bde. A. d. Poln. Berlin-Ost 1978.* – HASSELBLATT, G.: *Ä. am Rande des Friedens. Tigre, Oromo, Eritreer, Amharen im Streit. Streiflichter u. Dokumente. Stuttgart 1992.* – KACZA, TH.: *Äthiopiens Kampf gegen die italien. Kolonialisten. Pfaffenweiler 1993.* – MATTHIES, V.: *Ä., Eritrea, Somalia, Djibouti. München [2]1994.*

äthiopische Kirche, 1) (früher abessinische Kirche), die christl. Nationalkirche Äthiopiens. Um 350 gegr., übernahm sie nach dem Konzil von Chalcedon (451) das Bekenntnis der →Monophysiten und war bis 1946 in Abhängigkeit vom kopt. Patriarchen, der einen Bischof (Abuna) bestimmte. 1952 erhielt die ä. K. einen unabhängigen Patriarchen. Unter der marxist. Diktatur (1974–91) wurde die bis dahin bestehende äthiop. Staatskirche bekämpft (1975 Enteignung des kirchl. Bodenbesitzes durch die Bodenreform, 1976 Absetzung des Patriarchen, Nachfolger aus einfachem Priesterstand). Die ä. K. hat viele alte Bräuche (u.a. die Beschneidung) und strenge Fastenordnungen bewahrt.

📖 HEYER, F.: *Die Kirche Äthiopiens. Eine Bestandsaufnahme. Berlin u. a. 1971.*

2) Zweig der oriental. Kirche, die unierten Christen des alexandrin. Ritus mit der Kirchenprovinz Addis Abeba.

äthiopische Kunst. Zu den frühesten architekton. Zeugnissen (5. Jh. n. Chr.) gehören die steinernen Stelen, Reste von Palast- und Grabanlagen u.a. in Aksum. Berühmt wurden die im 12. Jh. entstandenen, z.T. monolith. Felskirchen von →Lalibela, die Klöster und Kirchen auf Inseln im Tanasee,

Palast- und Kirchenbauten des 17.–19. Jh. in →Gondar. Die christl. Malerei stand unter koptisch-byzantin. Einfluss (Wandmalereien in Kirchen; illuminierte Handschriften bes. aus dem 14./15. Jh.). Die traditionelle Volkskunst äußert sich in profaner Malerei und v.a. in Metallarbeiten (Silber, Messing). Die nichtchristl. Kunst ist v.a. durch Holz- und Steinskulpturen altafrikan. Tradition in S-Äthiopien belegt.

äthiopische Sprachen, die zum südsemit. Zweig der semit. Sprachfamilie gehörenden Sprachen Äthiopiens. Das **Altäthiopische (Geez)** differenzierte sich im N in das **Tigre** und das **Tigrinja.** Das Geez ist die Sprache der äthiop. Literatur und bis heute Kirchensprache. Zu den südäthiop. Sprachen gehören des **Amharische,** das **Gurage** und **Harari.**

Athlet [grch. athletés »Wettkämpfer«] *der,* urspr. Teilnehmer an den antiken Festspielen; heute Bez. für Leistungssportler.

Athletik *die,* in Griechenland seit dem 5. Jh. v. Chr. der berufsmäßige Wettkampf der Athleten. Heute unterscheidet man Leichtathletik und (selten) Schwerathletik.

Athletiker *der,* Mensch mit starkem Knochenbau und kräftiger Muskelentwicklung (→Konstitutionstypen).

Athos: Kloster Dionysiu (ab 14. Jh.)

Athos (grch. Hagion Oros, neugrch. Ajion Oros), die östlichste Halbinsel der Chalkidike, N-Griechenland, aus Marmor und metamorphen Schiefern aufgebaut und weitgehend mit Macchie und Wald bedeckt, an ihrer Südspitze der **Berg A.** (2033 m ü. M.). Die Halbinsel wird eingenommen von der autonomen, jedoch nicht souveränen **Mönchsrepublik A.,** 336 km², (1981) 1500 Ew.; Verwaltungsort: Karyä. – Die Mönchsrepublik umfasst 20 Großklöster (UNESCO-Weltkulturerbe). Das erste Kloster, die Große Lawra, wurde 963 gegründet; seit 980 entstanden weitere befestigte Klöster, die zu einem religiösen Mittelpunkt der Orthodoxie wurden; bed. Handschriftensammlung. Eine nach strengem ikonographischem Programm ausgerichtete A.-Schule der Malerei wurde durch das »Malerbuch vom Berge A.« begründet.

Athos

📖 SPITZING, G.: *A. Der hl. Berg des östl. Christentums. Köln 1990.* – W. EKSCHMITT: *Berg A. Gesch., Leben u. Kultur der grch. Mönchsrepublik. Freiburg im Breisgau u. a. 1994.*

Äthyl (Ethyl) *das,* die vom Äthan abgeleitete einwertige Atomgruppe $-C_2H_5$, die in vielen organ. Verbindungen vorkommt, z. B. **Ä.-Alkohol** (→Äthanol), **Ä.-Cellulose** (→Celluloseäther).

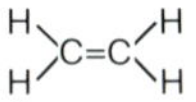

Äthylen

Äthylen *das* (Ethylen, Äthen, Ethen), gasförmiger ungesättigter Kohlenwasserstoff aus der Gruppe der Alkene. Ä. ist farb- und fast geruchlos; es entsteht beim Kracken von Benzin oder Äthan. Wichtigstes Zwischenprodukt der →Petrochemie; v.a. zur Herstellung von Kunststoffen.

Äthylenoxid (Ethylenoxid, Oxiran), zykl. Äther, hautreizende, giftige Flüssigkeit, großtechnisch aus Äthylen durch Oxidation mit Luft oder Sauerstoff hergestellt; verwendet zur Herstellung von Glykol, Tensiden, Äthanolaminen u.a. Als T-Gas dient Ä. zur Schädlingsbekämpfung.

2-Äthylhexanol, 2-Ethylhexanol, Octanol, höherer Alkohol, der aus Propylen hergestellt und mit Phthalsäureanhydrid zu dem wichtigsten PVC-Weichmacher **Di-2-Äthylhexylphthalat (DOP)** verestert wird.

Athyrium [grch.] *das,* die Gattung →Frauenfarn.

Ätiologie [grch. aitía »Ursache«] *die,* Lehre von den Krankheitsursachen.

Atitlánsee (Lago de Atitlán), See im zentralen Hochland SW-Guatemalas, 126 km², bis 384 m tief, 1562 m ü. M. am Fuß des Vulkans **Atitlán** (3537 m ü. M.); Fremdenverkehr.

Atjeh [-tʃ-], frühere Schreibweise von →Aceh.

Atjoli [-tʃ-], nilotischer Stamm, →Acholi.

Atlant im Kreuzgang der Stiftskirche in Königslutter am Elm (2. Hälfte des 12. Jh.)

Atlant [nach dem Himmelsträger Atlas] *der* (Telamon), männl. Stützfigur, die anstelle eines Pfeilers oder einer Säule das Gebälk trägt.

Atlanta [ət'læntə], Hptst. des Bundesstaates Georgia, USA, am Fuß der südl. Appalachen, 394000 Ew., Metropolitan Area 2,83 Mio. Ew.; kath. Erzbischofssitz; mehrere Univ.; Verkehrs-

Atlantischer Ozean: Reliefkarte des Meeresbodens von Tanguy de Rémur (Quelle: Hachette-Guides Bleus)

knotenpunkt mit vielseitiger Ind., Sitz zahlreicher Wirtschaftsunternehmen der Südstaaten. – Kunstmuseum (Neubau von Richard A. Meier, 1984), Kunstschule. – Seit 1868 Hauptstadt von Georgia. Austragungsort der XXVI. Olymp. Spiele 1996.

Atlantic City [ət'læntɪk 'sɪtɪ], Seebad an der Atlantikküste, im SO von New Jersey, USA, 48 000 Ew.; Fischereihafen; seit 1978 erstes legales Spielkasino der USA außerhalb Nevadas.

Atlantik *der,* der →Atlantische Ozean.

Atlantikcharta [-'karta], die am 14. 8. 1941 auf einem amerikan. Kriegsschiff im Nordatlantik zw. F. D. Roosevelt (USA) und W. Churchill (Großbritannien) vereinbarte Grundsatzerklärung über die künftige Friedensordnung; forderte u. a. Verzicht auf Annexionen und Gewalt, Anerkennung des Selbstbestimmungsrechts der Völker, freien und gleichen Zugang zu den Rohstoffen der Erde sowie den Aufbau eines kollektiven Sicherheitssystems unter vollständiger Entmilitarisierung von Staaten, die sich der Aggression schuldig gemacht haben. Die Prinzipien und Ziele der A. gingen 1945 in die »Charta der Vereinten Nationen« ein.

Atlantikwall, dt. Küstenbefestigung im Zweiten Weltkrieg, 1942–44 an der niederländ., belg. und frz. Küste ausgebaut.

Atlantis, antiker Name einer sagenhaften Insel, nach Platon im (Atlant.) Ozean gelegen und durch ein Erdbeben verschwunden. Die Frage nach der histor. Realität und der Lage von A. ist umstritten.

📖 Brentjes, B.: *A. Geschichte einer Utopie. Köln ^{2}1994.* – Zangger, E.: *A. Eine Legende wird entziffert. A. d. Engl. Neuausg. München 1994.*

Atlantische Gemeinschaft, häufige Bez. für die NATO-Staaten.

Atlantischer Ozean (Atlantik), der zw. Europa und Afrika im O und Amerika im W gelegene Teil des Weltmeeres, der zweitgrößte der drei Ozeane, 84,11 Mio. km^2, mit Nebenmeeren (Nordpolarmeer, Europ. und Amerikan. Mittelmeer, Nord-, Ostsee, Ärmelkanal, Ir. See, Hudsonbai, St.-Lorenz-Golf) 106,57 Mio. km^2 groß, enthält 350,91 Mio. km^3 Wasser, bedeckt über 15 % der Erdoberfläche; mittlere Tiefe 3293 m (mit Nebenmeeren) oder 3844 m (ohne Nebenmeere); größte Tiefe (9219 m) ist die Milwaukeetiefe im Puerto-Rico-Graben, 32,5 % des A. O. (ohne Nebenmeere) sind 4 000–5 000 m tief.

Ein zusammenhängendes unterseeisches Gebirge (Mittelatlant. Rücken) durchzieht den A. O. vom Nordpolarmeer bis 50° s. Br. und gliedert ihn mit einigen Querrücken in große Tiefseebecken. Winde, unterschiedl. Wassertemperaturen und -salzgehalte verursachen warme und kalte Strömungen; die wichtigsten warmen sind der von den Passaten nach W getriebene Nord- und Südäquatorialstrom, der zw. beiden rückläufige Guineastrom und der aus dem Antillen- und dem Floridastrom entstehende →Golfstrom mit nordöstl. Richtung; kalte Polarströme sind im N der Labrador- und der Ostgrönlandstrom, im S der Falkland- und der Benguelastrom. Der A. O. ist, bes. in den kälteren Teilen, sehr fischreich (Kabeljau, Hering, Schellfisch). Offshorebohrungen haben Erdöl- und Erdgasfelder unter dem Schelf erschlossen. Im überseeischen Weltfrachtverkehr ist der A. O. ein wichtiger Verkehrsträger. – Die Erforschung des A. O. begann 1873–76 mit der brit. »Challenger«-Expedition, 1925–27 schloss sich die dt. »Meteor«-Expedition an. In neuer Zeit wird die Erforschung v. a. durch ausgelegte Messsysteme betrieben, die über längere Zeit aufrechterhalten werden.

📖 Turekian, K. F.: *Die Ozeane. A. d. Engl. Stuttgart 1985. – Das Weltmeer, hg. v.* H.-J. Brosin.

Thun u. a. 1985. – Nicholas, A.: *Die ozeanischen Rücken. Gebirge unter dem Meer. A. d. Frz. Berlin u. a. 1995.* – Ott, J.: *Meereskunde. Einführung in die Geographie u. Biologie der Ozeane. Stuttgart [2]1996.*

Atlas [nach dem Titanen Atlas] *der,* **1)** *Anatomie:* erster Halswirbel; trägt den Schädel und gewährleistet zus. mit dem zweiten Halswirbel (→Axis) Dreh- und Nickbewegungen des Kopfes.

2) *Astronomie:* 1980 entdeckter innerster Mond des →Saturn.

3) *Kartographie:* seit Mercator (1585) eine Sammlung von Land- und Himmelskarten.

4) *die, Raketentechnik:* →Atlasrakete.

Atlas [arab. »glatt«, »fein«] *der* (Satin), Gewebe in →Atlasbindung mit einer glatten Oberfläche. **Atlastrikot,** Kettenwirkware besonderer Maschenlegung.

Atlas, *grch. Mythos:* Sohn des Titanen Iapetos, Bruder des Prometheus. Im äußersten Westen der Erde trug er den Himmel auf seinen Schultern.

Atlas: Der »Napoleonshut« im Tal von Tafraout im Antiatlas

Atlas *der,* Faltengebirgssystem in NW-Afrika: An der marokkan. Mittelmeerküste liegt der **Rif-A.**, in Zentralmarokko der **Mittlere A.** Südlich davon erstreckt sich der **Hohe A.,** im Djebel Toubkal, der höchsten Erhebung des A., 4165 m ü. M. (Manganerzabbau). Im N von Algerien verläuft küstenparallel der **Tell-A.** Die südlichste Gebirgskette ist der **Sahara-A.** Zw. Tell- und Sahara-A. liegt das Hochland der Schotts, hauptsächlich Weidegebiet der Nomaden. Im N des A. herrscht Mittelmeerklima, nach S zu Übergang zum Trockenklima der Sahara. Im Gebirge Viehhaltung, in den Tälern Bewässerungsfeldbau. Der wesentlich ältere, zur Randzone des afrikan. Blocks gehörende **Anti-A.** bildet im Süden von Marokko ein Randgebirge der Sahara.

ATLAS, Abk. für engl. **At**mospheric **L**aboratory for **A**pplications and **S**cience, amerikan.-europ. Programm für wiss. und angewandte Atmosphärenforschung; es werden hauptsächlich die Erdatmosphäre und der Einfluss der Sonne auf Klima und Umwelt untersucht.

Atlasbindung, eine der drei Grundbindungen in der Weberei: Auf der Schauseite des Gewebes treten entweder Kett- oder Schussfäden bes. hervor.

Atlasrakete, Serie amerikan. Raketen, 1954/58 als Interkontinentalrakete entwickelt, seit 1958 in zahlr. Versionen (Atlas-Agena, Atlas-Mercury, Atlas-Centaur u. a.) als Trägerrakete für bemannte Raumfahrzeuge sowie unbemannte Raumflugkörper eingesetzt.

Atlasspinner (Attacus atlas), Schmetterling SO-Asiens mit bis 25 cm Spannweite; Kokons liefern die Fagaraseide.

atm, Einheitenzeichen für physikal. →**Atmo**sphäre.

Atman [Sanskrit »Seele«, »Hauch«] *der* oder *das, ind. Philosophie:* der unvergängl. Wesenskern der individuellen menschl. Person, letztlich eins mit der Weltseele, mit Brahman als dem eigentl. Sein der Welt.

Atmosphäre [zu grch. atmós »Dunst«, sphaĩra »Kugel«] *die,* im Schwerefeld der Erde festgehaltene Lufthülle, etwa 1 000 bis 3 000 km mächtig, die aus einem Gemisch von Gasen besteht. Mittlere Zusammensetzung in Bodennähe (in Vol.-%): 78,09 Stickstoff, 20,95 Sauerstoff, weniger als 1 Edelgase (Argon, Neon, Krypton, Xenon), etwa 0,03 Kohlendioxid, Wasserdampf in stark wechselndem Anteil, zw. 0 und 4, außerdem variable Mengen Staub, Meeressalz und Spurenstoffe einschl. Abgasen. Bis etwa 110 km Höhe ändert sich die Stoffzusammensetzung außer den Anteilen von Wasserdampf und Sauerstoff nicht **(Homosphäre),** darüber aber mit zunehmender Höhe **(Heterosphäre).** Die Luftdichte nimmt mit der Höhe ab; im Meeresniveau beträgt sie $1{,}293 \cdot 10^{-3}$ g/cm^3, in 5 km Höhe nur noch $0{,}736 \cdot 10^{-3}$ g/cm^3. In den unteren 20 km der A. sind 90% ihrer Gesamtmasse enthalten. Die **Normal-A. (Standard-A.)** ist mit einem Luftdruck von 1 013,25 hPa und einer Temperatur von 15 °C an der Erdoberfläche definiert, wobei die Temperaturabnahme mit der Höhe 0,65 K/100 m (bis in etwa 10 km Höhe) beträgt. Durch teilweise Absorption der Sonnenstrahlung und der Wärmeabstrahlung der Erdoberfläche (Treibhauseffekt), durch Energieaustausch mit der Erdoberfläche und durch Energie- und Wasserdampftransport mit der atmosphär. Zirkulation ist die A. Medium des Wetters und wesentl. Klimabildner.

Vertikale Gliederung nach der therm. Struktur: unterste Schicht ist die **Troposphäre,** in der die Wettervorgänge ablaufen; sie untergliedert sich in

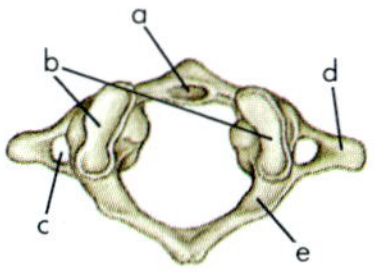

Atlas 1): a Gelenkfläche für Zahnfortsatz des Axis, b obere Gelenkflächen (für das Hinterhauptbein), c als Gefäßdurchtritt dienendes Querfortsatzloch, d Querfortsatz, e Wirbelbogen

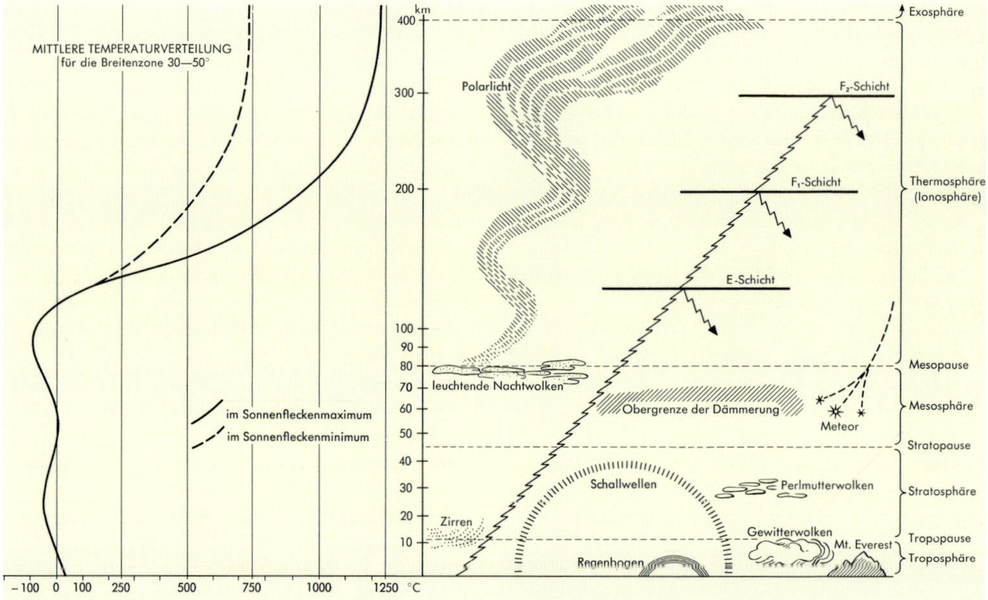

Atmosphäre: Aufbau und mittlere Temperaturverteilung der Erdatmosphäre

die Grundschicht (Peplosphäre), in der sich der Energie- und Stoffaustausch mit der Erdoberfläche vollzieht, die Bodenreibung wirksam wird und die Hauptdunstmasse enthalten ist, und die »freie« Troposphäre, in der die Temperatur mit der Höhe abnimmt. Die obere Grenze der Troposphäre wird als **Tropopause** bezeichnet und liegt (breiten- und wetterlagenabhängig) zw. 9 und 18 km Höhe mit Temperaturen zw. –50 °C und –80 °C. Die anschließende **Stratosphäre** erstreckt sich bis etwa 50 km Höhe und enthält wegen ihres geringen Wasserdampfgehaltes keine Wolken (außer Perlmutterwolken). Die Temperaturen oberhalb der Tropopause bleiben zunächst mit zunehmender Höhe wenig verändert und nehmen dann in der oberen Stratosphäre bis 10 °C zu, infolge der Absorption der solaren UV-Strahlung durch das hier angereicherte Ozon. Über der Stratosphäre liegt die **Mesosphäre** (obere Durchmischungsschicht), innerhalb derer die Temperatur mit zunehmender Höhe wieder abnimmt. Die Obergrenze **(Mesopause)** liegt mit etwa –80 °C bei 85 km Höhe. Die folgende **Thermosphäre** reicht bis etwa 450 km und geht unter Temperaturanstieg durch Sonnenabstrahlungsabsorption bestimmter Wellenlängen dann in die **Exosphäre (Dissipationssphäre)** über, die die Stoffaustauschzone mit dem interplanetaren Raum darstellt. – Vertikale Gliederung nach dem Ionisationsgrad: in die **Neutrosphäre** (bis etwa 65 km), die kaum ionisiert ist, und in die **Ionosphäre** (zw. 65 und etwa 500 km) mit verschiedenen Maxima der Elektronen- bzw. Ionendichten. Ionosphäre und Exosphäre werden auch als Hoch-A. bezeichnet.

📖 FRITSCH, B.: *Anthropogene Veränderungen der A. Schritte auf dem Wege zu einer globalen Umweltpolitik. Zürich 1991.* – FABIAN, P.: *A. u. Umwelt. Chemische Prozesse, menschliche Eingriffe. Berlin u. a. ⁴1992.* – ROEDEL, W.: *Physik unserer Umwelt. Die A. Berlin u. a. ²1994.* – GRAEDEL, TH. E. *u.* CRUTZEN, P. J.: *Die A. im Wandel. Die empfindliche Lufthülle unseres Planeten. A. d. Engl. Heidelberg u. a. 1996.*

Atmosphäre, Einheiten: 1) (physikal. A.) Einheitenzeichen **atm,** veraltete Einheit des Drucks, entspricht dem mittl. Luftdruck auf Meereshöhe; 1 atm = 101 325 Pa = 760 Torr = 1,01325 bar. 2) (techn. A.) Einheitenzeichen **at,** veraltete Einheit des Druckes; 1 at = 1 kp/cm² = 98 066,5 Pa = 0,980665 bar.

Atmosphärilien, die chemisch und physikalisch wirksamen Stoffe in der Atmosphäre, z. B. Sauerstoff, Ozon, Kohlendioxid, Salpetersäure, Wasserdampf.

Atmung (Respiration), bei Lebewesen die Aufnahme von Sauerstoff aus der Umgebung zur Energiegewinnung für die Verbrennung von Nahrungs- oder Körperstoffen und die Abgabe des bei diesen Stoffwechselvorgängen entstehenden Kohlendioxids. Diesen Gasaustausch ermöglichen bei

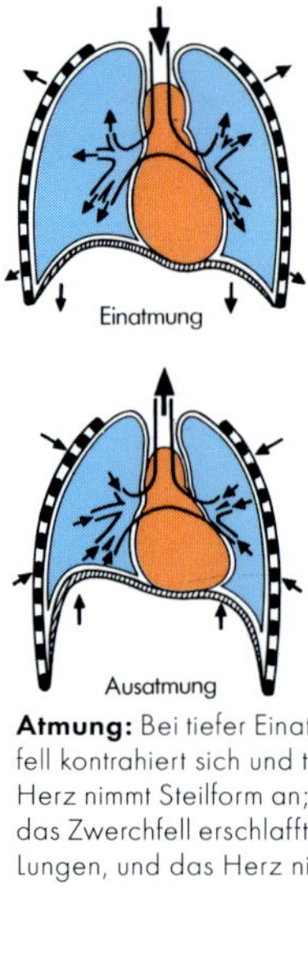

Atmung: Bei tiefer Einatmung wird der Brustkorb gehoben und erweitert, das Zwerchfell kontrahiert sich und tritt nach unten, die Lungen füllen sich mit Luft, und das Herz nimmt Steilform an; bei vertiefter Ausatmung sinkt der Brustkorb und verengt sich, das Zwerchfell erschlafft und wird nach oben gewölbt, die Luft entweicht aus den Lungen, und das Herz nimmt mehr Kugelform an

der **äußeren A.** besondere **Atmungs-**(oder **Respirations-**)**Organe:** Lungen bei Mensch und Tier, Kiemen bei Fischen und anderen Wassertieren, Tracheen bei Insekten, Spaltöffnungen bei Pflanzen. Gasaustausch nur durch die Oberfläche, wie bei der **Hautatmung,** haben einfache und sehr kleine Lebewesen. Die A. der Pflanzen, die in jeder lebenden pflanzl. Zelle jederzeit vor sich geht, ist nicht mit der →Assimilation des Kohlendioxids zu verwechseln.

Beim Menschen werden die **äußere A. (Lungen-A.)** und die **innere A. (Zell-A.)** durch den Blutkreislauf aufrechterhalten. Der Aufnahme des Luftsauerstoffs dient die Lunge. Durch die Lungenbläschen (Alveolen, Oberfläche etwa 100 m^2), die von einem dichten Kapillarnetz umsponnen sind, kommt die eingeatmete Luft mit dem Blut in engen Kontakt. Die roten Blutkörperchen, die Sauerstoff (O_2) und Kohlendioxid (CO_2) transportieren, haben eine Oberfläche, die etwa das 2 000fache der Körperoberfläche beträgt. Die Verlangsamung des Blutstromes in den Lungenkapillaren ermöglicht rasche Aufladung des Blutes mit O_2 und schnelle Abgabe des CO_2 aus dem Blut.

Bei der **äußeren A.** tritt das Zwerchfell bei Einatmung (Inspiration) tiefer, bei Ausatmung (Exspiration) höher, der Brustkorb wird bei der Einatmung erweitert (Rippen und Brustbein werden gehoben, die Alveolen entfalten sich) und bei der Ausatmung verkleinert (Rippen und Brustbein senken sich, die Lungen ziehen sich durch Eigenelastizität zusammen). Die Einatmungsluft enthält 21 Vol.-% O_2 und 0,03 Vol.-% CO_2, die Alveolarluft, die in der späten Phase der Ausatmung abgegeben wird, rd. 14 Vol.-% O_2, 5,6 Vol.-% CO_2. Bei A. in Ruhe wird beim Erwachsenen etwa 16-mal in der Minute je 0,5 l Luft (Atemzugvolumen) hin- und herbewegt. Die Menge der bei stärkster Ein- und Ausatmung in der Lunge bewegten Luft ist die **Vitalkapazität,** der Luftrest, der auch bei stärkster Ausatmung noch in der Lunge verbleibt, das **Residualvolumen.** Vitalkapazität und Residualvolumen ergeben die **Totalkapazität.** Die Atemfrequenz (Atemzüge je Minute) beträgt beim Säugling 40–50, beim Fünfjährigen 20–30, beim Erwachsenen durchschnittlich 16–20.

Die **innere A.** besteht in der Aufnahme von O_2 aus dem Blut in die Körperzellen und der Abgabe des CO_2 in das Blut. Der Gasaustausch folgt dem jeweiligen Sauerstoffdruckgefälle, d.h., der Sauerstoffpartialdruck in der Lungenalveole ist größer als im Lungenblut, daher kann das Blut O_2 aufnehmen. Im Gewebe wird die Sauerstoffaufnahme durch ein Sauerstoffdruckgefälle vom Blut in dieses möglich. Für CO_2 hat das Druckgefälle vom Gewebe über das Blut in die Lungenalveole die umgekehrte Richtung. Die Atmungsvorgänge unterliegen der Steuerung durch das **Atemzentrum,** das im verlängerten Mark liegt. Es reguliert Atemtiefe, Atemrhythmus und Form der Atmung.

Ätna *der* (italien. Etna), höchster Vulkan Europas, an der O-Küste Siziliens, mit 3323 m ü. M. höchster Gipfel des außeralpinen Italien; Flankenausbrüche übersäen den Ä. mit kleinen Nebenkratern; aktiver Vulkan, letzte größere Ausbrüche 1991/92.

Ätolilen, Landschaft im westl. Mittelgriechenland, vom Acheloos durchflossen; gewann an histor. Bedeutung, als sich seine Bewohner, die **Ätoler,** im 4. Jh. v. Chr. zum **Ätolischen Bund** zusammenschlossen. Im Krieg Roms gegen Philipp V. von Makedonien waren die Ätoler 212–206 und 199–197 v. Chr. Verbündete, seit 197 v. Chr. Gegner der Römer, von denen sie 189 v. Chr. vernichtend geschlagen wurden.

Atoll [malaiisch] *das,* ringförmige Koralleninsel trop. Meere; meist aus großer Tiefe auf den Gipfeln untermeerischer Vulkane nur wenige Meter über den Meeresspiegel aufsteigend; umschließt eine seichte Lagune, die durch Riffkanäle mit dem offenen Meer verbunden ist.

Atoll: Nikumaroro (früher Gardner Island), Atoll der Phönixinseln im Pazifischen Ozean

Atom [aus grch. átomos »unteilbar«] *das,* kleinstes, mit chem. Methoden nicht weiter zerlegbares Teilchen eines Elements, das dessen physikal. und chem. Eigenschaften bestimmt; es besteht aus einem **A.-Kern,** dessen Radius etwa 10^{-12} cm beträgt und der fast die gesamte Masse des A. (99,9 %) enthält, und einer **A.-Hülle (Elektronenhülle)** mit einem Radius von etwa 10^{-8} cm. Der Kern besteht aus Z elektrisch positiv geladenen →Protonen und N elektrisch neutralen →Neutronen; die Kernbausteine heißen **Nukleonen.** Die Hülle wird aus Z

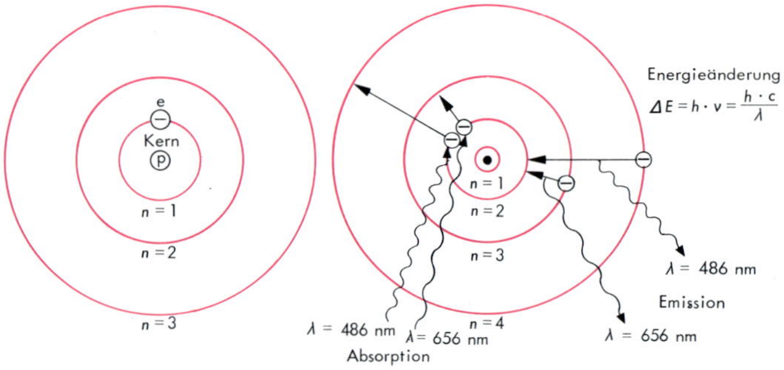

Atom: Bohrsches Atommodell (links) des aus einem Proton (p) und einem Elektron (e) bestehenden Wasserstoffatoms; Abstände der Quantenbahnen des Grundzustandes (n = 1) und der angeregten Zustände (n = 2, 3 ...) vom Kern nicht maßstabgerecht; rechts Elektronenübergänge (Quantensprünge) durch Energiezufuhr oder -abgabe bei Absorption oder Emission von Licht definierter Frequenz (hier Linien der Balmer-Serie des Wasserstoffspektrums)

negativ geladenen →Elektronen gebildet, sodass das A. als Ganzes elektrisch neutral ist. Z heißt *Protonen-* oder **Kernladungszahl,** N ist die **Neutronenzahl** und A die *Nukleonen-* oder **Massenzahl** ($A = Z + N$). Die Nukleonen haben einen Eigendrehimpuls, der durch Überlagerung zu einem (Gesamt-)**Kernspin** führt. Die Masse des A.-Kerns ist etwas kleiner als die Summe der Protonen- und Neutronenmassen (→Massendefekt). Der Zusammenhalt der A.-Kerne wird durch die **Kernkräfte**

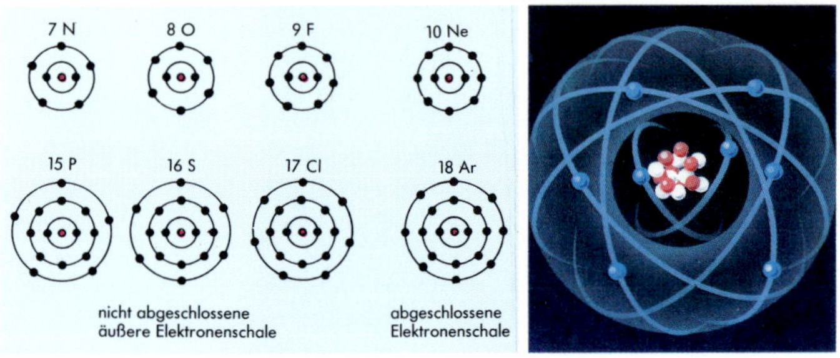

Atom: Stark vereinfachte Schalenmodelle von Atomen einiger Elemente (links); bei den Atomen der Edelgase Neon und Argon sind alle Elektronenschalen »abgeschlossene Schalen«, die keine weiteren Elektronen aufnehmen können; vereinfachtes Schalenmodell des Sauerstoffatoms (rechts); man unterscheidet die abgeschlossene innere Elektronenschale mit zwei und die nicht abgeschlossene äußere Schale mit sechs Elektronen

bewirkt. Kerne, bei denen das Verhältnis von Neutronen zu Protonen bestimmte Grenzwerte überschreitet, zerfallen. A.-Arten mit gleichen Kernladungs-, aber versch. Massenzahlen heißen **Isotope** (geschrieben, z.B. bei Uran: ^{238}U, ^{235}U, ^{234}U). Durch Abgabe oder Aufnahme von Elektronen entsteht ein elektrisch geladenes **Ion,** das andere chem. und physikal. Eigenschaften hat als das ursprüngl. Atom.

Aus mehreren gleichen oder versch. A. können sich durch Umlagerung der Elektronenhüllen **Moleküle** bilden. Die chem. Eigenschaften der Stoffe beruhen im Wesentlichen auf der Struktur der Elektronenhüllen ihrer A. und Moleküle. Dichte und Regelmäßigkeit der Anordnung der A. und Moleküle bestimmen den →Aggregatzustand eines Stoffes. Bisher sind 112 natürl. und künstl. chem. Elemente mit z.T. nur sehr kurzer Lebensdauer bekannt (→Transurane). Das leichteste A. ist das des Wasserstoffs mit $Z = 1$, $N = 0$ und der Masse $1{,}6736 \cdot 10^{-24}$ g. Im →Periodensystem sind die A. nach wachsenden Kernladungszahlen geordnet, die auch **Ordnungszahlen** heißen. – Hinweise auf die Existenz kleinster chem. Einheiten im makroskop. Bereich geben die daltonschen Gesetze (→Dalton). Beweise für die Existenz der A. liefern z.B. die →kinetische Gastheorie, die →mechanische Wärmetheorie, die →Strukturanalyse der Kristalle und die Verfahren zur Ermittlung der →Avogadro-Konstante.

Der **A.-Bau** lässt sich durch spektroskop. Methoden aufklären. Da den einzelnen Elektronenzuständen genau definierte Energien zugeordnet sind, muss beim Übergang eines Elektrons von einem Zustand in einen anderen der entsprechende Energiedifferenzbetrag abgegeben oder aufgenommen werden, i. Allg. in Form elektromagnet. Strahlung wie Licht oder Röntgenstrahlen. Bei A. mit vielen äußeren Elektronen ist die Erklärung der bei Anregung emittierten Spektrallinien sehr verwickelt. Eine exakte Beschreibung des A.-Baus gelang erst mithilfe der →Quantenmechanik unter Einbeziehung des →Pauli-Prinzips, das den →Spin der Elektronen berücksichtigt. Danach ist jeder Energiezustand eines Elektrons im A. durch vier →Quantenzahlen festgelegt. Die sich als Lösung der Schrödinger-Gleichung ergebenden Wellenfunktionen beschreiben das räumlich-zeitl. Verhalten der Elektronen. Der klass. Begriff der »Bahn« eines Elektrons wird unzulässig, da sich der Ort eines Elektrons nicht mehr genau vorhersagen lässt. Man kann nur eine durch das Betragsquadrat der Wellenfunktion festgelegte Aufenthaltswahrscheinlichkeit des Elektrons angeben.

Atommodelle: Die Modellvorstellungen über den Aufbau der A. spiegeln die rasche Entwicklung auf dem Gebiet der A.-Physik, bes. seit Anfang des 20. Jh., wider. Das **Kugelmodell (daltonsches Atommodell)** beschreibt das A. als mehr oder weniger starre Kugel; sie kann Schwingungen um ein Zentrum ausführen und Kraftwirkungen auf die Umgebung ausüben; mit ihm lassen sich u.a. die Gasgesetze sowie Diffusion, Wärmeleitung und Osmose erklären. Nach dem **Rutherford-Bohr-Atommodell** besteht das A. aus einem Kern positiver Ladung, der auf genau definierten Kreisbahnen von den Elektronen der A.-Hülle umkreist wird. Energie und Drehimpuls der Elektronen können nach den bohrschen Postulaten nur ganz bestimmte Werte annehmen. Im **Bohr-Sommerfeld-Atommodell** sind die Kreisbahnen durch Ellipsenbahnen ersetzt. Beim **De-Broglie-Schrödinger-Modell** werden die stationären Quantenbahnen der Elektronen durch Materiewellen beschrieben; es sind nur solche Wellenlängen möglich, die zu stehenden Wellen um den A.-Kern führen (→Wellenmechanik). Im **Orbitalmodell** wird jedes Elektron durch eine Aufenthaltswahrscheinlichkeit (Dichteverteilung) im Raum um den A.-Kern charakterisiert.

Geschichte: Im Altertum vertraten die grch. Philosophen Leukipp und Demokrit (um 500 v. Chr.) als Erste die Auffassung, die Materie sei nicht unbeschränkt teilbar. Diese Gedanken wurden erst wieder aufgegriffen, als J. Dalton 1808 erkannte, dass sich die chem. Elemente nur in ganz bestimmten Massenverhältnissen zu Verbindungen vereinigen; er erklärte dies durch Zusammenbau aus gleichartigen kleinen Teilchen. J. Loschmidt gelang es 1865, die Zahl der Teilchen in einem Mol zu ermitteln. Etwa gleichzeitig wurde die Natur der Elektrizität entdeckt (M. Faraday, H. L. F. von Helmholtz, P. Lenard, H. R. Hertz) und die elektr. Elementarladung bestimmt. Die kinet. Gastheorie (R. J. E. Clausius, J. C. Maxwell, L. Boltzmann) zur Aufklärung der therm. Eigenschaften der Materie gab ebenfalls einen deutlichen Hinweis auf die atomistische Struktur der Materie.

Die Untersuchungen des A.-Baus begannen mit den Versuchen von E. Rutherford zur Streuung von Alphateilchen an Folien und P. Lenard über den Durchgang von Elektronenstrahlen durch Materie. Um 1913 gelang es N. Bohr, mithilfe der Quantengesetze (M. Planck) das Wasserstoffspektrum und den Bau des Wasserstoff-A. aufzuklären. Die Arbeiten von L.-V. de Broglie (1924) über die Doppelnatur des Lichtes (elektromagnet. Welle oder Elementarteilchen) erlaubten E. Schrödinger, ein wellenmechan. A.-Modell, und schließlich W. Heisenberg, ein quantenmechan. A.-Modell zu entwerfen.

Atom..., in zusammengesetzten Begriffen oft ungenau für Kern... oder Nuklear...; z. B. Atomreaktor statt Kernreaktor.

Atomabsorptionsspektroskopie, Abk. **AAS,** chem. Analysenverfahren, das auf der Wechselwirkung zw. Atomen im dampfförmigen Zustand und elektromagnet. Strahlung beruht.

Atomantrieb, umgangssprachlich für →Kernenergieantrieb.

atomare Masseneinheit, Einheitenzeichen **u,** in Atom- und Kernphysik verwendete Einheit der Masse. Die a. M. ist der 12. Teil der Masse eines Atoms des Nuklids ^{12}C: $1\,u = 1{,}6605655 \cdot 10^{-27}$ kg.

Atombindung, →chemische Bindung.

Atombombe, →ABC-Waffen.

Atomenergie, nichtexakte Bez. für →Kernenergie.

Atomgesetz, →Kernenergierecht.

Atomgewicht, veraltet für →Atommasse.

Atomic Energy Commission [əˈtɔmɪk ˈenədʒɪ kəˈmɪʃn], Abk. **AEC,** 1946 eingesetzte Kommission zur Planung, Überwachung und Finanzierung aller kerntechn. Vorhaben in den USA; 1975 durch die Nachfolgeorgansiationen **Energy Research and Development Administration** (Abk. **ERDA**) und **Nuclear Regulatory Commission** (Abk. **NRC**) abgelöst.

Eigenschaften der Elementarbausteine des Atoms

	absolute Masse [kg]	relative Masse [u]	Ladung	Spin
Proton	$1{,}6726 \cdot 10^{-27}$	1,0073	+e	$^1/_2$
Neutron	$1{,}6749 \cdot 10^{-27}$	1,0087	0	$^1/_2$
Elektron	$9{,}1094 \cdot 10^{-31}$	$5{,}4858 \cdot 10^{-4}$	−e	$^1/_2$

(e ist die elektrische Elementarladung, $e = 1{,}602 \cdot 10^{-19}$ C; u ist die atomare Masseneinheit, $u = 1{,}6606 \cdot 10^{-27}$ kg)

Atomistik *die* (Atomismus), die naturphilosoph. Lehre, nach der das Naturgeschehen von einer Vielzahl bewegter, kleinster, unteilbarer Teilchen (Atome) im unbegrenzten leeren Raum verursacht wird; vertreten von Demokrit, J. Gassendi, I. Newton, J. Dalton u. a. Erst 1860 konnte S. Cannizzaro der A. in der Chemie zum Durchbruch verhelfen. Die Erkenntnis, dass Atome eine innere Struktur besitzen, führte schließlich zur Atomphysik (Physik der Atomhülle), zur Kernphysik (Physik der Atomkerne) und zur Elementarteilchenphysik.

Atomkern, →Atom, →Kernmodelle.

Atomkommission, →Deutsche Atomkommission, →Atomic Energy Commission.

Atomkraftwerk, Abk. **AKW,** umgangssprachl. Bez. für ein mit Kernenergie betriebenes Kraftwerk (→Kernkraftwerk).

Atomkrieg, Krieg mit Atomwaffen (→ABC-Waffen).

Atommasse (früher Atomgewicht), **1)** (absolute A.) die Masse eines Atoms; Einheit ist die →atomare Masseneinheit.

2) (relative A.) Formelzeichen A_r, die relative Masse eines Atoms, bezogen auf einen festgelegten Standard. Nach mehrfachem Wechsel der Bezugsmasse gilt seit 1961 für Chemie und Physik ein Zwölftel der Masse des Kohlenstoffisotops ^{12}C (6 Protonen, 6 Neutronen) als →atomare Masseneinheit u, d. h., die A. von ^{12}C wurde zu 12,000000 festgelegt. Die Größe $m_u = 1$ u heißt **Atommassenkonstante.** Es gilt $A_r = m_a/m_u$ (m_a = Masse eines

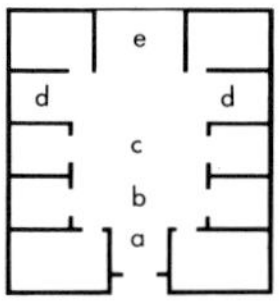

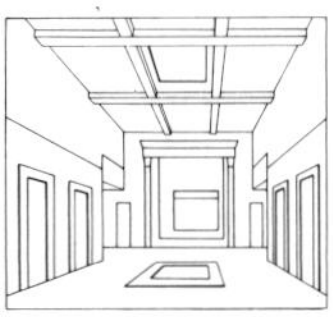

Atrium 2): Grundriss eines altrömischen Hauses (oben); a Fauces (Eingang), b Atrium, c Impluvium (Regenwassersammelbecken), d Alae (Seitenräume), e Tablinum (Empfangs- und Wohnraum); Blick vom Eingang in ein Atrium (unten)

Attalos I. Soter (Marmorbüste, frühes 2. Jh. v. Chr.; Berlin, Staatliche Museen)

Atoms). Die A.-Angaben des Periodensystems berücksichtigen die natürl. Isotopenverteilung der versch. Elemente, stellen also Mittelwerte dar. Die A. der einzelnen Isotope zeigen im Unterschied zu diesen mittleren A. nur geringe Abweichungen von ganzen Zahlen.

Atommodell, → Atom.

Atommüll, → radioaktive Abfälle.

Atomphysik, um 1900 entstandenes Teilgebiet der Physik, das sich mit den → Atomen und allen mit dem Atomkonzept erklärbaren physikal. Erscheinungen befasste. Heute versteht man i. Allg. unter A. die Physik der Atomhülle und der in ihr ablaufenden Vorgänge; die Physik der Atomkerne heißt dagegen → Kernphysik.

📖 Bröcker, B.: *dtv-Atlas zur A. München* *⁵1993.* – Mayer-Kuckuk, T.: *A. Stuttgart ⁴1994.*

Atomrakete, 1) Rakete mit atomarem Sprengkopf (→ ABC-Waffen).

2) (Kernenergierakete) Rakete mit → Kernenergieantrieb.

Atomreaktor, umgangssprachl. Bez. für → Kernreaktor.

Atomrecht, → Kernenergierecht.

Atomstrahlen, durch Blenden gebündelte Strahlen aus schnell bewegten neutralen Atomen im Vakuum.

Atomstrahlresonanzmethode (Molekülstrahlresonanzmethode, Rabi-Methode), Methode der Hochfrequenzspektroskopie zur Bestimmung magnet. Kernmomente und Hyperfeinstrukturaufspaltungen mittels Atom- oder Molekülstrahlen durch Resonanz eines magnet. Wechselfeldes mit einer an den Kernen künstlich erzeugten Präzessionsbewegung.

Atomuhr, Zeitnormal höchster Genauigkeit, bei dem die Eigenschwingungen von Molekülen und Atomen (Cäsium, Rubidium u. a.) im Mikrowellenbereich zur Frequenzstabilisierung eines Quarzoszillators ausgenutzt werden. Dem Oszillator sind Frequenzteileranordnung und Verstärker zum Betrieb einer Anzeigeeinheit nachgeschaltet.

Atomvolumen, 1) (Molvolumen) → molares Volumen.

2) (absolutes A.) das Volumen eines einzelnen Atoms; berechnet aus Größen der kinet. Gastheorie oder aus Molvolumen und Avogadro-Zahl.

Atomwaffen, → ABC-Waffen.

atomwaffenfreie Zone, Gebiet, in dem aufgrund internat. Abmachungen oder einseitiger Erklärungen keine Atomwaffen hergestellt, stationiert oder eingesetzt werden sollen.

Atomwaffensperrvertrag, → Kernwaffensperrvertrag.

Atomwärme (molare Wärmekapazität), auf die Stoffmenge bezogene Wärmekapazität eines Elements; zahlenmäßig gleich der Wärmemenge, die notwendig ist, um 1 Mol eines Elements um 1 °C zu erwärmen.

Atomzeitalter, das Zeitalter, das mit den ersten techn. Anwendungen der Kernphysik, d. h. praktisch zunächst mit der Atombombe (1945) begonnen hat. (→ industrielles Zeitalter)

Atomzerfall (radioaktiver Zerfall), → Radioaktivität.

Aton [ägypt. »Sonnenscheibe«], der altägypt. Sonnengott, wurde von Echnaton (Amenophis IV.) zur alleinigen Gottheit erklärt und ist damit der erste bekannte Gott der Religionsgeschichte, der monotheistisch gedacht und verehrt wurde. Nach des Pharaos Tod brach dieser »Monotheismus« wieder zusammen (→ Sonnenkult).

atonale Musik, Musik, die nicht auf dem Prinzip der Tonalität beruht. In der a. M. ist der harmon. Ablauf nicht mehr durch den Gegensatz Konsonanz–Dissonanz geregelt, die Beziehung auf einen Grundton ist verloren gegangen. Daher muss der durch die Tonalität garantierte Zusammenhang neu geschaffen werden (z. B. aufgrund von Intervallstrukturen). A. M. ist erstmals vollgültig ausgeprägt in den fünf George-Liedern op. 3 (1907/08) von A. Webern und in den drei Klavierstücken op. 11 (1909) von A. Schönberg. Anfang der 1920er-Jahre verfestigte sich die freie Atonalität zur Methode der → Zwölftontechnik.

Atonie [zu grch. átonos »schlaff«] *die,* Erschlaffung, herabgesetzter Spannungszustand (Tonus) von Muskeln, auch der von muskulösen Hohlorganen (z. B. Magen, Gebärmutter).

ATP, Abk. für **A**denosin**tri**phosphat, biochemisch wichtiges Triphosphat des → Adenosins.

Atrato (Río Atrato), Fluss in NW-Kolumbien, 750 km lang, entspringt in der Westkordillere, mündet mit einem breiten Delta in den Golf von Urabá des Karib. Meeres; am Oberlauf Gold- und Platinseifen.

Atresie [grch.] *die,* Verschluss natürl. Körperöffnungen und Hohlorgane (z. B. After, Scheide, Speiseröhre); meist angeboren.

Atreus, *grch. Mythos:* König von Mykene, Vater des Agamemnon und Menelaos, die nach ihm die **Atriden** hießen; von Ägisth wegen Freveltaten, die er an seinem Bruder begangen hatte, erschlagen. Als **Schatzhaus des A.** wird das größte der bei Mykene erhaltenen Königsgräber bezeichnet.

Atrium [lat.] *das,* **1)** *Anatomie:* Vorhof, Vorkammer des Herzens.

2) *Architektur:* im altitalischen Haus der Hauptraum mit Dachöffnung und Becken zum Auffangen des Regenwassers. Mit Übernahme des grch. Peristyls (Säulenhof) wurde das A. zum Empfangsraum. Im Kirchenbau bezeichnet man als A. den von Säulenhallen umgebenen Hof vor einer Basilikafassade. Das neuzeitl. **Atriumhaus** – mit angegliedertem Hof oder Garten innerhalb von Umfassungsmauern – knüpft an den Grundriss des antiken Wohnhauses an.

Atropa [grch.], die Pflanzengattung →Tollkirsche.

Atrophie [grch.] *die* (Gewebeschwund), Abnahme der Größe eines Organs oder Gewebes durch Verminderung der Zellgröße oder der Zellenzahl. Ursachen sind z.B. mangelhafte Ernährung, Alterungsprozesse, mangelnder Gebrauch oder Stoffwechselstörungen.

Atropin [grch.] *das,* hochgiftiges Alkaloid, das in Nachtschattengewächsen wie Tollkirsche, Stechapfel und Bilsenkraut enthalten ist und daraus gewonnen wird. Pharmakolog. Wirkung: Erweiterung der Pupillen, Hemmung von Schweiß- und Speichelabsonderung, Krampflösung bei Magen-Darm-Erkrankungen und der Bronchialmuskulatur bei Asthma sowie Pulsbeschleunigung. Nach Aufnahme einer größeren Menge tritt **A.vergiftung** auf; sie äußert sich in Hautrötung, Trockenheit der Schleimhäute, Durstgefühl, weiten starren Pupillen, Puls- und Atmungsbeschleunigung, Erregung und Verwirrung, schließlich Tod durch Atem- oder Herzlähmung. Die Behandlung besteht in Entleerung des Magens (Magenspülung) und Physostigmingaben.

Atropos [grch. »die Unerbittliche«], →Moiren.

ATS, Abk. für engl. **a**pplications **t**echnology **s**atellite (Satellit für angewandte Technologie), Serie von sechs zw. 1966 und 1974 gestarteten Erprobungssatelliten der NASA, eingesetzt für Meteorologie, Navigation und Erderkundung sowie als Nachrichtensatelliten.

Atschinsk, Stadt in Russland, Westsibirien, an der Transsibir. Bahn, 122000 Ew.; in einem Braunkohlenrevier gelegen; Tonerdewerk.

ATS-SDA, Abk. für frz. **A**gence **T**élégraphique **S**uisse – **S**chweizerische **D**epeschen**a**gentur, italien. **A**genzia **T**elegrafica **S**vizzera, Nachrichtenagentur. Sitz: Bern.

AT & T, Abk. für →**A**merican **T**elephone and **T**elegraph Company.

Attaché [ataˈʃeː, frz.] *der,* Rangbez. für die Eingangsstufe im diplomat. Dienst bzw. für einen Diplomaten, der einer Auslandsvertretung für besondere Fachaufgaben zugeteilt ist, z.B. Kulturattaché.

Attacke [frz.] *die, Militärwesen:* Angriff, bes. Reiterangriff im Galopp.

Attalos I. Soter, König von Pergamon (241–197 v. Chr.), *269 v. Chr., †197 v. Chr.; besiegte die Kelten und nahm daraufhin den Königstitel an; eroberte zeitweise Kleinasien bis zum Taurus; seit 212 Bundesgenosse der Römer. Sein Enkel **A. III. Philometor** (138–133 v. Chr.) vererbte das pergamen. Reich den Römern.

Attenborough [ˈætnbrə], Sir (seit 1976) Richard, brit. Filmschauspieler, -regisseur und -produzent, *Cambridge 29. 8. 1923; spielte u.a. in »Brighton Rock« (1947); Regie in »Die Brücke von Arnheim« (1978), »Gandhi« (1981/82), »A Chorus Line« (1985), »Schrei nach Freiheit« (1987), »Chaplin« (1992).

Richard Attenborough

Attendorn, Stadt im Kr. Olpe, NRW, im südl. Sauerland, 23900 Ew.; Metallverarbeitung. Fremdenverkehr (1 km östl. die **Attahöhle,** eine Tropfsteinhöhle). – A., 1072 erstmals genannt, Stützpunkt Kölns im mittleren Lenneraum, wurde 1222 Stadt; seit 1469 Hansestadt.

Attentat [frz.] *das,* politisch, religiös oder sittlich motivierter Angriff auf das Leben eines anderen, i.d.R. auf Politiker oder Inhaber herausragender Positionen in Staat und Gesellschaft.

Attentismus [frz.] *der,* **1)** *allg.:* die Haltung derjenigen, die erst nach endgültiger Klärung der Machtverhältnisse Partei nehmen wollen.

2) *Börsenwesen:* das Abwarten der Käufer (Verkäufer) von festverzinsl. Wertpapieren, wenn ein Steigen (Fallen) des Kapitalmarktzinses erwartet wird.

Atterberg [-bærj], Kurt Magnus, schwed. Komponist, *Göteborg 12. 12. 1887, †Stockholm 15. 2. 1974; schrieb in romantisch-nat. Stil fünf Opern (u.a. »Aladdin«, 1941) sowie Orchester- und Kammermusikwerke.

Per Daniel Amadeus Atterboom

Atterbom [-bum], Per Daniel Amadeus, schwed. Schriftsteller, Literarhistoriker, *Åsbo (Östergötland) 19. 1. 1790, †Uppsala 21. 7. 1855; bed. Vertreter der schwed. Romantik; schrieb Lyrik und das Märchendrama »Die Insel der Glückseligkeit« (1824–27).

Attersee mit Schloss Kammer im Vordergrund

Attersee (Kammersee), größter See des Salzkammerguts und der Österr. Alpen, im Attergau, 467 m ü. M., 20 km lang, 2–3 km breit, 45,9 km^2 groß, bis 171 m tief.

Attersee, Christian Ludwig, österr. Maler und Grafiker, *Preßburg 28. 8. 1940; anfangs von Pop-

Art und Surrealismus geprägte Bilder, wandte sich später mehr Problemen der maler. Form zu.

Attest [lat.] *das,* schriftl. Bescheinigung, bes. eines Arztes.

Attich *der,* ein →Holunder.

Atticus, Titus Pomponius, *110 v. Chr., †32 v. Chr.; hochgebildeter Römer, bed. als Geschichtsschreiber und Herausgeber zeitgenöss. Literatur. Cicero widmete ihm seine Schriften »Über das Alter« (»Cato maior de senectute«) und »Über die Freundschaft« (»Laelius de amicitia«).

Attika [grch.] *die,* fensterloser Aufbau über dem Hauptgesims eines Gebäudes zur Verdeckung des Daches und zur Aufnahme von Inschriften oder Reliefs.

Attika, die südöstl. Halbinsel Mittelgriechenlands, mit der Hptst. Athen; umfasst als Region 3 808 km², (1991) 3,52 Mio. Ew. Kahle Gebirgszüge aus Kalkstein oder Marmor bestimmen das Landschaftsbild; in den fruchtbaren Ebenen Landwirtschaft, Haupterzeugnisse: Wein, Öl, Feigen, Tabak; Marmorbrüche, Blei- und Zinkerzabbau. A. wurde um 2000 v. Chr. von Ioniern besiedelt; in myken. Zeit in viele Fürstentümer gegliedert, erhielt die Landschaft im 1. Jt. v. Chr. durch Athen ihre polit. Einheit.

📖 TRAVLOS, J.: *Bildlexikon zur Topographie des antiken A. Tübingen 1988.*

Attila, auf einer »Attilamedaille« als Geißel Gottes dargestellt (16. Jh.)

Attila [got. »Väterchen«] (nord. Atli, mhd. Etzel), König der Hunnen, †453; Sohn des Mundzuk, regierte seit 434 mit seinem Bruder Bleda, nach dessen Ermordung (445) allein. Mittelpunkt seiner Herrschaft war Ungarn, sein Reich dehnte sich im O bis zum Kaukasus, im W fast bis zum Rhein. Er zwang 448 Ostrom zu einem jährl. Tribut, drang 451 bis zur Loire vor, wurde in der Schlacht auf den Katalaun. Feldern von den Westgoten, Burgundern, Franken u.a. Germanen unter dem weström. Feldherrn Aëtius geschlagen. 452 fiel A. in Italien ein, kehrte jedoch vor Rom (von Papst Leo I. bewogen) wieder um; starb in Pannonien in der Hochzeitsnacht mit Ildiko (Wurzel der Kriemhildsage). Sein Reich zerfiel, lebte jedoch in Sagen und Liedern fort (→Etzel).

Attinghausen, Gemeinde im Kt. Uri, Schweiz, 1200 Ew.; die Burg der 1357 ausgestorbenen Freiherren von A. wurde um 1358 zerstört. Werner II. von A., der A. in Schillers »Tell«, war 1294–1321 Landammann von Uri.

Christian Ludwig Attersee: Gedankenwasser (1983)

Attis (Atys), der sterbende und wieder auferstehende Vegetationsgott im Kult der kleinasiat. Göttin Kybele, nach der grch. Sage ein schöner Hirt, den Kybele liebte. Sie versetzte ihn, als er ihr untreu wurde, in Raserei, sodass er sich entmannte. Das orgiast. Frühlingsfest mit entmannten Priestern verbreitete sich in der röm. Kaiserzeit bis nach Rom.

attisch, auf Attika, bes. Athen bezüglich.

Attisch-Delischer Seebund, 477 v. Chr. geschaffenes Bündnis der Insel- und Küstenstädte des Ägäischen Meeres unter Führung Athens zur Sicherung Griechenlands gegen die Perser, bestand, von Athen mehr und mehr zum Herrschaftsinstrument gemacht, bis 404 v. Chr. Ein zweiter Bund (**Att. Seebund,** 378–354) entstand zur Abwehr des spartan. Vorherrschaftsanspruchs.

attische Sprache, →griechische Sprache.

Attitüde [frz.] *die, Ballett:* eine Grundposition der klass. Tanztechnik: Bei gestrecktem Standbein wird das um 90° nach rückwärts abgewinkelte Spielbein im Knie gebogen.

Attizismus *der,* urspr. der Gebrauch der reinen att. Sprache; auch Name einer klassizist. literar.

Attisch-Delischer Seebund

Die Stiftungsurkunde des Zweiten Attischen Seebundes von 378 v. Chr. ist in einer gut erhaltenen Inschrift überliefert, in der es heißt: »Wenn einer von den Hellenen oder von den Barbaren, ..., soweit sie nicht Untertanen des Großkönigs sind, Bundesgenosse der Athener und ihrer Bundesgenossen sein will, so soll es ihm gestattet sein unter den gleichen Bedingungen, wie es die Chier, Thebaner und die anderen Bundesgenossen sind; er soll dabei frei und unabhängig bleiben, indem er unter der Verfassung lebt, die er haben will, und er soll keine Besatzung und keinen Beamten bei sich aufnehmen und keine Ablehnung leisten. ... Wenn aber einer auf Bundesglieder einen kriegerischen Angriff macht zu Lande oder zu Wasser, so sollen die Athener und ihre Bundesgenossen denen zu Hilfe eilen zu Wasser oder zu Lande mit aller Macht nach Kräften.«

Bewegung (vom 1. Jh. v. Chr. an), die im Ggs. zum →Asianismus den schlichten und sachl. Prosastil der athen. Schriftsteller zum Vorbild erhob.

Attlee ['ætlɪ], Clement Richard Earl (seit 1955), brit. Politiker, *London 3. 1. 1883, †ebd. 8. 10. 1967; urspr. Rechtsanwalt, 1935–55 Führer der Labour Party im Unterhaus; 1940–45 mehrfach Minister. Als Premiermin. (1945–51) führte er das Sozialisierungsprogramm seiner Partei durch und begründete den unentgeltlichen staatl. Gesundheitsdienst; 1951–55 Oppositionsführer.

Attnang-Puchheim, Marktgemeinde im Bezirk Vöcklabruck, Oberösterreich, an der Ager, 8100 Ew.; Metall und Holz verarbeitende Industrie. – Burg der Herren von Puchheim (1180), mehrfach umgebaut, Wallfahrtskirche (1886–90).

Atto, Vorsatzzeichen **a,** Vorsatz vor Einheiten für den Faktor 10^{-18} (Trillionstel); z. B. 1 Attometer = 1 am = 10^{-18} m.

Attorney [ə'tɔ:nɪ, engl.] *der,* Anwalt, Bevollmächtigter, in den USA Rechts- oder Staatsanwalt; **Attorney General,** in Großbritannien: oberster Kronanwalt, Berater der Reg. in Rechtsfragen; in den USA: Justizmin. und oberster Staatsanwalt.

Attractants [ə'træktənts, engl.], *Zoologie:* die →Lockstoffe.

Attrappenversuche, *Verhaltensforschung:* Experimente mit Attrappen zur Untersuchung der Reizkonstellationen, die ein Instinktverhalten auslösen.

Attribut [lat.] *das,* **1)** *allg.:* wesentl. Merkmal, Eigenschaft.

2) *bildende Kunst:* das einer Person beigegebene kennzeichnende Symbol (Dreizack des Poseidon, Drache des hl. Georg).

3) *Grammatik:* (Beifügung) Satzglied, das als Substantiv, Adjektiv oder Adverb ein anderes Satzglied näher bestimmt. Ein **prädikatives A.** bezieht sich zugleich auf Subjekt und Prädikat (»Er kam *gesund* wieder.«). Der **A.-Satz** übernimmt die Funktion des A. im Satzgefüge (ÜBERSICHT Syntax).

atü, veraltetes Einheitenzeichen für die Angabe des *Über*druckes in techn. →Atmosphären.

Atwood ['ætwʊd], Margaret Eleanor, anglokanad. Schriftstellerin, *Ottawa 18. 11. 1939; veröffentlichte literaturkrit. Arbeiten (»Survival«, Essay, 1972), Gedichtsamml. (»The circle game«, 1966) sowie psycholog. Romane, u. a. »Die eßbare Frau« (1969), »Der Report der Magd« (1985), »Katzenauge« (1989). – *Weitere Werke:* Romane: Die Räuberbraut (1993); Alias Grace (1996). Erzählungen: Tips für die Wildnis (1991).

Atyrau (kasach. Aterau, bis 1992 Gurjew), Gebietshauptstadt in Kasachstan, am Fluss Ural, 156700 Ew.; Erdölraffinerie, chem. Ind., Maschinenbau, Fleisch- und Fischverarbeitung; Hafen.

Ätzalkalilen, die Hydroxide der Alkalimetalle, z. B. **Ätznatron,** Natriumhydroxid.

Ätzdruck, Stoffdruck, Zeugdruck, →Ätzen.

Ätzen [ahd. ezzan »essen«, »fressen«], allg. das Entfernen von Teilen der Oberfläche eines Körpers mit auflösenden Mitteln. 1) in der Drucktechnik das Einarbeiten einer Zeichnung oder eines Bildes in eine Metallfläche durch ätzende Mittel. Für Hochdruckätzungen wird das Metall der Ätzplatten an den bildfreien Stellen aufgelöst; die Bildstellen werden durch Schutzschichten geschützt. Im Tiefdruck werden die Bildstellen eingeätzt. Im Offsetdruck versteht man unter Ätzung u. a. die Behandlung der Druckplatte mit chem. Mitteln, um die bildfreien Stellen wasseraufnahmefähig zu machen. 2) Glas wird durch Flusssäure **(Blank-Ä., Säurepolieren)** oder durch Fluorwasserstoff **(Matt-Ä.)** geätzt. 3) Der Gefügeaufbau von Kristallen und Werkstoffen kann durch **Tief-Ä.** von Anschliffen aufgeklärt werden. 4) Lebendes Gewebe wird durch Ätzmittel (z. B. Silbernitrat) zerstört, meist um Wucherungen auf Haut, Schleimhäuten oder Wundrändern zu entfernen; heute wird meist die Elektrochirurgie (→Elektrokoagulation) angewandt. 5) In der Stoffdruckerei erhalten vorgefärbte Gewebe nach Aufdruck reduzierender Chemikalien durch örtl. Zerstörung des Farbstoffs eine Musterung in Weiß oder Bunt.

Margaret Atwood

Atzmon, Moshe, israel. Dirigent, *Budapest 30. 7. 1931; war 1969–71 Chefdirigent des Sydney Symphony Orchestra, 1972–76 des NDR Sinfonieorchesters, 1972–77 Musikdirektor des Basler Sinfonieorchesters; seit 1991 künstler. Leiter der Oper in Dortmund.

Moshe Atzmon

Ätzspitzen (Luftspitzen), mustermäßig durchbrochene, flächenförmige Textilien, erzielt durch Einwirkung von Chemikalien auf Faserstoffmischungen.

Au [lat. aurum], chem. Symbol für →Gold.

AU, die →**A**bgas**u**ntersuchung.

Aubade [o'bad(ə); von frz. aube »Morgenröte«] *die, Musik:* im 17./18. Jh. das Morgenständchen.

Aubanel [oba'nɛl], Théodore, frz. Schriftsteller, *Avignon 26. 3. 1829, †ebd. 31. 10. 1886; einer der Hauptvertreter der neuprovenzal. Literatur.

Aube [o:b; von lat. alba »die Helle«], **1)** *die,* rechter Nebenfluss der Seine, 248 km, entspringt auf dem Plateau von Langres, mündet unterhalb von Romilly-sur-Seine.

2) Dép. in NO-Frankreich, 6004 km², (1990) 289200 Ew.; Hptst.: Troyes.

Daniel François Esprit Auber

Auber [o'bɛ:r], Daniel François Esprit, frz. Komponist, *Caen 29. 1. 1782, †Paris 12. oder 13. 5. 1871; neben F. A. Boieldieu Hauptvertreter der frz. komischen Oper; schrieb zahlreiche Opern, darunter »Die Stumme von Portici« (1828) und »Fra Diavolo« (1830).

Aubergine

Aubergine [obɛrˈʒiːnə, frz.] *die* (Eierfrucht), meist violette Frucht von **Solanum melongena,** einem einjährigen Nachtschattengewächs SO-Asiens; Gemüse- und Salatpflanze.

Aubervilliers [obɛrvilˈje] (früher Notre-Dame-des-Vertus, nach der gleichnamigen Wallfahrtskirche), Stadt im frz. Dép. Seine-Saint-Denis, nördlich von Paris, 67 700 Ew.; Metall-, chem., Parfüm-, Glasindustrie.

Aubusson [obyˈsɔ̃], Stadt im frz. Dép. Creuse, im Zentralmassiv, 6 200 Ew.; staatl. Kunstschule; seit dem 16. Jh. Zentrum der frz. Bildteppichkunst (Herstellung von Gobelins und Teppichen) **(A.-Teppiche).**

a. u. c. [lat.], Abk. für →**ab** **u**rbe **c**ondita.

Aucassin et Nicolette [okaˈsɛ̃ e nikɔˈlɛt], altfrz. Liebesnovelle zu Beginn des 13. Jh., von einem unbekannten Verfasser, in pikard. Mundart. Einzige erhaltene »chantefable«, eine Prosadichtung mit eingestreuten Liedern und Liedstrophen.

Wystan Hugh Auden

Auch [oːʃ], Hptst. des Dép. Gers in S-Frankreich, in der Gascogne, 24 700 Ew.; Sitz eines Erzbischofs (seit dem 9. Jh.); Museen; Handelszentrum des Armagnac mit Brennereien, Textil-, Schuh- und Kartonagenindustrie. – Kathedrale (15./16. Jh.), ehem. erzbischöflicher Palais (18. Jh.). – A., das röm. **Augusta Ausciorum,** war im MA. Hptst. der Grafschaft Armagnac.

Auckland [ˈɔːklənd], größte Stadt Neuseelands, auf der Nordinsel, 953 000 Ew. (städt. Agglomeration); Univ. (1882 gegr.); War Memorial Museum; bed. Industriestandort (Nahrungsmittel-, chem. und Textilind., Schiffbau) und größter Hafen des Landes; internat. Flughafen. – Gegr. 1840 als eine der ersten Europäersiedlungen in Neuseeland.

Auberginen *bestehen zu über 90 Prozent aus Wasser. Sie haben einen relativ niedrigen Vitaminanteil, jedoch einen hohen Kaliumgehalt. Aufgrund ihres hohen Wärmebedarfs werden sie vor allem in wärmeren Ländern angebaut (z. B. im Mittelmeerraum). Die Aubergine stammt ursprünglich aus dem tropischen Hinterindien und gelangte vermutlich durch die Araber (ihr Name ist von der arabischen Bezeichnung al-bāḏinǧān abgeleitet) nach Sizilien und Spanien. Die Europäer betrachteten die Frucht zunächst mit Misstrauen und schrieben ihr Übel wie Wahnsinn und Epilepsie zu. Deshalb nannte man die Aubergine auch »Mela insana« (schlechter Apfel), ein negativer Ausdruck, der sich bis heute in der italienischen Bezeichnung Melanzane erhalten hat. Die Aubergine wird geschmort oder in Öl gebacken als Gemüse gegessen. Auberginen mit weißen oder orangefarbenen Früchten sind als Zierpflanzen verbreitet.*

Auckland Islands [ˈɔːklənd ˈaɪləndz], unbewohnte Inselgruppe im SW von Neuseeland, 606 km²; gehört seit 1863 zu Neuseeland.

Auctor [lat. »Urheber«] *der,* im röm. Recht der Rechtsvorgänger.

Aude [oːd], **1)** *die,* Fluss in S-Frankreich, entspringt in den O-Pyrenäen und mündet nordöstlich von Narbonne in den Golfe du Lion, 223 km lang.

2) Dép. in S-Frankreich, 6 139 km², 303 000 Ew.; Hptst.: Carcassonne.

Auden [ɔːdn], Wystan Hugh, engl. Schriftsteller, *York 21. 2. 1907, †Wien 28. 9. 1973; lebte 1939–61 in den USA; schrieb Gedichte (Zyklus »Das Zeitalter der Angst«, 1947), Dramen, Libretti, Kritiken.

Audenarde [odˈnard, frz.], belg. Stadt, →Oudenaarde.

audi..., audio... [lat.], hör...

Audi AG, Unternehmen der Kfz-Industrie, Sitz: Ingolstadt; gegr. 1969 durch Fusion der NSU Motorenwerke AG (gegr. 1873) mit der Auto Union GmbH (gegr. 1949) als Audi NSU Auto Union AG; seit 1985 jetzige Firmenbezeichnung; eine Tochtergesellschaft der Volkswagen AG.

audiatur et altera pars [lat. »gehört werde auch der andere Teil«], Prozessgrundsatz: ein Urteil darf erst gefällt werden, wenn beide Teile gehört worden sind.

Audiberti [odi-], Jacques Séraphin, frz. Schriftsteller, *Antibes 25. 3. 1899, †Paris 10. 7. 1965; schrieb Gedichte, Romane, Essays sowie bühnenwirksame surrealist. und burleske Theaterstücke (»Quoat-Quoat«, 1946; »Die Zimmerwirtin«, 1956; »Der Glapioneffekt«, 1959).

Audienz [lat. audientia »Gehör«] *die,* Empfang bei hoch gestellten Persönlichkeiten.

Audimax *das,* Kw. für **Audi**torium **max**imum, →Auditorium.

Audiogramm, Aufzeichnung des Hörvermögens für Töne verschiedenster Lautstärke und Tonlage mit einem elektroakust. Gerät, dem **Audiometer.**

Audiologie *die,* Wiss. vom Hören und den Störungen des Gehörs.

Audiometrie *die,* Methode der Gehörüberprüfung mithilfe des Audiometers (→Audiogramm).

Audiovision, die Information durch Ton und Bild; auch die Technik des Aufnehmens, Speicherns und Wiedergebens von Ton und Bild (z. B. mit dem Videorecorder)

Audition colorée [odiˈsjõ kɔlɔˈre, frz.] *die,* →Farbenhören.

auditiv [lat.], das Hören betreffend, auf die Wahrnehmung des Gehörs bezogen.

Auditorium [lat.] *das,* Zuhörerschaft, Hörsaal, Lehrsaal (bes. der Hochschulen). **A. maximum,** Kw. **Audimax,** der größte Hörsaal.

Audubon [ˈɔːdəbɔn], John James, amerikan. Maler, Zeichner und Naturforscher, *Les Cayes

(Haiti) 26. 4. 1785, †New York 27. 1. 1851. Seine Kupferstiche und Mappenwerke mit Darstellungen von Vögeln und anderen Tieren Nordamerikas sind von dokumentar. Authentizität (u. a. »The birds of America«, 1827–38; Nachdr. 1982).

Aue (Au), der bei Hochwasser überflutete und mit Sedimenten **(A.-Lehm, A.-Boden)** überlagerte Teil des Talbodens.

Auerhuhn: Hahn in Balzstellung

Aue, Krst. des Landkreises Aue-Schwarzenberg, Sachsen, an der Zwickauer Mulde, 360 m ü. M., 24 400 Ew.; Bergbaumuseum; Mittelpunkt des W-Erzgebirges mit vielseitiger Ind. (Wäsche, Metallwaren), Nickelhütte, 1946–90 Uranerzbergbau. – Erhielt um 1490 stadtähnl. Privilegien, 1839 eine volle Stadtverfassung.

Auenwald, Pflanzengesellschaft in den Flussauen; man unterscheidet die **Weichholz-A.** (regelmäßig überflutet; Weiden, Grauerlen) und die **Hartholz-A.** (selten überflutet; Ulmen, Eschen, Stieleichen).

Auer, 1) A. von Welsbach, Carl Freiherr von (seit 1901), österr. Chemiker und Industrieller, *Wien 1. 9. 1858, †Schloss Welsbach (Kärnten) 4. 8. 1929; entdeckte die Seltenerdmetalle Lutetium, Neodym und Praseodym; erfand das **Auerlicht** (→Gasbeleuchtung), die Metallfadenlampe (Osmiumglühlampe) und das Auermetall (Cereisen) für Zündsteine.

2) Leopold von (seit 1895), ungar. Violinist, *Veszprém 7. 6. 1845, †Dresden 15. 7. 1930; verfasste eine Violinschule und ein Werk über die Interpretation von Violinmusik.

Auerbach, 1) Berthold, eigtl. Moses Baruch A., Schriftsteller, *Nordstetten (heute zu Horb am Neckar) 28. 2. 1812, †Cannes 8. 2. 1882; Verfechter jüd. Emanzipation, schrieb »Schwarzwälder Dorfgeschichten« (4 Bde., 1843–54).

2) Erich, Romanist, *Berlin 9. 11. 1892, †Wallingford (Conn., USA) 13. 10. 1957; untersuchte in seinem Hauptwerk »Mimesis« (1946) die Entwicklung des Realismus in der europ. Literatur.

Auerbachsprünge, Sprunggruppe beim Wasserspringen, wobei der Absprung vorwärts und die anschließenden Drehungen rückwärts ausgeführt werden.

Auerbach/Vogtl., Stadt im Vogtlandkreis, Sachsen, im oberen Göltzschtal, 460 m ü. M., 20 900 Ew.; Werkzeugmaschinenbau, Wäschefabrik. – Stadtrecht seit 1402; bis 1996 Verw.sitz des damals aufgelösten Kreises Auerbach.

Auerberg, Molasseberg im Allgäu, Bayern, 1 055 m ü. M., röm. und kelt. Befestigungen.

Auerhuhn (Auerwild), Raufußhuhn in den Wäldern Eurasiens, zählt zum Hochwild; **Auerhahn** bis 6 kg, Henne bis 3 kg schwer. Die Balz dauert von März bis Mai; die 6–10 Eier werden 26–28 Tage bebrütet, nach 13 Tagen sind die Jungen flugfähig.

Auerochse, ausgestorbenes Wildrind, →Ur.

Auersberg, bewaldeter Gipfel im westl. Erzgebirge, südöstlich von Eibenstock, 1 019 m ü. M.

Auersperg, Adelsgeschlecht aus Krain, seit dem 17. Jh. gräflich. Ein Zweig wurde 1653 reichsfürstlich; er besaß die Herrschaft (seit Ende des 18. Jh. Herzogtum) Gottschee. Das Geschlecht stellte dem österr. Staat zahlreiche Beamte und Offiziere. – Anton Alexander Graf von A., österr. Dichter, →Grün, Anastasius.

Auerstedt, Gemeinde im Landkreis Weimarer Land, Thür., 500 Ew. Bei A. wurden am 14. 10. 1806, gleichzeitig mit der Schlacht bei Jena, die Preußen unter Herzog Karl von Braunschweig von den Franzosen unter L. N. Davout vernichtend geschlagen.

Jacques Audiberti

Carl Auer von Welsbach

audiatur et altera pars

Der alte lateinische, heute immer noch gültige Grundsatz des Prozessrechts bedeutet übersetzt »Man muss auch die Gegenpartei anhören« (wörtlich: »Auch der andere Teil möge gehört werden«). Er geht in seiner lateinischen Form zurück auf eine Stelle in der Tragödie »Medea« des römischen Dichters, Philosophen und Politikers Seneca.
Heute gebraucht man den lateinischen Spruch ganz allgemein, um vor voreiligen Schlüssen, vor einem allzu raschen Urteil zu warnen und um auszudrücken, dass man sich eine abschließende Meinung erst dann bilden sollte, wenn man die Darstellung aller Beteiligten kennt.

Auerswald, dt. Adelsgeschlecht, Stammsitz bei Chemnitz, kam 1498 nach Westpreußen. – Hans Jakob von A., *Plauth (heute Pławty, Wwschaft Elblag) 25. 7. 1757, †Königsberg (Pr) 3. 4. 1833; 1808–24 Oberpräs. von Ostpreußen, Westpreußen und Litauen. Seine eigenmächtige Einberufung des ostpreuß. Landtages leitete die Erhebung gegen Napoleon I. ein (Jan. 1813).

Aue-Schwarzenberg, Landkreis im RegBez Chemnitz, Sachsen, 528 km² und (1996) 150 100 Ew.; Krst. ist Aue.

Aufbauschulen, weiterführende schul. Einrichtungen, die den gegenüber der Normalform späteren Übergang von einer Schulart zur anderen

Berthold Auerbach

erleichtern sollen, häufig als **Aufbauzug** an Schulen in Normalform geführt: Aufbaugymnasien (für Hauptschüler im Anschluss an das 6. oder 7., für Realschüler an das 9. oder 10. Schuljahr), die zur Hochschulreife führen, Aufbaurealschulen und →Berufsaufbauschulen.

Aufbereitung, 1) *Kerntechnik:* →Brennstoffaufbereitung, →Wiederaufarbeitung.

2) *Verfahrenstechnik:* Trennung von Stoffen und Stoffgemischen, meist mineral. Rohstoffe wie Erz, Kohle, Salz, Kalkstein, Kies, Sand, Erdöl, nach Teilchengrößen und/oder in ihre Stoffkomponenten, d.h. ihre wertigen (Konzentrate) und unwertigen Bestandteile (Abgänge, Berge), z.B. Erz-A., Steinkohle-A. Die A. ist eine der wichtigsten Techniken für eine wirtsch. Rohstoffversorgung. A.-Stufen: Zerkleinerung, Klassierung, Sortierung, Entwässerung, →Trocknung.

3) →Wasseraufbereitung.

Aufbewahrungspflicht, handels- und steuerrechtl. Verpflichtung des Kaufmanns, Handelsbücher, Bilanzen und Inventare zehn Jahre, Geschäftskorrespondenz sechs Jahre aufzubewahren.

Aufblähung (Trommelsucht, Tympanie), abnorme Gasansammlung im Magen-Darm-Kanal von Haustieren, bes. im Pansen der Wiederkäuer, z.B. durch Fütterungsfehler.

aufdampfen, Überzüge aus Metallen u.a. anorgan. Stoffen (Oxiden, Fluoriden) auf Metalle, Kunststoffe, Glas u.a. aufbringen. Die Materialien werden im Vakuum verdampft, die Dämpfe auf den zu überziehenden Teilen niedergeschlagen.

Aufenthaltsgenehmigung, →Ausländer.

Auferstehung (A. der Toten), religiöse Vorstellung, dass am Weltende die Verstorbenen mit Leib und Seele zu ewigem Leben auferstehen (→Eschatologie). Im Christentum ist diese Vorstellung als A. des Fleisches Teil des Glaubensbekenntnisses.

Auferstehung Christi, die im N.T. (Mt. 28,9f.; Lk. 24,13f.; Röm. 10,9; 1. Thess. 4,14; 1. Kor. 15,4; Apg. 1,22) bezeugte Wiederkehr Jesu Christi in das Leben am dritten Tag nach seinem Kreuzestod (→Ostern); Inhalt der neutestamentl. Verkündigung und grundlegende Aussage des christl. Glaubens. Nach kath. und evang. Anschauung steht ihre Wirklichkeit fest, doch wird sie in der gegenwärtigen Theologie unterschiedlich gedeutet.

Bildende Kunst: In frühchristl. Zeit beschränkte man sich auf sinnbildl. Darstellungen (Jonas, vom Walfisch ausgespien, der Gang der Frauen zum Grabe u.a.). Seit dem 11. Jh. wurde auch die A. C. selbst dargestellt, zunächst noch mehr symbolisch, später in zunehmend realist. Sinn: Jesus Christus mit der Kreuzfahne dem Grab entsteigend, auf ihm stehend, sitzend oder über ihm schwebend (Multscher, Schongauer, Dürer, Grünewald, Altdorfer).

📖 Wilckens, U.: *Auferstehung. Das bibl. Auferstehungszeugnis histor. untersucht u. erklärt.* Gütersloh ⁵1992. – Lüdemann, G.: *Die Auferstehung Jesu. Historie, Erfahrung, Theologie. Neuausg. Stuttgart 1994.*

Auffahrwarngerät (Abstandswarngerät), Gerät (Kleinsender und -rechner) zur Warnung eines Kraftfahrers bei zu geringem Abstand von einem vor ihm befindl. Fahrzeug oder einem Verkehrshindernis.

Auffanggesellschaft, eine den Geschäftsbetrieb eines insolventen Unternehmens fortführende Gesellschaft, i.d.R. von dessen Gläubigern gegründet.

Aufforderungscharakter (Valenz), Begriff der →Gestaltpsychologie (K. Lewin), der die Eigenschaft der Wahrnehmungsgegenstände bezeichnet, unterschwellig auf menschl. Stimmungen, Bedürfnisse und Strebungen eine Reizwirkung auszuüben; von der Werbe- und Testpsychologie (Psychodiagnostik) genutzt.

Auferstehung Christi: Hans Pleydenwurff, »Auferstehung Christi« (Flügel des Hofer Altars, 1465; München, Alte Pinakothek)

Aufforstung, Anlage von Wald (Bestandgründung) auf bisher nicht mit Wirtschaftsholzarten bestandenen Flächen; auch die Wiederbepflanzung von durch Baumsterben, Wind- und Schneebruch oder Kahlschlägen entstandenen forstl. Lücken.

Aufführungsrecht, ausschließl. Recht des Urhebers eines Musik- oder Bühnenwerkes, das Werk öffentlich aufzuführen. Aufführungen von urheberrechtlich geschützten Werken durch andere sind deshalb genehmigungs- und vergütungspflichtig (Ausnahme: Aufführungen ohne Erwerbszweck, kirchl. Veranstaltungen). Die musikal. Urheberrechte verwaltet die →GEMA. (→Verwertungsgesellschaften)

Aufgabe, *Börsenwesen:* Bekanntgabe des Namens des Kontrahenten durch den freien Makler, der zunächst selbst als Kontrahent auftritt, bis er einen endgültigen Käufer oder Verkäufer gefunden hat.

Aufgalopp, Probegalopp; im Pferderennsport Vorbeireiten **(Aufkantern)** der Teilnehmer vor den Tribünen zum Start.

Aufgang, das Erscheinen eines Gestirns am Horizont, das auf der Drehung der Erde von W nach O beruht: Der **heliak. A.** ist der erste sichtbare A. eines Gestirns in der Morgendämmerung. Beim **akronyt. A.** erscheint das Gestirn bei Sonnenuntergang, beim **kosm. A.** gleichzeitig mit der Sonne.

Aufgebot, 1) *kath. Kirchenrecht:* die Ergänzung der Feststellungen des Brautexamens durch Befragung der Heimatgemeinde nach etwaigen Ehehindernissen.

2) *Zivilrecht:* allg. die öffentliche gerichtl. Aufforderung an unbekannte Beteiligte zur Anmeldung von Rechten, um Rechtsnachteile zu vermeiden, z.B. das A. der Nachlassgläubiger oder vor der Kraftloserklärung von Urkunden. Für das **Aufgebotsverfahren** ist das Amtsgericht zuständig (§§ 946–1024 ZPO). – Im Eherecht war das A. die öffentl. Bekanntmachung einer beabsichtigten Eheschließung zu dem Zweck, dem Standesamt bislang unbekannt gebliebene Eheverbote (→Eherecht) zur Kenntnis zu bringen; zum 1. 7. 1998 abgeschafft. In *Österreich* ist das eherechtl. A. durch Ges. von 1983 beseitigt worden. Das *schweizer.* Eherecht kennt eine zehntägige Verkündungsfrist.

Aufgeld, Zuschlag, →Agio.

Aufgesang und Abgesang, Gliederungsteil der Meistersangstrophe. Den **Aufgesang** bilden zwei metrisch gleich gebaute Versgebilde **(Stollen);** der folgende **Abgesang** hat eine eigene Form. Diese Gliederung hatte sich schon im mhd. Minnesang entwickelt (ÜBERSICHT Metrik).

Aufguss (Infusum), frisch zubereiteter Auszug aus Arzneipflanzenteilen mit siedendem Wasser.

Aufgusstierchen (Infusorien), *veraltet:* Mikroorganismen, die sich in einem Aufguss von Wasser auf Erde, Stroh, Heu u.Ä. entwickeln, v.a. Wimpertierchen und Geißeltierchen.

Aufhebungsvertrag, einvernehmlich geschlossene Vereinbarung, bestehende Rechtsbeziehungen zu beenden. A. werden im Arbeitsrecht oft geschlossen, um Kündigungen zu vermeiden. Soll der A. indes das Arbeitsverhältnis vor Ablauf der Kündigungsfrist beenden, drohen dem Arbeitnehmer Nachteile beim anschließenden Arbeitslosengeldbezug.

Aufhellung, 1) *Mikroskopie:* das Durchsichtigmachen von Präparaten für das Mikroskop.

2) *Textilveredlung:* Verbesserung des Weißgrades ungefärbter Textilien und Papiere mithilfe fluoreszierender Substanzen **(opt. Aufheller, Weißtöner, Weißmacher),** die wie Farbstoffe aufgebracht werden. Sie wandeln kurzwellige, nichtsichtbare Strahlung in längerwelliges, sichtbares Licht um, wodurch die gelbl. Eigenfarbe kompensiert wird.

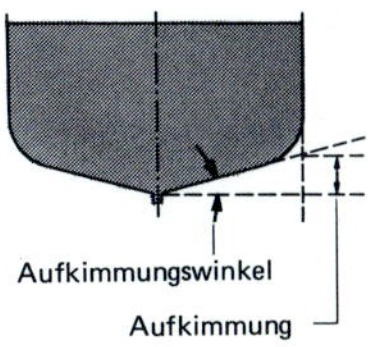

Aufkimmung

Aufkimmung, seitliches Ansteigen des Schiffsbodens gegen die Horizontale.

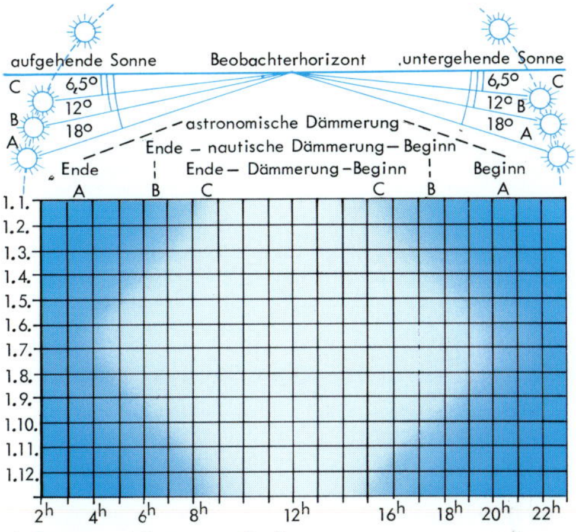

Aufgang und Untergang der Sonne

Aufklärung, 1) Bez. für eine geistesgeschichtl. Epoche, **Zeitalter der Aufklärung** (engl. »age of enlightenment«, frz. »siècle des lumières«), die Ende des 17. Jh. in England ihren Ausgang nahm und sich im 18. Jh. in ganz Europa und Nordamerika ausbreitete. Sie wurde im Wesentlichen vom Bürgertum getragen. Ihr Grundanliegen war es, dem Menschen mithilfe der Vernunft zum »Ausgang aus seiner selbst verschuldeten Unmündigkeit« (I. Kant) zu verhelfen. In diesem Sinne sind z.B. auch Teile der grch. Philosophie als Aufklärung zu verstehen.

Der Begriff A. fasst verschiedene geistige und kulturelle Strömungen zusammen; allen gemeinsam war die Kritik am absoluten Wahrheitsanspruch der Offenbarungsreligion und an der absoluten Monarchie. An den Humanismus anknüpfend, brachte in der Philosophie zuerst der Rationalismus neue Denkansätze hervor (Niederlande: B. de Spinoza, Frankreich: R. Descartes, Deutschland: G. W. Leibniz, C. Wolff). Dessen Theorie von den angeborenen Ideen setzte der Empirismus (England: J. Locke, D. Hume, G. Berkeley) die Abhängigkeit allen Wissens von der sinnl. Erfahrung entgegen. Zw. beiden Richtungen vermittelte Ende des 18. Jh. I. Kant. Der Erkenntnisfortschritt der Naturwissenschaften (bes. durch I. Newton) bewirkte die Ausarbeitung eines deistischen (z. B.

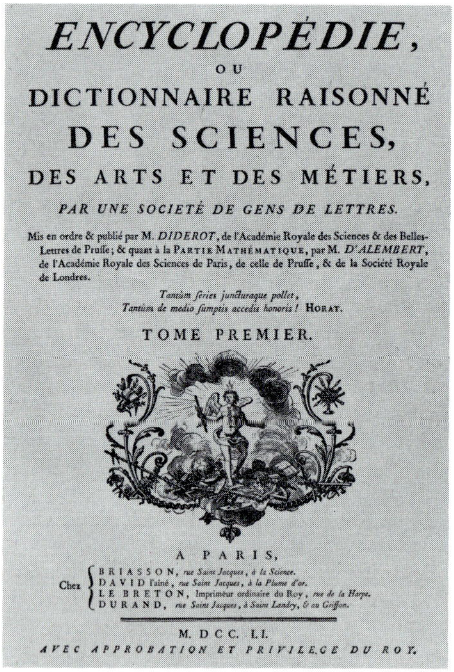
ENCYCLOPÉDIE,
OU
DICTIONNAIRE RAISONNÉ
DES SCIENCES,
DES ARTS ET DES MÉTIERS,
PAR UNE SOCIETÉ DE GENS DE LETTRES.
Mis en ordre & publié par M. *DIDEROT*, de l'Académie Royale des Sciences & des Belles-Lettres de Pruſſe; & quant à la PARTIE MATHÉMATIQUE, par M. *D'ALEMBERT*, de l'Académie Royale des Sciences de Paris, de celle de Pruſſe, & de la Société Royale de Londres.
Tantùm ſeries juncturaque pollet,
Tantùm de medio ſumptis accedit honoris! HORAT.
TOME PREMIER.
A PARIS,
Chez BRIASSON, *rue Saint Jacques, à la Science.*
DAVID l'aîné, *rue Saint Jacques, à la Plume d'or.*
LE BRETON, Imprimeur ordinaire du Roy, *rue de la Harpe.*
DURAND, *rue Saint Jacques, à Saint Landry, & au Griffon.*
M. DCC. LI.
AVEC APPROBATION ET PRIVILEGE DU ROY.

Aufklärung 1): Titelblatt des ersten Textbandes der Encyclopédie von Denis Diderot und Jean Le Rond d'Alembert

bei Voltaire), später auch eines materialistisch-atheist. Weltbildes (u. a. bei D. Diderot, J. O. de La Mettrie, P. H. d'Holbach). Staats- und Rechtslehre erhielten neue Grundlagen: An die Stelle göttl. Legitimation des Monarchen trat der auf das Naturrecht gegründete Gesellschaftsvertrag (Rousseau, →Vertragslehre). Gegenüber dem Machtanspruch des Staates seien die Menschenrechte unverzichtbar und gültig. Darum betonte auch die Verfassungslehre bes. die Rechte des Einzelnen und die sich aus ihnen ergebenden Grenzen der Staatsgewalt sowie den Gedanken der →Gewaltenteilung (Locke, Montesquieu). Das neue Gesellschaftsideal sollte durch Anleitung zum freiheitl., autonomen Vernunftgebrauch möglich werden. Auf dieser Grundlage werde die stete Vervollkommnung und Verwirklichung eines freiheitl., menschenwürdigen und glückl. Daseins in einer neuen Gesellschaft möglich (Fortschrittsoptimismus).

Der Gedanke des Fortschritts führte zu eingehender Beschäftigung mit der Geschichte: P. Bayle begründete schon Ende des 17. Jh. die Quellenkritik, umfassende Werke der Geschichtsschreibung (Hume, E. Gibbon, Voltaire) und Geschichtsphilosophie (Montesquieu, M. J. A. Condorcet, J. G. Herder) entstanden. Die Reaktion der Machtinhaber auf die neuen Ideen war unterschiedlich: Friedrich d. Gr. und Kaiser Joseph II. bemühten sich um Reformen (aufgeklärter →Absolutismus), in Frankreich unterdrückte das Ancien Régime alle Ansätze zu Veränderungen; Schriften mit aufklärer. Inhalt mussten meist illegal erscheinen. Hier brachte die A. ihre radikalsten Vertreter hervor. Die Sammlung und Aufbereitung aller Wissensgebiete im Sinne der A. gelang den →Enzyklopädisten. Die Unabhängigkeitserklärung der USA und die Frz. Revolution, bes. in ihren Anfängen, waren dann entscheidend von den Gedanken der A. bestimmt, in der Folge auch der →Liberalismus des 19. Jh. Ost- und Südosteuropa nahmen die A. (ohne deren kirchenfeindliche Tendenz) in der 2. Hälfte des 18. Jh. auf. Sie trug hier zur nationalen Emanzipation (v. a. gegen das Osman. Reich) bei.

In der *Theologie* führten Rationalismus, Optimismus, Antiklerikalismus, Individualismus und Utilitarismus in Auseinandersetzung mit der kirchl. Orthodoxie zur Entwicklung einer eigenständigen Theologie der Aufklärung. Jesus erscheint als Weisheitslehrer und Prophet der »natürl. Religion« (→Deismus), das Evangelium als Lehre von der Weltverbesserung; der Mensch ist mündiges Individuum, die Vernunft normative Instanz zur Beurteilung des christl. Dogmas, die Predigt zweckgerichtete Nützlichkeitsrede über die prakt. Dinge des Alltags; Vorbild der allg. geforderten religiösen Toleranz ist G. E. Lessings »Nathan der Weise«. In Dtl. erreichte die Theologie der A. ihren Höhepunkt in der Neologie; als Gegenbewegung formierte sich der Pietismus; Kulturprotestantismus, kath. Modernismus und die historisch-krit. Bibelwissenschaft des 19. Jh. haben ihre Wurzeln in den der Theologie durch die A. des 18. Jh. vermittelten Impulsen.

Aufklärung *ist der Ausgang des Menschen aus seiner selbst verschuldeten Unmündigkeit.*
Diese zu einer Art Schlagwort gewordene Definition des Begriffs »Aufklärung«, wie er in dem Ende des 17. Jahrhunderts beginnenden Aufklärungszeitalter verstanden wurde, stammt von dem deutschen Philosophen Immanuel Kant. Sie steht in der 1784 veröffentlichten Abhandlung »Beantwortung der Frage: Was ist Aufklärung«. Ihr folgt dort der Satz »Unmündigkeit ist das Unvermögen, sich seines Verstandes ohne Leitung eines andern zu bedienen«. Zitiert wird sie besonders dann, wenn darauf hingewiesen wird, dass nur die Vernunft es ist, die dem Menschen weiterhelfen kann, und dass es der Entschlusskraft, des Mutes bedarf, sich des Verstandes zu bedienen, ohne sich dabei von andern leiten oder durch andere einschränken zu lassen.

Das *Erziehungswesen* ist für die A. stets von besonderem Interesse gewesen. Sie forderte eine Erziehung zu naturgemäßer, nicht von Überlieferungen, sondern von Vernunft (und auch Gefühl) bestimmter sittl. Lebensweise und die Anwendung wiss. Verfahrensweisen auch auf prakt. Tätigkeiten (Realbildung, landwirtsch. und gewerbl. Erziehung), Ausdehnung der Erziehungsbestrebungen auf alle Volksschichten, auch auf die Frauen, und Weiterbildung der Erwachsenen. Diese Gedanken wurden von Rousseau, J. B. Basedow, J. H. Campe und J. H. Pestalozzi vertieft und im höheren und Volksschulwesen, z. T. in neuen Schulformen, verwirklicht.

Im *gesellschaftl. Leben* trat neben der höf. Kultur die bürgerl. stärker hervor. Gegen den heiteren Lebensgenuss des Rokoko, der auch in manchen bürgerl. Kreisen Eingang gefunden hatte (Leipzig als »Klein-Paris«), wandte sich ein betonter bürgerl. Moralismus. Starken Einfluss gewannen aufklärer. Geheimgesellschaften (Freimaurer, Rosenkreuzer). In einseitiger Nachfolge des Pietismus entwickelte sich als Gegenströmung zum Rationalismus ein Gefühls- und Freundschaftskult (→ Empfindsamkeit).

Neue Inhalte und Formen fand die *Literatur* der A. in den »Moral. Wochenschriften«, auch die Belletristik hatte oft stark didakt. Charakter. Neue Genres waren bürgerl. Trauerspiel, Rührstück, Idylle und bürgerl. Roman (bes. in Briefform), auch Fabel und Satire wurden gepflegt. Hinzu kam, bes. in Frankreich, die »galante Literatur«.

Die *Musik* des Aufklärungszeitalters folgte eigenen Gesetzen (neue Formen der Instrumentalmusik; Vorklassik und Wiener Klassik), zeigt aber auch direkte Verbindungen zur Geistes- und Sozialgeschichte (bürgerl. → Singspiel, Ausdruck humanitärer Gedanken in Oper und sinfon. Musik).

In der *bildenden Kunst* vollzog sich zunächst der Übergang vom Barock zu dessen Spätblüte, dem Rokoko: Helle Farben, heiter schwingende Linien, weltl. Inhalte und Verweltlichung religiöser Darstellungen wurden kennzeichnend. Seit der Mitte des 18. Jh. wurde das Rokoko allmählich abgelöst durch den strengeren Klassizismus, dessen oberstes künstler. Ziel die Nachahmung antiker Kunst war. Wie das Religiöse suchte man auch das Künstlerische verstandesmäßig zu erfassen. So entstand eine systemat. Kunstkritik und als neuer Zweig der Philosophie die Ästhetik (A. G. Baumgarten).

Seit den letzten Jahrzehnten des 18. Jh. wurde die A. von neuen Geistesbewegungen (→ Neuhumanismus, → Romantik, → Sturm und Drang) überlagert. Während man die A. lange Zeit mit dem abwertenden Blick der Romantik sah, ist heute der Verdienst der A. um die Entwicklung der Wiss., die Förderung neuer Forschungszweige (bes. Volkswirtschaftslehre, Soziologie, Statistik), die Humanisierung des sozialen und kulturellen Lebens, die Achtung der Menschenwürde und der Gleichheit aller Menschen anerkannt. Letzteres wurde zur geistesgeschichtl. Voraussetzung für eine Reihe gesellschaftspolit. Entwicklungen in der Gegenwart (Emanzipation, Gleichberechtigung, Mündigkeit). Neuere Kritik richtet sich gegen ihre absolute Abwertung der Tradition und gegen gewisse Folgeerscheinungen wie Fortschrittsgläubigkeit und Herrschaft eines rein positivist. Wissenschaftsbegriffes.

Critik der reinen Vernunft von Immanuel Kant Professor in Königsberg.
Riga, verlegts Johann Friedrich Hartknoch 1781.

Aufklärung 1): Titelblatt der Erstausgabe von Immanuel Kants »Kritik der reinen Vernunft« (1781)

Unter den in neuerer Zeit entstandenen Bezugnahmen auf die A. ragt bes. das im Rahmen der krit. Theorie der Frankfurter Schule entwickelte Programm einer »zweiten A.« heraus (Befreiung des Einzelnen aus fremdbestimmten Zwängen).

📖 PÜTZ, P.: *Die dt. A. Darmstadt* ^{4}*1991.* – MÖLLER, H.: *Vernunft u. Kritik. Dt. A. im 17. u. 18. Jh. Frankfurt am Main* ^{3}*1993.* – HORKHEIMER, M. *u.* ADORNO, T. W.: *Dialektik der A. Philosoph. Fragmente. Tb.-Ausg. Frankfurt am Main 32.–36. Tsd. 1994.* – *Was ist A.? Thesen u. Definitionen, hg. v.* E. BAHR. *Neudr. Stuttgart 1994.* – *Das 18. Jh. A., hg. v.* P. GEYER. *Regensburg 1995.* – IMHOF, U.: *Das Europa der A. München* ^{2}*1995.*

2) *Militärwesen:* die Aufhebung eines Informationsmangels durch gezielte Nachforschung oder Wissensvermittlung, insbesondere die Feststellung der Lage beim Gegner, Erkundung des Geländes, des Wetters und der Witterungseinflüsse als Grundlage für die Entschlussfassung der eigenen Führung; der A. dienen Flugkörper, Satelliten, Flugzeuge, Spezialeinheiten (A.-Truppen) u. a. Mittel, z. B. Nachrichtendienst, Flugmeldedienst.

3) *Pädagogik:* → Sexualpädagogik.

Aufladegebläse (Kompressor), von einem Motor mechanisch oder von einer Abgasturbine angetriebener Luftverdichter (meist Drehkolbenverdichter) zur →Aufladung von Verbrennungsmotoren.

Aufladung, 1) (elektr. oder elektrostat. A.) das Aufnehmen positiver oder negativer elektr. Ladung durch einen Körper, Stoff u.a., insbes. als Folge von Reibung das Vorhandensein einer solchen Ladung im Überschuss.

2) (elektrochem. A.) Zuführung und Speicherung von elektr. Energie in einem →Akkumulator.

3) die Vorverdichtung der Verbrennungsluft oder des Luft-Kraftstoff-Gemisches bei Verbrennungsmotoren zur Leistungssteigerung, z.B. durch vom Motor mechanisch angetriebene →Aufladegebläse oder, heute vorwiegend, durch Abgasturbolader (→Abgasturbine) oder auch durch Druckwellenladung.

Auflage, 1) *Druckgrafik:* die Anzahl der von einer Druckform gedruckten Blätter. Seit Ende des 19. Jh. wird jedes Blatt der Auflage i.d.R. vom Künstler nummeriert und signiert.

2) *Privatrecht:* die einer Schenkung oder letztwilligen Verfügung hinzugefügte Bestimmung, dass der Empfänger zu einer Leistung verpflichtet sein soll; oft schwierig von einer Bedingung zu unterscheiden.

Auflösung 2): Dissonanzauflösung nach e-Moll oder C-Dur

3) *Strafrecht:* zusätzliche strafähnl. Maßnahme, die das Gericht einem Verurteilten, dessen Strafe zur Bewährung ausgesetzt ist, auferlegen kann (§56b StGB, z.B. Wiedergutmachung des Schadens).

4) *Verlagswesen:* a) Anzahl der in einem Herstellungsprozess gedruckten Exemplare eines Druckerzeugnisses; b) die Gesamtzahl der Exemplare, die der Verleger nach dem Gesetz oder dem Verlagsvertrag herzustellen berechtigt ist. Enthält der Vertrag keine Bestimmung über die A.-Höhe, darf der Verleger 1000 Abzüge herstellen (§5 VerlagsGes.), ohne Einrechnung der Zuschuss- und Freiexemplare. Dem Verleger kann vertraglich das Recht eingeräumt werden, weitere A. herzustellen.

5) *Verwaltungsrecht:* die selbstständige Nebenbestimmung zu einem Verwaltungsakt (z.B. bei Erteilung einer Baugenehmigung, das Baugelände durch eine Stützmauer zu sichern); nichterfüllte A. können erzwungen bzw. der Verwaltungsakt kann wegen der nichterfüllten A. widerrufen werden (§§36, 49 Verwaltungsverfahrensgesetz).

Auflager, Körper aus Stahl, Beton, Stahlbeton, Stein, auf denen Bauteile wie Träger, Platten, Schalen ruhen und die die Bauwerksbelastung in den Unterbau übertragen.

auflandig, von der See zum Land gerichtet (bei Winden und Strömungen).

Auflandung, Bodenerhöhung in Gewässern, entsteht durch Sinkstoffablagerung (→Landgewinnung).

Auflassung, *Recht:* als abstrakter dingl. Vertrag die Einigung zw. Veräußerer und Erwerber über die Eigentumsübertragung an einem Grundstück bei gleichzeitiger Anwesenheit beider Teile vor dem Notar (§925 BGB); im *österr.* und *schweizer.* Recht unbekannt.

Auflaufbremse, Bremsanlage für Kfz-Anhänger, deren Wirkung durch die Auflaufkraft des Anhängers auf das Zugfahrzeug erzeugt wird.

Aufliegen (Dekubitus), Druckschädigung der Haut bes. durch lange Bettlägerigkeit oder zu feste Verbände, die sich in der Bildung von Wunden, Nekrosen oder Geschwüren äußert. Vorbeugung: Lagewechsel, glatte, weiche und trockene Unterlage, Polsterung, Wasserkissen, Hautpflege durch Abreiben, bes. mit Franzbranntwein.

Auflösen von Gleichungen, das Finden von Lösungen, die einer oder mehreren Gleichungen mit einer oder mehreren Unbekannten genügen, z.B. wird die Gleichung $5+x=8$ durch $x=3$ aufgelöst. Mit dem A.v.G. befasst sich die →Algebra.

Auflösung, 1) *Metrik:* Ersatz einer Länge durch zwei Kürzen.

2) *Musik:* das Fortschreiten der Stimmen eines dissonanten Intervalls oder Akkords zur Konsonanz; auch durch das **A.-Zeichen** ♮ bewirkte Aufhebung eines Versetzungszeichens.

3) *Optik:* Bildzerlegung in getrennt wahrnehmbare Elemente.

4) *Parlamentsrecht:* die vorzeitige Beendigung der Legislaturperiode einer gewählten Volksvertretung. In Dtl. kann nur der Bundespräs. in eng begrenzten Ausnahmefällen (Art. 63 Abs. 4, Art. 68 GG) die A. des Bundestags vornehmen.

Auflösungsvermögen, 1) *Optik:* kleinster linearer oder Winkelabstand zweier Objektstrukturen, die vom Auge oder einem opt. System noch getrennt wahrgenommen oder abgebildet werden können.

2) in der *Messtechnik* ist das **räuml., zeitl.** und/oder **energet. A.** ein Maß für die Güte einer Messanordnung, zwei Messwerte oder -impulse gerade noch getrennt zu registrieren.

Aufmerksamkeit, *Psychologie:* Fähigkeit oder Akt der Ausrichtung des Bewusstseins auf bestimmte gegenwärtige oder erwartete Erlebnisinhalte, ein psych. Zustand gesteigerter Wachheit und Aufnahmebereitschaft; kann willkürlich (willentlich) auf einen Gegenstand gerichtet oder unwillkürlich (passiv) durch Reize erregt werden.

Aufopferung, *Recht:* Auferlegung eines Sonderopfers durch einen rechtmäßigen, zum Wohl der Allgemeinheit vorgenommenen hoheitl. Eingriff in die privaten immateriellen Rechte des Bürgers (Leben, Gesundheit, Freiheit); verpflichtet den Staat zur Entschädigung (z.B. Schäden bei Pflichtimpfungen).

Aufrechnung (Kompensation), *Recht:* wechselseitige Schuldtilgung durch einseitige Erklärung. Schulden zwei Personen einander Leistungen, die ihrem Gegenstand nach gleichartig sind (v.a. Geld), so ist jeder Teil berechtigt, seine Forderung gegen die des anderen aufzurechnen, sobald er die ihm gebührende Leistung fordern und die ihm obliegende Leistung bewirken kann (§§387–396 BGB). *Österreich:* ABGB §§1438ff.; *Schweiz* (als Verrechnung): Art. 120 bis 126 OR.

Aufriss, *Mathematik:* horizontales Bild eines Gegenstandes bei einer senkrechten parallelen →Projektion.

Aufruf, *Datenverarbeitung:* Anweisung, die die Ausführung einer vordefinierten Befehlsfolge veranlasst, z.B. die Verzweigung aus einem Programm in ein Unterprogramm.

Aufruhr, *Recht:* öffentl. Zusammenrottung von Personen, bei der Widerstand gegen die Staatsgewalt geleistet wird; dieser frühere Straftatbestand wurde 1970 aufgehoben (→Landfriedensbruch).

Aufsatz, 1) *allg.:* kurze Abhandlung über ein bestimmtes Thema, z.B. als Schulaufgabe.

2) *Militärwesen:* Zieleinrichtung eines Geschützes. (→Visiereinrichtung)

3) *Orgel:* der Schallbecher der Zungenpfeifen, der den Ton verstärkt und die Klangfarbe beeinflusst.

aufsaugende Mittel (Adsorbenzien), meist pulverförmige Arzneimittel (z.B. medizin. Kohle), die Gifte und andere Stoffe binden können. Anwendung: im Magen-Darm-Kanal bei Vergiftungen und Durchfällen.

Aufschlag, *Sport:* das Ins-Spiel-Bringen des Balles, z.B. beim Tennis.

Aufschlämmen, Trennverfahren für Gemische aus Feststoffen unterschiedl. Dichte und/oder Teilchengröße aufgrund ihrer unterschiedl. Sedimentationsgeschwindigkeit in einer Flüssigkeit.

Aufschleppe (Slip), geneigte Ebene mit auf Gleisen laufenden Slipwagen zum Befördern von Schiffen ins oder aus dem Wasser.

aufschließen, schwer lösl. Stoffe in lösl. Verbindungen überführen, meist durch Zugabe fester Aufschlussmittel bei höherer Temperatur oder in der Schmelze.

Aufschluss, Stelle, an der ein Gestein oder Erz zutage liegt. **A.-Verfahren,** Methoden zur Erforschung der Erdkruste, bes. zur Erkundung von Lagerstätten. Hilfsmittel sind u.a.: Luftaufnahmen, Bohrungen, Gravimetrie, Messungen künstl. Erdbebenwellen und der Radioaktivität.

Aufschrumpfen, Verfahren zur festen Verbindung einander umschließender Metallteile, z.B. Welle und Ring (Eisenbahnräder). Das äußere Teil wird erwärmt, dehnt sich hierbei aus, und wird aufgezogen. Beim Erkalten schrumpft es und presst sich dem inneren Teil auf.

Aufschwung, 1) *Turnen:* Positionswechsel vom Hang in den Stütz, wobei der Körper eine ganze Drehung um die Breitenachse ausführt. Als Felg-A. Übungsteil an Reck, Barren, Stufenbarren, Ringen.

2) *Wirtschaft:* Konjunkturphase, die dem unteren Wendepunkt folgt (→Konjunktur).

Aufsichtspflicht, gesetzl. Pflicht zur Beaufsichtigung von Personen, die wegen Minderjährigkeit oder wegen ihres körperl. oder geistigen Zustandes der Beaufsichtigung bedürfen. Eine A. haben z.B. Eltern, Vormund, Lehrer u.a. Die Vernachlässigung der A. verpflichtet grundsätzlich zum Ersatz des Schadens, den der zu Beaufsichtigende widerrechtlich einem Dritten zufügt (§832 BGB).

Aufsichtsrat, gesetzlich vorgeschriebenes Organ von →Aktiengesellschaften, Kommanditgesellschaften auf Aktien und Genossenschaften zur Bestellung und Überwachung der Geschäftsführung (auch bei GmbH mit über 500 Arbeitnehmern und VVaG, →Mitbestimmung). **Aufsichtsratsteuer,** Einkommensteuer, die von A.-Mitgliedern inländ. Kapitalgesellschaften mittels Steuerabzug erhoben wird (30% der Vergütungen, §50a EStG).

aufsteigende Linile (Aszendenz), *Genealogie:* die Abstammungsverbindung zu den Vorfahren (Aszendenten): Eltern, Großeltern usw.

Aufsteigung (gerade A.), *Astronomie:* die →Rektaszension.

Aufstockung, Vergrößerung der Nutzfläche eines landwirtsch. Betriebes, um seine Rentabilität zu steigern; z.T. in Verbindung mit →Flurbereinigung.

Aufstrich, bei Streichinstrumenten die Bogenführung von der Spitze zum →Frosch; in der Notenschrift: V.

Auftakt, 1) *Metrik:* der unbetonte Teil eines Verses vor der ersten Hebung.

2) *Musik:* Anfang einer musikal. Sinneinheit, z.B. eines Motivs oder Themas, auf unbetontem Taktteil.

Auftakt 2): Johannes Brahms, 4. Sinfonie e-Moll op. 98 (1884/85)

Auftrag, 1) *Recht:* die Annahme eines Angebots zur entgeltl. Lieferung von Waren und Dienstleistungen. Im *bürgerl. Recht* Vertrag, durch den sich der Beauftragte verpflichtet, ein ihm vom Auftraggeber übertragenes Geschäft unentgeltlich zu be-

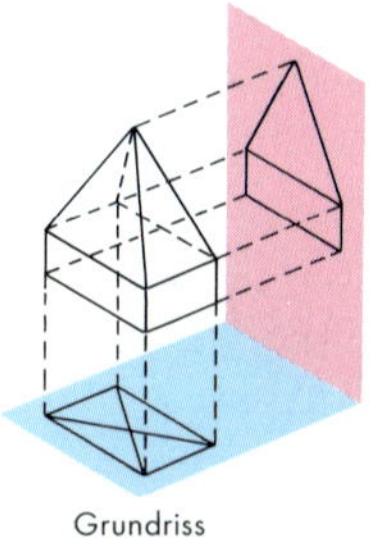

Aufriss

sorgen; Aufwendungen sind dem Beauftragten zu ersetzen (§§ 662 ff. BGB).

2) *Wirtschaft:* Vertragsabschluss auf Lieferung von Waren oder Erbringung von Leistungen.

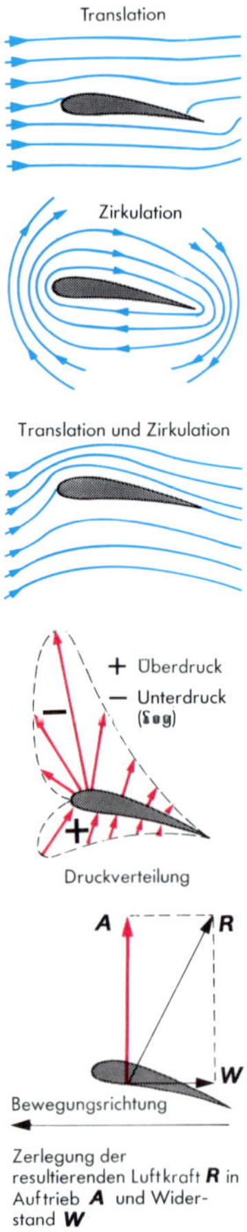

Auftrieb: Druckverteilung und dynamischer Auftrieb am umströmten Tragflügel

Auftragsangelegenheiten, Aufgaben des Staates, deren Durchführung nachgeordneten Verwaltungseinheiten übertragen ist, bes. den Gemeinden, z. B. Durchführung von Wahlen, Polizeiverwaltung (→Selbstverwaltung). Die A. sind von der **Auftragsverwaltung** zu unterscheiden, d. h. der Ausführung von Bundesgesetzen im Auftrag des Bundes durch die Länder, z. B. die Finanzverwaltung. (→Staatsaufsicht)

Auftrieb, eine der Gewichtskraft entgegenwirkende Kraft. Der **stat. A.** eines Körpers in einer ruhenden Flüssigkeit (hydrostat. A.) oder einem ruhenden Gas (aerostat. A.) ist gleich der Gewichtskraft der von dem Körper verdrängten Gas- oder Flüssigkeitsmenge **(archimed. Prinzip);** ein Schiff z. B. ist also um die Gewichtskraft des verdrängten Wassers leichter als auf dem Trockendock. **Dynam. A.** entsteht bei bewegten, geeignet geformten Körpern durch Strömungsunterschiede zw. Ober- und Unterseite, die Druckunterschiede hervorrufen (z. B. an den Tragflügeln der Flugzeuge).

Auftriebswasser, durch Aufwärtsbewegung aus tieferen, kälteren Schichten an die Meeresoberfläche gelangtes Wasser; es ist salz- und sauerstoffärmer, aber nährstoffreicher und führt zu besonderem Plankton- und Fischreichtum.

Auftritt, *Theater:* **1)** das Erscheinen eines Darstellers auf der Bühne.

2) Szene, Unterteilung des Akts durch Auf- und Abtreten des Darstellers.

Aufwandsentschädigung, Vergütung für Ausgaben im Rahmen der Berufsausübung; ferner Entschädigung der Abgeordneten (→Diäten). Aus öffentl. Kassen gewährte A. und Reisekosten sind steuerfrei nach § 3 Nr. 12, 13 EStG, die A. privater Arbeitgeber nur in bestimmten Fällen, z. B. als Auslagenersatz, Umzugs- oder Reisekosten, bei doppelter Haushaltsführung (§ 3 Nr. 16 EStG).

Aufwandssubvention, öffentl. Wohnungsbaufördermittel, die als Aufwendungsbeihilfen, Zinszuschüsse oder Annuitätsdarlehen vergeben werden.

Aufzug

Der erste Passagieraufzug der Welt transportierte seine Fahrgäste ganze vier Stockwerke in einem New Yorker Kaufhaus in die Höhe. Entwickelt und eingebaut wurde er 1857 von dem Erfinder Elisha Graves Otis, dessen Firma noch heute existiert. Der Lift verfügte bereits über eine Notbremse, die Otis der Öffentlichkeit drei Jahre zuvor mit dem Ausruf »All safe, gentlemen, all safe« (Ganz sicher, meine Herren, ganz sicher) im Selbstversuch vorgeführt hatte. Bewegt wurde der Fahrstuhl mithilfe einer Dampfmaschine.

aufwärtskompatibel ist ein Computersystem oder ein Programm, wenn es alle Aufgaben erfüllen kann, die auf älteren oder kleineren Modellen der gleichen Serie entwickelt wurden.

Aufwendungen, **1)** *Betriebswirtschaftslehre:* Ausgaben eines Unternehmens für die während einer Abrechnungsperiode verbrauchten Güter und Dienstleistungen (→Gewinn- und Verlustrechnung).

2) *Recht:* jede freiwillige Verwendung von Vermögen für bestimmte Zwecke, z. B. die Auslagen eines Beauftragten für den Geschäftsherrn. Steuerrechtlich der umfassende Ausgabenbegriff, z. B. für Werbungskosten, Betriebsausgaben.

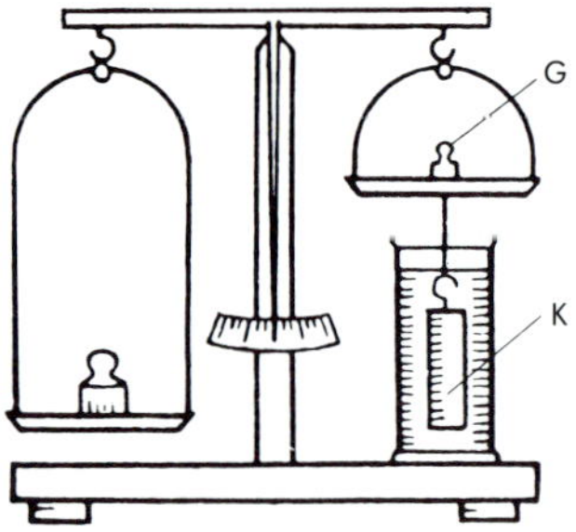

Auftrieb: Das archimedische Prinzip besagt, dass der Auftrieb des eintauchenden Körpers K vom Gewicht G kompensiert wird

Aufwertung, *Wirtschaft:* **1)** die nachträgl. Erhöhung des Nennbetrags vorher abgewerteter Geldschulden unter Berücksichtigung der Kaufkraft des Geldes zur Zeit ihrer Entstehung.

2) (Revalvation) die Erhöhung des Außenwertes einer Währung; Ggs.: Abwertung (Devalvation). Bei flexiblen Wechselkursen folgt die A. aus einer Übernachfrage nach dieser Währung am Devisenmarkt. Bei festen Wechselkursen wird die A. von den Währungsbehörden vorgenommen; sie dient bes. dem Abbau von Leistungsbilanzüberschüssen und kann zur Importerleichterung (Verbilligung der Importwaren) sowie Exporterschwerung (Verteuerung der Exportgüter) führen. – In Systemen fester Wechselkurse (IWF, Europ. Währungssystem) erfolgen Wechselkursänderungen i. d. R. nur im »gegenseitigen Einvernehmen« der Mitgliedstaaten.

Aufwind, aufwärts gerichtete Luftströmung. Man unterscheidet: **Gelände-A.** (→Stau), **Wärme-A.** (→Thermik) und **Scherungs-A.,** der entsteht, wenn bei einer Zunahme des Horizontalwindes mit der Höhe dort der Druck fällt. A. führt häufig zu Wolkenbildung. Die größten Geschwindigkeiten um 50 m/s treten als turbulenter A. an der Vorderseite von Gewittern auf. (→Segelflug)

Aufzeichnungsverfahren, Methoden zur Speicherung von Informationen, Daten, Signalen auf Trägermaterialien. Je nach Anwendungsgebiet werden z.B. mechan., elektr. (kapazitive, elektrostat.), magnet. und opt. A. eingesetzt.

Aufzinsung, finanzmathemat. Rechnung zur Ermittlung des Endkapitals aus einem gegebenen Anfangskapital (→Zinseszins).

Aufzug, 1) *Technik:* (Fahrstuhl, Lift) ortsfeste Förderanlage für Personen oder Lasten. In einer Führung gleitet der Fahrkorb (Kabine) hinauf und hinab, der mit dem Gegengewicht von über eine Antriebsscheibe laufenden Drahtseilen getragen wird. Die Antriebsscheibe ist durch eine Kupplung und eine Doppelbackenbremse mit dem Schneckengetriebe und dem Elektromotor verbunden. Schaltgeräte eines A. sind Schütze, Steuer- und Hilfsrelais, Stockwerks- sowie Schutz- und Notschalter. Die Steuerung erfolgt bei Personen-A. über Druckknöpfe (Selbstbedienung) oder Hebel (Lasten-A.). – Beim **Paternoster-A.** laufen mehrere Fahrkörbe an zwei endlosen Ketten stetig um. Das Betreten und Verlassen der offenen Fahrkörbe geschieht während der Fahrt. Paternoster dürfen für Personenverkehr nicht mehr gebaut werden. – **Sonder-A.** sind für spezielle Einsatzfälle konstruiert, z.B. Schräg-A., Kleinlasten-A., hydraul. Aufzüge.

2) *Theater:* →Akt.

Auge, 1) (lat. Oculus), lichtempfindl. Sinnesorgan bei Tieren und beim Menschen. Über die die →Sehfarbstoffe enthaltenden →Sehzellen werden Lichtreize wahrgenommen und somit Informationen über die Umwelt vermittelt (→Lichtsinn).

Die einfachsten Sehorganellen sind Karotinoide enthaltende Plasmabezirke, die **A.-Flecke (Stigmen)** vieler Einzeller. Die einfachsten Sehorgane der Mehrzeller sind einzelne **Lichtsinneszellen** (z.B. des Regenwurms), die in oder unter der durchsichtigen Haut liegen und eine lichtempfindl. Substanz in einer Vakuole enthalten. Beide A.-Formen ermöglichen jedoch nur ein Helligkeitssehen. Beim **Pigmentbecher-Ocellus** (z.B. bei niederen Würmern, Schnecken) sind die Sehzellen von einer halbkugelförmigen Schicht aus Pigmentzellen umgeben, die den Lichteinfall nur von der dem Pigmentbecher abgewandten Seite zulässt und somit Richtungssehen ermöglicht. Kommen durch Einsenkung der Epidermis die Sehzellen am Grund oder an den Wänden der gebildeten Grube zu liegen, entsteht ein **Gruben-A. (Napf-A.),** z.B. bei Schnecken. Bei Einengung der Grubenöffnung zu einem engen Loch bildet sich das **Kamera-A. (Loch-A.),** z.B. beim Perlboot, in dem ein umgekehrtes, lichtschwaches Bild auf der Netzhaut entsteht. Ist die Grube vollkommen geschlossen, entsteht das **Blasen-A.,** in dessen Innerem ein lichtbrechendes Sekret vorkommt, das als Linse bezeichnet wird (z.B. bei der Weinbergschnecke). Das Blasen-A. kann deshalb als einfache Form des **Linsen-A.** betrachtet werden. Die leistungsfähigsten Linsen-A. haben die Wirbeltiere (einschl. Mensch) und die Kopffüßer. Das **Facetten-** oder **Komplex-A.** der Gliederfüßer stellt eine besondere Entwicklung zum Bildsehen hin dar. Es besteht aus vielen wabenartig zusammengesetzten Einzel-A. (Sehkeilen, Ommatidien); das wahrgenommene Bild setzt sich mosaikartig aus den Bildpunkten der Einzel-A. zusammen (→Scheitelauge).

Hat ein A. mehrere Sehzellen, die sich in ihrer Lichtempfindlichkeit unterscheiden, können versch. Farben wahrgenommen werden (→Farbensehen). Wenn sich die Sehfelder paarig angelegter A. überschneiden (binokulares Sehen), werden versch. weit entfernte Gegenstände auf versch. Stellen der Netzhaut beider A. abgebildet. Aus der Lage der erregten Netzhautstellen kann die Entfernung des Gegenstandes durch das Gehirn erfasst werden (Entfernungssehen). Bewirkt die Bewegung eines Objektes eine raumzeitl. Verschiebung des opt. Musters auf der Netzhaut, so kann diese Verschiebung nach Richtung und Geschwindigkeit ausgewertet werden (Bewegungssehen).

Das **A. des Menschen** hat einen Durchmesser von etwa 24 mm. Der kugelige **Augapfel (Bulbus oculi)** liegt geschützt in der **Augenhöhle (Orbita)** und umschließt die mit Kammerwasser gefüllte vordere und hintere Augenkammer sowie den Glaskörper (Corpus vitreum). Seine Beweglichkeit erhält er durch sechs **Augenmuskeln.** Der Augapfel wird von der Lederhaut, Aderhaut und Netzhaut ausgekleidet. Die aus derbem Bindegewebe bestehende **Lederhaut (Sclera)** bildet die äußerste Schicht. Sie geht im vorderen Teil des A. in die durchsichtige **Hornhaut (Cornea)** über. Die Hornhaut richtet die Lichtfülle, die die Augenoberfläche trifft, als Sammellinse nach innen und hilft sie zu ordnen, sodass auf der Netzhaut ein scharfes Bild entstehen kann. Auf die Lederhaut folgt nach innen zu die gut durchblutete **Aderhaut (Chorioidea).** Pigmente in bzw. vor der Aderhaut absorbieren das Licht, das die Netzhaut durchdringt. An die Aderhaut schließt sich nach innen zu die **Netzhaut (Retina)** an, von der die einfallenden Lichtreize aufgenommen und die entsprechenden Erregungen über den Sehnerv zum Gehirn weitergeleitet werden. Die vordere Augen-

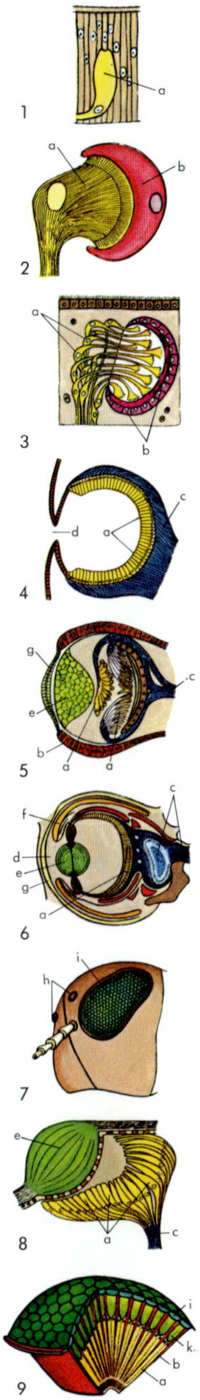

Auge 1): Entwicklung der Lichtsinnesorgane der Tiere: a Sinneszelle, b Pigmentzellen, c Nervenzelle oder Nervenfortsatz der Sinneszelle, d Sehlochpupille, e Linse, f Regenbogenhaut (Iris), g Hornhaut (Cornea), h Punktauge (Ocellus), i Cornealinse, k Kristallkegel | **1** Lichtsinneszelle in der Haut des Regenwurms | **2** Sehzelle mit becherförmiger Pigmentzelle (Pigmentbecher-Ocellus) und | **3** mehrzelliger Pigmentbecher-Ocellus (unter der Haut gelegen) eines Strudelwurms (Planarie) | **4** Kameraauge eines niederen Tintenfisches (Nautilus) | **5** Auge aus dem Mantelrand der Kammmuschel (Pecten) mit doppeltem System von Sinneszellen | **6** Auge eines höheren Tintenfisches (Sepia); Beispiel für konvergente Entwicklung | **7** Kopf einer Biene (Drohne) von der Seite mit Facettenaugen und Ozellen | **8** Stirnauge (Ocellus) einer Fliege (Helophilus) | **9** Bau eines Facettenauges der Insekten

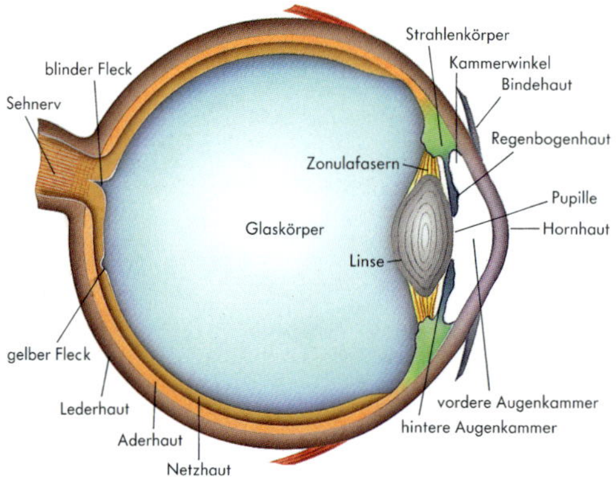

Auge 1): Schnitt durch das Auge des Menschen

kammer wird hinten durch die ringförmige **Regenbogenhaut (Iris)** begrenzt, die sowohl aus Teilen der Aderhaut als auch der Netzhaut gebildet wird. Sie gibt dem A. durch eingelagerte Pigmente die charakterist. Färbung und absorbiert

Auge

Welches Tier hat die größten Augen?
Der Krake. Die Augen des Riesenkraken haben einen Durchmesser von 40 cm! Zu diesen überdimensionalen Organen gehört ein Tier, das über 9 m lang werden kann.
Der Riesenkrake lebt in den Tiefen der Ozeane und benötigt solch übergroße Augen in der Finsternis seines Lebensraumes, um auch das minimale Restlicht aufnehmen zu können.

außerhalb der Sehöffnung einfallendes Licht. Die Regenbogenhaut liegt der Augenlinse auf und umgrenzt die **Pupille,** die die Sehöffnung darstellt.

Hinter Pupille und Regenbogenhaut, in eine Ausbuchtung des Glaskörpers eingebettet, liegt die **Linse.** Sie ist aus Schichten unterschiedl. Brechkraft aufgebaut und wird von einer durchsichtigen, elast. Membran umschlossen. Die Aufhängevorrichtung, durch die die Linse in ihrer Lage festgehalten wird, besteht aus Zonulafasern, die vom **Ziliarkörper** des A. entspringen. Der Ziliarkörper besitzt einen ringförmigen Muskelstreifen (Ziliarmuskel), bei dessen Kontraktion die Zonulafasern erschlaffen, sodass die Linsenwölbung zunimmt. Erschlafft der Muskel, so wird die Linse durch Zugwirkung der Zonulafasern flach gezogen. Durch diese Veränderung ihrer Brechkraft ermöglicht die Linse das Nah- und Fernsehen **(Akkommodation).** Ist die Linse stärker gewölbt, findet eine stärkere Brechung der Lichtstrahlen statt, wodurch eine Scharfeinstellung für das Nahsehen erreicht wird. Der umgekehrte Vorgang findet beim Sehen in die Ferne statt.

Hornhaut, Linse, vordere Augenkammer und Glaskörper bilden den bildentwerfenden (dioptr.) Apparat des Auges. Das von diesem entworfene Bild wird von der Netzhaut aufgenommen und in Nervenimpulse umgewandelt. In der Netzhaut liegen die farbempfindl. **Zapfen** und die hell-dunkel-empfindl. **Stäbchen.** Die Stäbchen sind etwa 10 000-mal lichtempfindlicher als die Zapfen und überwiegen am äußeren Rand der Netzhaut. Im Zentrum der Netzhaut überwiegen die Zapfen, deren drei Typen für die Farbeindrücke Rot, Grün oder Blau ihre höchste Empfindlichkeit haben. Am dichtesten liegen die Zapfen in der Sehgrube (Fovea centralis), die inmitten des gelben Flecks liegt. Der **gelbe Fleck** ist daher als Ort der besten Auflösung (und Farbunterscheidung) die Zone der größten Sehschärfe. In der Netzhaut liegen etwa 125 Mio. Sehzellen, dabei etwa 20-mal mehr Stäbchen als Zapfen.

Die linsenseitig gelegenen Fortsätze der Netzhautganglienzellen vereinigen sich zum Sehnerv (Nervus opticus), der nahe dem Netzhautzentrum die Netzhaut durchdringt und nach hinten aus dem A. austritt. An dieser Stelle, dem sog. **blinden Fleck,** enthält die Netzhaut keine Sehzellen, sodass eine Lichtempfindung fehlt. Die von den beiden A. wegführenden Nerven laufen zum Gehirn und bilden an der Basis des Zwischenhirns die x-förmige Sehnervenkreuzung (Chiasma opticum), in der sich die Nervenfasern teilweise überkreuzen. Dadurch können versch. Bilder, die von beiden A. stammen, im Gehirn übereinander projiziert werden, sodass es zu einer Vorstellung der räuml. Tiefe und der dreidimensionalen Gestalt eines Gegenstandes kommt (stereoskop. Sehen).

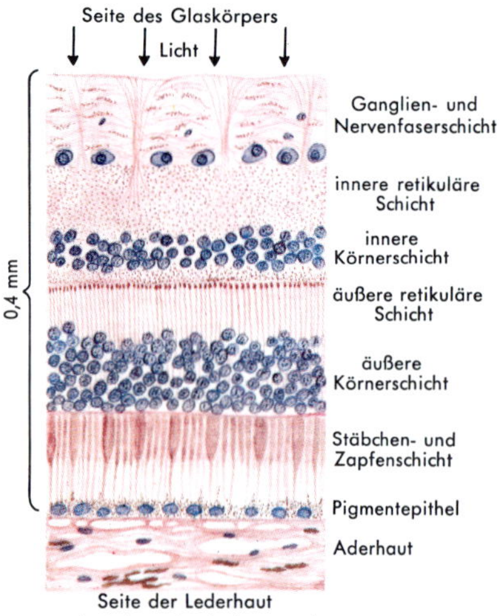

Auge 1): Schnitt durch die Netzhaut

Dem Schutz und der Pflege des A. dienen die **Augenlider.** An ihren Rändern tragen sie die nach außen gebogenen Wimpern. An der Innenkante liegen die **Meibom-Drüsen,** die die Lider einfetten und damit zum vollkommenen Lidschluss beitragen. Gleichzeitig hindert ihr Sekret die Tränenflüssigkeit, den Lidrand zu überspülen. Die Tränenflüssigkeit wird von der **Tränendrüse** abgesondert und durch den Lidschlag auf den gesamten Augapfel verteilt. Die nicht zur Feuchthaltung des Augapfels gebrauchte Tränenflüssigkeit wird vom Tränen-Nasen-Gang in die Nasenhöhle abgeleitet.

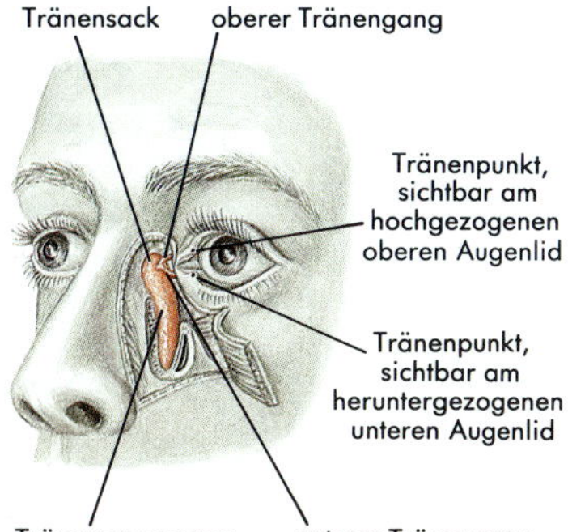

Auge 1): Tränenapparat des linken Auges

Über Augenkrankheiten →Bindehautentzündung, →Blindheit, →Brechungsfehler des Auges, →Glaukom, →Hornhautentzündung, →Katarakt, →Regenbogenhautentzündung, →Star, →Trachom.

2) *Baukunst:* rundes Fenster, Lichtöffnung im Scheitel einer Kuppel.

3) *Botanik:* Knospe, Knospenansatz.

4) *Meteorologie:* windstilles und wolkenloses Gebiet von rd. 20 km Durchmesser im Zentrum eines trop. Wirbelsturms.

Augenbank, Einrichtung, ähnl. der Blutbank, zum Bereithalten von konservierten menschl. Augen für Hornhautüberpflanzungen. Die Augen werden von den Spendern durch Testament der A. vermacht und sofort nach dem Tod entnommen. Die erste dt. A. entstand 1972 in Würzburg.

Augenbrauen, über den oberen Augenlidern befindl. Hautwülste des Menschen, die mit kurzen, straffen Haaren dicht bewachsen sind; schützen die Augen vor Blendung, Staub und Schweiß.

Augendiagnose (Irisdiagnose), Erkennung von Krankheiten allein aus äußerlich sichtbaren Veränderungen der Iris (Regenbogenhaut); von der Schulmedizin abgelehnte Außenseitermethode.

Augendruck (Augeninnendruck, intraokularer Druck), der auf der Augeninnenwand lastende Druck; liegt beim gesunden Auge zw. 16 und 29 mbar (12 bis 22 mm Hg). Der A. wird vom Zwischenhirn aus reguliert. Erhöhung des A. durch Abflussbehinderung des Kammerwassers im Kammerwinkel führt zum →Glaukom.

Augenfalter (Satyridae), Familie der Schmetterlinge mit augenähnlichen Flecken, z.B. das Schachbrett.

Augenheilkunde (Ophthalmologie), Fachgebiet der Medizin, das sich mit Erkennung und Behandlung der Augenkrankheiten beschäftigt.

Augenhintergrund, bei Augenspiegelung sichtbarer hinterer Teil der inneren Augapfelwand. Bei vielen Erkrankungen (z.B. Diabetes mellitus, Hochdruckkrankheit) erhärten die charakterist. Veränderungen am Auge, v.a. von Netzhautgefäßen sowie gelbem und blindem Fleck, die Diagnose.

Augenpunkt, Projektionszentrum einer →Perspektive.

Augenschein, gerichtl. Beweismittel, das die Prüfung einer Sache durch unmittelbare Sinneswahrnehmung durch die Richter bezweckt, z.B. im Rahmen eines Ortstermins außerhalb des Gerichts.

Augenspiegel (Ophthalmoskop), Vorrichtung, die das Innere des Auges der Untersuchung zugänglich macht; früher ein in der Mitte durchlochter Konkavspiegel, heute vielfach ein elektrisches Gerät, in dem eine kleine Glühlampe als Lichtquelle angebracht ist.

Augenspinner (Saturniidae), Familie meist trop. oder subtrop. Schmetterlinge mit farbigen Augenflecken oder durchsichtigen »Fenstern« auf den Flügeln; Hinterflügel oft geschwänzt; z.B. Atlasspinner, Nachtpfauenauge.

Augentripper (Gonoblennorrhö), akute Bindehautentzündung infolge Infektion mit Gonokokken; tritt bei Neugeborenen durch Ansteckung im Geburtsweg auf, wenn die Mutter tripperkrank ist. Zur Vorbeugung gegen eine mögl. Gonokokkeninfektion wird allen Neugeborenen unmittelbar nach der Geburt eine Penicillinlösung in den Augenbindehautsack eingeträufelt.

Augentrost (Euphrasia), krautige Gattung der Rachenblütler mit weißen oder bläul. zweilippigen Blüten; Halbschmarotzer. Die Wirkung des **Gemeinen A.** (Euphrasia officinalis), der in der Volksmedizin bei Augenleiden verwendet wurde, ist umstritten.

Augentrost: Gemeiner Augentrost

Augenzähne, die Eckzähne des Oberkiefers.

Augenzittern (Nystagmus), unwillkürl. dauerndes Hin- und Herbewegen der Augen; physiolog. Erscheinung oder Zeichen bei zentralnervösen Störungen. Häufigste Form ist der **Pendelnystagmus** infolge angeborener oder in frühester Kindheit erworbener Schwachsichtigkeit.

Auger-Effekt [oˈʒe-; nach dem frz. Physiker P. V. Auger, *1899, †1993], strahlungsloser Übergang innerhalb der Elektronenhülle eines Atoms, wobei die frei werdende Energie des angeregten, ionisierten Atoms nicht als Photon emittiert wird, sondern zur Ablösung eines weiteren Hüllenelektrons (Auger-Elektron) führt. Auf dem A.-E. basiert die **Auger-Elektronenspektroskopie (AES)** zur chem.-analyt. Untersuchung von Festkörperoberflächen.

Émile Augier

Augias, myth. König aus dem grch. Elis, dessen völlig verschmutzte Rinderställe (daher **Augiasstall**) Herakles an einem Tage reinigen sollte. Er leitete einen Fluss hindurch.

Augier [oˈʒjeː], Émile, frz. Dramatiker, *Valence 17. 9. 1820, †Croissy-sur-Seine (Dép. Yvelines) 30. 10. 1889; Vertreter des frz. Sittenstücks; geißelte Missstände des gesellschaftl. Lebens.

Augịt [zu grch. augḗ »Glanz«] *der,* Mineral, →Pyroxene.

Augmẹnt [lat. »Zuwachs«] *das,* in einigen indogerman. Sprachen vokal. Vorsilbe zur Bez. von Präteritalformen, z.B. grch. *phero* »ich trage«, *epheron* »ich trug«.

Augsburg 2) Stadtwappen

Augmentatiọn [lat.] *die, Musik:* **1)** in der Mensuralnotation die Verlängerung einer Note um die Hälfte ihres Wertes.

2) die Vergrößerung der Notenwerte z.B. eines Kanons oder des Themas einer Fuge (meist um das Doppelte ihres Wertes); Ggs.: →Diminution.

Augsburg 2): Stadtzentrum mit dem Stadtturm Perlach und dem Rathaus (1615–20)

Augmentatịvum (Amplifikativum) *das,* Vergrößerungsform bei Substantiv und Adjektiv: z.B. »Unmenge«.

Rudolf Augstein

Augsburg, 1) Landkreis im RegBez. Schwaben, Bayern, 1071 km², (1996) 222600 Einwohner.

2) kreisfreie Stadt und Sitz der Verwaltung des RegBez. Schwaben und des Landkreises A., Bayern, an der Mündung der Wertach in den Lech, 489 m ü. M., 259700 Ew., eine der führenden süddt. Ind.- und Handelsstädte, Sitz vieler Behörden, Univ., Hoch- und Fachschulen, Deutsche Barockgalerie (Gemäldegalerie), Museen, Freilichtoper, Marionettentheater »Augsburger Puppenkiste«; Maschinen- und Fahrzeugbau, Papier-, Textil-, Elektro-, Lederwaren-, Büromaschinenind., Druckereien. – An seine Blüte in der Zeit der Fugger und Welser erinnern die Renaissancehäuser der Maximilianstraße, die Fuggerei (1516 gegr., geschlossene Siedlung für arme Bürger), das Rathaus von E. Holl (1615–20); Kirchen: romanisch-got. Dom (11. Jh., wiederholt umgebaut), St.-Anna-Kirche (15.–18. Jh.) mit Grabkapelle der Fugger (Frührenaissancestil), St. Ulrich und Afra (1467–1603, ehem. Benediktinerstift). – A. ging aus der 15 v. Chr. gegr. röm. Militärkolonie **Augusta Vindelicorum** hervor; im 9. Jh. entstand mit dem Bistum die ma. Stadt, die Bischof Ulrich 955 (Schlacht auf dem →Lechfeld bei A.) gegen die Ungarn verteidigte; 1276 Reichsstadt mit eigenem Stadtrecht (erneuert 1315); im 15. und 16. Jh. ein Mittelpunkt des dt. Wirtschafts- und Geisteslebens (Fugger, Welser; Burgkmair, Holbein d. Ä., Peutinger). Im Zeitalter der Reformation, der sich die Stadt anschloss, wurde auf dem Reichstag von 1530 die →Augsburgische Konfession überreicht, 1548 von Kaiser Karl V. das Augsburger →Interim erlassen, 1555 der →Augsburger Religionsfriede geschlossen. 1806 kam die Reichsstadt an Bayern.

📖 *Gesch. der Stadt A. Von der Römerzeit bis zur Gegenwart, hg. v.* G. GOTTLIEB *u. a. Stuttgart 1984. – A.er Stadtlexikon, hg. v.* W. BAER *u. a. Augsburg 1985.*

3) Bistum, vermutlich im 4. Jh. erstmals gegründet; Neugründung im 6./7. Jh., seit 829 zur Kirchenprovinz Mainz gehörend (umfasste schwäb. und bayer. Gebiete). 1817 wurde es Suffraganbistum von München-Freising; 1821 neu umschrieben.

4) Hochstift, das vom Oberallgäu bis über die Donau reichte; ab dem 15. Jh. war Dillingen (erworben 1258) Neben-, im 16.–18. Jh. Hauptresidenz; kam 1802/03 an Bayern.

Augsburger Religiọnsfriede, Reichsgesetz, am 25. 9. 1555 nach Verhandlungen zw. König Ferdinand I. und den Reichsständen auf dem Augsburger Reichstag verkündet. Den Anhängern der Augsburg. Konfession wurden der Friede und der gegenwärtige Besitzstand gesichert. Den weltl. Reichsständen wurde die Religionsfreiheit gestattet; sie entschieden zugleich für die Untertanen, denen dann die Auswanderung blieb (→Cuius regio, eius religio). Geistl. Fürsten verloren jedoch beim Glaubenswechsel ihre Würde.

Augsburgische Konfessiọn (lat. Confessio Augustana), die grundlegende Bekenntnisschrift der luther. Kirche. Sie wurde aufgrund des kursächs. Sonderbekenntnisses von Melanchthon lateinisch und deutsch verfasst und von den Protestanten auf dem Reichstag in Augsburg 1530 Kaiser

Karl V. überreicht. Sie besteht aus 28 Artikeln und behandelt in 2 Teilen den Glauben und die Lehre des Protestantismus und die von ihm beseitigten Missbräuche der kath. Kirche. In den späteren Ausgaben hat Melanchthon mehrfach Änderungen vorgenommen; bes. bedeutsam ist die lat. Ausgabe von 1540 **(Confessio variata),** die in der Abendmahlslehre eine die Ansichten Luthers und Calvins vereinigende Formel enthält (→Abendmahl). Erst seit dem Religionsgespräch in Weimar (1560) griff die luther. Orthodoxie auf die »unveränderte« A. K. **(Confessio invariata)** als den allein gültigen Ausdruck der reinen luther. Lehre zurück und erklärte die »veränderte« A. K. (variata) für ungültig. Die Anerkennung der Confessio variata durch Calvin (1541) ermöglichte es, auch die Reformierten im Westfäl. Frieden als **Augsburg. Konfessionsverwandte** zu behandeln.

Augspurg, Anita, Frauenrechtlerin, *Verden (Aller) 22. 9. 1857, †Zürich 20. 12. 1943; begründete 1903 den »Dt. Verband für Frauenstimmrecht«, Mitgründerin und Führerin der »Internat. Frauenliga für Frieden und Freiheit«, 1933 emigriert.

Augstein, Rudolf, Pseudonyme Jens Daniel, Moritz Pfeil, Publizist, *Hannover 5. 11. 1923; seit 1946 Herausgeber der Wochenzeitschrift »Der Spiegel«; schrieb u. a. »Spiegelungen« (1964), »Preußens Friedrich und die Deutschen« (1968), »Jesus Menschensohn« (1972), »Deutschland, einig Vaterland? Ein Streitgespräch« (1990; mit G. Grass).

Auguren [lat. »Vogelschauer«], altröm. Priester, die aus Vorzeichen **(Augurien),** insbesondere bei der Beobachtung von Vögeln, im Hinblick auf wichtige Staatshandlungen den göttl. Willen zu erforschen hatten (→Auspizien). **Augurenlächeln,** Lächeln Eingeweihter über die Leichtgläubigkeit der Menge (nach Cicero).

August [nach Kaiser Augustus], Abk. **Aug.,** der 8. Monat unserer Zeitrechnung, mit 31 Tagen, der 6. (Sextilis) im vorjulian. und im julian. Kalender (nach Reform der 8.); frühere dt. Namen: **Ähren-** oder **Erntemonat (-mond), Ernting.**

August, Herrscher:

Braunschweig-Wolfenbüttel: **1) A. d. J.,** Herzog (1635–66), *Dannenberg 10. 4. 1579, †Wolfenbüttel 17. 9. 1666; einer der gelehrtesten Fürsten seiner Zeit, Gründer der Bibliotheca Augusta.

Preußen: **2) A. Wilhelm,** *Berlin 9. 8. 1722, †Oranienburg 12. 6. 1758; Bruder Friedrichs d. Gr., Vater Friedrich Wilhelms II.; erhielt 1744 als voraussichtl. Nachfolger seines kinderlosen Bruders den Titel »Prinz von Preußen«. Im Siebenjährigen Krieg versagte er 1757 als Heerführer und zerstritt sich mit dem König.

Sachsen: **3) A.,** Kurfürst (1553–86), *Freiberg 31. 7. 1526, †Dresden 12. 2. 1586; erwarb die Stifte Merseburg, Naumburg und Meißen, das Vogtland und eroberte Gotha. Seine Reichspolitik war auf die Erhaltung des Friedens gerichtet, gegen den streitbaren Kalvinismus der Kurpfalz. Im Geist strengsten Luthertums verfolgte er seit 1574 die Anhänger Melanchthons in Sachsen (»Kryptokalvinisten«). Er förderte Industrie und Handel (Leipziger Messen), ordnete Verwaltung, Münzwesen und Gesetzgebung (Codex Augusteus) und gründete die Dresdner Kunstsammlungen.

Sachsen-Polen: **4) A. II., der Starke,** als **Friedrich A. I.** Kurfürst von Sachsen (seit 1694), König von Polen (1697–1706, 1709–33, gewählt nach Übertritt zum Katholizismus), *Dresden 12. 5. 1670, †Warschau 1. 2. 1733; nahm am Nord. Krieg (seit 1700) gegen den Schwedenkönig Karl XII. teil; infolge mehrerer Niederlagen musste er 1706 im Frieden von Altranstädt auf Polen verzichten, gewann es aber mit russ. Hilfe nach der Niederlage Karls XII. in der Schlacht bei Poltawa (1708) zurück. Vergebens suchte er die poln. Königsgewalt absolutistisch zu stärken. Seine Pracht- und Kunstliebe (nach dem Vorbild Ludwigs XIV.) führte in Warschau und Dresden zu großartigen Bauten (Dresdner Barock). Von seinen zahlr. Mätressen gebar ihm u. a. Aurora von Königsmarck den Grafen Moritz von →Sachsen, die Türkin Fatime den Grafen Rutowski.

5) A. III., als **Friedrich A. II.** Kurfürst von Sachsen (seit 1733), König von Polen (seit 1733), *Dresden 17. 10. 1696, †ebd. 5. 10. 1763, Sohn von 4); wurde 1712 katholisch. Die poln. Krone erlangte er durch die Hilfe Russlands im Poln. Thronfolgekrieg (1733–35). Er überließ die Regierung weitgehend dem Grafen →Brühl.

Augusta, dt. Kaiserin und Königin von Preußen, *Weimar 30. 9. 1811, †Berlin 7. 1. 1890; sachsen-weimar. Prinzessin, seit 1829 ⚭ mit dem späte-

August, Kurfürst von Sachsen (Gemälde von Lucas Cranach d. J.; Dresden, Gemäldegalerie)

August II., der Starke (Marmorbüste von Guillaume Coustou d. Ä., um 1700; Dresden, Staatliche Kunstsammlungen)

In seiner Wahlkapitulation, den vertraglichen Zusicherungen an die Kurfürsten, bestätigte der künftige Kaiser Rudolf II. 1575 in Regensburg den **Augsburger Religionsfrieden** *von 1555: »Wir sollen und wollen auch sonderlich die vorgemelte gulden Bull, den Frieden in Religion und Prophansachen, auch den Landtfrieden, sambt der Handthabung desselben, so auf jüngst zue Augspurg, im fünff und fünffzigsten Jahr gehaltenen Reichstag aufgericht, angenommen, verabschiedet und verbessert worden, steet und vest halten, handthaben, und darwider niemands beschweren, oder durch andere beschweren lassen, und die andere des heiligen Reichs Ordnung und Gesatz, sovil die den obgemelten angenommenen Reichs Abschiedt im fünff und fünffzigsten Jahr zue Augspurg aufgericht, nit zuwider confirmiren, erneuern, und wo Nott, dieselben mit Rath unser und des Reichs Churfürsten, Fürsten und anderer Stände bessern, wie das zue iederzeit des Reichs Gelegenheit erfordern würdt.«*

Augusta
(Ausschnitt aus einem Gemälde von Bernhard Plockhorst; um 1870)

Auguste Viktoria

ren Kaiser Wilhelm I., den sie stark beeinflusste; Gegnerin Bismarcks.

Augusta [weibl. Form von Augustus], **1)** Ehrentitel der Gattin oder der nächsten weibl. Verwandten eines röm. Kaisers.

2) in röm. Zeit seit Augustus Name von Städten und Militärkolonien, z.B. A. Treverorum (Trier).

Augusta, 1) [ɔːˈgʌstə] Hauptstadt des Bundesstaates Maine, USA, am Kennebec River, 21 300 Ew.; Staatsbiliothek; Papierwaren-, Textilindustrie. – Entstand um 1628 als Handelsstation.

2) Hafenstadt auf einer Insel vor der O-Küste Siziliens, Italien, durch Brücken mit dem Land verbunden, 34 200 Ew.; Marine- und Handelshafen; Erdölraffinerie, chem. Industrie, Meeressalinen. – Stauf. Kastell, Dom (18. Jh.).

Augustenburger, Herzöge von Schleswig-Holstein-Sonderburg-Augustenburg, ein Zweig der Oldenburger. Bedeutung im 19. Jh. (→ Schleswig-Holstein, Geschichte).

Auguste Viktoria, letzte dt. Kaiserin und Königin von Preußen, *Dolzig (heute Dolsk, Wwschaft Zielona Gora) 22. 10. 1858, †Haus Doorn (Niederlande) 11. 4. 1921; Tochter des Herzogs Friedrich von Schleswig-Holstein-Sonderburg-Augustenburg, ⚭ seit 1881 mit dem späteren Kaiser Wilhelm II.

Augustinus liest aus seinem Buch »De civitate Dei« vor (Ausschnitt aus einer französischen Miniatur von 1445)

Augustin, Ernst, Schriftsteller, *Hirschberg im Riesengebirge (heute Jelenia Gora) 31. 10. 1927; lebt als Psychiater in München; schreibt Romane mit Tendenz zum Fantastischen und Surrealen, u.a. »Raumlicht, der Fall Evelyn B.« (1976), »Eastend« (1982).

Augustiner, zusammenfassende Bez. für zahlr. kath. Ordensgemeinschaften, die nach der auf Schriften des hl. Augustinus beruhenden »Augustinusregel« leben:

1) A.-Chorherren. Im 11. Jh. schlossen sich die Domherren, die in klösterl. Gemeinschaft lebten, zusammen. Hauptaufgabenfelder sind heute Seelsorge und Unterricht.

2) A.-Eremiten, ein im 13. Jh. gegründeter Bettelorden, seit dem 16. Jh. mit drei Zweigen (Orden der Brüder des hl. Augustinus, beschuhte und unbeschuhte A.). Der sächs. Ordensprovinz gehörten Luther und J. Staupitz an.

3) A. von Mariä Himmelfahrt, die → Assumptionisten.

4) Augustinerinnen, die → Zellitinnen.

Augustinus, 1) Aurelius, lat. Kirchenlehrer, *Tagaste (Numidien) 13. 11. 354, †Hippo Regius (N-Afrika) 28. 8. 430; Sohn der Christin Monnika, war Lehrer der Rhetorik in Tagaste, Karthago, Rom, Mailand, wandte sich erst den Manichäern und dem Neuplatonismus zu, wurde nach seiner Bekehrung (386) von Ambrosius 387 getauft und war seit 395 Bischof von Hippo Regius. Einblick in seine innere Entwicklung geben seine »Confessiones« (Bekenntnisse). Seine Schriften waren von größtem Einfluss auf die abendländ. Theologie und Philosophie, bes. in der älteren Franziskaner- und Dominikanerschule, aber auch auf die Anfänge der Reformation Luthers, in der Neuzeit auf R. Descartes, B. Pascal und M. Scheler (Augustinismus). Seine Lehrentwicklung ist bestimmt durch die Auseinandersetzung mit versch. Sekten, v.a. den afrikan. Donatisten. In seiner Polemik gegen die Pelagianer hat er die Wirkung der Erbsünde und der Gnade nicht selten so stark unterstrichen, dass sie als Prädestinationslehre verstanden werden kann. Die Philosophie des A. ist ein christl. Platonismus (Neuplatonismus). Im Kampf gegen die akadem. Skepsis brachte er als Erster die Bedeutung des Bewusstseins als des unbezweifelbaren Ausgangspunktes aller Wahrheitserkenntnis zur Geltung. Die aprior. Einsicht, z.B. der mathemat. Wahrheiten, erklärt er durch eine göttl. Erleuchtung; durch sie gewinne der menschl. Geist Teilhabe an den göttl. Ideen und schaue in ihnen die unveränderl. Wahrheiten. Gott habe Welt und Zeit erschaffen und von Anfang an gewisse später sich entfaltende Keimkräfte in die Materie gelegt. Die Menschheitsgeschichte sieht A. im Ggs. zur antiken Auffassung nicht als ewig sich wiederholenden Kreislauf, sondern als einmaligen Ablauf von der Weltschöpfung bis zum Weltgericht und begründete so eine neue Geschichtsphilosophie. Heiliger, Tag: 28. 8.

Weiteres Werk: De civitate Dei (»Über den Gottesstaat«).

📖 *A.-Lexikon, hg. v.* CORNELIUS MAYER. *Auf mehrere Bde. ber. Basel u. a. 1986ff.* – FLASCH, K.: *Augustin. Einführung in sein Denken. Stuttgart ²1994.*

2) Apostel der Angelsachsen, †26. 5. 604; Benediktiner, von Papst Gregor I. 596 nach England zu dessen Missionierung entsandt, 601 erster Erzbischof von Canterbury. Heiliger, Tag: 27. 5.

Augustus [lat. »der Erhabene«], Ehrenname der röm. Kaiser, erstmals 27 v. Chr. Gaius Octavianus verliehen. In der Form **semper Augustus** ist er auf die dt. Kaiser mit dem Sinn »Allezeit Mehrer des Reiches« übertragen worden.

Augustus, urspr. Gaius Octavius, nach seiner Adoption Octavianus, der erste röm. Kaiser, *Rom 23. 9. 63 v. Chr., †Nola 19. 8. 14 n. Chr.; Großneffe und Adoptivsohn von Julius Cäsar, bekämpfte nach der Ermordung Cäsars (44), der ihn zum Erben eingesetzt hatte, Antonius, verband sich aber 43 mit ihm und Lepidus zum 2. Triumvirat. Mit Antonius besiegte er 42 bei →Philippi die Cäsarmörder Brutus und Cassius. Durch den Brundisin. Vergleich (40) erhielt er den Westen, Antonius den Osten des Röm. Reichs, Lepidus Afrika. Nach A.' Sieg über Antonius und Kleopatra bei Actium 31 wurde er Alleinherrscher, 27 mit dem Ehrennamen A. ausgezeichnet. Bis zum Jahre 23 bekleidete A. jährlich das Konsulat; nach dessen Niederlegung gewann er die volle »tribunicia potestas« d. h. alle

Augustus: Die Marmorstatue von Prima Porta ist vermutlich eine Kopie eines zwischen 20 und 17 v. Chr. entstandenen Originals aus Bronze oder Gold (14 n. Chr.; Rom, Vatikanische Sammlungen)

Rechte eines Volkstribunen (v. a. das Veto- und Gesetzgebungsrecht). Im Jahre 2 v. Chr. erhielt er den Titel »pater patriae« (»Vater des Vaterlandes«). A. weitete die Grenzen des Röm. Reiches aus, sicherte sie und stellte den inneren Frieden wieder her (»Pax Augusta«); er förderte Wiss. und Künste und zog die bekanntesten Dichter seiner Zeit (Vergil, Horaz, Ovid u. a.) nach Rom **(Augusteisches Zeitalter).** A. ist der Begründer des röm. Kaisertums (→Prinzipat).

📖 VITTINGHOFF, F.: *Kaiser A. Göttingen u. a. ³1991.* – KIENAST, D.: *A. Prinzeps u. Monarch. Darmstadt ²1992.* – GIEBEL, M.: *A. Reinbek 18.–19. Tsd. 1995.*

Augustusburg, Stadt im Kreis Freiberg, Sachsen, zw. Zschopau- und Flöhatal, 505 m ü. M., 2500 Ew. – Über A. das 1567–72 von H. Lotter für die sächs. Kurfürsten erbaute Schloss (heute Kutschen- und Zweitakt-Motorradmuseum).

Gib mir meine Legionen wieder!

Das Zitat geht auf den römischen Schriftsteller Sueton zurück. Sueton berichtet in seiner Biographie des Kaisers **Augustus,** *dieser habe angesichts der von seinem Feldherrn Varus verlorenen Schlacht gegen die Germanen im Teutoburger Wald (im Jahr 9 n. Chr.) ausgerufen »Quinctili Vare, legiones redde!« (»Quinctilius Varus, gib mir die Legionen wieder!«). – Der deutsche Dichter Victor von Scheffel besang die Teutoburger Schlacht in einem vielstrophigen Kommerslied, in dessen 11. Strophe es über Augustus heißt:*

»Erst blieb ihm vor jähem Schrecken
Ein Stück Pfau im Halse stecken,
dann geriet er außer sich:
Varus, Varus, schäme dich,
Redde legiones!«

Mit dem Zitat kann man jemanden scherzhaft zu Wiedergutmachung auffordern, wenn man etwas durch dessen Schuld eingebüßt hat; es kann auch allgemein das Bedauern über etwas Verlorenes ausdrücken, das man gern zurückbekäme.

Auktion [lat.] *die,* →Versteigerung.

Aul *der,* Sippenverband bei den zentralasiat. Turkvölkern, auch ihre Siedlung.

Aula [lat., aus grch.] *die,* schon bei Homer der Hof, z. B. im Palast, aber auch im ländl. Gehöft; in klass. Zeit der Innenhof des grch. Hauses; später Bez. für große Hausanlagen, bes. der Königs- und Kaiserpaläste (A. regia), entsprechend unserem »Hof«. In neuerer Zeit nennt man die Versammlungs- und Festräume in Universitäten und Schulen A., z. T. auch das Universitätsgebäude (»Alte A.« und »Neue A.« in Tübingen).

Aulis, Ort an der Küste Böotiens, südlich von Chalkis; Artemisheiligtum. Hier soll sich im Trojan. Krieg die grch. Flotte gesammelt haben; Schauplatz der Sage von Iphigenie.

Aulos [grch. »Röhre«] *der,* antikes grch. Blasinstrument mit doppeltem oder einfachem Rohrblatt und einer Röhre aus Schilf, Holz oder Bronze, mit zunächst drei oder vier, später bis zu 15 Grifflöchern; wurde meist paarweise von einem Spieler, dem **Auleten,** bei dionys. Kulten und mus. Wettkämpfen gespielt. BILD S. 346

A und O, erster und letzter Buchstabe des grch. Alphabets (Alpha und Omega); im N.T. Sinnbild für Gott (Christus) als Anfang und Ende.

Das A und O

Diese Wendung geht zurück auf eine Stelle aus der Offenbarung des Johannes (1, 8) mit dem Wortlaut: »Ich bin das A und das O, der Anfang und das Ende, spricht Gott der Herr ...«. Das A entspricht dabei dem ersten (Alpha), das O dem letzten Buchstaben des griechischen Alphabets (Omega). Das A und das O als das alles Umfassende ist eine Metapher für Gott. – Die Wendung hat für uns die Bedeutung das Wesentliche, die Hauptsache, der Kernpunkt.

Aung San, birman. General und Politiker, *Natmauk 13. 2. 1915, †(ermordet) Rangun 19. 7. 1947; kämpfte zunächst als Befehlshaber einer »Birman. Unabhängigkeitsarmee« zus. mit den Japanern gegen die brit. Kolonialmacht, 1945 gegen die japan. Besatzungsmacht; 1944–47 Präs. der Anti-Fascist People's Freedom League; schloss 1947 mit dem brit. Premiermin. C. Attlee einen Vertrag über die Unabhängigkeit Birmas.

Aung San Suu Kyi

Aung San Suu Kyi [-dʒi], birman. Politikerin, *Rangun 19. 6. 1945; Tochter von Aung San, Mitbegründerin (1988) und Gen.-Sekr. der National League for Democracy (NLD), wegen ihrer führenden Rolle in der Opposition 1989-95 von der Militärjunta unter Hausarrest gestellt; erhielt 1991 den Friedensnobelpreis.

Aulos: »Flötenspieler«, Wandmalerei aus dem »Grab des Leoparden« in Tarquinia (um 480 v. Chr.)

Aunjetitzkultur, Kulturgruppe der frühen und mittleren Bronzezeit, benannt nach einem mit reichen Metallgerätschaften ausgestatteten Gräberfeld bei Aunjetitz (tschech. Únětice, nordwestl. von Prag), verbreitet in Mähren, Böhmen, Niederösterreich, Schlesien, Sachsen, Thüringen, Brandenburg und W-Polen.

Aupairmädchen [o'pɛ:r-, frz.], junges Mädchen (meist Schülerin oder Studentin), das für Verpflegung, Unterkunft und Taschengeld in ausländ. Familien im Haushalt hilft, um die Landessprache zu erlernen.

Aura [lat. »Luft«, »Hauch«] *die,* **1)** *Medizin:* seel. Erlebnisse oder körperl. Empfindungen, die epilept. Krampfanfällen vorangehen können.

2) *Okkultismus:* lichtartiger Schein, der (halluzinatorisch) von Sensitiven um einzelne Menschen gesehen wird; dem Heiligenschein vergleichbar.

Aurangabad, Stadt im westind. Bundesstaat Maharashtra, 572 000 Ew.; Univ., Baumwollmarkt und -industrie. – 1610 unter dem Namen **Kirki** gegr., im 17. Jh. Residenz des Großmoguls Aurangseb. Aus dieser Zeit stammen zahlreiche Bauwerke, u.a. Mausoleum der Lieblingsfrau Aurangsebs.

Aurangabad: Mausoleum der Lieblingsfrau des Großmoguls Aurangseb (erbaut 1679)

Aurangseb, Großmogul von Indien (1658–1707), *Dhod (Gujara) 3. 11. 1618, †Ahmadnagar 3. 3. 1707; stürzte 1658 seinen Vater Schah Jahan, ermordete seine Brüder und bestieg den Thron als **Alamgir** (»Welteroberer«). Unter A. erreichte das Mogulreich seine größte Ausdehnung.

Aurbacher, Ludwig, Schriftsteller, *Türkheim (Kreis Unterallgäu) 26. 8. 1784, †München 25. 5. 1847; verfasste »Ein Volksbüchlein« (2 Bde., 1827–29; darin die Abenteuer der sieben Schwaben) und andere Bearbeitungen alten Volksguts.

Aurea Mediocritas [lat. »die goldene Mitte«] *die,* richtiges Maß zw. dem Zuviel und Zuwenig, aber auch: Mittelmäßigkeit.

Aurelianus (Aurelian), Lucius Domitius, röm. Kaiser (270–275), *bei Sirmium (Pannonien, heute Sremska Mitrovica) 9. 9. 214, †(ermordet) bei Byzanz 275; besiegte 270 die Goten und Wandalen an der Donaugrenze, 271 in Italien die Alemannen und Markomannen und begann mit dem Bau der letzten großen Befestigungsmauer Roms **(Aurelian. Mauer).** 271–273 unterwarf er das Reich von Palmyra.

Aureole [zu lat. aureolus »golden«] *die,* **1)** *atmosphär. Optik:* die meist als **Hof** bezeichnete atmosphärische Leuchterscheinung in Form eines weiß leuchtenden Kranzes um Sonne oder Mond, entsteht durch Beugung der Lichtstrahlen an Wassertröpfchen oder Eiskristallen.

2) *Bergbau:* fahlblauer Flammensaum an der Flamme einer →Wetterlampe.

3) *bildende Kunst:* der die ganze Gestalt umgebende →Heiligenschein.

Aurès [ɔ'rɛs], höchstes Massiv des Saharaatlas, im O Algeriens, bis 2 328 m hoch, von Berberstämmen bewohnt.

Aureus [lat. »golden«] *der,* altröm. Goldmünze, unter Cäsar in größerem Umfang geprägt (1 A. = 100 Sesterzen), in der Kaiserzeit Währungsgrundlage.

Auric [ɔ'rik], Georges, frz. Komponist, *Lodève (Dép. Hérault) 15. 2. 1899, †Paris 23. 7. 1983; komponierte v.a. Filmmusiken, auch Opern, Ballette.

Aurich, 1) Landkreis im RegBez. Weser-Ems, Ndsachs., 1287 km², (1996) 180 100 Ew.

2) Krst. in Ndsachs., am Ems-Jade-Kanal, 39 500 Ew., Wasser- und Schifffahrtsdirektion; Großviehauktionen; elektron., Bekleidungs- und Bauind., Verlage. – Klassizistische Kirche und Bürgerhäuser. – Bei A. liegt der Hügel Upstalsboom, der bis zum 14. Jh. als Versammlungsstätte der Friesen diente. 1561 wurde A. Residenz von Ostfriesland, 1744 Hptst. der preuß. Prov. Ostfriesland.

Auriga [lat.] *der,* das Sternbild →Fuhrmann.

Aurignacien [oriɲa'sjɛ̃; frz. nach dem Ort Aurignac, Dép. Haute-Garonne] *das,* Kulturstufe der Altsteinzeit. Typisch für das zw. 35 000 und 30 000 v. Chr. vom Don bis zum Atlantik verbreitete A. sind retuschierte Klingen und Speerspitzen aus Knochen. Das A. umfasst etwa die mittlere Würm-Eiszeit und bildet das älteste Zeugnis für das Auftreten von Rassengruppen der heutigen Menschheit (Homo sapiens sapiens; **Aurignac-Mensch**); Funde in →Cro-Magnon.

Aurignacien: Handnegative, gefunden in Gargas bei Aventignan, Frankreich

Aurikel [von lat. auricula »Öhrchen«; nach der Form der Blätter] *die,* Bez. einiger Arten der Gattung Schlüsselblume (Primula). Als Zierpflanze blüht die A. in vielen Farben.

aurikular [zu lat. auris »Ohr«], die Ohren betreffend.

Aurillac [ɔri'jak], Hptst. des südfrz. Dép. Cantal, in der Auvergne, 30 800 Ew.; Museen; Vieh- und Käsemarkt; Möbel-, Schuh-, Nahrungsmittelindustrie. – A. war im MA. eine Stätte bed. Gelehrsamkeit (Abtei Saint-Géraud). – Kirche Notre-Dame-des-Neiges (16. Jh.) mit »Schwarzer Madonna«.

Aurignacien: Steinbock mit Darstellungen von Trittsiegeln, gefunden in Cougnac bei Gourdon, Frankreich

Auriol [ɔ'rjɔl], Vincent, frz. Politiker (Sozialist), *Revel (Dép. Haute-Garonne) 27. 8. 1884, †Paris 1. 1. 1966; seit 1936 wiederholt Minister; 1947–54 erster Präs. der Vierten Republik.

Aurich 2) Stadtwappen

Auripigment [lat. »Goldfarbe«] (Rauschgelb), Arsentrisulfid As_2S_3, monoklines Mineral, gelb, durchscheinend.

Auripigment (Kristalle)

Aurobindo, Sri, eigtl. A. Ghose, ind. Philosoph des Neuhinduismus, *Kalkutta 15. 8. 1872, †Pondicherry 5. 12. 1950; erstrebte eine dogmenfreie Verbindung aller dem Menschen dienenden Religionen mit dem »Integralen Yoga«.

Aurora [lat.], röm. Göttin der Morgenröte; sie entspricht der grch. Göttin →Eos.

Aurorafalter (Anthocharis), Tagfalter aus der Familie der Weißlinge, Männchen mit orangeroten Vorderflügelspitzen; die Raupe lebt bes. an Wiesenschaumkraut.

Aurum [lat.] *das,* lat. Bez. für →Gold.

Ausbeute, *Recht:* Ertrag, der über die natürl. Erzeugnisse hinaus aus einer Sache gezogen wird, z.B. die einem Grundstück außer den Früchten entnommene Gartenerde (§ 99 BGB).

Aurorafalter

Ausbeutung, 1) *allg.:* Ausnutzung und Verwertung von Bodenschätzen und Rohstoffen, auch von Land.

2) *Wirtschaftstheorie:* (Exploitation) Aneignung unbezahlter fremder Arbeit durch ökonom. und außerökonom. (phys.) Zwang; nach der marxist. A.-Theorie gesellschaftl. Verhältnis zw. Klassen mit unterschiedl. Stellung zu den Produktionsmitteln. Die Arbeitenden erhalten als Lohn nicht den vollen Tauschwert der von ihnen geschaffenen Waren, sondern nur das zur Deckung des eigenen Reproduktionsaufwands Benötigte; die Differenz ist der →Mehrwert. Nach der Volkswirtschaftstheorie liegt A. vor, wenn unter dem Grenzwertprodukt der Arbeit entlohnt wird (→Grenzproduktivitätstheorie). Die **A.-Theorien** sind Einkommensverteilungstheorien, nach denen die Produktionsmitteleigentümer eine monopolähnliche Stellung gegenüber den eigentumslosen Arbeitern haben, wodurch neben den Arbeitseinkommen durch Abzug vom Lohn oder durch Aufschlag auf den Preis Nichtarbeitseinkommen (»leistungslose« Besitzeinkommen) entstehen.

Ausbildender, im Berufsbildungs-Ges. (→berufliche Bildung) Bez. für einen Unternehmer, der einen Auszubildenden (Lehrling) zur Berufsausbildung einstellt. Wenn der A. die persönl. und fachl. Eignung besitzt, kann er die Berufsausbildung selbst durchführen, andernfalls muss er einen **Ausbilder** beauftragen.

Ausbildungsbeihilfen (Ausbildungszulagen, Ausbildungsförderung), finanzielle Unterstützung zum Besuch von weiterführenden allgemein bildenden Schulen, Hochschulen, Fachschulen, Berufsfachschulen u.a.; werden heute v.a. aufgrund des Bundesausbildungsförderungsgesetzes (Abk. BAföG) i.d.F. v. 6. 6. 1983 (mit zahlreichen Änderungen) gewährt. Es besteht ein Rechtsanspruch auf A. für eine der Neigung, Eignung und Leistung entsprechende Ausbildung, wenn die Auszubildenden bedürftig sind, ihnen also die erforderl. Mittel nicht anderweitig zur Verfügung stehen. Der Umfang der A. richtet sich wesentlich nach der Höhe des Nettoeinkommens der Eltern, des Ehegatten und des Auszubildenden. Sie werden seit 1. 7. 1990 (für Neuanträge) bzw. seit 1. 10. 1990 für Studierende an Hochschulen und Fachhochschulen je zur Hälfte als Zuschuss und als Darlehen vergeben. Das Darlehen wird von der Dt. Ausgleichsbank im Rahmen eines privaten Darlehensvertrags geleistet und ist für neue Bewilligungen seit 1. 8. 1996 von Anfang an zu verzinsen; Zinssatz in der Ausbildungszeit variabel. Die Zinsschuld wird jährlich zum 31. 3. und 30. 9. der Darlehnsschuld hinzugefügt. Mit den Tilgungen ist ein halbes Jahr nach Ende der Förderdauer zu beginnen; sie können jedoch gestundet werden. Es gilt eine Förderungshöchstdauer, die regelmäßig zw. sechs (höhere Fachschulen) und, je nach Fachrichtung, bis zu 12 Semestern und drei Monaten einschließlich der Prüfungen beträgt. Die gesetzl. Fördersätze sind periodisch zu überprüfen; der Förderungshöchstsatz für auswärts wohnende Studierende beträgt (1999) monatlich 1010 DM (alte Bundesländer); für die neuen Bundesländer gelten Besonderheiten. Zuständig für die Anträge auf A. sind die Ämter für Ausbildungsförderung.

A. für die Berufsausbildung werden nach dem Arbeitsförderungs-Ges. und der Anordnung des Verwaltungsrats der Bundesanstalt für Arbeit über die individuelle Förderung der berufl. Ausbildung geleistet. Darüber hinaus sind A. für bestimmte Personenkreise im Rahmen der Sozialhilfe, der Kriegsopferversorgung, des Lastenausgleichs, der Häftlingshilfe u.a. sowie nach den Vorschriften für Dienstanfänger im öffentl. Dienst vorgesehen. Diese A. werden auf etwaige Leistungen nach dem BAföG angerechnet. Zahlreiche A. und Förderungsmaßnahmen werden auch von privater Seite (bes. Stiftungen) gewährt.

Durch das Aufstiegsfortbildungsförderungs-Ges. vom 23. 4. 1996 haben Nachwuchskräfte (ohne Altersbegrenzung) in Handwerk oder Industrie, die die Meisterprüfung anstreben, einen Anspruch auf finanzielle Unterstützung (»Meister-Bafög«). Die Förderung ist teilweise einkommens- und vermögensunabhängig als Darlehen (bis 20 000 DM), teilweise einkommensabhängig als Zuschuss und Darlehen zum Lebensunterhalt (bei Ledigen höchstens 1045 DM, davon 373 DM als Zuschuss; höheres Darlehen bei Verheirateten, Zuschuss bei allein Erziehenden) ausgestaltet.

Ausbildungsfreibetrag, der einem Steuerpflichtigen wegen der Aufwendungen für die berufl. Ausbildung seiner Kinder jährlich zustehende Freibetrag (§ 33 a EStG); beträgt 1800 DM (Kinder unter 18 Jahren), 2400 DM (über 18 Jahre), 4200 DM (bei auswärtiger Unterbringung).

Ausblühung, **1)** *Bautechnik:* Schäden an Bauwerken durch Ausscheidungen von Salzen auf Mauerwerk und Beton durch Trocknungsprozesse oder Witterungseinflüsse.

2) *Bodenkunde:* das Auskristallisieren von Calcium- und/oder Natriumsalzen auf Böden in Trockengebieten.

Ausbreitungsgeschwindigkeit, die →Fortpflanzungsgeschwindigkeit einer Welle.

Ausbürgerung, die Aberkennung der →Staatsangehörigkeit.

Auschwitz (poln. Oświęcim), Stadt in der poln. Wwschaft Bielsko-Biała, an der Mündung der Soła in die Weichsel, 46000 Ew.; Bahnknotenpunkt; chem., Metallind., Maschinenbau. – 1940 errichtete die SS in A. ein KZ und erweiterte es 1941 zum Vernichtungslager mit drei Hauptlagern (A I-Stammlager, A II-Birkenau und A III-Monowitz) und 39 Außen- und Nebenlagern. Die neuere Forschung geht von 0,8 bis 1,6 Mio. Opfern (v.a. Juden, aber auch Sinti und Roma) aus. Diese Massenvernichtung europ. Juden war Gegenstand der Verfahren in sechs **A.-Prozessen** (zw. 1965 und 1981) gegen Mitgl. der Lagermannschaft. – Die

1947 eingerichtete Mahn- und Gedenkstätte A.-Birkenau gehört zum UNESCO-Welterbe.

📖 BASTIAN, T.: *A. u. die »Auschwitz-Lüge«. Massenmord u. Geschichtsfälschung. München*[2]*1994.* – GREIF, G.: *... wir weinten tränenlos. Augenzeugenberichte der jüdischen Sonderkommandos in A. A. d. Hebr. Köln 1995.* – *Sterbebücher von A. Redaktion:* J. DĘBSKI. *3 Bde. München 1995.* – WERLE, G. u. WANDRES, TH.: *A. vor Gericht. Völkermord u. bundesdt. Strafjustiz. München 1995.*

Ausdehnung, **1)** *Kosmologie:* (Expansion des Weltalls) die angenommene zeitlich fortschreitende Vergrößerung des Weltalls, →Expansion, →Hubble-Effekt.

2) *Physik* und *Technik:* einerseits die Raumfüllung von Körpern, andererseits auch als Vorgang jede Volumenzunahme (Expansion), insbesondere die Änderung der Länge **(lineare A.)** oder des Volumens **(kubische A.)** von Körpern durch Erwärmung. Der **A.-Koeffizient** gibt den Bruchteil an, um den Länge bzw. Rauminhalt je Grad Temperaturerhöhung zunehmen (A.-Gesetz der Gase: →Gay-Lussac-Gesetz). Die A. wird z.B. bei den versch. Flüssigkeitsthermometern ausgenützt.

Ausdehnungsgefäß, Gefäß zur Aufnahme der in flüssigkeitsgefüllten Behältern oder Leitungen (z.B. Warmwasserheizungen) durch die Wärmeausdehnung hervorgerufenen Flüssigkeitsvolumenzunahme.

Ausdruck, **1)** *Informatik:* die Verknüpfung von →Operanden durch mathemat. und log. Operationen.

2) *Musik:* die Gesamtwirkung objektiv nicht greifbarer Interpretationsmittel, z.B. Schattierung der Dynamik, Temposchwankungen, Differenzierung der Klanggestaltung.

3) *Psychologie:* körperl. oder gegenständl., willentl. oder unwillentl. Äußerungen, die als Zeichen seel. Momente gedeutet werden. I.w.S. rechnen hierzu auch die objektivierten Formen, alle von der Person geschaffenen Gestaltungen, in erster Linie die Handschrift und alle Werkerzeugnisse. Die einzelnen Bereiche des menschl. A. werden von der →Ausdruckspsychologie untersucht.

Ausdruckspsychologie, Teilgebiet der Psychologie, das sich in engem Zusammenhang mit der Psychodiagnostik (u.a. →Graphologie) und der Persönlichkeitsforschung mit den einzelnen Bereichen des menschl. Ausdrucks beschäftigt. A. unterscheidet zw. der **Physiognomik,** die aus der Bauform des Körpers und einzelner Teile (Gesicht, Hand) bestimmte Bedeutungen herleitet, und der auf den Aussagewert bewegter Formen (Mimik, Gestik, Gebärden) gerichteten **Pathognomik.**

Ausdruckstanz, →Tanz.

Auseinandersetzung, die zur Auflösung von Gemeinschaftsverhältnissen erforderl. Aufteilung des gemeinschaftl. Vermögens. Sie erfolgt gemäß §752 ff. BGB nach Abzug der auf dem Vermögen lastenden Schuld i.d.R. durch Teilung in Natur oder Verkauf und Teilung des Erlöses. Für die Gesellschaft, die ehel. Gütergemeinschaften und im Erbrecht (→Miterbe) gelten besondere Regeln.

Auschwitz: Selektion auf der Rampe von Auschwitz-Birkenau nach der Ankunft eines Eisenbahntransports aus einem jüdischen Getto (Foto, Sommer 1942)

auserwähltes Volk, im A.T. (2. Mos. 19,5 ff., 5. Mos. 7,6 ff.) das Volk Israel; im N.T. (Röm. 9,4) wird die Auserwählung auf die Gemeinschaft der Christen übertragen.

Ausfall, *Fechten:* Vorschnellen des Ausfallbeins, während das Standbein gestreckt wird, zus. mit dem Stoß oder Hieb ein direkter Angriff auf den Gegner.

Ausfall

Ausfallbürgschaft, eine Bürgschaft nur für den Schaden, den ein Gläubiger durch den Ausfall einer Forderung erleidet.

Ausfällen, *Chemie:* die →Fällung.

Ausfallerscheinung, Versagen oder Einschränkung einer Körperfunktion nach Erkrankung oder operativer Entfernung von Organen, z.B. Lähmung nach Gehirnschlag.

Ausfallrate, relativer Anteil der Ausfälle techn. Einrichtungen je Zeiteinheit; eine der wichtigsten Kenngrößen der Zuverlässigkeit techn. Erzeugnisse.

Ausfertigung, *Recht:* die ordnungsgemäß unterschriebene und mit Siegel versehene Abschrift eines amtl. Schriftstücks (z.B. Urteil). *Staatsrecht:* die A. von beschlossenen Gesetzen als Teil des Gesetzgebungsverfahrens vollzieht sich in Dtl. durch Unterschrift des Bundespräs. nach Gegenzeichnung durch den Bundeskanzler und den zuständigen Bundesmin. (Bundes-Ges.), sonst der MinPräs. der Länder unter das Original des Gesetzestextes.

Ausflockung, chem. Abscheidung von Kolloiden durch →Koagulation aus ihren Lösungen.

Ausfluss, 1) *Medizin:* (Fluor) verstärkte Flüssigkeitsabsonderung aus den weibl. Geschlechtswegen. Heller, weißl. A. (Weißfluss, Fluor albus) ist meist hormonal oder durch Allgemeinkrankheiten bedingt. Blutiger oder eitriger A. dagegen ist immer ein Zeichen von Erkrankungen der Geschlechtsorgane.

2) *Physik:* das Ausströmen einer Flüssigkeit oder eines Gases durch eine Öffnung eines Gefäßes unter Einfluss der Schwere. Die **A.-** oder **Ausströmgeschwindigkeit** einer inkompressiblen Flüssigkeit ist proportional der Quadratwurzel aus dem Produkt der Fallbeschleunigung und der Höhe der Flüssigkeitssäule über der A.-Öffnung (**A.-Gesetz** nach Torricelli).

Ausfrieren, therm. Trennverfahren zum Konzentrieren von Lösungen sowie zum Reinigen und Trocknen von Lösungsmitteln.

Ausfuhr (Export), das Verbringen von Waren und Dienstleistungen ins Ausland. Die A. ist Teil des →Außenhandels, sie kann durch **A.-Zuschüsse** und **A.-Prämien** gefördert werden, aber auch für bestimmte Güter durch staatl. Verbot (Ausfuhrverbot) unterbunden werden. Das **A.-Risiko,** im Voraus nicht abschätzbare Wagnisse im Exportgeschäft, ist je nach Vereinbarung vom Käufer oder Verkäufer zu tragen, kann aber auch durch staatl. **A.-Bürgschaften** abgesichert werden.

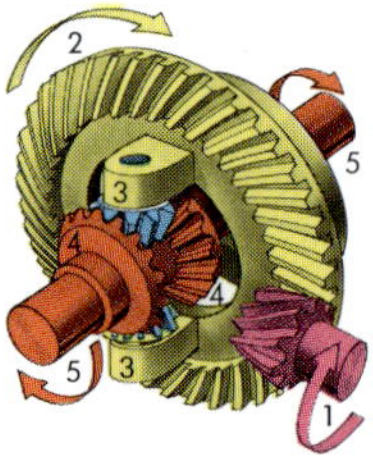

Ausgleichsgetriebe: 1 Antriebskegelrad, 2 Tellerrad, 3 Ausgleichskegelräder, 4 Kegelräder für den Radantrieb, 5 Radantriebswellen

Ausführungsgesetze (Ausführungsverordnungen), auf dem Gesetzes- oder Verordnungsweg erlassene Bestimmungen, die die besonderen Einzelheiten der Ausführung eines anderen Gesetzes regeln, das mit diesen Einzelheiten nicht befrachtet werden sollte.

Ausfuhrverbot, staatl. Verbot der Ausfuhr bestimmter Waren in bestimmte Länder, z.B. Waffen in krisengefährdete Gebiete, strateg. Rohstoffe, Kunstwerke.

Ausgabe, 1) *Buchhandel, Literatur:* Veröffentlichung eines Druckwerks, ferner Kennzeichnung seiner Art nach Format (bei Büchern Breite mal Höhe), Ausstattung (gebunden, broschiert), Bearbeitungsweise (Originaltext, krit., gekürzte A.), Erscheinungsart (Einzel-, Gesamt-A.), Bestimmung (Volks-A.), Gelegenheit (Jubiläums-A.), auch nach der Stellung im Gesamtwerk eines Autors (Erst-A., A. letzter Hand) usw.

2) *Informatik:* (Output) das Übertragen von Daten oder Programmen einer Datenverarbeitungsanlage auf spezielle **A.-Geräte** (z.B. Bildschirm, Drucker).

3) *Publizistik:* die Gesamtzahl, auch das Einzelstück, einer Zeitungs- oder Zeitschriftenauflage, die den Verlag zu einer bestimmten Tageszeit (Morgen-A.), für ein bestimmtes Verbreitungsgebiet (Lokal- oder Regional-A.) oder aus einem besonderen Anlass (Sonder-A.) verlässt.

Ausgabekurs (Emissionskurs), Kurs, zu dem neue Wertpapiere ausgegeben werden (→Emission).

Ausgaben, Zahlungen (bar, Scheck, Überweisung) zw. Wirtschaftssubjekten; zu unterscheiden von →Aufwendungen, →Kosten.

Ausgangsleistung, die an den Ausgangsklemmen einer elektr. Einrichtung abgreifbare Wirkleistung.

Ausgedinge, →Altenteil.

Ausgleich, 1) in Österreich der insolvenzrechtl. Ausdruck für das Vergleichsverfahren; das Verfahren ist in der Ausgleichsordnung vom 10. 12. 1914 geregelt.

2) die 1867–1918 gültigen Abmachungen über das staatsrechtl. Verhältnis zw. der österr. und der ungar. Reichshälfte der Doppelmonarchie →Österreich-Ungarn.

Ausgleichsabgaben, zweckgebundene, steuerartige Sonderabgaben, die außerhalb der öffentl. Haushalte (→Ausgleichsfonds) verwaltet werden und die ungleiche Belastungen mildern sollen. A. dienen sozialpolit. (Schwerbehindertenabgabe) und wirtschaftspolit. (Kohlepfennig) Zielen und kommen bestimmten Gruppen (z.B. durch Kriegsschäden Betroffenen im Rahmen des →Lastenausgleichs) oder Wirtschaftszweigen zugute.

Ausgleichsamt, die untere Verwaltungsbehörde zur Durchführung des Lastenausgleichs.

Ausgleichsfonds [-fɔ̃], Sondervermögen des Lastenausgleichs, dem die Ausgleichsabgaben und öffentl. Zuschüsse zufließen; vom Bundesausgleichsamt und der Dt. Ausgleichsbank verwaltet.

Ausgleichsgetriebe (Differenzialgetriebe), Zahnradgetriebe in Kraftwagen, das die Drehzahlunterschiede der Räder in Kurven ausgleicht und das Antriebsmoment gleichmäßig verteilt.

Ausgleichsleistungen, →Lastenausgleich.

Ausgleichsrechnung (Fehlerrechnung), Verfahren zur Berechnung von Werten aus mehreren fehlerbehafteten Beobachtungen, z.B. einer Messreihe. **Lineare A.,** →Regression.

Ausgleichsrennen, *Pferderennsport:* →Handikap.

Ausgleichszahlungen, Maßnahmen zur direkten Stützung der landwirtsch. Einkommen. Bei produktgebundenen A. erhalten die Erzeuger die Differenz zw. einem Garantiepreis und dem Preis, der sich bei freier Preisbildung auf dem Markt ergibt, bei produktneutralen A. werden Einkommensübertragungen unabhängig von der Produktmenge (z.B. nach Arbeitskräften oder nach der Nutzfläche) vorgenommen.

Ausgleichungspflicht, *Recht:* die Verpflichtung der Abkömmlinge, die als gesetzl. Erben zur Erbfolge gelangen, dasjenige, was sie von dem Erblasser als Ausstattung (z.B. für Berufsausbildung)

Ausgrabung im Gräberfeld Heidelberg-Neuenheim
links: Vermessung römischer Brandgräber mithilfe eines Messrahmens
rechts: Fundstücke: eine durch Eisenspangen versiegelte Steinkiste mit Grabbeigaben, eine Terra-sigillata-Schale und zwei Tonkrüge

erhalten haben, bei der Erbauseinandersetzung untereinander zur Ausgleichung zu bringen (§§ 2050 ff. BGB). Dasselbe gilt zugunsten des Abkömmlings, der in besonderer Weise durch eigene Leistungen das Vermögen des Erblassers gemehrt oder erhalten hat oder ihn unter Verzicht auf berufl. Einkommen längere Zeit gepflegt hat.

Ausgrabung, die Freilegung verschütteter Überreste der Vergangenheit; wichtiges Hilfsmittel der archäolog., prähistor. und paläontolog. Forschung. Erste A. fanden in der Renaissance (Raffael in Rom) statt mit dem Zweck, Monumente des Altertums kennen zu lernen. Spätere A. galten bes. der Bergung schöner oder merkwürdiger Gegenstände für Sammlungen und Museen. Im 19. Jh. wurden wiss. A.-Methoden, bes. der Schichtenbeobachtung zur Klärung histor. Abfolgen (W. Dörpfeld in Olympia) entwickelt. Moderne A. zielen weniger auf Gewinnung kostbarer Einzelfunde als auf Aufdeckung histor. und kulturhistorisch relevanter Befunde; Notgrabungen dienen der Rettung bedrohter Altertümer.

Die *Methoden* einer A. differieren je nach Objekt (Abri, Pfahlbau, Tempel, Stadt, Nekropole) so stark, dass allg. Kriterien kaum existieren. Neuerdings wird der Einsatz techn. und naturwiss. Hilfsmittel verstärkt (C-14-Methode, →Altersbestimmung). Eine A. beginnt mit der Bestimmung des Grabungsplatzes durch Zufall oder systematische Auswahl (Begehung, Luftbildarchäologie); sie erfordert die Mitarbeit fachfremder Spezialisten (Geologen, Botaniker, Architekten, Werkstoffwissenschaftler u. a.). Nach der Publikation der Ergebnisse stellt sich heute oft die Forderung nach denkmalpfleger. Konservierung und ggf. Rekonstruktion vor Ort, um der Öffentlichkeit Zugang und Information zu vermitteln. Die kulturgeschichtl. Bodenaltertümer sind in fast allen Staaten geschützt. Jeder Fund ist meldepflichtig. In Dtl. dürfen Ausgrabungen nur von amtl. Stellen vorgenommen werden.

📖 Gersbach, E.: *A. heute. Methoden u. Techniken der Feldgrabung. Mit einem Beitrag v.* J. Hahn. *Darmstadt* [2]*1991.*

Aushärtung, →Härten.

Ausheilen, *Physik:* das Entfernen eines Gitterfehlers (Versetzung) im Kristall durch eine Wärmebehandlung.

Auskolkung, 1) *Geomorphologie:* →Kolk.

2) *Metallbearbeitung:* Verschleißerscheinung auf der Spanfläche eines Werkzeugs durch Abrieb, die schließlich zum Bruch der Schneidkante führt.

Auskragung (Ausladung), Bau- und Konstruktionsteil, das frei über ein Auflager hinausragt: Balken, Träger, Erker, Stockwerk.

Auskragung zweier Stockwerke an einem Fachwerkhaus

Auskultation [zu lat. auscultare »horchen«] *die,* das Abhorchen des Körpers, bes. von Herz und Lunge, durch Anlegen des Ohres oder mithilfe schallleitender Geräte (→Stethoskop).

Auskunftspflicht, die auf Gesetz oder Vertrag beruhende Pflicht zur Vermittlung bestimmter Kenntnisse, z. B. die A. einer Behörde über Rechte und Pflichten von Betroffenen im Verwaltungsverfahren (§ 25 Verwaltungsverfahrens-Ges.) oder die A. des Beauftragten (§ 666 BGB).

Auskunftsverweigerungsrecht, →Zeuge.

Auslage, 1) *Boxen:* Kampfstellung, bei der entweder die rechte oder linke (Führungs-)Hand und das entsprechende Bein vorgeschoben sind (**Rechts-** oder **Linksauslage**).

2) *Fechten:* die kampfbereite Ausgangsstellung, wobei dem Gegner, um die Trefffläche zu verringern, die Körperseite zugewandt ist.

Auslagen, 1) *bürgerl. Recht:* →Aufwendungen eines Beauftragten zugunsten des Auftraggebers.

2) *Kostenrecht:* die bei einem behördl. Verfahren, bei Gericht oder einem Rechtsanwalt entstandenen Kosten (Schreib-, Post-, Reise-, Zeugen-, Sachverständigenkosten). Vom Gericht erhobene A. und Gebühren nennt man →Gerichtskosten; sie werden zus. mit den außergerichtl. Kosten (z.B. Rechtsanwaltsgebühren) generell als »Kosten« bezeichnet.

Ausland, das nicht zum eigenen Staatsgebiet (Inland) gehörige Gebiet, einschließlich der nicht unter Staatshoheit stehenden Gebiete des offenen Meeres.

Ausländer, Person, die eine andere als die Staatsangehörigkeit ihres Aufenthaltslandes besitzt. *A.-Recht:* In Dtl. ist zum 1. 1. 1991 ein neues A.-Recht in Kraft getreten, das einerseits eine wirksame Kontrolle und Begrenzung der Einwanderung bezweckt, andererseits den hier dauerhaft lebenden A. Rechtssicherheit und Integrationsmöglichkeiten bieten will. (→Einbürgerung)

Ausländische Arbeitnehmer[1] in West-Dtl. nach Herkunftsländern (in 1000)

Jahr	insgesamt	Ausländeranteil[2]	Türkei	ehem. Jugoslawien	Italien	Griechenland	Spanien
1960	279	1,3	2	9	122	13	9
1970	1 807	8,5	323	374	364	230	163
1975	2 061	10,2	551	417	293	203	129
1980	2 018	9,6	578	354	305	132	86
1985	1 568	7,7	496	290	197	103	67
1990	1 775	7,9	598	312	170	103	61
1993	2 169	9,4	635	407	191	120	55
1994	2 141	9,4	616	421	201	119	53
1995	2 129	9,4	600	419	205	117	50

[1] Nur sozialversicherungspflichtig Beschäftigte, also ohne geringfügig Beschäftigte. Die Daten ab 1975 sind mit denen der Vorjahre nicht voll vergleichbar. – [2] In Prozent aller Beschäftigten

A., die nicht durch die Verträge zur Europ. Union, zwischenstaatl. Abkommen (bes. Truppenstationierungen) oder Regeln des Völkerrechts (bei Diplomaten) begünstigt sind, bedürfen für Einreise und Aufenthalt grundsätzlich einer **Aufenthaltsgenehmigung,** die in unterschiedl. Rechtsqualität erteilt werden kann und auszustellen ist, wenn gesetzl. Versagungsgründe nicht entgegen stehen. Hierbei unterscheidet das Ges. je nach dem Zweck des Aufenthalts: Die **Aufenthaltserlaubnis** ist als allg. Aufenthaltsrecht ohne Zweckbindung ausgestaltet. Die **Aufenthaltsbewilligung** wird im Falle eines bestimmten, seiner Natur nach nur vorübergehenden Zwecks (z.B. Saisonarbeit) für längstens zwei Jahre (mit Verlängerungsmöglichkeit) erteilt. Die **Aufenthaltsberechtigung** verbrieft ein Daueraufenthaltsrecht. A., die aus völkerrechtl. oder dringenden humanitären Gründen oder aus rechtl. oder tatsächl. Gründen nicht abgeschoben werden können, erhalten eine **Aufenthaltsbefugnis**. Für Ehegatten und Kinder bis 16 Jahren bestehen Rechtsanspüche auf Erteilung der Aufenthaltserlaubnis. Wird die Ehe von A. aufgehoben oder stirbt ein Ehegatte, erwirbt der andere ein eigenes Aufenthaltsrecht.

Eingehend geregelt sind die Möglichkeiten der Verwaltung, gegen A. aufenthaltsbeendende Maßnahmen zu ergreifen. Bei schweren oder wiederholten Straftaten von A. findet die obligator. Ausweisung statt. Ausweisungsschutz genießen u.a. Asyl- und Aufenthaltsberechtigte, mit Deutschen Verheiratete, auch minderjährige oder hier aufgewachsene A., sofern sie nicht gravierend straffällig werden. Ebenfalls neu gefasst sind die Bestimmungen über die zwangsweise Entfernung zur Ausreise verpflichteter A., der **Abschiebung,** ferner die Regeln über Abschiebungshindernisse (z.B. bei konkreter Gefahr der Todesstrafe) und über die Duldung (Aussetzung der Abschiebung), z.B. bei Bürgerkriegsflüchtlingen.

In *Österreich* gilt das Fremden-Ges. vom 29. 2. 1992, das dem dt. Recht in manchem ähnelt. Zur Einreise benötigen nichtbevorrechtigte A. Reisepass und Visum. Aufenthalte von mehr als sechs Monaten sowie die Aufnahme von Erwerbstätigkeit bedürfen einer Aufenthaltsbewilligung (Aufenthalts-Ges. vom 31. 7. 1992), deren Zahl jährlich aufgrund demograph. Faktoren festgelegt wird. Die Beschäftigung von A. setzt eine Beschäftigungsbewilligung durch den Arbeitsmarktservice voraus.

In der *Schweiz* bedürfen A. für Aufenthalte von mehr als drei Monaten einer Aufenthaltsbewilligung, Gewerbetreibende einer Niederlassungsbewilligung. Dauernder Aufenthalt ist an bestimmte Voraussetzungen geknüpft, v.a. an ausreichendes Vermögen und Schweizerbindung. Die Bestimmungen über Aufenthalt und Niederlassung von A. sind durch Bundes-Ges. vom 18. 3. 1994 verschärft worden.

Demographie und *Statistik:* In Dtl. haben schon immer Ausländerinnen und A. gelebt, z.B. 1910 rd. 1,3 Mio. (2% der Bev.). Heute haben rd. 8,5% der Ew. in Dtl. den Pass eines anderen Staates. Männer und Frauen aus der Türkei, dem ehemaligen Jugoslawien und Italien bilden die am häufigsten vertretenen Nationalitätengruppe. Sie sind zumeist ausländ. Arbeitnehmer, die in den 1960er-Jahren von dt. Unternehmen im Ausland angeworben wurden, sowie deren Familienangehörige (zweite und dritte Generation, d.h. die in Dtl. aufgewachsenen Kinder und Enkel der »Gastarbeiter«), die im Rahmen der Familienzusammenführung nachgezogen sind, außerdem Bürgerkriegsflüchtlinge, politisch Verfolgte und junge Menschen, die in Dtl. eine Ausbildung oder ein Studium absolvieren. Einerseits lässt sich eine stattfindende oder erfolgte Integration feststellen, andererseits ist aber eine relativ schwierige Situation von Ausländerinnen und A. auf dem Arbeitsmarkt und im Bildungsbereich festzustellen. Angesichts einer hohen und steigenden Aufenthaltsdauer (1973 weniger als vier Jahre, 1993 12 Jahre) sprechen viele von einer tatsächlich erfolgten Einwanderung ausländ. Bürger. Ob Dtl. ein Einwanderungsland darstellt, wird jedoch kontrovers diskutiert.

📖 *Ausländerrecht. Kommentar, bearb. v.* K. HAILBRONNER. *Loseblatt-Ausg. Heidelberg 1992 ff.* – RENNER, G.: *Ausländerrecht. Begr. v.* W. KANEIN. *München* ⁶*1993.* – *Handbuch des Ausländer- u. Asylrechts, hg. v.* B. HUBER. *Loseblatt-Ausg. München 1994 ff.* – KUGLER, R.: *Ausländerrecht. Ein Handbuch. Göttingen* ²*1995.*

Ausländer, Rose, eigtl. Rosalie Scherzer-A., Schriftstellerin, *Czernowitz (heute Tscherniwzi, Ukraine) 11. 5. 1907, †Düsseldorf 3. 1. 1988; schrieb v.a. Gedichte, »36 Gerechte« (1967), »Andere Zeichen« (1974), »Ich spiele noch« (1987). Zentrale Themen sind Judenverfolgung und Exil.

ausländische Arbeitnehmer, Erwerbspersonen, die (vorübergehend) in einem Land arbeiten, dessen Staatsangehörigkeit sie nicht besitzen. Die Arbeitsmigration und damit a. A. gibt es, seit der Nationalstaat konkrete Formen angenommen hat. Gründe für solche Wanderungen sind neben Krieg, Verfolgung, Überbevölkerung auch immer wirtsch. Gegebenheiten wie die Freisetzung ländl. Bev. auf der einen Seite (»Push-Faktor«) und Bedarf an industriellen Arbeitskräften auf der anderen Seite (»Pull-Faktor«).

Die Bedeutung der a. A. für den dt. Arbeitsmarkt zeigt sich an ihrer steigenden Zahl. Während 1960 mit 0,3 Mio. noch wenige a. A. beschäftigt waren, stieg deren Zahl nach dem Wegfall der Zuwanderung aus der DDR auch aufgrund der gezielten Anwerbung rasch an und erreichte zu Beginn der Rezession 1966/67 mit 1,3 Mio. einen ersten Höhepunkt. Die Rezession zeigte, dass a. A. auf bes. konjunkturanfälligen Arbeitsplätzen beschäftigt waren – und sind – (»Konjunkturpuffer«) und für Arbeiten benötigt werden, für die dt. Arbeitnehmer (trotz zunehmender Arbeitslosigkeit) nicht mehr zu gewinnen sind. Die Beschäftigung a. A. betrug 1970 rd. 1,7 Mio. und erreichte ihren vorläufigen Höchststand Mitte der 1970er-Jahre (1974 über 2,4 Mio.). Bis Ende der 70er-Jahre sank sie dann wieder bis auf 2,1 Mio., um später erneut tendenziell anzusteigen. 1993 waren fast 3 Mio. a. A. registriert.

In den letzten Jahren haben sowohl die Saisonarbeit von a. A. (zumeist von Osteuropäern) als auch die grenzüberschreitende Mobilität von Fach- und Führungspersonal (v.a. im Bereich von Banken und multinat. Konzerne) und bes. von EU-Bürgern (Wegfall von innereurop. Beschäftigungsschranken) zugenommen. Die illegale Beschäftigung von a. A. ist ebenfalls gestiegen.

In grober Annäherung kann gesagt werden, dass die ausländ. Männer überwiegend (70 %) im verarbeitenden Gewerbe und im Baugewerbe, die ausländ. Frauen im Dienstleistungsbereich arbeiten. Innerhalb dieser Sektoren konzentrieren sie sich in Wirtschaftszweigen mit i.d.R. schwerer körperl. Arbeit wie z.B. im Bergbau, Baugewerbe und der Eisen- und Stahlerzeugung, aber auch in Industriezweigen mit intensiver Fließfertigung (Auto- und elektrotechn. Industrie). Im Dienstleistungssektor arbeiten a. A. schwerpunktmäßig in den Bereichen Hotel- und Gastgewerbe, Körperpflege, Gebäude- und Straßenreinigung und Müllbeseitigung. Inzwischen haben sich etliche a. A. im Einzelhandel und in der Gastronomie selbstständig gemacht und eine Reihe von Arbeitsplätze geschaffen.

📖 BUTTLER, G.: *Der gefährdete Wohlstand. Deutschlands Wirtschaft braucht Einwanderer. Frankfurt am Main 1992.* – STOLL, R.: *Ausländerbeschäftigung vor u. nach der Wiedervereinigung. Nürnberg 1994.* – *Im Blickpunkt: Ausländische Bevölkerung in Deutschland, hg. vom Statistischen Bundesamt. Stuttgart 1995.*

Rose Ausländer

Auslandsanleihen (Auslandsbonds), a) Anleihen inländ. Emittenten, die im Ausland aufgelegt werden und auf ausländ. Währung lauten; b) inländ. festverzinsl. Wertpapiere, die auf ausländ. Währung lauten.

Auslandsdelikte, → Strafrecht.

Auslandsdeutsche, → Deutsche.

Auslandskunde, wiss. Disziplin, die sich mit den geograph., wirtsch., polit., sozialen und kulturellen (Sprache, Geschichte) Aspekten fremder Staaten befasst. Sie wird von wiss. Instituten im Rahmen der Forschung oder der Berufsförderung oder Weiterbildung betrieben. Besondere Bedeutung gewann sie im Rahmen der Entwicklungshilfe. Wichtige Einrichtungen sind u.a. das Institut für Auslandsbeziehungen (Stuttgart) und das Deutsche Überseeinstitut (Hamburg).

Auslandsschulden, Verbindlichkeiten inländ. Schuldner (Staat, private Unternehmen) gegenüber ausländ. Gläubigern, entstanden durch internat. Kapitaltransaktionen oder durch Emission von → Auslandsanleihen. Aussagefähiger ist der Saldo aus A. und Auslandsvermögen, weil ein Land zugleich A. und Forderungen gegenüber dem Ausland haben kann. Die Tilgung der öffentl. und privaten dt. A. aus der Zeit vor dem 2. Weltkrieg wurde durch das → Londoner Schuldenabkommen geregelt.

Auslandsschulen, Schulen auf fremdem Staatsgebiet; sie werden von vielen Kulturländern in fast allen Teilen der Welt unterhalten. – Die dt. A. sind i.d.R. Privatschulen, die von Kirchen, kommunalen und privaten Verbänden getragen und u.a. vom Auswärtigen Amt betreut werden. Es gilt das Schulrecht des Gastlandes. Je nach Typ erfolgt der Unterricht ganz oder teilweise in dt.

Sprache; die Schulen werden auch von Kindern Einheimischer besucht.

Auslandsvermögen, durch Warenexport, Kapitalexport oder Erbschaft entstandene, im Ausland befindl. Vermögenswerte natürl. oder jurist. Personen sowie das ausländ. Vermögen der öffentl. Hand. Das A. ist zu unterscheiden in Realvermögen (Grundstücke, Gebäude, Patentrechte, Warenzeichen u.a.) und Finanzvermögen (Wertpapiere, Forderungen).

Ausläufer (Stolo), verlängerter Seitenspross der Pflanze, der in einigem Abstand wurzelt und unter Absterben des Zwischenteils eine selbstständige Pflanze ergibt, z.B. bei der Erdbeere.

Ausläufer: Judenbart

Auslaugung, 1) *Chemie:* →Extraktion.

2) *Geologie:* Wegführung lösl. Substanzen aus Gesteinen (→Karsterscheinungen).

Auslaut, letzter Laut eines Satzes, eines Wortes oder einer Silbe.

Ausleger, 1) *Bootsbau:* a) an beiden Seiten von Sportruderbooten angebrachte Verstrebungen zur Aufnahme der Riemen oder Skulls. Die A. vergrößern den Hebelarm und damit die Durchzugskraft des Ruderers; b) ein mit dem Boot gleichgerichteter, durch Stangen seitlich mit ihm verbundener Schwimmkörper, der das Boot vor dem Kentern schützt **(A.-Boot);** zuweilen auf beiden Seiten des Bootes angebracht (Doppel-A.); gebräuchlich u.a. bei Völkern Indonesiens und Ozeaniens.

2) *Technik:* über die Unterstützung hinausragendes Traggerät; z.B. A.-Krane, A.-Brücken (→Kran).

Auslegung, 1) *allg.:* die Interpretation, z.B. von Schriften (→Exegese, →Hermeneutik), Urkunden.

2) *Recht:* Klarstellung des Sinnes von Rechtssätzen, Rechtsgeschäften u.Ä. Bei der A. von Rechtsgeschäften ist der wahre Wille der Beteiligten zu erforschen und nicht am buchstäbl. Ausdruck zu haften (§133 BGB). Verträge sind so auszulegen, wie Treu und Glauben mit Rücksicht auf die Verkehrssitte es erfordern (§157 BGB). Methoden der A. sind die grammatikal. A., die histor. A. (berücksichtigt die Entstehungsgeschichte des Rechtssatzes), die teleolog. A. (fragt nach Sinn und Zweck) und die systemat. A. (fragt nach dem Zusammenhang). Je nach Ergebnis gelangt man zu einer den Wortsinn einschränkenden oder erweiternden Auslegung. Im *Staatsrecht* meint **verfassungskonforme A.,** einer unklaren Norm einen Sinn zu geben, der mit der Verf. in Einklang steht.

Auslenkung, das Entfernen eines schwingungsfähigen Körpers aus seiner Ruhelage; auch: der Betrag, um den ausgelenkt wird.

Auslese, 1) *Biologie:* (Selektion) wichtiger Faktor der Evolution. Die A. bewirkt in der Natur **(natürl. A.)** und in der Züchtung **(künstl. A.)** eine unterschiedlich starke und nicht zufallsmäßige Vermehrung von unterschiedlich gut angepassten Individuen (→Darwinismus).

2) *Weinbau:* Wein von vollreifen, meist auch edelfaulen Beeren **(Beeren-, Trockenbeerenauslese).**

Auslieferung, im Rahmen internat. Rechtshilfe die Übergabe einer Person an eine ausländ. Staatsgewalt zur Strafverfolgung oder -vollstreckung. Nach Art. 16 GG darf ein Deutscher nicht an das Ausland ausgeliefert werden; politisch verfolgte Ausländer oder Staatenlose genießen →Asylrecht. Eine völkerrechtl. Verpflichtung zur A. besteht nur kraft eines **A.-Abkommens.** Der A. geht i.d.R. eine gerichtl. Prüfung voraus. – In der *Schweiz* und in *Österreich* gelten ähnl. Bestimmungen.

Ausleger 1): Auslegerboot aus Südjava, Indonesien

Auslieferungsschein (Ablieferungsschein), vom Eigentümer einer Ware ausgestellter Schein, der andere, z.B. den Käufer, zur Entgegennahme der Ware ermächtigt.

Auslieger (Ausliegerberg), der →Zeugenberg unmittelbar vor einer Schichtstufe.

Auslobung, öffentlich bekannt gemachte, bindende Zusicherung eines Preises für eine Leistung, bes. für die Herbeiführung eines Erfolges, z.B. die Ermittlung eines Straftäters (§§657ff. BGB).

Auslöser, 1) *Technik:* Vorrichtung oder Mechanismus zum In-Gang-Setzen (Auslösen) eines techn. Ablaufs durch Knopfdruck (z.B. an elektr. Schaltgeräten zum selbsttätigen Ausschalten oder an fotograf. Kameras zum Betätigen des Verschlusses).

2) *Verhaltensforschung:* →angeborener Auslösemechanismus.

Auslosung, *Finanzwirtschaft:* Verfahren zur Tilgung von Schuldverschreibungen während ihrer Laufzeit.

Ausnahmegericht, →Sondergerichte.

Ausnahmegesetz, früher Bez. für ein Ges., das bestimmte Personengruppen einer diskriminierenden oder privilegierenden Sonderbehandlung unterwirft; ist als Verstoß gegen die Gleichheit vor dem Gesetz (Art. 3 GG) unzulässig.

Ausnahmezustand, staatl. Notstand – hervorgerufen v. a. durch Krieg, Aufruhr, Katastrophen –, der zu außerordentl. Maßnahmen nötigt, um ihn zu meistern. Nach der Weimarer Reichsverf. von 1919 konnte bei erhebl. Störung oder Gefährdung der öffentl. Sicherheit und Ordnung der Reichspräs. ohne besondere Anordnung des A. die erforderlichen Maßnahmen ergreifen, insbesondere → Notverordnungen erlassen (Art. 48). Das GG kennt den Begriff A. nicht, enthält jedoch die → Notstandsverfassung. In *Österreich* sieht Art. 18 Bundesverfassungs-Ges. ein beschränktes Notverordnungsrecht des Bundespräs. vor; in der *Schweiz* kann die Bundesversammlung im Notfall von der Verf. abweichen (Art. 89 Bundesverfassung).

Ausonius, Decimus Magnus, lat. Dichter, * Burdigala (heute Bordeaux) um 310, † ebd. um 395; schrieb neben Hof- und Gelegenheitsgedichten v. a. das Gedicht »Mosella« über eine Rhein-Mosel-Fahrt von Bingen bis Trier und einen Liederzyklus auf »Bissula«, eine Kriegsgefangene aus Schwaben.

Auspizi|en [lat. auspicium »Vogelschau«], von den röm. Priestern geübter Brauch zur Erkundung des Willens der Götter durch Beobachtung des Vogelfluges u. a. (→ Auguren)

Auspuff, bei Verbrennungsmotoren das Ausströmen der Abgase, bei Dampfkraftmaschinen des Abdampfs; auch die **A.-Anlage** selbst. Bei Verbrennungskraftmaschinen wird der **A.-Schall** durch den **A.-Topf** gedämpft **(Schalldämpfer),** der den Druck der Abgase durch Absorption, Reflexion, Interferenz entspannt.

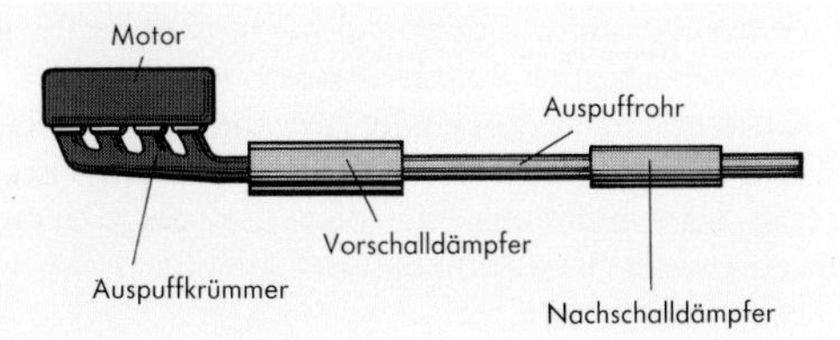

Auspuff: Doppeltopfanlage

Ausrufezeichen (Ausrufungszeichen), **1)** *Mathematik:* Zeichen für → Fakultät.

2) *Sprachwissenschaft:* das Satzzeichen »!« (ÜBERSICHT Satzzeichen).

Ausrüstung, 1) *Papierherstellung:* die endgültige Fertigstellung von Papier oder Karton ohne stoffl. Veränderung.

2) *Textiltechnik:* die Appretur einer textilen Fläche.

Aussaat (natürliche A.), Selbstverbreitung einer Pflanze (Pflanzenart) durch Samen und Sporen. Ihr dienen z. B. Ausstreuvorrichtungen (z. B. Springkraut, Mohn) der Mutterpflanze, Flug- und Schwimmanpassungen (lufthaltige Zellen) der Samen und Sporen.

Aussage, 1) *Logik:* die Formulierung eines Sachverhalts in Form eines Behauptungssatzes, im Unterschied zum → Urteil, das als Deklarationssatz Wahrheit oder Falschheit einer A. behauptet.

2) *Recht:* Äußerung über tatsächl. oder vermeintl. Wahrnehmungen. *Strafrechtlich* können unwahre A. vor Gericht als Falsch-A. oder Meineid verfolgt werden. Befand sich der Aussagende in einem **A.-Notstand,** d. h. in einer Interessenkollision, um von sich oder Angehörigen die Gefahr der Strafverfolgung abzuwehren, kann die Strafe gemildert oder ganz von ihr abgesehen werden (§ 157 StGB). *Prozessrechtlich* hat grundsätzlich jeder → Zeuge eine A.-Pflicht. Im *öffentl. Dienstrecht* hat jeder Bedienstete vor ihrer Äußerung eine **A.-Genehmigung** des Dienstvorgesetzten über öffentl. oder gerichtl. A. einzuholen, die der Amtsverschwiegenheit unterliegen.

Aussagenlogik, → mathematische Logik.

Aussatz, *Medizin:* die → Lepra.

Ausschabung (Auskratzung, Abrasio, Kürettage), partielle **(Strichkürettage)** oder weitgehende Entfernung der Schleimhaut aus der Gebärmutterhöhle mittels eines scharfrandigen, durchlochten Instrumentes (Kürette). Anwendungen: zur Diagnose und Therapie (z. B. abnorme Blutung, Fehlgeburt), beim → Schwangerschaftsabbruch.

Ausscheider, der → Dauerausscheider.

Ausscheidung, 1) bei Mensch und Tier die → Exkretion.

2) *Chemie:* Kristallbildung bei der Abkühlung von Metallschmelzen; auch die Bildung von neuen Kristallarten bei der Abkühlung fester Legierungen.

Ausschlag, 1) *Medizin:* (Exanthem) örtlich begrenzte oder ausgebreitete krankhafte Veränderungen der Haut **(Effloreszenzen)** wie Flecken, Knötchen, Bläschen, z. B. beim → Ekzem, → Erythem, bei Infektionskrankheiten.

2) *Messtechnik:* Abweichung von der Ruhelage (Pendel, Zunge an Waagen).

Ausschlagung, *Erbrecht:* die vor der Annahme der Erbschaft dem Nachlassgericht gegenüber abgegebene Willenserklärung des Erben oder Vermächtnisnehmers, durch die dieser seine Rechtsstellung aufgibt (§§ 1942 ff., 2176 BGB). Die A.-Frist beträgt sechs Wochen nach Kenntnis des Erbanfalls.

Ausschließlichkeitserklärung, die Verpflichtungserklärung eines Vertragspartners, keinen Dritten (in das Geschäft) einzubeziehen, z. B. bei Verträgen mit Maklern.

Ausschließung, *Recht:* das Verbot für Gerichts- oder Amtspersonen, in bestimmten gesetzlich geregelten Fällen an Verfahren mitzuwirken. Ein Richter (Urkundsbeamter, Rechtspfleger u.a.) darf in einem Zivil- oder Strafprozess nicht mitwirken, wenn bestimmte persönl. Beziehungen zu der Prozesssache oder den Parteien bestehen (z.B. Verwandtschaft). Die Parteien können die Gerichtsperson ablehnen (→Ablehnung). Die Mitwirkung einer ausgeschlossenen Gerichtsperson am Prozess ist ein Grund für Berufung, Revision oder Nichtigkeitsklage (§§41–49 ZPO; §§22–31 StPO). Ähnlich in *Österreich* und der *Schweiz.* Im *Gesellschaftsrecht* können Gesellschafter aus wichtigem Grund ausgeschlossen werden.

Ausschließungsprinzip (paulisches A.), das →Pauli-Prinzip.

Ausschluss, Verhinderung (Verbot) der Teilnahme, A. der →Öffentlichkeit.

Ausschlussfrist, →Frist.

Ausschreibung, 1) *Recht:* Verfahren zur Vergabe von öffentl. Aufträgen (→Verdingung) oder zur Besetzung freier Stellen in Wirtschaft und öffentl. Verwaltung, um den potenziellen Bewerbern gleiche Chancen, den Ausschreibenden bestmögl. Auswahl zu eröffnen.

2) *Sport:* Ankündigung eines Wettkampfes mit genauen Einzelheiten.

Ausschuss, 1) *Staatsrecht:* aus größeren Körperschaften gewählter engerer Kreis (Komitee) zur Erledigung von Aufgaben, die das größere Gremium nur schwer wahrnehmen kann. So z.B. wird in den Parlaments-A. der wesentl. Teil der Arbeit dieser Körperschaft geleistet, deren Ergebnis dem Plenum zur Abstimmung vorgelegt wird. Eine Besonderheit ist der →Gemeinsame Ausschuss.

2) *Technik:* fehlerhafte Werkstoffe, Werkstücke oder Fertigwaren, die für ihren Verwendungszweck unbrauchbar sind.

Ausschuss der Regionen, Gremium der EU, mit dem Vertrag über die EU geschaffen (Art. 198 a–d EG-Vertrag), ein beratendes Organ, mit dem sich die kommunalen und regionalen Gebietskörperschaften im Sinn eines »Europa der Regionen« an den Meinungsbildungs- und Entscheidungsprozessen auf der Gemeinschaftsebene beteiligen. Der Ausschuss muss von der Kommission und vom Rat zu allen Entscheidungen über regionale Sachverhalte gehört werden.

Ausschütteln, Flüssig-Flüssig-Extraktion von gelösten Stoffen durch Schütteln mit geeigneten Lösungsmitteln.

Ausschwitzung (Exsudation), bei Entzündungen, bes. der Brust- und Bauchorgane, auftretende Absonderung von Flüssigkeit aus Blut- und Lymphgefäßen. Die abgesonderte eiweißreiche und meist zellhaltige Flüssigkeit, das **Exsudat,** sammelt sich oft in Hohlräumen (Herzbeutel, Bauchhöhle).

Aussee, Bad, →Bad Aussee.

Aussegnung, in einigen evang. Kirchen die Segnung des Toten in der Friedhofshalle vor der Beerdigung.

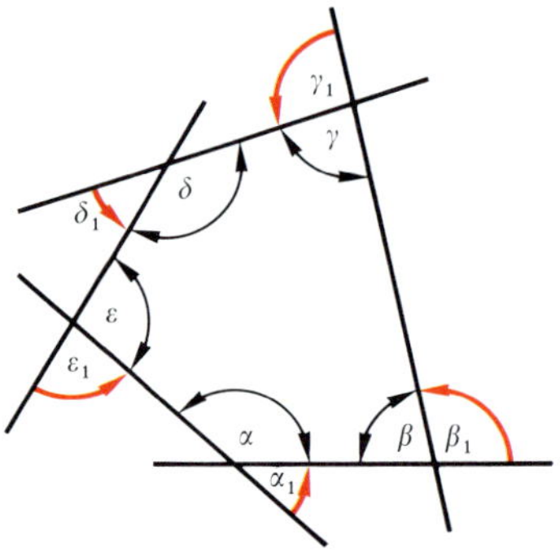

Außenwinkel (rot) und Innenwinkel (schwarz) eines Fünfecks

Außenbeitrag, in der volkswirtsch. Gesamtrechnung die Differenz zw. der Ein- und Ausfuhr von Waren, Dienst- und Faktorleistungen.

Außenbordmotor, Bootsmotor, meist Zweitaktmotor, wird am Bootsende oder seitlich befestigt.

Außenganghaus (Laubenganghaus), mehrgeschossiges Wohnhaus, in dem an einem offenen Gang Wohnungen nebeneinander liegen. Die Außengänge sind über ein Treppenhaus zugänglich.

Außenhandel, der Teil der Warenumsätze, der über die Landesgrenzen geht (Einfuhr und Ausfuhr), im Unterschied zum Binnenhandel. Das A.-Volumen ergibt sich aus den Ein- und Ausfuhrmengen, bewertet mit den jeweiligen Preisen eines Basisjahres. Die A.-Statistik unterscheidet den **Generalhandel,** Ein- und Ausfuhr einschließlich Veredelungs- und Lagerverkehr mit Ausnahme der Durchfuhr, den **Spezialhandel,** Ein- und Ausfuhr im freien Verkehr oder zur Veredlung, und die **Durchfuhr (Transit),** Warenverkehr, der durch das Erhebungsgebiet ohne Be- und Verarbeitung zum Bestimmungsland befördert wird. (→Außenwirtschaft)

📖 SCHROTH, K.-D.: *Das kleine Lexikon des Außenwirtschaftsverkehrs. Düsseldorf 1993.* – JAHRMANN, F.-U.: *A. Ludwigshafen [8]1995.* – MÜNT, G.: *Dynamik von Innovation u. A. Heidelberg 1996.*

Außenhandelsbanken, Kreditinstitute, die v.a. die mit dem Außenhandel verbundenen Kredit-, Zahlungsverkehrs- und sonstigen Dienstleistungsgeschäfte durchführen.

Außenhandelsmonopol, Vereinigung des gesamten Außenhandels in der Hand des Staates oder einer vom Staat dazu bestimmten Institution; wesentl. Bestandteil zentral gelenkter Wirtschaftssysteme.

Außenhaut, bei Flugzeugen die äußere Wandung (Blech, Verbundwerkstoffe, Holz, Gewebe); bei Schiffen die Platten oder Planken der Außenseite, bei Faltbooten imprägniertes Gewebe, im Bootsbau zunehmend faserverstärkte Kunststoffe.

Außenminister, der für die Führung der auswärtigen Politik zuständige Minister. In *Dtl.* führt der A. den Titel »Bundesminister des Auswärtigen«, in *Österreich* »Bundesminister für auswärtige Angelegenheiten«. In der *Schweiz* übt die Funktion des A. der Bundesrat aus, der das Eidgenöss. Departement für auswärtige Angelegenheiten leitet.

Außenpolitik, die Gestaltung der Beziehungen eines Staates zu anderen Staaten und zu internat. Organisationen, bes. die Herstellung zweiseitiger (bilateraler) oder mehrseitiger (multilateraler) polit., militär., wirtsch., rechtl. oder kultureller Beziehungen. Die A. wird durch geograph. Lage, Größe und strateg. Position eines Staates im internat. Kräfteverhältnis, v.a. aber durch seine innenpolit. Verfassung und Organisation bestimmt. Zu den Mitteln der A. gehören Diplomatie, Verträge, Bündnisse, Außenwirtschaftspolitik, aber auch Androhung oder direkter Einsatz militär. Gewalt. Träger der A. sind die mit der Wahrnehmung der →auswärtigen Angelegenheiten betrauten Staatsorgane.

📖 EHRENZELLER, B.: *Legislative Gewalt u. A. Basel 1993.* – KISSINGER, H. A.: *Die Vernunft der Nationen. Über das Wesen der A. Berlin 1994.*

Außenprüfung (früher Betriebsprüfung), Maßnahme des Finanzamtes, um anhand schriftl. Unterlagen die steuerl. Verhältnisse von Steuerpflichtigen mit Einkünften aus Gewerbebetrieb, Land- und Forstwirtschaft oder freier Berufstätigkeit zu ermitteln (§§ 193 ff. AO). Die A. kann verschiedene Steuerarten und Besteuerungszeiträume umfassen oder sich auf bestimmte Sachverhalte beschränken.

Außenseiter, **1)** *Arbeitsrecht:* nicht durch Tarifvertrag erfasste Arbeitgeber oder Arbeitnehmer.

2) *Soziologie:* (engl. Outsider) →Randgruppen.

Außenstände, Forderungen aus Warenlieferungen und Leistungen; gehören in der Bilanz zum Umlaufvermögen.

Außensteuergesetz, Ges. über die Besteuerung bei Auslandsbeziehungen vom 8. 9. 1972; dient der Beseitigung ungerechtfertigter Steuervorteile durch Nutzen des internat. Steuergefälles. (→Steuerflucht)

Außenversicherung, in ortsgebundenen Versicherungszweigen die zuschlagfreie Haftungserweiterung für bewegl. Sachen außerhalb des Versicherungsortes.

Außenwert einer Währung, Kaufkraft einer über den Wechselkurs umgerechneten Währung im Ausland.

Außenwinkel, Nebenwinkel eines Innenwinkels beim konvexen Vieleck.

Außenwirtschaft, alle Wirtschaftsbeziehungen zw. Staatsräumen. Die A. umfasst Waren-, Dienstleistungs-, Kapital-, Zahlungs- und sonstigen Wirtschaftsverkehr zw. In- und Ausland. **A.-Politik** bedeutet staatl. Eingreifen in die A., um allg. wirtschaftspolit. Ziele zu unterstützen; sie kann aber auch auf außerökonom. (außenpolit. und/oder militär.) Ziele gerichtet sein. Die Maßnahmen sind nach Art und Umfang sowohl von der herrschenden Wirtschaftsauffassung (Freihandel, Protektionismus, Autarkie) als auch von der bestehenden oder geplanten Weltwirtschaftsordnung abhängig.

Für die liberale A.-Politik gelten die Grundlagen der Marktwirtschaft (Freihandel, Konvertierbarkeit der Währung); so beschränken sich ihre Maßnahmen auf allg. Rechtsschutz nach außen, Zolleingriffe und Abschluss von Handelsverträgen sowie Doppelbesteuerungsabkommen. – Die autonome A.-Politik als Ergebnis zentraler Wirtschaftslenkung umfasst alle Zwischenstufen des staatl. Einflusses von der absoluten Beherrschung der A. (z.B. Außenhandelsmonopol) bis zu güterwirtsch. und/oder monetären Eingriffen wie Kontingentierung, Devisenbewirtschaftung und Einfuhrverboten, v.a. im Hinblick auf die allgemeinen wirtschaftspolit. Ziele: Zahlungsbilanzausgleich, Geldwertstabilität, Vollbeschäftigung.

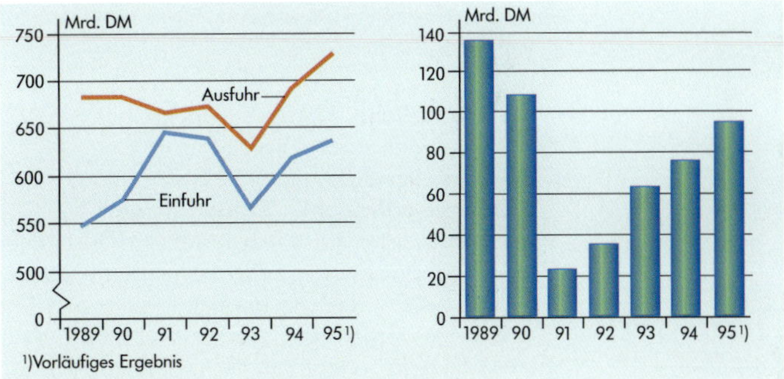

Außenwirtschaft: Die Entwicklung des Außenhandels der Bundesrepublik Deutschland (alte und neue Bundesländer): Gesamtentwicklung (links) und Ausfuhrüberschuss (rechts)

Die Instrumente der A.-Politik können unterschieden werden in: a) mengenregulierende Maßnahmen (Kontingentierung), b) preisverändernde Eingriffe: Zölle, Subventionen u.a., c) währungspolit. Maßnahmen, u.a. Aufwertung, Abwertung. – Die Hauptprobleme der gegenwärtigen A.-Politik bestehen in der Fortentwicklung der vorhandenen Integrationsansätze (IWF, GATT/WTO, OECD, EU u.a.) sowie in der Etablierung einer neuen Weltwirtschaftsordnung.

Die **A.-Theorie** als Teilgebiet der Wirtschaftstheorie befasst sich mit den Warenströmen des Außenhandels (reine A.-Theorie) und mit Problemen der Zahlungsbilanz und deren Einflussfaktoren (monetäre A.-Theorie).

📖 BORCHERT, M.: *Außenwirtschaftslehre. Theorie u. Politik. Wiesbaden* [4]*1992.* – JARCHOW, H.-J. *u.* RÜHMANN, P.: *Monetäre A., 2 Bde. Göttingen u. a.* [3–4]*1993–94.* – SIEBERT, H.: *A. Stuttgart u. a.* [6]*1994.* – HEIDUK, G.: *Fachbegriffe A. Stuttgart u. a.* [7]*1995.* – ROSE, K. *u.* SAUERNHEIMER, K.: *Theorie der A. München* [12]*1995.*

außerparlamentarische Opposition: Demonstration der APO gegen den Vietnamkrieg (Berlin, Februar 1968)

außereheliche Kinder, → nichteheliche Kinder.

äußeres Produkt, das → Vektorprodukt.

außergewöhnliche Belastungen, bei der Einkommen- und der Lohnsteuer zu berücksichtigende Aufwendungen, die höher sind als die Aufwendungen der Steuerpflichtigen gleicher Einkommensverhältnisse und zwangsläufig (aus rechtl., tatsächl. oder sittl. Gründen) erwachsen, z. B. Unfall- oder Beerdigungskosten. Steuermindernd abzugsfähig ist der Teil der a. B., der die **zumutbare Belastung** (gestaffelt nach Einkommen, Familienstand, Kinderzahl) übersteigt.

außerordentlicher Strahl, *Optik:* → Doppelbrechung.

außerparlamentarische Opposition, Abk. **APO,** 1966 in der Bundesrep. Dtl. nach der Bildung der großen Koalition aus CDU/CSU und SPD entstandene Gruppen v. a. von Studenten und Jugendlichen, die sich im Streit um Notstands-Ges., Hochschulreform und Pressekonzentration nicht durch die Parteien des Bundestages vertreten sahen. Unter Führung des Sozialist. Dt. Studentenbundes (SDS) entwickelte sich die APO zu einer antiautoritären Bewegung, die durch provokative, oft gewaltsame Methoden gesellschaftl. Veränderungen zu erreichen suchte (Höhepunkt: 1968). → neue Linke.

📖 *APO. Außerparlamentar. Opposition in Quellen u. Dokumenten (1960–1970), hg. v.* K. A. OTTO. *Köln 1989.*

Ausserrhoden, schweizer. Kanton, → Appenzell-Ausserrhoden.

außersinnliche Wahrnehmung, Abk. **ASW,** (engl. Extrasensory Perception, Abk. ESP), Bez. für die von der → Parapsychologie untersuchten Formen einer Wahrnehmung außerhalb der bekannten Sinnesorgane: → Telepathie, → Hellsehen oder → Präkognition.

Aussetzung, 1) *Strafprozess:* das Abbrechen der Hauptverhandlung aus bestimmtem Grund (z. B. zur gerichtl. Klärung einer bürgerlich-rechtl. Streitigkeit, § 262 Abs. 2 StPO) mit der Wirkung, dass die Verhandlung von neuem aufgenommen werden muss; A. ist von → Unterbrechung zu unterscheiden. Die A. eines Haftbefehls ist nach § 116 StPO möglich, wenn weniger einschneidende Maßnahmen die Erwartung begründen, dass der Zweck der Untersuchungshaft auch durch sie erreicht werden kann. Zur **A. der Strafe zur Bewährung,** → Strafaussetzung zur Bewährung.

2) *Strafrecht:* nach § 221 StGB das Verbringen einer wegen jugendl. Alters, Gebrechlichkeit oder Krankheit hilflosen Person aus einem bisher geschützten Zustand in einen Leben oder Gesundheit gefährdenden. Die A. wird mit Freiheitsentzug bestraft. Ähnl. Bestimmungen enthalten das *österr.* (§ 82 StGB) und das *schweizer.* Recht (Art. 127 StGB).

3) *Zivilprozessrecht:* (A. des Verfahrens) der durch gerichtl. Beschluss angeordnete Stillstand des Verfahrens, wenn der Ausgang des Rechtsstreits von der Entscheidung anderer Gerichte abhängig ist; in *Österreich* **Unterbrechung** genannt (§§ 155 ff. österr. ZPO).

Aussiedler, nach dem Bundesvertriebenen-Ges. (BVFG) dt. Staats- und/oder Volkszugehörige, die nach Abschluss der allg. Vertreibungsmaßnahmen (ab 1951) und vor dem 1. 7. 1990 oder danach im Wege des Aufnahmeverfahrens vor dem 1. 1. 1993 die früheren dt. Ostgebiete, Albanien, Bulgarien, China, Danzig, Estland, das ehemalige Jugoslawien, Lettland, Litauen, Polen, Rumänien, die ehemalige Sowjetunion, die ehemalige Tschechoslowakei oder Ungarn verlassen haben. A. sind Vertriebene und Deutsche gemäß Art. 116 Abs. 1 GG. Ihre Rechtsstellung sowie ihre wirtsch. und soziale Eingliederung, z. B. durch Eingliederungshilfen, werden durch das BVFG, das Fremdrenten-Ges. und das Lastenausgleichs-Ges. geregelt. Spätaussiedler ist eine ab etwa 1980 aufgekommene, nicht offizielle Bez. für Aussiedler. 1950–95 sind rd. 3,5 Mio. A., überwiegend ehem. Russlanddeutsche (39% aller A.) sowie ehem. Polendeutsche (41% der A.) und Rumäniendeutsche nach Dtl. gekommen.

🕮 *Eingliederung von A. Sammlung von Texten, die für die Eingliederung von A. (Spätaussiedlern) aus den osteurop. Staaten von Bedeutung sind, bearb. v.* J. HABERLAND. *Leverkusen* [6]*1994.*

Aussiedlung, die Verlegung eines landwirtsch. Betriebes aus beengter Dorflage in die Feldmark, meist verbunden mit einer →Flurbereinigung.

Aussig, Stadt in der Tschech. Rep., →Ústí nad Labem.

Aussolen, Gewinnung von Steinsalz durch unterird. Auflösen mit Wasser. Die Sole wird über Tage weiterverarbeitet.

Aussonderung, im Konkursverfahren die Herausnahme der Gegenstände, die dem Gemeinschuldner nicht gehören, aus der Konkursmasse zur Rückgabe an die Berechtigten.

Ausspähung von Staatsgeheimnissen, →Landesverrat.

Aussperrung, Arbeitskampfmaßnahme der Arbeitgeber, bei der diese die Arbeitsverhältnisse mit allen Arbeitnehmern oder einem Teil von ihnen aufheben. Die A. ist keine Kündigung, sodass keine Fristen zu wahren sind. Sie hat in aller Regel nur suspendierende, keine lösende Wirkung, d.h. nach Beendigung des Arbeitskampfes leben die Arbeitsverhältnisse wieder auf. Nach der Rechtsprechung ist die A., die nach überwiegender Meinung aufgrund von Art. 9 GG zulässig ist, an das Verhältnismäßigkeitsprinzip gebunden.

Aussprache, Artikulation von Sprachlauten oder ihr Ergebnis; sie kann in →Lautschrift wiedergegeben werden.

Ausstand, →Streik.

Ausstattung, 1) *Börsenwesen:* Festlegung von Laufzeit, Verzinsung und Tilgungsmodalitäten von Anleihen.

2) *Familienrecht:* Zuwendungen, die einem Kind von den Eltern zur Heirat, zur Selbstständigmachung oder zur Erhaltung der Selbstständigkeit gemacht werden (§1624 BGB). Eine Art der A. ist die **Aussteuer,** d.h. die Zuwendungen, die einer Tochter bei der Verheiratung zur Einrichtung des Haushaltes gewährt werden. Ein gesetzl. Anspruch des Kindes auf Gewährung der A. besteht nicht. Gesetzl. Erben müssen das, was sie vom Erblasser als A. erhalten haben, bei der Erbauseinandersetzung untereinander ausgleichen (§2050 BGB). Das *österr.* Recht unterscheidet Heiratsgut und Ausstattung. **Heiratsgut** ist das Vermögen, das dem Ehemann von der Ehefrau oder Dritten übergeben wird. A. sind die Zuwendungen, die der jeweilige Ehegatte wegen der Heirat von Eltern oder Großeltern erhält (§§ 1218ff. ABGB). Das *schweizer.* Recht kennt keine Rechtspflicht der Eltern auf Gewährung einer A., nur Unterstützungspflicht im Falle der Not.

3) *Theater:* Gesamtheit der bei einer Inszenierung benutzten Hilfsmittel (Kulissen, Möbel, Kostüme).

Aussteifungen, Stäbe, mit denen dünne Tragwände verstärkt oder ein Bauteil oder Bauwerk gegen den Angriff waagerechter Kräfte (z.B. Winddruck, Erddruck) standfest gemacht werden.

Ausstellung, die Zurschaustellung wirtschaftlicher, techn., künstler. u.a. Erzeugnisse. Man unterscheidet Fach-A. und allg. A., zu denen v.a. die →Weltausstellungen gehören; zu unterscheiden von der →Messe.

Ausstellungsrecht, das dem Urheber eines unveröffentlichten Werkes der bildenden Kunst oder der Lichtbildkunst vom Urheberrechts-Ges. ausdrücklich als Verwertungsrecht zuerkannte Recht, sein Werk öffentlich auszustellen.

Ausstellungsschutz, zeitweiliger Schutz der Priorität für neue Warenzeichen und Gebrauchsmuster (Modelle), die auf Ausstellungen gezeigt werden, sowie Erfindungen, die auf bestimmten internat. Ausstellungen präsentiert werden, falls sie binnen sechs Monaten nach Eröffnung der Ausstellung beim Patentamt angemeldet werden.

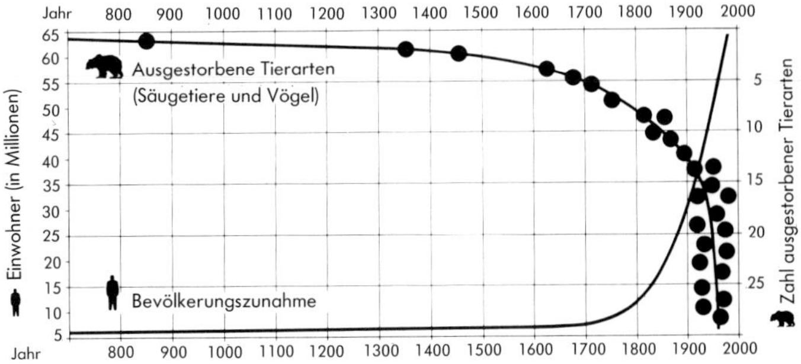

Aussterben: Mit Zunahme der Bevölkerung in Deutschland und der damit verbundenen verstärkten Landnutzung sterben in immer schnellerer Zeitfolge immer mehr Tierarten aus; jeder Punkt bezeichnet eine ausgestorbene Tierart, die Kurve gibt die Anzahl der ausgestorbenen Tierarten bis zum jeweiligen Zeitpunkt an

Aussterben, das Verschwinden von Arten, Gattungen, Stämmen von Lebewesen, die sich biot. oder abiot. Umweltänderungen nicht anpassen konnten (alternde Stammesreihen). Oft gehen aber auch Stammesreihen ohne erkennbare morpholog. oder patholog. Degenerationserscheinungen zugrunde. Mögl. Ursachen des A.: 1) Verdrängung durch konkurrenzüberlegene Formen; 2) zu einseitige Spezialisierung (Riesenformen); 3) stärkere Umweltänderungen; 4) Weiterentwicklung in der eigenen Gruppe: intraspezif. Konkurrenz als normaler Ablauf der Stammesentwicklung. Die Datierung von Fossilien ergab, dass das Ausmaß des A. von Tier- und Pflanzenarten zeitl. Schwankungen unterworfen war. So sind – neben mehreren kleinen – fünf große Ereignisse von **Massensterben** bekannt. Sie zeigen in ihrem Auftreten eine gewisse Periodizität, die die Einwirkung äußerer physikal. Einflüsse vermuten lässt, entweder

Aussterben: Ausgestorbene Tierarten (Auswahl)

als einmaliges Ereignis und dessen Folgen (Katastrophentheorie) oder als eine allmähl. Änderung der Lebensbedingungen. Für das A. vieler Großtiere in der Eis- und Nacheiszeit ist z.T. der Mensch verantwortlich **(Ausrottung).** Ausgerottet wurden z.B. Auerochse (Ur), Quagga, Dronte, Moa, Riesenalk v.a. durch Jagd, Urbarmachung und Bebauung. Ursachen für das verstärkte A. von Arten in neuerer Zeit sind z.B. die Zerstörung des natürl. Lebensraumes und der Nahrungsgrundlagen (u.a. durch steigende Umweltverschmutzung) und die ausgedehnte Anwendung von Schädlingsbekämpfungsmitteln. (→Rote Liste)

🕮 ERBEN, H. K.: *Leben heißt Sterben. Der Tod des einzelnen u. das A. der Arten. Hamburg 1981.* – ELDREDGE, N.: *Wendezeiten des Lebens. Katastrophen in Erdgeschichte u. Evolution. A. d. Engl. Heidelberg u. a. 1994.*

Aussteuer, →Ausstattung.

Aussteuerung, 1) *Elektronik:* die zeitabhängige Beeinflussung einer steuerbaren Anordnung (z.B. Verstärker) durch das Eingangssignal zur Übertragung von Signalen; auch das Maß, bis zu dem die Steuerung getrieben werden darf, ohne dass Verzerrungen auftreten **(A.-Bereich).** Bei darüber hinausgehender Einflussnahme spricht man von **Übersteuerung.**

2) *Versicherungswesen:* das Erlöschen des Anspruchs auf Krankengeld an die gesetzliche Krankenversicherung bzw. auf Arbeitslosengeld aus der Arbeitslosenversicherung nach längerer Inanspruchnahme.

Ausstrahlung, 1) *Geophysik:* Wärmeabgabe von der Erdoberfläche an die darüber liegenden Luftschichten sowie der gesamten Atmosphäre an den Weltraum.

2) *Physik:* Aussendung von elektromagnet. →Strahlung wie Licht und Wärme.

Ausstrich (Ausstreichen, Ausbiss), Schnitt einer Gesteinsschicht mit der Erdoberfläche.

Ausströmen, *Physik:* →Ausfluss.

austarieren, ins Gleichgewicht bringen, z.B. die beiden Waagschalen einer Waage.

Austastlücke, *Fernsehen:* 1) **horizontale A.,** die Zeitspanne, die der Elektronenstrahl in der Bildröhre benötigt, um von einem Zeilenende zum nächsten Zeilenanfang zu springen; 2) **vertikale A.,** die Zeit, die zur Rückführung des Elektronenstrahls nach jedem Halbbild an den oberen Bildschirmrand nötig ist. Während beider Vorgänge ist der Elektronenstrahl dunkelgetastet, d.h., er hinterlässt kein sichtbares Bild. Die vertikale A. wird u.a. zur Übertragung von Videotext genutzt.

Austausch, 1) *Mikrophysik:* der bei atomaren Systemen auf der →Nichtunterscheidbarkeit gleichartiger Teilchen beruhende quantenmechan. Effekt der Vertauschbarkeit ihrer Quantenzustände (Ladung, Spin u.a.).

2) *Strömungslehre:* der Übergang von Materie, Wärmeenergie oder Impuls zw. zwei oder mehreren Systemen.

Austauscher, →Ionenaustauscher, →Wärmeaustauscher.

Austauschkraft, eine zuerst in der Quantentheorie der chem. Bindung, speziell der Bindung zw. unpolaren Atomen (homöopolare Bindung) entdeckte anziehende Kraft, die durch ständigen Austausch von Elektronen zustande kommt. – In der Quantenfeldtheorie deutet man alle Wechselwirkungskräfte, insbes. die Kernkräfte, als Folge eines Austausches von Elementarteilchen. Die auszutauschenden Partikel werden dabei erst im Austauschprozess selbst erzeugt und wieder absorbiert; z.B. wird die elektr. Abstoßung zw. Elektronen durch den Austausch von Lichtquanten vermittelt.

Austen ['ɔ:stɪn], Jane, engl. Schriftstellerin, *Steventon (Cty. Hampshire) 16. 12. 1775, †Winchester 18. 7. 1817; schilderte mit feiner Ironie die oft selbstgerechte Welt des gehobenen engl. Landadels und Mittelstandes, schrieb u. a. die Romane: »Stolz und Vorurteil« (1813), »Emma« (1816), »Die Abtei von Northanger« (1818), »Anne Elliot« (hg. 1818).

📖 Jehmlich, R.: *J. A. Darmstadt 1995.* – Martynkewicz, W.: *J. A. Reinbek 1995.*

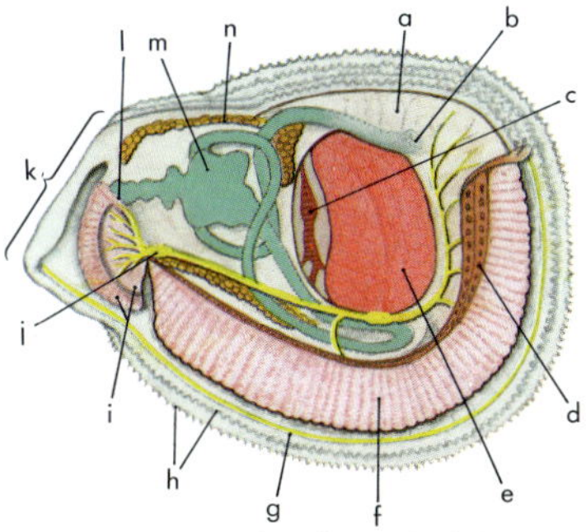

Austern: Auster nach Entfernen der linken Schalenklappe (Tier liegt auf der rechten, flachen Schalenhälfte): a linker Mantel, b Ausströmöffnung, c Herz mit Herzbeutel, d angeschnittene Basis der linken Kieme, e Schließmuskel, f rechtes inneres Kiemenblatt, g Mantelnerv, h rechter Mantelrand, i äußerer und innerer Mundlappen, j Cerebralganglion, k Ligament, l Mund, m Magen, n Geschlechtsdrüsen

Austenit *der,* Bez. für die kubisch-flächenzentrierten γ-Mischkristalle des Eisen-Kohlenstoff-Systems und das von ihnen gebildete Gefüge. **Austenitischer Stahl** ist unmagnetisch und nicht härtbar; Legierungen mit Chrom, Nickel und Mangan sind hitze- und korrosionsfest.

Auster ['ɔ:stə], Paul, amerikan. Schriftsteller, *Newark (N. J.) 3. 2. 1947. Bekannt wurden v. a. seine die Grenze zw. Fiktion und Realität verwischenden New-York-Romane (u. a. »Mond über Manhattan«, 1989); auch Drehbuchautor. – *Weitere Werke:* Leviathan (1992); Mr. Vertigo (1994).

Austerity [ɔ'sterɪtɪ; engl. »Einfachheit«, »Strenge«] *die,* Schlagwort für die in Großbritannien 1947–50 von dem Schatzkanzler S. Cripps beschriebene Politik wirtsch. Sparsamkeit; seitdem allg. auf ähnl. Sparprogramme angewandt.

Austerlitz (tschech. Slavkov u Brna), Stadt im Südmähr. Gebiet, Tschech. Rep., etwa 7 000 Ew. – In der **Dreikaiserschlacht bei A.** am 2. 12. 1805 besiegte Napoleon I. die Truppen des österr. Kaisers Franz II. und des russ. Kaisers Alexander I.

Austern [grch.-lat.] (Ostreidae), Familie der Muscheln mit ungleichmäßiger Schale und verkümmertem Fuß; meist auf hartem, festem Untergrund warmer und gemäßigter Meere festgewachsen. A. sind zwittrig; ihre Larven heften sich am Meeresboden fest und vollziehen ihre Verwandlung. **A.-Bänke** sind Ansammlungen von oft vielen Millionen Tieren. Sie leben von kleinsten tier. und pflanzl. Schwebeorganismen, die mit dem Atemwasser eingestrudelt und durch die Kiemen abfiltriert werden.

Für die Kultur der essbaren **Europ. Auster** (Ostrea edulis) werden »Collecteures« (z. B. Buschwerk, gekalkte Dachziegel) in den Wattengebieten ausgelegt, an denen sich A.-Larven ansiedeln. Nach etwa einem Jahr werden die Jungtiere **(Saat-A.)** von der Unterlage abgepflückt, für 1½ Jahre in Zuchtparks oder in Holzkästen ausgelegt und danach in Mastparks (frz. »claires«) zur Marktreife gebracht.

Neben der Gatt. Ostrea bezeichnet man als A. z. B. auch Arten der Gatt. Crassostrea: die **Portugiesische Auster** (Crassostrea angulata), im europ. Bereich, und die **Amerikan. Auster** (Crassostrea virginica), jenseits des Atlantik; beide sind essbar, jedoch getrenntgeschlechtlich und bilden äußerlich tiefere Schalen als die Europ. Auster. – Wie viele Muscheln bilden A. gelegentlich auch Perlen.

Jane Austen

Austernfischer (Haematopodidae), Familie schwarzweißer Watvögel mit roten Beinen und langem rotem Schnabel. In Europa weit verbreitet ist Haematopus ostralegus.

Austernfischer

Austernseitling (Austernpilz, Muschelpilz, Pleurotus ostreatus), essbarer Blätterpilz mit oberseits dunklem, unterseits weißem Hut; wächst in Büscheln an Laubholz; kann auf totem Holz kultiviert werden.

Austernseitling

Austin ['ɔ:stɪn], Hptst. des Bundesstaates Texas, USA, am Colorado River, 501 600 Ew.; kath. und Staatsuniversität; industrielles Forschungs- und Entwicklungszentrum, Elektronik-, Motoren- u. a. Industrie.

Austin ['ɔ:stɪn], John Langshaw, engl. Philosoph, *Lancaster 26. 3. 1911, †Oxford 8. 2. 1960; Begründer der Sprechakttheorie (→analytische Philosophie).

Austrägalgericht, ab dem 14. Jh. für Streitigkeiten zw. Fürsten, Prälaten, Städten und Rittern zuständiges Schiedsgericht. Im Dt. Bund wurde

Austerlitz

Das ist die Sonne von Austerlitz

Diesen Ausspruch – im französischen Original: »Voilà le soleil d'Austerlitz!« – soll Napoleon Bonaparte beim Sonnenaufgang vor der Schlacht von Borodino (7. September 1812) seinen Offizieren in ermunternder Erinnerung an die Dreikaiserschlacht von Austerlitz (2. Dezember 1805) zugerufen haben.
Dort hatte die schließlich durch die Wolken brechende Sonne, die einen genauen Überblick über die Kampfhandlungen ermöglichte, entscheidend zum Sieg des französischen Kaisers beigetragen. –
In ähnlich aufmunternder Absicht angesichts einer schwierigen Situation wird der Ausruf heute noch gelegentlich zitiert.

Entdeckung und Erforschung Australiens

1601	Der Portugiese G. de Eredia landet an der austral. NW-Küste
1606	W. Jansz(oon) erreicht A. am Carpentariagolf; L. V. de Torres durchfährt die später nach ihm benannte Meeresstraße
1616	D. Hartog landet an der W-Küste
1642	A. J. Tasman entdeckt Van Diemen's Land (Tasmanien); auf einer zweiten Reise (1644) erkundet er die N-Küste
1770	J. Cook gelangt an die O-Küste, überwindet das Große Barriereriff und passiert die Torres-Straße
1788	Beginn der brit. Besiedlung durch Gründung einer Sträflingskolonie beim heutigen Sydney
1798–1802	M. Flinders erforscht die S-Küste (der ihn begleitende G. Bass entdeckt 1798 die nach ihm benannte Meeresstraße); 1814 schlägt Flinders den Namen A. vor (bisher Neuholland)
1813	G. Blaxland, W. Lawson und W. C. Wentworth leiten die Erforschung des Landesinneren ein
1828–30	C. Sturt erkundet den Darling und den Murray
1839–41	E. J. Eyre entdeckt den Torrens- und den Eyresee
1844/45	L. Leichhardt durchquert A. von der Moreton Bay (O-Küste) bis zum Van-Diemen-Golf (Arnhemland)
1860/61	Erste Durchquerung von S (Melbourne) nach N (Carpentariagolf) durch R. O'Hara Burke
1873–76	P. E. Warburton, die Brüder J. und A. Forrest und E. Giles durchziehen West- und Nordwest-A.
1891	D. Lindsay erforscht die westaustral. Wüsten

die richterl. Gewalt für Streitigkeiten zw. Bundesgliedern der Bundesversammlung als **Austrägalinstanz** übertragen. In *Österreich* (Austrägalsenat) bis 1918 Institution zur Entscheidung von Kompetenzkonflikten zw. Reichsgericht und Verwaltungsgerichtshof.

Australasiatisches Mittelmeer, Nebenmeer des →Pazifischen Ozeans.

Australasi|en, →Malaiischer Archipel.

Australian Capital Territory [ɔs'treɪljən 'kæpɪtəl 'terɪtərɪ], Abk. **A. C. T.,** von der Austral. Bundesregierung (→Australien) unmittelbar verwaltetes Territorium im N der Austral. Alpen, 2432 km², (1993) 298300 Ew., umfasst die Bundeshptst. Canberra; die Marinebasis Jervis Bay wurde 1988 ausgegliedert.

Australien, Verwaltungsgliederung (1995; ohne Außenbesitzungen)

Bundesstaaten und Territorien	Fläche in km²	Ew. in 1000	Ew. je km²	Hauptstadt
New South Wales	801600	6081,2	7,6	Sydney
Victoria	227600	4487,0	19,7	Melbourne
Queensland	1727200	3233,9	1,9	Brisbane
South Australia	984000	1471,9	1,5	Adelaide
Western Australia	2525500	1715,3	0,7	Perth
Tasmania	67800	472,6	7,0	Hobart
Northern Territory	1346200	172,2	0,1	Darwin
Australian Capital Territory	2400	301,7	126,0	Canberra
Australien	7682300	17935,8	2,3	Canberra

Australide, typolog. Kategorie für die indigene Bevölkerung Australiens (→Australier); kennzeichnend sind: hoher schlanker Wuchs, dunkle Haut-, Augen- und Haarfarbe, länglich-schmaler Kopf mit vorspringendem Kiefer, tief eingesattelter Nasenwurzel, fliehender Stirn mit kräftigen Überaugenwülsten.

Australi|en [lat. terra australis »Südland«], der kleinste Erdteil. Er umfasst das austral. Festland sowie die Inseln Tasmanien, die Furneaux Islands, die Hunter Islands und King Island sowie die Inseln in der Torresstraße im N, ferner die Inseln vor der austral. W-Küste. Das Festland A. und die Inseln bilden den Staat →Australien.

A. liegt auf der Südhalbkugel beiderseits des südl. Wendekreises zw. Ind. und Pazif. Ozean; Fläche: 7,68 Mio. km². Es reicht im N im Kap York bis 10° 45' s. Br., im SO mit dem Kap Wilson bis 39° 40' s. Br., mit dem Südostkap Tasmaniens bis 43° 39' s. Br.; westlichster Punkt (Steep Point) 113° ö. L., östlichster (Kap Byron) 154° ö. L.; größte N-S-Erstreckung 3680 km, größte W-O-Erstreckung 4100 km.

Landesnatur: Die Küsten A.s sind wenig gegliedert, nur die Große Austral. Bucht im S und der Carpentariagolf im N greifen tief ins Land ein. Auf den Halbinseln im N und S, im SW und SO besitzt A. Riaküsten mit z. T. ausgezeichneten Naturhäfen. Vor der NO-Küste erstreckt sich das der Schifffahrt hinderl. Große Barriereriff (Korallenriff). – A. ist ein Land der Weite und Gleichförmigkeit mit geringen Höhenunterschieden. Es gliedert sich in die Great Dividing Range (im Mount Kosciusko 2230 m ü. M.) parallel der O-Küste und das westlich vorgelagerte Austral. Tiefland mit der Murray-Darling-Senke. Die Mitte und den W des Erdteils nimmt der Austral. Schild ein (von Mittelgebirgen durchsetzte weite Tafelländer). Rd. 60% der Fläche A.s sind abflusslos. Die Seen bilden in der Trockenzeit Salzpfannen, die meisten Flüsse führen nur periodisch Wasser (Creeks). Die große Wasserarmut des Kontinents wird durch artesische Wasservorkommen gemildert.

Klima: Der südl. Wendekreis teilt A. in ein nördl. tropisches und in ein südl. subtropisches Gebiet; Tasmanien gehört zum gemäßigten Bereich. Durch den jahreszeitl. Wechsel sind ausgeprägte Regen- und Trockenzeiten bestimmend. Die Randgebiete sind regenarm; außerordentlich trocken ist das Innere.

Pflanzen- und Tierwelt: Die Vegetation bildet mit der Tasmaniens ein eigenes austral. Florenreich. Den trop. Regenwäldern im N und NO schließen sich Baum-, Busch- und Grassavannen an; charakterist. Pflanzenarten sind Eukalyptus, Flaschenbaum, Grasbaum, Kasuarine, Akazie und Spinifex. Auch die Tierwelt weist eigene Formen auf. Die Säugetierfauna setzt sich v. a. aus Beuteltieren zusammen (Känguru, Koalabär), außerdem leben hier Vertreter der primitiven Kloakentiere

Australien

1

2

3

4

5

1 Perth, Hauptstadt von Westaustralien | **2** Känguru mit Jungem | **3** Schafschur auf einer Farm bei Melbourne | **4** Stirling-Range-Nationalpark in Südwestaustralien | **5** Mount Olga, Inselberg in Zentralaustralien

wie Schnabeltier und Ameisenigel. Außergewöhnlich artenreich ist die Vogelfauna mit u.a. Emu, Leierschwanz, Kakadus und Echten Papageien. Der Dingo ist wohl eine verwilderte primitive Form des Haushundes, die sich stark vermehrenden Wildkaninchen wurden aus Europa eingeführt.

Vorgeschichte: Die Besiedlung A.s von Asien aus in der letzten Kaltzeit wurde durch den zu dieser Zeit niedrigen Meeresspiegel (schmale Wasserstraßen) begünstigt. Etwa 43 000 bis 47 000 Jahre alt sind Steinwerkzeuge, die bei Sydney gefunden wurden. Die ältesten Siedlungsfunde stammen aus der Zeit um 30 000 v. Chr.; vor rd. 25 000 Jahren wurde an der austral. S-Küste (Koonaldahöhle) erstmals Feuerstein abgebaut. Der Bumerang ist seit etwa 8000 v. Chr. belegt; die für A. typ. Felsbilder (Tier- und Menschendarstellungen) sind z.T. 5 000 Jahre alt. In Tasmanien, das um 8000 v. Chr. durch die sich bildende Bass-Straße von A. getrennt wurde, blieb die Kultur auf dem Stand der austral. Frühzeit. Nachdem sich in den letzten zwei Jt. die Fähigkeit der austral. Ureinwohner, Steingeräte herzustellen, allmählich zurückbildete, bestanden zur Zeit der Entdeckung A.s ihre Waffen und Geräte meist aus Holz.

📖 LAMPING, H.: *A. Stuttgart 1985.* – PETTIT, R.: *A. Tier- u. Pflanzenbuch. Hannover 1985.* – *Politisches Lexikon Asien, A., Pazifik, hg. v.* WERNER DRAGUHN *u. a. München* ²*1989.* – LÖFFLER, E. *u.* GROTZ, R.: *A. Darmstadt 1995.*

Australien (amtlich engl. Commonwealth of Australia, dt. Australischer Bund), Bundesstaat auf dem Kontinent Australien. Der Verwaltung unterstehen als Außengebiete u.a. Norfolk und Christ-

Australien

Fläche: 7 713 364 km²
Einwohner: (1995) 18,09 Mio.
Hauptstadt: Canberra
Verwaltungsgliederung: 6 Bundesstaaten, 2 Territorien
Amtssprache: Englisch
Nationalfeiertag: 26. 1.
Währung: 1 Austral. Dollar ($A) = 100 Cents (c)
Zeitzone: MEZ + 7, 8½ und 9 Std. (von W nach O)

Staatswappen

AUS

Internationales Kfz-Kennzeichen

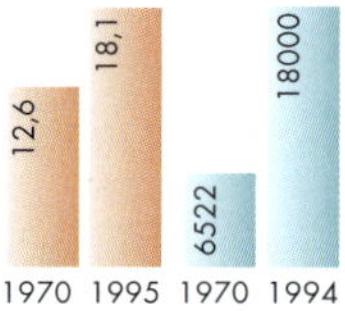

Bevölkerung (in Mio.)
Bruttosozialprodukt je Ew. (in US-$)

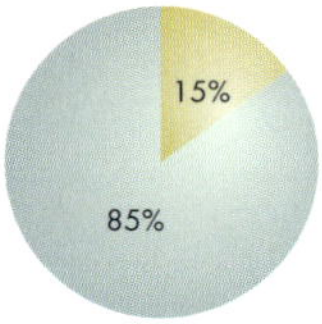

Stadt
Land
Bevölkerungsverteilung 1994

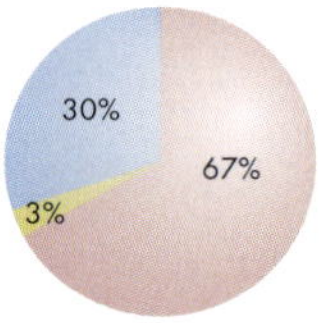

Industrie
Landwirtschaft
Dienstleistung
Bruttoinlandsprodukt 1993

mas Island, Macquarie und Cocos Islands sowie die Heard- und McDonald Islands.

Staat und Recht: Nach der Verf. von 1901 ist A. eine bundesstaatl. parlamentar. Monarchie innerhalb des Commonwealth; Staatsoberhaupt ist der brit. Monarch, vertreten durch einen Generalgouverneur. Die Legislative liegt beim Bundesparlament, bestehend aus der brit. Krone, dem Senat (76 für sechs Jahre gewählte Mitgl.) und dem Repräsentantenhaus (148 Abg., für drei Jahre gewählt). In A. besteht Wahlpflicht. Höchstes Exekutivorgan ist das Kabinett unter Vorsitz des vom Generalgouv. ernannten Premiermin. Einflussreichste Parteien sind die Australian Labor Party, Liberal Party of Australia, National Party of Australia. In inneren Angelegenheiten sind die Bundesstaaten, die über eigene Verf., Parlamente und Reg. verfügen, selbstständig.

Landesnatur: →Australien (Kontinent).

Bevölkerung: Bei der zumeist aus Europa eingewanderten Bev. überwiegt der brit. Anteil (zu etwa 95%). Die Zahl der größtenteils in Reservaten im Landesinnern lebenden Ureinwohner (Aborigines, →Australier) beträgt etwa 180 000. 85% der Ew. leben in Städten, bes. im SO und O des Kontinents, wo südlich der Linie Newcastle–Adelaide über 90% der Bev. konzentriert sind. – Das Schulwesen ist staatlich oder wird vom Staat unterstützt. Schulpflicht besteht vom 6. bis 15. Lebensjahr; außer der Nationaluniv. in Canberra (1946 gegr.) gibt es 38 weitere Univ. (die älteste in Sydney, 1850) und Hochschulen. 73% der Bev. sind Christen (davon 26% Katholiken, 24% Anglikaner). Viele Einwohner sind konfessionslos oder machen keine Angaben.

Wirtschaft, Verkehr: A. hat eine entwickelte Ind. und eine bedeutsame, hoch mechanisierte Landwirtschaft. Letztere nutzt rd. 65% der Staatsfläche, wegen fehlender Bewässerungsmöglichkeiten größtenteils weidewirtschaftlich, für den intensiven bewässerten Ackerbau nur etwa 4%. Die Landwirtschaft ist neben dem aufstrebenden Bergbausektor wichtigster Wirtschaftszweig von A. und trägt mit etwa einem Drittel zu den Exporteinnahmen, aber nur 3% zum Bruttoinlandsprodukt bei. Als wichtigste landwirtsch. Produkte werden z.T. mit Bewässerung und bes. in den Randgebieten Weizen, Zuckerrohr, Baumwolle, Gerste, Roggen angebaut; wichtige Exportgüter sind Schafwolle (1994: 30% der Weltproduktion), Rindfleisch und Milchprodukte, Weizen und Zucker. In den trockenen Teilen des Landes überwiegt die Viehzucht (Schafe, Rinder). Der Bergbau (bes. in West-A.) trägt mit reichen Bodenschätzen (Kohle, Erdöl, Erdgas, Uran, Nickel, Eisenerz, Bauxit, Diamanten, Kupfer, Blei, Zink, Opale, Gold und Silber) rd. ein Drittel zum Exportwert bei. A. ist einer der größten Produzenten und Exporteure von Eisenerz, Bauxit, Kupfer, Blei, Zink, Nickel und Brennstoffen. Rd. die Hälfte der austral. Mineralexporte gehen auf den japan. Markt. In der Ind. herrschen Eisen- und Stahlerzeugung (Neusüdwales, Süd-A.) vor. Weitere Ind.zweige sind Metallverarbeitung (Fahrzeug- und Maschinenbau), Nahrungsmittel-, chem. und Elektroind. – Ausgeführt werden v.a. landwirtsch. Erzeugnisse und Bergbauprodukte, eingeführt Maschinen, elektrotechn. Erzeugnisse und Fahrzeuge. Die wichtigsten Handelspartner sind Japan, die EU-Länder (bes. Großbritannien, Dtl.), die USA und Neuseeland.

Verkehr: Das Eisenbahnnetz (1991: 36 652 km; verschiedene Spurweiten) und das Straßennetz (1992: 810 000 km, davon 16 000 km National Highways) sind im SO am dichtesten. Ein bed. Teil des Transportwesens wird über den Straßenverkehr abgewickelt. Es besteht eine durchgängige Eisenbahnverbindung von der W- zur O-Küste (Perth–Sydney). In den dünn besiedelten Gebieten von A. (Zentral- und West-A.) herrscht der Luftverkehr vor (428 Landeplätze). Die internat. Flughäfen liegen bei Sydney, Melbourne, Adelaide, Perth, Darwin, Brisbane und Townsville; die Fluggesellschaft »Qantas Airways«, die internat. Flugrouten bedient, ist zum größten Teil im Besitz der austral. Bundesregierung. Die austral. Handels-

Australien - Wirtschaft

flotte hatte (1995) 3,04 Mio. BRT. Haupthäfen: Melbourne, Sydney, Port Kembla, Fremantle, Adelaide, Geelong, Newcastle, Port Hedland, Dampier.

Geschichte: Die O-Küste des seit Beginn des 17. Jh. v. a. von Holländern erkundeten A. (daher **Neuholland** genannt) wurde 1770 von J. Cook für Großbritannien in Besitz genommen (New South Wales). 1788 begann dort mit der Gründung einer brit. Sträflingskolonie beim heutigen Sydney die Besiedlung; ab 1793 kamen auch freie Siedler nach A. (Einführung der Schafzucht). Die ab 1825 eigenständige Kolonie Van Diemen's Land erhielt 1853 den Namen Tasmanien. Als weitere brit. Kolonien entstanden 1829 Western Australia, 1836 South Australia und 1851 Victoria. 1851 lösten Goldfunde eine große Einwanderungswelle aus. Die Ureinwohner (→ Australier) wurden in unfruchtbare Gebiete abgedrängt (in Tasmanien bis 1876 ausgerottet). Nach 1850 (»Australian Colonies Government Act«) erhielten die Kolonien New South Wales, Victoria, Tasmania und South Australia fast uneingeschränkte Autonomie (mit parlamentar. Verfassung), 1859 Queensland und 1890 Western Australia; sie schlossen sich am 1. 1. 1901 zu einem Bundesstaat (Commonwealth of Australia) im Rahmen des Brit. Empire zusammen. Im 1. Weltkrieg unterstützte A. das Mutterland; im 2. Weltkrieg kämpfte es aufseiten der Alliierten v. a. gegen Japan.

In der Nachkriegszeit wechselten Koalitionsregierungen aus Liberal Party und National Country Party bzw. National Party (1949–72, 1975–83, seit 1996) mit Kabinetten der Labor Party (1941–49, 1972–75 und 1983–96). Mit der Unterzeichnung des »Australian Act 1986« durch die brit. Königin Elizabeth II. wurden die letzten rechtl. Bindungen des Austral. Bundes an Großbritannien gelöst. Im »Native Title Act 1993«, 1995 durch den Obersten Gerichtshof bestätigt, kam die Regierung den Aborigines in der Frage des Rechtsanspruchs auf Land entgegen. In der Außenpolitik verstärkte A. seit dem 2. Weltkrieg die Zusammenarbeit mit den USA (Gründungsmitgl. des ANZUS-Paktes und der SEATO, Teilnahme am Korea- und Vietnamkrieg). Nach dem Ende des Ost-West-Konfliktes (1989/90/91) bezieht die Regierung die Staaten SO- und O-Asiens stärker in das Konzept ihrer Sicherheits- und Außenpolitik ein.

🕮 *The Oxford history of Australia, hg. v.* G. Bolton. *Auf 5 Bde. ber. Melbourne u. a. 1986 ff.* – Voigt, J. H.: *Gesch. A.s. Stuttgart 1988.* –

Hughes, R.: *A. Die Besiedlung des fünften Kontinents. A. d. Amerikan. Tb.-Ausg. München ³1995.* – Löffler, E. *u.* Grotz, R.: *A. Darmstadt 1995.* – *A. Eine interdisziplinäre Einführung, hg. v.* R. Bader. *Trier 1996.*

Australier: Darstellung einer menschlichen Figur, hinter der ein Emu und eine Geisterfigur zu sehen sind (Felsbild, Nordqueensland)

Australier, die Eingeborenen Australiens. Zur Zeit der Entdeckung durch die Europäer lebten auf dem austral. Kontinent rd. 300 000 A., aufgegliedert in etwa 500 Stämme; zurzeit gibt es nur noch etwa 30 000 reinblütige Ureinwohner (**Aborigines,** einschl. der etwa 270 000 Mischlinge). Nur noch wenige leben in ihrer traditionellen Kultur. Sie gehören zu den Australiden. Die A. lebten als nomadisierende Jäger und Sammler. Windschirme und Laubhütten dienten als Unterkunft. Waffen waren Speere (mit Speerschleudern), Keulen, Bumerangs, Parierschilde; Knochen-, Muschel- und Steinwerkzeuge fanden vielseitige Verwendung.

Australier: Kängurujagd (Rindenmalerei im Röntgenstil, Nordaustralien)

Die A. lebten in Horden; nur vereinzelt gab es Häuptlinge. Totemismus (→Totem), Ahnenverehrung, Heiratsgesetze, Jünglingsweihen u.a. ergaben feste Regeln für das Zusammenleben. Besondere Bedeutung kommt dem Traum zu, in dem die myth. Ur- und Schöpfungsgeschichte auch heute noch erlebt werden kann. Alle Lebensbereiche der traditionellen Gesellschaft sind mit künstler. Tun verbunden. Eine zentrale Rolle spielen die Felsbilder, Felsmalereien und -gravierungen. Rindenbilder wurden auch als Lehrmittel verwendet (Arnhemland). Tänze gehören noch immer zum streng beachteten Kult. Die Musik ist verhältnismäßig hoch entwickelt. Die Sprachen der A. gehören einer eigenen (australiden) Gruppe an. Als erstes nat. Museum der austral. Ureinwohner wurde das »Shepperton International Aboriginal Village« eingerichtet. 1989 wurde den auf den Großfarmen lebenden A. das Recht zugestanden, hier eigene Landparzellen zu besitzen.

📖 Schlatter, G.: *Bumerang u. Schwirrholz. Eine Einführung in die traditionelle Kultur austral. Aborigenes. Berlin 1985.* – Lawlor, R.: *Am Anfang war der Traum. Die Kulturgeschichte der Aborigines. A. d. Engl. München 1993.* – *Weltatlas der alten Kulturen:* Nile, R. *u.* Clerk, C.: *Australien, Neuseeland u. der Südpazifik. München 1995.* – Ilgenstein, G.: *Die Steinzeitmenschen von Australien, die heutigen Aborigines. Frankfurt am Main ³1996.*

australische Kunst, 1) die noch lebendige Kunst der →Australier; 2) die seit dem 19. Jh. in Anlehnung an europ. Stilrichtungen entstandene Kunst der Einwanderer. Auf dem Gebiet der *Architektur* fand man nach Bauten in allen histor. europ. Stilen in den letzten Jahren Anschluss an den internationalen Standard; bekannt wurde v.a. Harry Seidler (*1923). Anerkennung fand der Entwurf des dän. Architekten Jörn Utzon (*1918) für das Opernhaus in Sydney (1973 vollendet). – *Malerei* und *Plastik:* Besondere Bedeutung wurde stets der Landschaftsmalerei beigemessen, heute stehen die Arbeiten der austral. Künstler in internationalem Kontext.

australische Literatur. Die Anfänge einer eigenständigen a. L. in engl. Sprache fallen in die 2. Hälfte des 19. Jh. (A. L. Gordon, H. Kendall, H. Kingsley); um die Jahrhundertwende erlebte sie eine erste Blüte: H. Lawson, J. Furphy, B. O'Dowd, A. G. Stephens, B. Paterson u.a. Das 20. Jh. brachte den Anschluss an europ. und amerikan. literarische Entwicklungen: H. H. Richardson (eigtl. Ethel F. Robertson), E. V. Palmer, Katherine Susannah Prichard, M. Boyd; Lyriker: C. Brennan, W. Baylebridge u.a. Seit dem 2. Weltkrieg traten hervor: P. White (Nobelpreis für Literatur 1973), Morris West, T. Keneally, Rodney Hall, D. Malouf, die Lyriker K. Slessor, R. D. Fitzgerald, Judith Wright, A. D. Hope, die Dramatiker R. Lawler, D. Steward, Alan Seymour. Vertreter der jüngeren Schriftstellergeneration sind u.a. Kate Grenville, Janine Burke, N. Jose und T. Winton; prominentester schwarzaustral. Schriftsteller ist M. Narogin.

📖 GOODWIN, K. L.: *A history of Australian literature. New York 1986, Nachdr. Basingstoke 1988.* – *The Oxford literary guide to Australia, hg. v.* P. PIERCE *u. a. Neuausg. Melbourne u. a. 1993.*

australische Kunst 2): Sidney Robert Nolan, »Ned Kelly in einer Landschaft« (1969; Privatbesitz)

australische Musik, die Musik der Ureinwohner Australiens, deren prähistor. Stadium die älteste erhaltene Musikschicht darstellt. Die a. M. kennt keine melodiefähigen Instrumente. Im Vordergrund steht die Vokalmusik, sie wird bei Geburt, Tod und kultischen Handlungen vorgetragen. Chorgesänge werden oft vom einzigen Blasinstrument, der Holztrompete Didjeridu, begleitet. Ein eigenständiges Musikleben im Anschluss an abendländ. Traditionen entwickelte sich nur zögernd. Um 1850 kamen verstärkt Operntruppen aus Übersee. Mit der Gründung der ersten Rundfunkanstalt 1932 begann die Etablierung eines ständigen Konzertwesens.

Australopithecinen [grch.-lat. »südl. Affenartige«], die afrikan. Hominidengattung Australopithecus, erstmals von R. A. Dart 1925 beschrieben. Die Funde in Süd- und Ostafrika lassen auf ein Alter von 4–0,7 Mio. Jahren schließen. Die Zuordnung älterer Hominiden ist umstritten **(Australopithecus anamensis).** Außerhalb Afrikas gibt es keine allg. anerkannten A.-Funde. Mehrere auf eine gemeinsame Wurzel zurückgehende Entwicklungslinien lassen sich bei den A. erkennen: **Australopithecus robustus** in Südafrika und **Australopithecus boisei** in Ostafrika, eine Fundgruppe mit robustem Schädelbau und großen Backenzähnen. Sie gehören wahrscheinlich einem Seitenzweig des Hominidenstammes an, der im unteren Mittelpleistozän ausstarb. **Australopithecus africanus,** eine kleinwüchsige, grazile Form in Ost- und Südafrika, die im Unterpleistozän ausstarb. An der Basis steht die ostafrikan. Spezies **Australopithecus afarensis,** mit dem ältesten Vertreter der Hominiden (bekanntes Fossil »Lucy«). – Die A. zeigen menschenaffenartige und hominide Merkmale. Sie waren bereits bipede (zweibeinig aufrecht gehende) Läufer. BILD S. 368

Austrasien (Austrien) [»Ostreich«], unter den Merowingern der östl. Teil des Fränk. Reichs mit den Residenzen Reims und Metz, im Unterschied zum Westreich →Neustrien.

Austreibung, 1) Phase der Tätigkeit des →Herzens.

2) Periode bei der →Geburt.

Austria, lat. für Österreich.

Austrian Airlines [ˈɔːstrɪən ˈeəlaɪnz, engl.], Abk. **AUA,** staatl. österr. Luftverkehrsgesellschaft, gegr. 1957, Sitz: Wien. (ÜBERSICHT Luftverkehrsgesellschaften)

Austria Presse Agentur, →APA.

Austria Tabakwerke AG, Wien, staatl. Unternehmen, das bis 1993 das österr. Tabakmonopol verwaltete; gegr. 1784 von Maria Theresia.

Austriazismus *der,* spezifisch österr. sprachliche Ausdrucksweise.

Austrien, →Austrasien.

Austrittsarbeit, Energie, die benötigt wird, um ein →Elektron aus einem Stoff herauszulösen. Sie kann auf versch. Weise zugeführt werden; prakt. bedeutsam sind v. a. →Photoeffekt, →Glühemission und Stoßionisation.

australische Kunst 2): Australian National Gallery von Collin Madigan (Canberra, 1981)

austroasiatische Sprachen, Sprachfamilie in S- und SO-Asien, zw. Kaschmir und dem Südchines. Meer in vielen Sprachinseln verbreitet. Sie werden in zwei Gruppen eingeteilt: Zur Westgruppe gehören die Munda-Sprachen, zur Ostgruppe die Mon-Khmer-Sprachen.

austrocknende Mittel (lat. Exsikkantia), Stoffe, die bei nässenden Erkrankungen der Haut

Australier: Bumerang; ein flaches, gewinkeltes Wurfholz der Australier

oder der Schleimhäute Flüssigkeit binden, z.B. Talkum (Magnesiumsilikat).

Austromarxismus, seit 1904 entwickelte österr. Schule des →Marxismus; betonte im Ggs. zum revolutionären Marxismus-Leninismus das Prinzip der Mehrheitsherrschaft im Rahmen parlamentarisch-demokrat. Organisationen. Hauptvertreter: O. Bauer, M. Adler, R. Hilferding und K. Renner.

austronesische Sprachen, Sprachfamilie mit einem Verbreitungsgebiet von Madagaskar über den Malaiischen Archipel und Neuguinea bis zur Osterinsel und von Formosa (Taiwan) bis Neuseeland. Man unterscheidet die indonesisch-malaiische, die polynes. und die melanes. Sprachgruppe.

Australopithecinen: Aus einzelnen Bruchstücken zusammengesetzter Schädel eines Australopithecus africanus

Austroslawismus *der,* in der 2. Hälfte des 19. Jh. eine polit. Richtung unter den Slawen (v.a. den Tschechen) im Habsburgerreich, die innerhalb des Gesamtstaates eine stärkere polit. Entfaltung der einzelnen Völker anstrebte.

Ausverkauf, Warenverkauf zu herabgesetzten Preisen; gemäß Gesetz gegen unlauteren Wettbewerb nur bei Aufgabe des gesamten Geschäftsbetriebs, einer Filiale oder des Vertriebs einer speziellen Warengattung zulässig. Sondervorschriften gelten für Saisonschluss- oder →Räumungsverkauf.

Auswahl, *Statistik* und *Sozialforschung:* Verfahren der Ziehung von gezielten oder zufälligen Stichproben aus einer Gesamtheit von statist. Einheiten.

Auswahlregeln, in der Quantenmechanik auf Erhaltungsgrößen basierende Regeln, die angeben, welche Zustandsübergänge in einem physikal. System (z.B. Atom oder Molekül) möglich oder ausgeschlossen sind.

Auswanderung, die Verlegung des ständigen Wohnsitzes vom Heimatstaat in ein anderes Staatsgebiet. – Größere A.-Bewegungen sind seit dem 16. Jh. feststellbar (von Europa nach Nord- und Südamerika), in neuerer Zeit seit etwa 1820 (bis 1932 etwa 60 Mio. Menschen aus Europa, davon 45 Mio. nach den USA, nach Argentinien, Kanada). Motive für A. sind heute in Europa meist wirtsch. Art. Polit. und religiöse Gründe für eine A. spielen gegenwärtig v.a. in Afrika und Asien eine Rolle. →Emigration, →Flüchtling.

Auswanderungsbetrug, das geschäftsmäßige Verleiten von Deutschen zur Auswanderung unter Vorspiegelung falscher Tatsachen; wird mit Freiheits- oder Geldstrafe geahndet (§ 144 StGB).

auswärtige Angelegenheiten, die Beziehungen eines Staates zu anderen Staaten oder zu internat. Organisationen, i.d.R. vom Außenministerium unter Leitung des Außenmin. wahrgenommen. Dazu gehören die Unterhaltung diplomat. und konsular. Beziehungen, der Abschluss von internat. Verträgen, die Teilnahme an internat. Konferenzen, die Mitgliedschaft in internat. Organisationen und Gerichtshöfen, der Schutz der Interessen der eigenen Staatsangehörigen im Ausland u.a. Die völkerrechtl. Vertretung der *Bundesrep. Dtl.* obliegt dem Bundespräs. (Art. 59 GG). Ähnl. Regelungen bestehen in *Österreich* und der *Schweiz.*

Auswärtiges Amt (Bundesministerium des Auswärtigen) Abk. **AA,** die Zentralbehörde der Bundesrep. Dtl. für die →auswärtigen Angelegenheiten, geleitet vom **Bundesminister des Auswärtigen.**

Auswaschen, 1) *Bodenkunde:* Herauslösen von Nährstoffen, Ionen und feinster Bodensubstanz (z.B. Tone) aus der oberen Bodenschicht **(Auswaschungshorizont)** durch Niederschläge.

2) *Chemie:* Reinigung eines Filtrationsniederschlages mit Waschflüssigkeit.

Ausweichung, *Musik:* das vorübergehende Verlassen der Haupttonart.

Ausweis, Urkunde, die eine Person oder Mitgliedschaft beglaubigt (Legitimation). Über 16 Jahre alte, meldepflichtige Deutsche müssen einen →Personalausweis besitzen **(Ausweispflicht).** →Pass.

Ausweisung, *Recht:* →Ausländer.

Auswintern, das Absterben überwinternder Kulturpflanzen durch Erfrieren oder Schädigung des Wurzelsystems bei wechselndem Frost- und Tauwetter, Ersticken der Pflanzen bei verdichteter Schneedecke oder Eiskruste oder, bes. bei Roggen, Befall von Schneeschimmel.

Auswuchten, das Prüfen und Korrigieren der Massenverteilung von Drehsystemen mit dem Zweck, die Drehachse zur Deckung mit der Hauptträgheitsachse zu bringen, z.B. Radauswuchten. →Unwucht

Auswurf (Sputum), aus den Luftwegen des Körpers durch Husten (Auswerfen, **Expektoration**) entleertes Bronchialsekret. Die Zusammensetzung des A. ist bei Erkrankungen der Luftwege verändert. Die Untersuchung des A. erfolgt makroskopisch, mikroskopisch und bakteriologisch.

Auswürflinge, bei Vulkanausbrüchen ausgeworfene Gesteinsbrocken, z.B. Lapilli, Schlacke.

Auszählung, Beendigung eines Boxkampfes, wenn ein Boxer zehn Sekunden kampfunfähig (k.o.) und damit besiegt ist.

Auszehrung, die →Kachexie.

Auszubildender (Kw. Azubi), Jugendlicher oder Erwachsener, der einen Ausbildungsberuf in einem Betrieb der Wirtschaft, in vergleichbaren Einrichtungen (öffentl. Dienst, freie Berufe) oder Haushalten erlernt; früher als Lehrling bezeichnet. Die Rechte und Pflichten der A. sind im Berufsbildungs-Ges. (→berufliche Bildung) geregelt.

Auszug, →Extrakt.

Autarkie [grch.] *die,* Selbstgenügsamkeit, Bedürfnislosigkeit. Wirtschaftlich **autark** ist ein Land, das alles selbst besitzt oder erzeugt, was es benötigt (natürl. A.), oder das seinen Bedarf auf das beschränkt, was es selbst besitzt oder erzeugt (künstl. A.). Instrumente der **A.-Politik** sind u.a. Einfuhrbeschränkung durch Zölle, Verwendungszwang inländ. Güter, Förderung der Importsubstitution. A. führt meist zu Wohlstandsverlusten und behindert die internat. Arbeitsteilung.

Auteuil [o'tœj], westl. Stadtteil von Paris zw. Bois de Boulogne und Seine; Pferderennbahn.

authentisch [grch.], **1)** *allg.:* verbürgt, echt.

2) In der *Musik* werden seit dem 9. Jh. die Haupttonarten des 1., 3., 5. und 7. Kirchentons als a. bezeichnet. – In der Harmonielehre heißt a. die Klangfolge Dominante – Tonika.

authigen, Bez. für die bei der Entstehung eines Gesteins neu gebildeten Minerale; Ggs.: allothigen.

Autismus [grch.] *der,* extreme Selbstbezogenheit, Form unwirkl. Denkens bei weltabgewandtem Verhalten (bes. bei Schizophrenie); als kindl. Verhaltensstörung die völlige oder weitgehende Unfähigkeit, Gefühlsbeziehungen zu anderen Menschen aufzunehmen. Ursachen sind wahrscheinlich frühkindl. Hirnschäden (Störung der Wahrnehmungsverarbeitung). Umwelteinflüsse, wie etwa ein gestörtes Mutter-Kind-Verhältnis, scheinen keine Rolle zu spielen.

📖 KEHRER, H. E. *u.a.: Internationale A.-Bibliographie. Weinheim 1991. – A. u. Familie. Redaktion:* H. BLOHM. *Hamburg 1995.*

auto... [grch.], vor Vokalen meist **aut...,** selbst..., eigen...

Auto [kurz für Automobil], →Kraftwagen.

Auto [span.-portugies., von lat. actus »Vorgang«] *das,* einaktiges geistl. Spiel des spätmittelalterl. span. und humanist. portug. Theaters, aufgeführt an den Festtagen des Kirchenjahres (→Auto sacramental).

Autoaggression, gegen die eigene Person gerichtete →Aggression. Sie beruht auf Verdrängung der ursprüngl. Aggressionstendenzen aufgrund von äußeren Zwängen oder psych. Störungen.

Autoaggressionskrankheiten, die →Autoimmunkrankheiten.

Autobahn, Fernverkehrsstraße, die nur dem Schnellverkehr mit Kraftfahrzeugen dient. Die A. besitzen durch begrünte Mittelstreifen, Leitplanken u.a. getrennte, zwei- oder mehrspurige Richtungsfahrbahnen, an vielen Streckenteilen auch mit **Standspur** und/oder Zusatzspuren (**Kriechspur** an Steigungen), sind kreuzungsfrei und mit dem übrigen Straßennetz durch Anschlussstellen verbunden. Der Übergang von einer A. auf eine andere erfolgt kreuzungsfrei durch spezielle Brückenbauwerke **(A.-Kreuz),** bei Abzweigungen **A.-Dreieck.** In Dtl. dürfen die A. nur von Fahrzeugen mit einer Mindestgeschwindigkeit von 60 km/h befahren werden. – Als erste europ. A. wurde 1932 die A. Köln–Bonn dem Verkehr übergeben. – In den USA entsprechen den A. die Turnpikes und (Interstate) Highways.

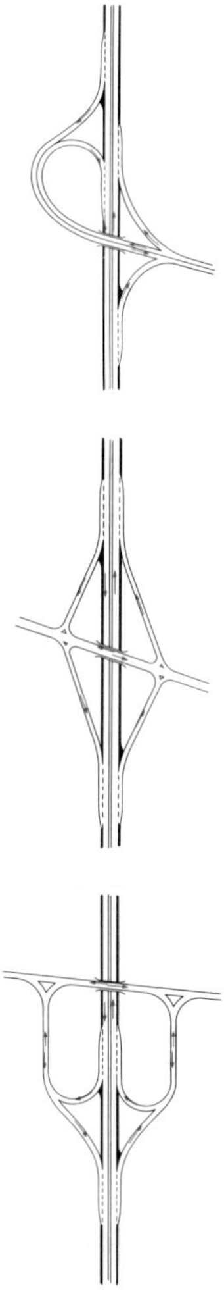

Autobahn: Bauformen von Anschlussstellen: Trompete (oben), Raute (Mitte) und halbes Kleeblatt (unten)

Autobahngebühren, →Straßenbenutzungsgebühren.

Autobiographie, die literar. Darstellung des eigenen Lebens, auch einzelner Lebensphasen (→Biographie).

autochthon [grch.], am Fundort entstanden, eingeboren (→allochthon).

Autodafé [portugies. »Glaubensakt«, aus lat. actus fidei] *das,* in Spanien und Portugal urspr. die öffentl. Verkündigung, dann auch die feierl. Vollstreckung eines Inquisitionsurteils nach einem Gottesdienst. Das erste A. soll 1481 in Sevilla, das letzte 1815 in Mexiko abgehalten worden sein.

Autodidakt [grch.] *der,* jemand, der durch Selbstunterricht Wissen und Bildung erworben hat.

Autoerotik [grch.], auf die eigene Person, nicht auf einen Partner gerichtete erot. Regungen. Von S. Freud als Normalform frühkindl. Sexualität bis zum 3. Lebensjahr, beim Erwachsenen als →Regression aufgefasst (→Narzissmus).

Autofahrer-Rundfunk-Informationssystem, →Verkehrsfunk.

Autogamie [grch. gameĩn »heiraten«] *die,* Form der Selbstbefruchtung, z.B. Bestäubung einer Zwitterblüte durch sich selbst oder bei Einzellern die Vereinigung zweier Zellkerne, die durch Zellteilung aus einem Individuum entstanden sind.

Autogas, →Flüssiggas.

autogen [grch. »aus sich selbst geboren«], ursprünglich, selbsttätig.

autogenes Training [-'trɛ-], ein von J. H. Schultz (ab 1928) entwickeltes psychotherapeut. Verfahren der »konzentrativen Selbstentspannung«. Durch stufenweise erlernbare autosuggestive Übungen erreicht der Patient die Beeinflussung von Muskelspannung, Puls, Atmung, Hautdurchblutung und eine allg. affektive und psych. Entspannung.

Autogiro [-ˈʒiːro] *das,* →Tragschrauber.

Autogramm [grch.] *das,* eigenhändige Unterschrift (einer bekannten Persönlichkeit).

Autograph [grch. »Selbstgeschriebenes«] *das,* Schriftstück, das von seinem Verfasser mit eigener Hand niedergeschrieben worden ist. Sammlungen von A. berühmter Persönlichkeiten kommen seit Ende des 16. Jh. vor.

Autoimmunkrankheiten (Autoaggressionskrankheiten), Erkrankungen, die durch **Autoaggression,** d. h. immunolog. Reaktionen gegenüber körpereigenen Eiweißstoffen oder Zellantigenen, bedingt sind. Körpereigene Substanzen eines Individuums werden als »fremd« empfunden und lösen als Autoantigene die Bildung von Antikörpern gegen »sich« **(Autoantikörper)** und damit eine Antigen-Antikörper-Reaktion **(Autoimmunreaktion)** im eigenen Organismus aus. Die A. werden für viele Krankheitsbilder ungeklärter Ursache verantwortlich gemacht. Gesichert erscheint der Zusammenhang z. B. bei bestimmten Formen der Blutarmut (hämolyt. Anämien), bei Nebennierenerkrankungen und bei der Schmetterlingsflechte sowie bes. bei den Kollagenkrankheiten, v. a. der rheumatoiden Arthritis. Die Behandlung umfasst die Behebung oder Besserung der durch die A. hervorgerufenen Funktionsstörungen an Organen (z. B. Transplantation einer Niere), die Gabe entzündungshemmender Mittel und die →Immunsuppression durch Hormone der Nebennierenrinde.

📖 *A., hg. v.* N. Sönnichsen *u.* E. Apostoloff. *Jena u. a.* ²*1992.* – Ollier, W. *u.* Symmons, D. P. M.: *Autoimmunität. A. d. Engl. Heidelberg u. a. 1995.*

Automaten *wurden schon im Altertum als Vorrichtungen gebaut, die nach einem Auslöseimpuls selbstständig und zwangsläufig (scheinbar »von selbst«) bestimmte Bewegungen und Geräusche erzeugten. Sie sind seit dem Ende des 5. Jahrhunderts v. Chr. nachweisbar (es gibt z. B. einen Bericht über eine flatternde hölzerne Taube oder eine Weckvorrichtung Platons). Außerdem gab es in der Antike Tempeltüren, die sich nach Anzünden eines Opferfeuers automatisch öffneten, pfeifende Vögel und automatische Theater. Automatische Uhren mit Figurenwerk entstanden seit dem Spätmittelalter, z. B. 1352 am Straßburger Münster und 1509 an der Frauenkirche in Nürnberg (»Männleinlaufen«). Spätestens im 16. Jahrhundert tauchten die ersten Musikautomaten auf. Im 18. Jahrhundert wurden die Automaten von Jacques de Vaucanson, der 1739 u. a. eine gehende, schnatternde, fressende und verdauende Ente schuf (Bild), besonders bekannt.*

Autoinfektion [grch.-lat.], Selbstansteckung durch bereits im Körper vorhandene Krankheitserreger; meist infolge Abwehrschwäche.

Autointoxikation [grch.-lat.], Selbstvergiftung durch Stoffe, die im Körper gebildet werden, entweder durch Anhäufung normaler oder durch Bildung abnormer Zwischen- oder Endprodukte der Verdauung oder des Stoffwechsels; erfolgt meist bei schwerer Beeinträchtigung der Leber- oder Nierenfunktion, z. B. bei Harnvergiftung (Urämie).

Autokatalyse [grch.], Form der Katalyse, bei der das Reaktionsprodukt eine chem. Reaktion beschleunigt.

Autokino (Drive-in-Kino), Freilichtkino, bei dem man den Film vom Auto aus betrachtet.

Autoklav [frz. autoclave »Schnellkochtopf«] *der,* verschließbares, meist heizbares, auf Überdruck geprüftes Metallgefäß zur Durchführung von Druckreaktionen (z. B. Hydrierungen, Polymerisationen) sowie zur Sterilisierung von medizin. Geräten und Dosenkonserven.

Autokollimation [grch.-lat.] *die,* empfindl. opt. Verfahren zur Richtungsprüfung, bei dem eine Marke beobachtbar auf sich selbst abgebildet wird.

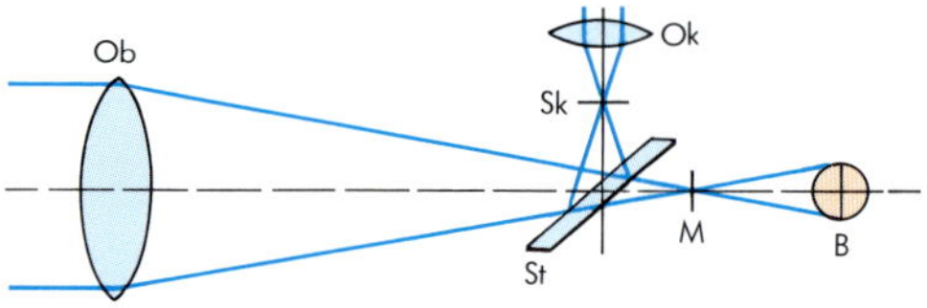

Autokollimation: Strahlengang beim Autokollimationsfernrohr: B Beleuchtung, M Messmarke, Ob Objektiv, Ok Okular, Sk Skala, St Strahlenteiler

Die A. wird mit einem **A.-Fernrohr** (Kombination aus Kollimator und Fernrohr) ausgeführt.

Autokratie [grch. »Selbstherrschaft«] *die,* Herrschaftsform, Sonderform der Monarchie, bei der der Herrscher (Autokrator) die unumschränkte Staatsgewalt auf sich vereinigt. A. waren das Herrschaftssystem des oströmisch-byzantin. Kaisers, der Absolutismus und die »Selbstherrschaft« der russ. Zaren (Kaiser).

Autolyse [grch.] *die* (Selbstauflösung), die Auflösung **(Autodigestion, Selbstverdauung)** abgestorbener Organe und Gewebe durch frei gewordene Eiweiß abbauende Zellenzyme.

Automat [von grch. autómatos »sich selbst bewegend«] *der,* **1)** ein System (Maschine, Vorrichtung), bei dem nach einer Schaltbetätigung (Auslösung) ein vorprogrammierter Prozess selbsttätig abläuft. **Münz-A.** geben nach Einwurf der entsprechenden Münzen (oder Wertmarken) bestimmte Waren **(Waren-A.),** Berechtigungsnachweise (z. B. Fahrkarten, Briefmarken) oder Leistungen **(Fernsprech-A., Wiege-A.)** aus. In elektr. Anlagen gewährleisten **Schalt-A.** und **Sicherungs-A.** das rechtzeitige Abschalten bei Kurzschluss oder Überlastung. Bei **Halb-A.** laufen nur Teilvorgänge automatisch ab (→Spielautomat).

2) eine →automatische Werkzeugmaschine.

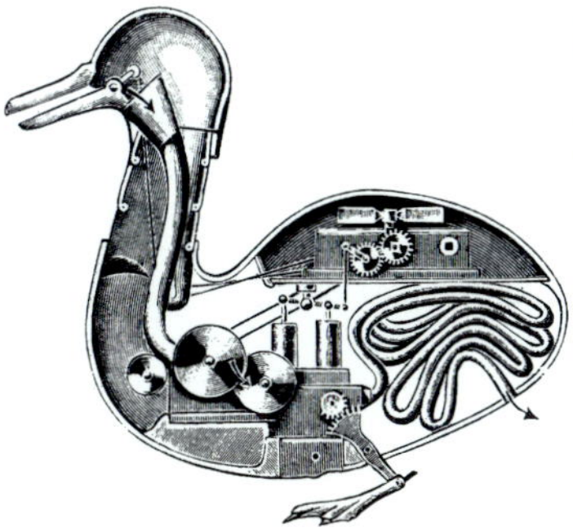

Automat: Künstliche Ente von Jacques de Vaucanson (1739)

3) jedes kybernet. System, das Informationen aufnimmt, verarbeitet und abgibt; in der theoret. Informatik wird jedes mathemat. Modell eines solchen Systems als A. bezeichnet. Mit der mathemat. Theorie der A. befasst sich die **Automatentheorie.**

4) →lernende Automaten.

Automatendiebstahl, Entwendung von Gegenständen aus Warenautomaten; wird dieser gewaltsam erbrochen, liegt schwerer Diebstahl vor (§243). Die unbefugte Benutzung von Leistungsautomaten stellt **Automatenmissbrauch** dar (§265a), →Erschleichung.

Automatenlegierungen, Werkstoffe, die sich zum Zerspanen auf →automatischen Werkzeugmaschinen eignen. **Automatenstähle** enthalten als Legierungsbestandteile v.a. Schwefel, Blei, Tellur und Selen, Leichtmetalle v.a. Mangan, Eisen und Cadmium.

Automatik *die,* Vorrichtung, die einen durch bestimmte Impulse eingeleiteten techn. Vorgang steuert oder regelt und diesen selbsttätig ablaufen lässt; auch Bezeichnung für den Vorgang der Selbststeuerung.

Automation *die,* die →Automatisierung.

automatische Flugzeugsteuerung, →Autopilot.

automatische Werkzeugmaschine, vielfach auch als **Automat** bezeichnetes Fertigungssystem (→Fertigungstechnik), das aus einem Rohteil aufgrund eines Wirkprozesses zw. Material, Energie und Information ein Fertigteil erstellt, wobei alle Gruppen- oder Einzelfunktionen, die zur Fertigstellung erforderlich sind, je nach dem Grad der →Automatisierung selbsttätig ausgelöst und durchgeführt werden. Um in dieser Weise funktionsfähig zu sein, erfordert die a.W. ein Informationssystem (Speicher, Steuerwerk), das es gestattet, ein einmal im Speicher aufgenommenes Fertigungsprogramm wiederholt abzurufen und den zeitl. Ablauf sowie die Reihenfolge der Einzelfunktionen des Prozesses selbsttätig zu steuern, heute i.d.R. durch →CNC.

Automatisierung (Automation), Einrichtung und Durchführung von Arbeits- und Produktionsprozessen durch Einsatz geeigneter techn. Aggregate (automat. Einrichtungen), sodass der Mensch weder ständig noch in einem erzwungenen Rhythmus für ihren Ablauf unmittelbar tätig zu werden braucht. Ziel der A. ist es, techn. Anlagen mit einem Höchstmaß an Wirtschaftlichkeit, Sicherheit und Zuverlässigkeit zu betreiben und den Menschen weitgehend von Routinearbeiten zu entlasten. Durch die A. wird menschl. Arbeit eingespart und auf Konstruktions-, Installierungs-, Programmierungs-, Überwachungs- und Reparaturfunktionen beschränkt. – Unter wirtsch. Aspekt ist A. ein Teilbereich der Rationalisierung. Mit der Entwicklung der Informations- und Kommunikationstechniken auf der Basis der Mikroelektronik dehnte sich das Anwendungsgebiet der A. auf alle Bereiche menschl. Arbeit aus. Im Produktionsbereich wird durch die computergestützte Konstruktion (→CAD) und Fertigung (→CAM) sowie deren Verknüpfung (CAD/CAM) der gesamte Produktionsablauf automatisiert. Endstufe dieser Entwicklung ist die vollautomatisierte Fabrik (→CIM).

Automat

Heute arbeiten die meisten Münzautomaten elektronisch, d.h., die eingeworfenen Münzen werden mit Leuchtdioden und Fotosensoren auf Gewicht, Form und Leitfähigkeit der Zusammensetzung geprüft. So können wesentlich mehr Münzen als früher und sogar Scheine von einem Automaten angenommen werden.
Bei älteren mechanischen Automaten wurde bereits mittels des Einwurfschlitzes geprüft, ob die Münze die richtige Größe und Stärke hatte. Ein danach wartender Stift stellte fest, ob sie gelocht war (z.B. um Unterlegescheiben zu erkennen). Dann fiel die Münze auf eine Waage. War sie schwer genug, lief sie auf einer Schiene an einem Magneten vorbei, der bestimmte Legierungen verschieden stark verlangsamte. Die richtige Münze erhielt die Rutschgeschwindigkeit, sodass sie eine Abweisvorrichtung passierte und im genau richtigen Winkel in eine Weiche fiel, um in die Annahmerinne zu gelangen. Alle anderen Münzen gelangten in die Rückgaberinne. Und seit wann gibt es Münzautomaten? Man glaubt es kaum: seit 1900 Jahren. Im ersten Jahrhundert n. Chr. erfand der griechische Mathematiker Heron von Alexandria Automaten, die für ein Fünfdrachmenstück eine Portion Weihwasser spendeten!

📖 *Mensch u. A. Eine Bestandsaufnahme, hg. v.* K. Henning *u.a. Opladen 1990. – A. u. Wandel der betriebl. Arbeitswelt, bearb. v.* G. Spur *u.a. Berlin u.a. 1993.*

Automatismus *der,* **1)** *allg.:* das Ablaufen von Tätigkeiten ohne bewusstes, willentl. Eingreifen, z. B. Instinktbewegungen, viele erlernte oder angewöhnte Verhaltensweisen, gewisse dem Willen nicht unterworfene Handlungen (z. B. Ticks).

Automatismus 2): Jean-Paul Riopelle, »Rencontre« (1956; Köln, Museum Ludwig)

2) *Kunst:* spontaner Malvorgang ohne rationale Kontrolle, von A. Breton im 1. Manifest des →Surrealismus 1924 theoretisch begründet. Diese Methode erschloss psych. Quellen und instinktive Regungen des Künstlers, der sich betont als unverbildetes Individuum verstand, so M. Ernst, A. Masson, A. Gorky.

Automobil [grch.-lat. »Selbstbeweger«] *das,* der →Kraftwagen.

Automobilclub von Deutschland e.V., Abk. **AvD,** Frankfurt am Main, gegr. 1899, ältester dt. Kraftfahrzeugklub; Förderer des Motorsports.

Automobilclub von Deutschland e.V.

Automobilindustrie, Wirtschaftszweig für die Herstellung von Kfz (i. e. S. Kraftwagen), Anhängern, Aufbauten, Kfz-Teilen und Zubehör. Kennzeichnend für die A. ist ein hoher Grad der Unternehmenskonzentration, bedingt v. a. durch den Zwang zur Großserienproduktion, die fortschreitende Automatisierung und der damit verbundene hohe Kapitaleinsatz. Die Verflechtung der K. mit anderen Ind.zweigen ist volkswirtschaftlich außerordentlich bedeutend, das Export-Import-Geschäft ist hoch und die Internationalisierung der Fertigung einschl. Kooperation einzelner Kfz-Konzerne recht groß. – Die sich abzeichnende Überproduktion von Kraftwagen hat bei versch. Herstellern zur Ausweitung des Produktionsprogramms und zum Einstieg in neue Bereiche (Luft- und Raumfahrt, Hightech) geführt.

📖 SEUFFERT, D.: *Innovative Produktionsmethoden in der A. Baden-Baden 1994.* – KANG, S.-D.: *Fordismus u. Hyundäismus. Rationalisierung u. Wandel der A. in der BRD u. in Südkorea. Frankfurt am Main u. a. 1995.*

Automobilsport, sportl. Wettbewerbe mit Automobilen, z. B. Geschwindigkeitswettbewerbe, Zuverlässigkeitsprüfungen, Sternfahrten, Orientierungsfahrten, Geschicklichkeitswettbewerbe. (→Motorsport)

Automutagene, Gen- und Chromosomenmutation auslösende Substanzen in Organismen als Produkte normaler oder abnormer Stoffwechselvorgänge.

autonom [grch.], **1)** *allg.:* eigengesetzlich, unabhängig.

2) *Biologie:* nicht willkürlich beeinflussbar, durch innere Ursachen erfolgend.

Autonome, polit. Gruppierungen in der Bundesrep. Dtl. aus dem Spektrum der neuen Linken, meist locker organisiert. Sie streben eine herrschaftsfreie Gesellschaft an, auch unter Anwendung gewalttätiger Mittel.

Autonomer Kreis, Abk. **AK,** Verwaltungseinheit einer nat. Minderheit in Russland, meist innerhalb eines Gebietes oder einer Region, z. B. AK der Tschuktschen, AK der Ewenken.

autonomes Gebiet, Teil eines Staates mit einer gewissen Selbstständigkeit; z. T. auch autonome Region genannt (→Autonomie).

autonomes Nervensystem, das →vegetative Nervensystem.

Autonome Sozialistische Sowjetrepublik, Abk. **ASSR,** Verwaltungseinheit für größere nat. Minderheiten in der Sowjetunion; bestehen heute als Teilrepubliken in Russland, Aserbaidschan, Georgien und Usbekistan.

Automobilproduktion (in 1000 Stück)

Land	Pkw 1990	Pkw 1994	Nfz[1] 1990	Nfz[1] 1994
Japan	9948	7801	3539	2753
USA	6077	6614	3703	5649
Deutschland[2]	4779	4222	350	270
Frankreich	3295	3125	474	383
Spanien	1679	1822	374	321
Korea, Rep.	987	1806	335	506
Großbritannien	1296	1467	270	228
Italien	1875	1341	246	194
Brasilien	663	1249	251	333
Kanada	1076	1216	850	1106
Welt	36264	35518	12663	13936

[1] Nutzfahrzeuge (= Lkw und Omnibusse). – [2] Alte und neue Länder zusammen.

Autonomie [grch.] *die,* **1)** *allg.:* Selbstständigkeit, Unabhängigkeit.

2) *Ethik:* Kant bezeichnet als A. des Willens den Zustand des sittlich reifen Menschen, der sich nur von seinem Gewissen das Gesetz seines Verhaltens vorschreiben lässt (→kategorischer Imperativ); Ggs.: Heteronomie.

3) *Recht:* (Selbstgesetzgebung, Selbstsatzung) das Recht eines Gemeinwesens, die Rechtsverhältnisse seiner Angehörigen durch Aufstellung bindender Rechtssätze eigenständig zu regeln. Bis 1806 hatten Adelsgenossenschaften (Adelsvereinigungen), kirchl. Gemeinschaften, Universitäten die A.; geblieben ist sie bis heute als wesentl. Teil der →Selbstverwaltung in Gemeinden und Gemeindeverbänden, bei Universitäten u.a. Körperschaften des öffentl. Rechts. – Im Staats- und Völkerrecht ist die A. die rechtlich gesicherte Selbstständigkeit von Teilgebieten eines Staates, denen in bestimmten Fragen, bes. zum Schutz nat. Minderheiten, eine Selbstverwaltung gewährleistet wird. Zentren von A.-Bestrebungen seit dem 19. Jh. waren bes. die Vielvölkerstaaten Russland und Österreich-Ungarn. A.-Bestrebungen zeigten sich auch bei den Flamen in Belgien, den Katalanen und Basken in Spanien, den Iren in Großbritannien. Nach 1919 entstanden neue A.-Bewegungen in den Nachfolgestaaten Österreich-Ungarns (v.a. Tschechoslowakei und Jugoslawien), seit Ende der 80er-Jahre verstärkt auch in der Sowjetunion und in Jugoslawien, die zu Beginn der 90er-Jahre zum Zerfall dieser Vielvölkerstaaten führten. Außerhalb Europas treten v.a. die Frankokanadier und die Kurden mit A.-Forderungen hervor.

Autopilot (automatische Flugzeugsteuerung), Gerätesystem zur selbsttätigen Steuerung von Luftfahrzeugen, ersetzt in Fernlenkflugzeugen oder Lenkflugkörpern den Piloten, entlastet diesen in bemannten Flugzeugen. Mithilfe eines →Flugreglers und einer hydraul. Kraftsteuerung der Ruder können Fluglage und Flugbahnen konstant gehalten oder über eine Fernlenkanlage und einen programmierten Flugplan beeinflusst werden. (→Landeführungssysteme)

Autoplastik [grch.] (autogene Transplantation), Verpflanzung von Gewebe von einer Körperregion in eine andere; Spender und Empfänger sind also identisch.

Autopsie [grch.] *die,* Leichenöffnung (→Sektion).

Autor [lat.] *der,* Urheber, Verfasser.

Autoradiographie, radiolog. Verfahren zum Nachweis der örtl. Verteilung von Radionukliden, deren emittierte Strahlung spezielle Fotoemulsionen schwärzt. Das entstandene Schwärzungsbild **(Autoradiogramm)** dient v.a. der Auswertung radioaktiver Proben bzw. Präparate aus der Medizin (z.B. zur Feststellung von Gewebeveränderungen), Biologie (z.B. für die Sequenzanalyse von DNA und RNA) und Metallurgie.

Autoreisezug, Eisenbahnzug, der mit den Reisenden auch deren Pkw befördert.

autoritärer Staat, ein Staat, in dem alle polit. Machtbefugnisse auf einen einzigen Machtträger (Einzelperson, Partei u.Ä.) konzentriert sind, der Entscheidungen ohne Kontrolle durch eine Volksvertretung trifft; die polit. Opposition ist ausgeschaltet. A.S. können u.a. Monarchien, Präsidialdiktaturen, Militärregime oder bestimmte Einparteiensysteme sein.

Autorität [von lat. auctoritas »Geltung«, »Ansehen«] *die,* Ansehen, Würde, Macht, Einfluss von Personen oder Institutionen aufgrund äußerer Befugnisse oder Symbole, aber auch aufgrund innerer Überlegenheit, größeren Ansehens oder besonderen Sachverstandes.

Auto sacramental [span.] *das,* span. Fronleichnamsspiel seit dem Ende des 16. Jh., das im Freien (auf öffentl. Plätzen) auf Festwagen aufgeführt wurde; Höhepunkt war die Verherrlichung der Eucharistie im Schlussbild. Ihre vollendetste Form fand das A.s. bei L. de Vega Carpio, Tirso de Molina und bes. P. Calderón de la Barca.

Autosuggestion [grch.-lat.], die Selbstbeeinflussung, →Suggestion.

Autotomie [grch.] *die,* das Vermögen vieler Tiere, bei Gefahr einen Körperteil abzuwerfen (z.B. die Eidechsen ihren Schwanz) und anschließend wieder zu regenerieren.

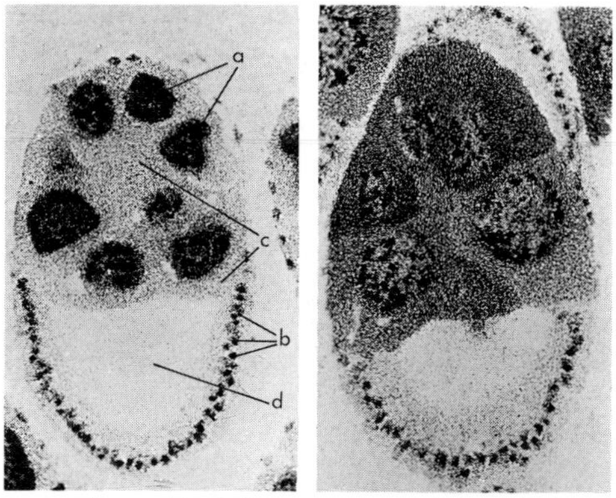

Autoradiographie: Einlagerung von tritiumhaltigem (radioaktivem) Uridin (Bestandteil der RNS) in die Zellkerne eines Eifollikels bei der Stubenfliege, wobei die radioaktive Strahlung eine Schwärzung der darüber liegenden Fotoschicht verursacht. **links:** Schwärzung in den Zellkernen, den Orten der RNS-Synthese, 45 Minuten nach der Uridinverabreichung; a Nährzellenkerne, b Follikelkerne, c Nährzellplasma, d Eizellplasma; **rechts:** Verteilung der radioaktiven RNS im Nährzellplasma 150 Minuten nach der Uridinverabreichung (etwa 150fach vergrößert)

Autotrophie [grch. »Selbsternährung«] *die,* Fähigkeit chlorophyllhaltiger Pflanzen, alle lebensnotwendigen Stoffe aus Wasser, Kohlendioxid und anorgan. Salzen selbst aufzubauen.

Autotypie [grch. »Selbstdruck«] *die* (Rasterätzung, Netzätzung), photochem. Reproduktionsverfahren (erfunden 1881 von G. Meisenbach) zur Wiedergabe von Halbtonvorlagen (Fotografien, Gemälden u.a.); auch die entsprechende Druckplatte im Buchdruck wird als A. bezeichnet. Durch fotograf. Aufnahme unter Vorschaltung eines →Rasters erhält man Rasternegative, in denen die Vorlage entsprechend den Helligkeitswerten in verschieden große Punkte zerlegt wird. Die Rasternegative kopiert man auf mit einer lichtempfindl. Schicht versehene Metallplatten, die anschließend geätzt werden. Nach dem gleichen Verfahren werden auch **Mehrfarben-A.** hergestellt.

Auvergne Historisches Wappen

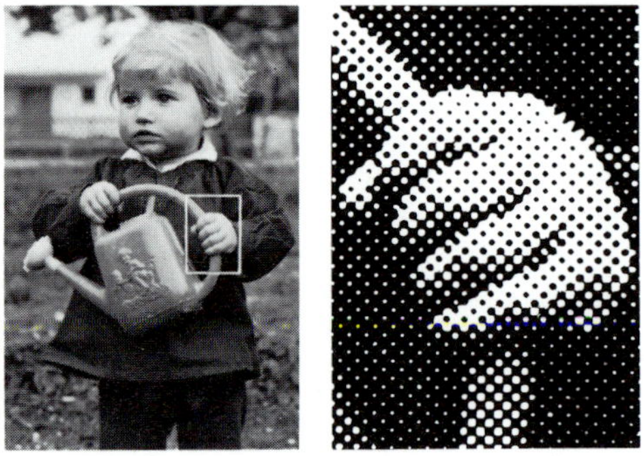

Autotypie: Normale Autotypie (links) und etwa sechsfach vergrößerter Ausschnitt davon (rechts)

Auto Union GmbH, Vorläufer der →Audi AG.

Autovakzine *die,* ein Impfstoff aus Erregern, die dem Blut des Kranken entnommen werden.

Autun [o'tœ̃], Stadt im frz. Dép. Saône-et-Loire, 20600 Ew.; Möbel-, Flugzeug-, Metall verarbeitende Ind., Maschinen- und Fahrzeugbau. – Kathedrale aus dem 12. Jh., Reste röm. Bauten.

Autun: Gislebertus, »Jüngstes Gericht« (Tympanon über dem Hauptportal der Kathedrale Saint-Lazare, 1125–35)

Auvergne [o'vɛrɲ], Landschaft und Region im südl. Mittelfrankreich, waldarmes und seenreiches Hochland (über 600 m) mit mehr als 60 erloschenen Vulkanen, wie dem Cantal (1858 m ü. M.), Puy de Sancy (1886 m ü. M.), Puy de Dôme (1465 m ü. M.). In den Tälern ist auf den wenigen ertragreichen Böden Ackerbau möglich, in den hoch gelegenen Teilen Viehwirtschaft. Die A. ist reich an Mineralquellen; es bestehen Wasserkraftwerke, Uranerz- und Kohlebergbau, Aluminium-, Elektro-, Flugzeug- und Pharmaindustrie. Hauptort ist Clermont-Ferrand. – Die A., das Land der kelt. Arverner, gehörte zur röm. Prov. Aquitania und war im MA. eine Grafschaft; der größte Teil kam 1527 an die frz. Krone.

Auxerre [o'sɛ:r], Hptst. des Dép. Yonne, Frankreich, 38800 Ew.; zentraler Handelsort im nördl. Burgund; Holz-, Metall-, Lebensmittelindustrie; Weinbau in der Umgebung. – Got. Kathedrale Saint-Étienne (13.–14. Jh., Krypta aus dem 9. Jh.).

Auxine [grch.], Pflanzenwuchsstoffe, die durch Beeinflussung der Zellstreckung das Wachstum fördern.

Ava (Frau A.), erste mit Namen überlieferte Dichterin, die in dt. Sprache schrieb, vielleicht identisch mit der Klausnerin Ava im Kloster Melk, deren Tod am 7. 2. 1127 die Annalen verzeichnen; A. verfasste geistl. Gedichte zur Heilsgeschichte.

Aval [frz.] *der,* selten *das,* Wechsel- oder Scheckbürgschaft; sie wird erklärt, indem der Bürge **(Avalist)** seinen Namen mit auf den Wechsel (Scheck) setzt. Ein **Avalkredit** ist ein Wechselkredit, bei dem die bezogene Bank nur eine Bürgschaft übernimmt.

Avalancheeffekt [frz.], bei Halbleitern die lawinenartige Erhöhung der Ladungsträgerzahl an einer Sperrschicht aufgrund einer in Sperrrichtung anliegenden Spannung.

Avalon ['ævəlɔn] (Avalun), *kelt. Mythos:* gallisch-britann. Name des kelt. Elysiums; in der Artussage der Aufenthalt der Helden nach dem Tode.

Avalon ['ævəlɔn], Halbinsel im SO Neufundlands, Kanada, mit vielen Häfen und dem Hauptort Neufundlands, St. John's.

Avance [a'vã̃s, frz.] *die,* **1)** Vorsprung, Vorteil, Gewinn, auch der Kurs oder Preis über Nennwert.

2) ermutigendes Entgegenkommen.

Avantgarde [avã'gard, frz.] *die,* Gruppe von Vorkämpfern (für eine Idee), bes. Vertreter literar. oder künstler. Strömungen, die überlieferte Formen sprengen und neue Entwicklungen einleiten wollen.

avant la lettre [a'vãla'lɛtr, frz.], →avec la lettre.

AvD, Abk. für →**A**utomobilclub **v**on **D**eutschland e.V.

avdp, Abk. für **av**oir**d**u**p**ois, →Avoirdupois-System.

Ave [lat.] *das,* Sei gegrüßt! Heil! Lebe wohl! **A., imperator, morituri te salutant,** »Heil dir, Kaiser, die dem Tode Geweihten grüßen dich«, Gladiatorengruß an den röm. Kaiser Claudius.

Avebury ['eɪvbərɪ], Ort in der Grafschaft Wiltshire, Großbritannien, mit spätneolithisch-frühbronzezeitl., zu den eindrucksvollsten megalith. Anlagen in Europa gehörenden Kultstätten.

avec la lettre [a'vɛk la'lɛtr; frz. »mit der Schrift«], bei graf. Blättern die Drucke der fertigen Auflage nach Anbringung von Titel, Künstlernamen und Verlegeradresse; **avant la lettre** [frz. »vor der Schrift«], die vor Einstechen der Schrift abgezogenen Probedrucke; **après la lettre** [frz. »nach der Schrift«], die nach Ausschleifen der Unterschrift von der meist abgenutzten Platte gedruckten, weniger wertvollen Abzüge.

Aveiro [a'veiru], Distr.-Hptst. in N-Portugal, alte von Kanälen durchzogene Hafenstadt an einem 30 km langen Haff (Ria de A.), 35200 Ew.; Universität; Schiff- und Fahrzeugbau, Meersalzgewinnung. – Kathedrale (15.–18. Jh.).

Avellaneda [aβeja'neða], Stadt in Argentinien, im Bereich der Agglomeration Buenos Aires, 334000 Ew.; Hafen (große Dockanlagen) am Río de la Plata, Werften, Erdölraffinerien, bed. Fleisch verarbeitende Industrie.

Avellino, 1) Provinz in Kampanien, Italien, östl. von Neapel, 2792 km², (1995) 441500 Einwohner.

2) Hptst. von 1), 55900 Ew.; Nahrungsmittel- und Textilindustrie; Bischofssitz, Dom (12. Jh.). In der Nähe der Wallfahrtsort Monte Vergine.

Ave-Maria [lat. »Gegrüßt seist du, Maria«] *das, kath. Kirche:* Gebet zur Verehrung Marias; Gruß des Engels Gabriel an Maria (Lk. 1, 28), daher **Englischer Gruß** (d. h. Engelsgruß).

Avempace [-'pa:tse], arab. Philosoph, → Ibn Badjdja.

Avena [lat.], wiss. Bezeichnung für → Hafer.

Avenarius, Richard, Philosoph, *Paris 19. 11. 1843, †Zürich 18. 8. 1896; suchte mit einem krit. Empirismus (»Empiriokritizismus«) eine von dogmat. Metaphysik unabhängige Wirklichkeitslehre zu geben (→ Positivismus). Lenin erblickte in A.' Philosophie einen subjektivistischen Idealismus und bekämpfte ihre starke Wirkung auf die russ. Philosophie.

Werke: Kritik der reinen Erfahrung, 2 Bde. (1888–90); Der menschl. Weltbegriff (1891).

Avencebrol, jüd. Philosoph, → Ibn Gabirol.

Avenches [a'vɑ̃ʃ], Bezirkshauptort im Kt. Waadt, Schweiz, 2200 Ew.; archäolog. Museum; Maschinen- u. a. Industrie. – Röm. Ruinen (6 km lange Ringmauer, Theater u. a.), mittelalterl. Stadtbefestigung. – A., als **Aventicum** der Hauptort der Helvetier, dann eine röm. Stadt, wurde um 260 n. Chr. von den Alemannen zerstört.

Aventin *der* (Aventinischer Hügel), einer der sieben Hügel Roms; bis zum 1. Jh. n. Chr. vorwiegend von Plebejern bewohnt.

Aventinianer, die Abgeordneten der antifaschist. Opposition im italien. Parlament, die nach der Ermordung G. Matteottis (10. 6. 1924) das Parlament verließen; 1926 wurden ihnen ihre Mandate entzogen.

Auvergne: Vulkanstotzen

Aventinus, Geschichtsschreiber, → Turmair.

Aventurin *der,* farbiger Quarz mit metall. Schimmer dank seiner Einschlüsse von Glimmer, Hämatit u. a.; Schmuckstein.

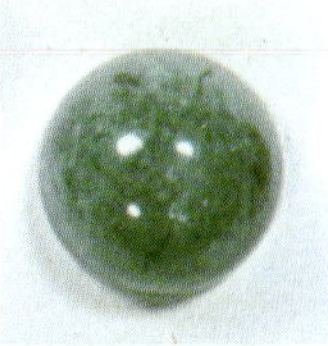

Aventurin: Aventurinquarz (geschliffen)

Aventurinfeldspat (Sonnenstein), durch eingelagerte feine Eisenglanzplättchen rötlich oder gelblich schimmernder Feldspat; Schmuckstein.

Averkamp, Ludwig, kath. Theologe, *Velen (Kr. Borken) 16. 2. 1927; seit 1995 Erzbischof von Hamburg.

Ludwig Averkamp

Averroes, arab. Philosoph und Arzt, → Ibn Ruschd.

Averroismus, die Weiterführung von Gedanken des Averroes (→ Ibn Ruschd) etwa seit 1250 in Paris, hauptsächlich durch Siger von Brabant und Boethius von Dacien, im 14. Jh. vertreten von Marsilius von Padua. Der A. übernahm von Ibn Ruschd die Lehren vom Primat der Vernunft, von der Ewigkeit der Welt und von der einen, allen Menschen gemeinsamen Vernunft. (→ Atheismus)

Avers [lat. adversus »zugekehrt«] *der,* Vorderseite einer Münze; Ggs.: Revers.

Avers [-f-], Hochtal im Kt. Graubünden, Schweiz, vom Averser Rhein (rechter Nebenfluss des Hinterrheins) durchflossen; Hauptort ist Cresta (1959 m ü. M.). Der Weiler **Juf** (2126 m ü. M.) ist die höchstgelegene ganzjährig bewohnte Siedlung Europas.

Avignon: Stadtbild mit der festungsähnlichen Anlage des gotischen Papstpalastes (14. Jh.; Bildmitte), der romanischen Kathedrale Notre-Dame-des-Doms (12. Jh.) und den erhaltenen vier Bögen des Pont d'Avignon (erbaut im 12. Jh.)

Aversa, Stadt in Kampanien, Prov. Caserta, Italien, nördlich von Neapel, 54 500 Ew.; bekannt v. a. durch ihren Weichkäse (Mozzarella).

Aversion [frz.] *die,* Abneigung, Widerwille.

Aves [lat.], wiss. Name für die →Vögel, eine Klasse der Wirbeltiere.

Avesta, →Awesta.

Aveyron [avɛˈrɔ̃], **1)** *der,* rechter Nebenfluss des Tarn in Südfrankreich, 250 km lang, entspringt im südl. Zentralmassiv, mündet bei Montauban.

2) Dép. in Südfrankreich, 8 735 km², 272 000 Ew.; Hptst. Rodez.

Avignon
Stadtwappen

Avianca [-β-], Abk. für **A**ero**vía**s **N**acionales de **C**olombia **SA**, kolumbian. Luftverkehrsgesellschaft, gegr. 1919, Sitz: Bogotá. (ÜBERSICHT Luftverkehrsgesellschaften)

Ávila 2): Die etwa 13 m hohe mittelalterliche Stadtmauer

Avianus (Avianius), lat. Fabeldichter, wohl zu Beginn des 4. Jh. n. Chr. tätig; seine Fabelsamml. in lat. Distichen war im MA. ein weit verbreitetes Schulbuch.

Avicenna [lat.], islam. Philosoph und Arzt, →Ibn Sina.

Avidin [lat.] *das,* Glykoprotein aus rohem Hühnereiweiß, das Biotin (→Vitamine) zu binden vermag.

Avignon [aviˈɲɔ̃], Hptst. des frz. Dép. Vaucluse in der Provence, an der Mündung der Durance in die Rhone, 86 900 Ew.; Erzbischofssitz; Univ.zentrum (seit 1973), Museen, Theaterfestspiele; Handels- und Verw.zentrum; Flusshafen; Konservenherstellung, Zement- und Düngemittelind., Landmaschinenbau; Fremdenverkehr. – A., eine mittelalterl. Stadt mit gewaltigen Mauern (1349–68), wird von der roman. Kathedrale (12. Jh.) und dem festungsartigen Papstpalast (14. Jh.) überragt. Die Brücke (Pont d'A.) aus dem 12. Jh. wurde 1669 bis auf vier Bögen zerstört; sie gilt als Wahrzeichen der Stadt. – A., das röm. **Avenio,** war im MA. zunächst unter der gemeinsamen Herrschaft der Grafen von Toulouse und der Provence; 1309–76 Residenz der Päpste **(Avignon. Exil),** die hier unter frz. Einfluss standen; 1348–1797 päpstl. Besitz mit bed. Univ. (1303–1791).

Ávila [ˈaβila], **1)** Provinz in der Region Kastilien und León, Spanien, 8 050 km², (1991) 174 400 Einwohner.

2) Hptst. von 1), 1 114 m ü. M., am Nordrand des Kastil. Scheidegebirges, 47 000 Ew.; Zentrum eines Agrargebiets; Nahrungsmittel-, Textil- und Automobilind.; Fremdenverkehr. – Die Altstadt mit ihren Klöstern und Kirchen ist Weltkulturerbe (UNESCO). Die mittelalterl. Befestigungsanlagen (11. Jh. sind mit über 80 Türmen erhalten. – Á. wurde spätestens im 4. Jh. Bischofssitz; war von 704 bis 1088 eine maur. Festung und hatte 1550–1807 eine Universität.

Avionik *die,* Kurzwort aus **Avi**atik und Elektro**nik,** bezeichnet die Gesamtheit elektron. Luftfahrtgeräte sowie auch die Wissenschaft und Technik dieser Geräte und Systeme.

Avis [a'vi, frz.] *der* oder *das,* **1)** Ankündigung (z. B. einer Sendung an den Empfänger).

2) Mitteilung des Ausstellers eines Wechsels oder Schecks an den Bezogenen über die Deckung der Wechsel- bzw. Schecksumme; daher die A.-Klausel (»laut Bericht« oder »ohne Bericht«).

Avisen [italien.], in Dtl. Bez. der →Zeitungen im 17./18. Jahrhundert.

Aviso [span.] *der,* schnelles, leicht bewaffnetes Depeschenboot und Aufklärungsschiff, Vorläufer des Kleinen Kreuzers.

a vista, →a prima vista.

Avitaminosen, Vitaminmangelkrankheiten (→Vitamine).

Avocado [span.] *die* (Avocato, Avocadobirne, Advokatenbirne, Alligatorbirne), birnenähnl. dunkelgrüne Frucht des südamerikan. Lorbeergewächses **Persea americana;** als Frischobst, Salat oder Mus gegessen. Anbaugebiete sind u. a. Kalifornien, Südafrika und Israel.

Awaren 1): Goldschnalle mit Goldblechbeschlag aus einem in Hajdúdorog (Ungarn) gefundenen awarischen Reitergrab (7. Jh.; Debrecen, Déri Múzeum)

Avogadro-Konstante [nach dem italien. Physiker Amedeo Avogadro, *1776, †1856], Fundamentalkonstante, die die Anzahl der Atome oder Moleküle angibt, die in einem →Mol eines Stoffes enthalten sind: $N_A \approx 6{,}022 \cdot 10^{23}\,\mathrm{mol}^{-1}$; der reine Zahlenwert dieser Größe wird oft als **Avogadro-Zahl** bezeichnet. In der älteren Fachliteratur heißt die A.-K. manchmal Loschmidt-Konstante.

avogadrosches Gesetz, von dem italien. Physiker A. Avogadro 1811 formuliertes Gesetz: Gleiche Volumina idealer Gase enthalten bei gleichem Druck und der gleichen Temperatur die gleiche Anzahl von Atomen oder Molekülen.

Avoirdupois-System [ævədə'pɔɪz-, engl.], das brit. und amerikan. System von Gewichts- bzw. Masseneinheiten, bestehend aus den Einheiten Ton, Hundredweight, Cental, Grain, Dram, Ounce, Pound, Quarter, Stone. Bei Verwechslungsgefahr mit gleichnamigen Einheiten des Apothecaries-System (für Medikamente) und des Troy-Systems (für Edelsteine und Edelmetalle) kann die Abk. **avdp** zur Einheit hinzugefügt werden.

Avon ['eɪvən, 'ævən], **1)** Cty. in England, 1332 km², (1991) 932 700 Ew., VerwSitz: Bristol.

2) zwei Flüsse in England: 1) **Upper A.,** linker Nebenfluss des Severn, entspringt in der Grafschaft Northampton, mündet bei Tewkesbury, 155 km lang. 2) **Lower A.,** Fluss in SW-England, entspringt in den Cotswold Hills, mündet bei Avonmouth in den Bristolkanal, 121 km lang.

Avranches [a'vrãʃ], frz. Stadt an der NW-Küste der Normandie, 9 500 Ew. Im Zweiten Weltkrieg gelang den amerikan. Truppen bei A. am 30./31. 7. 1944 der entscheidende Durchbruch der dt. Linien.

Avus *die,* Abk. für **A**utomobil-**V**erkehrs- und **Ü**bungs-**S**traße, ehem. Automobilrennstrecke in Berlin, zw. Grunewald und Nikolassee; 9,8 km lang; 1921 fertig gestellt; Prototyp der Autobahnen.

AWACS [engl. 'eɪwæks; Abk. für **a**irborne early **w**arning **a**nd **c**ontrol **s**ystem], luftgestütztes (fliegendes) →Frühwarnsystem der NATO. Jedes der mit großem Radarschirm ausgerüsteten Flugzeuge kann einen Umkreis von rd. 500 km Durchmesser überwachen.

Awami-Liga, polit. Partei in →Bangladesh.

Awaren, 1) (Avaren) asiat. Reitervolk, das im 6. Jh. von den Türken aus dem Steppengebiet östl. der Wolga verdrängt wurde. Die A. besiegten im Bunde mit den Langobarden 567 die Gepiden in Ungarn (Pannonien), wo sie um 570 ein eigenes Reich gründeten. Ihr Vordringen auf die Balkanhalbinsel bedrohte zeitweise Byzanz, 626 erlitten die A. jedoch vor Konstantinopel eine Niederlage; ihr Reich wurde 791–803 endgültig durch Karl d. Gr. zerstört.

📖 POHL, W.: *Die A. Ein Steppenvolk in Mitteleuropa 567–822 n. Chr. München 1988.*

2) Volk im östlichen Kaukasus, in Dagestan und in Aserbaidschan, etwa 545 000 Menschen.

awarische Sprache, →kaukasische Sprachen.

Awertschenko, Arkadi Timofejewitsch, russ. Schriftsteller, *Sewastopol 6. 3. 1881, †Prag 13. 3. 1925; emigrierte 1917; schrieb satir. Prosa, v. a. Humoresken und Feuilletons.

Awesta (Avesta) [von mittelpers. apastak »Grund(schrift)«] *das,* die religiösen Texte der An-

Avocado: Zweig mit Frucht (oben) und Längsschnitt durch eine Frucht (unten)

Julius Axelrod

hänger Zarathustras, in altiran. Sprache **(Awestisch)** verfasst und in Bruchstücken erhalten. Die ältesten Teile (etwa 7. Jh. v. Chr.) werden Zarathustra selbst zugeschrieben. Unter den Sassaniden gesammelt, erhielten die Schriften einen mittelpers. Kommentar **(Zend).** Dieser und das A. bilden die hl. Schriften der Parsen **(Zendawesta).**

Awwakum, Petrowitsch, russ. Oberpriester (Protopope), *Grigorowo (bei Nischni Nowgorod) 1620 oder 1621, †(verbrannt) Pustosjorsk (bei Narjan-Mar) 14. 4. 1682; Führer der Altgläubigen (→Raskolniki). Seine Sendschreiben und Auslegungen sowie die anschaulich verfasste Autobiographie gehören zu den bed. Werken der älteren russ. Literatur.

Axakow, 1) Iwan Sergejewitsch, russ. Schriftsteller, *Nadeschdino (Gouv. Ufa) 8. 10. 1823, †Moskau 8. 2. 1886, Sohn von 3); schrieb gesellschaftskrit. Dichtung (panslawist. Agitator).

2) Konstantin Sergejewitsch, russ. Schriftsteller, *Nowo-Axakowo (Gouv. Orenburg) 10. 4. 1817, †auf Zakynthos 19. 12. 1860, Sohn von 3); führender Theoretiker der Slawophilen.

3) Sergei Timofejewitsch, russ. Schriftsteller, *Ufa 1. 10. 1791, †Moskau 12. 5. 1859, Vater von 1) und 2); einer der Begründer der Erzählliteratur des russ. Realismus.

Axel Heiberg Island ['æksl 'haɪbə:g 'aɪlənd, engl.], größte Insel der Sverdrup Islands (→Sverdrup), im N des Kanadisch-Arkt. Archipels, 43 178 km^2; bis 2211 m ü. M. – 1899 entdeckt.

Axel-Paulsen-Sprung: Sprungphasen des einfachen Axel

Axel-Paulsen-Sprung [nach dem norweg. Eisläufer A. Paulsen, *1855, †1938] (kurz Axel), *Eis-, Rollkunstlauf:* Sprung auf das andere Bein von vorwärts-auswärts mit eineinhalbfacher, zweieinhalbfacher (Doppel-A.) oder dreieinhalbfacher (dreifacher A.) Drehung auf rückwärts-auswärts.

Axelrod ['æksəlrɔd], Julius, amerikan. Biochemiker, *New York 30. 5. 1912; erhielt 1970 mit U. von Euler-Chelpin und B. Katz für neurophysiolog. Arbeiten auf dem Gebiet der Informationsübertragung im Organismus den Nobelpreis für Medizin oder Physiologie.

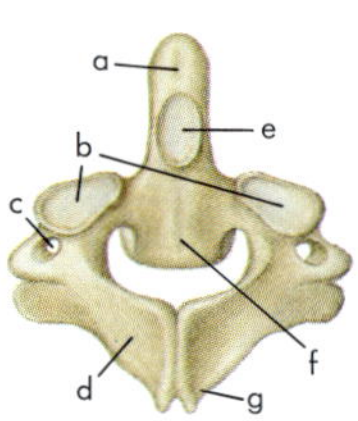

Axis:
a Zahnfortsatz,
b Gelenkflächen zum Atlas, c Gefäßdurchtritt, d Wirbelbogen,
e Gelenkfläche zum Querband des Atlas,
f Wirbelkörper,
g Dornfortsatz

Axenstraße, Straße mit vielen Tunnels und Galerien am O-Ufer des Urner Sees (Vierwaldstätter See), Schweiz; erste Anlage 1863–65.

Axialturbine, eine Turbine mit parallel zur Welle durchströmtem Laufrad; Ggs.: Radialturbine.

axillar [lat. axilla »Achselhöhle«], **1)** *Botanik:* unmittelbar über der Ansatzstelle eines Blattes stehend.

2) *Medizin:* in der Achselhöhle gelegen.

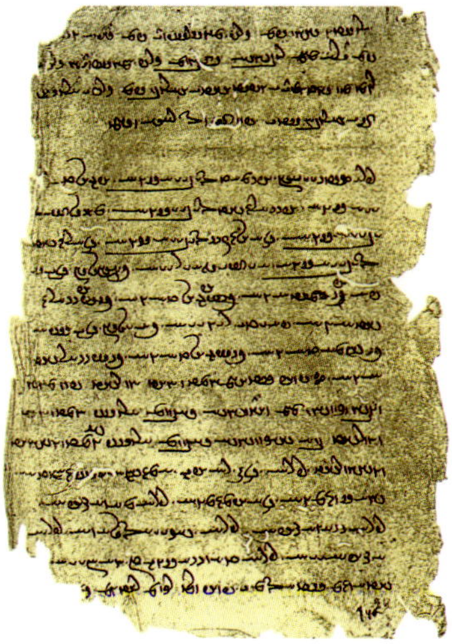

Awesta: Auszug aus dem Yasna, dem Hauptteil des Awesta (Handschrift, um 1400)

Axiologie [grch.] *die, Philosophie:* die Theorie der Werte (→Wertphilosophie).

Axiom [grch. »Forderung«] *das, Logik, Mathematik:* ein Grundsatz, der nicht von anderen Sätzen abgeleitet, d. h. nicht bewiesen werden kann. Die A. sind aber darum nicht unbegründete Annahmen, sondern gelten als unmittelbar einsichtig. Logische A. sind z. B. der →Satz vom ausgeschlossenen Dritten, der Satz vom →Widerspruch. Unter **Axiomatik** versteht man sowohl die Begründung eines Gedankensystems durch Ableitung aus A. als auch die Lehre von der Aufstellung eines **Axiomensystems,** das widerspruchsfrei, unabhängig und vollständig sein muss. Die **axiomatische Methode,** d. h. die Untersuchung der log. Folgerungen aus Aussagen unabhängig von der Bedeutung der in ihr vorkommenden Prädikate, kennzeichnet die moderne Mathematik, v. a. die Algebra und Topologie; sie hat (auch unter dem Namen **Modelltheorie**) Eingang in die empir. Wissenschaften (Physik, Wirtschaftstheorie u. a.) gefunden.

Axis [lat. »Achse«] *der* (Dreher, früher Epistropheus), zweiter, mit einem nach aufwärts gerichteten Fortsatz ausgestatteter Halswirbel, um den sich der ringförmige erste Halswirbel (→Atlas) drehen kann.

Axjonow, Wassili Pawlowitsch, russ. Schriftsteller, *Kasan 20. 8. 1932; lebt in den USA; schreibt Romane und Erzählungen, oft über Probleme der Jugend (»Es ist Zeit, mein Freund, es ist Zeit«, 1965; »Die Liebe zur Elektrizität«, 1971; »Gebrannt«, 1980; »Sag Rosine«, 1985).

Axolotl [aztek. »Wasserspiel«] *der* (Ambystoma mexicanum), frei nur im Xochimilcosee in Mexiko lebender Querzahnmolch; er behält seine (wassergebundene) Larvenform bei und pflanzt sich als solche fort.

Axt, Werkzeug zur Holzbearbeitung, unterscheidet sich vom Beil durch schmalere Schneide, längeren Stiel und größeres Gewicht. Spezielle Formen sind für den Waldarbeiter die leichte **Fäll-A.** und **Äst-A.** und die schwere **Spalt-A.,** für Zimmerleute die **Zimmermanns-A.** oder **Bund-A.** zum Behauen der Balken, **Stoß-A.** oder **Stich-A.** zum Herausarbeiten von Zapfenlöchern und Zapfen. Der **Kaukamm** dient Bergleuten zum Zurechthauen von Grubenhölzern. – Die A. ist schon aus vorgeschichtl. Zeit als Werkzeug oder Waffe **(Streit-A.)** bekannt. Die A. aus Knochen oder Geweih erscheint seit der Mittelsteinzeit, die geschliffene **Stein-A.** in der Jungsteinzeit. Später wurde sie aus Kupfer oder Bronze und schließlich aus Eisen gefertigt.

Ayacucho [aja'kutʃo], Hptst. des Dep. A., Peru, am O-Hang der Westkordillere, 2745 m ü. M., 114800 Ew.; Univ.; kath. Erzbischofssitz; Touristenzentrum mit traditionellem Handwerk. – Kolonialzeitl. Stadtbild mit zahlreichen Kirchen; in der Umgebung Quecksilbergruben. – A. erhielt seinen Namen 1825 zur Erinnerung an die Schlacht beim Dorf A., in der die Truppen Bolívars am 9. 12. 1824 das letzte span. Heer in Südamerika besiegten.

Ayatollah (Ajatollah) [pers. »Zeichen (Wunder, Spiegelbild) Gottes«] *der,* bei den Imamiten des schiit. Islam Ehrentitel für herausragende Religionsgelehrte, die zur Durchführung selbstständiger Rechtsfindung befugt sind und infolge ihres Ansehens zu einer Instanz werden, an die sich andere Theologen und Gläubige wenden. Der Ranghöchste von ihnen wird als **A. al-usma** (»größtes Wunderzeichen Gottes«) bezeichnet.

Ayckbourn ['eɪkbɔ:n], Alan, engl. Dramatiker, *London 12. 4. 1939; war Schauspieler, Regisseur und Produzent an mehreren Theatern; Autor zahlr. Komödien und Farcen, u. a. »How the other half loves« (1969), »Frohe Feste« (1974); der Trilogie »Normans Eroberungen« (1975: Tischmanieren, Trautes Heim, Quer durch den Garten); »In Gedanken« (1986); »Der Held des Tages« (1990); »Doppeltüren« (1995).

📖 BARTSCH, U.: *A. A.s Dramenfiguren. Hildesheim 1986.* – BILLINGTON, M.: *A. A. Basingstoke* ²*1990.*

Aydın, Hptst. der Prov. A. in W-Anatolien, in der fruchtbaren Ebene des Büyük Menderes, Türkei, 106600 Ew.; Baumwoll- und Tabakverarbeitung.

Aye-Aye ['aj'aj, madagass.] *der,* ein Halbaffe (→Fingertiere).

Ayer ['eə], Alfred Jules, engl. Philosoph, *London 29. 10. 1910, †ebd. 28. 6. 1989; Hauptvertreter der analyt. Philosophie, log. Positivist, krit. Rationalist; schrieb u. a. »Sprache, Wahrheit und Logik« (1936), »The problem of knowledge« (1956).

Ayers Rock ['eəz-], in der Sprache der Aborigines **Uluru,** größter Inselberg der Erde, in Australien südwestlich von Alice Springs, aus rotem Sandstein, 9 km Umfang, rd. 350 m über die Ebene aufragend. – Der A. R. ist ein myth. Ort der Aborigines (→Australier), mit Felsbildern und heiligen Stätten; gehört zum Nationalpark Uluru-Kata Tjuta (UNESCO-Welterbe).

Aylesbury ['eɪlzbərɪ], Hptst. der Cty. Buckinghamshire, England, 52900 Ew., als Entlastungsort für London ausgebaut; Nahrungsmittel-, Druck-, u. a. Leichtindustrie.

Aylwin Azocar [- a'θokar], Patricio, chilen. Politiker, *Santiago de Chile 26. 11. 1918; Jurist; 1971–72 Präs. des Senates, 1973–76 und 1987–91 Vors. des »Partido Demócrata Cristiano« (PDC). Als Staatspräsident (1990–94) setzte er sich für die Sicherung der Demokratie und die innere Aussöhnung in Chile ein.

Aymé [ɛ'me], Marcel, frz. Schriftsteller, *Joigny (Dép. Yonne) 29. 3. 1902, †Paris 14. 10. 1967; schrieb realist. und derb-humorist. Romane, u. a. »Die grüne Stute« (1933), später mehr fantastische Romane, so »Der schöne Wahn« (1941), Novellen (»Der Mann, der durch die Wand gehen konnte«, 1943), Tiermärchen und Theaterstücke.

Aymonino, Carlo, italien. Architekt, *Rom 18. 7. 1926; Vertreter der rationalen Architektur in Italien, entwarf u. a. das Wohnquartier in Gallaratese, Mailand (1967; mit A. Rossi u. a.) und die Wiss. Hochschule in Pesaro (1970–73).

Ayr ['eə], Stadt an der SW-Küste Schottlands, am Firth of Clyde, zentraler Ort von South Ayrshire, 49500 Ew., Seebad, Hafen, chem. Ind., Maschinenbau.

Alan Ayckbourn

Patricio Aylwin Azocar

Marcel Aymé

Ayers Rock: Einer der größten Inselberge der Erde aus spätkambrischem Sandstein, Australien

Ayrshire ['eəʃɪə], Gebiet in SW-Schottland am Firth of Clyde, gegliedert in die Local Authorities →East Ayrshire, →North Ayrshire und →South Ayrshire.

Azoren

Mohammed Ayub Khan

Ayub Khan, Mohammed, pakistan. Feldmarschall und Politiker (Muslim-Liga), *Abbottabad (North West Frontier Province) 14. 5. 1907, †Islamabad 20. 4. 1974; war 1958–69 Staatspräs. und MinPräs.; führte 1960 das System der »basic democracies« ein.

Ayuntamiento [span.] *das,* auch *der,* in Spanien die Selbstverwaltung der Gemeinden; Gemeinderat; auch Stadtbezirk.

Ayutthaya (thailänd. Krung Kao), Prov.-Hptst. in Thailand, nördlich von Bangkok am Menam, 57300 Ew.; war 1350–1767 Hptst. Siams (aus dieser Zeit stammen ausgedehnte Palast- und Tempelanlagen); bed. Fremdenverkehr.

José María Aznar Lopéz

Azalee [grch. azaléos »dürr«] *die* (Azalie), ostasiat. Heidekrautgewächs der Gatt. Rhododendron, Ziersträucher mit großen roten, rosa, gelben oder weißen Blüten; auch Topfpflanze.

Azaña y Díaz [a'θaɲa i 'ðiaθ], Manuel, span. Politiker und Schriftsteller, *Alcalá de Henares 10. 1. 1880, †Montauban 4. 11. 1940; Führer der republikanisch-sozialist. Bewegung, 1931–33 Min.-Präs.; unter seiner Reg. ergingen u.a. Agrarreformen und antikirchl. Gesetze; 1936–39 war er Staatspräs. der Rep. und ging 1939 ins Exil.

Azarole [span.-arab.] *die* (Azaroldorn), *Botanik:* ein Weißdorn.

Charles Aznavour

Azeglio [ad'dzeʎʎo], Massimo Tapparelli, Marchese d'A., italien. Staatsmann, Schriftsteller und Maler, *Turin 24. 10. 1798, †ebd. 15. 1. 1866; trat, auch mit romant.-patriot. historischen Romanen, für die Einigung Italiens ein, war 1849–52 sardin. MinPräs. (betrieb eine liberale Kirchenpolitik).

azeotropes Gemisch [grch.], flüssiges Gemisch, das bei gegebenem Druck einen konstanten, von dem der Einzelbestandteile abweichenden Siedepunkt aufweist. A. G. lassen sich durch **Azeotropdestillation,** ein therm. Trennverfahren, trennen, bei dem mit einem Hilfsmittel (Schleppmittel) gearbeitet wird.

Azetat, →Acetat.

Azide [von frz. azote »Stickstoff«], die Salze der Stickstoffwasserstoffsäure. (→Stickstoff)

Azidimetrie, →Acidimetrie.

Azidität, →Acidität.

Azidose [lat.] *die, Medizin:* Überschuss an Kohlensäure oder nichtflüchtigen Säuren, z.B. Milchsäure, in Blut und Gewebe. Ein Kohlensäureüberschuss kann bei vermindertem Atmung auf gesenkter Abgabe von Kohlendioxid beruhen **(respirator. A.).** Ggs.: Alkalose.

Azikiwe, Benjamin Nnamdi, nigerian. Politiker, *Zungeru 16. 11. 1904, †Enugu 11. 5. 1996; aus dem Volk der Ibo; Journalist, kämpfte schon früh für die Entkolonialisierung Afrikas. 1963–66 war er nigerian. Staatspräs., 1979 und 1983 Kandidat für dieses Amt.

Azilien [azi'ljɛ̃; nach dem Fundort Le Mas-d'Azil, Dép. Ariège] *das,* Kulturstufe der Mittelsteinzeit in S-Frankreich und an der span. Küste.

Azimut [arab. as-sumūt »Richtungskreis«] *das,* auch *der,* Winkel auf dem Horizontalkreis zw. dem Südpunkt und dem Schnittpunkt des Vertikalkreises eines Gestirns mit dem Horizont. (→astronomische Koordinaten)

Ayutthaya: Die drei großen Stupas des Tempels Wat Sri Sanpet (15. Jh.)

Azimutalkreis (Almukantarat), jeder dem Horizont parallele Kreis der Himmelskugel.

Azimutalprojektion, ein →Kartennetzentwurf.

Azincourt [azɛ̃'ku:r] (früher Agincourt), Ort bei Arras im Dép. Pas-de-Calais, Frankreich. Im Hundertjährigen Krieg besiegten hier die Engländer unter Heinrich V. am 25. 10. 1415 ein wesentlich stärkeres frz. Heer.

Azine, heterozykl. Kohlenwasserstoffe, die in einem sechsgliedrigen Ring mindestens ein Stickstoffatom enthalten.

Azinfarbstoffe, vom Phenazin abgeleitete organ. Farbstoffe, z. B. die Safranine und Induline; verwandt ist der Farbstoff → Methylenblau.

Aznar Lopéz [aδ'nar lo'pεθ], José María, span. Politiker, * Madrid 25. 2. 1953; Finanzinspektor, 1982–87 GenSekr. der Alianza Popular (AP), 1987–89 MinPräs. der Region Kastilien und León, seit 1990 Vors. des Partido Popular (PP); wurde nach dem Wahlsieg seiner Partei 1996 Ministerpräsident.

Aznavour [azna'vu:r], Charles, eigtl. Varenagh Aznavourian, frz. Chansonier und Filmschauspieler armen. Abkunft, * Paris 22. 5. 1924; schrieb zahlr. Chansons, auch Filmmusik und die Operette »Monsieur Carnaval« (1965).

Azofarbstoffe, wichtigste Gruppe künstlicher organ. Farbstoffe, v. a. im gelben bis roten Bereich; enthalten vorwiegend eine oder mehrere Azogruppen (–N=N–) als Chromophore. Die A. dienen zum Färben von Textilien, Wachsen, Holz, Papier u. a., Bedeutung als Indikatorfarbstoffe haben Methylorange und Methylrot. (→ Azoverbindungen)

Azoren (portugies. Açores), Inselgruppe im Atlant. Ozean, etwa 1400 km westlich von Portugal, bildet eine autonome Region Portugals, 2247 km^2, (1991) 236 700 Ew.; Hptst. Ponta Delgada. Die A. sind vulkan. Ursprungs. Die neun größeren Inseln ordnen sich auf dem Mittelatlantischen Rücken in drei Gruppen an; im O die Hauptinsel São Miguel und Santa Maria (nebst den Formigas-Inseln), in der Mitte Terceira, Graciosa, São Jorge, Pico und Faial, im NW Flores und Corvo. Ihre Vulkane ragen bis 2345 m ü. M. auf und sind z. T. bis in die heutige Zeit tätig. Das Klima ist ozeanisch mild, sommertrocken und winterfeucht mit stürm. Winden. Haupterwerb ist die Landwirtschaft. Ausgeführt werden Molkereiprodukte und Schlachtrinder (nach Festlandportugal), Ananas, Wein, Feigen und Blumenzwiebeln. Die geotherm. Energie wird durch ein Kraftwerk genutzt. Ein großer Stützpunkt der USA befindet sich in Lajes da Terceira, ein frz. Stützpunkt auf Flores. Durch die jahrzehntelange Auswanderung bestehen starke Bindungen der Bewohner nach den USA und Kanada. Der internat. Flughafen liegt auf Santa Maria, Flugplätze haben São Miguel, Faial und Flores. – Die A. waren schon den Karthagern, Normannen und Arabern bekannt. 1427 wurden sie von den Portugiesen wieder entdeckt. – 1980 erhielten die Inseln ein Autonomiestatut.

📖 EICHHORN, B. *u.* ZINGEL, D.: *A. Noch fast unbekannte Inseln im Atlantik. Freiburg im Breisgau 1991. – Die A. Konzeption u. Text* T. BORGES DA SILVA *u.* W. RADASEWSKY. *Fotos* G. SCHNEIDER *u. a. Berlin 1993.*

Azteken

Nach aztekischer Vorstellung war die Erdoberfläche eine Scheibe, von Wasser umgeben; sie lag im Mittelpunkt des Universums und hatte eine horizontale wie auch eine vertikale Gliederung. Die Senkrechte bestand aus Oberwelt und Unterwelt. Beide Welten hatten die Form von Stufenpyramiden, die eine mit der Spitze nach oben, die andere nach unten, und mit ihren Basisflächen ruhten sie aneinander. Dieser Bereich war zugleich die Oberfläche der Erde. Die unterste Schicht der Unterwelt war das Totenreich. In der Waagerechten war die Welt in vier Teile untergliedert, die den Himmelsrichtungen folgten und den Söhnen der Urgottheit gleichgesetzt wurden. Außerdem wurden sie mit Tod und Leben, Fruchtbarkeit und Geburt, auch mit Alter assoziiert. Ursprünglich waren diese Kräfte im Gleichgewicht, das aber durch die Kämpfe zwischen Quetzalcóatl und Tezcatlipoca zerstört wurde. Seither beherrscht Vergänglichkeit die Welt.

Azorenhoch, das in der Umgebung der Azoren durch Aufstau subtrop. Warmluft fast immer anzutreffende Hochdruckgebiet, von großer Bedeutung für den Wetterablauf in Europa.

Azorín [aθɔ'rin], Pseudonym des span. Schriftstellers → Martínez Ruiz.

Azotobacter *der* oder *das,* eine Gattung Luftstickstoff bindender Bakterien, die im Boden und in Gewässern vorkommen.

Azteken: Statue aus Tuffstein des Vegetationsgottes Xipe Totec mit der übergezogenen Haut eines Opfers (Höhe 46 cm; Basel, Museum für Völkerkunde)

Azoverbindungen, organ. Verbindungen, in denen die **Azogruppe** (–N=N–) mit Alkyl- oder Arylgruppen verknüpft ist. **Azobenzol,** ein orangeroter Feststoff, ist Stammsubstanz der techn. wichtigen → Azofarbstoffe.

Azteken- und Mayastaaten

Azteken, Indianervolk aus der Sprachfamilie der Nahua. Die A. beherrschten z. Z. der span. Eroberung weite Gebiete Mexikos. Um 1370 gründeten sie ihre Hauptstadt Tenochtitlán (das heutige Mexiko). Sie waren Ackerbauern und Händler; Handwerk und Kunsthandwerk standen auf hoher Stufe. Die A. entwickelten eine Bilderschrift und einen auf astronom. Beobachtungen fußenden Kalender. Sie bauten Pyramiden, von Tempeln gekrönt. Den Göttern, bes. dem Sonnen- und Kriegsgott Huitzilopochtli, wurden Menschenopfer in großer Zahl gebracht. Das Gebiet der A. wurde von H. Cortez 1519–21 erobert. Die Nachkommen der A. bilden heute einen Teil der mexikan. Bevölkerung. (→mesoamerikanische Hochkulturen) – Weiteres BILD und INFOKASTEN S. 381

Azteken: Symbolische Darstellung von Wasser (blaue Teile), in dessen Mitte sich ein kultiviertes Feld befindet (braunbeiges Rechteck), in dem ein Grabstock (gelb) steht (Rundschild in Federmosaik, 15. Jh.; Mexiko, Museo Nacional de Antropología)

📖 PREM, H. J.: *Die A. Geschichte – Kultur – Religion. München 1996.*

Azubi, Kurzwort für →**Auszubi**ldender.

Azulejos [aθu'lɛxɔs; span., zu azul »blau«], bunt glasierte Fayencefliesen mit geometr. oder pflanzl. Mustern, von den Mauren im 14. Jh. in Spanien eingeführt; fanden eine besonders reiche Entfaltung in Portugal. – Für das Bodenpflaster verwendete A. heißen **Olambrillas.**

Azulene [zu span. azul »blau«], blaue, unbeständige Kohlenwasserstoffe, die sich vom Grundkörper **Azulen** (einem bizykl. aromat. Kohlenwasserstoff mit einem Fünfer- und einem Siebenerring) ableiten; entzündungshemmende Wirkstoffe mancher äther. Öle (Kamillenblüte, Schafgarbe).

Azur [frz.-arab.] *der,* →Himmelsblau.

Azurblau, dunkle Varietät der Schmalte.

Azurit [von Azur] *der* (Kupferlasur, Chessylith), blaues, durchscheinendes, monoklines Mineral, $Cu_3[OH/CO_3]_2$; kurzsäulige oder tafelige Kristalle, auch derbe Aggregate; kommen in Kupfererzlagerstätten vor.

azyklische Verbindungen (acyclische Verbindungen), organ. Verbindungen mit einfachen oder verzweigten, nicht geschlossenen Kohlenstoffketten (→Kohlenwasserstoffe).

Altsemitisch Altgriechisch Römische Kapitalschrift Unziale und karoling. Minuskel

B

b, B [beː] *das,* **1)** Konsonant; der 2. Buchstabe des dt. Alphabets; stimmhafter bilabialer Verschlusslaut.

2) B oder **B.**, bei röm. Namen Abk. für **B**albus, **B**rutus.

3) *Börsenwesen:* **B**, auf dt. Kurszetteln Abk. für **B**rief; **b.**, für **b**ei(m).

4) *Chemie:* **B**, Symbol für →Bor.

5) *Formelzeichen: B* für die →magnetische Flussdichte.

6) *Münzwesen:* **B**, neuzeitlich die 2. dt. Münzstätte (1866–78 Hannover).

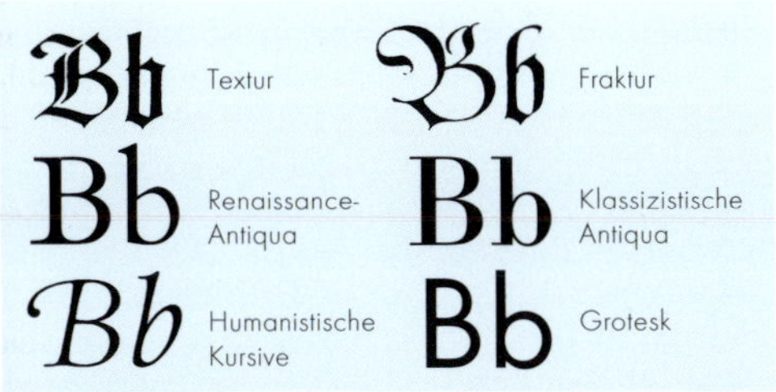

Druckschriftvarianten des Buchstabens **B**

7) *Musik:* **B**, der Halbton über A: das um einen Halbton erniedrigte H. Im angelsächs. Sprachraum bezeichnet **B** den Ganzton über A, also den Ton H. Als Versetzungszeichen bewirkt ♭ Erniedrigung um einen Halbton. Als Tonartbez. bedeutet **B** B-Dur, **b** b-Moll.

Ba, chem. Symbol für →Barium.

Ba-, Vorsilbe in Bantusprachen; bezeichnet eine Mehrzahl von Personen, z. B. bei Stammesnamen wie Bahutu (→Hutu).

B. A. [biːeɪ], Abk. für engl. **B**achelor of **A**rts, →Bakkalaureus.

Baade, Walter, dt.-amerikan. Astronom, *Schröttinghausen (heute zu Preußisch Oldendorf) 24. 3. 1893, †Göttingen 25. 6. 1960; erforschte bes. die Struktur von Spiralnebeln und Sternpopulationen.

Baader, 1) Franz Xaver von, Philosoph und kath. Theologe, *München 27. 3. 1765, †ebd. 23. 5. 1841; bed. Denker aus den kath. Romantikerkreisen Münchens; v. a. von J. Böhme, Meister Eckehart und der Gnosis beeinflusst, bekämpfte er, wie sein Lehrer Schelling, den Rationalismus: Wir können nur deshalb erkennen, weil Gott uns und die Welt denkt; Philosophie müsse auf den religiösen Lehren aufbauen, Glaube philosoph. Prinzip werden (→Fideismus).

2) Joseph von, Ingenieur, Bruder von 1), *München 30. 9. 1763, †ebd. 20. 11. 1835; B. förderte das Eisenbahnwesen in Dtl.; 1807 erste Entwürfe von Eisenbahnen.

Baader-Meinhof-Gruppe, 1968–70 entstandene Vereinigung von Terroristen, geführt von Andreas Baader (*1943, †1977) und Ulrike →Meinhof (†Selbstmord 1976), suchte ebenso wie ihre Nachfolgeorganisation »Rote-Armee-Fraktion« (RAF) nach den Methoden der Stadtguerilla die Grundordnung der Bundesrep. Dtl. umzustoßen (Attentate, Überfälle, Waffendiebstahl u. a.). 1972 wurde der »harte Kern« verhaftet und 1973 vor Gericht (OLG Stuttgart) gestellt: neben den oben Genannten G. Ensslin (*1940, †1977), J. C. Raspe (*1944, †1977) und H. Meins (*1941, †1974 durch Hungerstreik). Im April 1977 wurden Baader, Ensslin und Raspe u. a. wegen vierfachen Mordes zu lebensl ängl. Freiheitsstrafe verurteilt. Nach dem Scheitern des Versuchs, durch die Entführung des Präs. der dt. Arbeitgeberverbände, H.-M. Schleyer (Sept. 1977), und eines Lufthansaflugzeuges (Okt. 1977) Baader, Ensslin, Raspe und andere inhaftierte Terroristen freizupressen, begingen Baader, Ensslin und Raspe Selbstmord (Obduktionsbefund einer internat. Ärztekommission). (→Terrorismus)

Baal [hebr. »Herr«] *der,* oft als Stier oder in Menschengestalt dargestellter Wetter- und Fruchtbarkeitsgott der Westsemiten, urspr. Titel versch. Stadtgottheiten. Der B. von Tyrus wurde seit dem 9. Jh. v. Chr. in Israel vielfach verehrt und von den alttestamentl. Propheten (Elia, Hosea) bekämpft. Dem B. entsprach in Babylonien →Bel. INFOKASTEN S. 384

Walter Baade

Franz Xaver von Baader

Baalbek (Balbek), Prov.-Hptst. in Libanon, 20000 Ew. – B., in hellenist. Zeit wegen des Sonnengottkultes **Heliopolis,** war seit Augustus röm. Kolonie. Der Tempelbezirk (mächtige Ruinen des 1.–3. Jh. n. Chr.) gehört zu den größten in Vorderasien (UNESCO-Weltkulturerbe).

Baalbek: Tempelanlage (1.–3. Jh.) mit sechseckigem Vorhof (Bildoberkante), Altarhof, den Resten des Jupitertempels und dem gut erhaltenen »Bacchustempel« (2. Jh.; rechts)

Baal Schem Tov [hebr. »Herr des (göttl.) Namens«], Beiname des Mystikers Rabbi Israel ben Eliezer B. S. T., Gestalt des osteurop. Judentums, *Okop (Podolien) um 1700, †Międzybóż (Podolien) 1760; wirkte als Wundertäter; vertrat die Lehre vom Einssein Gottes mit seiner Schöpfung, der jedem Wesen innewohnenden Göttlichkeit.

Baar *die,* **1)** Landschaft an der O-Abdachung des südl. Schwarzwalds um Donaueschingen; vorwiegend Hochflächen in etwa 700 m ü. M., Teil des südwestdt. Schichtstufenlandes. – Die Landgrafschaft B. (seit 12. Jh.) kam im 13. Jh. an die Fürsten von Fürstenberg, 1806 an Baden.

Von **Baal,** *dem Gott des Gewitters und Spender des Regens, hängt in dem von Trockenheit bedrohten syrisch-palästinischen Raum das Leben ab; daher ist er der »Erhabene«, der verkündet:*
»Ich allein herrsche als König über die Götter / mache fett Götter und Menschen / sättige die Menschen der Erde.«
Als Fruchtbarkeitsgott erscheint er in Gestalt eines Stieres. Die ugaritischen Mythen schildern den Kampf des Baal gegen Jamm, den Gott des Meeres, und Mot, den Gott der Sommerdürre. Diese Mythen wurden, wie man vermuten kann, anlässlich des wichtigsten Kultfestes, des Neujahrsfestes im Herbst, rezitiert.

2) Ind.gemeinde im schweizer. Kt. Zug, 16600 Ew.; Maschinen-, Apparatebau, Baumwollspinnerei, chem. u. a. Ind., Obstbau.

Baath(-Partei) (Bath-Partei) [arab. »Wiedergeburt«], 1943 gegr., panarabisch und sozialist. orientierte polit. Partei, in den einzelnen Ländern von einem »Nat. Kommando« geleitet; konnte im Libanon, Irak und bes. in Syrien Fuß fassen.

Bab [arab.], →Babismus.

Bab, Julius, Schriftsteller, Theaterkritiker, *Berlin 11. 12. 1880, †Roslyn Heights (N. Y.) 12. 2. 1955; emigrierte 1938; verfasste etwa 90 theaterwiss. Werke und Biographien; bed. u. a. »Der Mensch auf der Bühne«, eine Dramaturgie für Schauspieler (3 Bde., 1910/11).

Babbage ['bæbɪdʒ], Charles, brit. Mathematiker, *Teignmouth (Devonshire) 26. 12. 1792, †London 18. 10. 1871; entwarf um 1834 die erste automat. Rechenmaschine mit Speicher, deren Realisierung an den damals unzureichenden techn. Mitteln scheiterte.

Babbitt ['bæbɪt], Milton Byron, amerikan. Komponist, *Philadelphia 10. 5. 1916; beschäftigt sich v. a. mit der Zwölftontechnik; daneben auch mathemat. Forschungen.

Babel, bibl. (hebr.) Name von →Babylon.

Babel, Issaak Emmanuilowitsch, russ. Schriftsteller, *Odessa 13. 7. 1894, †(erschossen) Moskau 27. 1. 1940; Vertreter der »revolutionären Romantik« und der »ornamentalen Prosa«; Erzählzyklen (»Budjonnys Reiterarmee«, 1923 ff.; »Odessaer Erzählungen«, 1923 ff.); Dramen, Drehbücher; Opfer des stalinist. Terrors, 1957 rehabilitiert.

Bab el-Mandeb [arab. »Tor der Wehklage«], 26 km breite Meeresstraße zw. dem Roten Meer und dem Golf von Aden (Ind. Ozean).

Babelsberg, Stadtteil (seit 1939) von Potsdam; Bereiche der Univ. Potsdam, Hochschule für Film und Fernsehen, Filmstudios, Geoforschungszentrum. – 1751 von Friedrich II., d. Gr., als Kolonie böhm. und sächs. Weber gegr., wurde 1924 Stadt Nowawes (seit 1938 B.). – Schloss, von F. K. Schinkel 1834/35 begonnen, wurde 1844–49 vollendet.

📖 *B. Das Filmstudio, hg. v.* W. JACOBSEN. *Berlin* ^{3}*1994.*

Babenberger, Fürstengeschlecht in Bayern und Österreich, seit 976 Markgrafen, seit 1156 Herzöge der Ostmark (Österreich), 1246 ausgestorben. (→Österreich, Geschichte)

Babesia [nach dem rumän. Bakteriologen V. Babeş, *1854, †1926], Protozoengattung der Piroplasmen; besiedeln, durch Zecken übertragen, die roten Blutkörperchen, bes. von Rind, Pferd, Hund, und verursachen die **Babesiosen,** z. B. Texasfieber, Rinderrot.

Babeuf (Babœuf), François Noël, frz. Revolutionär, *Saint-Quentin 23. 11. 1760, † (guillotiniert) Paris 28. 5. 1797; Jakobiner, trat unter dem Namen »Gracchus« für Aufteilung von Grund und Boden und gleiche Verteilung des Ertrages ein. B. ist Vorläufer des revolutionären Sozialismus; die Ideen der Sozialisierung der Produktionsmittel und der Diktatur des Proletariats gehen auf ihn zurück. Seine »Verschwörung der Gleichen« gegen das Direktorium (1796) wurde vorzeitig verraten.

Babi Jar, Schlucht nördlich von Kiew, Ukraine, in der im Sept. 1941 mehr als 33 000 Juden von einem Sonderkommando der dt. Einsatzgruppen ermordet wurden.

Babimost (dt. Bomst), Stadt in Polen, in der Wwschaft Zielona Góra (Grünberg), im Tal der Faulen Obra, 3 700 Ew.; Holzverarbeitung, Bekleidungsindustrie. – Stadtrecht seit dem 16. Jh.

Babinet-Punkt [babiˈnɛ-; nach dem frz. Physiker und Astronomen J. Babinet, *1794, †1872], → Himmelsstrahlung.

Babinski-Reflex, ein von dem frz. Nervenarzt J. F. F. Babinski (*1857, †1932) gefundenes Anzeichen für eine organ. Schädigung der Pyramidenbahn: Aufwärtsbiegen der großen Zehe bei Bestreichen des Fußsohlenrandes.

Babirusa (Babirussa, Hirscheber), Art der → Schweine.

Babismus *der,* religiöse Bewegung des 19. Jh. in Persien, gestiftet von Sajjid Ali Mohammed, gen. **Bab** (»Pforte« der Erkenntnis), *1820, †1850 (hingerichtet). Ausgehend vom schiit. Islam und seiner Auslegung im myst. Sinn, erstrebte Bab soziale Reformen, eine gehobenere Stellung der Frau, Menschheitsverbrüderung. Seine Anhänger wurden ermordet oder wanderten aus. Der B. lebt in der → Bahai-Religion fort.

Babits [ˈbɔbitʃ], Mihály, ungar. Dichter, *Szekszárd (Bez. Tolna) 26. 11. 1883, †Budapest 4. 8. 1941; schrieb Gedankenlyrik, Romane (»Der Storchkalif«, 1916), Essays; Übersetzungen.

Babrios, grch. Fabeldichter, lebte Ende des 1. Jh. n. Chr. Seine Sammlung äsop. Fabeln in Versen war seit der Spätantike als Schulbuch verbreitet.

Babrujsk, Stadt in Weißrussland, → Bobrujsk.

Babuin [frz.] *der,* afrikan. Art der Paviane.

Babur (Babar, Baber), Sahired-din Mohammed, Gründer der ind. Dynastie der Großmoguln, *14. 2. 1483, †Agra 26. 12. 1530; Nachkomme Timurs und (mütterlicherseits) Dschingis Khans, errang nach dem Sieg bei Panipat (1526) die Herrschaft über Indien; zugleich ist B. ein bed. Dichter.

Ausgabe: Die Erinnerungen des ersten Großmoguls von Indien. Das Babur-Nama, ins Dt. übertragen u. mit einem Vorw. v. W. STAMMLER. Mit einer histor. Einführung v. S. AZIMDZANOVA u. a. Zürich ²1990.

Babuyaninseln, vulkan. Inselgruppe vor der N-Küste von Luzon, Philippinen; 885 km².

Baby [ˈbeːbi, engl. ˈbeɪbɪ] *das,* Säugling.

Babylon (babylon. Babilu, hebr. Babel) [»Tor Gottes«], Ruinenstadt in Irak, an einem alten Euphratlauf; erstmals Ende des 3. Jt. v. Chr. erwähnt. – Unter Hammurapi (um 1700 v. Chr.) gelangte B. zu polit. Bedeutung als Hptst. und Kulturmetropole Babyloniens; es wurde mehrfach von Assyrern zerstört, im 7. und 6. Jh. v. Chr. durch Nabopolassar und Nebukadnezar II. zur Weltstadt ausgebaut; nach der Eroberung durch die Perser 539 v. Chr. eine der drei Hauptstädte des Perserreiches. Unter den Seleukiden wurde B. bedeutungslos. – Ausgrabungen der Dt. Orient-Ges. (1899–1917) konnten (wegen des Grundwasserspiegels) nur Teile der von Mauern und Toren (u. a. Ischtartor) umgebenen neubabylon. Stadt Nebukadnezars II. freilegen: Prozessionsstraße, Tempelbezirk des Marduk (Esangila) und den → Babylonischen Turm sowie die Südburg mit Thronsaal und → Hängenden Gärten.

KOLDEWEY, R.: *Das wieder erstehende B., hg. v.* B. HROUDA. *Mit Beiträgen v.* W. ANDRAE *u. a. München u. a. 1990.* – OATES, J.: *B. Stadt u. Reich im Brennpunkt des Alten Orient. A. d. Engl. Neuausgabe Bindlach 1990.*

Julius Bab

Issaak Babel

Babylon

Herodot beschreibt in seinen »Historien« (I, 181) das Stadtbild Babylons folgendermaßen: In der Mitte jeder Stadthälfte steht ein gewaltiges Gebäude, in der einen der Königspalast, ... in der anderen der Tempel ... Mitten in diesem heiligen Bezirk ist ein fester Turm errichtet ..., und auf diesem Turm steht wiederum ein Turm und dann noch einer ... Alle diese Türme kann man ersteigen auf einer außen herumführenden Treppe. ... In dem höchsten Turm steht erst das eigentliche große Tempelhaus ...

Babylonilen, geschichtliche Landschaft am Unterlauf der Flüsse Euphrat und Tigris (Zweistromland, Irak) mit alter Kultur.

Geschichte: Um 3000 v. Chr. schufen die → Sumerer Stadtstaaten, die um 2350 von den um etwa 2600 eingewanderten semit. Akkadern unter Sargon unterworfen und zu einem Gesamtreich vereinigt wurden. Der folgenden Herrschaft der Gutäer (etwa 2100–2050) schloss sich abermals eine Zeit der kulturellen Blüte unter den Sumerern an. Das semit. Element wurde immer stärker. Nach 1950 v. Chr. zerfiel das Reich in viele Kleinstaaten. Unter Hammurapi (1728–1686) errang Babylon die Vormachtstellung, wurde Hptst. des Landes. Nach der Eroberung durch die Hethiter beherrschten die Kassiten das Land (etwa 1530–1155). Seit 1350 v. Chr. stieg der Einfluss der Assyrer. Erst Nabopolassar (626–605) befreite B. von der assyr. Herrschaft (neubabylon. Reich). Sein Sohn Nebukadnezar II. (605–562) eroberte die westl. Provinzen des Assyrerreiches, Syrien und Palästina; B. wurde nochmals zur Großmacht und Babylon zur Weltstadt. Unter Nabonid (555–539) fiel das Reich 539 v. Chr. an den Perserkönig Kyros II., d. Gr., und verlor damit für immer seine Selbstständigkeit.

🕮 OATES, J.: *Babylon. Stadt u. Reich im Brennpunkt des Alten Orient. A. d. Engl. Neuausgabe Bindlach 1990. – The Cambridge ancient history, begr. v.* J. B. BURY, *hg. v.* I. E. S. EDWARDS *u. a., Bd. 3, Tl. 2: The Assyrian and Babylonian empires and other states of the Near East, from the eighth to the sixth centuries B. C., hg. v.* J. BOARDMAN *u. a. Cambridge u. a.* [2]*1991.* – KLENGEL, H.: *König Hammurapi u. der Alltag Babylons. Darmstadt 1992.*

babylonisch-assyrische Literatur, die in Akkad., der nordostsemit. Sprache Babyloniens und Assyriens, auf Keilschrifttafeln seit etwa 2500 v. Chr. bis ins 1. Jh. n. Chr. überlieferte, i. w. S. auch in sumer. Sprache geschriebene Lit. des alten Zweistromlandes. Sie umfasst Königs- und Götterhymnen sowie religiöse Texte, Mythen und Epen (→ Gilgamesch), außerdem Schrifttafeln privaten und geschäftl. Inhalts. Ein großer Teil auch des älteren wiss. und dichter. Schrifttums ist in Abschriften erhalten, die der assyr. König Assurbanipal (um 650 v. Chr.) in seiner Tontafelbibliothek in Ninive vereinigte.

babylonisch-assyrische Religion. Sie ist wesentlich in sumer. Zeit entstanden. Jede Stadt verehrte ihren eigenen Gott, dem ein »Hofstaat« kleinerer »Dienergottheiten« zugeordnet war. Die später einwandernden Semiten haben die sumer. Götter übernommen und ihrem Verständnis angeglichen. Enlil von Nippur galt weiterhin als Götterherr, Enki von Eridu, Gott des unterird. Süßwasserozeans, lebte als Ea, Vater des Marduk und Gott der Weisheit, weiter. Inanna, Tochter des

1

1 Kultdiener, Ausschnitt aus einem Wandgemälde aus dem Palast des Zimrilim in Mari (um 1700 v. Chr.; Paris, Louvre)

Himmelsgottes An von Uruk, entsprach sumerisch dem Bild der sinnlich-erot. Ischtar der Semiten, betont wurde jetzt ihre krieger. Eigenschaft. Stärker wurden die neuen Einflüsse bei anderen Gottheiten bemerkbar: Der Sonnengott Utu fand nun als Schamasch, Reichsgott, Herr der Weissagung und des Gerichts große Verehrung. Der Sturm- und Gewittergott Ischkur, bei den Sumerern unbedeutend, wurde als Adad ein Segen oder Zerstörung bringender Fruchtbarkeitsgott und eine zentrale Gestalt des Pantheons. Mit der Erhebung Babylons zur Hauptstadt (um 1700 v. Chr.) wurde der Stadtgott von Babylon, Marduk, zugleich auch oberster Reichsgott.

Babylonische Gefangenschaft (Babylonisches Exil), **1)** der Aufenthalt der Juden in Babylon nach der Zerstörung Jerusalems durch Nebukadnezar II. (597 und 587 v. Chr.) bis zur von Kyros II. erlaubten Rückkehr (538 v. Chr.).

2) *übertragen:* der Aufenthalt der Päpste in Avignon (1309–76).

babylonische Kultur. Um die Wende des 4. und 3. Jt. v. Chr. legten die Sumerer die Grundlagen zur b. K., indem sie die Keilschrift und das Zahlensystem mit der Grundzahl 12 (statt 10), die Hauptgestalten des Götterglaubens und die Anfänge der Kunst schufen. – Das *Recht* war hoch entwickelt; die bedeutendste Gesetzessamml. ist die Hammurapis (um 1700 v. Chr.). Das babylon. Recht wurde für weite Teile Vorderasiens gültig, ebenso Keilschrift und Zahlensystem sowie die Zeitrechnung. Unter den *Wissenschaften,* die reli-

Babylonische Gefangenschaft

587 v. Chr. wurden – nach langen Kämpfen – Jerusalem und Juda von dem babylonischen König Nebukadnezar II. erobert. Juda wurde babylonische Provinz, der Tempel zerstört, die Bevölkerung in die »Babylonische Gefangenschaft« deportiert. Etwa fünfzig Jahre (bis 538 v. Chr.) dauerte das Exil, das ein so schwer wiegendes Ereignis in der Geschichte Israels darstellt, dass diese (auch hinsichtlich der Theologie und Glaubensvorstellungen) in vorexilisch, exilisch und nachexilisch eingeteilt werden kann. Die Exilsituation führte zur Herausbildung des »Judentums« im Sinne einer Religionsgemeinschaft, da typisch jüdische Volks- und Glaubenszeichen wie Heiligung des Sabbat, Beschneidung und Reinigungsriten nun von besonderer Bedeutung waren. Es entstand der Wortgottesdienst ohne Opfer in der Synagoge, die als neben dem Tempel wichtigste kultische Institution ebenfalls im Exil ihren Anfang hatte.

2

3

2 Kopfteil der Hammurapi-Gesetzesstele aus Susa mit einer Reliefdarstellung des Königs vor dem thronenden Sonnengott Schamasch (Basalt, 1. Hälfte 18. Jh. v. Chr.; Paris, Louvre)

3 Der Schlangendrache, das heilige Tier des Gottes Marduk, vom babylonischen Ischtartor (um 580 v. Chr; Berlin, Vorderasiatisches Museum)

giös gebunden blieben und großenteils zu mag. Zwecken angewandt wurden, traten die Medizin, die Mathematik und bes. die Astronomie hervor, zuerst als Astrologie, später als berechnende Astronomie. Die b. K. übte eine stark angleichende Kraft auf die eindringenden Fremdvölker (Akkader, westsemit. Völker) aus, wirkte über Babylonien hinaus auf große Teile Vorderasiens und überdauerte in ihren Auswirkungen den Sturz des neubabylon. Reichs. Durch die Ausgrabungen des späten 19. und des 20. Jh. ist sie in ihrem vollen Ausmaß wieder bekannt geworden.

📖 OPPENHEIM, L.: *Ancient Mesopotamia. Portrait of a dead civilization. Chicago, Ill.* [4]*1986.* – SODEN, W. VON: *Einführung in die Altorientalistik. Darmstadt* [2]*1992.*

babylonische Kunst. Erste monumentale Tempelanlagen gehen auf den Anfang des 3. Jt. v. Chr. zurück (Uruk). Manche Tempel wurden auf Terrassen errichtet, die allmählich bis zur Form der →Zikkurat erhöht wurden, des später für Babylonien typ. Tempelturms. Eine spätere Form des Tempelbaus war die Anordnung von Cella und Nebenräumen um einen Hof. Nach festen architekton. Gesetzen wurden sonst nur Befestigungen und Paläste angelegt, alle mit einem System von Höfen und je nach Verwendung versch. gestalteten Gebäudeteilen. Weltberühmt waren die →Hängenden Gärten. Auch die Anlage der Prozessionsstraße in Babylon durch Nebukadnezar II. ist eine großartige städtebaul. Leistung. Tempel und Paläste waren oft mit Wandmalereien geschmückt, die aber nur in Spuren erhalten sind (z. B. in Mari). Nach 1600 v. Chr. wurden die Wandflächen mit farbig glasierten Ziegeln verkleidet, die Fabelwesen und pflanzl. Motive in leuchtenden Farben darstellen (Ischtartor, Thronsaal Nebukadnezars II., Prozessionsstraße in Babylon). Bei den Werken der Plastik kam es nicht zu der Monumentalität wie in Assyrien. Kleine, gut proportionierte Tierfiguren, Statuetten von Betern wurden seit dem Anfang des 3. Jt. v. Chr. geschaffen. Höhepunkt plast. Gestaltung wurde in altbabylon. Zeit (etwa 1950–1530 v. Chr.) erreicht (»Hammurapi-Kopf«, Paris, Louvre), danach fehlen Werke der Plastik fast völlig. Von besonderer Bedeutung ist die Reliefkunst (auf Grenzsteinen, Stelen, Weihplatten), in deren besten Werken in realist. Schilderung mehrere dargestellte Handlungen, v. a. aus Schlachten, durch die einheitl. Landschaft zu einem Gesamtbild vereinigt sind (Siegesstele des Königs Naramsin von Akkade, um 2300 v. Chr.); Friese von Tieren und Menschen in Muschelkalk oder Ton waren als Gebäudeschmuck bes. in der Frühzeit gebräuchlich. Innerhalb der Steinschneidekunst kommt dem Rollsiegel (→Siegel) eine besondere Funktion zu: Seit Ausgang des 4. Jt. v. Chr. bis in neubabylon. Zeit benutzt, lässt sich an seinen Darstellungen der Stilwandel der Kunst in Babylonien deutlich ablesen. Die b. K. wirkte schon früh nach außen hin, so auf die ägypt. (bereits Anfang des 3. Jt.), syr., kleinasiat., assyr. Kunst.

Babylonischer Turm, Turm zu Babel, an den sich die bibl. Erzählung von der babylonischen

Sprachverwirrung (1. Mos. 11) knüpft; hinter dieser Legende steht sicher der histor. Tempelturm (Zikkurat) Etemenanki des Mardukheiligtums von Babylon mit seinen gewaltigen Ausmaßen (quadrat. Grundriss mit je 91,5 m Seitenlänge und in etwa gleicher, abgestufter Höhe).

📖 KLENGEL-BRANDT, E.: *Der Turm von Babylon. Legende u. Gesch. eines Bauwerks. Berlin u. a.* [2]*1992.*

Babylonischer Turm

Zu einer Sprachverwirrung kam es auch beim Bau der Pyramide von Cholula in Mexiko. Sie ist mit 55 m Höhe und einer Grundfläche von 16 Hektar das größte Bauwerk Altamerikas. Als die Spanier 1517 nach Mexiko vordrangen, erzählten ihnen die Cholulaner, dass dieses Gebäude zum Schutz vor einer erwarteten Sintflut errichtet wurde und die daran beteiligten Menschen durch eine Sprachverwirrung in alle Winde zerstreut wurden. Auch das Heilige Buch der Quiché-Maya, das Popul Vuh, spricht davon. Als die Spanier kamen, gab es in der Neuen Welt noch über 1000 verschiedene Sprachen, von denen inzwischen mindestens 600 verschwunden sind.

Babysitter ['be:bi-, engl. 'beɪbɪsɪtə; engl., zu to sit »sitzen«] *der,* jemand, der kleinere Kinder kurzzeitig beaufsichtigt.

Bacău [ba'kəu], Hptst. des Bez. B. in der Moldau (Moldova), Rumänien, an der Bistritz, 208 000 Ew.; Verkehrsknotenpunkt; Metall-, Papier-, Nahrungsmittelind., Maschinenbau; in der Nähe Erdölförderung.

Baccalaure|us [lat.], → Bakkalaureus.

Baccarat [-'ra, frz.] *das,* Kartenglücksspiel, → Bakkarat.

Bacchanal [nach dem röm. Gott Bacchus] *das,* rauschhafte, z. T. exzessive altröm. Kultfeiern zu Ehren des Bacchus (→ Dionysos).

Bacchant [lat.-grch.] *der,* Teilnehmer am Bacchusfest; im MA.: fahrender Schüler. **Bacchantin,** Mänade, Bacchusdienerin.

Bacchelli [bak'kɛlli], Riccardo, italien. Schriftsteller, * Bologna 19. 4. 1891, † Monza 8. 10. 1985; schrieb Lyrik (»Versi e rime«, Ged., 3 Bde., 1971–73), Dramen, Novellen und v. a. (histor.) Romane, in denen er sich psycholog. und sozialen Fragen zuwendet (»Die Mühle am Po«, 3 Bde., 1938–40).

Bacchus, röm. Gott der Fruchtbarkeit und des Weins (grch. → Dionysos).

Bach, Musikerfamilie des 17. und 18. Jh., vorwiegend in Thüringen und Franken ansässig. Der erste nachweisbar Musik treibende Vertreter ist der Müller Veit B. (* um 1550, † 1619), der zum Stammvater mehrerer Linien wurde, von denen die bedeutendste zu Johann Sebastian B. und seinen Söhnen führt.

Carl Philipp Emanuel Bach

1) Carl Philipp Emanuel, »Berliner« oder »Hamburger B.«, Komponist, * Weimar 8. 3. 1714, † Hamburg 14. 12. 1788, Sohn von 4); wurde 1741 in Berlin Kammercembalist Friedrichs II., d. Gr., 1767 Kirchenmusikdirektor in Hamburg. Vertreter des empfindsamen Stils und des musikal. Sturm und Drang. Als Meister themat. Verwandlung beeinflusste er J. Haydn und den jungen L. van Beethoven. Er bildete die Sonatenform aus und schuf Klavierkonzerte, -sonaten, Sinfonien, Kammermusik, geistliche Vokalmusik, Oden.

📖 WAGNER, G.: *Die Sinfonien C. P. E. B.s. Stuttgart 1994.*

2) Johann Christian, »Mailänder« oder »Londoner B.«, Komponist, * Leipzig 5. 9. 1735, † London 1. 1. 1782, jüngster Sohn von 4); wurde nach seiner Konvertierung 1760 kath. Domorganist in Mailand, 1762 »Musikmeister der Königin« in London und gründete dort 1764 mit C. F. Abel die »Bach-Abel-Konzerte« (bis 1781). B. schuf italien. Opern, zwei Oratorien, Kantaten, Arien, Sinfonien, Klavierkonzerte, -sonaten, Kammermusik. Seine kantable Melodik wirkte sich bis in die Spätwerke W. A. Mozarts aus.

📖 GÄRTNER, H.: *J. C. B. München 1989.*

3) Johann Christoph Friedrich, »Bückeburger B.«, Komponist, * Leipzig 21. 6. 1732, † Bückeburg 26. 1. 1795, Sohn von 4); seit 1758 Hofkapellmeister ebd.; schuf Motetten, Kantaten, Oratorien, Kammermusik, Klaviersonaten.

📖 SING, B. J.: *J. C. F. B. Baden-Baden 1992.*

4) Johann Sebastian, Komponist, * Eisenach 21. 3. 1685, † Leipzig 28. 7. 1750; Sohn des Stadtmusikers Ambrosius B. (* 1645, † 1695), war anfangs Schüler seines Bruders Johann Christoph B. (* 1671, † 1721) in Ohrdruf; 1700 Schüler der Michaelisschule zu Lüneburg, 1703 Organist in Arnstadt (1705 Fußreise zu Buxtehude nach Lübeck), 1707 Organist in Mühlhausen (Thür.), 1708 Hoforganist und seit 1713 auch Hofkonzertmeister in Weimar, 1717 Hofkapellmeister in Köthen, seit 1723 Thomaskantor in Leipzig. – ⚭ seit 1707 mit seiner Cousine Maria Barbara B. († 1720, Tochter des Komponisten Johann Michael B. [* 1648, † 1694]), in 2. Ehe seit 1721 mit Anna Magdalena Wilcken († 1760); beiden Ehen entstammten insgesamt 20 Kinder. In seinen letzten Lebensjahren litt B. an einem Augenleiden, das 1749 zur Erblindung führte.

Die Musik B.s, der Abschluss des musikal. Barock, verbindet die alte polyphone Satzkunst mit dem neuen harmonisch bestimmten Konzertstil zu einer genialen Einheit. Die strenge kontrapunkt. Form der Fuge hat durch ihn ihre höchste Durchbildung erfahren. Gegenüber der traditionellen Kontrapunktik ist die Einzelstimme bei ihm stärker harmonisch determiniert; die Stimmen sind nicht nur Gegenstände kontrapunkt. Verarbeitung, sondern werden von charakterist. Themen geprägt. Grundlage seiner geistl. Musik ist das Kirchenlied; in späterer Zeit bevorzugte B. reine Choraltexte, bes. aus der Reformationszeit. In den Chören und Arien seiner Kantaten und Passionen entwickelte B. vom Inhalt des Textes her musikal. Motive von großer Eindringlichkeit. Seine Spätwerke lassen erstmals die Idee einer reinen, absoluten (Instrumental-)Musik erkennen. – Bei seinen Zeitgenossen war B. v. a. als virtuoser Organist berühmt, jedoch erlahmte alsdann das Interesse an seiner Musik. Erst die Aufführung der Matthäus-Passion durch F. Mendelssohn Bartholdy 1829 in Berlin wirkte entscheidend für die Erkenntnis seiner Bedeutung. 1850 wurde die **B.-Gesellschaft,** 1900 die **Neue B.-Gesellschaft** gegründet. Das »Thematisch-systemat. Verzeichnis der Werke J. S. B.s« **(BWV)** legte W. Schmieder 1950 an (erweiterte Ausgabe 1987).

Johann Sebastian Bach (Ölgemälde von Elias Gottlob Haußmann, 1746; Leipzig, Stadtgeschichtliches Museum)

Werke: Vokalmusik: etwa 200 Kirchenkantaten; Weihnachts- und Osteroratorium; Passionsmusik nach den Evangelien des Johannes (1724) und Matthäus (1729); lat. Messe in h-Moll (1724 bis um 1747/49), 4 kleine Messen, lat. Magnificat in D-Dur; Trauerode; Motetten; geistl. Lieder; weltl. Kantaten (Kaffee-, Bauernkantate; Festkantaten); Quodlibets. – Orgelwerke: Präludien und Fugen, Tokkaten, Fantasien, Choralvorspiele und -variationen, Triosonaten, Konzerte. – Klavierwerke: 2-stimmige Inventionen und 3-stimmige Sinfonien; 6 engl. und 6 frz. Suiten, 6 dt. Partiten; Goldberg-Variationen; Das Wohltemperierte Klavier (48 Präludien und Fugen für alle Dur- und Molltonarten); Chromat. Fantasie und Fuge; Tokkaten; Konzerte. – Kammer- und Orchesterwerke: Sonaten für Flöte, Violine, Gambe. Konzerte für Cembalo (z. T. nach Geigenkonzerten Vivaldis), für Violine. »6 Brandenburg. Konzerte« (Concerti grossi), 4 Suiten für Orchester, 6 Suiten für Violoncello solo. – Kontrapunkt. Spätwerke: Das musikal. Opfer (über ein Thema Friedrichs d. Gr. mit wechselnder Besetzung) und die »Kunst der Fuge« ohne Besetzungsangabe.

Johann Christian Bach

📖 *B. u. die Moderne, hg. v.* D. SCHNEBEL. *Wiesbaden 1995.* – DÜRR, A.: *Die Kantaten von J. S. B. mit ihren Texten. München u. a. ^{6}1995.* – *Das Frühwerk J. S. B.s. Kolloquium… 1990, hg. v.* K. HELLER *u.* HANS-JOACHIM SCHULZE. *Köln 1995.* – GECK, M.: *J. S. B. Reinbek 11.–16. Tsd., ^{2}1995.* – POOS, H.: *J. S. B. Der Choralsatz als musikal. Kunstwerk. München 1995.* – SCHWEITZER, A.: *Die Orgelwerke J. S. B.s. Vorworte zu den »Sämtlichen Orgelwerken«. Hildesheim u. a. 1995.*

5) Wilhelm Friedemann, Komponist, *Weimar 22. 11. 1710, †Berlin 1. 7. 1784, ältester Sohn von 4); 1733–46 Organist in Dresden und bis 1764 in Halle (Saale), lebte seitdem ohne feste Stellung in versch. Städten; schrieb Werke für Orgel, Klavier, Orchester sowie geistl. und weltl. Vokalmusik.

Wilhelm Friedemann Bach

📖 FALCK, M.: *W. F. B. Sein Leben u. seine Werke mit thematischem Verzeichnis seiner Kompositionen. Leipzig 1913, Nachdr. Hildesheim u. a. 1977.*

Bach, Alexander Freiherr von (seit 1854), österr. Staatsmann, *Loosdorf (heute zu Fallbach, Bez. Mistelbach) 4. 1. 1813, †Schloss Schönberg (bei Wiener Neustadt) 12. 11. 1893; wurde 1848 Justizmin. und 1849 Min. des Innern; nach dem Tod des Fürsten Felix zu Schwarzenberg (1852) einflussreichstes Reg.mitglied; vertrat ein klerikal-zentralistisch-absolutist. Reg.system; wegen außenpolit. Misserfolge 1859 entlassen.

Bacharach, Stadt im Landkreis Mainz-Bingen, Rheinl.-Pf., am Rhein, 2 400 Ew.; Weinbau, Sekt-, Weingroßkellereien. – Ausflugsort mit maler. mittelalterl. Stadtbild (u. a. roman. Peterskirche, 12./13. Jh.). – Stadtrecht seit 1356. Über B. Burg Stahleck (12.–14. Jh.), jetzt Jugendherberge.

Bache [auch altfrz. bacon »Schweinehälfte«], weibl. Wildschwein, das mindestens einmal Junge geworfen hat oder über zwei Jahre alt ist.

Ingeborg Bachmann

Bachelor [ˈbætʃələ, engl.] *der,* →Bakkalaureus.

Bachem, Bele, eigtl. Renate Gabriele Böhmer, Zeichnerin, *Düsseldorf 17. 5. 1916; schuf Illustrationen, Theaterdekorationen und Vorlagen für Porzellanmalereien und Tapeten.

Bacher [jidd.] *der,* →Bocher.

Bachmann, Ingeborg, österr. Schriftstellerin, *Klagenfurt 25. 6. 1926, †Rom 17. 10. 1973; gehörte zur Gruppe 47, lebte u. a. in Rom; schrieb bildhafte und prägnante Lyrik (»Die gestundete Zeit«, 1953; »Anrufung des großen Bären«, 1956), Prosawerke (»Malina«, R., 1971; »Der Fall Franza«, »Requiem für Fanny Goldmann«, R.-Fragmente, beide hg. 1979; »Gier«, Erz., 1974), Hörspiele (»Zikaden«, 1955), Libretti; Hauptmotive sind Existenzbedrohung, Liebe, Ichproblematik; Georg-Büchner-Preis 1964.

Wilhelm Backhaus

📖 BEICKEN, P.: *I. B. München ²1992.*

Bachmụt, Stadt in der Ukraine, → Artjomowsk.

Bạchofen, Johann Jakob, schweizer. Rechtshistoriker, Altertumsforscher, *Basel 22. 12. 1815, †ebd. 25. 11. 1887; Schüler F. C. von Savignys, versuchte eine romant. Deutung der antiken Mythologie und Symbolik. B. prägte den Begriff des Mutterrechts.

Werke: Versuch über die Gräbersymbolik der Alten (1859); Das Mutterrecht (1861); Die Sage von Tanaquil (1870).

Bachstelze, ein Singvogel, → Stelzen.

Bachtarạn (Bakhtaran, früher Kermanschah), Prov.-Hptst. in Iran, 1630 m ü. M. im Zagrosgebirge, 624000 Ew.; Erdölraffinerie, Zuckerfabrik, Teppichwebereien.

Backnang
Stadtwappen

Bachtiạr (Bakhtiar, Bahtiar), Schapur (Shapur), iran. Politiker, *um 1914 (nach anderen Angaben 1916), †(ermordet) Suresnes (bei Paris) 6. 8. 1991; Rechtsanwalt, versuchte als Min.-Präs. (Januar bis Februar 1979) eine demokrat. Entwicklung in Iran einzuleiten und damit v. a. die radikal islam. Kräfte zu neutralisieren. Nach deren Sieg ging er nach Frankreich ins Exil. 1991 fiel er einem von Iranern verübten Attentat zum Opfer.

Bachtiạren, Bergvolk im Zagrosgebirge, SW-Iran, mit den → Luren verwandt.

Bacịllus (Bazillus) [lat. »Stäbchen«] *der,* → Bakterien.

Bačka ['ba:tʃka], Landschaft zw. unterer Theiß und Donau, → Batschka.

Backbord, *Schifffahrt:* linke Schiffsseite; Ggs.: Steuerbord; **backbord(s),** links; durch rote Positionslaternen gekennzeichnet.

Backe, 1) *Anatomie:* (Wange) Seitenwand der Mundhöhle.

2) *Technik:* paarweise aufeinander wirkende Teile an Werkzeugen, z. B. die B. des Schraubstocks und der Bremsen (Backenbremse).

Backenknochen, das → Jochbein.

Backentaschen, seitl. Ausstülpungen der Backenhaut mancher Säugetiere zum Sammeln und Transport von Nahrung, z. B. bei Hamstern, Murmeltieren und einigen Affen.

Backfitting ['bæk-, engl.] *das,* die Ausrüstung einer techn. Anlage (z. B. eines Kraftwerks) mit zusätzl. Geräten, Geräteteilen, Sicherheitseinrichtungen u. a., die in der ursprüngl. Planung der Anlage nicht vorgesehen waren.

Backgammon [bæk'gæmən] *das,* engl. Name für das in Dtl. Puff oder → Tricktrack genannte Brettspiel.

Background ['bækgraʊnd, engl.] *der,* **1)** (akust., opt.) Hintergrund (Film, Werbefotos u. a.); Milieu.

2) Klanghintergrund im Jazz und in der neueren Unterhaltungsmusik.

Bạckhaus, Wilhelm, Pianist, *Leipzig 26. 3. 1884, †Villach 5. 7. 1969; Schüler von E. d'Albert, bes. Beethoven-Interpret.

Bạcknang, Stadt (Große Krst.) im Rems-Murr-Kreis, Bad.-Württ., an der Murr, 31300 Ew.; Leder-, Textil- und elektrotechn. Ind.; Altstadt mit Fachwerkhäusern (Rathaus, um 1600). – B. kam 1324 von Baden an Württemberg.

Bạckofen (Backoffen), Hans, Steinbildhauer, *Sulzbach um 1470/75(?), †Mainz 21. 9. 1519; schuf v. a. Grabmäler (Bischofsgrabmäler im Mainzer Dom) und Kreuzigungsgruppen (Dom in Frankfurt am Main) von kraftvoller Gestaltung.

Backpulver, Backtreibmittel zum Lockern des Teiges, aus denen Gase (meist Kohlensäure) frei werden.

Backslash ['bækslæʃ, engl.] *der, Informatik:* umgekehrter Schrägstrich, wird als Steuerbefehl verwendet.

Backsteinbau: Fassade (um 1430) und Südflügel (um 1480) des Tangermünder Rathauses

Backsteinbau, Bau aus Ziegeln oder Klinkern, berappt, verputzt, verkleidet oder nicht verputzt. Bauten aus handgeformten, luftgetrockneten Lehmziegeln sind seit vorgeschichtl. Zeit aus Kleinasien, Mesopotamien und Ägypten bekannt. Seit der 2. Hälfte des 4. Jt. wurden auch (dauerhaftere) Bauwerke aus gebrannten Ziegeln errichtet

(Mesopotamien). In der röm. Architektur spielte der B. eine überragende Rolle, da komplizierte Grundriss- und Aufrissformen sich mit flachen gebrannten Ziegeln am besten bewältigen ließen; der Außenbau war meist mit wertvollerem Material (v.a. Marmorplatten) verkleidet. Röm. Tradition lebte weiter im byzantin. B. und v.a. im oberitalien. Raum, der über Jh. hin ein Zentrum des B. wurde. In der islam. Architektur waren Ziegelbauten sehr verbreitet, mit Blütezeit im 8./9. Jh. in Iran. Der Schmuck dieser Bauten bestand aus unterschiedlich zusammengesetzten Ziegelformen, später im Wechsel von natürlich belassenen und farbig glasierten Ziegeln. Nach Mitte des 12. Jh. verbreitete sich der B. in Norddtl. und Bayern.

Mit der norddt. **Backsteingotik** entstand ein eigener Stil von machtvoller Geschlossenheit und reicher Flächenbehandlung durch farbig glasierte Ziegel und Formsteine, bes. in den mit Spitzbogenblenden und Maßwerk geschmückten Schaugiebeln. Von den Niederlanden bis zum Deutschordensgebiet entstand eine Fülle von B. (Kirchen, Burgen, Schlösser, Rathäuser, Stadttore), auch in Skandinavien und England. Seit der Renaissance verwendete man, bes. in den Niederlanden, eine gemischte Bauweise, indem man die Mauerflächen in Backstein, einzelne Bauglieder wie Gesimse, Fenster- und Türgewände dagegen aus Haustein ausführte. Im 19. Jh. ging eine Erneuerung des B. von der Schinkel-Schule aus. Im 20. Jh. erstrebte man v.a. wieder eine werkstoffgerechte Verarbeitung; Klinkerverblendungen sollen durch ihre Färbung die Flächen beleben. Unter den Baumeistern, die den B. bevorzugten, ragten F. Schumacher und F. Höger (Chilehaus) in Hamburg hervor. Eine neue Belebung erfährt der B. durch niederländ., engl. und bes. skandinav. Architekten (J. Stirling, A. Jacobsen, A. Aalto), die ihn auch mit Sichtbeton kombinieren.

Backwarddiode ['bækwəd-, engl.], eine →Tunneldiode, die wegen des bes. flachen Verlaufs ihrer Strom-Spannungs-Kennlinie in umgekehrter Richtung (negative Flussspannung) betrieben wird; verwendet u.a. zur Gleichrichtung kleiner Wechselspannungen bei sehr hohen Frequenzen (meist im Mikrowellenbereich).

Bacọlod, Hptst. der Prov. Negros Occidental der Philippinen, 364 000 Ew.; Univ.; Zuckerindustrie; Hafen.

Bacon ['beɪkən, engl.] *der,* leicht durchwachsener und angeräucherter Speck.

Bacon ['beɪkən], **1)** Francis, Baron von Verulam (seit 1618), engl. Philosoph und Staatsmann, *London 22. 1. 1561, †ebd. 9. 4. 1626; Advokat, u.a. Lordkanzler (seit 1618), verlor 1621 alle öffentl. Ämter wegen einer Bestechungsaffäre. – B. verfasste wichtige Beiträge zum neuen Wissensbegriff der Renaissance: Statt Magie und Zufall in der Naturforschung fordert B. streng wiss. Vorgehensweise, statt ableitender die induktive Methode, ausgehend von Erfahrungen, statt Wissen um der bloßen Wahrheit willen Wissen zum Zwecke menschlicher Bedürfnisbefriedigung (berühmt sein Ausspruch: »Wissen ist Macht«). Bei aller Kritik an der scholast. Philosophie behält B. jedoch wichtige ihrer Inhalte wie Formenlehre und Teleologie bei. Seine Essays sind von Montaigne und Plutarch angeregt, seine Utopie »Nova Atlantis« (1627) schildert einen technisch perfekten Zukunftsstaat unter der Herrschaft wiss.-techn. orientierter Weiser.

Weitere Werke: Essays (1597, 1625); Novum Organum (1620); De dignitate et augmentis scientiarum (1623).

📖 LAMPERT, L.: *Nietzsche and modern times. A study of Bacon, Descartes, and Nietzsche. New Haven, Conn., u. a. 1993.* – SPIERLING, V.: *Kleine Gesch. der Philosophie. 50 Porträts von der Antike bis zur Gegenwart. Taschenbuch-Ausg. München u. a. ^{3}1995.*

Francis Bacon
(Gemälde von Paul van Somer; um 1617)

Francis Bacon *war einer der Ersten, die an die Wissenschaft den Anspruch wiederholbarer Experimente stellten. Ein solches wollte er im Februar 1626 während einer Kutschfahrt anstellen. Er wollte einem Freund beweisen, dass man ein Hühnchen mithilfe von Kälte konservieren könne. Also fing er eine Henne, schlachtete sie, nahm sie aus und füllte sie mit Schnee. Während dieser Aktion erkältete er sich schwer und starb daran zwei Monate später.*

2) Francis, engl. Maler, *Dublin 28. 10. 1919, †Madrid 28. 4. 1992; realist. und zugleich albtraumhafte Darstellung des Menschen. BILD S. 392

3) Roger, engl. Theologe und Naturphilosoph, *bei Ilchester (Cty. Somerset) um 1214, †Oxford um 1292; lehrte 1241–46 in Paris aristotel. Naturphilosophie; prägte als »doctor mirabilis« (bewundernswürdiger Lehrer) der mittelalterl. Erfahrungswiss. den Begriff des Naturgesetzes, stellte der scholast. Methode die mathematisch-naturwiss. und dem Autoritätenbeweis Erfahrungs- und Quellenstudium entgegen.

📖 KUPER, M.: *R. B. Der Mann, der Bruder Williams Lehrer war. Berlin 1996.*

Bad, 1) Kurzbez. für einen staatlich anerkannten Kurort mit Heilquellen.

2) Anwendung von Wasser auf den (menschl.) Körper zur Reinigung oder zur Förderung der Gesundheit, wobei man zw. **Ganz-** oder **Vollbädern** und **Teilbädern** (Hand-, Fuß-, Sitzbad) unterscheidet. Die Hauptwirkung eines B. liegt neben dem Reinigungseffekt im Kälte- und Wärmereiz; die Wassertemperatur beträgt bei ausgesprochen kalten Bädern unter 20 bis 22 °C, bei kalten Bädern

Francis Bacon: Papst Innozenz X. (Studie nach Velázquez), »Der schreiende Papst« (1953; New York, Sammlung William Burden)

unter 34 °C, bei indifferenten Bädern 34 bis 35,9 °C, bei warmen Bädern 36 bis 39 °C und bei heißen Bädern 40 °C und darüber. Die therm., aber auch die durch bes. Anwendungsformen erzielten mechan. Reize auf die Haut beeinflussen die Funktion innerer Organe wie Herztätigkeit, Blutdruck, Puls, Harnabsonderung, zu gesteigertem Stoffwechsel und allg. Kräftigung und Abhärtung. Als **Heilbäder** bezeichnet man Bäder in →Heilquellen oder mit besonderen Anwendungen (→Moorbad, →Schlammbad, →Heißluftbad, →Dampfbad, →Sandbad, →hydroelektrisches Bad).

Kulturgeschichtliches: Häufig verbunden mit religiösen Zielen (kult. Reinigung), ist das B. in vielen frühen Kulturen (z. B. im Alten Orient) nachweisbar; Wannenbäder gab es schon in der minoischen und seit der Zeit von Homer in der griech. Kultur. Bei Griechen und Römern entwickelte sich neben privaten Bädern im Haus ein luxuriöses öffentl. Badewesen (→Thermen). In Nord- und Mitteleuropa findet sich schon früh neben dem Flussbad das Warmbad und seit dem MA. die öffentl. Badestube, die, betrieben von einem Bader und häufig von Männern und Frauen gemeinsam besucht, auch dem Vergnügen diente. Rituelle Bedeutung besaßen die Badhäuser der Juden. Später galten Waschen und Baden als ungesund; erst im 18. Jh. kamen (zuerst in England) zunächst Seebäder, dann auch geschlossene (Fluss- bzw. See-)Badeanstalten wieder auf. Im 19. Jh. entstanden in Großstädten Bade- und Waschanlagen für die Bev., nach 1870 (v. a. in Dtl.) auch Schwimmbäder.

Bad Abbach, Markt im Kr. Kelheim, Bayern, an der Donau, 355 m ü. M., 8300 Ew.; starke Schwefel- und Moorbad, Rheumazentrum.

Bad Aibling, Stadt im Kr. Rosenheim, Bayern, 481 m ü. M., 16 000 Ew.; Moorheilbad (das älteste Bayerns).

Badajoz [-ða'xɔθ], **1)** span. Provinz in Estremadura, 21 766 km², 650 000 Ew.; umfasst das Guadianabecken und Teile der Iber. Masse; Anbau von Weizen, Reis und Baumwolle; Ölbaumkulturen; Viehhaltung.

2) Hptst. der Provinz B., Spanien, 129 500 Ew.; Univ.; Verarbeitung von Agrarprodukten (Baumwolle, Wolle); arab. Stadtmauer (Türme), Palast der Herzöge de la Roca (Mudejarstil).

Bad Alexandersbad, Gemeinde im Kreis Wunsiedel i. Fichtelgebirge, Bayern, 590 m ü. M., 1 400 Ew.; Luftkurort mit Heilquellen (Eisensäuerling) und Mooranwendungen; in der Nähe die →Luisenburg. – Seit 1979 Bad.

Badalona, Stadt in Katalonien, Spanien, im Vorortbereich von Barcelona, 225 200 Ew.; Textil-, Stahl-, Glasind.; Druckereien; Hafen.

Bad Altheide, Stadt in Polen, →Polanica Zdrój.

Bad Arolsen, Stadt im Kr. Waldeck-Frankenberg, Hessen, auf der Waldecker Hochfläche, 290 m ü. M., 16 500 Ew.; Kunststoff verarbeitende, Elektro-, Maschinenbauind.; Sitz des Internat. Suchdienstes des Roten Kreuzes; anerkanntes Heilbad seit 1977. – Seit 1719 Residenz der Fürsten von Waldeck und Pyrmont (Barockschloss), bis 1929 Hptst. der Grafschaft Waldeck.

Bad Aussee, Markt in der Steiermark, Österreich, an der Traun, 659 m ü. M., 5 200 Ew.; Saline; Soleheilbad, Soleleitung (8 km) von **Alt-A.** (1 900 Ew.; Salzbergbau seit 1147) am **Altausseer See** (2,1 km², 53 m tief); got Pfarrkirche (um 1300).

Bad Bellingen, Gemeinde im Landkreis Lörrach, Bad. Württ., im Oberrhein. Tiefland, 250 m ü. M., 3 400 Ew.; Thermalquellen.

Bad Bentheim, Stadt im Kr. Grafschaft Bentheim, Ndsachs., nahe der niederländ. Grenze, 14 300 Ew.; Heilbad (Schwefelquellen, Moor); Spielbank; Freilichtbühne; Textilind.; in der Nähe Erdgasförderung (Erdgasleitung nach Marl). – Schloss Bentheim (13. bis 19. Jh.) war Sitz der Grafen von Bentheim; seit 1865 Stadt, seit 1979 Bad.

Bad Bergzabern, Stadt im Landkreis Südl. Weinstraße, Rheinl.-Pf., 170 m ü. M., 8 100 Ew.; heilklimat. Kurort und Kneippheilbad (seit 1975 Staatsbad) am O-Rand des Pfälzer Waldes; Weinbau. – Schloss (16. Jh.), Renaissancehäuser.

Bad Berka, Stadt im Landkreis Weimarer Land, Thür., 275 m ü. M., 7 400 Ew.; Heilbad mit Schwefel- und Eisenquellen.

Bad Berleburg, Stadt im Kr. Siegen-Wittgenstein, NRW, am Rothaargebirge; 21 300 Ew.; Metall- und Holzverarbeitung, Musikinstrumentenherstellung; Kneippheilbad, Fremdenverkehrsort. – Graf Casimir zu Sayn-Wittgenstein-Berleburg (Erbauer des heutigen Schlosses 1732–39) veranlasste die Herausgabe der **Berleburger Bibel** (Übersetzung 17426-42).

Bad Berneck i. Fichtelgebirge, Stadt im Kr. Bayreuth, Bayern, 5 200 Ew.; Kneippheilbad; Textil- und Elektroindustrie; Stadtrechte seit 1357.

Bad Bertrich, Heilbad (Staatsbad) im Landkreis Cochem-Zell, Rheinl.-Pf., in der Voreifel, 165 m ü. M., 1 100 Einwohner; Glaubersalztherme (32,9 °C).

Bad Bevensen, Stadt im Kr. Uelzen, Ndsachs., in der Lüneburger Heide, 39 m ü. M., 8 800 Ew.; Kneippkurort und Heilbad (Thermal-Jod-Sole-Quelle). – 1162 erstmals erwähnt, seit 1929 Stadt, seit 1976 Bad.

Bad Blankenburg, Stadt im Landkreis Saalfeld-Rudolstadt, Thür., im Thüringer Wald, 8 200 Ew.; Fröbelmuseum; Betriebe der Elektrotechnik und Gummiverarbeitung. – Ruine der Burg Greifenstein 13./14. Jh.). – In B. gründete F. Fröbel 1840 den ersten dt. Kindergarten.

Bad Bleiberg (bis 1978 Bleiberg ob Villach), Markt in Kärnten, Österreich, in einem Hochtal am N-Fuß des Dobratsch, 920 m ü. M., 3 200 Ew.; Thermalheilbad; Schaubergwerk. – 1332 erstmals erwähnt, entstand als Bergbausiedlung (Abbau von Blei-Zink-Erzen 1993 eingestellt).

Bad Blumau, Thermalbad in der Oststeiermark, in der Gem. **Blumau in der Steiermark** (1 600 Ew.), Bez. Fürstenfeld, Österreich; als Einheit einer der Natur angepassten Bauweise von F. Hundertwasser als »Hügelwiesenland« konzipiert; 1997 eröffnet.

Bad Bocklet, Markt im Landkreis Bad Kitzingen, Bayern, am O-Fuß der südl. Rhön, 210 m ü. M., 4 500 Ew.; Staatsbad dank Eisenquelle (1724 entdeckt). – Kuranlagen des 18. und 19. Jahrhunderts.

Bad Boll, Ortsteil von → Boll.

Bad Brambach, Heilbad im Vogtlandkreis, Sachsen, am S-Hang des Elstergebirges, 590 m ü. M., 2 500 Ew.; radon- und kohlesäurehaltige Quellen (entdeckt 1910); Mineralwasserabfüllung.

Bad Bramstedt, Stadt im Landkreis Segeberg, Schlesw.-Holst., 11 300 Ew.; Heilbad (Solquellen, Moor) mit Rheumaklinik; Fremdenverkehr. – Seit 1910 Stadt und Bad.

Bad Breisig, Stadt im Landkeis Ahrweiler, Rheinl.-Pf., am Rhein, 61 m ü. M., 8 600 Ew.; Heilbad (Thermalquellen).

Bad Brückenau, Stadt im Landkreis Bad Kissingen, Bayern, in der Rhön im Tal der Sinn, 300 m ü. M., 7 300 Ew.; Heilbad (Kalzium-Sulfat-Säuerling; Moorbäder); Textil-, Metall-, Holzindustrie. – Brückenau ist seit 1310 Stadt, seit 1970 Bad.

Bad Buchau, Stadt im Landkreis Biberach, Bad.-Württ., am Federsee, 4 100 Ew.; prähistor. Museum; Moorheilbad (seit 1963) mit Thermalquelle; Textilind., Maschinenbau. – Buchau erhielt im 13. Jh. Stadtrecht und war bis 1802 Reichsstadt. Auf einer Insel im verlandeten Teil des Federsees wurde eine Siedlung der Urnenfelderzeit mit Holzhäusern innerhalb einer Ringpalisade ausgegraben.

Bad Camberg, Stadt im Landkreis Limburg-Weilburg, Hessen, am Rand des Taunus, 13 700 Ew.; Holzverarbeitung; Kneippheilbad (seit 1982); in Oberselters Mineralquellen (Selterswasser). – Gut erhaltenes Stadtbild (17.–19. Jh.).

Bad Cannstatt, Stadtteil von Stuttgart. Der **Cannstatter Wasen** ist ein traditionelles Volksfest in der Talaue des Neckars.

Baddeleyit [bɛdle'it; nach dem brit. Reisenden J. Baddeley] *der,* monoklines, gelbes bis schwarzes Zirkonmineral, ZrO_2; Mohshärte 6,5, Dichte 5,4–6 g/cm^3; Vorkommen in Syeniten und fossilen Seifen; Rohstoff für feuerfeste Steine.

Bad Arolsen: Ehemaliges Residenzschloss (Hofseite), erbaut 1710–29 von Julius Ludwig Rothweil für die Grafen von Waldeck

Bad Deutsch-Altenburg, Markt in Niederösterreich, 1 300 Ew.; Schwefeltherme; Museum Carnuntinum (→ Carnuntum). – Spätroman. Karner (Mitte 13. Jh.), frühbarockes Wasserschloss (17. Jh.).

Bad Ditzenbach, Gemeinde im Landkreis Göppingen, Bad.-Württ., auf der Schwäb. Alb, 3 500 Ew.; Heilbad (Thermal- und Mineralquellen).

Bad Doberan, 1) Landkreis in Meckl.-Vorp., (1996) 1 362 km^2 und 101 900 Einwohner.

2) Krst. von 1), in Meckl.-Vorp., westl. von Rostock, 11 300 Ew.; Stadt- und Bädermuseum; Moorbad; Getränkeindustrie; ehem. Klosterkirche (got. Backsteinbau, 1368 fertig gestellt). An der Ostseeküste der Ortsteil **Heiligendamm,** das älteste (gegr. 1793) dt. Ostseebad, mit Spielbank; nach hier

Bad Doberan 2): Blick von Südosten auf die ehemalige Klosterkirche (Ende 13. Jh. bis 1368)

Schmalspurbahn (»Molli«), die weiterführt bis Kühlungsborn. – Doberan erhielt 1261 Markt-, 1879 Stadtrecht.

Bad Driburg, Stadt im Kr. Höxter, NRW, am O-Abhang des Eggegebirges, 19 100 Ew.; Missionsmuseum; Heilbad (kohlensäurehaltige Eisenquelle, Schwefelmoorbäder); Fachklinik für Stoffwechselkrankheiten; Glas-, Schaumstoffherstellung, Eisengießerei. – Stadtrechte für 1290 belegt. Nahebei Reste der Iburg (urspr. sächs., dann karoling. Ringwall; Burg, 12. Jh).

Bad Dürkheim, 1) Landkreis im RegBez. Rheinhessen-Pfalz, Rheinl.-Pf., 595 km², (1996) 130 100 Einwohner.

2) Krst. von 1), in Rheinl.-Pf., an der Haardt, 132 m ü. M., 18 200 Ew.; Heilbad (Arsen-Sole-Quelle, Thermalsolbad, Gradierwerk); Pfalzmuseum für Naturkunde; Spielbank; Weinbau. Alljährlich »Dürkheimer Wurstmarkt« (Weinfest, hervorgegangen aus einem erstmals 1417 bezeugten Markt). – Ruinen der Hardenburg (13. Jh.) und des Klosters Limburg (11. Jh.). – 946 als **Thuringeheim,** 1360 als Stadt erwähnt, 1725–94 Residenz der Grafen (seit 1779 Fürsten) von Leiningen; 1816–1946 bei Bayern; Badebetrieb seit 1897 (seit 1905 Bad).

Baden 3)
Stadtwappen

Baden-Baden
Stadtwappen

Bad Dürrenberg, Stadt an der Saale im Landkreis Merseburg-Querfurt, Sa.-Anh., 12 800 Ew.; Salzmuseum; 1845–1963 Kurort (dank 1763 erbohrter Solquelle); Gradierwerke (886 m lang). – Förderturm und Siedehäuser (1763–85, 1812/13) sind heute techn. Denkmal.

Bad Dürrheim, Gemeinde im Schwarzwald-Baar-Kreis, Bad.-Württ., im südl. Schwarzwald, 700–900 m ü. M., 11 500 Ew.; Solbad und heilklimat. Kurort; Mineralwasserabfüllung; schwäbisch-alemann. Narrenmuseum.

Bad Eilsen, Gemeinde im Landkreis Schaumburg, Ndsachs., 2 300 Ew.; Schlamm- und Schwefelbad (seit 1802).

Bad Elster, Stadt im Vogtlandkreis, Sachsen, an der Weißen Elster, 490 m ü. M., 4 500 Ew.; Mineral- und Moorbad (Sächs. Staatsbad); Forschungsinstitut für Balneologie und Kurortwissenschaft, Forschungsstelle des Umweltbundesamtes. – Badebetrieb seit 1846; seit 1935 Stadt.

Bad Ems, Krst. des Rhein-Lahn-Kreises, Rheinland-Pf., beiderseits der schiffbaren unteren Lahn, 85 m ü. M., 10 000 Ew.; Heilbad (Staatsbad) mit Thermalquellen und heilklimat. Kurort; Herstellung von Emser Salz und Emser Pastillen; Spielbank. – Hier kreuzte der obergerman. Limes (verstärkt durch ein Kastell) die Lahn. 1324 erhielt der seit 1255 zu Nassau gehörende Ort städt. Rechte. Das Emser Bad (Heilbad seit dem 14. Jh.) galt im 19. Jh. als »Weltbad«; seit 1863 wurden Ort und Bad zur Stadt Ems vereinigt (seit 1913 B. E.), die 1866 an Preußen fiel. (→Emser Depesche)

Bad Emstal, Kurort im Kr. Kassel, Hessen, im Habichtswald, 6 400 Ew. – Heilquelle; seit 1992 Bad.

Baden, 1) histor. Land am Oberrhein, erstreckte sich vom Main bei Wertheim bis vor Basel; Hptst. war Karlsruhe. – Die jüngere Linie der →Zähringer, seit 1112 Markgrafen in B., besaß im 12. Jh. u. a. die Grafschaft im Breisgau und in der Ortenau. Um 1250 wurden die Gebiete um Pforzheim und die Stadt B. zum Kernstück der Markgrafschaft. Gebietszuwachs und eine straffe Verw. machten B. im 15. Jh. zu einem bed. Staat am Oberrhein. Durch die Teilung von 1535 entstanden die Markgrafschaften **B.-Baden** (mehrfache Konfessionswechsel, seit 1571 kath.) und **B.-Durlach** (seit 1566 evang.); Markgraf Ludwig Wilhelm von B.-Baden (1677–1707) baute Rastatt, Markgraf Karl Wilhelm von B.-Durlach (1709–38) Karlsruhe zur Residenz aus. Karl Friedrich von B.-Durlach (1738/46–1811) vereinigte 1771 die Markgrafschaft; im Bündnis mit Frankreich (Mitgl. des Rheinbundes 1806–13) erreichte er, auch dank der Diplomatie des Min. S. von Reitzenstein, des eigentl. Schöpfers des modernen B., zw. 1803 und 1810 beträchtl. Gebietserweiterungen (u. a. die rechtsrhein. Kurpfalz mit Heidelberg und Mannheim, den österr. Breisgau, mehrere geistl. Gebiete und Reichsstädte) sowie die Erhebung B.s zum Kurfürstentum (1803) bzw. Großherzogtum (1806). Dieses erhielt eine neue Regierungs- und Verwaltungsorganisation, 1810 das Bad. Landrecht nach frz. Vorbild sowie 1818 eine liberale Verfassung. Die Zweite Kammer des Landtages galt bis 1848 als Sprachrohr der liberalen und nat. Bewegung.

1848/49 kam es unter Führung von F. Hecker und G. von Struve zu drei Aufständen, wobei der schwerste und letzte (Mai/Juni 1849) mit preuß. Truppen niedergeworfen wurde. Nach der Reaktionszeit lenkte Großherzog Friedrich I. (1856–1907) mit der »neuen Ära« (1860–66) wieder in liberale Richtung (Min. Lamey, Roggenbach) ein, konnte sich aber nach Rückkehr zur konstitutionellen Regierungsweise (Min. Mathy, Jolly) ebenso wie sein Nachfolger, Friedrich II. (1907–18), auf die Nationalliberalen als politisch maßgebl. Kraft stützen. 1870/71 beteiligte sich B. aktiv an der dt. Reichsgründung. Der bis 1914 dauernde Kulturkampf in B. erreichte 1864–76 seine größte Schärfe. 1905 wurde das Zentrum stärkste Partei. Die Novemberrevolution führte zur Abdankung Friedrichs II. (22. 11. 1918) und zur Bildung des Freistaates B. (Verf. von 1919), in dem das Zentrum führenden Einfluss besaß. 1933–45 unterstand B. einem nat.-soz. Reichsstatthalter. 1945 wurde Nord-B. (mit Karlsruhe, amerikanisch besetzt) mit N-Württemberg zum Land **Württemberg-B.** vereinigt, Süd-B. (mit Freiburg, frz. besetzt) bildete das Land **B.** (Verf. von 1947). 1951/52 wurde aus B. mit Württemberg und Hohenzollern das Land →Baden-Württemberg gebildet.

📖 Hug, W.: *Gesch. B.s. Stuttgart 1992. – Große Badener. Gestalten aus 1200 Jahren, hg. v.* H. Engler. *Stuttgart 1994.* – Nolte, P.: *Gemeindebürgertum u. Liberalismus in Baden, 1830 – 1850. Göttingen 1994.*

2) bis 1931 Name der Stadt →Baden-Baden.

3) Bezirkshauptstadt südlich von Wien, an der Schwechat, 220–240 m ü. M., 29700 Ew.; Kurort dank seit der Römerzeit genutzten Schwefelthermalquellen; Spielkasino; Nahrungsmittelindustrie.

4) Hauptort des Bez. B. im Kt. Aargau, Schweiz, am Durchbruch der Limmat durch die Lägernkette, 15700 Ew.; B. gliedert sich in die über dem Fluss gelegene Altstadt, die Bäderstadt (Schwefelquellen) und die neueren Siedlungen mit der Industrie (Elektromaschinenfabrik, Armaturenfabrik, Buntmetallgießerei). In der Umgebung Weinbau. Das spätgot. Landvogteischloss an der alten Brücke ist jetzt histor. Museum. – B., das röm. **Aquae Helveticae,** Ende des 13. Jh. durch die Habsburger neu gegr., kam 1415 an die Schweiz. Hier versammelte sich 1424–1712 die »Tagsatzung« der Eidgenossen.

Baden-Baden (bis 1931 Baden), kreisfreie Stadt im RegBez. Karlsruhe, Bad.-Württ., 52600 Ew.; entwickelte sich dank den Natrium-Chlorid-Thermen (68 °C), der schönen Lage im von bewaldeten Höhen umrahmten, windgeschützten Talkessel der Oos im nordwestl. Schwarzwald und mildem Klima zu einer internat. anerkannten Kurstadt mit Spielbank und Pferderennbahn (im benachbarten Iffezheim); Staatl. Kunsthalle u.a. Museen; Sitz des Südwestfunks; neben Weinbau elektrotechn. Ind., Maschinenbau, Herstellung von Kosmetika und Pharmazeutika. – Neues Schloss (ab 1370, 1573 im Renaissancestil verändert), Kurhaus (von F. Weinbrenner) u.a. – Die Stadt war schon in röm. Zeit Badeort (internat. bekannt seit dem 19. Jh.). Im 11. Jh. kam sie an die Zähringer, später wurde sie Sitz der Markgrafen von Baden; 1689 von den Franzosen zerstört; 1945–55 Sitz der frz. Besatzungsmacht.

Baden-Baden: Blick auf die im Talkessel der Oos eingebettete Stadt; in der Bildmitte die ehemalige Stiftskirche, heute katholische Pfarrkirche Sankt Peter und Paul (1391, 1453–77 ausgebaut)

Bad Endorf (bis 1988 Endorf i. OB), Markt im Landkreis Rosenheim, Oberbayern, im Chiemgau nordöstlich des Simssees, 525 m ü. M., 6700 Ew.; Heilbad mit der stärksten Jod-Sole-Thermalquelle Europas (35–90 °C), auch Moorbad.

Badener Friede, →Spanischer Erbfolgekrieg.

Badeni, Kasimir Felix Graf, österr. Politiker *Surochów (Galizien) 14. 10. 1846, †Krasne (Galizien) 9. 7. 1909; wurde 1895 MinPräs. und Innenmin. Österreich-Ungarns. Seine Sprachenverordnung von 1897 (Tschechisch als 2. Amtssprache in Böhmen und Mähren, auch in rein dt. Gebieten) stieß auf Widerstand der dt. Parteien und löste die B.-Krise aus, in deren Verlauf B. am 27. 11. 1897 zurücktrat.

Baden-Powell ['beɪdn 'pəʊel], Robert Stephenson Smyth, Baron (seit 1929), brit. General, *London 22. 2. 1857, †Nyeri (Kenia) 8. 1. 1941; gründete 1907/08 die Pfadfinderbewegung **(Boyscouts).**

Robert Baden-Powell

Badenweiler, Thermalbad im Landkr. Breisgau-Hochschwarzwald, Bad.-Württ., im südl. Schwarzwald, 450 m ü. M., 3200 Ew.; Ruinen röm. Badeanlagen, architektonisch bedeutsames modernes Kurhaus.

Verwaltungsgliederung Baden-Württemberg (Größe und Bevölkerung 31.12.1995)

Region *Stadtkreis* Landkreis	Fläche in km²	Ew. in 1 000	Ew. je km²	Verw.-Sitz
RegBez. Stuttgart	10 558	3 862,3	366	Stuttgart
Region Stuttgart	3 654	2 567,0	702	Stuttgart
Stuttgart	207	587,0	2 824	Stuttgart
Böblingen	618	351,0	568	Böblingen
Esslingen	641	490,2	764	Esslingen am Neckar
Göppingen	642	255,2	397	Göppingen
Ludwigsburg	687	485,8	707	Ludwigsburg
Rems-Murr-Kreis	858	399,1	465	Waiblingen
Region Franken	4 765	846,9	178	Heilbronn
Heilbronn	100	121,5	1 217	Heilbronn
Heilbronn	1 100	303,5	276	Heilbronn
Hohenlohekreis	777	104,3	134	Künzelsau
Schwäbisch Hall	1 484	180,6	122	Schwäbisch Hall
Main-Tauber-Kreis	1 305	136,9	105	Tauberbischofsheim
Region Ostwürttemberg	2 139	448,4	210	Schwäbisch Gmünd
Heidenheim	627	137,3	219	Heidenheim an der Brenz
Ostalbkreis	1 512	311,1	206	Aalen
RegBez. Karlsruhe	6 919	2 644,4	382	Karlsruhe
Region Mittlerer Oberrhein	2 137	953,2	446	Karlsruhe
Baden-Baden	140	52,7	376	Baden-Baden
Karlsruhe	173	275,7	1 589	Karlsruhe
Karlsruhe	1 085	406,0	374	Karlsruhe
Rastatt	739	219,0	296	Rastatt
Region Unterer Neckar	2 442	1 109,3	454	Mannheim
Heidelberg	109	138,8	1 275	Heidelberg
Mannheim	145	311,3	2 147	Mannheim
Neckar-Odenwald-Kreis	1 126	146,8	130	Mosbach
Rhein-Neckar-Kreis	1 062	512,4	483	Heidelberg
Region Nordschwarzwald	2 340	581,9	249	Pforzheim
Pforzheim	98	118,8	1 214	Pforzheim
Calw	798	157,2	197	Calw
Enzkreis	574	186,8	326	Pforzheim
Freudenstadt	871	119,2	137	Freudenstadt
RegBez. Freiburg	9 357	2 087,0	223	Freiburg im Breisgau
Region Südlicher Oberrhein	4 072	975,7	240	Freiburg im Breisgau
Freiburg im Breisgau	153	199,3	1 302	Freiburg im Breisgau
Breisgau-Hochschwarzwald	1 378	230,8	168	Freiburg im Breisgau
Emmendingen	680	146,4	215	Emmendingen
Ortenaukreis	1 861	399,1	215	Offenburg
Region Schwarzwald-Baar-Heuberg	2 529	477,3	189	Villingen-Schwenningen
Rottweil	770	138,9	181	Rottweil
Schwarzwald-Baar-Kreis	1 025	208,8	204	Villingen-Schwenningen
Tuttlingen	734	129,5	176	Tuttlingen
Region Hochrhein-Bodensee	2 756	634,1	230	Waldshut-Tiengen
Konstanz	818	258,7	316	Konstanz
Lörrach	807	212,1	263	Lörrach
Waldshut	1 131	163,3	144	Waldshut-Tiengen
RegBez. Tübingen	8 918	1 725,6	194	Tübingen
Region Neckar-Alb	2 531	668,9	264	Tübingen
Reutlingen	1 094	272,1	249	Reutlingen
Tübingen	519	204,0	393	Tübingen
Zollernalbkreis	918	192,9	210	Balingen
Region Donau-Iller	2 886	471,7	163	Ulm
Ulm	119	115,7	975	Ulm
Alb-Donau-Kreis	1 357	180,3	133	Ulm
Biberach	1 410	175,6	125	Biberach an der Riß
Region Bodensee-Oberschwaben	3 501	585,0	167	Ravensburg
Bodenseekreis	665	192,9	290	Friedrichshafen
Ravensburg	1 632	261,4	160	Ravensburg
Sigmaringen	1 204	130,7	109	Sigmaringen
Baden-Württemberg	35 753	10 319,4	289	Stuttgart

Baden-Württemberg, Land der Bundesrep. Dtl., 35 752 km², (1996) 10,32 Mio. Ew.; Hptst.: Stuttgart.

Landesnatur: B.-W. umfasst Teile der Oberrheinebene mit dem Kaiserstuhl, den Schwarzwald mit dem Feldberg (1 493 m ü. M.) als höchster Erhebung des Landes, den Kraichgau, den südl. Odenwald und das westl. Süddeutsche Schichtstufenland mit der Schwäb. Alb; im S zw. Bodensee und Iller (Allgäu) hat B.-W. Anteil am Alpenvorland. Fruchtbare Hochflächen und bewaldete Höhen liegen beiderseits des Neckars und seiner Seitentäler. Hauptflüsse sind Rhein, Donau und Neckar.

Bevölkerung: Die Bevölkerung ist im S schwäbisch-alemann., im N fränkisch, wobei im ehemals kurpfälz. Gebiet vorwiegend Pfälzisch, im Tauberland und im Hohenlohischen Ostfränkisch gesprochen wird. – B.-W. hat neun Univ. (Heidelberg, Freiburg im Breisgau, Tübingen, Konstanz, Stuttgart, Karlsruhe, Ulm, Mannheim und Hohenheim in Stuttgart-Hohenheim), zwei Kunstakademien, fünf Musikhochschulen und eine Hochschule für jüd. Studien in Heidelberg, sechs PH sowie 28 staatl. und neun private Fachhochschulen.

Wirtschaft: B.-W. ist das am stärksten industrialisierte Land in Dtl. Neben bed. Großunternehmen dominieren Mittelbetriebe; wichtigste Branchen sind Maschinenbau, Fahrzeugbau, Elektrotechnik, chem., Metall verarbeitende, Kunststoff- und Textilind. sowie Holzind. bes. im Schwarzwald. Die Energieversorgung basiert auf Erdöl, Erdgas und Kohle sowie auf Kernkraftwerken (v. a. im nördl. Landesteil) und Wasserkraftwerken (v. a. am Hochrhein). B.-W. verfügt nur über geringe Bodenschätze: Steinsalz (am Kocher), Fluss- und Schwerspat, Kalk und Quarz sowie Mineralquellen (Baden-Baden, Bad Mergentheim, Bad Wildbad u. a.). – 41,4 % der Gesamtfläche B.-W.s sind landwirtsch. Nutzfläche und 40 % dieser landwirtsch. Nutzfläche sind Dauergrünland, daher überwiegt die Milcherzeugung und -verarbeitung (Allgäu, Schwarzwald). Auch im Ackerbau herrschen Futterpflanzen vor. Ansonsten wird bes. Weizen, im Schwarzwald Hafer und Roggen angebaut. In klimabegünstigten Räumen (Neckar und Nebentäler, Bodensee, Oberrheinebene) sind Wein-, Obst- und Tabakbau, bei Schwetzingen Spargelanbau vertreten. Für den Verkehr nachteilig wirken sich die natürl. Hindernisse Schwäb. Alb und Schwarzwald aus; große Verkehrsgunst bietet dagegen der Oberrheingraben. Insgesamt ist B.-W. durch Eisenbahn und Autobahn recht gut erschlossen. Der Binnenschifffahrt stehen der begradigte Rhein ab Rheinfelden und der ab Plochingen schiffbare Neckar zur Verfügung. Bed. Binnenhäfen besitzen Karlsruhe, Mannheim und Heilbronn; einen internat. Flughafen hat Stuttgart.

Verfassung: Nach der Verf. vom 19. 11. 1953 übt der Landtag (146 Abg., für vier Jahre gewählt) die Legislative aus. Er wählt den MinPräs., der die Reg. beruft. Die Verf. eröffnet die Möglichkeit, einzelne Gesetze durch Volksbegehren und -entscheid zu beschließen.

Geschichte: Das Land B.-W. wurde nach der Volksabstimmung vom 6. 12. 1951 (angeordnet vom Bund durch die Neugliederungsgesetze vom 4. 5. 1951) aus den Ländern Württemberg-Baden, Württemberg-Hohenzollern und Baden gebildet. Eine zweite Volksabstimmung am 7. 6. 1970 bestätigte die Neubildung. Die CDU wurde stärkste Partei (1972–92 absolute Landtagsmehrheit) und stellt nach R. Maier (1952–53; FDP) seit 1953 den MinPräs.: G. Müller (1953–58); K. G. Kiesinger (1958–66); H. Filbinger (1966–78); L. Späth (1978–91); E. Teufel (seit 1991).

Landtagswahlen in Baden-Württemberg 1988–96*)

Parteien	20. 3. 1988	5. 4. 1992	24. 3. 1996
CDU	66; 49,0 %	64; 39,6 %	69; 41,3 %
SPD	42; 32,0 %	46; 29,4 %	39; 25,1 %
Die Grünen	10; 7,9 %	13; 9,5 %	19; 12,1 %
FDP/DVP	7; 5,9 %	8; 5,9 %	14; 9,6 %
Republikaner	–; 1,0 %	15; 10,9 %	14; 9,1 %
Andere	–; 4,1 %	–; 4,9 %	–; 2,8 %

*) Sitzverteilung und Stimmenanteil der Parteien

Baden-Württemberg
Kleines Länderwappen

📖 BORCHERDT, C.: *B.-W. Eine geograph. Landeskunde. Darmstadt 1991.* – *Der Weg zum Südweststaat, bearb. v.* J. THIERFELDER *u.* U. UFFELMANN. *Karlsruhe 1991.* – *40 Jahre B.-W., hg. v.* M. SCHAAB. *Stuttgart 1992.* – *Handbuch der baden-württembergischen Gesch., hg. v.* M. SCHAAB *u.* H. SCHWARZMEIER. *Auf mehrere Bde. ber. Stuttgart 1992 ff.*

Bader, veraltete Bez. für eine Person, die (seit dem 12. Jh.) eine öffentl. Badestube (daher auch oft **Stübner** gen.) führte und auch als Barbier und Wundarzt tätig war.

Bader, Johannes, luther. Theologe, * Straßburg um 1487, † Landau in der Pfalz vor dem 16. 8. 1545. Sein »Gespräch Büchlein« von 1526 war der erste evang. Kathechismus.

Bäderkunde, die → Balneologie.

Bad Faulenbach, Ortsteil von → Füssen.

Bad Feilnbach, Gem. im Landkreis Rosenheim, Oberbayern, im Voralpenland der Schlierseer Berge, 540 mü . M., 6 400 Ew.; Moorheilbad.

Bad Fischau-Brunn, Markt im Bezirk Wiener Neustadt, NÖ, 286 m ü. M., 2 500 Ew.; Kurort dank radioaktiver Thermalquelle; Baustoff- und Bekleidungsindustrie.

Bad Flinsberg, Stadt in Polen, → Świeradów Zdrój.

Bad Frankenhausen/Kyffhäuser, Stadt im Kyffhäuserkreis, Thür., 9 800 Ew.; Heilbad (Solquellen); Knopf- (v.a. Perlmuttverarbeitung), Strickwarenherstellung, Bau von Laboröfen. Nahebei die →Barbarossahöhle. – Unterkirche (1691 bis 1701), Schloss (17. Jh., Museum), Renaissance- und Barockbürgerhäuser; nördlich der Stadt Bauernkriegsgedenkstätte mit monumentalem Panoramabild (14m×123m) von W. Tübke (1976 bis 1987). – Vor 900 gegründet; Kurbetrieb seit 19. Jh., kam 1920 zu Thür., Bad seit 1927. – Mit der Niederlage der Bauern in der **Schlacht bei F.** (14./15. 5. 1525) und der Gefangennahme T. Müntzers endete der Bauernkrieg in Thüringen.

Bad Frankenhausen/Kyffhäuser: Ausschnitt aus dem Panoramagemälde »Frühbürgerliche Revolution in Deutschland« von Werner Tübke (1976–87) in der Bauernkriegsgedenkstätte nördlich der Stadt

Bad Freienwalde (Oder), Stadt im Landkreis Märkisch-Oderland, Brandenburg, am W-Rand des Oderbruchs, 10 900 Ew.; Moorbad; Oderlandmuseum; Ziegelwerk. – Klassizist. Schloss (Gilly) und Landhaus (C. G. Langhans). – 1316 erstmals erwähnt, vor 1364 Stadtrecht. Badeort seit 1683; bis 1993 Kreisstadt.

Bad Friedrichshall, Stadt im Kr. Heilbronn, Bad.-Württ., an der Mündung von Kocher (Kochendorf) und Jagst (Jagstfeld) in den Neckar, 15 000 Ew.; Solbad; Salzbergwerk; Metallverarbeitung. – Seit 1951 Stadt.

Bad Füssing, Kurort im Landkreis Passau, Niederbayern, 6 100 Ew.; 1953 wurde die 1938 bei dem Dorf Safferstetten erbohrte Thermalquelle von 56 °C als Heilquelle anerkannt (seit 1969 Bad).

Bad Gandersheim, Stadt im Landkreis Northeim, Ndsachs., westlich des Harzes, 11 600 Ew.; Solbad; Heimatmuseum; Domfestspiele; Glashütte, Metall-, Elektroind., Fleischverarbeitung. – Entstand bei einem 852 gegr. Reichsstift; Blüte im 10. Jh. (→Hrotsvith von Gandersheim); seit 1589 evang. Damenstift (1810 aufgelöst). Seit dem 13. Jh. Stadt, seit 1932 Bad.

Badgastein, Thermalbad in Österreich, →Gastein.

Badge [bædʒ; engl. »Abzeichen«] *der,* heraldisch ein neben dem Wappen geführtes Kennzeichen, z.B. rote Rose des Hauses Lancaster; heute noch Bez. für die brit. Regimentsabzeichen.

Bad Gleichenberg, Kurort in der SO-Steiermark, Österreich, 290 m ü. M., 2 500 Ew.; hat mehrere kohlensäurehaltige Mineralquellen.

Bad Gögging, Ortsteil von →Neustadt a.d. Donau.

Bad Goisern, Markt am N-Ufer des Hallstätter Sees, OÖ, 498 m ü. M., 7 100 Ew.; Kur- (brom- und jodhaltige Schwefelquelle) und Wintersportort. – Ehem. Salzarbeitersiedlung, seit 1955 Bad.

Bad Gottleuba, Stadt im Landkreis Sächs. Schweiz, Sachsen, 2 300 Ew.; Kneippkurort und heilklimat. Kurort im Osterzgebirge.

Bad Griesbach, 1) Kurort im Schwarzwald, →Bad Peterstal-Griesbach.

2) Kurort in Niederbayern, →Griesbach i. Rottal.

Bad Grund (Harz), Stadt im Landkreis Osterode am Harz, Ndsachs., 3 100 Ew.; Luftkurort und Moorheilbad, Untertage-Klimatherapie; Iberger Tropfsteinhöhle; Bergbaumuseum. – Der Ort Gittelde im Grund (1495 so erwähnt) erhielt als älteste der sieben Oberharzer Bergstädte 1532 Bergfreiheit; Blei-Zink-Erz-Abbau seit dem 12. Jh. bis 1992.

Bad Hall, Marktgemeinde westl. von Steyr, im Alpenvorland, Oberösterreich, 388 m ü. M., 4 300 Ew.; Kurort dank jod- und bromhaltigen Kochsalzquellen; Getränkefabrik. – Bereits 777 wurde hier eine Saline betrieben.

Bad Harzburg, Stadt im Landkreis Goslar, Ndsachs., 23 600 Ew.; Heilbad dank Solquellen und heilklimat. Kurort am Nordrand des Harzes; Spielbank. – Unterhalb der Harzburg (1066 erbaut, 1074 von den aufständ. Sachsen zerstört, 1180 wieder aufgebaut; 1650–54 abgebrochen) entwickelte sich die »Neustadt«, die 1894 als B. H. Stadt wurde.

Bad Heilbrunn (bis 1934 Steinbach), Gemeinde im Landkreis Bad Tölz-Wolfratshausen, Oberbayern, 682 m ü. M., 3 300 Ew.; Heilbad (Jod- und Solequellen, Moorbäder).

Bad Herrenalb, Stadt im Landkreis Calw, Bad.-Württ., im Albtal des nördl. Schwarzwaldes, 375 m ü. M., 7 300 Ew.; Heilbad (mineralreiche Thermalquelle) und heilklimat. Kurort; Sitz der Evang. Akademie der Landeskirche Baden. – Ruinen der Zisterzienserabtei Herrenalb (1149–1535). – Seit 1840 Kurbetrieb, seit 1887 Stadt, seit 1971 Bad.

Bad Hersfeld, Krst. des Kr. Hersfeld-Rotenburg, Hessen, an der Fulda, 31 300 Ew.; Staatsbad

(Mineralquellen, Moor); Nordhess. Landesbühne; Bekleidungs-, chem. Ind., Maschinen-, Apparatebau; Fremdenverkehr. – Die Stadt (Stadtrecht seit 1170) entwickelte sich aus einer Marktsiedlung um die 769 von dem Bonifatiusschüler Lullus gegr. Benediktinerabtei (seit 775 Reichsabtei); die (als Ruine erhaltene) 1144 geweihte Stiftskirche gilt als ein Hauptwerk sal. Baukunst (in ihr seit 1951 alljährlich Festspiele). Renaissancerathaus, got. Stadtkirche, Stein- und Fachwerkhäuser des 15.–17. Jh. In der Nähe Wasserschloss Eichhof (14./16. Jh.).

Bad Hofgastein, Kurort in Österreich, → Gastein.

Bad Homburg v. d. Höhe [vor der Höhe (des Taunus, von Frankfurt aus gesehen)], Krst. des Hochtaunuskreises, Hessen, 192 m ü. M., 51 200 Ew.; Sitz der Bundesschuldenverwaltung und des Bundesausgleichsamtes; Städt. und Hutmuseum; Kurort (dank Heilquellen u. a. Anwendungen) und Wohngemeinde (Stadtbahnverbindung mit Frankfurt); Spielbank (seit 1834); Maschinen- und Apparatebau. – Homburg erhielt Stadtrecht zw. 1318 und 1335; 1622–1866 war es Residenz von Hessen, Schloss (1680–85; z. T. Museum), seit 1834 ist es Bad (im 19. Jh. internat. Bedeutung; Kurhaus von 1841–43, 1950–52 umgebaut).

Bad Honnef, Stadt im Rhein-Sieg-Kr., NRW, am Fuß des Siebengebirges, am rechten Rheinufer, 24 500 Ew.; chemisch-pharmazeut. Ind., Maschinen- und Apparatebau, Transformatoren- und Konservenherstellung; spätgot. Pfarrkirche (um 1500) mit roman. Turm. Im Ortsteil **Rhöndorf** Konrad-Adenauer-Haus.

Bad Hönningen, Stadt im Landkreis Neuwied, Rheinl.-Pf., am rechten Rheinufer, 5 800 Ew.; Heilbad dank Mineralquelle; chem. Industrie. – Seit dem 11. Jh. zum Erzstift Trier, fiel 1806 an das Hzgt. Nassau, seit 1969 Stadt.

Bad Iburg, Stadt im Landkeis Osnabrück, Ndsachs., 11 400 Ew.; Museen; Kneippheilbad; Drahtseilwerk, Holzverarbeitung. – Ehem. Benediktinerabtei (gegr. im 11. Jh.) und bischöfl. Schloss (bis 1673).

Badings, Henk (Hendrik), niederländ. Komponist, *Bandung (Java) 17. 1. 1907, †Maarheeze (Prov. Nordbrabant) 26. 6. 1987; schrieb Opern (z. B. »Die Nachtwache«, 1950), Ballette (z. B. »Kain«, 1956), ein Oratorium (»Jonah«, 1962), Orchester-, Kammermusik u. a.

Badische Anilin- und Soda-Fabrik AG, → BASF.

Badisches Landrecht, bis 1900 geltendes bad. Gesetzwerk aus den Jahren 1588, 1622, 1810, wobei Letzteres stark vom frz. Code civil beeinflusst war.

badische Weine, Weine aus dem dt. Anbaugebiet Baden, mit den Bereichen (von N nach S) Tauberfranken, Bad. Bergstraße, Kraichgau, Ortenau, Breisgau, Kaiserstuhl, Tuniberg, Markgräflerland und Bodensee; rd. 16 000 ha Anbaufläche mit rd. 1,2 Mio. hl Ertrag; etwa $^3/_4$ Weißweine, Müller-Thurgau und Blauer Spätburgunder sind die wichtigsten Rebsorten.

Bad Ischl, Stadt in Oberösterreich, Mittelpunkt des Salzkammergutes, in der waldreichen Kalkalpenlandschaft an der Traun, 469 m ü. M., 13 900 Ew.; Kurort mit Sole- und Kohlensäurebädern. – 1263 erstmals erwähnt; ab 1823 Kurort (seit 1907 Bad); 1854–1914 Sommerresidenz Kaiser Franz Josephs I.

Bad Ischl: Im Hintergrund die Kaiservilla, Sommerresidenz von Kaiser Franz Joseph I.; davor eine Springbrunnengruppe aus Marmor von Viktor Tilgner (1881)

Bad Karlshafen, Stadt im Landkreis Kassel, Hessen, an der Mündung der Diemel in die Weser, 4 900 Ew.; Solbad; Textil- und keram. Industrie. – Gut erhaltenes Stadtbild. – Karlshafen wurde 1699 von Landgraf Karl von Hessen als Weserhafen gegründet, wo er Hugenotten ansiedelte.

Bad Kissingen, 1) Landkreis im RegBez. Unterfranken, Bayern, 1 137 km^2, (1996) 109 200 Ew.; im Bereich der mittleren Fränk. Saale und der südl. Rhön.

2) Krst. von 1), 21 900 Ew.; bayer. Staatsbad (mit Heilquellen und Moor); Werkzeug- und Gerätebau, Metallwaren-, Textilindustrie. – Kurhaus (1738 und 19. Jh.), klassizist. Pfarrkirche (1772–75). – 801 erstmals erwähnt, seit 13. Jh. Stadt; 1520 als Kurort bezeugt, nach 1737 rascher Aufschwung des Badebetriebs.

Bad Kleinkirchheim, Heilbad und Höhenluftkurort in Kärnten, Österreich, 1 100 m ü. M., 1 900 Ew.; auch Mittelpunkt eines Wintersportgebiets in den westl. Gurktaler Alpen.

Bad Klosterlausnitz, Gemeinde im Saale-Holzland-Kreis, Thür., 320 m ü. M., auf der waldreichen Saale-Elster-Platte, 3 100 Ew.; Moorbad. – Ehem. Augustiner-Chorfrauenstift (1132 gegr.);

roman. Klosterkirche (1152–80; seit dem 16. Jh. verfallen, 1855–66 wieder aufgebaut).

Bad Kohlgrub, Gemeinde im Landkreis Garmisch-Partenkirchen, Oberbayern, 800–950 m ü. M., 2200 Ew.; Moorbad.

Bad König, Heilbad im Odenwaldkeis, Hessen, mit eisenhaltigen kohlensauren Quellen, 9200 Ew. – Pfarrkirche (15.–18. Jh.), Schloss (1559).

Bad Königshofen i. Grabfeld, Stadt im Kr. Rhön-Grabfeld, Bayern, an der Fränk. Saale, 277 m ü. M., 6900 Ew.; Heilbad (Mineralquellen, Moor); Bau von Landmaschinen und Industrieöfen. – Pfarrkirche (1442–1502), Rathaus (16. Jh.).

Bad Kösen, Stadt im Landkreis Naumburg, Sa.-Anh., im Saaletal, 115 m ü. M., 5900 Ew.; Solbad, Wein- und Obstbau; Heimatmuseum. – Roman. Haus (12. Jh.), Gradierwerk mit alten Soleförderanlagen; saaleaufwärts Muschelkalkfelsen über dem Fluss mit den Ruinen Rudelsburg (1174 erwähnt, 14./15. Jh. ausgebaut) und Saaleck (1140 erwähnt, Kernburg 1. Hälfte 12. Jh.). – In der Nähe →Schulpforta. – Der Ort entwickelte sich ab 1825 zum Kur- und Badeort, seit 1868 Stadtrecht; 1902–51 befanden sich hier die Puppenwerkstätten von Käthe Kruse.

Bad Köstritz, Stadt im Landkreis Greiz, Thür., an der Weißen Elster, 3500 Ew.; Heinrich-Schütz-Gedenkstätte; Brauerei (Köstritzer Schwarzbier), Chemiewerk, Blumenzucht.

Bad Kreuznach, **1)** Landkreis im RegBez. Koblenz, Rheinl.-Pf., 864 km^2, (1996) 155000 Einwohner.

2) Krst. von 1), an der Nahe, 42900; Heilbad (Solquellen, Tonerde, Radonstollen); Landes-Lehr- und Versuchsanstalt für Weinbau; Maschinen-, Apparate- und Wohnwagenbau, Reifenwerke, Kunststoff verarbeitende, opt., Lederwarenind.; Weinbau und -handel. – Wahrzeichen der Stadt sind die Brückenhäuser auf der achtbogigen Nahebrücke (15.–17. Jh.); evang. Pauluskirche (1332 geweiht), kath. Nikolaikirche (1308 geweiht, neugotisch verändert), Reste der mittelalterl. Kauzenburg. – Neben einer keltisch-röm. Siedlung entstand im 4. Jh. ein Kastell, in dem später ein fränk. Königshof errichtet wurde. Der heutige Ort wurde im 12. Jh. gegründet (seit 1233 Stadt) und kam 1437 z. T., 1708 ganz an Kurpfalz, 1815 an Preußen; 1817 begann der Kurbetrieb.

Bad Krozingen, Gemeinde im Landkreis Breisgau-Hochschwarzwald, Bad.-Württ., 13700 Ew.; Heilbad (seit 1911) mit kohlensäurehaltigen Thermalquellen. – St.-Ulrichs-Kapelle im Glöcklehof mit Fresken (9. Jh.), Schloss (16.–18. Jh.) mit Samml. histor. Tasteninstrumente.

Bad Kudowa, Stadt in Polen, →Kudowa Zdrój.

Bad Laasphe ['la:sfə], Stadt im Kr. Siegen-Wittgenstein, NRW, 331 m ü. M. im Naturpark Rothaargebirge, 15600 Ew.; Kneippheilbad; Maschinenbau, Metall- und Holzindustrie. – Überragt von Schloss Wittgenstein (17.–18. Jh.). – Seit 1277 Stadt.

Bad Laer [la:r], Gemeinde im Landkr. Osnabrück, Ndsachs., am Südhang des Teutoburger Waldes, 7900 Ew.; Solbad.

Bad Landeck in Schlesien, Stadt in Polen, →Lądek Zdrój.

Badlands ['bædlændz], vegetationsarmes, fast wüstenhaftes Gebiet in der westl. Prärietafel der USA, in South Dakota; durch starke Erosion in Schluchten und Kämme aufgelöste Landoberfläche; zahlreiche Fossilienfunde; z. T. unter Naturschutz: **B. National Park** (984 km^2).

Bad Kreuznach 2): Brückenhäuser auf der Nahebrücke (15.–17. Jh.)

Bad Langensalza, Stadt im Unstrut-Hainich-Kreis, Thür., an Salza und Unstrut, 20900 Ew.; Textil-, Leder-, Möbel-, Nahrungsmittelind.; Heilbad (Schwefelquelle). – Spätgot. Marktkirche (15. Jh.), Rathaus (18. Jh.), Friederikenschlösschen (1749/50), mittelalterl. Mauerring mit 17 Wehrtürmen; zahlr. Fachwerkhäuser (15.–18. Jh.). – 932 erwähnt, nach 1212 Stadt; fiel 1346 an die Wettiner, 1815 an Preußen; ab 1811 Kur- und Badeort; bis 1994 Kreisstadt. – Am 27.–29. 6. 1866 Schlacht bei Langensalza (→Deutscher Krieg 1866).

Bad Lauchstädt, Stadt im Landkr. Merseburg-Querfurt, Sa.-Anh., 3900 Ew.; Umweltforschungszentrum Leipzig-Halle, Standort B. L.; ehem. Heilbad (heute nur Mineralwasserversand). – Rathaus (1678), Stadtpfarrkirche (1684/85), Schloss (15.–17. Jh.), histor. Kuranlagen (2. Hälfte 18. Jh.), klassizist. Theater (1802) von G. Gentz, unter Mitwirkung Goethes erbaut. – 899 erstmals erwähnt; zw. 1775 und 1810 Modebad.

Bad Lausick, Stadt im Muldentalkreis, Sachsen, 8100 Ew., Heilbad für Herz- und Kreislaufkrankheiten. – Stadtkirche St. Kilian (roman. Pfeilerbasilika von 1105 mit Orgel von G. Silbermann).

Bad Lauterberg im Harz, Stadt im Landkr. Osterode am Harz, Ndsachs., Kneippheilbad am S-Rand des Harzes, 300–450 m ü. M., 12 900 Ew.; Akkumulatorenwerk, Pinselfabriken, Holzind.; Barytbergbau. – Nach 1450 gegr.; seit 1929 Stadt.

Bad Leonfelden, Markt im nördl. Mühlviertel, Oberösterreich, 3 500 Ew.; Moorbad; Schulzentrum; Lebkuchenfabrikation.

Bad Liebenstein, Stadt im Wartburgkreis, Thür., am SW-Abhang des Thüringer Waldes, 344 m ü. M., 4 200 Ew.; Heilbad mit kohlensauren Mangan-Eisen-Arsen-Quellen; Fröbelgedenkstätte. – Entstand 1590 als Sauerborn; erhielt 1712 Marktrecht; 1801 in Liebenstein umbenannt, seit 1907 Stadt.

Bad Liebenwerda, Stadt im Landkr. Elbe-Elster, Brandenburg, an der Schwarzen Elster, 11 600 Ew.; Moorheilbad; Holzbearbeitung. – 1301 als Stadt bezeugt; bis 1993 Kreisstadt.

Bad Liebenzell, Stadt im Landkr. Calw, Bad.-Württ., Heilbad mit warmen Quellen und Luftkurort im nördl. Schwarzwald, 360 m ü. M., 9 100 Ew.; Bade- und Trinkkuren. – 1091 erstmals erwähnt, seit 1384 Stadt.

Bad Lippspringe, Stadt im Kreis Paderborn, NRW, an der Lippequelle, 150 m ü. M., 14 600 Ew.; heilklimat. Kurort (Thermalquellen), Institute für Asthma- und Allergieforschung; Möbel- und Metallindustrie. Stadtrechte seit 1445, seit 1913 Bad.

Bad Marienberg (Westerwald), Stadt im Westerwaldkr., Rheinl.-Pf., 5 900 Ew.; Kneippheilbad im hohen Westerwald; Basaltabbau, Maschinen- und Fahrzeugbau, Textil-, Bekleidungs-, elektrotechn. Industrie; seit 1939 Stadt.

Bad Meinberg, Ortsteil von →Horn-Bad Meinberg.

Bad Mergentheim, Stadt (Große Krst.) im Main-Tauber-Kreis, Bad.-Württ., im Tal der Tauber, 22 200 Ew.; Heilbad mit drei an Glauber- und Bittersalz reichen Kochsalzquellen; Parkettfabrik, Glasind., Maschinen- und Apparatebau. – Deutschmeisterschloss (13. Jh., ab 1568 im Renaissancestil umgebaut); Schlosskirche (1730–36), Stadtpfarrkiche St. Johannes (13. Jh.), Rathaus (1564–66). – 1058 als Marktort gen.; seit 1340 Stadtrecht; 1527–1809 Sitz der Hoch- und Deutschmeister des Dt. Ordens; kam 1809 an Württemberg.

Badminton ['bædmɪntən, engl.] *das* (Federball), Rückschlagspiel, wettkampfmäßig in der Halle für zwei (Einzel) und vier Spieler (Doppel) mit einem sehr leichten tennisähnl. Schläger und Federbällen (4,73 bis 5,5 g schwer) auf einem 13,40 m langen und 5,18 m (im Doppel 6,10 m) breiten Spielfeld. Der Federball ist abwechselnd so über das Netz zu spielen, dass der Gegner den Ballwechsel nicht regelgerecht fortsetzen kann. Das Netz ist an der Oberkante 1,524 m über dem Boden an zwei Pfosten angebracht und 76 cm hoch. Gespielt wird um zwei Gewinnsätze (Männer und Doppel jeweils bis 15, Frauen jeweils bis 11 Punkte). Olymp. Sportart seit 1992.

Badminton

Die Geschichte des Federballspiels ist schon recht alt. Indische Höhlenzeichnungen aus der Zeit um Christi Geburt stellen Federballspiele dar. Von den Azteken ist ein Federballspiel mit Lederschlägern überliefert. In Europa war Federball als »Coquantin« oder »Jeu volant« seit der Renaissance v. a. als Spiel der Adligen verbreitet, später wurde das Spiel auch von bürgerlichen Kreisen als Zeitvertreib geschätzt. Das seit 1860 in Indien von englischen Offizieren gespielte »Poona«, die altindische Form des Federballspiels, kam 1870 nach Großbritannien. 1872 führte der Duke of Beaufort auf seinem Landsitz Badminton in Gloucestershire das Spiel erstmals vor. 1887 schuf der Bath Badminton Club in London neue Regeln, die die indischen ablösten und allgemein gültig wurden. Badminton – wie das wettkampfmäßig betriebene Federballspiel seitdem genannt wird – verbreitete sich in der englischsprachigen Welt, in den Niederlanden und in Südostasien. In Deutschland ist Badminton seit 1950 Wettkampfsport.

Bad Mitterndorf, Markt im steir. Salzkammergut, Österreich, 809 m ü. M., 3 100 Ew.; heilklimat. Kurort mit Akratotherme, Wintersportort (Tauplitzalpe, 1647 m ü. M.).

Bad Münder am Deister, Stadt im Landkr. Hameln-Pyrmont, Ndsachs., 19 300 Ew.; Heilbad (Sole, Schwefel-, Eisenquelle); Möbelfabriken, Glashütte. – 840 erstmals erwähnt; die Mineralquellen wurden schon 1033 genutzt.

Bad Münster am Stein-Ebernburg, Stadt im Landkr. Bad Kreuznach, Rheinl.-Pf., an der Nahe, 3 800 Ew.; Radon- und Thermalheilbad und heilklimat. Kurort, Gradierwerk; Weinbau. – Auf steilem Felsen über der Nahe die Ruine Rheingrafenstein, etwas flussaufwärts die →Ebernburg.

Bad Mergentheim: Deutschmeisterschloss (im Kern 13. Jh., ab 1568 umgebaut)

Bad Münstereifel, Stadt im Kr. Euskirchen, NRW, in der nördl. Eifel, 280 m ü. M., 17 700 Ew.; Kneippheilbad; FH für Rechtspflege; Radioteleskop (→Effelsberg); bed. Fremdenverkehr. – Mittelalterl. Stadtbild, Stiftskirche (roman. Pfeilerbasilika mit Westwerk und Hallenkrypta), Roman. Haus (um 1167), Stadtbefestigung. – 1298 erstmals als Stadt genannt; seit 1967 Bad.

Bad Muskau (sorb. Mužakow), Stadt im Niederschles. Oberlausitzkreis, Sachsen, 3 900 Ew.; Heilbad mit starker Eisensulfatquelle, Moorbädern und Kneippkuren; Glas-, Papier- und elektrotechn. Industrie. – Altes Schloss (14. Jh.), Neues Schloss (16. Jh., 1863–66 umgebaut, seit 1945 Ruine), umgeben von ausgedehntem Park (200 ha), von H. Fürst von Pückler-Muskau; 1815–45 im engl. Stil angelegt. – Seit 1452 Stadtrecht.

Bad Nauheim, Stadt im Wetteraukreis, Hessen, am O-Ende des Taunus, 29 300 Ew.; Heilbad dank mineralreichen Kochsalzthermen; Max-Planck-Inst. für physiolog. und klin. Forschung, Inst. für Physikal. Medizin, Balneologie und Physiologie; Salzmuseum; Reifen- und Metall verarbeitende Ind.; Herstellung von Blasinstrumenten. – Sanatorien, Kur- und Badeanlagen im Jugendstil (1905–11). – Seit dem 1. Jh. v. Chr. ist die Salzgewinnung bezeugt. 1222 erstmals urkundlich erwähnt, seit 1854 Stadt, seit 1869 Bad.

Bad Nauheim: Sprudelhof mit angrenzenden Badehäusern (zwischen 1905 und 1911)

Bad Nenndorf, Gemeinde im Landkreis Schaumburg, Ndsachs., 9 800 Ew.; Heilbad (Thermal-Schwefel-Sole-Quellen, Schlammbäder, Balneolog. Inst.); Bootsbau, Herstellung landwirtsch. Geräte, Schaumstoffbearbeitung. – Das Bad wurde 1787 durch Landgraf Wilhelm IX. von Hessen gegründet.

Bad Neuenahr-Ahrweiler, Krst. des Landkr. Ahrweiler, Rheinl.-Pf., an der unteren Ahr, 26 400 Ew.; Landes-Lehr- und Versuchsanstalt für Weinbau, Garten- und Obstbau; Weinbau. **Bad Neuenahr** ist Heilbad (seit 1858) dank mineralreichen warmen Quellen und Fango; ausgedehnte Kuranlagen, Spielbank. **Ahrweiler** (893 erstmals urkundlich erwähnt) ist Mittelpunkt des Weinhandels und Fremdenverkehrs; Pfarrkirche St. Laurentius (13. Jh.). – Gut erhaltene Altstadt mit Stadtmauer. – 1969 wurden beide Städte und fünf weitere Gemeinden zur heutigen Stadt vereinigt.

Bad Neustadt a. d. Saale, Krst. des Landkr. Rhön-Grabfeld, Bayern, an der Fränk. Saale, am O-Fuß der Rhön, 15 800 Ew.; Elektroind.; Karmeliterkirche (17. Jh.). Am Fuß der Ruine Salzburg im Stadtteil Neuhaus (1934 eingemeindet) Kurbetrieb (seit 1853) dank kohlensäurehaltiger Kochsalzquellen (Sol-, Moorbäder). – 1232 erstmals erwähnt.

Bad Niedernau, Stadtteil von →Rottenburg am Neckar.

Bad Oeynhausen ['ø:n-], Stadt im Kr. Minden-Lübbecke, NRW, nahe der Mündung der Werre in die Weser, 49 000; Museen; Heilbad (Staatsbad) dank mineralreicher Thermalsolequellen, Spielbank; Holz und Kunststoff verarbeitende Industrie. – Badebetrieb seit 1839; seit 1859 selbstständige Stadt.

Badoglio [-'dɔʎʎo], Pietro, italien. Marschall (seit 1926) und Politiker, *Grazzano Monferrato (heute Grazzano Badoglio, Prov. Asti) 28. 9. 1871, †ebd. 1. 11. 1956; 1928–33 Generalgouv. von Libyen, 1935/36 Oberbefehlshaber im Krieg gegen Äthiopien, 1936/37 Vizekönig von Italienisch-Ostafrika; schloss als MinPräs. (1943/44) am 3. 9. 1943 den Waffenstillstand mit den Alliierten, 1945 wegen Begünstigung des Faschismus aus dem Senat ausgeschlossen, 1947 rehabilitiert.

Bad Oldesloe [-lo:], Krst. des Kr. Stormarn, Schlesw.-Holst., an der Trave, 23 800 Ew.; Herstellung von Armaturen, Feuerlöschanlagen, Büromöbeln; Maschinenbau, Drahtseilerei. – Salzgewinnung vom 12. Jh. bis 1865; 1813–30 Heilbad.

Bad Orb, Stadt im Main-Kinzig-Kreis, Hessen, im nordwestl. Spessart, 180 m ü. M., 10 000 Ew.; Heilbad (kohlensäurereiche, eisenhaltige Natriumchloridquellen, seit karoling. Zeit genutzt); auch Moorbad. – Seit 1292 Stadt, seit 1909 Bad.

Bad Peterstal-Griesbach, Gemeinde im Ortenaukr., Bad.-Württ., im Schwarzwald, 3 200 Ew.; Heilbad (Mineralquellen und Moor) sowie Kneippkurort, Mineralwasserversand. – Bad Peterstal (1360 erstmals und bereits als Heilbad erwähnt) und Bad Griesbach (Ersterwähnung 1330, Badebetrieb seit 1578) wurden 1973 zu einer Gemeinde vereinigt.

Bad Polzin, Stadt in Polen, →Połczyn Zdrój.

Bad Pyrmont, Stadt im Landkr. Hameln-Pyrmont, Ndsachs., an der Emmer, einem linken Nebenfluss der Weser, 23 200 Ew.; Heilbad (Staatsbad dank Eisensäuerlingen, kohlensäurereichen Kochsalzquellen und Quellgas und Moorbehandlungen); Mineralwasserabfüllung, Textilindustrie. – Wasserschloss der Grafen, seit 1682 Fürsten von Waldeck (16. Jh.; Mitteltrakt 1706–10 zum barocken Wohnschloss umgebaut). – Der Ort entstand um die seit dem 1. Jh. v. Chr. bekannten Heilquellen; 1668 Anlage der heutigen Siedlung (seit 1720 städt. Privilegien); seit 1722 staatl. Badeort.

Bad Radkersburg, Bezirksstadt in der Steiermark, an der Mur, Österreich, 1900 Ew.; Thermalbad, Weinbau; Metallverarbeitung. – Stadtpfarrkirche (15. Jh.), Rathaus und mehrere Palais (15.–18. Jh.). – Entstand im 12. Jh.; 1546–86 als Festung gegen die Türken ausgebaut.

Bad Ragaz, Kurort im Kanton St. Gallen, Schweiz, am Austritt der Taminaschlucht ins Rheintal, 517 m ü. M., 4800 Ew.; Thermalbad mit radioaktiver Therme (37 °C; Quelle in der Schlucht, dort das alte Bad Pfäfers, Bad seit 1382); Elektronik-, Kunststoffind.; Seilbahn.

Bad Rappenau, Stadt im Landkr. Heilbronn, Bad.-Württ., im Kraichgau, 18000 Ew.; Heilbad dank Solequelle; Salzbergbaumuseum; Maschinenbau. – Seit 1834 Badebetrieb, seit 1973 Stadt.

Bad Reichenhall, Krst. des Landkr. Berchtesgadener Land, Bayern, Große Kreisstadt, im Talkessel der Saalach, umschlossen von Untersberg, Lattengebirge und Hochstaufen, 470 m ü. M., 16600 Ew.; Heilbad (Staatsbad; seit 1899) mit starken Solequellen, Gradierwerk, Heilstollen, Moorbehandlungen; Spielbank; Salzgewinnung (mit Schaubergwerk); Kabinenseilbahn auf den Predigtstuhl (1613 m). – Gut erhaltene Altstadt; Augustinerchorherrenstift St. Zeno (gegr. 1136) mit roman. Kirche (spätgotisch umgebaut); St.-Nikolaus-Kirche (1181, 1861–64 erweitert); Schloss Gruttenstein (13.–17. Jh.); Alte Saline (1836–51) mit Salzmuseum. – Die Solquellen wurden schon in vor- und frühgeschichtl. Zeit zur Salzgewinnung genutzt. 696 erhielt Rupert, späterer erster Bischof von Salzburg, Anteile an der Sole für seine Siedlungstätigkeit hier. Jahrhundertelang war der Ort zw. Salzburg, Bayern und Berchtesgaden umstritten; seit 1846 Badebetrieb, seit 1890 Bad.

Bad Reinerz, Stadt in Polen, →Duszniki Zdrój.

Bad Rippoldsau-Schapbach, Gemeinde im Landkr. Freudenstadt, Bad.-Württ., im N-Schwarzwald, am Fuß des Knibis, 564 m ü. M., 2400 Ew.; Heilbad (Mineralquellen, Moorbehandlungen).

Bad Rotenfels, Ortsteil von →Gaggenau.

Bad Rothenfelde, Gemeinde im Landkr. Osnabrück, Ndsachs., im Teutoburger Wald, 6200 Ew.; Automuseum; Heilbad dank kohlensäurereichen und radiumhaltigen Solquellen, Gradierwerke; ursprünglich Salzwerk. – Seit 1856 Badebetrieb.

Bad Saarow-Pieskow [-ˈza:ro ˈpi:sko], Gemeinde im Landkr. Oder-Spree, Brandenburg, südöstlich von Berlin, erstreckt sich über 10 km mit mehreren Ortsteilen um das N-Ende des Scharmützelsees, 3900 Ew.; Moor- und Soleheilbad (Soletherme 1927 erbohrt), Erholungsort; Bootsbau.

Bad Sachsa, Stadt im Landkr. Osterode am Harz, Ndsachs., 8800 Ew.; heilklimat. Kurort und Wintersportplatz. – 1432 erstmals erwähnt; seit 1905 Bad.

Bad Reichenhall: Rathausplatz mit Rathaus (links)

Bad Säckingen, Stadt im Landkr. Waldshut, Bad.-Württ., am Hochrhein, 15800 Ew.; Thermalbad; Textil-, Metallindustrie. – Got., barockisiertes Fridolinsmünster, gedeckte Holzbrücke und neue Brücke über den Rhein. – Der 878 erstmals erwähnte Ort entstand aus dem im 7. Jh. gegründeten Benediktinerinnenkloster (1805 aufgehoben); er erhielt vor 1250 Stadtrecht, kam 1173 mit Kloster an Habsburg und ist seit 1978 Bad.

Bad Salzbrunn, Stadt in Polen, →Szczawno Zdrój.

Bad Salzdetfurth, Stadt im Landkr. Hildesheim, Ndsachs., 14200 Ew.; Heilbad (Solequelle, Moorbehandlungen); Salzbergbaumuseum (das Kalisalzbergwerk wurde 1992 geschlossen); Betriebe für Nachrichtenübertragungstechnik. – 1195 erstmals urkundlich erwähnt, seit 1949 Stadt.

Bad Salzhausen, hess. Staatsbad, →Nidda.

Bad Salzig, Ortsteil von →Boppard.

Bad Salzschlirf, Gemeinde im Landkr. Fulda, Hessen, zw. Rhön und Vogelsberg, 250 m ü. M., 3300 Ew.; Heilbad dank kohlensaurer Solequellen und Moorbehandlungen. – 855 erstmals erwähnt; Badebetrieb seit 1838.

Bad Salzuflen, Stadt im Kr. Lippe, NRW, im Werretal, 55000 Ew.; Heilbad mit Sol- und Thermalquellen (Letztere erbohrt 1906 und 1927); Diagnost. Zentralinst. der Univ. Münster; Möbel-, Kunststoff- u. a. Industrie. – Spätgot. Rathaus

(1545) mit Renaissancegiebel. – Salzgewinnung seit 1048 bezeugt; seit 1488 Stadt, seit 1818 Badebetrieb.

Bad Salzungen, Krst. (zus. mit Eisenach) des Wartburgkreises, Thür., an der Werra, 262 m ü. M., 19300 Ew.; Kurort (Solebad mit Gradierwerk); Kaltwalzwerk (für Bandstahl), Pressenwerk. – Klassizist. Stadtkirche (1789–91), spätgot. Husenkirche (um 1500), spätbarockes Rathaus (1790). – 775 als Königshof erwähnt; 1306 Stadt gen., seit 1801 Nutzung der Sole zu Heilzwecken; seit 1923 Bad. Das erste Badehaus wurde 1837 erbaut.

Bad Salzuflen: Spätgotisches Rathaus (1545) mit Renaissancegiebel (um 1580)

Bad Sankt Leonhard im Lavanttal, Stadt in Kärnten, Österreich, 5300 Ew.; Schwefelheilbad; Metallind. – Got. Pfarrkirche (14. Jh.), got. Karner (um 1400), Schloss Ehrenfels (16. Jh.). – Stadtrechte seit 1325, seit 1934 Bad.

Bad Sassendorf, Gemeinde im Kr. Soest, NRW, 10800 Ew.; Moor- und Solbad (Heilbad seit 1975); landwirtsch. Versuchsgüter.

Bad Schandau, Stadt im Landkreis Sächs. Schweiz, Sachsen, im Engtal der Elbe, 125 m ü. M., 3100 Ew.; Kneippkurort und Fremdenverkehrsort im Elbsandsteingebirge; Holz- und Sandsteinind., Bootsbau; in Schmilka Grenzübergang zur Tschech. Rep.; Kleinbahn (Kirnitzschtalbahn) zum Lichtenhainer Wasserfall. – 1437 erstmals erwähnt; seit 1920 Bad.

Bad Schmiedeberg, Stadt im Landkreis Wittenberg, Sa.-Anh., am O-Rand der Dübener Heide, 4200 Ew.; Eisenmoorbad; Steinzeugwerk, Hausschuhproduktion. – Seit 1350 Stadt, seit 1878 Bad.

Bad Schönborn, Kurort im Landkreis Karlsruhe, Bad.-Württ., 10200 Ew.; Schwefel- und Thermalquelle; Textil-, Holzind., Maschinenbau. – Entstand 1971 (Name seit 1972) durch Zusammenschluss von **Bad Mingolsheim** (733 erstmals erwähnt, seit 1964 Bad) und **Bad Langenbrücken.**

Bad Schussenried, Stadt im Landkreis Biberach, Bad.-Württ., 570 m ü. M., 8100 Ew.; Freilichtmuseum Kürnbach; Moorheilbad; Brauerei; Textil- und Bekleidungsind., Maschinenbau. – Ehem. Prämonstratenserkloster (1183 gestiftet, 1750–70 neu errichtet nach Plänen von D. Zimmermann) mit Bibliothekssaal (1755–63). Funde einer jungsteinzeitl. Siedlung wurden namengebend für die **Schussenriedgruppe** der jüngeren Jungsteinzeit.

Bad Schwalbach (bis 1927 Langenschwalbach), Krst. des Rheingau-Taunus-Kr., Hessen, in einem Seitental des Aartals, 289–380 m ü. M., 10900 Ew.; Heilbad (heute Staatsbad) seit 1569 (kohlensäurehaltige Eisenquellen, Moorbehandlungen). – Seit 1970 Stadt.

Bad Schwartau, Stadt im Kreis Ostholstein, Schlesw.-Holst., nördlich von Lübeck, 20000 Ew.; Heilbad dank Jod-Sole-Quelle und Moorbehandlungen; Marmeladen- und Süßwarenfabrik; fotograf. und medizintechn. Industrie. – 1215 erstmals erwähnt, seit Entdeckung der Heilquelle (1895) Bad, seit 1912 Stadt.

Bad Sebastiansweiler, Ortsteil von →Mössingen.

Bad Segeberg, Kreisstadt des Kr. Segeberg, Schlesw.-Holst., an der Trave, 15600 Ew.; Imker-, Landwirtschaftsschule, Lehranstalt für Forstwirtschaft, evang. Akademie; Fremdenverkehr. Über der Stadt erhebt sich der 91 m hohe Kalkberg, ein Gipsfelsen mit Kalkhöhlen und Freilichttheater (seit 1952 Karl-May-Festspiele). – Marienkirche (1156 bis Anfang 13. Jh., das Äußere 1863–66 neuromanisch ummantelt) mit kostbarem Schnitzaltar (um 1515). – Die Marktsiedlung, die zw. dem Kloster Segeberg und der Sigeburg (beide gegen 1134 angelegt) erwuchs, erhielt um 1260 Stadtrecht. Der Kurbetrieb (1884 wurde eine Solequelle erbohrt) wurde nach dem Zweiten Weltkrieg eingestellt.

Bad Sobernheim, Stadt im Landkreis Bad Kreuznach, Rheinl.-Pf., im mittleren Nahetal, 6600 Ew.; Felkekurort; Freilichtmuseum für Rheinland-Pfalz. – Spätgot. Pfarrkirche (mit Glasfenstern von G. Meistermann). – Seit 1330 Stadt, seit 1995 Bad.

Bad Soden am Taunus, Stadt im Main-Taunus-Kr., Hessen, am S-Hang des Taunus, 20000 Ew.; Heilbad dank zahlreicher kohlensäure- und kochsalzhaltigen Quellen (bis 34 °C); Museen; pharmazeut. Ind.; Wohnort für Frankfurt am Main; seit 1913 Bad.

Bad Soden-Salmünster, Stadt im Main-Kinzig-Kreis, Hessen, im Tal der Kinzig, 13200 Ew.; Heilbad dank Mineralquellen; Gummi- und

Kunststoffindustrie. – Entstand 1974 durch Zusammenschluss von Bad Soden (seit 1296 Stadt, seit 1928 Bad) und Salmünster (barocke Klosterkirche).

Bad Sooden-Allendorf, Stadt im Werra-Meißner-Kreis, Hessen, an der Werra, 9700 Ew.; Heilbad dank Solequellen (776 erstmals erwähnt); Möbelfabriken. – Allendorf hat ein geschlossenes Stadtbild (Fachwerkhäuser des 17.–19. Jh.), in der Wache des Söder Tors (1704/05) Heimatmuseum. – Sooden wurde 1555 selbstständiger Ort, seit 1881 Soleheilbad und 1929 mit Allendorf (seit 1218 Stadt) vereinigt.

Bad Steben, Markt im Landkreis Hof, Bayern, 578 m ü. M., im Naturpark Frankenwald, 3700 Ew.; Heilbad (seit 1832 Bayer. Staatsbad) dank Mineralquellen (radon- und eisenhaltige Säuerlinge), Wintersportplatz.; Textilind., Polstermöbelfertigung.

Bad Sulza, Stadt im Landkreis Weimarer Land, Thür., an der Ilm, 3300 Ew.; Solebad mit Gradierwerk, Salinenmuseum; Bau von landtechn. Anlagen, Strick- und Wirkwarenfabrikation. – Die seit 1064 bezeugte Salzgewinnung wurde 1966 eingestellt.

Bad Sülze, Stadt im Landkreis Nordvorpommern, Meckl.-Vorp., an der Recknitz, 2400 Ew.; Sole- und Moorbad, Rheumaheilstätte; Stadtmuseum (Salzmuseum). – Stadtkirche (13. Jh.). – Die Salzgewinnung der schon vor 1229 bezeugten Saline wurde 1907 eingestellt; Solebad seit 1822.

Bad Tatzmannsdorf, Kurort im südl. Burgenland, Österreich, 1200 Ew.; Heilbad dank alkalisch-eisenhaltigen Quellen, Moorbäder; Brot- und Kurmuseum, Burgenländ. Freilichtmuseum.

Bad Teinach-Zavelstein, Stadt im Landkreis Calw, Bad.-Württ., im tief eingeschnittenen Teinachtal des nordöstl. Schwarzwalds, 400–600 m ü. M., 2800 Ew.; Heilbad dank Mineralquellen; Mineralwasserversand.

Bad Tölz, Krst. des Landkreises Bad Tölz-Wolfratshausen, Bayern, im oberen Isartal, 16500 Ew.; Heilbad (Jodquellen, Moorbehandlungen) und heilklimat. Kurort. – Pfarrkirche (1466, 1612 umgestaltet), Franziskanerkirche (1733–35), Wallfahrtskirche Mariahilf (1735–37). – 1281 erstmals erwähnt, seit 1906 Stadt.

Bad Tölz-Wolfratshausen, Landkreis im RegBez. Oberbayern, 1111 km², (1996) 111000 Ew., Krst. ist Bad Tölz.

Bad Überkingen, Gemeinde im Landkreis Göppingen, Bad.-Württ., am Rand der Schwäb. Alb, 3800 Ew.; Heilbad dank Mineral- und Thermalquellen; Mineralwasserabfüllung. – Badeanlagen von 1559 und 1582–1602; 1108 erstmals erwähnt.

Bad Urach, Stadt im Landkreis Reutlingen, Bad.Württ., 464 m ü. M., am Fuß der Schwäb. Alb, 12500 Ew.; Heilbad dank Thermalmineralquelle (erbohrt 1970); Stahl- und Maschinenbau. – Evang. Pfarrkirche (1479–1500), Schloss (1443 begonnen), Fachwerkhäuser. – Der Ort entstand im 11. Jh. und wird 1316 erstmals als Stadt bezeugt; seit 1983 Bad.

Bad Vilbel [f-], Stadt im Wetteraukreis, Hessen, an der Nidda, nördlich an Frankfurt am Main anschließend, 26200 Ew.; Heilbad dank kohlensäurehaltigen Quellen; Mineralwasserabfüllung, pharmazeut. Industrie. – Brunnen- und Heimatmuseum (in der Wasserburg, 15. Jh.), Fachwerkrathaus (1747). – Seit 1852 Stadt, seit 1948 Bad.

Bad Vöslau [f-], Stadt im Bez. Baden, NÖ, 12500 Ew.; Heilbad dank Thermalquellen (23 °C); Forstfachschule; Stadt- und Weinmuseum; Weinbau. – Rathaus (ehem. Wasserburg, 1740 barockisiert). – Nutzung der Quellen als Heilquellen seit 1822, seit 1928 Bad; seit 1954 Stadt.

Bad Schussenried: Bibliothekssaal (1755–63)

Bad Waldliesborn, Ortsteil von →Lippstadt.

Bad Waldsee, Stadt im Landkreis Ravensburg, Bad.-Württ., auf der oberschwäb. Hochebene, 17800 Ew.; Moorheilbad und Kneippkurort; Wohnmobil- und Wohnwagenbau u. a. Industrie. – Ehem. Augustinerchorherrenstiftskirche (15. Jh.; 1712–18 durch D. Zimmermann barockisiert), Schloss (16./18. Jh.), spätgot. Rathaus (1426, Fassadengiebel 1657). – Seit 1298 Stadt, kam 1331 an Österreich, 1806 an Württemberg; seit 1956 Bad.

Bad Warmbrunn (poln. Cieplice Śląskie Zdrój), Stadtteil von →Jelenia Góra.

Bad Westernkotten, Stadtteil von →Erwitte.

Bad Wiessee, Fremdenverkehrsort im Landkreis Miesbach, Bayern, am W-Ufer des Tegernsees, 735 m ü. M., 4400 Ew.; Heilbad dank Jod-Schwefel-Quelle, Spielbank.

Bad Wildbad (bis 1991 Wildbad im Schwarzwald), Stadt im Landkreis Calw, Bad.-Württ., 450 m ü. M., im Enztal des nördlichen Schwarz-

Leo Baeck

walds, 11700 Ew.; Heilbad dank Thermalquellen (33–37 °C); Holzverarbeitung, Metallind.; Bergbahn zum Sommerberg (733 m ü. M.). – Barocke Pfarrkirche. – 1345 erstmals erwähnt, seit 1367 Stadt.

Bad Wildungen, Stadt im Landkreis Waldeck-Frankenberg, Hessen, am Rand des Kellerwaldes, 228 m ü. M., 18100 Ew.; Holzfachschule; Heimatmuseum; Heilbad (seit 1945 Staatsbad) dank Mineralquellen (erdige Säuerlinge); Kunststoff verarbeitende Industrie, Fahrradfabrik. – Stadtkirche (14./15. Jh.) mit Flügelaltar von Konrad von Soest (1403), Rathaus (1851–54), Fachwerkhäuser (16. bis 18. Jh.). – 800 erstmals erwähnt, seit 1242 Stadt; Badebetrieb seit 1580, seit 1906 Bad.

Bad Wilsnack, Stadt im Landkreis Prignitz, Brandenburg, am Rand der Elbniederung, südöstlich von Wittenberge, in waldreicher Umgebung, 2600 Ew.; Eisenmoorbad, Rheumasanatorium. – Ehem. Wallfahrtskirche St. Nikolaus (begonnen 1384, reiche Ausstattung). – Badebetrieb seit 1907, seit 1929 Bad.

Bad Wimpfen, Stadt im Landkreis Heilbronn, Bad.-Württ., gegenüber der Mündung der Jagst in den Neckar, 6600 Ew. – Zentrum ist **Wimpfen am Berg,** eine Gründung der Staufer, die hier um 1200

Bad Wimpfen: Blick auf die Stadt und einige erhaltene Bauten der Kaiserpfalz, darunter der Blaue Turm (Bildmitte) und das Steinhaus (rechts davon); links im Bild die Stadtkirche

eine Pfalz anlegten; sie ist die besterhaltene Kaiserpfalz mit Pfalzkapelle, Palas, Steinhaus, Blauem und Rotem Turm, Hohenstaufentor. In der Bergstadt liegen ferner das Solbad (Heilbad seit 1930), die got. Stadtkirche (Chor um 1300, Langhaus 1468–1516), die Dominikanerklosterkirche (13. Jh., 1713 barockisiert), das Heiliggeistspital (weitgehend 18. Jh.), das got. Fachwerk-Bürgerspital, der Wormser Hof (um 1230; seit 1551 umgebaut) und zahlr. Fachwerkhäuser des 16./17. Jh. In **Wimpfen im Tal** am Neckarufer liegt die Benediktinerklosterkirche St. Peter und Paul (10.–13. Jh.; Kreuzgang 14./15. Jh.). – Die Talsiedlung, auf ein röm. Limeskastell zurückgehend, wird 829 erstmals erwähnt, erhielt 964 Marktrecht, kam im 7. Jh. in den Besitz des Bischofs von Worms und im 15. Jh. an Wimpfen am Berg (seit 1250 Stadt), das bis 1803 freie Rechsstadt war und danach bis 1952 hess. Exklave (seit 1945 unter bad. Verwaltung).

Bad Wimsbach-Neydharting, Markt in Oberösterreich, im Alpenvorland, oberhalb der Traun, 387 m ü. M., 2300 Ew.; Moorbad (in Neydharting), Moormuseum, Hammerschmiedemuseum; Metallwarenfabrik.

Bad Windsheim, Stadt im Landkreis Neustadt a. d. Aisch-Bad Windsheim, Bayern, 11900 Ew.; Heilbad dank Sole- und Mineralquellen, Mineralwasserabfüllung; Reichsstadt-, Vorgeschichtsmuseum; Fränk. Freilichtmuseum (für Mittelfranken); Landmaschinenbau u. a. Industrie. – Stadtpfarrkirche (15. Jh., 1730 Wiederaufbau der spätgot. Staffelhalle); got. Spitalkirche (14. Jh., 1730 barockisiert); spätgot. Marienkapelle; Rathaus (1713–17); Bauhof (15. Jh.). – Seit 1284 Stadt, (1295–1803 Reichsstadt); seit 1961 Bad.

Bad Wörishofen, Stadt im Landkreis Unterallgäu, Bayern, 13600 Ew.; Hotelfachschule, Kneippmuseum; ältestes Kneippheilbad, entstanden durch die Wasserheilkuren des ab 1855 hier ansässigen S. → Kneipp; Schmuck- und Süßwarenindustrie. – Seit 1920 Bad, seit 1949 Stadt.

Bad Wurzach, Stadt im Landkreis Ravensburg, Bad.-Württ., am Wurzacher Ried (mit dem größten Hochmoor Mitteleuropas, Naturschutzgebiet, 650 m ü. M., 1387 ha), in Oberschwaben, 13700 Ew.; Moorheilbad; Glas-, Kunststoffindustrie. – Seit 1700 Residenz der Grafen (seit 1803 Fürsten) von Waldburg-Zeil-Wurzbach. – Neues Schloss (1723–28). – Seit 1333 Stadt, 1936 Errichtung der Moorbadeanstalt, seit 1950 Heilbad.

Bad Zwesten, Kurort im Schwalm-Eder-Kreis, Hessen, im Schwalmtal, 4200 Ew.; Heilquelle. – Seit 1992 Bad.

Bad Zwischenahn, Gemeinde im Landkreis Ammerland, Ndsachs., 24400 Ew.; Moorheilbad am Zwischenahner Meer (5,2 km²); Textil-, Fleischwarenind., Maschinenbau. – Johanniskirche (12./13. Jh.).

Baeck [bɛk], Leo, Rabbiner, * Lissa (heute Leszno) 23. 5. 1873, † London 2. 11. 1956; einer der führenden Gelehrten des Judentums seiner Zeit, seit 1933 Präs. der Reichsvertretung der dt. Juden; 1942 nach Theresienstadt deportiert. Sein Werk »Das Wesen des Judentums« (1923) ist das klass. Denkmal einer liberalen Theologie. Zum Andenken an B. wurde 1954/55 in New York das **Leo-Baeck-Institut** gegründet; es hat die Aufgabe, die Gesch. der deutschsprachigen Juden im 19. und

20. Jh. zu erforschen und aufzuzeichnen; Zweigstellen bestehen in Jerusalem und London.

Baedeker, Buchhändlerfamilie, zurückgehend auf Dietrich B. (* 1680, † 1716; zuletzt Buchdrucker in Bielefeld). Karl B. (* 1801, † 1859) gründete 1827 in Koblenz den Reisehandbücherverlag Karl B., der bald zum führenden Verlag für Reiseführer wurde; 1984 vom Verlag Langenscheidt übernommen.

Baer, Karl Ernst Ritter von, Zoologe, * auf Gut Piep (bei Järvamaa, Estland) 29. 2. 1792, † Dorpat (heute Tartu) 28. 11. 1876; Prof. in Königsberg und Sankt Petersburg; gilt als Begründer der Entwicklungsgeschichte (»Über Entwickelungsgeschichte der Thiere«, 2 Bde., 1828–37).

Baesweiler ['ba:s-], Stadt im Kreis Aachen, NRW, in der Jülicher Börde, 25 700 Ew., v. a. Wohnstadt.

Baeyer ['baɪər], Adolf von (seit 1885), Chemiker, * Berlin 31. 10. 1835, † Starnberg 20. 8. 1917; synthetisierte 1878 erstmalig → Indigo und ermittelte 1883 dessen exakte Strukturformel; erhielt 1905 den Nobelpreis für Chemie.

Baez ['baɪəz], Joan, amerikan. Folkloresängerin, * New York 9. 1. 1941; begann mit angloamerikan. Volksliedern und Balladen, die sie auf der Gitarre begleitete, und sang ab 1963 v. a. politisch engagierte Lieder; trat in den 80er-Jahren bes. durch ihr pazifist. Engagement hervor.

Baffin ['bæfɪn], William, engl. Seefahrer, * 1584, ⚔ bei der Belagerung von Hormus 23. 1. 1622; nahm als Steuermann an der Suche nach der Nordwestpassage teil, gelangte 1616 durch die später nach ihm benannte Baffinbai bis zum Smithsund.

Baffinbai ['bæfɪn-], Meeresgebiet zw. Grönland im O und Baffin Island im W, durch die Davisstraße mit dem Atlantik verbunden, 0,7 Mio. km².

Baffin Island ['bæfɪn 'aɪlənd] (Baffinland), größte Insel im arkt. Bereich Kanadas, 507 451 km², bis 2 600 m ansteigend, stark vergletschert; Tundrenvegetation; rd. 4 000 Ew. (überwiegend Eskimo) leben bes. im Südosten.

Bagdad: Die »Goldene Moschee« in Kadhimain (16. Jh.)

BAföG, Abk. für **B**undes**a**usbildungs**fö**rde**r**un**g**sgesetz, → Ausbildungsbeihilfen.

Bagamoyo, Stadt in Tansania, an der Küste des Indischen Ozeans, gegenüber Sansibar, etwa 16 300 Ew.; einst Mittelpunkt des ostafrikan. Sklavenhandels. – 1885–96 Hptst. von Dt.-Ostafrika.

Bagan, Ort in Birma, → Pagan.

Bagasse [frz.] *die,* die ausgepressten Stängel des Zuckerrohrs; werden zur Energiegewinnung verbrannt.

Bagatelle [frz.] *die,* **1)** Geringfügigkeit.

2) kurzes, leichtes Musik-, bes. Klavierstück.

Bagatellsachen, 1) geringfügige Rechtsstreitigkeiten, für die in einigen Staaten ein vereinfachtes Verfahren gilt; im *Zivilprozess* gestattet § 495 a ZPO bei Streitwerten bis 1200 DM ein Verfahren nach billigem Ermessen im grundsätzlich schriftl. Verfahren.

2) *Strafprozessrecht:* geringfügige Straftaten (Ordnungswidrigkeiten, kleinere Vergehen), bei deren Verfolgung das → Opportunitätsprinzip gilt. Bei geringer Schuld und fehlendem öffentl. Interesse an der Strafverfolgung kann die Staatsanwaltschaft das Verfahren einstellen, nach Anklageerhebung mit gerichtl. Zustimmung (§ 153 StPO).

Bagatellsteuern, Steuern, bes. spezielle Verbrauchsteuern, mit im Verhältnis zum gesamten Steueraufkommen geringem (weniger als 0,1 %) Aufkommen, z. B. Tee- oder Zuckersteuer. Seit 1993 werden in Dtl. auf Bundesebene keine B. mehr erhoben.

Bagdad (Baghdad) [iran. »Gottesgeschenk«], Hptst. von Irak, am Tigris, 4,9 Mio. Ew.; Verwaltungs-, Wirtschafts- und Kulturzentrum des Landes mit internat. Flughafen; vier Univ., Kunstinst. und archäolog. Institute. In der Altstadt Zitadelle mit Abbasidenpalast (Mitte 13. Jh.), Marjanmoschee (von 1356) u. a. Moscheen; die »Goldene Moschee« (16. Jh., v. a. im 19. Jh. restauriert) in der Vorstadt Kadhimain (al-Kasimija) ist ein bed. schiitischer Wallfahrtsort. – B., 762 von Al Mansur als Hptst. des abbasid. Kalifats unter dem Namen **Medinet as-Salaam** gegr., erlebte seine Blütezeit vom 9. bis 11. Jh. (Hochburg arab. Kunst und Wiss.); wurde 1258 von den Mongolen zerstört; kam 1534 zum Osman. Reich und ist seit 1920 Hptst. Iraks. Im 2. Golfkrieg 1991 wurde B. stark zerstört.

📖 RÜHRDANZ, K.: *Das alte B., Hauptstadt der Kalifen. Leipzig u. a. ²1991.*

Bagdadbahn, die Eisenbahnstrecke von Konya, Türkei, über Bagdad nach Basra am Pers. Golf (2 450 km); als Fortsetzung der Anatol. Bahn (Istanbul–Konya) unter maßgebl. dt. Beteiligung 1903 begonnen; 1940 fertig gestellt.

Bagdadpakt, → CENTO.

Bagger [niederdt. baggeren »ausschlammen«], Maschine zum Abtragen von Schüttgütern, z. B.

Karl Ernst von Baer

Adolf von Baeyer

Erdmassen, in stetiger oder absetzender Arbeitsweise, an Land oder in Gewässern. Man unterscheidet B. nach ihrer Bauform und Arbeitsweise. Der **Löffel-B.** hat an dem auf dem Fahrwerk drehbaren Oberteil einen Ausleger, an den der Grablöffel angesetzt ist. Beim **Eimerketten-B.** läuft an einer heb- und senkbaren Eimerleiter eine endlose, mit Schürfeimern besetzte Kette um; beim **Schräm-B.** sind die Eimer durch Kratzeisen ersetzt. Beim **Schaufelrad-B.** löst ein an einem bewegl. Ausleger umlaufendes Schaufelrad das Gut und gibt es auf ein Förderband. Der **Schürfkübel-B.** bewegt einen unter seiner Eigenlast aufliegenden Kübel mithilfe eines Seiles über den Boden. **Flach-B.** sind die als Raupenschlepper mit Brustschild ausgebildeten **Planierraupen, Reifenplaniergeräte** (Raddozer), **Motorstraßenhobel** (Grader), **Motorschürfwagen** (Scraper), **Schürfraupen, Laderaupen** und **Radlader,** die alle fahren müssen, um ihr Grabgefäß zu füllen oder Planierarbeit zu leisten. **Nass-** oder **Schwimm-B.** sind heute meist **Saug-B.,** die mittels Pumpen ein Gemisch von Wasser und festen Teilen vom Gewässergrund absaugen.

🕮 HEUER, H. *u. a.: Baumaschinen-Taschenbuch. Wiesbaden u. a.* [2]*1994.*

Baggesen, Jens, dän. Dichter, *Korsør 15. 2. 1764, †Hamburg 3. 10. 1826; lebte zeitweise in Dtl., Anhänger von F. G. Klopstock, F. Schiller und I. Kant.

Bagirmi, Savannenlandschaft östlich des unteren Schari, in der Rep. Tschad. Seit dem 15. Jh. bestand hier das islam. Reich B., das 1897 von Frankreich erobert wurde.

Bagnères-de-Bigorre [baˈɲɛːr də biˈɡɔːr], Stadt im Dép. Hautes-Pyrénées, S-Frankreich, 550 m ü. M., am Adour, 8400 Ew.; Badeort dank Thermalbad (Sulfat- und Eisenquellen).

Bagnères-de-Luchon [baˈɲɛːr də lyˈʃɔ̃], Stadt im Dép. Haute-Garonne, S-Frankreich, 630 m ü. M., 3000 Ew.; Badeort (heiße, z. T. schwefelhaltige stark radioaktive Quellen), oberhalb der Stadt die Wintersportstation **Superbagnères.**

Bagni di Lucca [ˈbaɲi], Badeort in der Toskana, Italien, 7700 Ew.; Schwefeltherme.

Bagno [ˈbaɲo; italien. »Bad«] *das* (frz. Bagne), urspr. die Bäder des Serails in Konstantinopel, bei denen sich ein Gefängnis für Sklaven befand; seit dem 17. Jh. in frz. Seestädten die Gefängnisse für Schwerverbrecher, die früher auf Galeeren, dann in Häfen Zwangsarbeit leisten mussten.

Bagpipe [ˈbæɡpaɪp; engl. »Sackpfeife«] *die,* →Dudelsack.

Bagratiden, bed. armenisch-georg. Fürstenhaus, regierten in Armenien als Könige 885–1079 (Residenz: Ani); ein Zweig herrschte 888–1801 in Georgien.

Bagrationowsk (früher Preußisch Eylau), Stadt im Gebiet Kaliningrad (Königsberg), Russland, etwa 4500 Ew. – Die bei einer Burg des Dt. Ordens im 14. Jh. entstandene Siedlung wurde 1585 Stadt. Über die Schlacht bei Preußisch Eylau (7./8. 2. 1807) →Napoleonische Kriege.

Baguio [baˈɣjo], Stadt auf Luzon, Philippinen, 250 km nördl. Manila, 1500 m ü. M., 183000 Ew.; mehrere Univ., März bis Mai Sommerresidenz der Oberschicht; Goldbergbau; Flughafen.

Bahai-Religion (Behaismus, Bahaismus), eine aus dem →Babismus hervorgegangene Glaubensbewegung, ben. nach ihrem Gründer Baha Ullah (»Glanz Gottes«, *1817, †1892), dessen Kommen von Bab verheißen worden war. Die B.-R. lehrt einen transzendenten Gott, der sich in Propheten, u. a. Zarathustra, Jesus, Mohammed und Baha Ullah, manifestierte, und erstrebt ein neues Zeitalter des Friedens; vertritt die Gleichheit und gegenseitige Liebe aller Menschen ohne Ansehen von Geschlecht, Rasse und Nation. In Iran werden die Anhänger der B.-R. seit Bestehen der Islam. Republik (1979) verfolgt und z. T. hingerichtet.

🕮 SCHÄFER, U.: *Der Bahá'i in der modernen Welt. Strukturen eines neuen Glaubens. Hofheim-Langenhain* [2]*1981.* – HUTTER, M.: *Die Bahá'i. Gesch. u. Lehre einer nachislamischen Weltreligion. Marburg 1994.*

Bahamakonferenz, Treffen (Dez. 1962) zw. Präs. J. F. Kennedy (USA) und Premiermin. H. MacMillan (Großbritannien) in Nassau (Bahamas); die im **Abkommen von Nassau** vereinbarte

Bahamas

Bahamas

Fläche: 13 878 km²
Einwohner: (1995) 276 000
Hauptstadt: Nassau
Amtssprache: Englisch
Nationalfeiertag: 10. 7.
Währung: 1 Bahama-Dollar (B$) = 100 Cents (c)
Zeitzone: MEZ – 7 Std.

»Multilaterale Atomstreitmacht« (MLF) der NATO (nicht realisiert) nahm Präs. C. de Gaulle zum Anlass, Frankreich 1966 aus der militär. Integration der NATO herauszulösen.

Bahamas (amtl. The Commonwealth of the B.), Inselstaat im Atlant. Ozean nördlich von Kuba, umfasst etwa 700 Inseln, davon nur 29 bewohnt, und 2 400 Riffe (Cays).

Staat und Recht: Nach der Verf. von 1973 sind die B. eine parlamentar. Monarchie im Commonwealth. Staatsoberhaupt ist der brit. Monarch, vertreten durch den Generalgouv.; ein Zweikammerparlament (Senat und Abg.haus). Die Exekutive wird von der Reg. unter Vorsitz des Premiermin. ausgeübt. Parteien: Progressive Liberal Party (PLP) und Free National Movement (FNM).

Landesnatur: Die **Bahamainseln** erstrecken sich über rd. 1 000 km in einem Bogen von der SO-Küste Floridas bis zur NW-Küste Haitis. Sie bilden ausgedehnte flache, von Korallenriffen umgebene Inseln an der Oberfläche alter, aus großer Meerestiefe (3 000 bis 4 000 m) aufragender Gebirge (**Große Bahamabank** und **Kleine Bahamabank**). Das Klima ist ozeanisch-subtropisch; im Herbst treten verheerende Wirbelstürme auf.

Bevölkerung: Sie hat, z. T. auch durch Zuwanderung, in den letzten 20 Jahren um fast 45 % zugenommen, 12 bis 15 % sind Nachkommen der Engländer, 86 % Schwarze und Mischlinge. – Seit 1965 besteht allg. Schulpflicht vom 5. bis 14. Lebensjahr; der Unterricht ist unentgeltlich; Analphabetenquote 11 %. 56 % der Bev. sind Protestanten, 21 % Anglikaner und 17 % Katholiken.

Wirtschaft, Verkehr: Der Fremdenverkehr (jährlich über 3,5 Mio. Auslandsgäste) ist der wichtigste Wirtschaftszweig, er erbringt über die Hälfte des Bruttoinlandprodukts und beschäftigt über 30 % der Erwerbstätigen. Haupturlaubsziele sind die Inseln New Providence und Grand Bahama. Weitgehende Steuerfreiheit und vorteilhafte Bankgesetze begünstigen die Ansiedlung ausländ. Unternehmen (Ind.zone von Freeport) und Banken. Mit über 400 Finanzinst. entwickelte sich Nassau zu einem der wichtigsten internat. Finanzplätze, v. a. für Offshoremärkte. Rd. drei Viertel des Nahrungsmittelbedarfs müssen durch Importe gedeckt werden. Fischfang wird für die Eigenversorgung und den Export (Hummer) betrieben. Häfen haben Freeport, Matthew Town und Nassau (Tiefwasserhafen), internat. Flughäfen Nassau und Freeport. Haupthandelspartner sind die USA und die EG-Länder.

Geschichte: Auf einer der Bahamainseln (vermutlich San Salvador) betrat Kolumbus am 12. 10. 1492 zuerst amerikan. Boden. Im 17. Jh. waren die B. ein Freibeuterstützpunkt; 1718 wurden sie britisch; 1973 erhielten sie im Rahmen des Commonwealth die staatl. Unabhängigkeit.

📖 Blume, H.: *Die Westindischen Inseln. Braunschweig* [2]*1973.* – Ungefehr, F.: *Tourismus u. Offshore-Banking auf den B. Internationale Dienstleistungen als dominanter Wirtschaftsfaktor in einem kleinen Entwicklungsland. Frankfurt am Main u. a. 1988.* – *Handbuch der Dritten Welt, hg. v.* D. Nohlen *u.* F. Nuscheler, *Bd. 3: Mittelamerika u. Karibik. Bonn 1992, Nachdr. 1995.*

Bahasa Indonesia [»indones. Sprache«] *die,* seit 1945 die Amtssprache der Rep. Indonesien, eine Weiterentwicklung der → malaiischen Sprache.

Bahasa Malaysia [»malays. Sprache«] *die,* 1969 geprägter Name für die Amtssprache Malaysias. B. M. ist eine Weiterentwicklung der → malaiischen Sprache.

Bahawalpur, Stadt in Pakistan, am Sutlej im Pandschab, 180 000 Ew.; Univ.; Baumwoll- und Seifenindustrie.

Bahia [ba'ia], **1)** früherer Name von → Salvador.

2) brasilian. Bundesstaat, an der O-Küste, 566 978 km², (1991) 11,86 Mio. Ew.; Hptst.: Salvador; Anbau von Zuckerrohr, Tabak, Kaffee und Kakao im Küstengebiet, von Baumwolle im Hochland; Erdölförderung; Energieerzeugung.

Bahía Blanca [ba'ia-], Stadt in Argentinien, an der Meeresbucht Bahia Blanca, 275 000 Ew.; Univ.; Fischerei; Erdölraffinerie; bed. Ausfuhrhafen.

Staatswappen

BS

Internationales Kfz-Kennzeichen

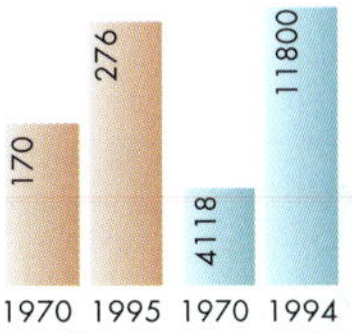

Bevölkerung (in 1000)

Bruttosozialprodukt je Ew. (in US-$)

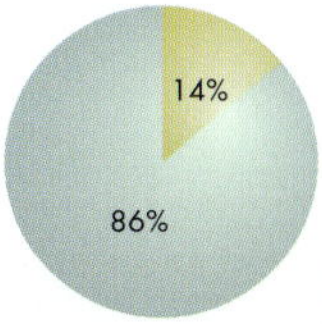

Bevölkerungsverteilung 1993

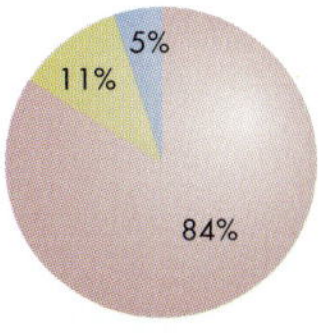

Bruttoinlandsprodukt 1992

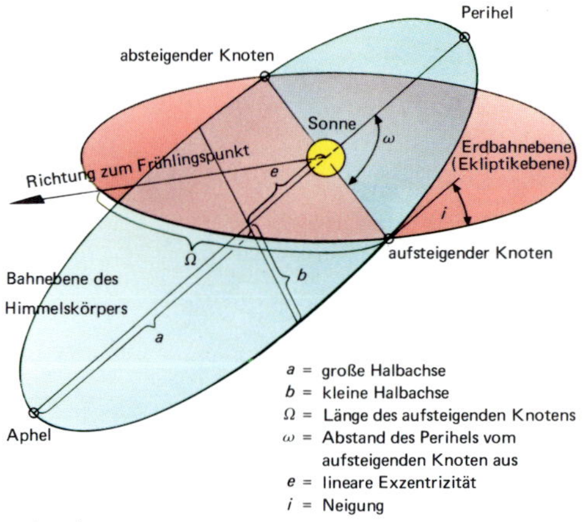

Bahn 2)

Bahn, 1) *allg.:* der Weg, den ein Körper zurücklegt; auch Sammelbez. für Verkehrsmittel, dessen Fahrzeuge auf Schienen oder an Seilen geführt werden (Eisenbahn).

2) *Astronomie:* Man unterscheidet die **wahre B.** von Himmelskörpern, die unter der Wirkung der Schwerkraft um den Schwerpunkt des Systems beschrieben wird, die **scheinbare B.** durch das Zusammenspiel der Bewegungen der Erde und des Himmelskörpers sowie die **relative B.,** die auf einen als ruhend angenommenen anderen Körper bezogen ist. Die wahre B. ist angenähert ein Kegelschnitt (Ellipse, Parabel oder Hyperbel). Zur B.-Bestimmung dienen die **B.-Elemente,** die sich aus Positionsbeobachtungen berechnen lassen: Zeitpunkt des Periheldurchgangs (T), Knotenabstand des Perihels (ω), Länge des aufsteigenden Knotens (Ω), B.-Neigung gegen die Ekliptik (i), lineare Exzentrizität (e).

3) *Mechanik:* die Gesamtheit der von einem Massenpunkt bei seiner Bewegung durchlaufenen Raumpunkte (auch **B.-Kurve**) mit der Zeit t als Kurvenparameter. – In der Ballistik heißt die B.-Kurve von Geschossen auch Flugbahn.

Bahnengolf (Minigolf, schweizer. Pistengolf), vom Golf abgeleitetes Zielspiel mit verkleinerten Geräten und Bahnen.

Bahnhof, Anlage zur Abwicklung des Personen- und Güterverkehrs der Eisenbahn (auch S- und U-Bahn), wo Züge beginnen, enden, sich kreuzen, sich überholen oder mit Gleiswechsel wenden. Hinsichtlich der Grundrissform unterscheidet man: **Kopf-B.** (auch Sack-B.), bei dem die Hauptgleise stumpf enden, und **Durchgangs-B.,** bei dem die Hauptgleise durch den B. durchgehen (Form der meisten B.). Beim **Trennungs-B.** zweigt eine Bahnlinie am Empfangsgebäude ab, beim **Insel-B.** ist es von den Hauptgleisen inselartig eingeschlossen, beim **Turm-** oder **Brücken-B.** liegen die durchlaufenden Bahnlinien nicht in gleicher Höhe, sondern kreuzen sich in versch. Höhe auf Brücken.

Bahnhofsmission, Fürsorgeeinrichtung evang. und kath. Organisationen zur unentgeltl. Betreuung hilfsbedürftiger Reisender. In Dtl. gibt es B.-Stationen auf allen größeren Bahnhöfen.

Bahnkörper, → Eisenbahnbau.

Bahnkorrekturantrieb, Antrieb zur Korrektur von Flug- und Umlaufbahnen von Raumflugkörpern, erforderlich infolge von Einschussungenauigkeiten, Gravitationseffekten, atmosphär. Störungen, Lichtdruck u.a.; meist werden für einmalige Bahnänderung Feststofftriebwerke, für mehrmalige Korrektur Flüssigkeitstriebwerke verwendet.

Bahnkurve, *Mechanik:* → Bahn.

Bahnhof: Links: Kopfbahnhof Frankfurt am Main; **rechts:** Rangierbahnhof Maschen bei Hamburg

Bahnpolizei, Sonderpolizei zur Überwachung der Sicherheit und Ordnung des Eisenbahnbetriebs, → Bundesgrenzschutz.

Bahnradsport, im Unterschied zum Straßenradsport Radrennen auf Bahnen in der Halle oder im Freien, u. a. mit den Wettbewerben Steherrennen, Verfolgungs-, Zeit-, Tandem-Malfahren, Omnium, Sechstagerennen.

George Bähr: Die Frauenkirche in Dresden (erbaut 1726–38; Ausschnitt aus Bernardo Bellottos Vedute »Blick auf Dresden«, 1748; Dresden, Gemäldegalerie)

Bahnreform, am 1. 1. 1994 in Kraft getretene Strukturreform der Bundeseisenbahnen in Dtl. um deren Wirtschaftlichkeit und Wettbewerbsfähigkeit zu erhöhen. Mit ihr wurde die EG-Richtlinie 91/440/EWG von 1991 umgesetzt. Mit der B. wurden die Sondervermögen Dt. Bundesbahn (DB) und Dt. Reichsbahn (DR) in der einheitl. Institution **Bundeseisenbahnvermögen** (BEV, Frankfurt am Main) zusammengefasst und dann der unternehmer. Bereich als Deutsche Bahn AG (DB AG) ausgegliedert. Die hoheitl. Aufgaben gingen auf das neu errichtete Eisenbahn-Bundesamt, Bonn, über. Die nach Ausgliederung der DB AG verbleibenden Verwaltungsaufgaben werden vom BEV wahrgenommen. Die Bereiche Personenfernverkehr, -nahverkehr, Güterverkehr und Fahrweg werden aus der DB AG in eigene Aktiengesellschaften ausgegliedert. Mit der Regionalisierung des öffentl. Personennahverkehrs übernahmen die Länder 1996 die Aufgaben- und Finanzhoheit für den Schienenpersonennahverkehr.

Bahnung, die Erscheinung, dass psychophys. Funktionen umso flüssiger ablaufen, je öfter sie wiederholt werden; von Bedeutung für die Theorie des Lernens, des Gedächtnisses und der bedingten Reflexe.

Bahr ['baxər], arab. für Meer, Fluss.

Bahr, 1) Egon, Politiker (SPD), * Treffurt (Wartburgkreis) 18. 3. 1922; Journalist, beteiligte sich unter dem Leitgedanken »Wandel durch Annäherung« führend an der Konzeption der von Bundeskanzler W. Brandt eingeleiteten Ost- und Deutschlandpolitik. 1972–74 war B. Bundesmin. für besondere Aufgaben, 1976–81 Bundesgeschäftsführer der SPD; 1972–90 MdB, 1984-94 Direktor des Hamburger Inst. für Friedens- und Konfliktforschung.

2) Hermann, österr. Schriftsteller, * Linz 19. 7. 1863, † München 15. 1. 1934; kam vom Naturalismus über Impressionismus, Symbolismus zum Expressionismus, vom Sozialismus zur altösterr. kath. Bildungstradition; schrieb Lustspiele (»Der Krampus«, 1901; »Das Konzert«, 1909), Romane (»Die Rotte Korah«, 1919) sowie Abhandlungen über Kunst und Dichtung; Tagebücher.

Hermann Bahr (Zeichnung von Koloman Moser)

Bähr (Baehr), George, Baumeister, * Fürstenwalde (heute zu Geising, Weißeritzkreis) 15. 3. 1666, † Dresden 16. 3. 1738; schuf seit 1726 die Frauenkirche in Dresden, einen Zentralbau mit Kuppel (Durchmesser 23,5 m) aus Stein, den bedeutendsten prot. Barockkirchenbau (1945 zerstört, wird seit 1994 wieder aufgebaut), ferner Privatbauten (Palais de Saxe in Dresden, um 1720; zerstört).

George Bähr: Grundriss der Frauenkirche in Dresden, lichte Weite der von acht Pfeilern getragenen Kuppel 23,5 m

Bahrain [bax'raɪn] (amtlich arabisch Daulat al-B., dt. Staat B.), Inselstaat vor der NO-Küste der Arab. Halbinsel, im Pers. Golf.

Staat und Recht: Seit 1971 unabhängiges Emirat, das vom Staatsoberhaupt, dem Emir, mittels Kabinett absolut regiert wird. Das Parlament ist seit 1975 aufgelöst, keine polit. Parteien.

Landesnatur: Der Staat besteht aus 36 Inseln. An die Hauptinsel B. (578 km²) sind die Inseln Muharrak (21 km²) und Sitra (14 km²) mit Brücken angeschlossen. Über die Insel Umm Nasan (19 km²) führt ein Straßendamm nach Saudi-Arabien. Grenzstreitigkeiten mit Katar wegen der unbewohnten Insel Hawar (51 km²). Das Klima ist wüstenhaft, mit unregelmäßigen Niederschlägen (durchschnittlich 80 mm/Jahr).

Bevölkerung: Nur die vier genannten Inseln sind besiedelt. 38 % der Bev. sind Ausländer (aus Südasien, Iran), die v. a. als Gastarbeiter im privaten Sektor arbeiten. Über 85 % der Bev. sind Muslime, davon rd. 60 % Schiiten und 40 % Sunniten. Der Islam ist Staatsreligion. Das Herrscherhaus bekennt sich zum sunnit. Islam.

Wirtschaft, Verkehr: Ein Ende der Erdölförderung (seit 1932) ist wegen der schwindenden Vorräte absehbar. Wirtschaftlich wichtiger wird daher die weiterverarbeitende Industrie: die Erdölraffinerie von Sitra, Aluminiumhütte, petrochem. Ind., Roheisen-Reduktionsanlagen; mit dem noch

Bahrain

Fläche: 678 km²
Einwohner: (1995) 564 000
Hauptstadt: Menama
Verwaltungsgliederung: 12 Verwaltungseinheiten (mantiqa)
Amtssprache: Arabisch
Nationalfeiertag: 16. 12.
Währung: 1 Bahrain-Dinar (BD) = 1 000 Fils
Zeitzone: MEZ +3 Std.

Staatswappen

(BRN)

Internationales Kfz-Kennzeichen

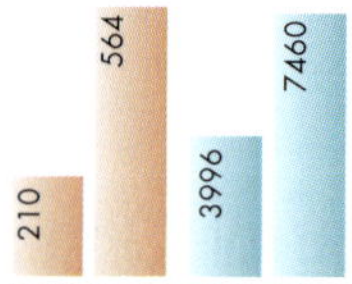

1970 1995 Bevölkerung (in 1000) 1970 1994 Bruttosozialprodukt je Ew. (in US-$)

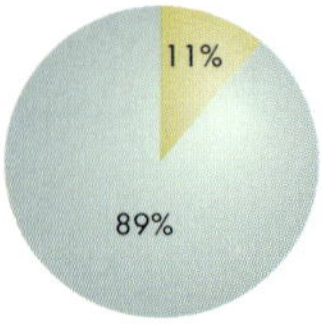

Stadt
Land
Bevölkerungsverteilung 1993

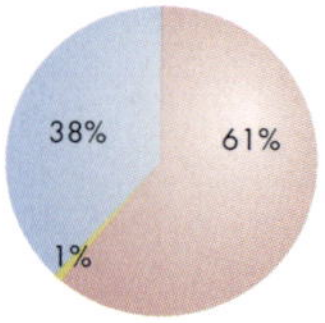

Industrie
Landwirtschaft
Dienstleistung
Bruttoinlandsprodukt 1993

reichlich verfügbaren Erdgas arbeiten auch die Elektrizitäts- und Meerwasserentsalzungsanlagen. Die Landwirtschaft (1 000 ha) produziert Gemüse, Eier, Geflügel, Milch und Obst. Touristen u. a. aus Saudi-Arabien. Internat. Flughafen in Muharrak.

Geschichte: B. war seit vorgeschichtl. Zeit besiedelt, im 3. Jt. (Tilmun oder Dilmun genannt) wichtiger Umschlagplatz zw. Babylonien und dem Industal; in der Spätantike vom Perserreich (4.–7. Jh.), im MA. vom arab. Kalifat (seit 634) abhängig, stand 900–1075, im 13./14. Jh. und 1602–1783 unter pers. Herrschaft. Seit 1783 Teil des Scheichtums B., das 1867 einen Protektoratsvertrag mit Großbritannien abschloss; 1935–58 war B. wichtigster brit. Stützpunkt im Pers. Golf. 1971 löste Großbritannien den Protektoratsvertrag mit B. Im 2. Golfkrieg 1991 war B. eine Stationierungsbasis für Truppen der antiirak. Front unter Führung der USA. Die starke Opposition gegen das autokratisch regierende Herrscherhaus (Staatsoberhaupt seit März 1999: Scheich Hamad ibn al-Chalifa) v. a. im schiit. Bevölkerungsteil führte zu Unruhen, außenpolitisch bes. in den 90er-Jahren zu Spannungen mit Iran.

🕮 BIBBY, G.: *Dilmun. Die Entdeckung der vergessenen Hochkultur. A. d. Engl. Reinbek 1977.* – BÜHLER, CHR.: *Stand u. Perspektiven der wirtschaftl. Entwicklung Bahrains. Frankfurt am Main u. a. 1994.*

Bahr el-Ghasal ['baxər ɛl ga'zal; arab. »Gazellenfluss«], linker Nebenfluss des Weißen Nil, 240 km lang.

Bahro, Rudolf, Journalist, *Bad Flinsberg (heute Świeradów Zdrój, Polen) 18. 11. 1935, †Berlin 5. 12. 1997; Mitgl. der SED (1954–77), kritisierte mit der Schrift »Die Alternative« (1976) das gesellschaftl. System der DDR; 1978–79 dort in Haft; 1979 in die Bundesrep. Dtl. entlassen; 1980–85 Mitgl. der Grünen; schrieb u. a. »Logik der Rettung« (1987).

Bai [niederländ.] *die* (frz. baie, engl. bay), Meeresbucht.

Baia Mare, Hptst. des Kr. Maramureș in NW-Rumänien, 149 400 Ew.; Buntmetallind., Maschinenbau, Holzverarbeitung.

Baiern (früher Bajuwaren, Bajoarier), german. Stamm, hervorgegangen aus verschiedenen nach Bayern eingewanderten Bev.gruppen. Zw. 490 und 530 besetzten die B. die Gebiete südlich der Donau; es folgte das Vordringen in die Alpentäler bis zur Etsch. Nach SO hin wurden die B. die Träger der dt. Grenzsicherung und Ostsiedlung; so wurden von ihnen seit dem 8. Jh. die von Slowenen besiedelten Gebiete Kärnten und Steiermark unterworfen. Das bayer. Stammesherzogtum wurde im 10. bis 12. Jh. auf das heutige Altbayern beschränkt (→ Bayern, Geschichte). (→ Deutsche)

Baiersbronn, Gemeinde im Landkr. Freudenstadt, Bad.-Württ., 16 700 Ew., mit 190 km² zweitgrößte Gem. von Bad.-Württ., viel besuchter Erholungsort im nördl. Schwarzwald, der Ortsteil Schönmünzach-Schwarzenberg ist Kneippkurort, 450 bis 1150 m ü. M.; Holzverarbeitung.

Baikal-Amur-Magistrale, Abk. **BAM,** Eisenbahnstrecke in Ostsibirien, Russland, von Ust-Kut an der Lena nach Komsomolsk am Amur, verläuft nördl. von der Transsibir. Bahn, 3 145 km lang; Gleisverlegung 1974–84, in Betrieb seit Okt. 1989.

Baikalsee (mongol. Dalai-Nur), See in Ostsibirien, Russland, 455 m ü. M., 636 km lang, im Mittel 48 km breit, 31 500 km², der tiefste See der Erde (bis 1 637 m; Kryptodepression); 730 km² große Insel Olchow (bis 1 276 m ü. M.). Der B. hat eine überwiegend endemische Tierwelt (Restfauna aus dem Tertiär, u. a. Baikalrobbe und Flohkrebs) und ist sehr fischreich. Die umfangreiche Industrialisierung der letzten Jahrzehnte führte zu Umweltschäden. Den B. umgeben hohe, bewaldete Gebirge, im NW das **Baikalgebirge** (bis 2 572 m hoch). Hauptzuflüsse sind Obere Angara, Bargusin und Selenga, Abfluss die Angara.

🕮 *B. Eine Literaturdokumentation zur Umweltsituation am B., zusammengestellt von* R. HEINZMANN *u. a. Köln 1993.*

Baikonur, Raumfahrtzentrum (Kosmodrom) in Kasachstan, östlich vom Aralsee, nahe der Stadt Leninsk am Syrdarja; wurde 1994 für 20 Jahre von Russland gepachtet.

Bailli [ba'ji, frz.] (mlat. Ballivus, engl. Bailiff), im MA. Beamtentitel; in Frankreich der königl. Gouverneur einer Provinz, sein Amtsbezirk war die **Bailliage;** heute noch Titel in einigen Ritterorden (→Ballei).

Bairam (Beiram) *der,* türk. Bez. der beiden islam. Hauptfeste. Der **Kleine B.** beendet den Fastenmonat Ramadan und dauert drei Tage; der **Große B.** wird 70 Tage später gefeiert und dauert vier Tage.

Baird [beəd], John Logie, brit. Ingenieur, *Helensburgh (Schottland) 13. 8. 1888, †Bexhill (Sussex) 14. 6. 1946; seit 1926 Pionier des Fernsehens und der Bildtelegrafie.

Bairisch, die bairische Mundart (→deutsche Sprache).

Baiser [bɛ'zeː, frz. »Kuss«] *das* (Meringe), Gebäck aus Eischnee und Zucker.

Baisse ['bɛːs(ə), frz.] *die,* starkes Sinken der Wertpapierkurse oder der Preise überhaupt; Ggs.: Hausse.

Baja California ['βaxa-] (dt. Niederkalifornien), rd. 1200 km lange, 40–240 km breite Halbinsel im NW Mexikos, meist wüstenhaft. Durch Bewässerung wurde das Coloradodelta im N ein bed. Baumwollanbaugebiet; im übrigen oasenhafter Acker- und Gartenbau sowie Fischerei und Fisch verarbeitende Ind.; Salzgewinnung, Kupfererzbergbau; Fremdenverkehr (bes. in Tijuana). Der N bildet den Staat **Baja California Norte,** Hptst. Mexicali, der S den Staat **Baja California Sur,** Hptst. La Paz.

Bajadere [portugies.] *die,* ind. Tänzerin, i. e. S. die im Tempeldienst beschäftigte **Dewadasi** (Dienerin eines Gottes), die auch religiöse Prostitution ausübt.

Bajasid I., osman. Sultan (1389–1402), *1347 oder 1354(?), †Akşehir 8. 3. 1403; unterwarf Serbien, besiegte 1396 König Sigismund von Ungarn, 1402 von Timur geschlagen.

Bajazzo [von italien. pagliaccio »Strohsack«, »Hanswurst«] *der,* der Possenreißer bei Seiltänzern und Akrobaten.

Bajer, Fredrik, dän. Politiker, *Vester Egede 21. 4. 1837, †Kopenhagen 23. 1. 1922; gründete 1891 das Internat. Friedensbüro in Bern; 1908 Friedensnobelpreis mit K. P. Arnoldson.

Fredrik Bajer

Bajonett [frz., nach der Stadt Bayonne] *das,* eine am vorderen Ende des Gewehr-(Karabiner-)Schaftes angebrachte Stoßwaffe für den Nahkampf; urspr. mit dem Gewehr fest verbunden, später als Seitenwaffe (ähnlich dem Seitengewehr) mitgeführt und nur im Bedarfsfall aufgepflanzt.

Bajonettverschluss (Renkverbindung), von Hand leicht herstellbare und lösbare Verbindung von zwei techn. Bauteilen, die zusammengesteckt, dann verschoben oder verdreht werden, meist mithilfe von Klauen oder Stiften an einem Teil, die in Schlitze oder Nuten im anderen angreifen. Federn oder keilförmige Führungen sichern die Verbindung. Anwendung z. B. bei Schlauchkupplungen, Kfz-Glühlampen **(Bajonettfassung),** Kameras mit Wechselobjektiven.

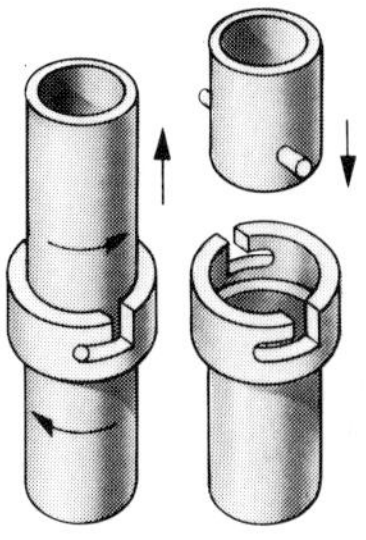

Bajonett-verschluss

Bajuwaren, alter Name der →Baiern.

Bakchylides, grch. Chorlyriker, *Julis auf Keos; lebte in der 1. Hälfte des 5. Jh. v. Chr., war am Hofe des Hieron von Syrakus. Bes. reizvoll sind seine balladenhaften Sagenerzählungen.

Bake [niederdt.], **1)** *allg.:* Absteckpfahl, Merkzeichen bei Vermessungen.

2) *Eisenbahn:* rechteckige Tafeln mit drei, zwei oder einem schwarzen Schrägstrich auf weißem Grund, 250, 175 und 100 m vor Vorsignalen.

3) *Luftfahrt:* opt. oder Funksignal u. a. zur Einflugschneisen-, Lande- oder Startbahnbefeuerung.

4) *Schifffahrt:* feststehendes Schifffahrtszeichen (meist Orientierungszeichen) mit Kennung durch Form und/oder Farbe (→Seezeichen).

5) *Straßenverkehr:* a) vor Bahnübergängen beiderseits der Straße stehende Tafeln mit drei, zwei oder einem roten, rückstrahlenden Schrägstrich auf weißem Grund, 240, 160 und 80 m vor dem Übergang. b) blaue Tafeln mit drei, zwei oder einem weißen Schrägstreifen 300, 200 und 100 m vor den Autobahnabfahrten.

Baker ['beɪkə], **1)** Chet, eigtl. Chesney H. B., amerikan. Jazzmusiker (Trompeter), *Yale (Okla.) 23. 12. 1929, †Amsterdam 13. 5. 1988; Vertreter des Cooljazz und des Westcoastjazz.

2) James Addison, amerikan. Politiker, *Houston (Tex.) 28. 4. 1930; Jurist, 1981–85 Stabschef des Weißen Hauses, 1985–88 Finanzmin., 1989–92 Außenmin., 1992–93 erneut Stabschef des Weißen Hauses.

James Baker

3) Dame (seit 1976) Janet, brit. Sängerin (Mezzosopran), *Hatfield (Cty. South Yorkshire) 21. 8. 1933; wurde v. a. als Konzert- und Oratoriensängerin bekannt; trat als Opernsängerin v. a. in Partien von H. Purcell, G. F. Händel und B. Britten auf.

4) Josephine, frz. Tänzerin und Chansonsängerin afroamerikan. Herkunft, *Saint Louis (Miss.) 3. 6. 1906, †Paris 12. 4. 1975; wirkte auch in Filmen mit; im 2. Weltkrieg Mitgl. der Résistance.

Josephine Baker

5) Sir Samuel White, brit. Afrikareisender, *London 8. 6. 1821, †Sandford Orleigh (Cty. Devon) 30. 12. 1893; entdeckte auf der Suche nach den Nilquellen 1864 den Albertsee.

Baker-Eddy ['beɪkə'edɪ], Mary, →Eddy.

Baki, eigtl. Mahmud Abdülbaki, türk. Lyriker, *Konstantinopel 1526, †ebd. 7. 4. 1600; schrieb Gedichte in persisch beeinflusstem klass. Stil, die Gedankenschärfe mit hoher Wortkunst verbinden.

Bakkalaure|us [mlat.] *der,* seit dem 13. Jh. unterster akadem. Grad; in den angloamerikan. Län-

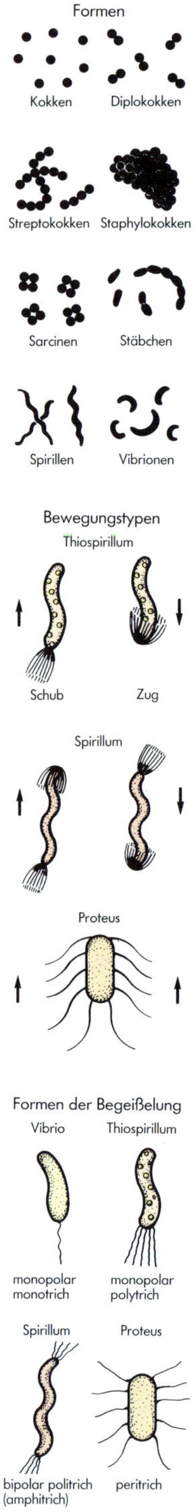

Bakterien

dern (**Bachelor,** Abk. **B.**) noch gebräuchlich, z. B. B. A. (B. of Arts), B. S. (B. of Science); in Frankreich in den Bez. **bachélier** (»Abiturient«) und **baccalauréat** (»Abitur«) noch erhalten.

Bạkkarat [frz. -'ra] (Baccarat) *das,* Kartenglücksspiel mit mindestens drei vollen frz. Kartenspielen zu je 52 Blatt zw. Bankhalter und einem Gegner, bei dem sich weitere Spieler beteiligen können.

Bakonywald ['bɔkonj-] (Bakonygebirge), westl. Teil des Ungar. Mittelgebirges, bis 704 m (Kőris-hegy) hoch; Vorkommen von Bauxit, Mangan, Braunkohle; Hochflächen bewaldet.

Bạkschisch [pers. »Gabe«] *das, österr.* auch *der,* im Orient Bez. für Trinkgeld; Bestechungsgeld.

Bạkst, Léon, eigtl. Lew Samoilowitsch Rosenberg, russ.-frz. Bühnenbildner und Maler, *Grodno 8. 2. 1866, †Paris 27. 12. 1924; prägte durch seine Theaterdekorationen den Stil der →Ballets Russes entscheidend mit.

Bakteri|en [grch. baktēría »Stock«, »Stab«], große Gruppe einzelliger Mikroorganismen ohne echten Zellkern, die sich in die Abteilungen **Archaebakteria** und **Eubakteria** aufspalten. Die →Archaebakterien unterscheiden sich von den Eubakterien in wesentl. Merkmalen, z. B. sind Ribosomen, Zellwände und Membranlipide anders strukturiert. Die eigentl. B., die Eubakterien, wurden nach der Art ihrer Fortpflanzung durch Zweiteilung früher Spaltpilze (Schizomyzeten) genannt. Ihre Größe liegt i. d. R. bei 1–10 µm. Sie lassen sich auf die Grundformen der Kugel (Kokken), des geraden Zylinders (Bakterium) oder des gekrümmten Zylinders (Vibrionen), z. T. mit schraubigen Windungen (Spirillen), zurückführen. Durch Aneinanderhaften nach den Teilungen können sich Zellhaufen (Staphylokokken), Zellpakete (Sarcinen), Zellfäden (Streptokokken) bilden. Eine Zellwand gibt den B. ihre Form und Festigkeit; ihre Anfärbbarkeit mit einer bestimmten Technik (Gramfärbung) dient als Unterscheidungsmerkmal zw. grampositiven (Zellwand mit mehrschichtigem Mureinnetz) und gramnegativen B. (mit dünner Mureinschicht und äußerer Membran). Oft ist die Wand der B. von einer Schleimhülle oder -kapsel umgeben, die Schutz vor →Phagozytose bietet.

Im Innern wird das Zytoplasma von einer Zytoplasmamembran umgeben und ist mit zahlr. Ribosomen sowie mit Reservestoff-Einschlüssen angefüllt. B. besitzen keinen echten Kern, sondern nur Kernmaterial in Form eines DNS-Fadens (→Nucleinsäuren), der frei im Zytoplasma verteilt liegt. Bestimmte B. sind in der Lage, gegen ungünstige Umweltbedingungen widerstandsfähige Dauerformen (Sporen) zu bilden. **Bazillen** sind eine bestimmte Gruppe von B., die Sporen bilden (oft fälschlich für B. verwendet). Manche B. haben Geißeln als Fortbewegungsmittel. Obwohl B. sich nur ungeschlechtlich durch Teilung vermehren und echte Kernverschmelzung nicht möglich ist, kommt es zur Übertragung von Erbinformationen durch spezielle Mechanismen wie →Konjugation, →Transformation und →Transduktion. Die Übertragung menschl. Erbsubstanz auf B. (→Gentechnologie) kann zur Erzeugung großer Mengen von z. B. menschl. Insulin oder Interferon führen.

B. sind auf der ganzen Erde im Boden, im Wasser, in der Luft, in Lebewesen und auf allen Gegenständen verbreitet. Fruchtbarer Ackerboden enthält in 1 g über 2 500 Mio. B. Stark verschmutztes Abwasser hat etwa 1 Mio. B. in 1 cm^3, Trinkwasser höchstens 100. Wachstum und Vermehrung der B. werden von zahlr. Faktoren des umgebenden Milieus und vom Nährstoffangebot bestimmt. Die Mehrzahl der B. ernährt sich **heterotroph,** d. h., der Kohlenstoffbedarf wird durch Abbauvorgänge (Fäulnis, Verwesung) aus organisch gebundenem Kohlenstoff gedeckt; die anderen sind **autotroph,** d. h., sie decken ihren Kohlenstoffbedarf aus dem Kohlendioxid der Luft und gewinnen die hierzu nötige Energie entweder durch →Photosynthese oder →Chemosynthese. Manche B. ertragen extreme Temperaturen. **Aerobe B.** können nur in sauerstoffhaltiger Umgebung leben, **anaerobe** nur in Abwesenheit von Sauerstoff; manche sind jedoch nicht streng (fakultativ) auf die Abwesenheit von Sauerstoff festgelegt. B., die sich auf totem, organ. oder anorgan. Material vermehren, werden als **Saprophyten** bezeichnet, solche, die auf einen lebenden Organismus angewiesen sind, als **Parasiten,** wenn sie den Organismus schädigen, als **Kommensalen,** wenn sie ihn nicht schädigen. Von grundlegender biolog. Bedeutung sind die B. als Vermittler des Wechsels der Materie zw. belebter und unbelebter Natur. Vorwiegend im Erdboden werden alle organ. Stoffe durch die Stoffwechseltätigkeit von B. mineralisiert (zu anorgan. Stoffen abgebaut) und so den Pflanzen als Nährstoffe wieder verfügbar gemacht. Krankheitserregende **(pathogene) B.** sind Erreger von →Infektionskrankheiten bei Mensch, Tier und Pflanze. Ihre krank machende Wirkung beruht auf Strukturelementen der B. (z. B. Kapsel), Enzymen oder Toxinen (Bakteriengifte), die, in die Umgebung abgegeben, die Körpersubstanz des Wirtes schädigen. Von Nutzen ist die **B.-Flora** (Gesamtheit der Kommensalen) bei Mensch und Tier, die Haut, Schleimhaut und Magen-Darm-Kanal ihres Wirtes bewohnt und als Gewebeschutz und Verdauungshilfe dient. Wirtsch. Anwendung findet die B.-Tätigkeit bei vielen techn. Gewerben (z. B. Säuerung der Milch, Reifung von Käse) und bei der industriellen Herstellung von Vitaminen, Antibiotika u. a. Durch

Züchtung auf künstl. Nährböden **(B.-Kultur)** lassen sich B. erkennen und isolieren.

📖 Schlegel, H. G.: *Allgemeine Mikrobiologie. Stuttgart u. a.* [7]*1992.* – Singleton, P.: *Einführung in die Bakteriologie. A. d. Engl. Heidelberg u. a. 1995.*

Bakteri|enfilter, Filter zum Abtrennen von Bakterien aus Flüssigkeiten und Gasen, die durch geringe Porengröße (etwa 0,2 µm) und/oder Absorption wirken; dafür benutzte Materialien sind z. B. gesintertes Glas, Kieselgur.

Bakteri|engifte (Bakteriotoxine), von Bakterien erzeugte Gifte; einige sind schon in geringen Konzentrationen extrem toxisch und können tödlich wirken (z. B. Diphtherie-, Tetanus- und Botulinustoxin).

Bakteriologie [grch.] *die,* Wiss. von den Bakterien, Teilgebiet der Mikrobiologie. Die B. untersucht den Aufbau der Bakterien, ihre Formen und Lebenserscheinungen. Die **medizin. B.** beschäftigt sich mit krankheitserregenden Bakterien, die **landwirtsch. B.** vorwiegend mit Bodenbakterien, die **techn. B.** mit Bakterien, deren Stoffwechselprodukte technisch verwertbar sind (Käserei, Antibiotikagewinnung, Schadstoffabbau). Begründer der B. waren L. Pasteur (Arbeiten über Milchsäure- und alkohol. Gärung) und R. Koch (entdeckte 1882 die Tuberkelbakterien und 1883 den Choleraerreger).

bakteriologische Waffen, → ABC-Waffen.

Bakteriolysine [grch.], Antikörper, die bei Mensch und Tier nach einer Infektion im Blut auftreten und die entsprechenden Bakterien durch Auflösung der Bakterienwand zerstören.

Bakteriophagen [grch.] (Phagen, Bakterienfresser), Viren, die Bakterien befallen und unter eigener Vermehrung auflösen; kugel- oder stäbchenförmig, oft mit schwanzförmigem Fortsatz zum Anheften an der Bakterienwand.

bakteriostatisch [grch.], Wachstum und Vermehrung der Bakterien hemmend (z. B. durch viele Antibiotika).

bakterizid [grch.-lat.], Bakterien tötend.

Baktri|en, im Altertum die von den Baktrern seit etwa 800 v. Chr. bewohnte Landschaft in Asien zw. dem Fluss Margos (heute Murgab) im SW, dem Hindukusch im S und dem Gissargebirge im NO, mit der Hptst. **Baktra** (→ Balch). B. war urspr. ein selbstständiges Reich, das im 7. Jh. v. Chr. an die Meder und um 555 an die Perser fiel. 329 wurde es von Alexander d. Gr. erobert. Um 230 v. Chr. bildete sich ein unabhängiges **Gräkobaktr. (Hellenobaktr.) Reich,** das um 130 v. Chr. unterging.

Baku (aserbaidschan. Bakı), Hptst. von Aserbaidschan, auf der Halbinsel Apscheron am Kasp. Meer, 1,6 Mio. Ew.; Univ., Akademie der Wiss., mehrere Hochschulen, islam. Institut; größtes aserbaidschan. Ind.zentrum inmitten eines Erdölfördergebiets (seit 1949 größtenteils Offshoreförderung). U-Bahn, internat. Flughafen, Eisenbahnfähre nach Krasnowodsk (Turkmenistan). – Die Altstadt mit ihren Moscheen und Palästen aus pers. Zeit zeigt z. T. noch oriental. Charakter, am Ufer die Ind.viertel (Maschinen- und Schiffsbau, Chemikalienfabriken, Raffinerien, Erdölhafen, Erdölleitung nach Batumi am Schwarzen Meer). – B., im 5. Jh. erstmals erwähnt, war seit dem 11. Jh. im Besitz der Khane von Schirwan und seit 1540 persisch; 1723 von Peter I. erobert, 1735 an Persien zurückgegeben, fiel B. 1806 wieder an Russland und wurde 1920 Hptst. von Aserbaidschan. Die Erdölförderung begann 1871.

Léon Bakst: Aquarell zu »Scheherazade« von Nikolai Andrejewitsch Rimski-Korsakow für die Ballets Russes (1910; Paris, Musée des Arts Décoratifs)

Bakunin, Michail Alexandrowitsch, russ. Revolutionär, *Prjamuchino (Gouv. Twer) 30. 5. 1814, †Bern 1. 7. 1876; trat 1844 in Paris mit P. J. Proudhon und K. Marx in Verbindung. Im Mai 1849 war er in Dresden am Aufstand beteiligt, anschließend inhaftiert, 1851 an Russland ausgeliefert und 1857 nach Sibirien verschickt, von wo er 1861 nach London floh. Hier beteiligte er sich an der Ersten Internationale (1872 ausgeschlossen). → Anarchismus.

Michail Alexandrowitsch Bakunin

Werke: Gott und der Staat (1871); L'empire knouto-germanique et la révolution sociale (1871); Staatlichkeit und Anarchie (1873).

📖 Eckhardt, W.: *M. A. B. (1814–1876). Bibliographie der Primär- u. Sekundärliteratur in dt. Sprache. Köln 1994.*

Balaguer [-'ɣɛr], Joaquín, dominikan. Politiker, *Santiago de los Caballeros 1. 9. 1907; arbeitete mit dem Diktator R. L. Trujillo zusammen, war 1954/55 Außenmin. und 1957–60 Vizepräs.; 1960–62 (durch Militärputsch gestürzt), 1966–78 und 1986–96 Präsident der Republik.

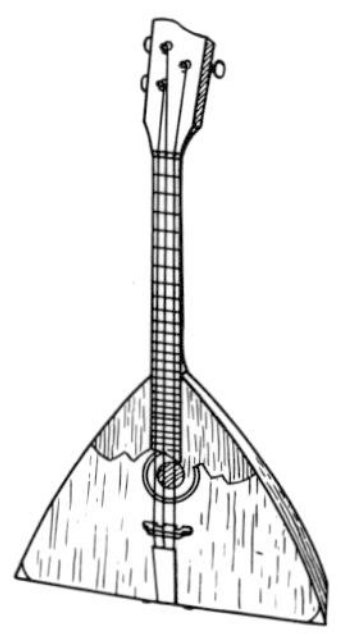
Balalaika

George Balanchine

Vasco Núñez de Balboa

Emily Greene Balch

Balakirew, Mili Alexejewitsch, russ. Komponist, *Nischni Nowgorod 2. 1. 1837, †Sankt Petersburg 29. 5. 1910; bildete mit M. M. Mussorgski, Z. A. Kjui, N. A. Rimski-Korsakow und A. P. Borodin die »Gruppe der 5«, die eine Erneuerung der russ. Kunstmusik durch Einbeziehung der russ. Folklore anstrebte.

Balakowo, Stadt im Gebiet Saratow, Russland, am linken Ufer des Saratower Stausees, zu dem hier die Wolga aufgestaut ist (Staudamm mit Kraftwerk unterhalb von B.), 202 000 Ew.; Maschinenbau, Werft-, Chemiefaser-, Nahrungsmittelind.; Hafen. In der Nähe Kernkraftwerk (vier Blöcke à 950 MW).

Balalaika *die,* ein um 1700 entstandenes russ. Volksmusikinstrument mit dreieckigem Schallkörper, gebauchtem Boden und langem Hals mit Bünden; die drei Darmsaiten werden mit einem Plektron oder mit der Hand angerissen; in sechs Größen gebaut.

Balancement [balãsˈmã, frz.] *das, Musik:* die →Bebung.

Balance of Power [ˈbæləns əv ˈpaʊə; engl. »Gleichgewicht der Macht«], →europäisches Gleichgewicht.

Balanchine [frz. balãˈʃiːn], George, eigtl. Georgi Melitonowitsch Balantschiwadse, amerikan. Choreograph und Ballettdirektor russ. Herkunft, *Sankt Petersburg 22. 1. 1904, †New York 30. 4. 1983; ging 1925 zu S. Diaghilew nach Paris, 1934 nach New York und gründete dort 1946 die »Ballet Society«, aus der 1948 das »New York City Ballet« hervorging. B. gilt als Begründer (Choreographie zu I. Strawinskys Ballett »Apollon Musagète«) des tänzer. Neoklassizismus.

Balanitis [grch.] *die,* Entzündung der Eichel des männl. Gliedes, an der fast stets das innere Vorhautblatt beteiligt ist **(Balanoposthitis);** häufige Ursachen der B. sind neben →Vorhautverengung Hefepilz- und Virusinfektionen. Zw. Eichel und innerem Vorhautblatt kommt es meist zu einer eitrigen Absonderung; auch als **Eicheltripper** bezeichnet, aber nicht mit →Tripper identisch.

Balaschow, Stadt im Gebiet Saratow, Russland, am Chopjor, 100 000 Ew.; PH; Nahrungsmittelind., Landmaschinenbau.

Balata [auch baˈla-, indian.] *die,* eingetrockneter Milchsaft des im Orinocogebiet und in Guayana heim. Baumes **Mimusops balata;** ist im Ggs. zum Kautschuk zäh und hart.

Balaton [ˈbɔlɔton], ungar. Name des →Plattensees.

Balbo, Italo, italien. Luftmarschall, *Quartesana (Prov. Ferrara) 5. 6. 1896, †(abgeschossen) Tobruk 28. 6. 1940; führend in der faschist. Bewegung (Mitorganisator des »Marschs auf Rom«), seit 1933 Generalgouv. von Libyen.

Balboa, Vasco Núñez de, span. Konquistador, *Jerez de los Caballeros um 1475, †(hingerichtet) Acla (Panama) wohl Jan. 1517; gelangte 1513 als erster Europäer über die Landenge von Panama an den Pazif. Ozean, den er »Südsee« nannte.

Balch (Balkh, Wazirabad), Stadt in N-Afghanistan, etwa 3 000 Ew.; an der Stelle des alten **Baktra** (der Hauptstadt von Baktrien) gelegen; zahlreiche Bauten aus timuridischer Zeit.

Balch [bɔːltʃ], Emily Greene, amerikan. Volkswirtschaftlerin und Pazifistin, *Jamaica Plain (heute zu Boston, Mass.) 8. 1. 1867, †Cambridge (Mass.) 12. 1. 1961; war führend tätig in der »Internationalen Frauenliga für Frieden und Freiheit«; Friedensnobelpreis 1946 mit J. R. Mott.

Balchasch (kasach. Balkasch), Ind.stadt in Kasachstan, am N-Ufer des Balchaschsees, 88 000 Ew., Kupferhütte (bei B. Kupfererzbergbau).

Balchaschsee, abflussloser, fischreicher Steppensee im SO Kasachstans, 340 m ü. M., 605 km lang, 17 000–22 000 km^2 groß, mittlere Tiefe 6 m; Hauptzufluss: Ili; durch Verengung geteilt, enthält im O-Teil salzhaltiges Wasser.

Baldachin [italien. baldacchino »kostbarer Seidenstoff aus Bagdad«] *der,* **1)** Traghimmel aus Stoff, zuerst bei oriental. Herrschern, seit 1163 bei hohen geistl. Würdenträgern; bei kirchl. Prozessionen noch heute üblich.

2) die Überdachung des Thrones.

3) Überdachung eines Altars oder einer Statue.

Balde, Jakob, nlat. Dichter, *Ensisheim (Elsass) 4. 1. 1604, †Neuburg a. d. Donau 9. 8. 1668; wurde 1624 Jesuit; schrieb lat. Dramen, dt. Gedichte, lat. Oden.

Balden, Theo, Bildhauer und Grafiker, *Blumenau (Brasilien) 6. 2. 1904, †Berlin 30. 9. 1995; 1935–47 Emigration, lebte seit 1947 in Berlin. Beeinflusst von E. Barlach, schuf er expressive (Bronze-)Plastiken und Grafiken.

Baldeneysee, Stausee in der Ruhr im S von Essen, NRW, 2,4 km^2, 9 Mio. m^3 Fassungsvermögen.

Balder, altgerman. Gott, →Baldr.

Baldessari, John, amerikan. Künstler, *National City (Calif.) 17. 6. 1931; Vertreter der Narrative Art.

Baldo, Gebirge in Italien, →Monte Baldo.

Baldr (Balder, Baldur), altgerman. Lichtgott, der Sohn Odins und der Frija. Nach der Edda war er tapfer, milde und schön. Da das Schicksal der Götter von B. abhängt, nimmt Frija allen Wesen und Dingen einen Eid ab, B. nicht zu verletzen. Loki gibt den nicht vereidigten Mistelzweig dem blinden Hödr, der B. damit tötet. B.s Tod leitet das Ende der Götter ein. Nach Erneuerung der Welt kehren B. und Hödr gemeinsam zurück.

Baldrian *der* (Valeriana), Gattung der Baldriangewächse mit etwa 250 Arten (→Arzneipflanzen);

Kräuter oder Halbsträucher. Der europäisch-asiat. **Gemeine B.** (**Echter B.**, Valeriana officinalis) hat gefiederte Blätter und rötlich weiße Blüten. Aus der Wurzel werden leichte Beruhigungsmittel wie B.-Tee, -Tinktur und -Dispert hergestellt.

Baldrian: Gemeiner Baldrian

Bạlduin, Herrscher:

Jerusalem. **1) B. I.,** * 1058, † El-Arisch 2. 4. 1118; Bruder Gottfrieds von Bouillon, 1098–1100 Graf von Edessa, 1100–18 König von Jerusalem.

Konstantinopel. **2) B. I.,** lat. Kaiser (1204/05), * 1171, † 1206, als **B. IX.** Graf von Flandern und Hennegau; Führer im 4. Kreuzzug (→ Byzantinisches Reich).

3) B. II., letzter lat. Kaiser (1228–61), * 1217, † 1273; verlor 1261 das verarmte Reich wieder an die Byzantiner.

Trier. **4)** Erzbischof und Kurfürst (seit 1307), * 1285, † Trier 21. 1. 1354; aus dem Luxemburger Grafenhaus, bewirkte als »Königsmacher« 1308 die Wahl seines Bruders Heinrich VII., den er nach Italien begleitete, 1314 die Ludwigs IV., des Bayern, dem er sich jedoch entfremdete, 1346 die seines Großneffen Karl IV.; führend am Kurverein von Rhense beteiligt.

Hans Baldung: Die sieben Lebensalter des Weibes (1544; Leipzig, Museum der bildenden Künste)

Bạldung, Hans, gen. Grien, Maler und Grafiker, * Schwäbisch Gmünd 1484/85, † Straßburg 1545; Schüler A. Dürers in Nürnberg, dann ansässig in Straßburg und 1512–17 in Freiburg tätig, wo er den Hochaltar im Münster ausführte. Außer religiösen Darstellungen (Ruhe auf der Flucht, Wien, Akademie der Bildenden Künste, u. a.) schuf er allegor. und mytholog. Bilder, in denen erot. und Todesmotive (Der Tod und die Frau; Der Tod und das Mädchen; beide Basel) sowie Hexendarstellungen (Hexen, Frankfurt) vorherrschen. Im Vergleich zu Dürer sind seine Bilder leuchtkräftiger in den Farben, leidenschaftlicher und sinnenfroher. Seine ausdrucksstarken Holzschnitte gehören zu den besten Leistungen dt. Grafik. B. schuf auch meisterhafte Bildnisse.

Bạldur, altgerman. Gott, → Baldr.

Bạldus de Ubạldis, italien. Rechtsgelehrter, * Perugia um 1327, † Pavia 28. 4. 1400; Postglossator. Er schrieb Kommentare zum Corpus Iuris Civilis, den Dekretalen und Konsilien.

Baldwin ['bɔːldwɪn], **1)** James, amerikan. Schriftsteller, * New York 2. 8. 1924, † Saint-Paul-de-Vence (Dép. Alpes-Maritimes) 1. 12. 1987; bed. Sprecher der schwarzen Amerikaner; schrieb Romane (»Eine andere Welt«, 1962; »Sag mir, wie lange ist der Zug schon fort«, 1968; »Beale Street Blues«, 1974), Erzählungen, Dramen und Essays (»Das Gesicht der Macht bleibt weiß«, 1985).

James Baldwin

2) James Mark, amerikan. Psychologe und Philosoph, * Columbia (S. C.) 12. 1. 1861, † Paris 8. 11. 1934; gab vom Evolutionismus (C. Darwin) beeinflusste umfassende sozialpsycholog. Analysen der individuellen und allg. geistigen Entwicklung.

3) Stanley, Earl (seit 1937) B. of Bewdley, brit. Politiker, * Bewdley (Worcestershire) 3. 8. 1867, † Astley Hall (Worcestershire) 14. 12. 1947; Großindustrieller, als konservativer Parteiführer 1923, 1924–29 und 1935–37 Premiermin.; trug 1936 zur Abdankung Eduards VIII. bei.

Stanley Baldwin

Baleạren (span. Islas Baleares), gebirgige Inselgruppe und span. Prov. im westl. Mittelmeer, bildet eine autonome Region (und Prov.) Spaniens, 5 014 km², (1991) 710 000 Ew.; Hptst. ist Palma de Mallorca, umfasst Mallorca, Menorca, Ibiza und Formentera (die beiden letzteren bilden mit den umliegenden Eilanden die Gruppe der Pityusen) sowie Cabrera und mehrere kleine Felseninseln. Schwache Temperaturgegensätze (Mitteltemperatur im Jan. 9–11 °C, August 24–26 °C) kennzeichnen das für den Fremdenverkehr (Hauptwirtschaftszweig) günstige Klima. Die Bewohner sprechen eine katalan. Mundart. Die Landwirtschaft umfasst Zitrus-, Tomaten- (Bewässerung) und Fruchtbaumkulturen (Mandeln, Aprikosen, Oliven, Johannisbrot) sowie Weinbau, Haferanbau und Schweinemast. – Die spätbronze- und früheisenzeitl. **B.-Kultur** reichte bis in röm. Zeit. Die Inseln wurden von phönik. und grch. Seefahrern besucht, standen bis 201 v. Chr. unter karthag., seit 123 v. Chr. unter röm. Herrschaft; in der Völkerwanderung wurden sie von den Wandalen, Westgoten, Byzantinern und Franken besetzt, bis 903

Balearen

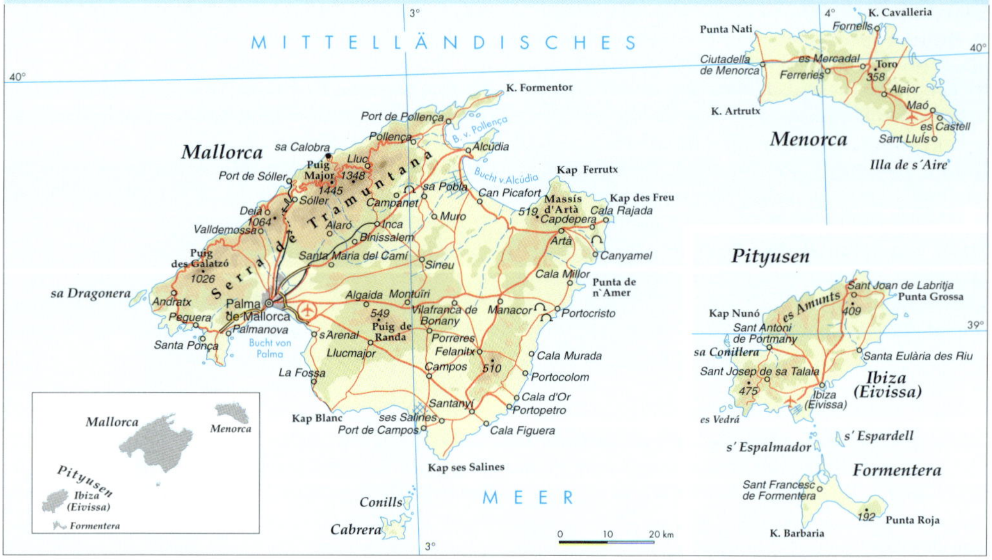

von den Arabern erobert, seit 1229 in span. Hand, 1348 mit dem Königreich Aragonien vereinigt. Menorca war 1708–56, 1763–82 und 1798–1802 britisch.

🕮 MAYER, EBERHARD: *Die B. Sozial- u. wirtschaftsgeograph. Wandlungen eines mediterranen Inselarchipels unter dem Einfluß des Fremdenverkehrs. Stuttgart 1976. – Reiseführer Natur Mallorca, Menorca, Ibiza, Formentera, hg. v.* G. GEESE. *München u. a. 1994.*

Arthur James Balfour

Balfour ['bælfə], Arthur James Earl of (seit 1922), brit. Politiker (Konservative Partei), *Whittingehame (Lothian Region) 25. 7. 1848, †Woking (Cty. Surrey) 19. 3. 1930; war 1887–90 Irlandmin., 1902–05 Premiermin. (Schul-Ges., 1902; Entente cordiale, 1904). Als Außenmin. (1916–19) sicherte er den Juden das Recht auf eine nat. Heimstätte in Palästina zu (**B.-Deklaration,** 1917); als Lordpräs. (1925–29) formulierte er den Begriff »British Commonwealth«.

Balg [ahd.], **1)** abgezogenes Fell von Raubwild, Hasen, Vögeln).

2) Luftbehälter bei Musikinstrumenten (z.B. Orgel, Akkordeon) zur Zuführung des Spielwinds.

Balge (Balje), schiffbare Wasserrinne im Watt.

Balgen, ausziehbare lichtdichte Hülle, z.B. bei Klappkameras zw. Gehäuse und Objektiv.

Balgfrucht (Balgkapsel), Trockenfrucht, die längs einer Naht aufspringt, so beim Rittersporn.

Balggeschwulst, das →Atherom.

Balhorn (Ballhorn), Johann, Buchdrucker, *Lübeck um 1528, †ebd. um 1603. Auf seinen Namen werden die Ausdrücke **ballhornisieren, verballhornen,** d.h., ein Schriftstück verschlechtern (indem man es zu verbessern meint), zurückgeführt. Bei ihm erschien eine fehlerhaft korrigierte Ausgabe des lüb. Rechts.

Bali, westlichste der Kleinen Sundainseln, Indonesien, von O-Java durch die nur 2,5 km breite **B.-Straße** getrennt, 5501 km², als Prov. B. (mit vorgelagerten Inseln) 5561 km², (1989) 2,8 Mio. Ew.; Hptst. Denpasar. B. ist überwiegend vulkan. Ursprungs mit vier größeren Vulkankegelmassiven im O; im W tief zertalte Gebirgsketten; nur im S ist eine größere Ebene ausgebildet. Die Wirtschaft bestimmt v.a. der intensive Reisanbau mit künstl. Bewässerung, daneben der Fremdenverkehr. Hinduismus und Elemente des Buddhismus sind bestimmend für die Kultur.

Balıkesir [ba'lı-], Hptst. der Provinz B. im NW der Türkei, 172000 Ew.; in einem Agrargebiet (Tabakbau, Schafhaltung); Textilindustrie.

Balikpapan, Stadt an der O-Küste von Borneo, Indonesien, 310000 Ew.; Erdölexporthafen (Pipelines von den Erdölfeldern u.a. bei Samarinda), Erdölraffinerie; Flughafen.

Balilla [italien.] (Opera Nazionale B.), 1926–37 Name der faschist. Staatsjugend in Italien, benannt nach dem Knaben G. B. Perasso mit dem Beinamen »Balilla«, der 1746 durch einen Steinwurf den Aufstand der Genueser gegen Österreich ausgelöst haben soll.

Balingen
Stadtwappen

Balingen, Krst. des Zollernalbkreises, Bad.-Württ., Große Krst., am Fuß der Schwäb. Alb, 33500 Ew., Herstellung von Waagen, Metall-, Textil-, Sportartikel-, Möbel-, elektrotechn. Industrie.

Balk, Hermann, erster Landmeister des Dt. Ordens in Preußen, †Würzburg(?) 5. 3. 1239; gründete seit 1230 Thorn, Kulm, Marienwerder und Elbing; 1237/38 Heermeister in Livland.

Balkan [türk. »Gebirge«] *der* (bulgar. Stara planina, im Altertum Haemus), Gebirgszug auf der Balkanhalbinsel; erstreckt sich in einem geschwungenen Bogen vom Timok bis zum Schwarzen Meer (600 km lang, 30–50 km breit; im Botew 2376 m hoch) und trennt das nördl. **Donaubulgarien** vom südl. **Hochbulgarien.** Er fällt im S steil zum Maritzabecken ab und geht im N allmählich in das bulgar. Tiefland über. Waldreichtum, Weidewirtschaft und der Abbau von Steinkohle, Eisen-, Blei-, Kupfer- und Zinkerz bestimmen die Wirtschaft. Viele befahrbare Pässe, u. a. → Schipkapass, machen den B. für den Verkehr durchlässig.

Balkangrippe, das → Q-Fieber.

Balkanhalbinsel, ins Mittelmeer ragende Halbinsel in SO-Europa, südlich von Save und Donau; stark gebirgig (höchste Erhebung ist die Mussala, 2925 m ü. M., im Rilagebirge), reich gegliederte Küste (am Adriat., Ion. und Ägäischen Meer). Größere Tiefländer finden sich nur im östl. Thrakien, in Ostrumelien und an der unteren Donau (Walachei). Es herrscht binnenländ. Klima mit warmen Sommern und kalten Wintern, Mittelmeerklima nur an der Westküste und im S. Die Vegetation zeigt im N mitteleurop. Züge, im S mediterrane (mit den Kulturpflanzen Öl- und Feigenbäume, Weinreben, Reis).

Balkanisierung, polit. Schlagwort für die Zerstückelung größerer polit. und wirtsch. Einheiten; bezog sich vor dem 1. Weltkrieg auf die von den damaligen Großmächten geförderte Auflösung des Osman. Reiches in kleine Staaten, später auch auf die Entstehung kleinerer Staaten auf dem Territorium Österreich-Ungarns.

Balkankriege, die militär. Auseinandersetzungen zw. den christl. Balkanstaaten und dem Osman. Reich. Im **ersten B.** (Okt. 1912 bis Mai 1913) kämpfte der Balkanbund (Serbien, Bulgarien, Griechenland, Montenegro) gegen die Türkei, um Makedonien aufzuteilen. Er führte 1913 zur Schaffung eines unabhängigen Albanien; die Türkei musste ihre europ. Besitzungen zum größten Teil aufgeben. Der Streit um die Aufteilung Makedoniens führte zum **zweiten B.** Bulgarien griff am 29. 6. 1913 seine bisherigen Verbündeten an; seine Armee wurde jedoch aus Makedonien vertrieben. Im Frieden von Bukarest (10. 8. 1913) musste Bulgarien die südl. Dobrudscha an Rumänien und einen Großteil der vorherigen Gewinne (das nördl. Makedonien an Serbien und die ägäische Küste an Griechenland) abtreten; die Türkei behielt Adrianopel.

Balkanpakt, 1) am 9. 2. 1934 in Athen unterzeichneter Vertrag zw. Griechenland, Jugoslawien, Rumänien und der Türkei, um bulgar. Absichten auf Revision der Grenze abzuwehren. Der italien. Angriff auf Griechenland war das Ende des Pakts.

2) am 9. 8. 1954 auf 20 Jahre in Bled abgeschlossener Vertrag zw. Griechenland, Jugoslawien und der Türkei mit dem Ziel der gegenseitigen Sicherung der territorialen Integrität, der polit. Unabhängigkeit und des gegenseitigen militär. Bei-

Balkankriege

stands im Fall eines Angriffs; verlor nach 1955 an Bedeutung.

Balkansprachen, die Sprachen des Balkanraumes mit so zahlr. Gemeinsamkeiten, dass sie sich trotz versch. Herkunft zu einem »Sprachbund« zusammenschließen lassen: die alban., rumän., bulgar., makedon., grch. (neugrch.) und – bedingt – serbokroat. Sprache. Ihre Erforschung ist Gegenstand der **Balkanlinguistik**.

Hugo Ball

Balkaren, Turkvolk an den Nordhängen des Kaukasus, etwa 85 000 B.; sie betreiben Ackerbau und Viehzucht, sind zumeist Muslime und sprechen eine Turksprache.

Balkasch, Stadt in Kasachstan, → Balchasch.

Balken, 1) *Bau:* meist stabförmiges Tragglied, vorrangig auf Biegung beansprucht, aber auch für Zug- und Druckkräfte. Der B. ruht auf zwei (einfacher B.) oder mehreren (durchlaufender B.) Auflagern.

2) *Heraldik:* ein in der Schildmitte liegender waagerechter Streifen von etwa $^1/_3$ der Schildhöhe.

3) *Medizin:* die Verbindung zw. beiden Großhirnhälften aus Nervenfasern und Bindegewebe.

Balkencode, → Strichcode.

Balkenhol, Stephan, Bildhauer, * Fritzlar 10. 2. 1957; gilt als Protagonist der dt. Holzbildhauerei; Reihen, die Menschen, Tiere und Dinge sowohl lebensgroß als auch miniaturisiert darstellen und z. T. auf jede Interaktion verzichten.

Balkenspirale (Balkengalaxie), Form eines → Sternsystems.

Balkon [-ˈkɔŋ, auch -ˈkoːn; frz., wohl zu ahd. balko »Balken«], nicht überdeckte, begehbare Auskragung in den Geschossen eines Hauses, auch im Innern von Gebäuden, z. B. in Sälen und Theatern.

Ball [frz. bal, zu lat. ballare »tanzen«], Tanzveranstaltung, hervorgegangen aus den Turnierfesten der frz. und burgund. Höfe des MA.

Ball, Hugo, Schriftsteller, * Pirmasens 22. 2. 1886, † Sant' Abbondio (heute zu Gentilino, Kt. Tessin) 14. 9. 1927; scharfer Zeitkritiker (»Zur Kritik der dt. Intelligenz«, 1919), Pazifist, Mitbegründer des Dadaismus (wirkte später auf die Wiener Gruppe und die konkrete Poesie); weiterhin v. a. theolog. Studien.

📖 TEUBNER, E.: *H. B. Eine Bibliographie. Mainz 1992.*

Ballade [italien. ballata, provenzal. balada »Tanzlied«], **1)** *Literatur:* In den roman. Literaturen des MA. bezeichnet B. zunächst stroph. Tanzlieder provenzal. Herkunft mit Kehrreim. Weiterhin heißt B. die strenge Kunstform, die in Frankreich (u. a. bei Eustache Deschamps, Charles d'Orléans, F. Villon) im 14. und 15. Jh. zur Blüte gelangte: 3–5 acht- oder zehnzeilige Strophen, auf die ein vierzeiliges Geleit (»envoi«) folgen kann; im ganzen Gedicht werden nur drei Reime verwendet; alle Strophen wie auch das Geleit schließen mit der gleichen Zeile (Refrain).

Der Name B. wurde im 18. Jh. in England auf die alten erzählenden engl. Volkslieder übertragen, die von A. Ramsay und T. Percy gesammelt wurden. Hiernach wurde er auch als Bez. für entsprechende Lieder (handlungsreich, oft dramatisch zugespitzt) bei anderen german. Völkern übernommen.

Die Blütezeit der **dt. Volks-B.** liegt zw. 1250 und 1450. Die B. der german. Völker haben episches Gepräge. Mit dem 16. Jh. kommen andere Erzähllieder in Umlauf (Zeitungslied, Bänkelsang, Schauer-B.). Auch die slaw. Völker haben reiche Volksballadendichtung. Die span. Volks-B. ist die → Romanze.

Die englisch-schott. Geister-B. regten um 1770 eine dt. **Kunstballadendichtung** an (L. Hölty, G. A. Bürger), die sich schon im Sturm und Drang reich entwickelte (Goethe, F. L. Stolberg). Ihre düstere Atmosphäre hellt sich vorübergehend in der Ideen-B. (Schiller) und der histor. B. (L. Uhland) auf. Im weiteren 19. Jh. und Anfang des 20. Jh. entstand noch eine reiche Kunstballadendichtung mit romantisch-»balladeskem« Charakter: geheimnisvoll, unheimlich, auch heldisch-großartig und abenteuerlich (E. Mörike, A. Droste-Hülshoff, T. Fontane, C. F. Meyer, B. von Münchhausen, A. Miegel, R. A. Schröder, E. Lasker-Schüler). Engl. Dichter von Kunst-B. sind W. Wordsworth, S. T. Coleridge; bes. bekannt wurde die »B. vom Zuchthaus zu Reading« von O. Wilde (1898). In der neueren Entwicklung greift die B. auf die zur Bänkelsänger-B. **(Moritat)** gewordene Volks-B. zurück; sie wird satirisch, ironisch, grotesk bis hin zur Kabarett-B. (F. Wedekind, J. Ringelnatz, K. Tucholsky). B. Brecht knüpfte an die frech-zyn. B. von F. Villon an. In neuerer Zeit schufen B., deren Charakter vom schlichten Erzählgedicht bis zur Satire reicht, G. Britting, G. von der Vring, E. Kästner, C. Zuckmayer, P. Rühmkorf, C. Reinig, J. Bobrowski, H. Piontek, G. Grass. – In Amerika wird die Volksballadendichtung (zur Gitarrenbegleitung gesungen) als **Folksong** mit politisch-agitator. Einschlag gepflegt.

📖 MORGAN, G. A.: *Medieval balladry and the courtly tradition. New York u. a. 1993.* – WEISSERT, G.: *B. Stuttgart u. a. ²1993.*

2) *Musik:* In der einstimmigen Musik des MA. ist B. ein stroph. Tanzlied mit Kehrreim. Daraus entwickelte sich in der Kunstmusik des 14. Jh. die mehrstimmige frz. B. für eine Singstimme mit 1–3 Instrumentalstimmen (Hauptmeister: G. de Machaut). Die gleichzeitige mehrstimmige italien. Ballata ähnelt mehr dem frz. → Virelai. Erst seit dem 18. Jh. bedeutet B. die Komposition der erzählenden Gedichte für Solostimme mit Klavier- oder

Orchesterbegleitung. Gegen Ende des 18. Jh. vertonten J. André, J. F. Reichardt, J. R. Zumsteeg und C. F. Zelter Balladen von G. A. Bürger, Schiller und Goethe; F. Schubert und C. Loewe führten die Klavier-B. zu einem ersten künstler. Höhepunkt. Ihnen folgten R. Schumann, der die Chor-B. schuf, J. Brahms und H. Wolf. – Aus der Vokalmusik hat F. Chopin die B. in die Instrumentalmusik (Klavier-B.) eingeführt.

Ballett: »Jeu de cartes« nach Igor Strawinsky in einer Aufführung des Stuttgarter Balletts, choreographiert von John Cranko

Ballad-Opera ['bæləd 'ɔpərə] *die,* engl. Singspiel mit komischem und parodist. Text, dem volkstüml. Weisen und bekannte Opernmelodien zugrunde liegen, v. a. in der 1. Hälfte des 18. Jh. beliebt. Bekannt wurde bes. »The Beggar's Opera« (1728, dt. »Bettleroper«) von J. Gay, Musik von J. C. Pepusch, eine Parodie auf die italien. Barockoper.

Balladur [bala'dy:r], Édouard, frz. Politiker, *Smyrna (heute İzmir, Türkei) 2. 5. 1929; Gaullist, war 1986–88 Wirtschafts- und Finanzmin. in der Regierung Chirac; nach der Wahlniederlage der Sozialisten (1993) Premiermin. (bis 1995) unter dem sozialist. Staatspräs. F. Mitterrand.

Ballarat ['bælərӕt], Stadt in Victoria, Australien, 75 000 Ew.; Landwirtschafts- und Ind.zentrum, u. a. Maschinenbau, chem. Industrie.

Ballast, Totgewichte (Wasser, Sand, Gusseisen) zur Beeinflussung von Stabilität und Tiefgang bei Schiffen, des Auftriebs bei Freiballons.

Ballaststoffe, unverdaul., jedoch die Darmtätigkeit fördernde pflanzl. Nahrungsbestandteile.

Ballei *die,* bei den Ritterorden ein Verwaltungsbezirk unter einem **Ballivus** (→Bailli), umfasst mehrere Priorate (Komtureien, Kommenden).

Ballen, 1) Masseneinheit für Baumwolle; je nach Ursprungsland 75 bis 250 kg.

2) Zählmaß (Papier 10 000 Bogen; Tuch 10 oder 12 Stück; Leder 120 Stück).

Ballenblume, *Architektur:* knospenartige Hohlkehlenverzierung, bes. in der engl. Gotik.

Ballenstedt, Stadt im Kr. Quedlinburg, Sa.-Anh., am nördl. Unterharz, 7 500 Ew.; Betriebe der Feinwerktechnik und des Messgerätebaus, Gummiwarenherstellung. – B. war Stammsitz der Askanier (Burg B.) und 1765–1863 Residenz der Herzöge von Anhalt-Bernburg.

Ballerina [italien.] *die,* Tänzerin. **Primaballerina,** erste Solotänzerin an einem Theater.

Édouard Balladur

Ballets Russes [balɛ'rys, frz.], von S. Diaghilew gegr. Ballettkompanie, die, aus Mitgliedern des Petersburger und Moskauer Hofballetts gebildet, 1909 in Paris erstmals auftrat; bestand bis 1929. Mit bed. Tänzern (T. Karsawina, A. Pawlowa, W. Nijinski), Choreographen (M. Fokin, L. Massine, G. Balanchine), Ausstattern (L. Bakst, H. Matisse, G. Rouault, A. Derain, P. Picasso) und Komponisten (I. Strawinsky, M. Ravel, C. Debussy) wurden die B. R. für das moderne Ballett wegweisend.

Ballett [italien. balletto, Diminutiv von ballo »Tanz«] *das,* von Musik begleiteter künstler. Bühnentanz, auch das Bühnenensemble, das diesen Tanz ausführt, und das aufgeführte Stück. Seinen Ursprung hat das B. an den italien. und frz. Fürstenhöfen der Renaissance, wo bei Festlichkeiten prunkvolle Aufzüge, allegor. Darstellungen und Maskenspiele mit Pantomime und Tanz dargeboten wurden. Die Blütezeit des B. begann unter Ludwig XIV. in Frankreich; 1661 wurde in Paris die erste Tanzakademie gegründet. Von der frz. Aufklärung beeinflusst, wandte sich J. G. Noverre gegen das erstarrte barocke Prunk-B. und verhalf einer auf natürl. Ausdruck gerichteten dramat. B.-Kunst (Handlungs-B.) zum Durchbruch. Seine endgültige Gestalt nahm das B. in der Romantik an. Der Spitzentanz und die verschiedensten nat. Charaktertänze ermöglichten eine Erweiterung der klass. B.-Technik. Einen neuen Höhepunkt er-

Ballett: Peter Tschaikowsky, »Schwanensee«, getanzt vom Royal Ballet, London

reichte das klass. B. im 19. Jh. in St. Petersburg, wo M. Petipa für das kaiserl. Marientheater P. Tschaikowskis »Dornröschen«, »Schwanensee«, »Der Nußknacker« u. a. choreographierte. Die russ. Tradition setzte sich am Bolschoi-Theater in Moskau fort. 1909 eröffnete S. Diaghilew in Paris die → Ballets Russes, die den Anstoß zu einem Aufschwung des B. in W-Europa und den USA gaben. Seit Anfang des 20. Jh. trat neben den klass. Tanz der Ausdruckstanz; wegweisend wirkten hier I. Duncan, R. von Laban, M. Wigman und K. Joos. In Form des amerikan. Moderndance (u. a. R. Saint Denis, T. Shawn, M. Graham) hat der Ausdruckstanz das moderne B. entscheidend geprägt. Neue große B.-Kompanien wurden von ehemaligen Mitgliedern der Ballets Russes geschaffen, so das engl. Royal Ballet (Vorbild u. a. für das B. in Stuttgart unter J. Cranko und M. Haydée) von N. de Valois, das New York City Ballet von G. Balanchine (zus. mit M. Graham Vorbild aller jüngeren amerikan. Choreographen), das B. der Pariser Oper unter S. Lifar. Von den vielfältigen B.-Typen und ihren Vertretern in neuerer Zeit sind v. a. hervorzuheben: das Handlungs-B. (J. Neumeier), die Ballettoper (F. Ashton, L. Massine), das durchchoreographierte Musical (J. Robbins), das B.-Theater (M. Béjart), das konzertante B. (G. Balanchine, H. van Manen) und das Tanztheater (P. Bausch).

📖 LIECHTENHAN, R.: *Ballettgeschichte im Überblick für Tänzer u. ihr Publikum. Wilhelmshaven 1990.* – REGITZ, H. *u. a.: Reclams Ballettführer. Stuttgart* [11]*1992.* – *Vom Tanz zum B. Gesch. u. Grundbegriffe des Bühnentanzes, bearb. v.* R. LIECHTENHAN. *Stuttgart u. a.* [2]*1993.*

Ballhaus, urspr. ein Gebäude für das »Jeu de paume«, den Vorläufer des Tennisspieles seit etwa 1450 in Frankreich; später, als Ballspiele aus der Mode kamen, Stätte für große Festlichkeiten.

Ballhausplatz, Platz in Wien, ben. nach dem 1740–1880 hier befindl. Hofballhaus. Am B. steht der Barockbau (1717–19 von L. von Hildebrandt) des österr. Bundeskanzleramts mit dem Ministerium für Auswärtige Angelegenheiten.

Ballhorn, Johann, → Balhorn.

Ballin, Albert, Reeder, *Hamburg 15. 8. 1857, †(Freitod) ebd. 9. 11. 1918; machte die HAPAG zu einer der größten Reedereien. B. engagierte sich für die Zusammenarbeit mit Großbritannien.

Balliste [zu Ballistik] *die,* im Altertum Wurfgeschütz zum Schleudern von Steinen.

Ballistik [zu grch. bállein »werfen«] *die,* Lehre von der Bewegung geworfener, geschossener oder durch Rückstoß angetriebener Körper, i. e. S. die Lehre von der Geschossbewegung. (→ Flugbahn, → Wurf)

ballistisches Pendel, Stoßpendel zur Bestimmung der Geschwindigkeit von Geschossen.

Ballon [baˈlɔŋ, baˈlɔ̃, auch baˈloːn] *der,* **1)** *Chemie:* bauchiger Glasbehälter mit kurzem, engem Hals.

2) *Luftfahrt:* Luftfahrzeug, das durch den stat. Auftrieb eines Füllgases von geringerer Dichte als Luft (Stadtgas, Wasserstoff, Helium, Heißluft) getragen wird. (→ Fesselballon, → Freiballon)

Ballon 2): Mit Helium gefüllter Freiballon kurz nach dem Start

Ballonastronomie [baˈlɔŋ-], Zweig der Astronomie. Höhenballons bis 100 m Ø bringen Ballonteleskope und Messinstrumente in 30–45 km Höhe zur fotograf. und spektroskop. Beobachtung von Himmelskörpern ohne den störenden Einfluss der Atmosphäre.

Ballonreifen [baˈlɔŋ-], Luftreifen mit großem Luftvolumen, hoher Elastizität und geringem Luftdruck.

Ballonsatelliten [baˈlɔŋ-], in den Anfangsjahren der Raumfahrt Satelliten aus einer beim Start zusammengelegten dünnwandigen Hülle, die auf der Umlaufbahn durch chem. Gasentwicklung zu einem Ballon aufgeblasen wird.

Ballot [ˈbælət; engl., eigtl. »kleine Kugel« (zum Abstimmen)] *das,* im angloamerikan. Recht die geheime Abstimmung.

Ballotade [frz.] *die, Reitsport:* Figur der hohen Schule: Sprung mit angezogenen Beinen und rückwärts gerichteten Hufen.

Ballotage [-ˈtaːʒə; frz., zu Ballot] *die,* in Frankreich die Stichwahl.

Ballspiele, eine der ursprünglichsten Formen des Sports mit einem Ball. B. nach international festgelegten Regeln: Fußball, Basketball, Volleyball, Hockey, Wasserball, Tennis, Tischtennis, Hallenhandball, Badminton, Rollhockey, Eishockey, Kegeln, Billard, Rugby, Squash und Golf. Manche B. sind nur auf wenige Länder beschränkt oder volkstypisch: Feldhandball, Faustball (Mitteleuropa), Kricket (englischsprachige Länder), Baseball, Softball (bes. USA, Japan), Lacrosse, American Football (Nordamerika), Boule (Frankreich), Pelota (Baskenland, Spanien, Lateinamerika), Korbball (Dtl.), Korfball (Niederlande). – In den mesoamerikan. Kulturen war das B. ein wichtiger religiöser Kultakt. B.-Plätze gab es an vielen Kultstätten, bes. der klass. und nachklass. Periode der Maya, Zapoteken, Tolteken, Mixteken, Azteken.

📖 MENDNER, S.: *Das Ballspiel im Leben der Völker. Münster 1956.* – RAESFELD, L.: *Die Ballspielplätze in El Tajín, Mexiko. Münster u. a. 1992.*

Ballungsgebiet (Ballungsraum, städtische Agglomeration), Gebiet mit einer Konzentration von Bevölkerung und Produktionsstätten auf engem Raum. In Dtl. spricht man (nach G. Isenberg) von B., wenn mehr als eine halbe Million Menschen bei einer Wohndichte von rd. 1000 Ew. je km^2 auf zusammenhängender Fläche leben.

Balme, nischenartige Höhlung unter einem Felsüberhang, entsteht durch Herauswittern einer weicheren Schicht unter widerstandsfähiger Deckschicht (meist Kalk- oder Sandstein); in der Alt- und Mittelsteinzeit als Wohnstätte **(Abri)** benutzt.

Balmer, Johann Jakob, schweizer. Mathematiker, *Lausen (Kt. Basel-Landschaft) 1. 5. 1825, †Basel 12. 3. 1898; stellte 1884/85 erstmals eine Formel für die Spektrallinien des Wasserstoffs **(B.-Serie)** auf.

Balmoral Castle [bælˈmɔrəl kaːsl], Schloss in Schottland in den Grampian Mountains; Sommersitz des brit. Königshauses; erbaut 1853–56 an der Stelle eines älteren Schlosses.

Balmung, in der dt. Sage das Schwert, das Siegfried bei der Teilung des Nibelungenhortes gewann.

Balneologie [lat.-grch.] *die* (Bäderkunde), Lehre von den biolog. Wirkungen der Heilwässer, des Moorschlamms, des Schlicks, der Kreiden u. a. auf den Organismus einschl. der Heilquellenforschung.

Bal paré [frz.] *der,* besonders festlicher Ball.

Balsa [span.], **1)** *das,* äußerst leichtes Nutzholz des **B.-Baumes,** gelblich weiß bis blass rötlich braun; u. a. als Floßmaterial, Wärmedämmstoff, Stützmaterial in Sandwichbauweise, für Modellflugzeugbau verwendet.

2) *die,* in Lateinamerika Floß aus dem Holz des südamerikan. B.-Baumes; i. w. S. auch Boot aus anderen Materialien, z. B. aus Binsenrollen (u. a. W-Küste Südamerikas, Titicacasee, Osterinsel).

Balsambaumgewächse (Burseraceae), trop. Pflanzenfamilie mit 600 Arten in 20 Gatt., stark harzhaltige Bäume oder Sträucher mit Sprossdornen; liefern u. a. Myrrhe und Weihrauch.

Balsame [hebr.], dickflüssige Säfte aus den Rinden bestimmter Bäume, die u. a. Lösungen von festen Holzbestandteilen in äther. Ölen sind; erhärten allmählich an Luft; Verwendung in der Medizin, Parfümerie und Mikroskopiertechnik. (→Einbalsamierung)

Balsamine *die,* die Pflanzengatt. →Springkraut.

Balsamo, Giuseppe, italien. Abenteurer, →Cagliostro.

Ewald Balser

Balser, Ewald, Bühnen- und Filmschauspieler, *Elberfeld (heute zu Wuppertal) 5. 10. 1898, †Wien 17. 4. 1978; seit 1925 (seit 1945 ständig) am Wiener Burgtheater; Charakterrollen in vielen Filmen (»Rembrandt«, 1942; »Eroica«, 1949; »Sauerbruch – Das war mein Leben«, 1953).

Balta *die,* vogelreiches Sumpfgebiet an der unteren Donau.

Balten, 1) die Gesamtbev. der balt. Staaten Litauen, Lettland und Estland.

2) i. e. S. die Angehörigen der balt. Sprach- und Kulturfamilie.

Ballspiele: Kultischer Ballspielplatz der Maya in Copán, Honduras. Länge des Spielfeldes etwa 26 m, Breite 7 m (um 775)

Baltendeutsch, die Sprache der Deutschbalten, urspr. Niederdeutsch (Westfälisch und Ostfälisch); seit Ende des 16. Jh. begann sich das Hochdeutsche durchzusetzen.

Baltendeutsche, →Deutschbalten.

Balthasar, Hans Urs von, schweizer. kath. Theologe, *Luzern 12. 8. 1905, †Basel 26. 6. 1988; Jesuit, Schriftsteller, zeigte an christl. Gestalten geistesgeschichtl. Strömungen im Christentum auf und suchte die Theologie in philosophisch-ästhet. Sicht einsehbar zu machen.

Werke: Karl Barth. Darstellung u. Deutung seiner Theologie (1951); Einsame Zwiesprache. Martin Buber u. das Christentum (1958); Herrlichkeit. Eine theolog. Ästhetik, 3 Bde. (1961–69).

📖 CAPOL, C.: *H. U. von B., Bibliographie 1925–1990. Einsiedeln u. a. 1990.* – GUERRIERO, E.: *H. U. von B. Eine Monographie. A. d. Italien. Einsiedeln u. a. 1993.*

Balthen, Königsgeschlecht der Westgoten, das mit Alarich I. (395–410) an die Spitze des Volkes trat und mit Amalarich 531 erlosch.

Balthus [bal'tys], eigtl. Balthazar Klossowski de Rola, frz. Maler, *Paris 29. 2. 1908; begann als Autodidakt, stand in den 1930er-Jahren dem Surrealismus nahe; bed. Einzelgänger der figürl. Malerei im 20. Jh. (Bilder junger Mädchen von hintergründiger Erotik und geheimnisvoller Poesie). B. entwarf auch Bühnenbilder und Illustrationen.

David Baltimore

Bălţi ['baltsi] (1990–94 Belz, russ. Belzy), Stadt im N-Moldawien, 165 000 Ew.; Elektro- und Nahrungsmittelindustrie.

Baltikum *das,* früher die balt. Prov. Russlands (Estland, Livland, Kurland), später die balt. Staaten Estland und Lettland, i. w. S. auch einschl. Litauen.

Baltimore ['bɔ:ltɪmɔ:], Stadt in Maryland, USA, an der Chesapeakebai des Atlantiks, 736 000 Ew.; bed. Kulturzentrum, zwei Univ., Museen; Schiffbau und -reparatur, Maschinenfabriken, Stahlerzeugung, Konserven-, chem. Ind.; einer der größten Seehäfen der USA; internat. Flughafen. – B. wurde 1729 gegründet und nach Lord B., dem Gründer der Kolonie Maryland, benannt.

Baltimore ['bɔ:ltɪmɔ:], David, amerikan. Mikrobiologe, *New York 7. 3. 1938; Prof. am Krebsforschungszentrum des Massachusetts Institute of Technology in Cambridge (Mass.); erhielt 1975 mit H. Temin und R. Dulbecco für Arbeiten über Krebs erregende Viren den Nobelpreis für Medizin/Physiologie.

Baltischer Landrücken (Baltische Seenplatte), die hügelige, seenreiche Moränenlandschaft an der Südküste der Ostsee, ein Aufschüttungsgebiet der letzten Eiszeit; durch Weichsel, Oder und Trave in den Masurischen, Pommerschen, Mecklenburgischen und Holsteinischen Landrücken unterteilt.

Baltischer Rat, im Mai 1990 wieder gegr. gemeinsames Gremium der balt. Rep. Estland, Lettland und Litauen zur polit. und wirtsch. Zusammenarbeit, die zunächst v. a. auf die Durchsetzung der Unabhängigkeit gerichtet war (im Aug. 1991 erreicht). Als Vorläufer bestand bereits 1934–40 die **Balt. Entente,** die nach der Annexion des Baltikums durch die Sowjetunion aufgelöst wurde.

Baltischer Schild, präkambr. Festlandskern, der S-Norwegen, Schweden, Finnland und die Halbinsel Kola umfasst und überwiegend aus metamorphen Gesteinen besteht.

Baltisches Meer, die → Ostsee.

baltische Sprachen, indogerman. Sprachgruppe, umfasst die litauische, die lett. und die im 17. Jh. ausgestorbene altpreuß. Sprache, außerdem die nur aus Eigennamen bekannten Dialekte **Selisch** und **Kurisch.**

Baltisk (dt. Pillau), Stadt im Gebiet Kaliningrad (Königsberg), Russland, 17 000 Ew.; auf der S-Spitze der Samlandküste, am **Pillauer Seetief** (Verbindung zw. Frischem Haff und der Ostsee) und am Ende des Königsberger Seekanals (42 km), Vorhafen von Königsberg, Flottenmuseum. – Schon 1550 befestigt, war B. eine wichtige Zollstelle; wurde 1680 brandenburg. Kriegshafen.

Honoré de Balzac: Auguste Rodin, »Honoré de Balzac« (1893–97; Paris, Musée Rodin)

Baltistan (Klein-Tibet), Hochgebirgslandschaft in Kaschmir, zw. Himalaja und Karakorum; Hauptort: Skardu.

Baltrum, eine der Ostfries. Inseln, zw. Norderney und Langeoog, 6,5 km², (1996) 540 Ew.; Nordseeheilbad; Zugangshäfen sind Neßmersiel und Norddeich.

Baltsa, Agnes, grch. Sängerin (Mezzosopran), *Leukas 19. 11. 1944; v. a. Mozart-, Rossini- und Strauss-Sängerin.

Baltschik (Balčik), Stadt an der bulgar. Schwarzmeerküste, nordöstlich von Warna, 25 000 Ew.; botan. Garten; Seebad; Hafen.

Baluba, Bantuvolk, → Luba.

Baluchistan [-tʃ-], Gebirgsland in Vorderasien, → Belutschistan.

Balunda, Bantuvolk, → Lunda.

Balustrade [frz.] *die,* Brüstung mit kleinen Säulen **(Balustern, Docken);** häufig in der Renaissance und im Barock.

Balve, Stadt im Märk. Kreis, NRW, im Hönnetal (Sauerland), 12 000 Ew.; chem. und Metallwarenind.; in den devon. Massenkalken der Umgebung Kalksteinbrüche und die in der letzten Eiszeit bewohnte **Balver Höhle**.

Balz, Paarungsvorspiel bei Vögeln, Reptilien, Amphibien, Fischen und Gliederfüßern. Es besteht aus Gesängen, Bewegungszeremonien, Flugspielen u.a., mit denen die Männchen um die Weibchen werben.

Balzac [bal'zak], Honoré de, frz. Schriftsteller, *Tours 20. 5. 1799, †Paris 18. 8. 1850; nach Bankrott als Verleger und Druckereiunternehmer in den Jahren 1825–27 bis kurz vor seinem Tod ständig in Schulden; arbeitete rastlos, lange unter dem Einfluss seiner mütterl. Geliebten Madame de Berny. B. errang seinen ersten literar. Erfolg 1829 mit dem Roman »Die Chouans ...«. Sein Hauptwerk ist die »Comédie humaine« (»Menschl. Komödie«; erschienen 1829–54), ein groß angelegter Zyklus, der mit mehr als 90 Romanen und Novellen nur etwa zwei Drittel des geplanten Umfangs erreichte. B. gilt damit als Begründer des »soziolog. Realismus«. Glänzende Milieuschilderungen und lebensechte Porträts trotz Typisierung (Motivierung durch Machtstreben). Zu den bekanntesten Erzählungen und Romanen des Zyklus gehören: »Das Chagrinleder« (1831), »Oberst Chabert« (1832), »Die Frau von 30 Jahren« (1831–34), »Der Landarzt« (2 Bde., 1833), »Eugénie Grandet« (1834), »Vater Goriot« (1835), »Glanz und Elend der Kurtisanen« (1839–47), »Tante Lisbeth« (1846), »Vetter Pons« (2 Bde., 1847); in der Nachfolge Rabelais' stehen: »Tolldreiste Geschichten« (3 Bde., 1832–37).

📖 *B. Leben u. Werk. Zeugnisse u. Aufsätze von Victor Hugo bis Georges Simenon, hg. v.* C. SCHMÖLDERS. *Neuausg. Zürich 1993.* – PICON, G.: *H. de B. A. d. Frz. Reinbek 34.–36. Tsd. 1994.*

Honoré de Balzac

»Glanz und Elend der Kurtisanen«

So hat Honoré de Balzac einen 1838–1847 in vier Teilen erschienenen Roman betitelt (französisch: »Splendeurs et misères des courtisanes«). In einem breit angelegten Querschnitt durch die zeitgenössische Gesellschaft wird die vernichtende Gewalt der Leidenschaft dargestellt. Der Titel wird heute in den verschiedensten Variationen zitiert, wenn man das Nebeneinander von großem Erfolg und Niedergang ansprechen will, zum Beispiel in Fügungen wie Glanz und Elend Hollywoods oder »Glanz und Elend des römischen Kaiserreiches«. Er ist auch Vorbild für Bertolt Brechts Szenenfolge »Furcht und Elend des Dritten Reiches« (uraufgeführt 1938). In dieser Aufreihung charakteristischer Situationsbilder veranschaulicht Brecht den unerträglichen und verabscheuungswürdigen Zwang, unter dem man in Deutschland während des nationalsozialistischen Regimes leben musste.

BAM, Abk. für →Baikal-Amur-Magistrale.

Bamakọ, Hptst. der Rep. Mali, am Niger, 894 000 Ew.; kath. Erzbischofssitz; Hochschulen, Nationalmuseum; bed. Ind.standort; Eisenbahn nach Dakar (Senegal), internat. Flughafen.

Bambạra (Banmana), Volk am oberen Niger in Mali (etwa 2,6 Mio. Menschen), der Mandingo-Songhai-Gruppe angehörend; bekannt durch seine Holzschnitzereien.

Bạmberg, **1)** Landkreis im RegBez. Oberfranken, Bayern, 1169 km², (1996) 137 000 Einwohner.

2) kreisfreie Stadt und Verw.sitz von 1), 262 m ü. M., an der Regnitz, 70 300 Ew.; Univ. (seit 1980); Erzbischofssitz; Staatsbibliothek, Staatsarchiv; Konzerthaus, Museen; elektrochem., Textil- und Bekleidungsind., Lederverarbeitung, Hafen am Rhein-Main-Donau-Großschifffahrtsweg. – In der Altstadt (UNESCO-Weltkulturerbe) u.a. →Bamberger Dom, Alte Hofhaltung mit Resten der Königspfalz, Neue Residenz, Altes Rathaus, roman. Basilika St. Jakob, Michaelskirche, Stephanskirche, Basilika St. Gangolf, Obere Pfarrkirche, ehem. Jesuitenkirche, Böttingerhaus. – B. wurde 902 als Burg der Babenberger erstmals erwähnt.

📖 *B. Ein Führer zur Kunstgesch. der Stadt ..., hg. v.* R. SUCKALE *u.a. Bamberg ²1990.* – WUSSMANN, W.: *B.-Lexikon. Bamberg 1995.*

Bamberg 2)
Stadtwappen

3) Erzbistum (seit 1817), hervorgegangen v.a. aus dem 1007 von Kaiser Heinrich II. gegründeten Bistum B., das im MA. ein polit. und geistiger Mittelpunkt des Reiches war. Das bischöfl. Territorium fiel 1803 an Bayern.

Bamberg 2): Das Alte Rathaus im Zentrum der Stadt, bestehend aus Rathaus, Brückenturm und dem Rottmeister-Häuslein

Bạmberger Dọm, ein Hauptdenkmal der spätroman. und frühgot. Kunst; über dem Grundriss des von Heinrich II. erbauten, durch Brand zerstörten Doms errichtet; doppelchörig, viertürmig, mit westl. Querschiff, 1237 geweiht. Die gleichzei-

Peter Bamm

tig entstandenen Bildwerke gehören zu den bedeutendsten des 13. Jh.: die Chorschrankenreliefs der Propheten und Apostel, die Standbilder der Maria, der Elisabeth Ecclesia und die Synagoge vom Fürstenportal, bes. aber das ritterlich-hoheitsvolle Denkmal des Bamberger Reiters. Bildwerke aus späterer Zeit sind das Grabmal Kaiser Heinrichs II. und seiner Gemahlin Kunigunde von T. Riemenschneider (1499–1513) und der Marienaltar von V. Stoß (1520–23).

🕮 WINTERFELD, D. VON: *Der Dom in Bamberg, 2 Bde. Berlin 1979. – Der B. D. Text v.* W. STEINERT. *Aufnahmen v.* I. LIMMER. *Königstein/Ts. 1991.*

Bamberger Dom: Bamberger Reiter (vor 1237)

Bambergische Halsgerichtsordnung (Bambergensis), die 1507 von Johann Freiherr von Schwarzenberg verfasste, 1516 von den Markgrafen von Brandenburg in ihren fränk. Besitzungen eingeführte Strafgerichtsordnung; Vorbild der → Carolina.

Bambi, 1) ein Rehkitz, Trickfigur von W. Disney; nach einem Roman von F. Salten.

2) jährl. Filmpreis der Ztschr. »Bild und Funk«.

Bambocciade [-'tʃa:də, italien.] *die,* in Italien aufgekommene Bez. für Bilder aus dem Volks- und Bauernleben, so benannt nach dem Spottnamen **Bamboccio** (»Knirps«) des holländ. Malers Pieter van Laer (*1599, †1642).

Bambus [malaiisch] *der* (Bambusa), Grasgattung, in wärmeren Gebieten heimisch; ausdauernd, mit hohlen, knotigen Stängeln und rispig stehenden Blütenähren. Der röhrenförmige, gekammerte, sehr harte Stamm **(B.-Rohr)** kann bis 40 m hoch sein. Die Jungtriebe dienen als Gemüse. Kieselsäureausscheidungen aus den Höhlungen der Stängelglieder sind im Orient Volksarznei **(B.-Zucker, Tabaschir).** B. dient als Bauholz und zur Herstellung von Möbeln, Stöcken, Matten.

Bambusbär, der Große → Panda; → Kleinbären.

Bamm, Peter, eigtl. Curt Emmrich, Schriftsteller, *Hochneukirch (heute zu Jüchen, Kr. Neuss) 20. 10. 1897, †Zollikon 30. 3. 1975; war Arzt in Berlin, schrieb Essays, Reiseberichte, histor. Werke, Erinnerungen aus dem 2. Weltkrieg (»Die unsichtbare Flagge«, 1953).

Bamum, Volk im Kameruner Grasland, etwa 100 000 Menschen. Die B. hatten, bes. unter Sultan Njoya um 1900, eine hoch entwickelte höf. Kultur (Holzschnitzerei, Bildguss, B.-Schrift).

Ban [slaw.] *der* (Banus), **1)** urspr. der höchste Würdenträger nach den kroat. Fürsten; außerdem Bez. für die Befehlshaber in den östl. ungar. Grenzmarken (→ Banat) sowie im 12. und 13. Jh. die der bosn. Herrscher.

2) das Haupt der kroatisch-slawon. Landesregierung (bis 1918).

Banach-Raum [nach dem poln. Mathematiker S. Banach, *1892, †1945], v. a. in der Funktionalanalysis gebrauchter Begriff für einen vollständig normierten linearen Raum; B.-R. sind Verallgemeinerungen des *n*-dimensionalen → Vektorraumes.

Banane [afrikan.] (Musa), Gattung der Bananengewächse (rd. 100 Arten; einkeimblättrige Pflanzen). Der aus den Blattscheiden gebildete hohle Scheinstamm und der Strauß mächtiger Blattspreiten sind palmenähnlich. Der endständige Blütenstand ist eine überhängende, oft bunt beblätterte Traube, deren Früchte in längsfaseriger Schale musartiges stärke- und/oder zuckerreiches Fleisch enthalten. **Obst-B.** (**Adams-, Pisang-** oder **Paradiesfeige,** Musa paradisiaca sapientum) werden u. a. aus Guatemala, Honduras, Kolumbien, Ecuador und Kamerun ausgeführt. **Mehl-, Gemüse-** oder **Pferde-B.** (Musa paradisiaca normalis) werden bes. in Afrika gezogen und gegessen. Die Blattscheidenfasern von indones. Arten (**Abaka, Faserbananen,** Musa textilis) verarbeitet man als Manilafaser zu Tauen, Netzen und groben Garnen. Zur Vermehrung dienen Wurzelschösslinge und Wurzelstockteile.

Bananenfresser, trop. Waldvögel, → Turakos.

Bananenstecker, einpoliger Steckverbinder mit federnden Kontaktflächen.

Banat *das,* histor. Landschaft zw. Theiß, Donau, Maros und den Südkarpaten; größte Stadt ist Temesvar; im fruchtbaren Tiefland Weizen-, Mais-, Tabakanbau, Weinbau und Viehzucht; im **Banater Gebirge** (bis 1445 m hoch) Kohlen- und Erzbergbau.

Geschichte: B. hießen im MA. mehrere südungar. Grenzmarken, die einem → Ban unterstanden. Seit

1718 war der Name auf das **Temescher B.** beschränkt. Diese Landschaft, seit 1028 zum Königreich Ungarn gehörig, unter der Türkenherrschaft im 16./17. Jh. verödet, fiel 1718 an Österreich; sie wurde großenteils mit Deutschen (→Banater Schwaben) neu besiedelt und 1779 mit Ungarn vereinigt, südl. und östl. Teile gehörten weiter zur 1742 eingerichteten **Banater Militärgrenze** (bis 1872). Durch die Verträge von Trianon und Sèvres (1920) wurde das B. zw. Rumänien (der Hauptteil, das Nord- und Ost-B. um Temesvar), Jugoslawien (ein kleinerer Teil im W und S; O-Teil der Wojwodina) und Ungarn (um Szeged) geteilt.

Banater Schwaben, vorwiegend süd-, südwest- und südostdt. Siedler, die v.a. 1722–26, 1763–70 und 1782–87 in das Banat kamen. Die B. S. wurden 1944/45 z.T. vertrieben; 1989/90 setzte eine verstärkte Rückwanderung nach Dtl. ein.

Banca d'Italia, Rom, die italien. Notenbank, gegr. 1893; alleiniges Recht auf Notenausgabe seit 1926.

Banchieri [baŋ'kjɛ:ri], Adriano, italien. Komponist, Organist und Musiktheoretiker, *Bologna 3. 9. 1568, †ebd. 1634. Seine Kompositionen (u.a. »Concerti ecclesiastici«, 1595; Messen, Motetten, Madrigale) sind frühe Beispiele der Generalbasspraxis.

Bancroft ['bænkrɔft], George, amerikan. Historiker, *Worcester (Mass.) 3. 10. 1800, †Washington 17. 1. 1891; idealisiert in seinen histor. Werken, bes. »The history of the United States« (10 Bde., 1834–75), die amerikan. Geschichte als eine Illustration der Freiheit.

Banane: Bananenstaude mit heranreifenden Früchten und männlicher Blüte

Band [bænd, engl.] *die,* im Jazz und in der Unterhaltungsmusik Bez. für ein kleineres Ensemble im Unterschied zur →Bigband.

Band [ahd.], **1)** *Nachrichtentechnik:* →Frequenzband.

2) →Magnetband, →Videoband.

3) kurz für Fließ-B.; **Förder-B.,** →Fördermittel.

4) gesimsartige Stufe in Fels, Geröll, Schnee, Eis.

5) (Ligament) bindegewebige Verbindung gegeneinander bewegl. Teile des Körpers.

Banda, Hastings Kamuzu, malaw. Politiker, *im Distrikt Kasungu 14. 5. 1906, †Johannesburg 25. 11. 1997; Arzt, ab 1960 Leiter der Malawi Congress Party (MCP); ab 1966 Staatschef (ab 1971 auf Lebenszeit); führte das Einparteiensystem ein; unterlag 1994 bei den ersten freien Wahlen und trat zurück.

Bandai, bis 1819 m hohe aktive Vulkangruppe im nördl. Honshu, Japan; im B.-Asahi-Nationalpark (1997 km²), mit Thermalquellen.

Bandama, längster Fluss der Rep. Elfenbeinküste, 950 km lang, mündet bei Grand Lahou in den Atlantik; im Weißen B. (linker Quellfluss) der **Kossou-Stausee** (180 km lang, Kraftwerk); weiteres Kraftwerk am Unterlauf.

Bandar [pers. bæn'dær] (Bender), pers. für Hafen.

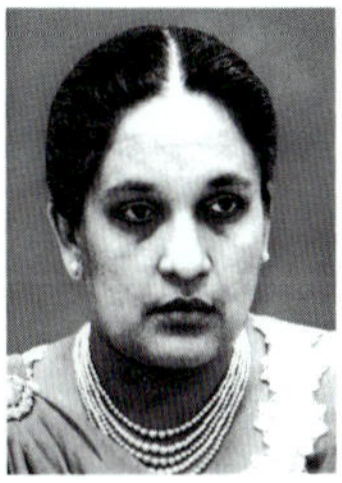

Sirimawo Bandaranaike

Bandaranaike, Sirimawo, Politikerin in Sri Lanka, *Balangoda (bei Ratnapura) 17. 4. 1916; übernahm anstelle ihres 1959 ermordeten Mannes Salomon B. (*1899, MinPräs. ab 1956) die Führung der sozialist. Sri-Lanka-Freiheitspartei; 1960–65 und 1970–77 MinPräs., Außen- und Verteidigungsministerin; wurde 1994 erneut Reg.chefin.

Bandar Seri Begawan (bis 1970 Brunei), Hptst. des Sultanats Brunei, 46 000 Ew.; Hafen; in der Altstadt Pfahlbauten, moderne Regierungs- und Geschäftsgebäude, prächtiger Sultanspalast (1985).

Bandasee, Teil des Australasiat. Mittelmeers zw. Celebes, Buru, Ceram, Aru- und Tanimbarinseln, Timor und Flores, 742 000 km²; südlich von Ceram liegen die vulkan. **Bandainseln** (180 km²).

Bandbreite, 1) *Datenverarbeitung:* Frequenzbereich (Datenmenge), der über eine Kommunikationsleitung übermittelt werden kann.

2) *Nachrichtentechnik:* die Differenz zw. der oberen und unteren →Grenzfrequenz eines Schwingkreises, Filters, Empfängers, Verstärkers.

3) *Währungspolitik:* in einem System fester Wechselkurse Spanne, innerhalb der der Wechselkurs um die festgelegte Parität schwanken darf, ohne dass die Notenbank kursregulierend eingreifen muss.

Bande [frz. »Schar«, zu got. bandwa »Fahne«], urspr. die »unter einer Fahne gesammelte Schar« (Fähnlein), später Söldnerhaufen, Freischärlertruppe; heute Zusammenschluss von zwei und mehr Personen zur Begehung von im Einzelnen noch nicht festgelegten Straftaten; die bandenmäßige Ausführung von Straftaten wirkt strafschärfend.

Bande, *Physik:* eine Vielzahl eng benachbarter Spektrallinien, die zur sog. Bandenkante hin zusammengedrängt sind.

Ernst von Bandel: Hermannsdenkmal auf der Grotenburg im Teutoburger Wald (Höhe der Figur 26,57 m, Höhe des Sockels 30,70 m; 1838–75)

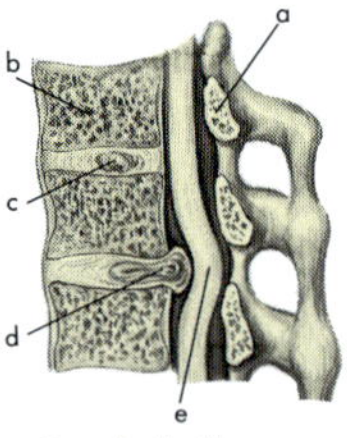

Bandscheibe: Normale Bandscheibe (oben) und Bandscheibenvorfall (unten); a Wirbelbogen (durchtrennt), b Wirbelkörper, c Kern der Bandscheibe, d Vorfall, e verdrängtes Rückenmark

Bandel, Ernst von, Bildhauer, *Ansbach 17. 5. 1800, †Neudeck (heute zu Donauwörth) 25. 9. 1876; schuf das Hermannsdenkmal im Teutoburger Wald.

Bandelier [frz.] *das, Militärwesen:* breiter Schulterriemen, an dem z. B. Pulverflasche und Kugelbeutel befestigt wurden.

Bandello, Matteo, italien. Dichter, *Castelnuovo (Piemont) um 1485, †Agen (Frankreich) um 1561; Dominikaner, 1550–55 Bischof von Agen. Seine 1554–73 (4 Tle.) erschienene Sammlung »Novellen« mit 214 Erzählungen bot Anregungen, die von Shakespeare (»Romeo und Julia«), Lope de Vega, später von G. D'Annunzio aufgegriffen und fortgebildet wurden.

Bandelwerk (Bandlwerk), dt. Abart des frz. Bandornaments, z. T. mit Ranken als Flächenfüllung (um 1700).

Banderilla [-'rilja, span.] *die,* geschmückter Speer mit Widerhaken, den der **Banderillero** bei Stiergefechten dem Stier ins Genick setzt.

Bändermodell, *Physik:* das →Energiebändermodell der Festkörper.

Banderole [italien.-frz.] *die,* Streifband als Zeichen der Versteuerung. Die **B.-Steuer** ist eine auf verpackte Konsumgüter (z. B. Tabakwaren) erhobene Verbrauchssteuer. Steuerschuldner ist der Hersteller.

Bänderung, *Geologie:* Wechsel von verschieden gefärbten oder stofflich unterschiedl. Lagen in Gesteinen, z. B. Bänderton.

Bänderzerrung, *Medizin:* →Verstauchung.

Bandfilter, zur Kopplung von Hochfrequenz- oder Zwischenfrequenzverstärkerstufen in Rundfunkempfängern verwendetes Filter, überträgt ein schmales Frequenzband und unterdrückt mit scharfem Übergang alle außerhalb liegenden Frequenzen.

Bandflechte (Evernia), Gattung lappig krauser Flechten auf Baumrinde.

Bandförderer (Gurtförderer), →Fördermittel.

Bandgenerator (Van-de-Graaff-Generator), von dem amerikan. Physiker R. J. van de Graaff (*1901, †1967) entwickeltes Gerät zur Erzeugung hoher Gleichspannungen (bis mehrere Mio. Volt) durch Ladungstrennung an einem endlosen Band aus Isoliermaterial; dient als Teilchenbeschleuniger.

Bandikuts (Beuteldachse, Nasenbeutler, Peramelidae), Beuteltierfamilie in Australien, Tasmanien und auf benachbarten Inseln; Allesfresser mit verlängerten Hinterbeinen und känguruartigen Bewegungen.

Bandit [italien., eigtl. »Geächteter«] *der,* Verbrecher, (Straßen-)Räuber; in Italien urspr. ein mit dem Bann Geächteter, der daher im Kriminellen sein Auskommen suchte.

bandkeramische Kultur (Bandkeramik), älteste frühneolith. Kultur Mitteleuropas (5.–4. Jt. v. Chr.), benannt nach der bandartigen Verzierung ihrer Tongefäße; Kerngebiete: Niederösterreich, Mähren, Böhmen, Süd-Dtl.; u. a. teilweise befestigte Dörfer, Hockerbestattungen in Gräberfeldern. Der ältere Abschnitt der b. K. wird als **Linien-** oder **Linearbandkeramik,** der jüngere Abschnitt als **Stichbandkeramik** bezeichnet.

bandkeramische Kultur: Gefäße aus der jüngeren Bandkeramik aus Rheintürkheim (oben) und Worms

Bandleader ['bændlı:də, engl.] *der,* Leiter einer →Band.

Bandlücken, *Physik:* die verbotenen Zonen im →Energiebändermodell der Festkörper.

Bandol [bã'dɔl], Jan, niederländ. Maler aus Brügge, seit 1368 Hofmaler Karls V. von Frankreich, entwarf die Bildteppiche der Apokalypse von →Angers.

Bandoneon [nach dem Erfinder H. Band, *1821, †1860] *das,* ein um 1846 gebautes Harmonikainstrument.

Bandornament (Bandwerk), eine der Grundformen ornamentaler Gestaltung seit vorgeschichtl. Zeit (z. B. in der bandkeram. Kultur), in der Antike der Mäander.

Bandpass, ein elektr. Filter, das nur Schwingungen innerhalb eines bestimmten Frequenzbandes durchlässt, alle anderen Bereiche sind dagegen gesperrt; Ggs.: →Bandsperre.

Bandscheibe (Zwischenwirbelscheibe), bei Mensch und Wirbeltieren zw. je zwei benachbarten Wirbeln liegende Scheibe, die aus äußerem Faserknorpelring und innerem Gallertkern besteht und als elast. Puffer und Druckverteiler wirkt. Bei Verlagerung der B. **(B.-Vorfall, B.-Prolaps)** drückt der Gallertkern den unelastisch gewordenen Faserknorpel zw. den Wirbelkörpern vor oder quillt selbst durch die Spalten des B.-Gewebes. Der B.-Vorfall nach der Seite bewirkt durch Druck auf die austretenden Nervenwurzeln starke Schmerzen, z. B. bei →Hexenschuss oder →Ischias. Der B.-Vorfall nach hinten kann durch Schädigung des Rückenmarks zur Querschnittslähmung führen.

Behandlung: Massagen, Chirotherapie, Stützkorsett; chirurg. Maßnahmen.

Bandscheider, Förderband, das auf der Abwurfseite einen →Magnetscheider hat.

Bandsperre, ein elektr. Filter, das Schwingungen innerhalb eines bestimmten Frequenzbandes sperrt; in allen anderen Bereichen ist es durchlässig; Ggs.: →Bandpass.

Bandstadt, Stadtanlage, die sich bandartig entlang eines Transportweges (Straße, Schiene, Fluss) erstreckt.

Bandstahl, in Bandform dünn ausgewalzter Stahl.

Bandstruktur, Gesamtheit der mögl. Energiezustände von Elektronen in einem →Festkörper.

Bạndung, Provinz-Hptst. im Innern des westl. Java, Indonesien, auf dem (700 m hohen) Prianger Hochland, 1,5 Mio. Ew.; Techn. Univ., Forschungsinstitute; Nahrungsmittel-, Textil-, Rüstungsind.; Flughafen. – Das im 17. Jh. gegr. B. wurde ab 1810 von den Niederländern zum Erholungsort ausgebaut; 1942–45 von Japan besetzt.

Bạndungkonferenz, Konferenz von 29 unabhängigen afrikan. und asiat. Staaten, die vom 18. bis 24. 4. 1955 in Bandung stattfand. Die Teilnehmer formulierten als gemeinsame Ziele: Beendigung der Kolonialherrschaft in allen noch von europ. Staaten abhängigen Gebieten, Selbstbestimmungsrecht der Völker, Gleichwertigkeit der Rassen und Nationen, atomare Abrüstung und friedl. Zusammenarbeit. Die B., auf der bes. die MinPräs. J. Nehru (Indien) und Zhou Enlai (China) hervortraten, gilt als erster Versuch der nicht paktgebundenen (blockfreien) Staaten, das weltpolit. Gewicht der →Dritten Welt zu erhöhen.

Bandụra [grch.-russ.] *die,* ukrain. Sonderform der →Laute.

Bandụrria [grch.-span.] *die* (Bandola), kleines span. Zupfinstrument, mit Plektron gespielt.

Bandurria

Bandwürmer (Cestoda), Klasse der Plattwürmer mit Wirtswechsel; Schmarotzer des Menschen und der Wirbeltiere. Ihr 0,5–2 mm dicker Kopf **(Scolex)** hat Saugnäpfe und z. T. Haken. Der anschließende Halsteil bildet fortgesetzt neue Glieder **(Proglottiden),** wobei jedes Glied ein vollständiges zwittriges Geschlechtssystem (Hoden und Ovarien) ausbildet. Das ganze Band haftet mit dem Kopfteil an der inneren Darmwand des Hauptwirts, die Ernährung erfolgt durch die Haut. Die mit Eiern gefüllten abgelösten Glieder gehen mit dem Kot des Wirts ab. Mit Wasser, Pflanzenfutter u. a. gelangen die Eier in einen Zwischenwirt, in dessen Darm sich die Larven entwickeln. Die Larve durchbohrt die Darmwand, wandert in bestimmte Organe ein und wird dort zu einem blasigen Gebilde **(Blasenwurm, Finne),** in dem sich ein B.-Kopf entwickelt. Kommt finnendurchsetztes Fleisch in den Darm des Hauptwirts (z. B. des Menschen), so entsteht unter Ausstülpung und Verankerung des Kopfes der gegliederte Bandwurm. Die B. des Menschen sind (benannt nach ihren Zwischenwirten) v. a. der bis 4 m lange **Schweine-B.** (Taenịa solium) sowie die oft viel längeren Arten **Rinder-B.** (T. saginata) und **Fisch-B.** **(Grubenkopf,** Diphyllobothrium latum). Der nur 5 mm lange **Hunde-B.** (Echinococcus granulosus) kann ebenso wie der Schweine-B. (→Finnenkrankheiten) den Menschen auch als Zwischenwirt befallen. In Leber, Lunge und anderen Organen entsteht die Finne, in der sich eine Menge von Köpfen entwickelt **(Hülsenwurm).** – Der B. kann gesteigerten Appetit, Gewichtsverlust, Mattigkeit und Anämien verursachen. Den einzig wirksamen Schutz gegen B. bildet das Vermeiden des Genusses rohen oder halb rohen Schweine- und Rindfleisches sowie roher Fische.

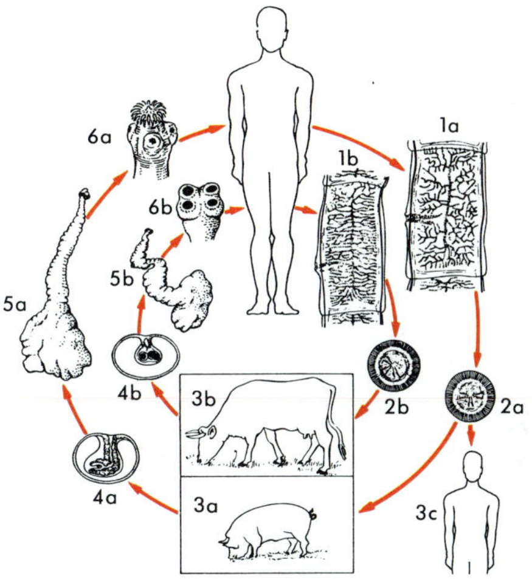

Bandwürmer: Entwicklungszyklus des Schweine- und Rinderbandwurms (Taenia solium und Taenia saginata): Eihaltiges Endglied von Taenia solium (a) und Taenia saginata (b); 2a und b freigesetzte Taenia-Eier mit Larve; 3a und b Finnenträger für Taenia sodium (Schwein) und Taenia saginata (Rind), 3c der Mensch als gelegentlicher Finnenträger für Taenia sodium; 4 infektiöse Finnen (a Cysticercus cellulosae, b Cysticercus bovis); 5a und b die gleichen Finnen mit ausgestülpter Haftorgananlage; 6 Haftorgane der Bandwürmer mit vier Saugnäpfen und Hakenkranz bei Taenia sodium (a) oder nur vier Saugnäpfen bei Taenia saginata (b)

Banẹ́r, Johan, schwed. Feldherr, *Djursholm (heute zu Stockholm) 23. 6. 1596, †Halberstadt 10. 5. 1641; hielt nach dem Tode Gustav Adolfs Schwedens militär. Stellung in Dtl., u. a. durch die Siege bei Wittstock 1636 und Chemnitz 1639.

Banff National Park ['bæmf 'næʃnl pa:k], ältester Nationalpark in den kanad. Rocky Mountains (gegr. 1885), Prov. Alberta, 6640 km², mit den Touristenzentren Banff (1380 m ü. M.; 4500 Ew.) und Lake Louise; auch Wintersportgebiet.

Herman Bang

Martin Bangemann

Bạng, Herman, dän. Schriftsteller, *auf Alsen 20. 4. 1857, † Ogden (Utah, USA) 29. 1. 1912; bedeutendster dän. Vertreter des literar. Impressionismus, schrieb Novellen und Romane (»Hoffnungslose Geschlechter«, 1880; »Michael«, 1904; »Die Vaterlandslosen«, 1906) sowie Erinnerungen, u. a. »Das graue Haus« (1901).

Bangalore ['bæŋgəlɔː, engl.], Hptst. des ind. Bundesstaates Karnataka, 3,3 Mio. Ew.; Univ., Indian Institute of Science, Nat. Juristenhochschule; Flugzeugwerke, elektrotechn. und Textilind., Eisenbahnwerkstätten. – B. entstand aus einer Siedlung um ein 1537 gegründetes Fort.

Bạngemann, Martin, Politiker (FDP), *Wanzleben 15. 11. 1934; Rechtsanwalt, 1972–80 und 1984–89 MdB, 1973–84 MdEP, 1974/75 Gen.-Sekr. der FDP, 1984–88 Bundeswirtschaftsmin., 1985–88 Vors. der FDP; war 1989–99 Mitgl. der EG-Kommission, 1989–95 einer ihrer Vizepräsidenten.

Bạnggaiinseln, Inselgruppe östlich von Celebes, Indonesien, 3164 km^2, Hauptinsel ist Peleng.

Bạngka (Banka), Insel östlich von Sumatra, Indonesien, 11942 km^2, etwa 400000 Ew.; Zinntagebau, Pfefferanbau.

Bạngkok (thailänd. Krung Thep), Hptst. von Thailand, am Menam oberhalb seiner Mündung; mit Thon Buri (am rechten Ufer) 5,9 Mio. Ew.,

Bangkok: Tempelanlage Wat Phra Keo mit der Goldenen Pagode (erbaut 1785)

Verwaltungs-, Kultur- (Kunstakademie, Nationalbibliothek), Wissenschafts- (zwei Univ., Pasteur-Inst.) und Wirtschaftszentrum Thailands; der Hafen wird von Seeschiffen angelaufen; internat. Flughafen. – Große Tempelanlagen (Wats), Regierungspaläste, buddhist. Klöster und Pagoden; absinkendes Stadtgebiet (um 10 cm pro Jahr). – Nach der Zerstörung von Ayutthaya (1767) wurde B. Hptst. der Könige von Siam.

📖 KRAAS, F.: *B. Probleme einer Megastadt in den Tropen Südostasiens. Köln 1995.* – WANG, X. H. *u.* WATE, J.: *B. München 1995.*

Bạng-Krankheit, eine → Brucellose.

Banglạdesh [-ʃ] (amtl. Bengali: Gana Prajatantri B., Volksrepublik B.), Staat in S-Asien; grenzt im S an den Golf von Bengalen, im W, N und O an Indien und im SO an Birma.

Staat und Recht: Nach der Verf.änderung von 1991 ist B. eine parlamentar. Rep.; Staatsoberhaupt ist der vom Parlament gewählte Präs.; er verfügt nur über repräsentative Vollmachten. Die Exekutive liegt bei der Reg. unter Vorsitz des Premiermin., der der Nat.versammlung (330 Abg., für fünf Jahre gewählt) als Legislative verantwortlich ist. – Wichtigste Parteien: Bangladesh Nationalist Party (BNP), Awami-Liga (AL), Jatiya Party (JP).

Landesnatur: B. nimmt den größeren östl. Teil des fruchtbaren Bengalen ein. Kernlandschaft ist das Deltagebiet von Ganges und Brahmaputra, in dem 70% der Bev. leben; den SO nimmt Hügelland ein. Das Klima ist mild (geringe jahreszeitl. Temperaturunterschiede); reichl. Niederschläge (3500–5000 mm jährlich, im W 1500 mm), bes. in der Monsunzeit. Das zeitl. Zusammentreffen von Monsunregen, Schneeschmelze im Gebirge und trop. Wirbelstürmen im Küstenbereich führt häufig zu Überschwemmungskatastrophen, die die Ernte vernichten und große Landflächen wegreißen. Ein verspätetes Einsetzen des Monsuns führt dagegen zu Dürreschäden.

Bevölkerung: Sie besteht hauptsächlich aus Bengalen; zu den Minderheiten zählen v. a. die 1–1,5 Mio. Bihari (1947 aus dem benachbarten ind. Bundesstaat ausgewandert) und Angehörige versch. Bergstämme in den Grenzgebieten gegen Birma. Mit 700 Ew./km^2 weist B. die größte Bev.dichte aller Flächenstaaten der Erde auf; jährl. Bev.zuwachs 2,8%; 14% der Bev. leben in Städten. – Es besteht keine allg. Schulpflicht (Analphabetenquote rd. 65%); es gibt 3 Univ. in Dhaka, je eine in Rajshahi, Mymensingh und Chittagong. – 87% der Bev. sind Muslime, 12% Hindus; Buddhisten und Christen bilden Minderheiten.

Wirtschaft, Verkehr: Das hohe Bev.wachstum, der Mangel an Bodenschätzen, die unterentwickelte Infrastruktur sowie häufige Naturkatastrophen sind die Haupthemmnisse für die wirtsch. Entwicklung. Haupterwerbszweig ist die Landwirtschaft (v. a. Subsistenzwirtschaft) mit einem Beitrag von etwa 35% zum Bruttoinlandsprodukt (BIP). Angebaut werden Reis (auf 73% der Anbaufläche), Weizen, Hülsen- und Ölfrüchte, Jute, Tabak, im Hügelland Tee. Bes. infolge der Überflu-

Bangladesh

Fläche: 143 998 km²
Einwohner: (1995) 120,43 Mio.
Hauptstadt: Dhaka
Verwaltungsgliederung: 64 Distrikte
Amtssprache: Bengali
Nationalfeiertage: 26. 3. und 16. 12.
Währung: 1 Taka (Tk.) = 100 Poisha (ps.)
Zeitzone: MEZ +5 Std.

tungen besteht eine hohe Importabhängigkeit bei Nahrungsmitteln. – Grundlage der Energiewirtschaft im NO-Teil des Landes sind die Erdgasvorkommen zw. Titas und Sylhet. – Die Ind. (fast 10 % des BIP) zeigt seit der Unabhängigkeit kaum Fortschritte (dominierend sind Nahrungsmittel- und Textilind.). Führende Ind.stadt ist Chittagong (Sonderwirtschaftszone) mit Stahlwerk, Erdölraffinerie, Schiffbau u. a. – Ausgeführt werden v. a. Textilwaren, Garnelen, Fisch, Häute und Felle sowie Tee; Haupthandelspartner sind die EU-Länder, USA, Japan, Singapur. – Hauptverkehrsträger sind die Binnenwasserstraßen (rd. 8 000 km), auf denen der größte Teil des Gütertransports abgewickelt wird; daneben gibt es rd. 7 900 km Straßen mit fester Decke und 2 750 km Eisenbahnstrecken. – Seehäfen haben Chittagong und Mongla (südl. Khulna am Rand der Sundarbans), internat. Flughäfen Dhaka und Chittagong.

Bangladesh: Seeufersiedlung am Rande der Chittagong Hills

Geschichte: Bei der Teilung Indiens (1947) kam der mehrheitlich von Muslimen bewohnte Teil Bengalens an Pakistan und bildete dessen östl. Staatshälfte. Eine von der Awami-Liga (gegr. 1949) unter Mujibur Rahman getragene Autonomiebewegung konnte mit militär. Hilfe Indiens 1971/72 in Ostpakistan den unabhängigen Staat B. errichten (am 26. 3. 1971 Proklamation der Rep., im Jan. 1972 Bildung der Reg., 1975 Einführung eines Präsidialregimes). Nach einem blutigen Militärputsch 1975, in dessen Verlauf Staatspräs. Mujibur Rahman ermordet wurde, und inneren Machtkämpfen 1975/76 leitete General Zia ur-Rahman (seit 1977 Staatspräs.) den Übergang zu einer zivilen Regierung ein (1979 Wahlsieg der neu gegr. Bangladesh Nationalist Party). 1981 wurde Zia ur-Rahman bei einem fehlgeschlagenen Putsch ermordet. 1982 ergriff das Militär erneut die Macht und verhängte das Kriegsrecht (bis 1986); der Kriegsrechtsadministrator General Hussain Mohammad Ershad ernannte sich 1983 zum Staatspräs. (1986 durch Wahlen bestätigt, 1986 und 1988 Wahlsieg der von ihm geführten Jatiya Party). 1988 wurde der Islam zur Staatsreligion erhoben. Nach Unruhen gegen sein Regime musste Präs. Ershad im Dez. 1990 zurücktreten. Nach den Parlamentswahlen vom Febr. 1991, bei denen die BNP stärkste Partei geworden war, übernahm deren Vorsitzende Khaleda Zia im März 1991 das Amt des MinPräs. Nach Einführung des parlamentar. Reg.systems (Sept. 1991) wählte das Parlament im Okt. 1991 Abdur Rahman Biwas zum Staatspräs. Mit Streiks und Demonstrationen sowie einem Boykott des Parlaments (seit 1994) suchten die Oppositionsparteien, v. a. die Awami-Liga und die JP, die Reg. Khaleda Zia zum Rücktritt zu zwingen. Nachdem sie darüber hinaus im Febr. 1996 die angesetzten Wahlen boykottiert hatten, trat Khaleda Zia im März 1996 zurück. Aus Neuwahlen gingen im Juni 1996 die Awami-Liga als Siegerin und ihre Vorsitzende Sheikh Hasina Wajed als MinPräs. hervor. Im Okt. 1996 wurde Shahabuddin Ahmad Staatspräs. Im Dez. 1997 schloss die Reg. mit der Untergrundbewegung der buddhist. Chakma (»Shanti Bahini«), die seit den 1970er-Jahren einen Guerillakampf in der Bergregion um Chittagong führte, einen Friedensvertrag.

Staatswappen

BD

Internationales Kfz-Kennzeichen

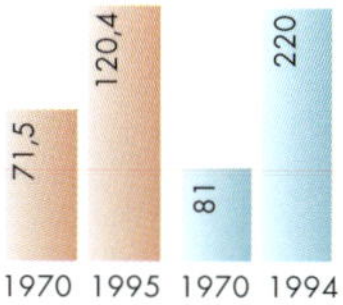

Bevölkerung (in Mio.)

Bruttosozialprodukt je Ew. (in US-$)

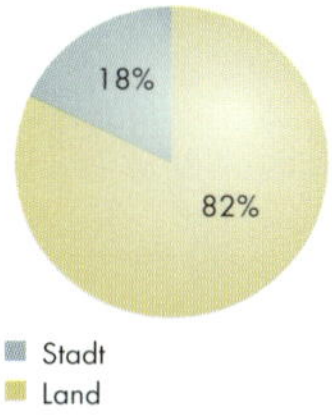

Bevölkerungsverteilung 1994

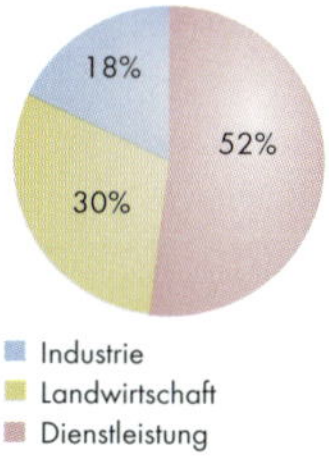

Bruttoinlandsprodukt 1994

📖 *B. Im Schatten der Macht, Beiträge v.* W. Böttcher *u. a., bearb. v.* W. Nebelung. *Aachen 1986.* – Rashid, H. E.: *Geography of B. Dhaka* [2]*1991. – B. Dritte Heidelberger Südasiengespräche, hg. v.* C. Conrad *u.* W.-P. Zingel. *Stuttgart 1994.*

Bangui [-ˈgi], Hptst. der Zentralafrikan. Rep., am Ubangi, 600 000 Ew.; Univ., Forschungsinstitute, Museum; Wirtschaftszentrum mit Industriebetrieben, Hafen und internat. Flughafen.

Bangweolosee, allmählich verlandendes, 5 m tiefes Süßwasserbecken in O-Sambia, vom Luapula (Nebenfluss des Lualaba, →Kongo) entwässert; 1147 m ü. M., Fläche (schwankend) 4500 bis 10 000 km².

Bänkelsänger (Gemälde von Adrian van Ostade)

Banias (Baniyas), syr. Stadt am Mittelmeer, 40 000 Ew.; Hafen; Endpunkt von zwei (stillgelegten) Erdölleitungen aus Kirkuk (Irak).

Banja Luka, Stadt in Bosnien und Herzegowina, am Vrbas; 143 000 Ew.; Univ. (gegr. 1975), PH, Wirtschaftshochschule; Holz-, Elektro-, Nahrungsmittelind., Maschinenbau, Lederverarbeitung. – Die islamisch geprägte Altstadt (16 größere Moscheen) wurde 1993 stark zerstört.

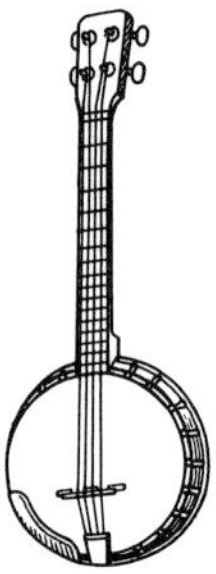

Banjo

Banjara [-dʒ-] (Bandschara, Lambadi), nichtsesshaftes Volk in N-Indien (bis zum Dekhan) mit indoarischer Sprache; v.a. Viehzüchter, Händler und Transportarbeiter.

Banjarmasin [-dʒ-] (früher Bandjarmasin), Prov.-Hptst. von Kalimantan Selatan, im S von Borneo, Indonesien, 444 000 Ew.; Univ.; Flughafen, Seehafen.

Banjo [ˈbændʒəʊ, engl.] *das,* Schlaggitarre mit langem Hals, dem Tamburin ähnl. Korpus und 4–7 Saiten; u.a. im Jazz verwendet.

Banjul (bis 1973 Bathurst), Hauptstadt von Gambia, an der Mündung des Gambia in den Atlant. Ozean, 45 000 Ew. (städt. Agglomeration 150 000 Ew.); Brauerei; Hafen; westl. von B. große Hotelsiedlung; internat. Flughafen in Yundum.

Bank, 1) Sitzmöbel für mehrere Personen.

2) zentrale Sammelstelle, z.B. Blut-B., Datenbank.

3) *Geologie:* feste, von Fugen begrenzte Gesteinsschicht. Eine deutliche Gliederung einer Schichtreihe in dickere Bänke bezeichnet man als **Bankung.**

4) *Geomorphologie:* Erhebung des Fluss- oder Meeresbodens, z.B. Sand-B., untermeer. Rücken.

5) *Sport:* 1) im Ringen eine Verteidigungsstellung des in der Unterlage befindl. Ringers im Bodenkampf; 2) Turngerät.

6) *Wirtschaft:* ein Kreditinstitut, →Banken.

Banka, indonesische Insel, →Bangka.

Bankakte, die 1844 von R. Peel geschaffene gesetzl. Grundlage der Bank von England und des brit. Notenumlaufs **(Peelsakte).** Sie baute auf der →Currencytheorie auf; 1939 aufgehoben.

Bankakzept, auf ein Kreditinstitut gezogener und von diesem akzeptierter Wechsel.

Bank America Corp. [bæŋk əˈmerɪkə kɔːpəˈreɪʃən], San Francisco, US-amerikan. Finanzkonzern; seine wichtigste Beteiligung ist die **Bank of America National Trust and Savings Association,** eine internat. tätige Bank (gegr. 1904 als Bank of Italy, seit 1930 jetziger Name).

Bank Austria AG, eines der größten Kreditinstitute Österreichs, entstanden 1991 (Geschäftsaufnahme am 7. 10. 1991) durch Fusion der Österr. Länderbank AG, Wien, und der Zentralsparkasse und Kommerzialbank AG, Wien, Sitz: Wien. Im Zuge der Privatisierung der Creditanstalt-Bankverein übernahm die B. A. von der österr. Reg. deren Kapitalmehrheit.

Bankausweis (Notenbankausweis), Gegenüberstellung der nat. und internat. Aktiva und Passiva der Zentralbank; von der Dt. Bundesbank zu den Ausweisstichtagen 7., 15., 23. und Ultimo jeden Monats veröffentlicht.

Bank deutscher Länder, vom 1. 3. 1948 bis 31. 7. 1957 die Zentralbank der Bundesrep. Dtl., Sitz: Frankfurt am Main (→Deutsche Bundesbank).

Bänkelsänger, im 17.–19. Jh. fahrende Leute, die, meist auf Jahrmärkten, aktuelle Lieder (**Bänkelsang,** →Moritat) von einer Bank (»Bänkel«) herab vortrugen.

Banken, Unternehmen für Geldanlage und Finanzierung und zur Durchführung des bargeldlosen Zahlungsverkehrs; nach allgemeinem Sprachgebrauch identisch mit Kreditinstituten, doch wird zuweilen auch der Begriff Bank dem der Sparkasse gegenübergestellt und die Bez. Kreditinstitut als Oberbegriff verwendet. In Dtl. ist die Bez. Bank nach §39 des Kreditwesen-Ges. (KWG) ein geschützter Begriff für Kreditinstitute, die eine Er-

Die größten deutschen Banken 1995

Rang	Name, Sitz	Bilanzsumme in Mio. DM	Beschäftigte in 1 000
1	Deutsche Bank AG, Frankfurt a. M.	721 665	74,1
2	Dresdner Bank AG, Frankfurt a. M.	484 482	46,9
3	Westdeutsche Landesbank Girozentrale, Düsseldorf	428 621	9,6
4	Commerzbank AG, Frankfurt a. M.	404 167	29,6
5	Bayerische Vereinsbank AG, München	356 500	22,2
6	Bayerische Landesbank Girozentrale, München	318 447	5,6
7	Bayerische Hypotheken- und Wechsel-Bank AG, München	298 563	19,0
8	DG Bank Dt. Genossenschaftsbank, Frankfurt a. M.	291 200	11,4
9	Bankgesellschaft Berlin AG, Berlin	281 553	16,8
10	Kreditanstalt für Wiederaufbau, Frankfurt a. M.	249 798	1,7
11	Norddeutsche Landesbank Girozentrale, Hannover	208 940	6,6
12	Südwestdeutsche Landesbank Girozentrale, Stuttgart	180 365	2,4
13	Landesbank Hessen-Thüringen Girozentrale, Frankfurt a. M.	157 191	3,1
14	DePfa-Bank, Wiesbaden	151 216	1,6
–	Landesbank Berlin Girozentrale[1], Berlin	143 296	7,2
15	Landeskreditbank Bad.-Württ., Karlsruhe	116 560	2,0
16	Deutsche Postbank AG, Bonn	99 221	16,2
17	Deutsche Girozentrale – Dt. Kommunalbank, Frankfurt a. M.	96 191	0,5
18	Landesbank Schleswig-Holstein Girozentrale, Kiel	93 228	1,8
19	Hamburgische Landesbank Girozentrale, Hamburg	85 626	1,7
20	Deutsche Siedlungs- und Landesrentenbank, Berlin–Bonn	78 726	0,7
21	Deutsche Ausgleichsbank, Bonn	72 201	6,6
–	Deutsche Hypothekenbank Frankfurt AG[2], Frankfurt a. M.	71 401	0,7
22	Landesbank Rheinland-Pfalz Girozentrale, Mainz	71 084	1,7
23	Rheinhyp Rheinische Hypothekenbank AG, Frankfurt a. M.	70 411	0,6
24	BfG Bank AG, Frankfurt a. M.	66 240	5,7
25	BHF-Bank Aktiengesellschaft, Frankfurt a. M.	64 924	3,2

[1] Ohne Rangziffer, da die Abschlusszahlen in der Muttergesellschaft Bankgesellschaft Berlin bereits enthalten sind. – [2] Abschlusszahlen bereits bei Dresdner Bank berücksichtigt.

laubnis nach §32 KWG zum Betreiben von Bankgeschäften besitzen. Sie werden nach §1 KWG als Unternehmen definiert, die Bankgeschäfte betreiben und dabei einen in kaufmänn. Weise eingerichteten Geschäftsbetrieb unterhalten. Als **Bankgeschäfte** gelten u.a. Einlagen-, Kredit-, Diskont-, Effekten-, Depot-, Garantie-, Girogeschäfte. Betriebswirtschaftlich werden diese eingeteilt in **Aktivgeschäfte** (u.a. Gewährung von Kontokorrent-, Diskont-, Lombard-, Aval- und Akzeptkrediten sowie langfristigen Krediten mit und ohne Sicherung durch Grundpfandrechte), **Passivgeschäfte** (u.a. Entgegennahme von Sicht-, Termin- und Spareinlagen, Ausgabe von Pfandbriefen, Kommunalobligationen) und **Dienstleistungsgeschäfte** (Zahlungsverkehrs- und Inkassogeschäfte, Wertpapiergeschäfte wie Effektenhandel für fremde Rechnung, Depot-, Emissions-, Geldwechselgeschäft; sonstige Dienstleistungen wie Vermögensverwaltung, Beratung, Treuhänderaufgaben).

Arten der Banken: **Universal-B.** betreiben alle Bankgeschäfte mit Ausnahme der Notenausgabe; **Spezial-B.** sind auf bestimmte Geschäfte spezialisiert: **Depositen-B.** (bes. in Großbritannien, Frankreich, Italien und den USA) betreiben vorwiegend das Einlagen- und Kreditgeschäft, daneben auch Zahlungsverkehrsgeschäfte. **Effekten-B., Finanzierungs-B.** (Emissions- oder Gründungs-B.) dienen v.a. der Unternehmensfinanzierung, bes. bei Aktien- und Anleiheemissionen, Gründungen von Aktiengesellschaften und dem Effektenverkehr. **Hypotheken-B.** und **öffentlich-rechtl. Grundkreditanstalten,** auch **Realkreditinstitute** gen., beschaffen sich ihre Finanzmittel vorwiegend durch Ausgabe von Pfandbriefen und Kommunalobligationen. Ihre Finanzmittelanlage besteht in der Gewährung von Hypothekarkrediten und Kommunaldarlehen. Des Weiteren gibt es **Teilzahlungs-B., Außenhandels-B., Schiffspfandbrief-B.** und →Sparkassen. **Noten-B.** haben allein das Recht zur Notenausgabe; sie gelten nicht als Kreditinstitute. Kreditinstitute mit Sonderaufgaben, die bes. Aufgaben des öffentl. Interesses erfüllen, sind z.B. die →Deutsche Ausgleichsbank und auf internat. Ebene die Weltbank, der Internat. Währungsfonds (IWF), die Bank für Internationalen Zahlungsausgleich und regionale Entwicklungsbanken. – Nach der Rechtsform unterscheidet man private, öffentlich-rechtl. und genossenschaftl. Kreditinstitute. Aufgrund des Ges. über das Kreditwesen i.d.F. v. 11. 7. 1985 untersteht in Dtl. das Bankwesen der Bankaufsicht durch das **Bundesaufsichtsamt für das Kreditwesen (BAK).**

Die volkswirtsch. Bedeutung der B. liegt v.a. in der Vermittlungsfunktion von Angebot und Nachfrage nach Geld und Kapital, wobei die B. eine Transformation in mehrfacher Hinsicht vornehmen: 1) Fristentransformation, indem kürzerfristig überlassene Gelder (Sicht-, Termin-, Spareinlagen) für längerfristige Kredite verwendet werden; 2) Losgrößentransformation, d.h. Umwandlung der vielfach kleinen Beträge der Einleger, bes. der Sparer, in die für Kreditnehmer notwendigen größeren Summen; 3) Risikotransformation, indem die von Kunden den B. überlassenen Gelder auf eine große Zahl Kreditsuchender verteilt werden, sodass sich das Ausfallrisiko insgesamt verringert; zudem sorgen Sicherungseinrichtungen der einzelnen Kreditinstitutsgruppen in der Bundesrep. Dtl. dafür, dass kein privater Einleger bei einer Bankinsolvenz sein Geld verliert (Einlagensicherung).

Die weltgrößten Banken (Stand 1996)

Rang*)		Name, Sitz	Gesamtkapital in Mio. US-$
1	(3)	HSBC Holdings, London	32500
2	(1)	Sumitomo Bank, Osaka	29879
3	(5)	Dai-Ichi Kangyo Bank, Tokio	29198
4	(2)	Mitsubishi Bank, Tokio**)	27860
5	(4)	Bank America Corp., San Francisco, Calif.	26783
6	(13)	Deutsche Bank, Frankfurt a. M.	25736
7	(8)	Fuji Bank, Tokio	25640
8	(9)	Crédit Agricole, Paris	25140
9	(7)	Sakura Bank, Tokio	24860
10	(11)	Schweizerische Bankgesellschaft, Zürich	23802
11	(10)	Citicorp, New York	20918
12	(14)	ABN-AMRO Bank N.V., Amsterdam	20865
13	(15)	Banque Nationale de Paris, Paris	19677
14	(17)	Industrial Bank of Japan, Tokio	19650
15	(11)	Crédit Lyonnais, Lyon	19022
16	(12)	National Westminster Bank, London	18879
17	(6)	Sanwa Bank, Osaka	17927
18	(20)	Société Générale, Paris	17731
19	(22)	Nationsbank Corp., Charlotte, N.C.	17556
20	(30)	Long-Term Credit Bank, Tokio	17269
21	(21)	Schweizerischer Bankverein, Basel	17120
22	(18)	Barclays Bank, London	17082
23	(27)	Dresdner Bank, Frankfurt a. M.	15576
24	(25)	ING Internationale Nederlanden Bank, Amsterdam	15573
25	(24)	Bank of Tokyo, Tokio**)	15316

*) Vorjahr in Klammern. – **) 1996 zur Tokyo Mitsubishi Bank Ltd. fusioniert.

Geschichte: Schon in der Antike entwickelten sich B., die Natural-, später Gelddarlehen tätigten. Das abendländ. Bankwesen entwickelte sich aus den Münzwechselgeschäften an den großen Handelsplätzen. Da in Oberitalien (Lombardei) der Handelsaustausch bes. rege war, wurde das Italienische zur B.-Fachsprache. Das Bankwesen dieser Art breitete sich schnell über alle Handelsplätze aus. Im 14. und 15. Jh. wurde das Wechselgeschäft durch das Depositen- und das Girogeschäft ergänzt. Die Kurie, Könige und Fürsten nahmen die Dienste der großen Bankiers (→Fugger, →Medici) in Anspruch. Für die Entwicklung in Dtl. war die Zuwanderung Antwerpener Geldwechsler und Bankiers bedeutend. Im 19. Jh. dominierten zunächst große Privatbankiers (Rothschild u.a.), doch setzten sich in den 1850er-Jahren verhältnismäßig schnell die Aktien-B. durch. Sie wirkten als Emissionshäuser, Gründungs- und Finanzierungsunternehmen (»Wirtschafts-B.«). Neben die großen Finanzierungs-B. traten im 19. Jh. auch mehrere Gruppen von Spezialinstituten, so die Hypotheken-B., Kreditgenossenschaften und Sparkassen. Die urspr. zahlreichen B. eingeräumte Berechtigung zur Notenausgabe wurde ihnen mit der Zentralisierung des Notenbankwesens wieder entzogen. – Die Liberalisierung der Finanzmärkte hat v.a. das Börsengeschäft verändert und zahllose Finanzinnovationen (v.a. Derivate) hervorgebracht und in diesen Märkten die Konkurrenz unter den B. belebt. Durch die Verbriefung von Kreditforderungen (Securitization) wird das B.-Geschäft einerseits standardisierter, kostenorientierter und systematischer, andererseits geht damit eine sog. Disintermediation einher, weil die Bedeutung der B. als Geldsammel- und -verteilstellen abnimmt. Die Globalisierung des Kreditsystems und wachsende Länder übergreifende Devisen- und Börsentransaktionen verstärken die Internationalisierung der B.-Geschäfte. Eine Despezialisierung (auch Allfinanz-Strategie gen.) findet statt, indem Spezial-B. vermehrt zu Universal-B. werden und bislang versicherungstyp. Geschäftsfelder besetzen.

📖 SÜCHTING, J.: *Bankmanagement. Stuttgart* [3]*1992. – Europ. Bankengeschichte, hg. v.* H. POHL. *Beiträge v.* H. BONIN *u. a. Frankfurt am Main 1993. – Geld-, Bank- u. Börsenwesen, begr. v.* G. OBST *u. a., hg. v.* N. KLOTEN *u. a. Stuttgart* [39]*1993.* – HEIN, M.: *Einführung in die Bankbetriebslehre. München* [2]*1993.* – HEIN, B.: *Die B. Eine Einführung. Mannheim u. a. 1996.*

Bankett [frz.] *das* (Bankette), unbefestigter Seitenstreifen neben der Fahrbahn.

Bankfeiertage, Wochentage, an denen die Kreditinstitute geschlossen sind. In Krisenzeiten können B. auch angeordnet werden, um dem Ansturm auf die Schalter zu begegnen.

Bank für Internationalen Zahlungsausgleich, Abk. **BIZ,** 1930 von mehreren Notenbanken und einer amerikan. Bankengruppe gegründet, Sitz Basel. Aufgaben: Förderung der Zusammenarbeit der Notenbanken, Erleichterung internat. Finanztransaktionen, Übernahme von Treuhandschaften bei internat. Zahlungsgeschäften. Stammkapital: 1,5 Mrd. Goldfranken.

Bankgeheimnis, die Verpflichtung eines Kreditinstituts, die Bankbeziehungen und Vermögensverhältnisse seiner Kunden gegenüber Dritten geheim zu halten. Dem B. sind gewisse Grenzen gesetzt: Das Kreditwesen-Ges. verpflichtet Kreditinstitute, bestimmte Kundenkredite (Groß-, Millionen- und Organkredite) anzuzeigen und die Beaufsichtigung durch das Bundesaufsichtsamt für das Kreditwesen zu dulden sowie Anzeigepflichten aufgrund des Geldwäsche-Ges. wahrzunehmen; ferner sind Vorschriften des Außenwirtschafts-Ges. zu beachten. Bankangestellte haben ein Zeugnisverweigerungsrecht (§383 ZPO) im Zivilprozess. Nach §§93, 102 AO können sich Kreditinstitute gegenüber Finanzbehörden nicht auf das B. berufen (ähnlich in *Österreich*). In der *Schweiz* ist das B. strafrechtlich geschützt.

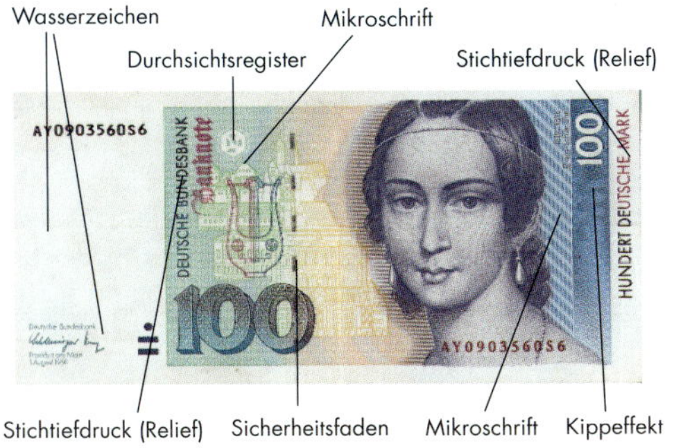

Banknote: Sicherheitsmerkmale der deutschen Banknoten

Bankgesellschaft Berlin AG, Holdinggesellschaft für versch. Berliner Banken, gegr. 1994, Sitz Berlin; zu ihr gehören u.a. die Berliner Bank AG (gegr. 1950), die Landesbank Berlin – Girozentrale – (LBB, gegr. 1990) und die Berliner Hypotheken- und Pfandbriefbank AG. Anteile an der AG besitzen v.a. das Land Berlin (56,8%) und die Gothaer Versicherungsgruppe (20%).

Bankhalter, derjenige Spieler beim Glücksspiel, der die Kasse (die »Bank«) verwaltet und damit meist gegen die übrigen Teilnehmer spielt.

Bankier [baŋ'kje, frz.] (engl. Banker), Kaufmann, der berufsmäßig Bankgeschäfte betreibt.

Bankingtheorie ['bæŋkıŋ-, engl.], Anfang des 19. Jh. entwickelte Geldtheorie, nach der nicht nur Münzen (Banknoten und Geld i.e.S.) Geldfunktion ausüben und somit das Preisniveau beeinflussen, sondern auch Geldsurrogate (z.B. Handelswechsel, Kredite); daher müssen auch diese in die für das Preisniveau maßgebl. monetären Größen einbezogen werden. – Ggs.: Currencytheorie.

Bankivahuhn, Stammform des →Haushuhns.

Bankleitzahl, Abk. **BLZ,** achtstellige Ziffer zur nummer. Kennzeichnung der Bankstellen (Kreditinstitute, Filialen, Zweigstellen) im bargeldlosen Zahlungsverkehr. Die 1970 eingeführte BLZ ist identisch mit der Nummer des Girokontos einer Kreditinstitutsniederlassung bei der Dt. Bundesbank oder einer Landeszentralbank.

Banknote, Geldschein, der auf einen abgerundeten Währungsbetrag lautet und von einer dazu befugten Notenbank ausgegeben wird (**Papiergeld**). Die B. sind gesetzl. Zahlungsmittel und müssen unbegrenzt entgegengenommen werden **(definitives Geld).** Um Fälschungen zu erschweren, enthalten B. Echtheitszeichen (z.B. Sicherheitsfaden aus Aluminium, Wasserzeichen); dt. B. sind seit 1990 mit ertastbaren Kennzeichen für Sehbehinderte versehen. B. werden in Dtl. von der Dt. Bundesbank, in Österreich von der Oesterr. Nationalbank, in der Schweiz von der Schweizer. Nationalbank ausgegeben.

Bank of Tokyo Ltd. ['bæŋk ɔv - 'lımıtıd, engl], japan. Großbank, fusionierte 1996 mit der Mitsubishi Bank Ltd. zur →Tokyo Mitsubishi Bank Ltd.

Bankrott [aus italien. banca rotta »zerbrochene Bank«] *der* (Bankerott, Bankbruch), Unvermögen eines Schuldners, seine Gläubiger zu befriedigen (→Konkurs). Nach §§283, 283a StGB werden Schuldner bestraft, die sich bei Überschuldung oder Zahlungsunfähigkeit sorgfaltswidrig verhalten, z.B. Vermögensteile verheimlichen oder beiseite schaffen, Schulden vortäuschen oder ihre Vermögenskrise durch eine sorgfaltswidrige Handlung herbeiführen. Der B. ist mit ähnl. Tatbestandsmerkmalen auch in *Österreich* (§§156ff. StGB) und der *Schweiz* (Art. 163ff. StGB) strafbar.

Banks Island ['bæŋks 'aılənd, engl.], westlichste Insel des Kanadisch-Arkt. Archipels, 70028 km² groß.

Bankul (Kamiri, Kerzennussbaum, Aleurites moluccana), trop. Wolfsmilchgewächs, bes. in Südamerika und Westindien kultiviert. Die Samen enthalten etwa 60% fettes Öl, aus dem Firnisse, Farben, Seifen und Arzneien bereitet werden.

Bank von England (engl. Bank of England), Zentralnotenbank Großbritanniens, Sitz: London,

Banknoten

Während Münzen eine Lebensdauer von mehreren Jahrzehnten haben können, ist Papiergeld schnell abgegriffen oder beschädigt und muss ausgetauscht werden. Scheine von kleinem Nennwert, die oft den Besitzer wechseln, können bereits nach einem Jahr unbrauchbar sein. Die Regierungen in aller Welt müssen daher den Austausch der alten Scheine so organisieren, dass sie stets die Kontrolle über die Menge des in Umlauf befindlichen Geldes behalten. In Deutschland kehren alle Geldscheine im Durchschnitt dreimal im Jahr zur Bundesbank oder den Landeszentralbanken zurück. Dort werden sie elektronisch von hoch empfindlichen Sortiermaschinen geprüft, die Schmutz, Flecken, Risse, Löcher, fehlende Teile oder Klebestreifen bemerken und den Wert der Scheine, die nach der Prüfung aus dem Verkehr gezogen werden müssen, registrieren. Auch alle übrigen Banken sortieren schadhafte Scheine aus und schicken sie unter Bewachung an die Bundesbank; der Wert wird ihnen gutgeschrieben. Die ausrangierten Banknoten werden in Frankfurt am Main in einer Verbrennungsanlage bei 1000°C zu staubfeiner Asche verbrannt. 1989 vernichtete die Bundesbank 720 Millionen Banknoten im Nennwert von 50 Milliarden Mark.

gegr. 1694 (1946 verstaatlicht); ihr heutiger Aufbau beruht auf der peelschen Bankakte von 1844, wonach zwei Bankabteilungen geschaffen wurden: »issue department« für die Notenausgabe, »banking department« für die Bankgeschäfte.

Banská Bystrica: Bürgerhäuser und das »Benickyhaus« mit Arkadenloggia am Platz des Slowakischen Nationalaufstands

Bank von Frankreich (frz. Banque de France), Zentralnotenbank Frankreichs, Sitz: Paris; gegr. 1800 von Napoleon Bonaparte; erhielt 1848 das Notenprivileg für ganz Frankreich, 1946 verstaatlicht.

Bank von Japan (japan. Nippon Ginkō), Zentralnotenbank Japans, Sitz: Tokio, gegr. 1882 nach dem Vorbild der Dt. Reichsbank.

Bann, 1) auf frühen Stufen des Rechtsdenkens das gegen Personen, Orte oder Gegenstände verhängte Gebot des Meidens. B. gegen Personen ist oft gleichbedeutend mit →Acht oder sozialer Isolierung.

2) im MA., bes. im Fränk. Reich, das Hoheitsrecht der Könige und Grafen, bei Strafe zu gebieten und zu verbieten **(Königs-B., Grafen-B.)**; der Befehl und das Verbot selbst.

3) (Kirchenbann, Anathema) →Exkommunikation.

Bannbruch, Zollvergehen, →Schmuggel.

Bannbulle, päpstl. Exkommunikationsbulle.

Banner [frz.] (Panier), Feldzeichen, das an einer mit dem Schaft verbundenen Querstange befestigt ist, urspr. nur dem Landesherrn, später auch den höheren Lehnsherren (B.-Herren) vorbehalten.

Banneux [ba'nø], Marienwallfahrtsort bei Lüttich, Belgien, 1949 kirchlich anerkannt.

Bannforst, Wald- und Jagdgebiet, in dem nur dem Inhaber der Bannrechte Forstnutzung und Jagd erlaubt waren.

Banngut (Bannware, Konterbande), **1)** *allg.:* Schmuggelware.

2) *Völkerrecht:* kriegswichtige Güter, deren Zufuhr zu einem Krieg führenden Staat von dessen Kriegsgegner verboten wurde.

Bannmeile (Bannkreis), **1)** Umgebung eines Ortes (im Umkreis von einer Meile), innerhalb deren im MA. kein Fremder Handel oder ein Gewerbe treiben durfte.

2) Schutzbereich um Gebäude der obersten Verf.organe (in Bund und Ländern) innerhalb dessen Versammlungen und Umzüge nicht stattfinden dürfen.

Bannrechte (Banngerechtigkeiten, Zwangs- und Bannrechte), Nutzungsrechte, aufgrund deren die Ew. eines Bezirks (Bannbezirk) gezwungen waren, die für den Haushalt und das wirtsch. Leben notwendigen Gegenstände bei bestimmten Berechtigten **(Bannherren)** zu erwerben (Mühlen-, Bäckerei-, Brauzwang). Die B. sind durch die Gewerbeordnung (1873) aufgehoben worden.

Bannwald, Form des Schutzwaldes in Gebirgen, der Naturgefahren (Lawinen, Erosion und/oder Erdrutsch) entgegenwirken soll.

Banque Nationale de Paris ['bãk nasjɔ'nal də pa'ri], eine der größten frz. Banken, Sitz: Paris, 1966 entstanden durch Fusion der »Banque Nationale pour le Commerce et l'Industrie« sowie des »Comptoir National d'Escompte de Paris«.

Bansin, Ostseebad auf der Insel Usedom, Meckl.-Vorp., 2600 Einwohner.

Banská Bystrica [- 'bistritsa] (dt. Neusohl), Hptst. des Mittelslowak. Gebiets, Slowak. Rep., 85600 Ew.; pädagog. Fakultät; Holz-, Metall-, Nahrungsmittelind. – Der Ort war im 15. und 16. Jh. eine dt. Bergstadt.

Banská Štiavnica: Blick auf die Alte Burg (13.–16. Jh.)

Banská Štiavnica [- 'ʃtjaunjitsa] (dt. Schemnitz), Stadt im Mittelslowak. Gebiet, Slowak. Rep., 10600 Ew.; Bergwerksmuseum, Forstakademie; Textil-, Tabak-, Schuh-, Drahtseilfabriken. – B.Š., im 13. Jh. von Deutschen gegründet, ist eine der sieben oberungar. Bergstädte (Gold- und Silberbergbau); Blütezeit im 14.–16. Jahrhundert.

Bantamgewicht [nach dem im Hahnenkampf eingesetzten Bantamhuhn], Gewichtsklasse im Boxen (bis 54 kg; bei Berufsboxern bis 53,525 kg), Ringen (bis 57 kg), Gewichtheben (bis 59 kg) und Taekwondo (bis 56 kg).

Banteng [malaiisch] *der* (Bos [Bibos] javanicus), ein asiat. Wildrind; Stammform des als Haustier gehaltenen Balirindes.

Banting ['bæntɪŋ], Sir (seit 1934) Frederick Grant, kanad. Physiologe, *Alliston (Prov. Ontario) 14. 11. 1891, †(Flugzeugabsturz) Musgrave Harbour (Prov. Newfoundland) 22. 2. 1941; seit 1923 Prof. in Toronto; erhielt für seine Entdeckung des Insulins mit J. J. R. Macleod 1923 den Nobelpreis für Medizin oder Physiologie.

Bantu [»Menschen«, »Leute«], zusammenfassende Bez. für die Völker und Stämme im südl. und zentralen Afrika, die eine B.-Sprache sprechen; etwa 140 Mio. Menschen; v.a. Ambo, Herero, Kikuyu, Kongo, Tswana, Xhosa, Zulu.

Bantusprachen, zu den →Benue-Kongo-Sprachen gehörende morphologisch bes. einheitl. Gruppe (über 400 Sprachen) afrikan. Sprachen; in der südl. Hälfte Afrikas gesprochen. Sie sind im Wesentlichen Tonhöhensprachen; bis auf das Suaheli waren sie schriftlose Sprachen. Wichtige B. sind u.a. Bubi, Douala, die Pangwe-(Fang-)Dialekte und Yaundé und die Kongodialekte im NW, Kikuyu, Ruanda, Rundi im NO sowie Xhosa, Zulu, Swasi, Venda und Herero im Süden.

📖 MEINHOF, C.: *Grundzüge einer vergleichenden Grammatik der B. Hamburg ²1948.* – RODEGEM, F.: *Initiation aux langues bantoues. Unter Mitarbeit v.* J. DAELEMAN *u. a. Berlin 1991.*

Banus, latinisierte Form von →Ban.

Banz, ehem. Benediktinerabtei (um 1070–1803) in Oberfranken, auf einer Anhöhe über dem rechten Mainufer, gegenüber von Vierzehnheiligen, bei Staffelstein; Barockkirche (1709–19) von J. Dientzenhofer, Abtbau und die beiden Flügel des Konventbaus von seinem Bruder J. L. Dientzenhofer. 1814–1920 im Besitz der Wittelsbacher, 1920–26 Trappistenkloster; gehört heute als Tagungsstätte der Hanns-Seidel-Stiftung, München.

Baobab [westafrikan.] *der,* →Affenbrotbaum.

Bao Dai, Kaiser von Annam (1926–45), *Huê 22. 10. 1913, †Paris 31. 7. 1997; war mit frz. Unterstützung 1949–55 Staatschef von Vietnam.

Baoding (Paoting; 1913–49 Tsingyüan), Stadt in der Prov. Hebei, China, über 420000 Ew.; Univ., Textil-, Nahrungsmittel-, Elektroindustrie.

Baotou (Paotou), Stadt in der Autonomen Region Innere Mongolei, China, am Hwangho, 1,12 Mio. Ew.; seit 1959 ein Zentrum der Stahlindustrie, Zuckerraffinerie; Flugplatz.

Baptisten, Anhänger der größten evang. Freikirche. Die B. taufen nur Erwachsene, weil nach ihrer Auffassung nur der bewusst an Christus Glaubende getauft werden sollte. Sie fordern ein strenges Christentum und lehnen jedes staatskirchl. Regiment ab; die Gemeinden sind selbstständig. Ein einheitl. baptist. Glaubensbekenntnis gibt es nicht; alleinige Richtschnur für Glauben und Leben ist die Bibel, die jeder Gläubige auslegen kann. – Die Gemeinschaft entstand im 17. Jh. während der engl. Revolution und verbreitete sich bald in Nordamerika, seit 1834 auch in Dtl. (J. G. Oncken). Seit 1905 besteht ein Weltbund der B. **(Baptist World Alliance).**

Frederick Banting

📖 *Die Baptisten. Einführung in Lehre, Praxis u. Gesch., hg. v.* J. D. HUGHEY. *A. d. Engl. Stuttgart 1964.* – MARCHLOWITZ, B.: *Freikirchl. Gemeindeaufbau. Geschichtl. u. empir. Untersuchung baptist. Gemeindeverständnisses. Berlin u. a. 1995.*

Baptisterium [lat.] *das,* Taufkirche (frei stehend oder einer Basilika angebaut); das vertiefte Taufbecken (Piscina) lag meist in der Mitte des Raumes (deshalb häufig überkuppelter Zentralbau).

Banz: Die ehemalige Benediktinerabtei, begonnen 1698 durch Johann Leonhard Dientzenhofer

bar, Einheitenzeichen für →Bar.

Bar [Herkunft unbekannt] *der,* eine im Meistersang gebrauchte Wendung für das regelmäßige, eine ungerade Zahl von Strophen umfassende Lied; auch von R. Wagner verwendet.

Bar [engl.; aus altfrz. barre »Schranke«] *die,* **1)** [bɑː, engl.], in Großbritannien und den USA die Rechtsanwaltschaft (→ Barrister).

2) Gaststätte oder Raum in Hotels mit hoher Theke zur Einnahme von Getränken; auch die Theke selbst als Teil eines Raumes.

Bar [zu grch. barós »Schwere«, »Gewicht«] *das,* Einheitenzeichen **bar,** gesetzl. Einheit des Drucks. 1 bar = 10^5 Pa = 10^5 N/m².

Bar, 1) ehem. frz. Herzogtum, →Barrois.

Barbados

Fläche: 430 km²
Einwohner: (1995) 262 000
Hauptstadt: Bridgetown
Amtssprache: Englisch
Nationalfeiertag: 30. 11.
Währung: 1 Barbados-Dollar (BDS$) = 100 Cents
Zeitzone: MEZ –5 Std.

Staatswappen

Internationales Kfz-Kennzeichen

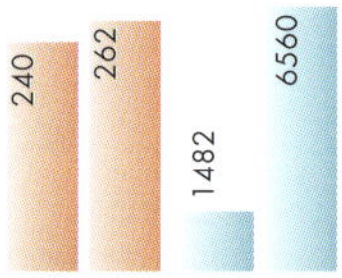

1970 1995 1970 1994
Bevölkerung (in 1000) Bruttosozialprodukt je Ew. (in US-$)

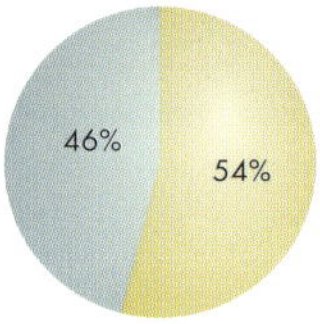

Stadt
Land
Bevölkerungsverteilung 1993

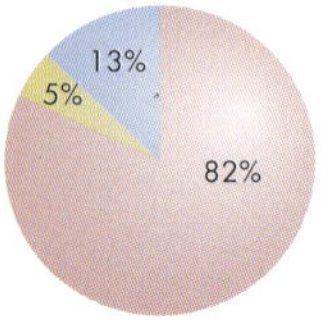

Industrie
Landwirtschaft
Dienstleistung
Bruttoinlandsprodukt 1992

2) Hafenstadt am Adriat. Meer in Montenegro, Jugoslawien, 16 000 Ew.; Endpunkt der Eisenbahnlinie von Belgrad; Fähre nach Bari, Italien. – 4 km östlich von B. liegt **Stari Bar** mit den Ruinen (11.–16. Jh.; u.a. von einer Ummauerung mit Türmen umgebene obere Festung, Bischofspalast, Aquädukt) von **Antibari,** der ursprüngl. Stadt.

Bär [ahd. bero »der Braune«], **1)** *Astronomie:* **Großer Bär** (Ursa Maior) und **Kleiner Bär** (Ursa Minor), zwei zirkumpolare Sternbilder am nördl. Himmel. Die jeweils sieben hellsten Sterne bilden den **Großen Wagen** bzw. den **Kleinen Wagen** mit je einem Trapez aus vier Sternen und einer »Deichsel« aus drei Sternen. Durch →Alignement der hinteren Trapezsterne **Merak** und **Dubhe** des Großen B. findet man den 1. Deichselstern des Kleinen B., den **Polarstern.** Der mittlere Deichselstern des Großen B. ist ein mit bloßem Auge erkennbarer Doppelstern, **Mizar** und **Alkor** (das Reiterlein).

2) *Technik:* ein schwerer Stahlklotz in einer Ramme **(Ramm-B.)** oder einem Maschinenhammer **(Hammer-B.),** wirkt durch freien Fall oder zusätzl. Beschleunigung.

3) *Zoologie:* Säugetier, →Bären.

Barabasteppe (Barabinsker Steppe), Steppengebiet im S Westsibiriens, Russland, mit zahlr. Süß- und Salzwasserseen; Weizenanbau, Milchviehzucht.

Baracke [frz.], behelfsmäßiges Bauwerk, meist einstöckig, zur vorübergehenden Unterbringung von Truppen, Arbeitskräften, Kranken (Wohn-B.) u.a., auch Gütern; besteht aus vorgefertigten Wandteilen, ist zerlegbar und wiederholt verwendbar.

Bărăgan [bərə-], trockene Schwarzerdesteppe in Rumänien zw. dem südöstl. Karpatenvorland und der Donau, das wichtigste rumän. Getreideanbaugebiet.

Baranowitschi (weißruss. Baranawitschi), Stadt im Gebiet Brest, Weißrussland, 171 000 Ew.; Bahnknotenpunkt; Textil-, Nahrungsmittelind., Maschinenbau.

Bárány ['ba:ra:ni], Robert, österr. Otologe ungar. Herkunft, *Wien 22. 4. 1876, †Uppsala 8. 4. 1936; erhielt 1914 den Nobelpreis für Medizin oder Physiologie für seine Arbeit über den Vestibularapparat (Gleichgewichtsorgan).

Baranya ['bɔrɔnjɔ, ungar.] *die* (kroat. Baranja, früher dt. Schwäb. Türkei), fruchtbares Hügelland zw. Donau und unterer Drau; Anbau von Weizen, Mais, Reben und Obst. Der größte Teil gehört zu Ungarn (Bezirk B., 4 487 km², 418 000 Ew., Hptst. Pécs), der Südzipfel zu Kroatien (Baranja in Ostslawonien; Hptst. Osijek). – Ab 1718 wurde die B. von Deutschen besiedelt (Donauschwaben); 1920 (Vertrag von Trianon) kam der SO zum späteren Jugoslawien, von dort wurden die Donauschwaben 1945 vertrieben.

Baratterie [italien. »Betrügerei«] *die,* vorsätzl. Verfehlung des Kapitäns oder anderer Besatzungsmitglieder zum Nachteil des Reeders oder der Ladungsbeteiligten.

Baratynski, Jewgeni Abramowitsch, russ. Dichter, *Mara (Gouv. Tambow) 2. 3. 1800, †Neapel 11. 7. 1844; schrieb schwermütige, gedankenreiche, syntaktisch komplizierte Lyrik, bes. Oden, Elegien, romant. Poeme.

Barbados, Staat im Karib. Meer, die östlichste Insel der Kleinen Antillen.

Staat und Recht: Nach der Verf. vom 30. 11. 1966 ist B. eine parlamentar. Monarchie im Commonwealth. Staatsoberhaupt ist die brit. Krone, vertreten durch einen Gen.-Gouv. Die Legislative besteht aus dem Senat (21 Mitgl.) und dem Abgeordnetenhaus (mindestens 24 Abg.). Wichtigste Parteien sind Barbados Labour Party und Democratic Labour Party.

Landesnatur: B. besteht aus einer flachen Tafel verkarsteter Kalke und Mergel, die nach NO ansteigt (Mount Hillaby: 340 m ü. M.); im S und W Sandstrände. Das Klima ist tropisch, mit einer Regenzeit von August bis November (Wirbelstürme). Die jährl. Mitteltemperatur beträgt 26 °C, der jährl. Niederschlag 1250 bis 1750 mm.

Bevölkerung: Die Bevölkerung, hauptsächlich Schwarze (80%) und Mulatten (16%), gehört vorwiegend zur anglikan. Kirche. Allg. Schulpflicht besteht vom 5. bis 14. Lebensjahr (unentgeltl. Unterricht); eine Zweigstelle der University of the West Indies besteht in Bridgetown (gegr. 1963). Die Analphabetenquote liegt bei 2%.

Wirtschaft, Verkehr: Prägend bleibt trotz ungünstiger Weltmarktverhältnisse der Zuckerrohranbau (Export) auf großen Plantagen im N; daneben werden Baumwolle und Nahrungspflanzen angebaut. Auch die Krabbenfischer arbeiten für den Export. Wichtige Industriezweige sind Zuckerrohrverarbeitung, Leder-, Textil-, Möbelind.; die Erdölraffinerie in Bridgetown (Tiefwasserhafen) produziert u.a. für den Reexport. An Bedeutung gewinnen Fremdenverkehr (Kreuzfahrttourismus) und Offshorefirmen (u.a. Banken).

Geschichte: B. wurde 1536 von den Spaniern entdeckt, seit 1625 von Engländern besiedelt, 1652 kam es durch Cromwell in engl. Besitz; bis zur Sklavenbefreiung (1834) war es Umschlagplatz für den Sklavenhandel. 1966 wurde B. im Rahmen des Commonwealth unabhängig. B. war Mitbegründer (1973) der Karib. Wirtschaftsgemeinschaft.

📖 Beckles, H. M.: *A history of B. From Amerindian settlement to nation-state. Cambridge 1990.* – Sobik, H.: *Barbados (Karibik). Köln ³1994.*

Barbakane [italien.] *die,* bei mittelalterl. Befestigungsanlagen das Vorwerk zur Verteidigung des Burg- oder Stadttores; auch Brückenkopf.

Barbar [grch.], bei den Griechen urspr. jeder nicht Griechisch Sprechende, seit den Perserkriegen mit der Bedeutung des Ungebildeten, Rohen und Grausamen verbunden; bei den Römern alle außerhalb des grch.-röm. Kulturkreises lebenden Völker; umgangssprachlich für: roher, ungebildeter Mensch.

Barbara, Märtyrerin, nach der Legende um 306 von ihrem Vater enthauptet; Nothelferin bei Blitzgefahr, Patronin der Berg- und Bauleute; Attribute: Turm, Kelch, Schwert. – Tag 4. 12.; seit 1969 nicht mehr im Festkalender der kath. Kirche.

Barbarakraut (Barbelkraut, Barbenkraut, Barbarea), Kreuzblütlergattung. Das gelb blühende **Echte B.** (**Winterkresse,** Barbarea vulgaris) kann als Salatpflanze genutzt werden.

Barbaresco, italien. Rotwein aus Piemont, aus der Nebbiolotraube bereitet.

Barbari, Iacopo de', italien. Maler und Kupferstecher, *Venedig zw. 1440 und 1450, †Brüssel(?) vor 1516; lebte bis 1500 in Venedig, dann im Dienst dt. Fürsten, seit 1510 Hofmaler der Erzherzogin Margarete in Brüssel; beeinflusste auch A. Dürer.

Barbarossa [italien. »Rotbart«], Beiname des dt. Kaisers Friedrich I. sowie der Herrscher Horuk und Cheireddin von Algier.

Iacopo de' Barbari: Rebhuhn mit Eisenhandschuh und Armbrustbolzen (1504; München, Alte Pinakothek)

Barbarossahöhle, Gipshöhle im S-Abhang des Kyffhäusers, 1500 m lang; der Sage nach soll in ihr Kaiser Friedrich I. schlafend sitzen.

Barbarossa (Fall B.), militär. Deckname für den Angriff auf die UdSSR im 2. →Weltkrieg.

Barbascowurzeln, mehrjährige Wurzelknollen mexikan. und zentralamerikan. Dioscorea-Arten, aus denen Diosgenin als Steroidrohstoff gewonnen wird. (→Jamswurzel)

Barbe [lat. »Bart«] (Barbus), Unterfamilie der Karpfenfische, bes. verbreitet in trop. und subtrop. Gebieten Asiens und Afrikas. Die mitteleurop. B. oder **Fluss-B.** (Barbus barbus) wird bis zu 80 cm lang und 8,5 kg schwer. Kleinere, bes. asiat. B., sind Aquarienfische (**Pracht-B.,** Puntius conchonius).

Barbe

Barbe, Helmut, Komponist, *Halle (Saale) 28. 12. 1927; wurde 1976 Prof. an der Hochschule der Künste in Berlin (Ost), bezog als einer der ersten Komponisten Zwölftontechnik in seine liturg. Werke ein. Außer geistl. Musik komponierte er Orchester- und Chorwerke, Orgelstücke und Bühnenmusiken.

Barberina

Barbecue ['bɑ:bɪkju:, engl.] *das,* urspr. Gestell zum Rösten und Braten von Fleisch v. a. im Freien, dann auch das geröstete Stück Fleisch oder das (Garten-)Fest, bei dem solches Fleisch bereitet wird.

Barber ['bɑ:bə], **1)** Chris, eigtl. Donald Christopher B., engl. Jazzmusiker (Posaunist, Orchesterleiter), *London 17. 4. 1930; gründete 1953 eine Band, die bis Anfang der 60er-Jahre zu den erfolgreichsten Formationen des traditionellen Jazz in Europa gehörte.

2) Samuel, amerikan. Komponist, *West Chester (Pa.) 9. 3. 1910, †New York 23. 1. 1981; bemühte sich in seinen Werken (u. a. Opern, Orchester-, Kammermusik- und Chorwerke) um eine eigenständige amerikan. Tonsprache.

Barbera, rote Rebsorte Norditaliens, v. a. im Piemont.

Barberina (La B.), eigtl. B. Campanini (seit 1789 Gräfin), italien. Tänzerin, *Parma 1721, †Barschau (heute Barzów, bei Breslau) 7. 6. 1799; gefeierte Ballerina; wirkte u. a. in Paris, London und 1744–48 an der Berliner Hofoper.

Barbizon: Charles-François Daubigny, »Herbstlandschaft« (Wuppertal, Von-der-Heydt-Museum)

Barberini, röm. Adelsgeschlecht, aus dem (Maffeo B.) Papst Urban VIII. (1623–44) stammt; es wurde von ihm in den Fürstenstand erhoben und starb 1738 aus. Der **Palazzo B.** in Rom (erbaut für Kardinal Francesco B., *1597, †1679) wurde von C. Maderno, F. Borromini und G. L. Bernini im Barockstil erbaut (vollendet 1633); er ist seit 1949 Staatsbesitz (Nationalgalerie). Die von F. B. angelegte **Bibliothek B.** erwarb Papst Leo XIII. 1902 für die Vatikan. Bibliothek.

Barbey d'Aurevilly [barbɛdɔrvi'ji], Jules, frz. Schriftsteller, *Saint-Sauveur-le-Vicomte (Dép. Manche) 2. 11. 1808, †Paris 23. 4. 1889; exzentr. Dandy, zugleich überzeugter Katholik und Royalist. Seine an Stendhal geschulten Romane und Novellen (»Die Teuflischen«, 1874) beeinflussten den psycholog. christlichen Roman des 20. Jh. (L. Bloy, G. Bernanos).

Barbican Centre ['bɑ:bɪkən 'sentə; engl. barbican »Außenwerk«, »Wachturm«], Kulturzentrum und neues Wohngebiet östlich der Londoner City, 1982 eröffnet. Der Gebäudekomplex, u. a. mit drei 44-stöckigen Hochhäusern, umfasst Konzert- und Konferenzsaal, zwei Theater, drei Kinos, ein Galerie- und Ausstellungsforum, eine Leihbibliothek, die Guildhall School of Music and Drama sowie 2100 Wohnungen.

Barbier [von frz. barbe »Bart«] *der,* veraltete Bez. für Friseur.

Barbirolli, Sir (seit 1949) John, brit. Dirigent, *London 2. 12. 1899, †ebd. 28. 7. 1970; zunächst Cellist, 1937–43 Chefdirigent des New York Philharmonic Orchestra (als Nachfolger A. Toscaninis), 1962–67 des Houston Symphony Orchestra (als Nachfolger L. Strokowskis).

Barbitos *die,* altgrch. Leier mit 5–7 Saiten.

Barbitursäure, aus Harnstoff und Malonsäurediäthylester hergestellte organ. Säure. Ihre Derivate **(Barbiturate)** werden je nach Dosis und Wirkungsdauer als Beruhigungs-, Schlaf- oder Narkosemittel genutzt (z. B. Veronal®). Stärke und Dauer der Wirkung werden von Art und Stellung der Substituenten beeinflusst. Bei wiederholter Anwendung führen Barbiturate zur Gewöhnung mit Entzugserscheinungen. Zu hohe Dosen können zum Tod durch Atemstillstand und Kreislaufversagen führen.

Barbizon [barbi'zɔ̃], Dorf bei Fontainebleau, Frankreich. Von der hier um die Mitte des 19. Jh. entstandenen Malerkolonie **(Schule von B.)** ging die frz. Malerei der »intimen Landschaft« aus, der schlichten und stimmungserfüllten Darstellung eines Naturausschnitts. Ihre Hauptmeister sind C. Corot, T. Rousseau, J.-F. Millet, J. Dupré, N. Diaz de la Peña, C.-F. Daubigny, C. Troyon.

📖 *Corot, Courbet u. die Maler von Barbizon. »Les amis de la nature«, hg. v.* Chr. Heilmann *u. a. Beiträge v.* C. Denk *u. a. Ausst.-Kat. Haus der Kunst München. München 1996.*

Barbour ['bɑ:bə] (Barber), John, der erste bed. schott. Dichter, *1325 (?), †Aberdeen 13. 3. 1395. Sein Werk »The Bruce« (1375) gilt als schott. Nationalepos.

Barbusse [bar'bys], Henri, frz. Schriftsteller, *Asnières-sur-Seine (Dép. Hauts-de-Seine) 17. 5. 1873, †Moskau 30. 8. 1935. Sein Kriegsbuch »Das Feuer« (1916) schildert Brutalität und Sinnlosigkeit des Krieges.

Barby (Elbe), Stadt im Kr. Schönebeck, Sa.-Anh., unterhalb der Mündung der Saale in die Elbe, 5100 Ew.; Metallverarbeitung, Baustoffind.; Elbhafen; Marien- und Johanniskirche (beide 13. Jh.), Schloss (17./18. Jh.).

Barcelona [barsəˈlɔna, span. barθεˈlona], **1)** Provinz Spaniens, in Katalonien, 7733 km², (1991) 4,654 Mio. Einwohner.

2) Hptst. von 1), 1,635 Mio. Ew.; bed. Ind.- und Handelsstadt, wichtiger Hafen der span. Mittelmeerküste, in bergumkränzter Küstenebene; Erzbischofssitz; zwei Univ., techn. Hochschulen, Picasso-Museum, Museum für zeitgenöss. Kunst (Architekt: R. Meier) u.a. Museen, Aquarium, Opernhaus (»Liceo«); Textil-, Metall-, Druck- und Papierind., Kfz- und Schiffbau; internat. Flughafen. – Got. Kathedrale (1298 begonnen), Templo de la Sagrada Familia (1883 ff., von A. Gaudí, unvollendet), Rathaus (14. Jh.); der Park und Palau Güell sowie die Casa Milá von A. Gaudí wurden von der UNESCO zum Weltkulturerbe erklärt. – Das röm. **Barcino,** im MA. **Barcinona,** wurde 415 von den Westgoten, 713 von den Arabern, 801 von den Franken erobert und zur Hptst. der Span. Mark gemacht. 1137 kam es an das Königreich Aragonien. Im Span. Erbfolgekrieg (bis 1714) kämpfte es gegen den Bourbonen Philipp V. Im 19. Jh. Mittelpunkt des katalan. Separatismus; 1932–39 und seit Dez. 1979 Hptst. Kataloniens. Austragungsort der XXV. Olymp. Spiele 1992.

Barcelona 2): Antonio Gaudí, »Templo de la Sagrada Familia« (1883 ff., unvollendet)

📖 *B. Architektur u. Städtebau zur Olympiade 1992, bearb. v.* O. Bohigas *u.a. Stuttgart u.a. 1991.* – Vázquez Montalbán, M.: *Barcelonas. A. d. Span. Mannheim 1992.*

3) Hptst. des Staates Anzoátegui, Venezuela, 221 000 Ew.; Erdölausfuhrhafen, internat. Flughafen; baulich mit →Puerto La Cruz zusammengewachsen.

Barchan [turkmen.] *der* (Sicheldüne, Bogendüne), halbmondförmige Wanderdüne mit flachem Anstieg auf der Windseite und Steilhang im Windschatten.

Barchent [arab. barrakān »grober Wollstoff«] *der,* linksseitig aufgerautes flanellartiges Gewebe. Die Kette ist aus feinerem und festerem Material als der Schuss.

Barclay [ˈbɑːklɪ], Alexander, engl. Dichter, *um 1475, †Croydon (heute zu London) 8. 6. 1552; Geistlicher, schrieb »The shyp of folys of the worlde« (1509) in Anlehnung an S. Brants »Narrenschiff«.

Barcelona 2) Stadtwappen

Barclay de Tolly, Michail Bogdanowitsch, Fürst (seit 1815), russ. Feldmarschall (1814), *Pomautsch/Scheimel (Litauen) 27. 12. 1761, †bei Insterburg 26. 5. 1818; war 1810–12 russ. Kriegsmin. Nach M. J. Kutusows Tod wurde er 1813 Oberbefehlshaber der russ. Armee.

Barclays Bank Ltd. [ˈbɑːklɪz ˈbæŋk ˈlɪmɪtɪd], London, 1896 gegründete brit. Großbank.

Barczewo [-ˈtʃεvɔ] (dt. Wartenburg), Stadt in der Wwschaft Olsztyn (Allenstein), Polen, an der Pissa, 7 400 Ew. – Got. Pfarrkiche (14. Jh.). – Östlich der bereits 1337 genannten Stadt Wartenburg (1353/54 durch die Litauer zerstört) wurde der Ort neu angelegt und erhielt 1364 Culmer Recht.

Bardeen [ˈbɑːdiːn], John, amerikan. Physiker, *Madison (Wis.) 23. 5. 1908, †Boston 30. 1. 1991; erhielt 1956 mit W. H. Brattain und W. Shockley für die Entdeckung des Transistoreffekts und 1972 mit L. N. Cooper und J. R. Schrieffer für die «BCS-Theorie» der Supraleitung den Nobelpreis für Physik.

John Bardeen

Bardejov (dt. Bartfeld, ungar. Bártfa), Stadt im O der Slowak. Rep., 29 500 Ew.; Industriestandort. – Die Stadt mit vollständig erhaltener Stadtbefestigung (14. Jh.) steht unter Denkmalschutz.

Bardem [-ˈðen], Juan Antonio, span. Filmregisseur und Drehbuchautor, *Madrid 2. 7. 1922; Vertreter des span. realistischen, sozialkrit. Films (»Der Tod eines Radfahrers«, 1954; »Die Hauptstraße«, 1956; »Sieben Tage im Januar«, 1978; »Lorca, Tod eines Poeten«, vierteilige TV-Serie).

Barden [irisch], kelt. Sänger und Dichter von Kampf- und Preisliedern. Als Hofsänger im Dienste von Königen und Fürsten stehend, bildeten sie einen eigenen Stand. In Gallien starb ihr Stand mit der Romanisierung aus. In Wales sowie in Irland und Schottland gab es B. bis ins 17./18. Jh. Den Germanen waren Name und Stand der B. unbekannt. Im 17. und 18. Jh. wurden von einer durch F. G. Klopstock, F. W. Gerstenberg, J. E. Schlegel u.a. getragenen, die altdt. Zeit verherrlichenden Richtung B. allg. mit Skalden und altgerman. Sängern gleichgesetzt. Die **B.-Dichtung** entwickelte sich in Klopstocks Nachfolge und unter dem Einfluss von J. Macphersons »Ossian« zu einer kurzfristigen Modedichtung.

Bardepot [-po], unverzinsl. Zwangseinlagen, die Gebietsansässige bei der Zentralbank halten müssen, wenn sie im Ausland Kredite aufnehmen; Instrument zur Abwehr unerwünschter Kapitalimporte. Eine B.-Pflicht in Dtl. bestand zw. dem 1. 3. 1972 und dem 1. 10. 1974.

Barditus [lat.] *der,* nach Tacitus (»Germania«, Kap. 3) ein Schlachtgeschrei der Germanen. Im 17. Jh. kam das Wort ins Neuhochdeutsche und wurde auf keltisch »Barden« bezogen.

Brigitte Bardot

Bardot [bar'do], Brigitte, frz. Filmschauspielerin, *Paris 28. 9. 1934; spielte u.a. in den Filmen »Und immer lockt das Weib« (1956), »Die Wahrheit« (1960); »Viva Maria« (1965); setzt sich heute v.a. für den Tierschutz ein.

Bardowick [-vi:k], Flecken im Kr. Lüneburg, Ndsachs., 4800 Ew.; Dom (vor 1380 bis Ende des 15. Jh.); Gemüsebau, Matratzen-, Polstermöbelfabrik. – 805 von Karl d. Gr. zum Fernhandelsplatz für die Slawengebiete bestimmt, gewann es wirtsch. und polit. Bedeutung, trat aber seit Mitte des 12. Jh. hinter Lüneburg und Lübeck zurück.

Daniel Barenboim

Bareilly [bəˈreɪlɪ, engl.], Stadt in Uttar Pradesh, Indien, 591 000 Ew.; Univ. (1975 gegr.); Holzfachschule, Möbelindustrie.

Bären, 1) (Ursidae), Landraubtiere in Europa, Asien und Amerika; Körperlänge etwa 1–3 m, Körpergewicht bis 780 kg; plumpe Tiere mit kurzem, dickem Hals, relativ kurzen Beinen und kurzem bis rudimentärem Schwanz; Sohlengänger mit nicht einziehbaren Krallen; Geruch und Gehör gut entwickelt; Reißzähne nur schwach ausgebildet, dafür breite Backenzähne (Alles- bzw. Pflanzenfresser); in kalten Gebieten öfter unterbrochene Winterruhe.

Bären 1): links: Kragenbär (Länge bis 2 m); **Mitte:** Malaienbär (Länge bis 1,4 m); **rechts:** Lippenbär (Länge bis 1,9 m)

Der südamerikan. **Brillen-** oder **Andenbär** (Tremarctos ornatus) ist schwarz mit wechselnd großer Brillenzeichnung. Der in Hinterindien, Borneo und Sumatra lebende **Malaien-** oder **Sonnenbär** (Helarctos malayanus) ist der kleinste Bär (140 cm lang) und ein guter Kletterer. Der **Lippenbär** (Melursus ursinus) lebt in den Wäldern Vorderindiens und Sri Lankas, ernährt sich von Insekten. Der **Asiat. Schwarz-, Tibet-, Himalaja-** oder **Kragenbär** (Ursus thibetanus) lebt bis in Höhen von 4000 m; er ist schwarz oder rotbraun, mit

Bären 1): oben: Grislibär (Länge bis 2,3 m); **unten:** Eisbär (Länge bis 2,5 m)

weißem V oder Y auf der Brust. Der **Amerikan. Schwarzbär** oder **Baribal** (Ursus americanus) ist schwarz mit braungelber Schnauzenspitze. Der **Braunbär** (Ursus arctos) war noch im MA. in Dtl. weit verbreitet, ist heute aber bes. auf Skandinavien, Russland und Südosteuropa beschränkt; wenige Tiere leben noch in den italien. Alpen und in den Abruzzen. Der nordamerikan. **Grislibär** (Ursus arctos horribilis) und der bis zu 3 m lange **Alaska-** oder **Kodiakbär** (Ursus arctos middendorffi) sind die größten Landraubtiere. Der **Eisbär** (Ursus maritimus) lebt im Nordpolargebiet als Schwimmer und Taucher. Ausgestorben ist der →Höhlenbär. Die **Wasch-B., Nasen-B.** u.a. gehören zu den →Kleinbären. Nicht zu den B. gehören auch →Pandas und →Koala.

Der **Bärenkult** ist seit der mittleren Altsteinzeit nachweisbar (Höhlenbilder) und war von den Lappen über die sibir. Volksstämme und Ainu bis zu den Indianern Nordamerikas verbreitet; die Vorstellung von der Abstammung des Menschen oder einzelner Helden von B. ist als Märchenmotiv erhalten; Zähne und Krallen von B. wurden als Amulett getragen und sollten »Bärenkräfte« verleihen. In der Volksmedizin wurde das Fett des B. hoch geschätzt.

📖 *Bärenstark. Natur- u. Kulturgesch. des Bären, hg. v.* H.-A. TREFF, *Beiträge v.* K. ELLMAUER *u. a. München 1995.*

2) die Schmetterlingsfamilie →Bärenspinner.

Barenboim, Daniel, israel. Pianist und Dirigent, *Buenos Aires 15. 11. 1942; wurde 1975 Chefdirigent des Orchestre de Paris, 1991 des Chicago Symphony Orchestra; seit 1992 künstler. Leiter der Dt. Staatsoper Berlin.

Bärenhüter, das Sternbild →Bootes.

Bäreninsel (norweg. Bjørnøya), nach den dort lebenden Eisbären ben. Insel zw. dem europ. Nordkap und Spitzbergen, 178 km², bis 536 m ü. M.; Funk- und Wetterstation; seit 1925 norwegisch.

Bärenklau [nach der Blattform], **1)** →Akanthus.

2) (Heracleum, Herkulesstaude, Bärenwurz), Doldenblütler mit etwa 60 Arten, z. T. bis über 3 m hohe Kräuter. Heimisch u. a. der **Wiesen-B.** (Heracleum sphondylium) mit weißen oder grünl. Blüten auf Fettwiesen und an Wegrändern; an Straßen-, Weg- und Waldrändern wächst der sich einbürgernde Riesen-B. (Heracleum mantegazzianum) aus dem Kaukasus; bis 5 m hoch, mit purpurfarben geflecktem Stängel; Hautkontakt ist zu vermeiden.

Bärenmarder, der →Binturong.

Bärensee, →Großer Bärensee.

Bärenspinner (Bären, Arctiidae), Schmetterlingsfam. mit rd. 5 000 Arten; meist kleine bis mittelgroße Falter, v. a. auf den Hinterflügeln bunt, gelb oder rot mit schwarz gezeichnet. Die Raupen sind fast stets stark behaart **(Bärenraupe)**; schädlich durch Fraß an über 50 Pflanzenarten.

Bärentraube (Arctostaphylos), Heidekrautgewächsgatt.; die auf Heideboden und im Nadelwald wachsende **Echte B.** (Arctostasphylos uva-ursi) ist ein preiselbeerähnl. Halbstrauch mit roten, mehligen Früchten. Das Laub wirkt desinfizierend auf die Harnwege (Bärentraubenblättertee).

Barents (Barentsz), Willem, holländ. Seefahrer, *auf Terschelling um 1550, †bei Nowaja Semlja 20. 6. 1597; erreichte auf der Suche nach der Nordostpassage 1594 die W-Küste Nowaja Semljas, entdeckte 1596 die Bäreninsel und Spitzbergen.

Bari 2): Hauptfassade der romanischen Emporenbasilika San Nicola (1087–1198)

Barentskooperation, internat. Vereinbarung, geschlossen am 11. 1. 1993 zwischen Finnland, Norwegen, Russland und Schweden, begründet völkerrechtlich die Zusammenarbeit der vier Staaten auf dem Gebiet des Umweltschutzes und der wirtschaftl. Erschließung der nordpolaren Barentssee.

Barentssee [nach W. Barents] *die,* Teil des Nordpolarmeers zw. der Nordküste Europas, Nowaja Semlja, Franz-Joseph-Land und Spitzbergen, 1,4 Mio. km²; große Erdgasvorkommen; bed. Fischfanggebiet. Die **Barentsinsel** (1 330 km²) gehört zu Spitzbergen.

Barett [frz.] *das,* von Männern und Frauen getragene mützenartige, flache, mit Krempe versehene Kopfbedeckung des späten 15. und des 16. Jh.; seit dem letzten Drittel des 16. Jh. zunehmend vom Hut verdrängt, lebt es als Teil versch. Amtstrachten bis heute fort.

Barfrost (Blachfrost), Frost ohne Schneedecke.

Barfüßer (Barfüßerinnen), Mönche und Nonnen, deren Ordensregeln Fußbekleidung (außer Sandalen) verbieten, bes. Franziskaner und Kapuziner.

Bärenklau: Wiesenbärenklau (Höhe bis 2,5 m)

Bargecarrier ['bɑ:dʒkærɪə, engl.] *der,* Oberbegriff für versch. Behälterschiffe nach Art des →Lash.

Bargeld, Banknoten und Münzen, die als gesetzl. Zahlungsmittel im Umlauf sind; Ggs.: Buchgeld.

Bargello [-'dʒɛllo, italien.] (Palazzo del B.), Palast (1255–1346 errichtet) und Nationalmuseum in Florenz, v. a. italien. Skulpturen, darunter Werke von Donatello, B. Cellini und Giambologna.

Bargheer, Eduard, Maler, *Hamburg 25. 12. 1901, †ebd. 1. 7. 1979; malte hellfarbige, stark abstrahierte Landschaften.

Bar-Hillel, Yehoshua, israel. Philosoph und Logiker, *Wien 8. 9. 1915, †Jerusalem 25. 9. 1975; seit 1954 Prof. in Jerusalem; wissenschaftstheoret. und sprachphilosoph. Untersuchungen zum method. Aufbau der modernen Linguistik, zur maschinellen Sprachübersetzung u. a.; Arbeiten zu Grundproblemen der Mathematik.

Bari, 1) Provinz in der Region Apulien, Italien, 5 138 km², (1993) 1,547 Mio. Einwohner.

2) Hptst. Apuliens und von 1), 339 000 Ew., Hafenstadt am Adriat. Meer, Erzbischofssitz; Univ.; Erdölraffinerie, Metall-, chem., Zement-, Textil- und Nahrungsmittelind., Werft; Fähren nach Dubrovnik, Bar und Korfu. – B., das röm. **Barium,** war 840–871 in den Händen der Sarazenen, vor- und nachher byzantinisch, seit 1071 normannisch, 1558 kam es zum Königreich Neapel.

Baribal *der,* Amerikan. Schwarzbär, →Bären.

Bärentraube: Blüten (oben) und Früchte (unten)

Baring ['bærɪŋ], Anfang des 18. Jh. aus Bremen nach England eingewanderte Familie; Sir Francis B. gründete 1763 das Bankhaus **B. Brothers & Co.** (1995 von der niederländ. Bank ING übernommen) in London. Die Familie stellte Großbritannien zahlr. Staatsmänner, u. a. Lord → Cromer.

barisches Windgesetz, Gesetz über die Beziehung zw. Windrichtung und Luftdruckverteilung: auf der Nordhalbkugel strömt der Wind im Uhrzeigersinn um ein Hochdruckgebiet, gegen den Uhrzeigersinn um ein Tiefdruckgebiet; auf der Südhalbkugel umgekehrt.

Barischnikow, Michail Nikolajewitsch, amerikan. Tänzer und Ballettdirektor russ. Herkunft, *Riga 27. 1. 1948; wurde 1967 Mitgl. des Leningrader Kirow-Balletts, 1974 des American Ballet Theatre, dessen künstler. Leitung er 1980–89 innehatte; gründete 1990 das White Oak Project.

Charles Barkla

Bariton [italien., zu grch. barýtonos »volltönend«] *der,* **1)** die männl. Singstimme zw. Tenor und Bass, Umfang A–e^1/g^1.

2) Tonlagenbez. bei Instrumenten.

Baritonschlüssel, *Musik:* ein Notenschlüssel (→ Schlüssel 3).

Barium [zu grch. barýs »schwer«] *das,* **Ba,** metall. Element aus der 2. Hauptgruppe des Periodensystems. Ordnungszahl 56, rel. Atommasse 137,33, Dichte 3,76 g/cm^3, Schmelzpunkt 710 °C, Siedepunkt 1537 °C. – B. ist ein silberweißes, weiches, an der Luft schnell oxidierendes Erdalkalimetall, chem. dem Calcium ähnlich. In der Natur kommt es nur in Verbindungen vor, insbesondere als → Schwerspat, $BaSO_4$. – Darstellung durch Reduktion von B.-Oxid mit Aluminium oder Silicium bei 1200 °C im Vakuum. – Verwendet v. a. in seinen Verbindungen; Bestandteil von Hochtemperatur-Supraleitern (→ Supraleiter).

Bariumcarbonat, $BaCO_3$, kommt in der Natur als **Witherit** vor; verwendet v. a. als Ausgangsprodukt für andere Bariumverbindungen, in der Glasindustrie und Pyrotechnik (Grünfeuer).

Bariumchromat, $BaCrO_4$, gelber Farbstoff **(Barytgelb).**

Ernst Barlach: Selbstbildnis (Lithographie, 1928)

Bariumhydroxid (Ätzbaryt, Barythydrat), $Ba(OH)_2$; verwendet u. a. zur Wasserenthärtung und zur Glasfabrikation. Die stark basische wässrige Lösung **(Barytwasser)** ist u. a. Reagenz auf Kohlendioxid.

Bariumoxid (Baryterde), BaO, wird durch Glühen eines Kohle-Bariumcarbonat-Gemisches oder von Bariumcarbonat gewonnen; Absorptionsmittel für Kohlendioxid und Wasser, zur Herstellung von Bariumverbindungen und Spezialgläsern.

Bariumperoxid, BaO_2, Oxidationsmittel, verwendet zur Herstellung von Wasserstoffperoxid und für Zündsätze bei der Aluminothermie.

Bariumsulfat, $BaSO_4$, natürlich als **Schwerspat** vorkommend, fällt beim Versetzen gelöster Bariumsalze mit verdünnter Schwefelsäure als feiner, weißer, fast unlösl. Niederschlag aus; verwendet bei Ölbohrungen zur Herstellung von Bohrschlamm, als weißer Farbstoff **(Barytweiß),** als Füllstoff für Papier und Kunststoffe sowie als Kontrastmittel für Röntgenuntersuchungen.

Bark [engl.] *die,* Dreimastsegler (→ Segelschiff).

Barkarole [italien. barcarola, von barca »Barke«] *die,* Lied der venezian. Gondolieri, meist im 6/8-Takt; in Oper u. a. Kunstmusik aufgenommen (z. B. von J. Offenbach, F. Chopin).

Barkasse [span.] *die,* Verkehrsmotorboot zur Personenbeförderung im Hafen.

Barkhausen, Heinrich, Physiker, *Bremen 2. 12. 1881, †Dresden 20. 2. 1956; arbeitete über Elektronenröhren und elektr. Schwingungen, entdeckte 1919 den **B.-Effekt:** Ferromagnetika magnetisieren im äußeren Feld sprunghaft durch Umklappen der weißschen Bezirke; dies lässt sich als **B.-Rauschen** nachweisen.

Barkla ['bɑ:klə], Charles Glover, brit. Physiker, *Widnes (Cty. Lancashire) 7. 6. 1877, †Edinburgh 23. 10. 1944; Mitbegründer der Röntgenspektroskopie; 1917 Nobelpreis für Physik für die Entdeckung der charakterist. Röntgenstrahlung der chem. Elemente.

Bar Kochba [hebr. »der Sternensohn«], Beiname des Simon ben Kosiba, jüd. Freiheitsheld, ⚔ Bethar (bei Jerusalem) 135 n. Chr.; Führer des jüd. Aufstandes gegen die Römer in Palästina (132–135); galt als Messias und »Fürst Israels«.

Barlaam und Josaphat (Barlaam und Joasaph), bes. im MA. verbreiteter erbaul. Roman, der aus christl. und buddhist. Legenden und Parabeln zusammengetragen ist.

Barlach, Ernst, Bildhauer, Grafiker und Dichter, *Wedel (Holstein) 2. 1. 1870, †Rostock 24. 10. 1938; schuf in wuchtigen, das Naturvorbild vereinfachenden Formen v. a. Holz- und Bronzebildwerke von starker Ausdruckskraft, daneben Holzschnitte und Lithographien, z. T. für eigene Dichtungen. B. schrieb Prosa und bes. Schauspiele, die den Kampf zw. Mächten des Lebens, zw. Gut und Böse, Seele und Gott in bilderreicher Sprache gestalten. – Die **Ernst-B.-Gedenkstätte** in Güstrow umfasst die Gertrudenkapelle (15. Jh.) mit zahlreichen Plastiken und sein Atelierhaus, weitere Werke zeigt das **Ernst-B.-Haus** (seit 1960) in Hamburg.

Werke: Bildwerke: Ehrenmal im Dom zu Güstrow (»Schwebender Engel«, 1927, eingeschmolzen; Neuguss nach dem Exemplar in der Kölner Antoniterkirche); »Geistkämpfer«, vor der Nikolaikirche, Kiel (1927/28); Nischenfiguren an der Katharinenkirche in Lübeck (1930–33); Kruzifix,

Elisabethkirche, Marburg (1929); Mahnmal im Dom von Magdeburg (1931). Schauspiele: Der tote Tag (1912); Der arme Vetter (1918); Die Sündflut (1924); Der blaue Boll (1926); Der Graf von Ratzeburg (1951). – Prosa: E. B. Ein selbsterzähltes Leben (1928); Seespeck (1948, entstanden 1913/14).

📖 BEUTIN, W.: *B. oder der Zugang zum Unbewußten. Eine krit. Studie. Würzburg 1994. – B.-Studien. Dichter, Mystiker, Theologe, hg. v.* W. BEUTIN *u.* T. BÜTOW. *Hamburg 1995. – E. B. Bildhauer, Zeichner, Graphiker, Schriftsteller, 1870–1938, Ausst.-Kat. E.-B.-Museum Wedel u. a. Katalogredaktion* J. DOPPELSTEIN *u. a. Leipzig 1995.*

Ernst Barlach: Der Ekstatiker (Holzplastik, 1916; Zürich, Kunsthaus)

Bärlapp (Lycopodium), Gattung der B.-Gewächse (Lycopodiopsida; Farnpflanzen), über 400 Arten mit meist schlanken, gablig verzweigten, nadel- oder schuppenförmig beblätterten Sprossen. Auf trockenem Waldboden Mitteleuropas wachsen mit langen, immergrünen, kriechenden Sprossen und aufsteigenden Sporangienähren bes. **Sprossender B.** (Lycopodium annotinum) und **Keulen-B.** (Lycopodium clavatum). Die Sporen werden als »B.-Samen« oder »Hexenmehl« bezeichnet. Alle B.-Arten sind in Dtl. geschützt.

Bar-le-Duc [barlə'dyk], Hptst. des Dép. Meuse in Lothringen, Frankreich, am Rhein-Marne-Kanal, 18 000 Ew.; Textilind., Maschinenbau. – Ehem. Hauptstadt der Grafschaft Bar (→ Barrois).

Barletta, Hafenstadt in Apulien, Prov. Bari, Italien, 89 800 Ew., chem., Papier-, Zementind.; Meersalzgewinnung. – Dom (12.–14. Jh.); stauf. Kastell (13. und 16. Jh.). Der **Koloss von B.** ist eine Bronzestatue eines röm. Kaisers (5. Jh.). – Südwestlich lag das Schlachtfeld von → Cannae.

Barlog, Boleslaw, Theaterleiter und Regisseur, *Breslau 28. 3. 1906, †Berlin 17. 3. 1999; 1945–72 Intendant des Schlossparktheaters, 1951–72 auch des Schillertheaters Berlin; schrieb die Erinnerungen »Theater lebenslänglich« (1981).

Barmen, Stadtteil von → Wuppertal.

Barmer Ersatzkasse, Abk. **BEK**, mitgliederstärkste gesetzl. Krankenkasse, 1884 errichtet, Sitz in Wuppertal-Barmen.

Barmer Theologische Erklärung, → Bekennende Kirche.

Barmherzige Brüder, mehrere Klostergenossenschaften für Krankenpflege, bes. der 1537 gestiftete **Hospitalorden des hl. Johannes von Gott.**

Barmherzige Schwestern, zahlreiche weibl. Klostergenossenschaften für Krankenpflege: Vinzentinerinnen, Borromäerinnen, Elisabethinerinnen, Franziskanerinnen, Zellitinnen. In den evang. Kirchen entsprechen den B. S. die Diakonissinnen.

Barmherzigkeit, eine Eigenschaft Gottes, die in der jüd. (2. Mos. 34) und christl. (2. Kor. 1,3) Religion wie auch im Mahayana-Buddhismus und im Islam hervortritt; im N. T. als die von Jesus für das Reich Gottes und das wahre christl. Leben erhobene Forderung (Mt. 9,13; 23,23) dargestellt.

Bar-Mizwa [aramäisch »Sohn des Gebots«], 1) der jüd. Junge, der das 13. Lebensjahr vollendet hat; 2) die feierl. Einführung des Jungen in die jüd. Glaubensgemeinschaft; im Reformjudentum analog bei zwölfjährigen Mädchen (**Bat-Mizwa** [»Tochter des Gebots«]) durchgeführt.

Barn [engl.] *das*, Einheitenzeichen **b**, nichtgesetzl. Flächeneinheit zur Angabe des Wirkungsquerschnitts in Atom- und Kernphysik: $1\ b = 10^{-28}\ m^2 = 100\ fm^2$ (Quadratfemtometer).

Barnabas, Beiname des Leviten aus Zypern; Begleiter des Apostels Paulus auf der ersten Missionsreise. Heiliger, Tag: 11. 6.

Barnabiten, eine 1530 in Mailand gegr. Kongregation der Regularkleriker des hl. Paulus (Paulaner); Aufgaben: Seelsorge und Unterricht.

Barnard ['bɑːnəd], **1)** Christiaan Neethling, südafrikan. Herzchirurg, *Beaufort West (Prov. West-Kap) 8. 11. 1922; führte am 3. 12. 1967 die erste erfolgreiche Herztransplantation am Menschen aus.

2) Edward Emerson, amerikan. Astronom, *Nashville (Tenn.) 16. 12. 1857, †Williams Bay (Wis.) 6. 2. 1923; entdeckte mehrere Kometen, viele Nebel und den 5. Jupitermond; erkannte die Natur der Dunkelwolken und fand 1916 auf fotograf. Aufnahmen den nach ihm ben. Pfeilstern.

Barnards Pfeilstern [nach E. E. Barnard] (Barnards Stern), Stern im Sternbild Schlangenträger; er ist 5,9 Lichtjahre entfernt und hat die größte bislang bekannte Eigenbewegung von 10,34" im Jahr.

Barnaul, Hptst. der Region Altai, Russland, Bahnknotenpunkt und Flusshafen am oberen Ob in W-Sibirien, 602 000 Ew.; Univ., Hochschulen;

Bärlapp: Pflanze und Sporen (links) des Keulenbärlapp (Höhe bis 15 cm)

Boleslaw Barlog

Christiaan Barnard

Edward Emerson Barnard

Maschinenbau, Chemiefaserwerk, Baumwoll- und Lederindustrie.

Barnay, Ludwig, Schauspieler und Intendant, *Budapest 11. 2. 1842, †Hannover 1. 2. 1924; Mitgründer der Bühnengenossenschaft (1871) und des Berliner Dt. Theaters (1883).

Barnes [bɑːnz], Djuna, amerikan. Schriftstellerin und Malerin, *Cornwall-on-Hudson (N. Y.) 12. 6. 1892, †New York 18. 6. 1982; v.a. Prosa, bed. der psychoanalyt. Roman »Nachtgewächs« (1936), krit. Essays.

Barnet, Miguel, kuban. Schriftsteller, *Havanna 28. 1. 1940; Ethnologe, veröffentlichte »dokumentar. Romane«, so als Herausgeber die auf Tonbandprotokollen basierende Biographie »Der Cimarrón. Die Lebensgeschichte eines entflohenen Negersklaven aus Cuba, von ihm (Esteban Montejo) selbst erzählt« (1966); 1986 erschien der Roman »Ein Kubaner in New York«, 1989 der autobiograph. Roman »Das Handwerk des Engels«.

Barnett-Effekt ['bɑːnɪt-; nach dem amerikan. Physiker S. J. Barnett, *1873, †1956], ein →gyromagnetischer Effekt.

Barnim, 1) *der,* Moränenlandschaft zw. Oder, mittlerer Spree, Havel und Uckermark; überwiegend bewaldet; weite Ackerflächen sind eingestreut mit lang gestreckten Rinnenseen; der O-Teil bildet die Märk. Schweiz; bei Rüdersdorf Kalkgewinnung. – Das Barnimer Land kam um 1230 von Pommern an Brandenburg.

2) Landkreis in Brandenburg, nördlich von Berlin, 1495 km^2, (1996) 152 000 Ew.; Krst. ist Eberswalde.

Barnsley ['bɑːnzlɪ], Stadt in der engl. Metrop. Cty. South Yorkshire, 74 000 Ew.; Maschinenbau, Papier-, Bekleidungs-, Glasindustrie.

Barnum ['bɑːnəm], Phineas Taylor, amerikan. Schausteller (gen. König des Humbugs), *Bethel (Conn.) 5. 7. 1810, †Bridgeport (Conn.) 7. 4. 1891; bes. erfolgreich im Showbusiness, dargeboten im »Amerikan. Museum« in New York; später auch Zirkusunternehmer.

baro..., Baro... [grch. báros »Schwere«], Schwere..., Luftdruck...

Barocci [ba'rɔttʃi] (Baroccio), eigtl. Federico Fiori, italien. Maler, *Urbino um 1535, †ebd. 1612; schuf, ausgehend von Correggio, religiöse Bilder und zahlreiche Porträts in lichten, pastellartigen Farben; leitete vom Manierismus zum Barock über.

Barock [aus frz. baroque, eigtl. »unregelmäßig«, »schief«] *der, das,* eine Epoche der Kunst hauptsächlich des 17. und des beginnenden 18. Jh. Zunächst wurde der Begriff B. abwertend im Sinn von »absonderlich«, »schwülstig« gebraucht, seit dem 19. Jh. zur Kennzeichnung der Spätform von Kunstentwicklungen überhaupt. Im 20. Jh. wurde die Bez. B. zum Epochenbegriff, der auch Literatur und Musik des 17. Jh. umfasste. Der B. ist die Kunst der Gegenreformation und des Absolutismus; Kirche und Aristokratie waren ihre wichtigsten Förderer. Ihr Streben nach Repräsentation verwirklichte sich v.a. in Größe und Pathos des Kunstwerks. Ausgehend von Rom, kam die Kunst des B. v.a. in den kath. Ländern zu voller Entfaltung. Bes. die Jesuiten brachten sie nach Norden und nach Lateinamerika (Jesuitenstil). In den prot. Gebieten gab es kein geschlossenes Mäzenatentum, hier entstanden Einzelleistungen.

In der *Baukunst* löste der B.-Stil, dessen erste Elemente bereits in der Hochrenaissance aufscheinen, gegen Ende des 16. Jh. den Manierismus ab. Die Hauptkennzeichen der Architektur sind: starke Bewegtheit in geschwungenen Grund- und Aufrissformen, Unterordnung aller Einzelglieder unter das Ganze, Betonung der Kraft und der Spannung, gebrochene Giebel, reiches Schmuckwerk und maler. Gestaltung der Innenräume, die

1

1 Wallfahrtskirche Vierzehnheiligen, von Johann Balthasar Neumann (1743–72) | **2** Gartenpalais Belvedere in Wien, von Johann Lukas von Hildebrandt (1714–23)

ein festl. Raumgefühl hervorrufen. Maßgebend für die europ. Entwicklung des neuen Stils waren die Bauten G. L. Berninis und F. Borrominis in Rom. Eine mehr klassizist. Richtung knüpfte an die Bauten A. Palladios in Vicenza und Venedig an. In Frankreich verhinderte die in allen Jh. herrschende klassizist. Tendenz die Entfaltung einer hochbarocken Architektur. Es entstanden bes. Schlossbauten mit streng ausgerichteten Parkanlagen (Versailles). Unter den Baumeistern ragen hervor F. Mansart, H. Levau und J. Hardouin-Mansart, als Gartenarchitekt A. Le Nôtre. In Dtl., wo sich die B.-Baukunst erst im Spät-B. (seit etwa 1700) zu ihrer reichsten Blüte entfaltete, fand die europ. Entwicklung ihren glanzvollen Abschluss. In Österreich bauten J. B. Fischer von Erlach, L. von Hildebrandt und J. Prandtauer, in Böhmen die auch in Franken tätigen Baumeister der Familie Dientzenhofer. J. B. Neumann wirkte v.a. in Würzburg, A. Schlüter in Berlin, M. Pöppelmann und G. Bähr in Dresden, die Brüder Asam in Bayern. Die späten, bes. in Bayern entstandenen Bauten werden vielfach dem Rokoko zugerechnet, für das bes. in Bezug auf die dt. Baukunst auch der Begriff **Spät-B.** üblich ist. Der B. war das große Zeitalter der Stadtbaukunst. Stadtanlagen wurden nach großen Achsen hin orientiert (u.a. London, Amsterdam, Nancy, Mannheim, Kassel).

Kennzeichnend für die *Bildhauerkunst* des B. ist ihre freie und malerische, meist stark bewegte Art der Gestaltung, die sich ins Ekstatische steigern kann. Der weithin wirkende Schöpfer des neuen Stils war C. L. Bernini in Rom. In Frankreich, dessen Bildhauer eine maßvollere Haltung wahrten, war ihm P. Puget am nächsten verwandt. In Dtl. fanden H. Reichle, J. Zürn und G. Petel den Weg vom Manierismus zum Früh-B. Unter den Bildhauern des Hoch-B. ragen A. Schlüter, B. Permoser und M. Guggenbichler hervor, im Spät-B. P. Egell und E. Q. Asam. J. A. Feuchtmayer und I. Günther näherten sich bereits dem Rokoko, G. R. Donner dem Klassizismus.

Barock

| 2

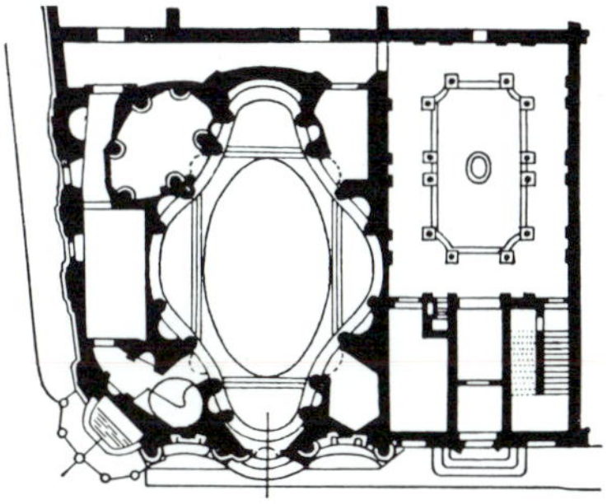

| 3

| 4

| 5

| **3** Grundriss der Kirche San Carlo alle Quattre Fontane in Rom, von Francesco Borromini (1638–41)
| **4** Treppenhaus in der Residenz in Würzburg von Johann Balthasar Neumann (1735–53) | **5** Andrea Pozzo, »Apotheose des heiligen Ignatius« (Ausschnitt aus einem Deckenfresko, 1685; Rom, San Ignazio)

Barock: Gian Lorenzo Bernini, »David« (1623; Rom, Galleria Borghese)

In der *Malerei* des B. traten neben religiösen Bildern, die den alten Stoffen neue Gegenwartsnähe verliehen, weltl. Darstellungen, wie Genrebilder und Landschaften, stärker hervor. Der Begründer der neuen, den Manierismus überwindenden Malerei war M. da Caravaggio, dessen realist. Helldunkelstil in ganz Europa bahnbrechend wirkte. Neben ihm war in Rom A. Carracci tätig, der von starkem Einfluss bes. auf die mehr akadem. Richtung der B.-Malerei war. Im Mittelpunkt der fläm. Malerei stand P. P. Rubens, neben dem bes. A. van Dyck und J. Jordaens zu nennen sind. In Holland wirkten neben Rembrandt, der gleichbed. als Maler, Zeichner und Radierer war, F. Hals, Vermeer van Delft und J. Ruisdael. Die Hauptmeister Spaniens waren B. E. Velázquez, F. de Murillo und D. Zurbarán. Die Franzosen N. Poussin, der Meister der »heroischen«, und Claude Lorrain, der Meister der »idyll. Landschaft«, lebten in Rom. In Italien tätig waren auch die beiden bedeutendsten dt. Maler des Früh-B., A. Elsheimer in Rom und J. Liss in Venedig. Hervorragende Werke brachte die dt. Malerei dann wieder im Spät-B. hervor, als ihr die Baukunst große Aufgaben für die Deckengestaltung bot (→ Deckenmalerei).

Der durch die Kunstgeschichtsforschung erarbeitete Stilbegriff »barock« führte um 1920 zu einer Neubewertung der bis dahin als schwülstig und verstiegen verrufenen *Dichtung* des 17. Jh. Scharfe Kontraste gelten als gemeinsamer Nenner aller barocken Erscheinungen: Leben und Tod, Zeit und Ewigkeit, Diesseitsfreude und Jenseitssehnsucht, Weltgenuss und religiöse Ekstase. Kennzeichnend ist der Hang zur Übersteigerung und zu kühner Bildhaftigkeit. Zum B. gehören in Spanien der Gongorismus (→ Góngora y Argote), auch das Drama von Lope de Vega und P. Calderón de la Barca, in England der → Euphuismus, die »metaphys. Dichtung«, auch vieles in Shakespeares Werken, in Frankreich etwa die Zeit von 1580 bis 1640, in Italien der → Marinismus und die Anfänge der Oper. Über dt. B.-Dichtung → deutsche Literatur. Dichtung, Architektur, Malerei, Musik, Tanz, Schauspielkunst vereinigen sich im Gesamtkunstwerk des Theaters, dessen Entwicklung für die Epoche bes. charakteristisch ist.

Barockmusik heißt seit Anfang der 1920er-Jahre die Musik der Epoche von etwa 1600 bis 1750, nach ihren musikal. Merkmalen auch als Generalbasszeitalter oder als Zeit des konzertierenden Stils bezeichnet. Im vokalen Bereich beginnt die Epoche, als Reaktion auf die bisweilen übersteigerte polyphone Satzweise der Gotik und Renaissance, mit der Entdeckung der von Stützakkorden begleiteten, dem Text angepassten Einzelstimme (Monodie). Hieraus entwickelten sich ab etwa 1600 die Gatt. Oper (G. Caccini, J. Peri, C. Monteverdi), Kantate, geistl. Konzert, Oratorium und weltl. Lied. Die Chormusik gelangte durch Verwendung breiter, akkordlich bestimmter Harmonieflächen zu neuer Blüte (G. Gabrieli). Auch in der Instrumentalmusik drängte das monod. Prinzip der führenden Oberstimme die polyphone Satzstruktur zurück. Für die Orchestermusik wurde das Concerto grosso Vorbild, für die Kammermusik die Triosonate, in der das Cembalo die beiden Melodieinstrumente, häufig zwei Geigen, akkordisch begleitet. Das Vorrecht der Einzelstimme führte zur Ausbildung konzertanter Gattungen, zunächst des Violinkonzerts. Diese Entwicklung des Solokonzerts führte unmittelbar zur Klassik hinüber. Die kontrapunkt. Satztechnik gelangte mit J. S. Bach und G. F. Händel zu einer letzten großen Blüte, bes. in der Fugenkunst Bachs. Sein kontrapunkt. Meisterwerk, die »Kunst der Fuge«, schloss 1750 gleichsam die Epoche der B.-Musik ab.

Die *Philosophie* des B.-Zeitalters war durch die großen Systeme des Rationalismus und Empirismus und die beginnende Aufklärung bestimmt. Neben diesen rationalen Zügen des Geisteslebens bestand v.a. im religiös-philosoph. Bereich ein Hang zur myst. Innerlichkeit.

Zugleich entstanden mathematisch-naturwiss. Forschungen grundlegender Art. In der *Mathematik* wurden durch Entdeckung der analyt. Geometrie (Descartes) und der Differenzial- und Integralrechnung (Leibniz, Newton) die Grundlagen für die Mathematik der Neuzeit gelegt. In den *Naturwissenschaften* gelangen, bes. durch die Verbindung von Theorie und Beobachtung, eine Reihe entscheidender Entdeckungen (keplersche Gesetze, Newtons Gravitationstheorie). An diesem Aufschwung haben die Erfindungen von Mikroskop und Fernrohr um die Wende vom 16. zum 17. Jh. bed. Anteil. In der *Medizin* war die größte Entdeckung die des Blutkreislaufs (W. Harvey).

📖 CHAUNU, P.: *Europ. Kultur im Zeitalter des B. Frankfurt am Main u. a. 1970.* – NORBERG-SCHULZ, CHR.: *Architektur des B. Stuttgart 1975.* – *Dt. Barockliteratur u. europ. Kultur, hg. v.* M. BIRCHER *u. a. Hamburg 1977.* – *Kunst u. Kultur des B. u. Rokoko. Architektur u. Dekoration, bearb. v.* A. BLUNT *u. a. Mit 32 Farbtafeln v.* W. SWAAN. *A. d. Engl. Freiburg im Breisgau u. a. 1979.* – EMRICH, W.: *Dt. Lit. der Barockzeit. Königstein/Ts. 1981.* – ASHLEY, M.: *Das Zeitalter des B. Europa zwischen 1598 u. 1715. A. d. Engl. München 1983.* – BAUER, H.: *B. Kunst einer Epoche. Berlin 1992.* – DAMMANN, R.: *Der Musikbegriff im dt. B. Laaber* ^{3}*1995.* – BRAUN, W.: *Die Musik des 17. Jahrhunderts. Laaber* ^{2}*1996.*

Baroda, Stadt in Indien, → Vadodara.

Pío Baroja y Nessi

Baroja y Nessi [-ˈrɔxa-], Pío, span. Schriftsteller, *San Sebastián 28. 12. 1872, †Madrid 30. 10.

1956; behandelte mit meist pessimist. Grundhaltung in seinen mehr als 70 Romanen soziale Probleme, Hauptwerk ist die 22-bändige Romanserie »Memorias de un hombre de acción« (1913–35); schrieb ferner »Jahrmarkt der Gescheiten« (1905), »Der Baum der Erkenntnis« (1911).

Barometer [grch. »Schweremesser«, »Druckmesser«], Gerät zum Messen des Luftdruckes. Bei den **Flüssigkeits-B.** hält der Luftdruck dem Gewicht einer Flüssigkeitssäule das Gleichgewicht. Die Länge der Flüssigkeitssäule ist ein Maß für den Luftdruck. Prototyp ist das auf Beobachtungen von Torricelli (1643) beruhende *Quecksilber-B.*, bestehend aus einer etwa 1 m langen luftleeren Glasröhre (Vakuum), deren oberes Ende geschlossen ist und deren unteres, offenes Ende entweder in ein Gefäß mit Quecksilber (Gefäß-B.) eintaucht oder heberförmig umgebogen (Heber-B.) ist. Es zeigt bei Normaldruck (1013,25 hPa) 760 mm Hg an (→Millimeter-Quecksilbersäule). Bei dem 1847 von L. Vidie erfundenen **Aneroid-B.** (Dosen-,

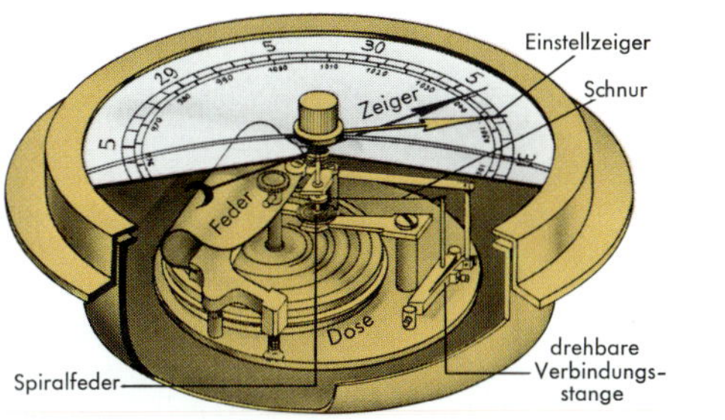

Barometer: Aneroidbarometer

Feder- oder Metall-B.) wird die Durchbiegung einer fast luftleeren, flachen Metalldose als Maß für den Luftdruck angezeigt. **Hypsometer** (Siede-B.) bestimmen den Luftdruck aus der Siedetemperatur von Flüssigkeiten (meist Wasser).

Baron [engl. 'bærən, frz. ba'rɔ̃] *der,* in England und Frankreich urspr. ein Kronvasall; heute in England der niedrigste Titel des hohen Adels; in Dtl. Anrede des →Freiherrn.

Baronet ['bærənɪt; engl. »kleiner Baron«] *der,* Abk. **Bar., Bart., Bt.** (hinter dem Namen), erbl. Titel des niederen engl. Adels. Den Trägern steht der Titel Sir (Lady) vor dem Taufnamen zu.

Barotseland, von den Rotse bewohnter westl. Landesteil Sambias (Western Province), beiderseits des oberen Sambesi; heiße Trockensavanne; Viehhaltung (Rinderweiden).

Barquisimeto [barki-], Hptst. des Staates Lara in Venezuela, am NO-Ende der Anden, 522 m ü. M., 703 000 Ew.; Erzbischofssitz; Univ.; Maschinenbau, Elektro-, Nahrungsmittelind.; Eisenbahn nach Puerto Cabello. – Als Nueva Segovia 1552 von Spaniern gegründet.

Barrakudas [span.], →Pfeilhechte.

Barramunda *der,* Fisch, →Knochenzüngler.

Barranco [span.] *der,* von den Kanar. Inseln stammende Bez. für eine Schlucht, die die Wand eines Vulkankraters nach außen durchbricht, sowie für die Erosionsfurchen an den Steilhängen der Vulkankegel; heute auch für Erosionsrisse in Lockergesteinen der Trockengebiete.

Barranquilla [-'kija], Dep.-Hptst., Hafenstadt in Kolumbien, am Río Magdalena 30 km vor seiner Mündung ins Karib. Meer, 1,02 Mio. Ew.; Erzbischofssitz; Textil-, Elektro-, chem. u. a. Ind.; internat. Flughafen.

Barras, Paul François Jean Nicolas Vicomte de, frz. Politiker, *Fox-Amphoux (Dép. Var) 30. 6. 1755, †Paris 29. 1. 1829; wurde 1792 Mitgl. der Bergpartei. Als Befehlshaber der Pariser Truppen 1794 entscheidend am Sturz Robespierres beteiligt, wurde 1795 Mitgl. des Direktoriums. Obwohl einer der Förderer Napoleon Bonapartes, verwies ihn dieser 1799 aus Paris.

Barrault [ba'ro], Jean-Louis, frz. Schauspieler, Regisseur, Intendant, *Le Vésinet (Dép. Yvelines) 8. 9. 1910, †Paris 22. 1. 1994; gründete 1946 mit seiner Frau Madeleine Renaud (*1900, †1994) eine Theatergruppe, war 1959–68 Intendant des »Théâtre de France«, Gründer und 1974–81 Leiter des »Théâtre d'Orsay«; spielte in vielen Filmen (u. a. in »Les enfants du paradis«).

Barre [frz. »Schranke«] *die,* Sand- und Schlammbank im Meer vor Flussmündungen, verursacht durch das Absetzen der Sinkstoffe an der Bewegungsgrenze der Gezeiten; erhebl. Schifffahrtshindernis.

Barre [ba:r], Raymond, frz. Politiker und Wirtschaftswissenschaftler, *Saint-Denis (auf Réunion) 12. 4. 1924; Prof. in Tunis, Caen und Paris, war 1967–73 Vizepräs. der Europ. Kommission, 1976–81 MinPräs. (**B.-Plan:** Spar- und Konjunkturprogramm).

Barrel ['bærəl; engl. »Fass«, »Tonne«] *das,* angloamerikan. Hohlmaß unterschiedl. Größe. Großbritannien: 1 B. = 36 Imperial gallons = 163,5645 dm³; USA: **Dry Barrel,** 1 bbl = 115,6278 dm³, für Trockensubstanzen; **Petroleumbarrel,** 1 ptr barrel = 158,987 dm³, u. a. für Erdöl.

Barren, 1) Gussform für Edelmetalle (Gold, Silber). Die Goldbestände der Notenbanken werden als **B.-Gold** (je 12,5 kg) gehalten.

2) *Sport:* Turngerät, 1812 von F. L. Jahn eingeführt, nach internat. Normen in der Höhe von 1,20 bis 1,90 m verstellbar; der Abstand zw. den parallelen Holmen ist zw. 0,42 m und 0,58 m veränderbar. Um 1934 wurde für das Damenturnen der **Stufen-B.** entwickelt, der auf unterschiedl. Höhe eingestellt werden kann; im Wettkampf ist der obere Holm 2,30 m, der untere 1,50 m hoch.

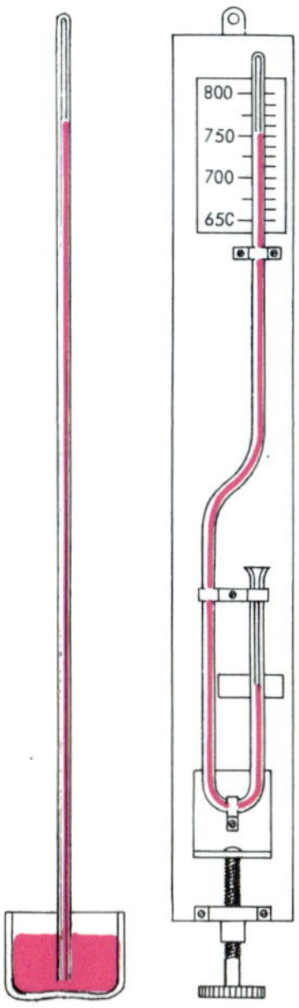

Barometer: Gefäß- (links) und Heberbarometer (rechts)

Paul Barras

Jean-Louis Barrault

Barren Grounds ['bærən 'graʊndz; engl. »unfruchtbare Böden«], die den Tundren der Alten Welt entsprechende Vegetationszone des nördl. kanad. Festlands mit subarkt. Tierwelt und geringer Besiedlung; Böden nur im Sommer oberflächlich auftauend.

Maurice Barrès

Barrès [ba'rɛs], Maurice, frz. Schriftsteller, *Charmes-sur-Moselle (Dép. Vosges) 22. 9. 1862, †Paris 4. 12. 1923; entwickelte in seinen ersten Romanen einen ästhet. und aristokrat. Kult des Ich; später wandte er sich einem romant. Kult der »Erde und der Toten«, einem antideutschen Nationalismus und Chauvinismus zu (Trilogie »Le roman de l'énergie nationale«, 1897–1902); Essays, Tagebücher.

Barrett ['bærət], Elizabeth, engl. Dichterin, →Browning.

Barrie ['bærɪ], Sir (seit 1913) James Matthew, schott. Schriftsteller, *Kirriemuir (Angus) 9. 5. 1860, †London 19. 6. 1937; schrieb Erzählungen aus seiner schott. Heimat, seit 1900 v.a. Theaterstücke. Großen Erfolg hatte sein Märchenspiel »Peter Pan« (1904).

Barriereriff, →Großes Barriereriff.

Barrique [ba'rik] *die,* alter Fasstyp des Bordelais mit (seit 1866) 225 l Rauminhalt. Heute vielerorts für neue Eichenfässer aller Art gebraucht, in denen Wein, bes. Rotwein, reift **(B.-Ausbau),** um ihn leicht mit Tannin anzureichern (B.-Wein).

Barrister ['bærɪstə, engl.] *der,* in Großbritannien Anwalt, der im Ggs. zum →Solicitor in der mündl. Verhandlung bes. vor höheren Gerichten auftritt.

Barr-Körperchen [nach dem kanad. Anatomen M. L. Barr] (Sexchromatin, Geschlechtschromatin), randständige Chromatinanhäufung im Zellkern weibl. Körperzellen, ermöglicht die Geschlechtsdiagnose (→Geschlechtsbestimmung).

Barrois (Le B., Bar), Landschaft in O-Frankreich, Kalkplateau zu beiden Seiten der oberen Maas; Hauptort: Bar-le-Duc. – Im röm. **Pagus Barrensis** bildete sich im 8. Jh. eine Grafschaft; die Grafen von B. (ab 951) mussten ab 1301 für den links der Maas gelegenen Teil die frz. Oberhoheit anerkennen. Seitdem unterschied man das zu Frankreich gehörende **B. royal** (**B. mouvant;** mit Bar-le-Duc, Ligny, Gondrecourt) und das zum Dt. Reich zählende **B. ducal** (**B. non mouvant;** mit Saint-Mihiel, Pont-à-Mousson, Briey, Longwy). 1354 wurde die Grafschaft zum Herzogtum erhoben, kam 1431 an Lothringen und mit diesem 1766 an Frankreich.

Barrow ['bærəʊ, engl.] *der,* vorgeschichtl. Grabhügel in England. Die lang gestreckten **Long B.** gehören der Jungsteinzeit, die runden **Round B.** der frühen Bronzezeit an.

Barrowspitze ['bærəʊ-] (engl. Point Barrow), das Nordkap Alaskas, nördlichster Punkt der USA; 71° 23' n. Br., 156° 28' w. L. Südlich von ihm die Eskimosiedlung **Barrow** (3 470 Ew.) mit Forschungsstation und Flughafen.

Barry ['bærɪ], Sir (seit 1852) Charles, engl. Baumeister, *London 23. 5. 1795, †ebd. 12. 5. 1860; baute in histor. Stilen Kirchen, Schulen u.a., 1840–65 mit A. Pugin das Londoner Parlamentsgebäude in neugot. Stil.

Barschartige Fische (Perciformes, Percomorphi), Ordn. der Knochenfische mit rd. 180 Fam. Viele Arten sind Speise-, einige auch Aquarienfische. Der **Flussbarsch** ist ein bis 40 cm langer Raubfisch europ. Gewässer, in Kleinasien und bis Sibirien verbreitet. Verwandte sind u.a. der →Kaulbarsch, der →Zander, der →Schrätzer.

Barschartige Fische: Flussbarsch (Länge bis 45 cm)

Barschel, Uwe, Politiker (CDU), *Glienicke (bei Berlin) 13. 5. 1944, †(Freitod [nach Feststellung eines Genfer Gerichts]) Genf 11. 10. 1987; Rechtsanwalt, 1979–82 Innen-Min., 1982–87 Min.-Präs. von Schlesw.-Holst. Die persönl. Verantwortung von B. für die Verleumdungskampagne gegen B. Engholm, von B. in Abrede gestellt, wurde von einem Untersuchungsausschuss des schleswig-holstein. Landtags festgestellt, in einem zweiten Schlussbericht (Okt. 1995) von ihm aber auf die polit. Verantwortung B.s begrenzt.

Barschlaus, Art der →Ruderfußkrebse.

Barsinghausen, Stadt im Landkr. Hannover, Ndsachs., am Deister, 34 600 Ew.; Metall-, Textil- und Nahrungsmittelindustrie. – 991 erstmals erwähnt.

Barsoi [russ. »der Schnelle«] *der,* sehr schlanker, etwa 75 cm schulterhoher Haushund mit sehr schmalem Kopf und langer Schnauze; weiß, mit gelbl., roten oder grauen Abzeichen.

Barsortiment, Form des Zwischenhandels, die dem Sortimentsbuchhandel (urspr. nur gegen Barzahlung) den Bezug von Büchern versch. Verlage aus einer Hand ermöglicht.

Bart, die beim Menschen (und bei Affen) auf bestimmte Teile des Gesichts (Wangen, Kinn, Hals) beschränkte Behaarung, bes. als sekundäres männl. Geschlechtsmerkmal ausgeprägt. Die **B.-Tracht** unterliegt dem Wechsel der Mode; sie hat häufig sinnbildl. Bedeutung (in Altägypten Kennzeichen der Königswürde). Israeliten, Babylonier, Assyrer, Meder und Perser trugen Voll-B., die

Griechen bis zu Alexander d. Gr. kurze Voll-B., ebenso die Römer bis um 300 v. Chr. Die Germanen trugen zur Römerzeit starke B. Im MA. wechselte die Mode. Um 1550 kam der kurze, spitze Kinn-B. nebst Schnurr-B. der span. Mode auf (Henri-Quatre). Seit Ende des 17. Jh. wurden dünne Schnurr- und Kinn-B. getragen; zur Rokokozeit verschwand der B. wieder ganz. Anfang des 19. Jh. kam der Backen-B. auf; eine Form davon war der Kaiser-Franz-Joseph-B. (Kaiser-Wilhelm-B.), ein Knebel-B., der Napoleon-III.-B. Dann wurden kurzer Schnurr-B. und Bartlosigkeit Mode. Erst in neuerer Zeit trägt man öfter wieder einen Bart.

Bartaffe (Wanderu), in SW-Indien beheimatete Art der Makaken mit auffallendem grauen Backenbart.

Barteln (Bartfäden), Hautanhänge als Träger von Tast- und chem. Sinnesorganen nahe der Mundregion vieler Fische (Störe, Welse, Karpfen u.a.).

Barten, Seihvorrichtung der Bartenwale (→Wale).

Bartenstein, Stadt in Polen, →Bartoszyce.

Bartergeschäft [engl. barter »Tausch«], →Kompensationsgeschäft.

Bártfa [-fɔ], ungar. Name für →Bardejov.

Bartfäden, die →Barteln.

Bartfeld, dt. Name für →Bardejov.

Frédéric-Auguste Bartholdi: Freiheitsstatue, 1886 auf Liberty Island vor New York aufgestellt (Höhe des Granitsockels 47 m, Höhe des Standbildes 46 m)

Bartflechte (Bartfinne), Hauterkrankung bes. im Bartbereich. Eitererreger (meist Staphylokokken) verursachen die **gewöhnl. B.** (Sykosis, Folliculitis barbae) mit kleinen, entzündl. Knötchen um den Haarbalg. Behandlung: entzündungshemmende, antibakterielle Mittel (z.B. Antibiotika). – Bei der durch Fadenpilze hervorgerufenen **tiefen B.** (eine →Trichophytie) treten entzündl. Knoten auf. Behandlung: pilztötende Mittel (Antimykotika).

Bartflechten (Usneaceae), Familie der Flechten mit strauchig aufrechtem oder bartförmig von Bäumen herabhängendem Thallus. Die B. i.e.S. gehören zur Gatt. **Usnea,** die bes. in den Nebellagen der Gebirge verbreitet ist.

Bartgeier (Lämmergeier, Gypaetus barbatus), großer, langschwänziger Greifvogel der Felsengebirge Europas, Asiens, Afrikas, horstet an Felsschroffen; legt meist zwei Eier.

Bartgras, Sammelbez. für mehrere nahe verwandte Gattungen der Süßgräser mit einblütigen Ährchen; einige Arten liefern Parfümerieöle (Lemongrasöl, Zitronellöl).

Bartgrundel, →Schmerlen.

Barth, Stadt im Landkr. Nordvorpommern, Meckl.-Vorp., 10 400 Ew.; Schiffsbau und Schiffsreparatur, Fischverarbeitung, Möbelind.; kleiner Hafen, nahebei Flugplatz.

Barth, **1)** Emil, Schriftsteller, *Haan (Kr. Mettmann) 6. 7. 1900, †ebd. 14. 7. 1958; der klass. Formtradition verpflichtet, schrieb Romane (»Das verlorene Haus«, 1936), Erzählungen, Lyrik, Essays.

2) Heinrich, Afrikaforscher, *Hamburg 16. 2. 1821, †Berlin 25. 11. 1865; schloss sich 1849 der brit. Sudanexpedition unter J. Richardson an; erforschte 1850–55 nach Durchquerung der Sahara die Länder des Tschadgebietes und den W-Sudan, entdeckte 1851 den Benue und war in Timbuktu (1853/54).

3) Heinrich, Philosoph, *Bern 3. 2. 1890, †Basel 22. 5. 1965, Bruder von 5); entwickelte, ausgehend vom Marburger Neukantianismus, eine christlich geprägte Existenzphilosophie.

4) [bɑ:θ], John, amerikan. Schriftsteller, *Cambridge (Md.) 27. 5. 1930; schreibt sprachlich und stilistisch virtuos durchgeformte satir. Romane: »Der Tabakhändler« (1960) »The tidewater tales« (1987) u.a.; Prosastück »Ambrose im Juxhaus« (1968).

5) Karl, schweizer. ref. Theologe, *Basel 10. 5. 1886, †ebd. 10. 12. 1968, Bruder von 3); 1921 Prof. in Göttingen, 1925 in Münster, 1930 in Bonn; war als Gegner des Nationalsozialismus im Kirchenkampf »Vater der →Bekennenden Kirche« und wurde daher 1935 seines Amtes enthoben; er wirkte seitdem bis 1962 als Prof. in Basel. B. war Mitbegründer und Wortführer der →dialektischen Theologie: Gott ist der ganz Andere, den wir nur durch sein Offenbarungshandeln in Jesus Christus erfahren können (Christologie). Seine Kritik des liberalen Kulturprotestantismus seit Schleiermacher ist ein Wendepunkt in der Geschichte der prot. Theologie. B. äußerte sich in Reden und Schriften als religiöser Sozialist und Mitgl. der schweizer. Sozialdemokrat. Partei zu vielen polit. Fragen.

Werke: Der Römerbrief (1919); Kirchliche Dogmatik, 4 Tle. (1932–59); Credo (1935).

Barthelme [bɑ:'θelmɪ], Donald, amerikan. Schriftsteller, *Philadelphia 7. 4. 1931, †Houston

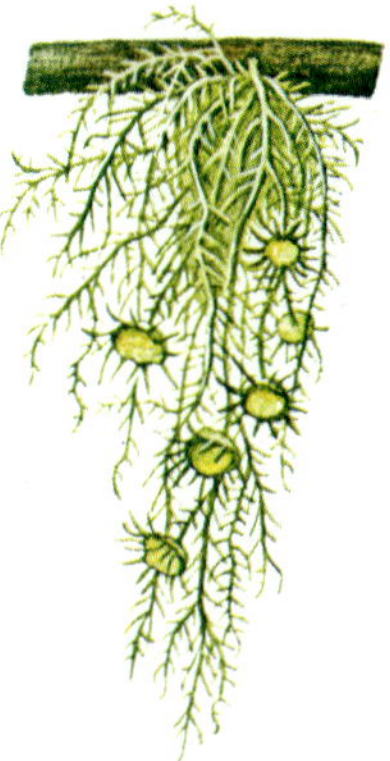

Bartflechte: Usnea

Bartgeier

Karl Barth

Béla Bartók

Derek Harold Richard Barton

(Tex.) 23. 7. 1989; verbindet Gesellschaftskritik mit pointiertem Humor (»Schneewittchen«, 1964; »Stadtleben«, 1970; »Forty Stories«, 1987).

Barthes [bart], Roland, frz. Literatur- und Kulturkritiker, *Cherbourg 12. 11. 1915, † Paris 26. 3. 1980; schrieb »Am Nullpunkt der Literatur« (1953), »Sade, Fourier, Loyola« (1971), »Lust am Text« (1973); Begründer der → Nouvelle Critique.

Bartholdi, Frédéric-Auguste, frz. Bildhauer, *Colmar 2. 4. 1834, † Paris 4. 10. 1904; schuf 1875–78 mit dem in den Fels gehauenen »Löwen von Belfort« ein imposantes Kriegerdenkmal (22 m lang), außerdem die Freiheitsstatue im Hafen von New York (1886, in Kupfer getrieben, 46 m hoch). BILD S. 451

Bartholin-Drüsen [nach dem dän. Anatomen C. Bartholin, *1655, † 1738], zwei kleine Drüsen, die bei der Frau zu beiden Seiten des Scheideneingangs liegen und Schleim absondern.

Bartholomäus [aramäisch »Sohn des Tholmai«]; einer der 12 Apostel Jesu (Mt. 10,3 u. a.), soll nach der Legende in Indien oder Armenien gewirkt und dort den Märtyrertod erlitten haben. Seine Attribute sind Haut und Messer (weil zu Tode geschunden); Tag: 24. 8. (Bartholomäustag).

Bartholomäusnacht (Pariser Bluthochzeit), die Nacht zum 24. 8. (Bartholomäustag) 1572, in der Admiral G. de → Coligny u. a. Führer der Hugenotten, die anlässlich der Hochzeit des prot. Heinrich von Navarra (der spätere Heinrich IV. von Frankreich) mit Margarete von Valois in Paris versammelt waren, zus. mit Tausenden von Glaubensgenossen auf Befehl Katharinas von Medici ermordet wurden.

Bartholomäusnacht

Ein unbekannter Straßburger Bürger schildert die Vorgänge der Bartholomäusnacht in Paris:
Im Morgengrauen, zwischen drei und vier Uhr, läuteten sie Sturm, dazu noch zwei kleine Glocken, die man die »Kriegsglocken« nannte, und augenblicklich ging das Gerücht um, der König hätte erlaubt, allen Hugenotten die Hälse abzuschneiden und ihre Häuser zu plündern.
Da setzte überall in Paris ein Gemetzel ein, dass es bald keine Gasse mehr gab, auch die allerkleinste nicht, wo nicht einer den Tod fand, und das Blut floss über die Straßen, als habe es stark geregnet. …
Die Karren mit Leichen von Edelfräulein, Frauen, Mädchen, Männern und Kindern fuhr man zum Fluss und leerte sie dort aus. Schon war der Fluss mit Leichen bedeckt und ganz rot von Blut, das auch noch an vielen anderen Orten der Stadt floss, so auch im Hofe des Louvre-Palastes.

Barthou [-'tu], Jean Louis, frz. Politiker, *Oloron-Sainte-Marie (Dép. Pyrénées-Atlantiques) 25. 8. 1862, † Marseille 9. 10. 1934 (zus. mit König Alexander I. von Jugoslawien durch einen makedon. Terroristen erschossen); 1913 MinPräs.; plante als Außenmin. (1934) ein kollektives Sicherheitssystem gegen das nat.-soz. Deutschland.

Bärtierchen (Tardigrada), Stamm der Gliedertiere, mikroskopisch kleine Tiere mit vier Paar Klauen tragenden Stummelfüßen; stechen und saugen mit stilettförmigen Mundgliedmaßen. B. leben an feuchten Orten. Bei Hitze und Trockenheit entstehen Dauerstadien (»Tönnchen«).

Bartmeise (Panurus biarmicus), meisenähnl., langschwänziger Singvogel.

Bartning, Otto, Architekt, *Karlsruhe 12. 4. 1883, † Darmstadt 20. 2. 1959; war 1926–30 Direktor der Hochschule für Handwerk und Baukunst in Weimar, 1955–59 städtebaul. Berater in Berlin (West). B. arbeitete bes. auf dem Gebiet des prot. Kirchenbaues.

Bartók [ungar. 'bɔrto:k], Béla, ungar. Komponist und Pianist, *Nagyszentmiklós 25. 3. 1881, † New York 26. 9. 1945; Prof. in Budapest, emigrierte 1940 in die USA. Sein Klangstil, der oft hart an die Atonalität grenzt, ist reich an unaufgelösten Dissonanzen. In Melodie und Rhythmik wird die ungar. Folklore wirksam.

Werke: Herzog Blaubarts Burg (Oper, 1911); Der holzgeschnitzte Prinz (Ballett, 1914–16); Der wunderbare Mandarin (Pantomime, 1918–19). Orchester-, Klavierwerke (»Mikrokosmos«), Kammermusik. Forschungsarbeiten zur Volksmusik.

📖 HELM, E.: *B. B. Reinbek 46.–48. Tsd., [11]1992.* – SZÉKELY, J.: *Mein Lehrer B. B. A. d. Ungar. München 1995.*

Bartolini, Luigi, italien. Maler und Schriftsteller, *Cupramontana (Prov. Ancona) 8. 2. 1892, † Rom 16. 5. 1963; griff in seinem Roman »Fahrraddiebe« (1946, erweitert 1948; Vorlage zu V. De Sicas Film) die Verwahrlosung in Rom, in seinen polem. Schriften die »intellektualist.« Kultur seiner Zeit an. B. schuf auch fantast. Radierungen (Landschaften, Tierdarstellungen).

Bartolomeo (B. della Porta), gen. Fra B., italien. Maler, *Florenz 28. 3. 1472 (?), † ebd. 31. 10. 1517; malte Altar- und Andachtsbilder, deren feierlich strenger und klarer Stil von starkem Einfluss bes. auf Raffael war.

Werke: Thronende Madonna mit Heiligen (1509; Florenz, Kloster San Marco); Die myst. Vermählung der hl. Katharina (1511; Paris, Louvre); Beweinung Christi (1516; Florenz, Palazzo Pitti).

Bartolus de Sassoferrato, italien. Jurist, *Venatura (bei Sassoferrato, Prov. Ancona) vermutlich 1314, † Perugia 10. 7. 1357; kommentierte das »Corpus Iuris civilis«.

Barton [ba:tn], Sir (seit 1972) Derek Harold Richard, brit. Chemiker, *Gravesend (Cty. Kent) 8. 9. 1918, † College Station (Tex.) 16. 3. 1998; erhielt 1969 für Forschungen zur → Konformation organ. Verbindungen den Nobelpreis für Chemie (mit O. Hassel).

Bartonellen, Gruppe von gramnegativen, bewegl. Bakterien, Erreger mit hämolyt. Anämie einhergehender Infektionskrankheiten. **Bartonella bacilliformis** wird durch Sandmücken übertragen und ist der Erreger des menschl. Oroya-Fiebers (Carrión-Krankheit) im N Südamerikas. **Hämo-B.** befallen Hunde, Rinder, Katzen.

Bartoszewski [-ʃ-], Władysław, poln. Publizist und Politiker, *Warschau 19. 2. 1922; war 1940/41 im KZ Auschwitz, 1944 am Warschauer Aufstand beteiligt, 1946–54 und 1980/81 inhaftiert; 1990–95 Botschafter in Österreich, 1995 Außenmin. Sein schriftsteller. Werk befasst sich v. a. mit der Zeit von 1939 bis 1944. B. bemühte sich um Vermittlung zw. Christen und Juden, zw. Polen und Deutschen. 1986 Friedenspreis des Dt. Buchhandels.

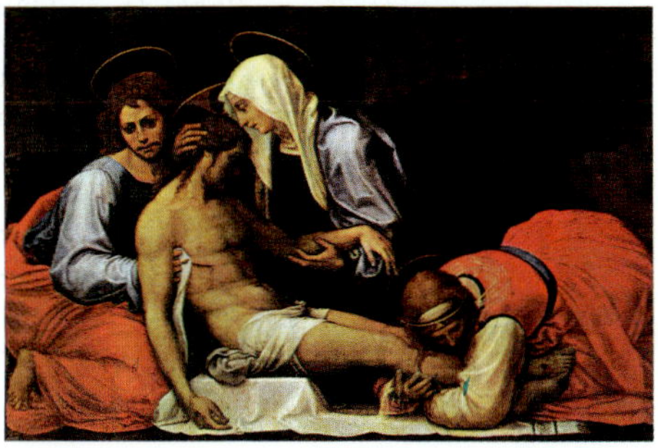

Fra Bartolomeo: Pietà (1516; Florenz, Palazzo Pitti)

Bartoszyce [-'ʃitsɛ] (dt. Bartenstein), Stadt in der Wwschaft Olsztyn (Allenstein), Polen, an der Alle, 24 700 Ew.; Bekleidungs-, Holz- und Papierindustrie. – B., um 1325 gegr., gehörte zunächst zum Ordensstaat, dann zu Preußen.

Bartsch *die* (poln. Barycz), rechter Nebenfluss der Oder, Polen, 133 km, mündet östlich von Głogów (Glogau).

Bartträger (Bartwürmer, Pogonophora), marine Würmer, bes. in großen Meerestiefen. Die bodenbewohnenden Tiere, am Vorderende mit Tentakeln ausgestattet, leben einzeln in erhärteten Sekretröhren.

Baruch [hebr. »der Gesegnete«], Gefährte und Schreiber des Propheten Jeremias.

Baruch [bəˈruːk], Bernard Mannes, amerikan. Wirtschaftsfachmann, *Camden (S. C.) 19. 8. 1870, †New York 20. 6. 1965; Berater zahlr. Präsidenten, erarbeitete Vorschläge zur Kontrolle und friedl. Nutzung der Kernenergie **(B.-Plan).**

Barwert, →Zinseszins.

Bärwurz (Feinblättrige B., Meum athamanticum), Doldenblütler auf Bergwiesen in Süd- und Mitteldeutschland; wichtiger Bestandteil eines gleichnamigen Trinkbranntweins.

bary... [grch.], schwer..., tief...

Barye [baˈri], Antoine-Louis, frz. Bildhauer und Maler, *Paris 24. 9. 1795 oder 1796, †ebd. 25. 6. 1875; naturnahe Tierplastiken sowie Landschaftsaquarelle.

Baryonen [grch.], Familie schwerer Elementarteilchen mit halbzahliger Spinquantenzahl (Fermionen); zu ihnen gehören die **Nukleonen** (Proton, Antiproton, Neutron, Antineutron), **Hyperonen** (Lambda-, Sigma-, Xi-, Omega-Teilchen und ihre Antiteilchen) und deren kurzlebige angeregte Zustände, die **B.-Resonanzen** (→Massenresonanzen). Alle B. sind aus je drei →Quarks aufgebaut. Die **B.-Zahl,** eine ladungsartige Quantenzahl, ist für alle B. +1, für deren Antiteilchen –1.

Barysphäre, der schwere Erdkern.

Baryssaŭ, Stadt in Weißrussland, →Borissow.

Baryt [grch.] *der,* Mineral, →Schwerspat.

Barytgelb, das →Bariumchromat.

Baryton [grch.] *das,* ein Streichinstrument (17.–19. Jh.) in Baritonlage mit 6–7 Spiel- und 9–28 Resonanzsaiten, die mit dem Daumen der linken Hand gezupft werden.

Barytwasser, →Bariumhydroxid.

baryzentrisch, *Physik:* auf den Schwerpunkt bezogen.

Barzel, Rainer, Politiker (CDU), *Braunsberg (Ostpreußen; heute Braniewo, Polen) 20. 6. 1924; seit 1957 MdB, 1962/63 Bundesmin. für gesamtdt. Fragen, 1964–73 Vors. der Bundestagsfraktion der CDU/CSU und 1971–73 Bundesvors. der CDU. Beim konstruktiven Misstrauensvotum gegen Bundeskanzler W. Brandt 1972 scheiterte er als Kanzlerkandidat der CDU/CSU-Fraktion im Bundestag sehr knapp. 1982/83 war er Bundesmin. für Innerdt. Fragen; 1983/84 Bundestagspräsident.

basal, *Geologie:* die unterste Lage einer Schichtfolge betreffend.

Basaliom [grch.] *das,* →Hautkrebs.

Basalt [lat.] *der,* dunkles, bas., weit verbreitetes Ergussgestein mit Plagioklas und Pyroxen. Nach dem Anteil weiterer Minerale werden zahlr. Varietäten unterschieden. Dunkle Färbung durch fein verteilten Magnetit, Ilmenit und Pyroxen, Gefüge meist dicht (feinkristalline, z. T. glashaltige Grundmasse), oft porphyrisch (→Porphyr), selten körnig **(Dolerit). B.-Mandelsteine** enthalten hydrothermal gebildete Minerale in Blasenräumen. B. sondert häufig in senkrecht zur Abkühlungsfläche stehenden Säulen ab, bildet Kuppen, Gänge und mächtige, treppenähnlich übereinander liegende Decken **(Trapp).** Geschmolzener B. wird zu B.-Faserstoffen verarbeitet, die als Isoliermaterial dienen. (→Melaphyr)

Basaltemperatur (Aufwachtemperatur), die morgens vor dem Aufstehen gemessene Körper-

Władysław Bartoszewski

Bernard M. Baruch

Bärwurz (Höhe 15–50 cm)

Johann Bernhard Basedow

temperatur der Frau zur Bestimmung des Follikelsprungs; dieser bewirkt nach 1–2 Tagen einen Temperaturanstieg von 0,3–0,6 °C und fällt vor der Regelblutung wieder ab. Fehlt der Follikelsprung, bleibt der Temperaturanstieg aus. Die B. gibt Hinweise auf Funktionsstörungen der Eierstöcke (z.B. Zyklusstörungen, Sterilität), auf das →Befruchtungsoptimum (dient der →Empfängnisverhütung) und auf eine Schwangerschaft.

Basar [pers.] *der* (Bazar; arab. Suk, Souk), oriental. Markt, Geschäfts- oder Gewerbestraße oder -viertel.

Baschkiren, im südl. Ural lebendes Turkvolk (→Baschkortostan), wohl schon im 10. Jh. islamisiert, urspr. Nomaden, heute weitgehend sesshaft. Ihre Sprache gehört zu den Turksprachen der NW-Gruppe und steht dem Tatarischen nahe.

Basel 1): Rathaus (16. Jh)

Baschkortostan (Baschkirien), Republik innerhalb der Russ. Föderation, im südl. Ural und seinem westlichen Vorland, 143 600 km², (1993) 4,1 Mio. Ew. (Russen, Tataren, Baschkiren u.a.); Hptst. ist Ufa; im W hügeliges, z.T. fruchtbares Schwarzerdegebiet (Anbau von Getreide, Sonnenblumen, Zuckerrüben, Kartoffeln), im O bewaldetes Gebirgsland; Förderung von Erdöl und -gas sowie Braunkohle, Kupfererz, Bauxit, Gold u.a.; Eisenhütten, Maschinenbau, petrochem., Holz- u.a. Industrie. – Das Gebiet wurde 1919 als Baschkir. ASSR erste ASSR innerhalb der RSFSR, erklärte sich 1990 für souverän und bildet seit 1992 als B. eine Teilrep. Russlands mit wirtsch. Sonderrechten.

Basel 1) Stadtwappen

Base, i.w.S. chem. Verbindung, die Protonen aufnehmen kann (→Säure-Base-Theorie); i.e.S. Verbindung, die mit Säuren durch Neutralisation Salze bildet und in wässriger Lösung durch Abspaltung von Hydroxidionen (OH^-) eine →alkalische Reaktion zeigt. Als **Lewis-Basen** werden Moleküle oder Atomgruppierungen bezeichnet, die Elektronen*paare* zur Verfügung stellen.

Baseball ['beɪsbɔːl; engl. base »Mal«], Schlagballspiel zw. zwei Mannschaften mit je neun Spielern, ein Duell zw. dem Schlagmann (engl. Batter) der Schlagpartei und dem Werfer (Pitcher) der Fangpartei. Diese besteht außerdem aus dem Fänger (Catcher), vier Innenfeld- und drei Außenfeldspielern. Für die Schlagpartei werden in einem Durchgang (Inning) bis zu vier Schlagmänner eingesetzt. Einen Punkt erzielt die offensive Partei, wenn es dem Schlagmann gelingt, in einem Lauf um das gesamte Viereck des inneren Spielfelds zu seinem Ausgangspunkt zurückzukehren. Ein Spiel hat neun Durchgänge je Mannschaft; bei Unentschieden wird verlängert.

Basedow [-do], Johann Bernhard, Pädagoge, getauft Hamburg 11. 9. 1724, †Magdeburg 25. 7. 1790; Hauptvertreter des →Philanthropismus, gründete 1774 das »Philanthropin« (Erziehungsanstalt) in Dessau, trat im Sinne der Aufklärung für spielendes Lernen, körperl. Ertüchtigung, prakt. Weltorientierung, überkonfessionellen Religionsunterricht, Erziehung zur Glückseligkeit und Gemeinnützigkeit ein.

Werke: Vorstellung an Menschenfreunde (1768); Methodenbuch (1770); Elementarwerk, 4 Bde. (1774).

Basedow-Krankheit [-do-], eine zuerst von dem Merseburger Arzt K. A. von Basedow (*1799, †1854) beschriebene Form der Schilddrüsenüberfunktion **(Hyperthyreose, Thyreotoxikose);** Kennzeichen: Vergrößerung der Schilddrüse (Struma, Kropf), beschleunigter Puls, Glanz- oder Glotzauge (Exophthalmus), motorisch-psych. Unruhe, Gewichtabnahme trotz Heißhungers (erhöhter Grundumsatz). Zugrunde liegt eine in ihren Ursachen nicht ganz geklärte Überproduktion von Schilddrüsenhormonen. Die Behandlung besteht in operativer Entfernung der stark vergrößerten Schilddrüse, sonst →Radiojodtherapie, Thyreostatika, Diät.

Basel, 1) zweitgrößte Stadt der Schweiz, 175 600 Ew. beiderseits des Rheins (am linken Ufer Groß-B., am rechten Klein-B., durch fünf Brücken verbunden); bildet mit den rechtsrhein. Gem. Riehen und Bettingen den Kt. Basel-Stadt; Univ. (seit 1460), Musikakademie, Akademie der Medizin.

Basel-Landschaft
Kantonswappen

Wiss., zoolog. und botan. Garten, zahlreiche Museen; Handels- und Dienstleistungszentrum (u. a. Schweizer. Mustermesse, Bank für Internat. Zahlungsausgleich), bed. Ind.standort: chemisch-pharmazeut., Nahrungsmittel- und Metallind., Druckereien und Verlage; ausgedehnter Rheinhafen; Flughafen B.-Mulhouse auf frz. Gebiet bei Blotzheim. – Bemerkenswerte Bauten sind u. a. das Spalentor (Ende 14. Jh.; heute Histor. Museum), das von Kaiser Heinrich II. 1019 gestiftete spätroman. Münster, St. Alban (1304 vollendet), die ehem. Barfüßerkirche (14. Jh.), die St.-Leonhards-Kirche (14./15. Jh.), das Rathaus (1504–14), Patrizier- und Zunfthäuser (15./16. Jh.).

B. ging aus einer röm. Siedlung hervor, die allmählich die Funktion der weiter rheinaufwärts gelegenen röm. Grenzfestung **Augusta Raurica** (gegr. 44 v. Chr.; heute Augst, Ausgrabungen) übernahm. Später wurde **Basilea** (Name 374 n. Chr. erstmals bezeugt) von Alemannen besiedelt, kam im 5. Jh. an das Fränk. Reich (seit dem 7. Jh. Bischofssitz), 912 an Burgund und mit diesem 1006/32 an das Dt. Reich. Im 14. Jh. machte sich die Stadt von der bischöfl. Herrschaft frei, wurde Reichsstadt und trat 1501 der Schweizer. Eidgenossenschaft bei; 1529 führte sie die Reformation ein (unter Oekolampad). Die zur Stadt gehörende Landschaft stand zunächst im Untertanenverhältnis zur Bürgerschaft. Die 1798 rechtl. Gleichstellung wurde 1814 wieder aufgehoben; dies führte 1833 zum Bürgerkrieg und zur Teilung. 1875 erhielt die Stadt B. eine demokrat. Verfassung.

📖 BURCKHARDT, P.: *Gesch. der Stadt B. Von der Zeit der Reformation bis zur Gegenwart. Basel* ^{2}*1957.* – LASCHINGER, W. *u.* LÖTSCHER, L.: *B. als urbaner Lebensraum. Basel 1978.* – *Architekturführer B. Die Baugeschichte der Stadt u. ihrer Umgebung, hg. v.* D. HUBER. *Basel 1993.*

2) exemtes Bistum im NW der Schweiz (umfasst neun Kantone), Bischofssitz ist seit 1828/30 (Angliederung der schweizer. Teile des ehem. Bistums Konstanz) Solothurn. – Das in Augusta Raurica (heute Augst) gegründete Bistum umfasste im MA Teile des Elsass und der Schweiz. Nachdem der Kt. B. die Reformation angenommen hatte, wich der Bischof nach Porrentruy aus, das Domkapitel 1529 nach Freiburg im Breisgau, 1678 nach Arlesheim; 1801 kamen die elsäss. Teile zum Bistum Straßburg.

Baselitz, Georg, eigtl. Hans-Georg Kern, Maler und Grafiker, *Deutschbaselitz (Kr. Kamenz) 23. 1. 1938; Vertreter des Neoexpressionismus; großformatige Leinwände mit seit 1969 auf dem Kopf stehenden Motiven; seit 1980 auch Holzplastik, daneben Grafik.

Basel-Landschaft, Kanton der Schweiz, 518 km^2, (1995) 251 300 Ew., Hptst. Liestal; umfasst das dicht besiedelte südl. Ind.vorortgebiet B. (Bezirk Arlesheim) und das östlich anschließende, in den Jura hineinreichende **Baselbiet** (Bezirke Liestal, Sissach, Waldenburg); stark industrialisiertes Bauernland mit Milchwirtschaft und Obstbau; Textil-, Eisen-, Maschinen-, chem., elektr., Ton- und Zementind., im Jura auch Uhrenherstellung; die Rheinhäfen Schweizerhalle und Au sind wichtig für den Import von Flüssigtreib- und -brennstoffen.

Basel-Stadt, Kanton der Schweiz, 37 km^2, (1995) 198 000 Ew., → Basel.

Basenji [engl. bə'sendʒi] *der,* Haushunderasse der Ebenen und bewaldeten Gebiete Zentralafrikas; Schulterhöhe 40–42 cm; kurzes, seidiges Haar; braunweiß gezeichnet.

BASF AG, bed. dt. Chemiekonzern, Sitz: Ludwigshafen am Rhein, gegr. 1865 in Mannheim, 1925–45 der I. G. Farbenindustrie AG eingegliedert, 1945–51 unter frz. Kontrolle, 1952 Neugründung, 1973 wurde die Abk. für Badische Anilin- & Soda-Fabrik offizieller Name; Beteiligungen u. a.: Wintershall AG, Rhein. Olefinwerke GmbH, Knoll AG.

Georg Baselitz: Pastorale (Die Nacht) (1985/86; Köln, Museum Ludwig)

BASIC ['beɪsɪk; Kw. aus engl. **b**eginners **a**ll-purpose **s**ymbolic **i**nstruction **c**ode, »symbol. Universalbefehlscode für Anfänger«] *das,* technisch-wiss. → Programmiersprache, die bes. für den direkten Dialog (d. h. Austausch von Daten) zw. Benutzer und Datenverarbeitungsanlage geeignet ist, bes. für Personalcomputer. Nachteil: geringer Sprachumfang.

Basic English ['beɪsɪk 'ɪŋglɪʃ; engl. »Grundenglisch«] *das,* von C. K. Ogden 1930 unternommener Versuch der Vereinfachung des Englischen durch Beschränkung des Wortschatzes auf 850 Wörter.

Count Basie

Basidiomyzeten (Basidiomycetes, Ständerpilze), formenreiche Klasse der höheren Pilze, bei der die Sporen auf Stielchen **(Basidien)** gebildet werden, so Rost-, Bauch-, Hutpilze.

Basie ['beɪsɪ], William (Bill), gen. Count B., amerikan. Jazzpianist und Orchesterleiter, *Red Bank (N. J.) 21. 8. 1904, †Hollywood (Fla.) 26. 4. 1984; stilistisch dem Swing verpflichtet.

Basildon ['bæzɪldən], Stadt (New Town) östl. von London, in der engl. Cty. Essex, 153 300 Ew.; mehrere Ind.parks, Traktorenwerk.

Basile, Giambattista, italien. Dichter, *Neapel 1575, †Giugliano in Campania (Prov. Neapel) 23. 2. 1632; Verfasser einer in neapolitan. Dialekt geschriebenen Märchensammlung (1634–36, 1674 u. d. T. »Pentamerone«), der die Romantik Stoffe und Anregungen entnahm.

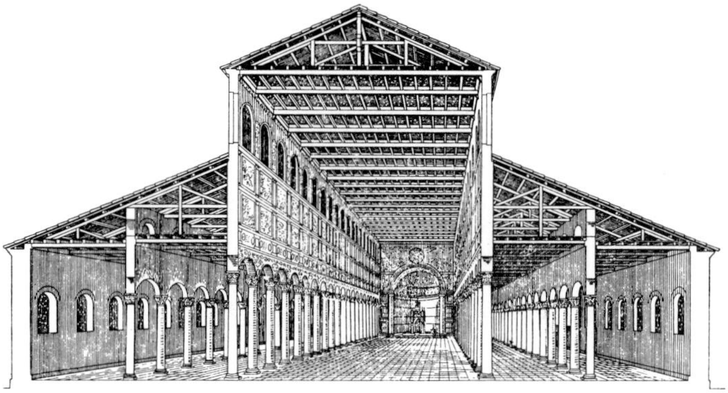

Basilika: Rekonstruktion der Pilgerkirche San Paolo fuori le mura in Rom

Basileios, byzantin. Kaiser: **1) B. I., der Makedonier** (867–886), *um 812, †29. 8. 886; beseitigte 867 als Mitkaiser Michael III. und wurde dadurch Alleinherrscher.

2) B. II., der Bulgarentöter (976–1025), *957, †15. 5. 1025, Sohn Romanos' II., unterwarf 1001–14 die Bulgaren, 1021 Armenien und Georgien.

Basileus [grch. »König«], Herrschertitel der Antike, seit dem 7. Jh. offizieller Name der byzantin. Kaiser.

Basilianer, Bez. von fünf kleinen, nach Basilius dem Großen benannten Orden der unierten oriental. Kirchen.

Basilicata (im Altertum und 1932–47 Lucania), Region im S Italiens, am Golf von Tarent, umfasst die Provinzen Matera und Potenza, 9992 km^2, (1993) 611 200 Ew.; Hptst. ist Potenza.

Basilienkraut, Lippenblütler, →Basilikum.

Basilika [grch. basilikḗ »Königshalle«] *die,* in hellenistisch-röm. Zeit eine lang gestreckte Gerichts- oder Markthalle von wechselnder Form, meist durch Stützen unterteilt, oft auch mit einer Apsis für den Sitz des Richters; auch Saal in Kaiserpalästen. Der Name B. wurde dann auf den christl. Kirchenbau übertragen. Die frühchristl. B. besteht aus einem Mittelschiff zw. je einem oder je zwei schmaleren und niedrigeren Seitenschiffen. Das Mittelschiff empfängt sein Licht durch Fenster im oberen Teil der die Seitenschiffe überragenden Mauern und endet in einer Apsis. Zw. Langhaus und Apsis wurde schon früh ein Querschiff eingeschoben. Vor der Eingangsseite liegt oft ein von Säulengängen umgebener Vorhof (Atrium, auch Paradies). In karoling. Zeit entstand der kreuzförmige Grundriss, bei dem das Langhaus das Querschiff durchdringt, über die Kreuzung (Vierung) hinausgeht und dann in der Apsis endet. Die B. blieb in zahlr. Abwandlungen die im Abendland vorherrschende Grundform des Kirchenbaus.

Basilikum [zu grch. basilikós »königlich«] *das* (Basilienkraut, Ocimum basilicum), Lippenblütler aus S-Asien, 10–40 cm hohes, einjähriges, wärmebedürftiges Gewürzkraut mit rötlich weißen oder lilafarbenen Blüten. Das Kraut ergibt Tee gegen Verdauungsstörungen, das äther. B.-Öl ist ein wertvoller Rohstoff in der Parfümerie.

Basilisk [grch.] *der,* aus dem Orient übernommenes mittelalterl. Fabeltier, Mischwesen zw. Drache und Hahn mit tödl. Blick **(Basiliskenblick).** In der Symbolik stand der B. für Tod, Teufel und Antichrist.

Basilisken (Basiliscus) [grch.], Kriechtiergattung der Leguane in Amerika, meist Baumbewohner, Männchen mit aufrichtbaren Hautlappen auf Kopf und Rücken. Der **Helmbasilisk** (Basiliscus basiliscus) erreicht 80 cm Länge.

Basilius der Große, Kirchenlehrer, *Caesarea Cappadociae (heute Kayseri) um 330, †1. 1. 379; seit 370 Bischof und Metropolit von Kappadokien; Förderer des Mönchtums; mit Gregor von Nyssa und Gregor von Nazianz zu den **Großen Kappadokiern** gezählt, die die Trinitätslehre ausbauten und so die Beendigung des arian. Streites (381, →Arianismus) ermöglichten. Heiliger (Tag: Ostkirche 1. 1., kath. Kirche 2. 1.).

Basis [grch. »Sockel«, »Grundmauer«] *die,* **1)** *allg.:* Grundlage, Ausgangspunkt.

2) *Baukunst:* Fuß einer Säule oder eines Pfeilers, der den Übergang zw. dem vertikalen Säulenschaft und der waagerechten Fußplatte vermittelt, auch Standblock einer Plastik.

3) *Elektronik:* der Halbleiterbereich zw. den beiden pn-Übergängen eines Bipolartransistors; auch: Steuerelektrode eines →Transistors.

4) *Geodäsie:* mit sehr hoher Genauigkeit gemessene Grundlinie zur Maßstabsfestlegung bei der →Triangulation.

5) *Kristallographie:* die in die Einheitszelle eingebauten Atome, Moleküle und Ionen, deren period. Wiederholung eine Kristallstruktur ergibt.

6) *Mathematik:* a) Grundlinie, Grundfläche; b) Grundzahl einer →Potenz, eines →Logarithmus oder eines Zahlensystems; c) in einem Vektorraum ein System linear unabhängiger Vektoren **(B.-Vektoren).**

7) *Politik:* a) B. und Überbau, →Marxismus; b) die tragende(n) Schicht(en) einer Gesellschaft oder von gesellschaftl. Organisationen (Partei-B.) im Ggs. zur Führung.

8) *Sprache:* a) ein mehreren Wörtern gemeinsames Wortstück, an dem Erscheinungen des Ablauts auftreten; b) **B.-Komponente,** in der Transformationsgrammatik die syntakt. Tiefenstruktur.

Basisanschluss, *Telekommunikation:* ein ISDN-Anschluss mit zwei Basiskanälen (B-Kanäle) und einem Kanal (D-Kanal) für die Übertragung der Steuerinformationen. Die beiden B-Kanäle können unabhängig voneinander gleichzeitig zur Datenübermittlung genutzt werden.

Basisbreite, in der Stereophonie der Abstand zw. zwei getrennt angeordneten Mikrofonen bei der Aufnahme bzw. zw. den äußeren Lautsprechern bei der Wiedergabe.

basische Reaktion, die →alkalische Reaktion.

Basisdemokratie, polit. Begriff, der ein zentrales Anliegen der neuen sozialen Bewegungen umschreibt. Die Idee der B. sucht über eine grundsätzl. Kritik an den Erscheinungsformen v.a. der repräsentativen Demokratie, des Sozialstaats, des Staatsinterventionismus, der Parteien und Verbände eine neue Form des Zusammenlebens der Menschen zu finden; basisdemokratisch verstehen sich v.a. die Grünen und die Bürgerbewegungen.

Basilisken: Helmbasilisk (Länge bis 80 cm)

Basiseinheiten (früher Grundeinheiten), die voneinander unabhängigen Einheiten eines physikal. Größen- oder Einheitensystems, aus denen sich alle anderen Einheiten **(abgeleitete Einheiten)** in Form von Potenzprodukten ergeben. Die B. gehören meist zu den →Basisgrößen, von denen es in jedem →Einheitensystem stets ebenso viele wie B. gibt. Die zz. gültigen sieben B. des SI (→SI-Einheiten) werden durch die Generalkonferenz für Maß und Gewicht festgelegt und definiert.

Basilikum *erfreute sich schon im Altertum höchster Wertschätzung als Heilpflanze, hatte aber auch immer eine Verbindung zum Abgründigen und zum Tod. Die Ägypter legten es, zu Kränzen geflochten, mit in die Grabkammern, und die alten Griechen pflegten die Basilikumaussaat mit kräftigen Flüchen zu begleiten, was sich auf das Wachstum äußerst gedeihlich auswirken soll. Außerdem soll Basilikum gegen Stechmücken helfen.*

Basisgemeinden, *kath. Kirche:* experimentelle Orts- oder Personalgemeinden, die in der Realisierung der Gemeinschaft ein Beispiel für die Reform der kirchl. Strukturen suchen. (→Theologie der Befreiung)

Basisgrößen (früher Grundgrößen), zweckmäßig gewählte und vereinbarte, voneinander unabhängige physikal. Größen, z.B.: Länge, Zeit, Masse, elektr. Stromstärke, thermodynam. Temperatur, Stoffmenge und Lichtstärke. Alle anderen Größen werden aus den B. abgeleitet. (→Größensystem)

Basisgruppen, i.e.S. kleine Vereinigungen, seit 1966/67 bes. an Univ. entstanden, dienten urspr. der polit. Diskussion, entwickelten sich zu Zentren radikal sozialist. Agitation der →Neuen Linken; i.w.S. kleine Vereinigungen an Bildungseinrichtungen, in Betrieben, Ortsteilen u.a. zur Diskussion von Einzel- oder polit. Themen, in denen neue Formen des Miteinanderlebens und -wirkens gesucht werden.

Basilikum (Höhe bis 40 cm)

Basisjahr, *Statistik:* das Jahr, das die Bezugsgrundlage abgibt.

Basissatz, *Wissenschaftstheorie:* grundlegende Aussagen in der Form von Es-gibt-Sätzen (»an der und der Raum-Zeit-Stelle gibt es das und das«), die einen intersubjektiv beobachtbaren Sachverhalt beschreiben und deren Negation aus der Theorie folgt, zu der sie gehören. B. bilden die Grundlage der Sprache einer empir. Wissenschaft. (→Protokollsatz)

Basisschaltung, →Transistor.

Basizität *die,* Maß für die Basenstärke, ausgedrückt durch den →pH-Wert oder den →pK-Wert; allg. die Fähigkeit einer chem. Verbindung, als Protonenakzeptor oder Elektronenpaardonator zu wirken. (→Base)

Basken (bask. Euskaldunak, span. Vascos, frz. Basques), vorindogerman. Volk im Hinterland des Golfes von Biscaya, dem →Baskenland, in Frankreich etwa 100 000–200 000, in Spanien rd. 900 000

Menschen. Aufgrund ihrer ethn. und sprachl. Besonderheiten (→baskische Sprache und Literatur) haben sich die B. eine reiche Volkskultur erhalten (Schwert- und Stocktänze, Pelota, rhythm. Volksmusik, Mythen und Legenden).

Geschichte: Nach genhistor. Untersuchungen stammen die B. in direkter Linie von den altsteinzeitl. Cro-Magnon-Menschen ab. Der Name **Vascones** taucht im 1. Jh. v. Chr. bei den Römern auf. Nach dem Sieg der Westgoten um 580 siedelten die B. auch nördlich der Pyrenäen. Die bask. Grafschaften, die sich der maur. und fränk. Herrschaft widersetzten, bildeten 905 das Königreich →Navarra. Die B. behaupteten in den folgenden Jahrhunderten gegenüber den Herrschern von Navarra, Aragonien, León und Kastilien ihre Sonderrechte **(fueros);** in Frankreich verloren sie diese 1789 und in Spanien wurden sie nach den Bürgerkriegen 1834–40 und 1873–76 im Wesentlichen aufgehoben. Innerhalb der span. Rep. 1936–39 besaßen sie Autonomie. Seit den 1960er-Jahren werden die Autonomieforderungen v.a. von der →ETA vertreten, auch mit terrorist. Mitteln. 1979 erhielten die span. B. für ihre Region im Rahmen der neuen span. Verfassung wieder Autonomie; 1980 wurde die Regionalreg. gebildet.

John Baskerville

📖 KASPER, M.: *Baskische Gesch. in Grundzügen. Darmstadt 1997.*

Baskenland (bask. Euskadi), Land der →Basken, am Golf von Biscaya in Spanien und Frankreich, vom östl. Teil des Kantabr. Gebirges bis in die westl. Pyrenäen. Das span. B. bildet seit 1979 die autonome Region B. (span. **País Vasco**) mit den Prov. Guipúzcoa, Vizcaya und Álava; 7261 km², (1991) 2,1 Mio. Ew., Hptst. Vitoria (amtl. Vitoria-Gasteiz). Die Küstenregion ist stark industrialisiert mit Eisenerzverhüttung (seit dem 19. Jh., Zentrum Bilbao), Metall-, Elektro-, chem., Baustoffind., Maschinen- und Fahrzeugbau, Leder- und Holzverarbeitung. Im Landesinneren dominiert die Landwirtschaft (Viehhaltung, Maisanbau, Obst- und Weinbau).

Das frz. B. (frz. **Pays Basque**) entspricht dem westl. Teil des Dép. Pyrénées-Atlantiques mit den alten Prov. Labourd, Soule und Basse-Navarre; rd. 17700 km². Im gebirgigen Inneren des B. Streusiedlungen mit Weidewirtschaft, an der Küste Fischerei und Fremdenverkehr.

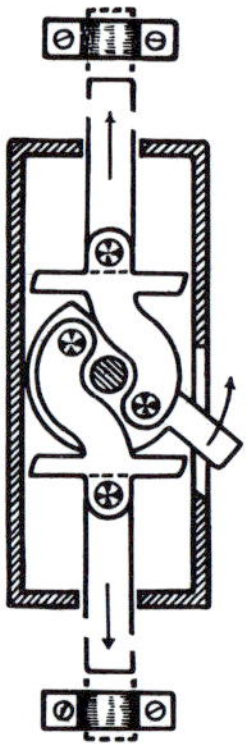

Basküle-verschluss

Baskerville ['bæskəvɪl], John, engl. Schriftgießer und Buchdrucker, * Wolverley (Cty. Hereford and Worcester) 28. 1. 1706, † Birmingham 8. 1. 1775; schuf künstler. Antiqua- und Kursivschriften.

Basketball [engl. basket »Korb«], zu den Tor-, Mal- und Korbspielen gehörendes Mannschafts-, meist Hallenspiel, bei dem zwei Mannschaften (je fünf Feld- und bis zu sieben Auswechselspieler) versuchen, einen Hohlball (75–78 cm Umfang, 600–650 gr.) in den gegner., in 3,05 m Höhe auskragend an den Schmalseiten des Spielfeldes (28×15 m) angebrachten Korb zu werfen. Ein Spiel dauert 2×20 Minuten effektive Spielzeit; jeder Treffer aus dem Spiel zählt zwei oder drei Punkte (Weitwürfe), jeder verwandelte Freiwurf einen Punkt. B. zählt seit 1936 zum olymp. Programm.

baskische Sprachen und Literatur

Verbreitung von Dialekten und Unterdialekten der baskischen Sprache in SW-Frankreich und N-Spanien:
1 Bizkaisch, **2** Guipuzkoanisch, **3** Hochnavarrisch, **4** Labourdinisch, **5a** Westniedernavarrisch mit dem Unterdialekt des Tals Aezcoa, **5b** Ostniedernavarrisch mit den Unterdialekten der Landschaften Mixe **(6)**, Cize **(7)** und des Tals Salazar **(8)**, **9** Souletinisch mit dem Unterdialekt des oberen Roncaltals **(10)**

baskische Sprache und Literatur. Das Baskische (bask. euskera, eskuara) ist die einzige lebende vorindogerman. Sprache in Westeuropa (in Frankreich im Dép. Pyrénées-Atlantiques, in Spanien in den autonomen Regionen Baskenland und Navarra). Sie hat in geschichtl. Zeit viel Lehngut aufgenommen, z. B. aus dem Keltischen, Germanischen, bes. aus dem Lateinischen und Romanischen. Der Ursprung der bask. Sprache ist bislang nicht geklärt. Sie ist mundartlich stark gespalten; eine einheitl. Schriftsprache besteht nicht. Für alle Dialekte gibt es Literatur, zumindest religiöse, und Folklore (Lieder, Legenden, Märchen, volkstüml. Theaterstücke, Pastoralen, Sprichwörter). Bed. Vertreter der zeitgenöss. bask. Literatur sind u. a. J. L. Álvarez Enparantza, gen. Txillardegi (*1929), R. Saizarbitoria (*1944), X. Kintana (*1946), J. Azurmendi (*1941), X. Lete (*1944), Arantxa Urretavizcaya (*1947).

📖 HAASE, M.: *Baskische Sprache u. Lit. Die Einflüsse des Gaskognischen u. Französischen auf das Baskische. Hamburg 1992.*

Basküleverschluss [frz. bascule »Schaukel«], Fenster- oder Türverschluss, bei dem durch Drehen eines Griffs zwei Stangen riegelartig nach oben und unten geschoben werden.

Basler Friede, vom 5. 4. 1795 zw. Preußen (K. A. Freiherr von Hardenberg) und der Frz. Republik (F. Marquis Barthélemy), →Französische Revolutionskriege, →Preußen, Geschichte.

Basler Konzil, →Reformkonzilien.

Basra, Prov.-Hptst. im Irak, am Schatt el-Arab, 895000 Ew.; Univ.; Zentrum eines großen Dattelanbaugebiets; Erdölraffinerie; Flughafen. B. war früher der Haupthafen des Landes, da die Zufahrt aber ständig freigebaggert werden musste, wurde der Überseehafen →Umm Kasr angelegt. – Das alte B. (im mittelalterl. Europa **Balsora** oder **Bassora** gen.) wurde 638 gegründet und war im 8./9. Jh. eine blühende Handelsstadt sowie ein Zentrum arab. Kultur; ab dem 10. Jh. zerfiel es und wurde 1638 von den Türken erobert. Das heutige B. entstand im 17. Jahrhundert.

Bas-Rhin [ba 'rɛ̃], Dép. im Elsass, Frankreich, 4755 km², 962000 Ew.; Hptst. Straßburg.

Bass [italien. basso »tief«] *der,* Abk. **B,** *Musik:* **1)** tiefste Stimme im mehrstimmigen Tonsatz.

2) tiefste Männerstimme, Umfang etwa E bis d¹/f¹.

3) Tonlagenbezeichnung bei Instrumenten, z. B. B.-Posaune.

Bassai, antikes Bergdorf, das zu der altgrch. Stadt Phigaleia (W-Peloponnes) gehörte; in der Nähe gut erhaltener Apolltempel (Ende des 5. Jh. v. Chr.; UNESCO-Weltkulturerbe); ein Fries des Tempels heute im British Museum (London).

Bassani, Giorgio, italien. Schriftsteller, *Bologna 4. 3. 1916. Seine an H. James geschulten psycholog. Erzählungen und Romane spielen in seinem langjährigen Wohnsitz Ferrara, u. a. »Ein Arzt aus Ferrara« (R., 1958), »Die Gärten der Finzi-Contini« (R., 1962), »Ferrareser Geschichten« (Erzn., 1960); auch Essays und Lyrik.

Bassai: Apolltempel (Ende 5. Jh. v. Chr.)

Bassano, Jacopo, eigtl. J. da Ponte, italien. Maler, *Bassano del Grappa um 1510/15, †ebd. 13. 2. 1592; religiöse Bilder in satten Farben und mit kühnen Lichtwirkungen. Seine vier Söhne, bes. Francesco B. (*1549, †1592) und Leandro B. (*1557, †1622), setzten die Kunst des Vaters fort.

Bassano del Grappa, Stadt in Venetien in der Prov. Vicenza, Italien, 39500 Ew., an der Brenta; Textil-, keram. Ind., Maschinenbau. – Reizvolles Stadtbild mit Palästen, z. T. mit Fresken und Laubengängen.

Basse Danse [bas'dãs, frz.] *die,* langsamer Schreit- oder Gleittanz, im 15./16. Jh. an den frz. und italien. Höfen verbreitet.

Bassein (Putheïn), Prov.-Hptst. in Birma, im Irawadidelta, 144000 Ew.; Mittelpunkt eines Reisanbaugebietes; Kunsthandwerk; Hafen.

Bassermann, Albert, Schauspieler, *Mannheim 7. 9. 1867, †Zürich 15. 5. 1952; 1900–14 am Dt. und am Lessingtheater in Berlin, später an verschiedenen Bühnen; emigrierte 1934, bis 1946 in den USA; Charakterdarsteller (bes. Ibsen-Rollen), auch in Filmen.

Albert Bassermann

Basset [ba'sɛ, frz.; 'bæsɪt, engl.] *der,* kurzbeiniger frz. Jagdhund; aus Kreuzung des B. mit dem engl. Bloodhound entstand der **Basset Hound.**

Basseterre [bas'tɛːr], Hptst. von Saint Kitts und Nevis, Hafen auf Saint Kitts, 21000 Ew.; Zuckerfabriken; Hafen.

Basse-Terre [bas'tɛːr], Hptst. des frz. Übersee-Dép. Guadeloupe, 14000 Ew. (in der städt. Agglomeration 53000 Ew.); Hafen, Flughafen.

Bassetthorn [italien.], um 1770 erstmals gebaute Altklarinette in F (Umfang F–f³), u. a. von W. A. Mozart verwendet.

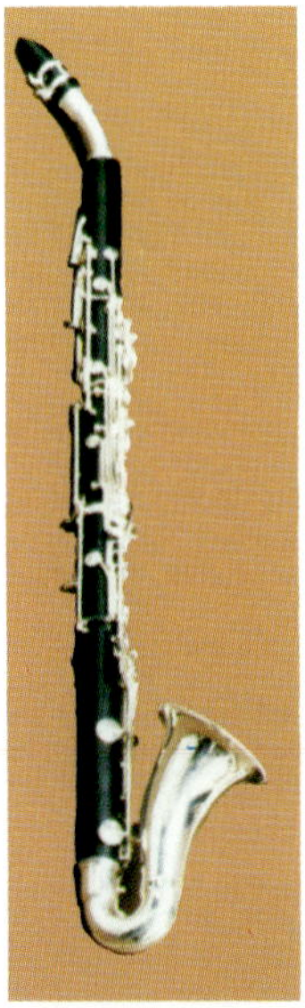

Bassetthorn

Bassgeige, der →Kontrabass.

Basso continuo [italien. »ununterbrochener Bass«], Abk. **B. c.,** →Generalbass.

Basso ostinato [italien. »hartnäckiger Bass«], →Ostinato.

Bassow, Nikolai Gennadijewitsch, russ. Physiker, *Usman (bei Woronesch) 14. 12. 1922; bed. Arbeiten zur Quantenelektronik; erhielt für seine Beiträge zur Entwicklung von Laser und Maser 1964 zus. mit A. M. Prochorow und C. H. Townes den Nobelpreis für Physik.

Nikolai Gennadijewitsch Bassow

Bassreflexbox, Lautsprechergehäuse mit einem zusätzl. Schallloch zur verbesserten Abstrahlung niedriger Frequenzen bei kleinen Gehäuseabmessungen.

Bassschlüssel, *Musik:* ein Notenschlüssel (→Schlüssel 3).

Bass-Straße ['bæs-; nach ihrem Entdecker George Bass, 1798], 340 km lange, rd. 210 km breite Meerenge zw. Australien und Tasmanien; bed. Erdöl- und Erdgasförderung.

Basstölpel [nach der schott. Insel Bass Rock], →Tölpel.

Bast, 1) *Botanik:* in Spross und Wurzel vom Kambium nach außen neu gebildetes Gewebe, auch sekundäre Rinde; B.-Fasern können feste Stränge bilden; Binde-, Flecht-, Spinnstoff; u. a. von Flachs, Hanf, Jute, Sisal-, Manilahanf.

2) *Jägersprache:* behaarte Haut am wachsenden Geweih.

3) *Textilkunde:* eine den Rohseidenfaden umhüllende Schicht (→Seide).

Bastard [aus altfrz. bastard, »anerkannter außerehelicher Sohn eines Adligen«] *der,* **1)** *(veraltet):* nichtehel. Kind.

2) *Biologie:* (Hybride) aus Kreuzungen genetisch unterschiedl. Elternformen hervorgegangenes Individuum. Aus einer Bastardierung entstehen immer mischerbige, **heterozygote** Individuen. Nur reinerbige, durch fortlaufende Inzucht entstandene, **homozygote** Individuen und Haplonten (z.B. Sporentierchen, →haploid) haben niemals B.-Natur.

Bastardfaden: Wappen des Grafen Jean Dunois, genannt Bastard von Orléans

Bastardfaden, *Heraldik:* links über den Schild gelegter Schrägfaden als Zeichen nichtehel. Herkunft.

Bastardschriften, zw. zwei Stilarten, z.B. Antiqua und Fraktur, stehende Druckschriften.

Bastarnen (Bastarner), german. Volk, das im 3. Jh. v. Chr. von Mitteleuropa zum Schwarzen Meer abwanderte; 280 n. Chr. südlich der Donau in Thrakien angesiedelt.

Bastei, die →Bastion.

Bastei *die,* Kreidesandsteinfelsen im Elbsandsteingebirge; 305 m ü.M., 194 m über der Elbe; Aussichtspunkt.

Bastei: Felsengruppe Bastei mit der Basteibrücke

Baster (früher Rehobother B.), Afrikaans sprechende Volksgruppe in Namibia; entstand im 19. Jh. aus Verbindungen zw. Hottentottenfrauen und Buren; siedelt um Rehoboth.

Bastet, ägypt. Göttin der Freude und Liebe (im Ggs. zur gefährl. →Sachmet), in Frauengestalt mit Katzenkopf oder ganz als Katze dargestellt. Hauptkultort ist Bubastis.

Bastia [italien., frz. bas'tja], Hafenstadt auf der Insel Korsika, Frankreich, VerwSitz des Dép. Haute-Corse, 45 100 Ew.; größte Handels- und Ind.stadt der Insel; Flughafen. – Zitadelle, ehem. Gouverneurspalast (14.–16. Jh.) – 1791–1810 Hptst. von Korsika.

Georges Bataille

Bastian, Adolf, Völkerkundler, *Bremen 26. 6. 1826, †Port of Spain (Trinidad) 2. 2. 1905; bereiste als Schiffsarzt viele Gebiete der Erde. B. legte 1868 mit seinen Sammlungen den Grundstock zum Museum für Völkerkunde in Berlin.

Werke: Der Mensch in der Geschichte, 3 Bde. (1860); Die Voelker des oestlichen Asien, 6 Bde. (1866–71).

📖 Fiedermutz-Laun, A.: *Der kulturhistor. Gedanke bei A. B. Wiesbaden 1970.*

Bastiat [bas'tja], Frédéric, frz. Volkswirtschaftler, *Bayonne 29. 6. 1801, †Rom 24. 12. 1850; erwartete als Vertreter der liberalen Nationalökonomie und des Freihandels vom »laissez faire« die Lösung der sozialen Frage.

Bastille [bas'ti:j] *die,* 1370–82 erbaute, achttürmige Burg am Tor Saint-Antoine in Paris; seit dem 17. Jh. Staatsgefängnis; zu Beginn der Frz. Revolution am 14. 7. 1789 (daher, seit 1880, frz. Nationalfeiertag) als Sinnbild königl. Tyrannei gestürmt und 1790 zerstört.

Bastion [frz.] *die* (Bastei), vorspringendes Bollwerk einer Festung bes. nach der Bauart S. Vaubans.

Bastogne [bas'tɔɲ] (niederl. Bastenaken, dt. Bastnacht), Stadt in der Prov. Luxemburg, Belgien, 12 500 Ew. – B. war während der dt. Ardennenoffensive im Dez. 1944 hart umkämpft.

Bastonade [italien., von bastone »Stock«] *die,* Prügelstrafe auf Fußsohlen und Rücken; im islamist. Iran noch heute offiziell angewendet.

Bastseide, noch nicht entbastete Rohseide mit gelblich weißer bis goldgelber Farbe; auch das aus B. gefertigte Gewebe.

Basuto, Volk im südlichen Afrika, →Sotho.

Basutoland, früherer Name von →Lesotho.

BAT, Abk. für →**B**undes**a**ngestellten**t**arifvertrag.

Bata, Stadt an der Küste des festländ. Teiles von Äquatorialguinea, 40 000 Ew.; Hafen, internat. Flughafen.

Bataille [ba'ta:j], Georges, frz. Schriftsteller, *Billom (Dép. Puy-de-Dôme) 10. 9. 1897, †Paris 9. 7. 1962. Hauptthema seiner Werke ist das dialektische Verhältnis von Tabu und Übertretung; schrieb u.a. »Abbé C.« (R., 1950), »Der heilige Eros« (Essay, 1957).

Bataillon [frz. bata'jɔ̃, dt. batal'jo:n] *das,* takt. Verband von 3–5 Kompanien (Batterien), etwa 400–800 Mann, geführt von einem Major oder Oberstleutnant.

Batak, 1) zu den Aëta zu rechnende Negrito-Bev. der Philippineninsel Palawan.

2) Bewohner des zentralen N-Sumatra; etwa 4 Mio. B.; betreiben Trocken- und Nassreisanbau, Schweine- und Büffelhaltung; patrilineare Verwandtschaftsorganisation; kennen Steinsetzungen (Megalithen), Ahnenkult und Magie; Christen (B.-Kirche) oder Muslime; wohnen traditionell in kunstvoll beschnitzten Holzhäusern mit hoch aufragenden, vorn überstehenden Dächern.

Batalha [ba'taʎa; portugies. »Schlacht«], Ort nördlich von Lissabon, Portugal, 6400 Ew.; ehem. Kloster **Santa Maria da Vitória** (UNESCO-Weltkulturerbe) im →Emanuelstil, gegr. von König Johann I. zur Erinnerung an den Sieg Portugals vom 14. 8. 1385 über Kastilien.

Batate [span., indian. Ursprungs] *die* (Süßkartoffel), die stärkereiche Knolle der Knollenwinde Ipomoea batatas; in den warmen Gebieten der Erde verbreitet, ersetzt sie dort die Kartoffel.

Bataver, german. Stamm an der Rheinmündung, erhob sich 69/70 n. Chr. unter Civilis erfolglos gegen die röm. Oberhoheit (seit Ende des 1. Jh. v. Chr.); ging im 4. Jh. in den Franken auf.

Batavia, bis 1950 Name von →Jakarta.

Batavische Republik, die von den Franzosen errichtete niederländ. Republik (1795–1806); aus ihr wurde dann das Königreich Holland.

Bath [bɑːθ], Stadt in der Cty. Avon in SW-England, 84000 Ew.; Univ.; Badeort mit heißen Quellen (mit Resten der röm. Thermenanlage); Abteikirche (16. Jh.); Stadtbild (18. Jh.) von einzigartiger Geschlossenheit (UNESCO-Weltkulturerbe).

Batholith [grch.] *der,* ausgedehnter, meist granit. Tiefengesteinskörper, der als magmat. Masse aus größeren Tiefen in die obere Erdkruste eingedrungen und dort erstarrt ist.

Bathorden ['bɑːθ-; engl. »Orden vom Bade«], brit. Verdienstorden, wohl 1399 gestiftet, nach der Aufnahmezeremonie benannt; 1725 erneuert.

Báthory [-ri], siebenbürg. Fürstengeschlecht, →Stephan 2).

Bathseba (in der Vulgata Bethsabee), im A. T. die von David verführte Gattin des Hethiters Uria (2. Sam. 11), Mutter des Königs Salomo (1. Kön. 1).

Bathurst ['bæθəːst, engl.], bis 1973 Name der gamb. Hptst. →Banjul.

Bathyal [grch.] *das,* lichtarmer Meeresbereich zw. 200 und 3000 m Wassertiefe.

Bathyskaph *der,* 1953 von A. Piccard entwickeltes steuerbares Tiefseeboot für Forschungszwecke. Der spindelförmige benzingefüllte Tragkörper trägt die Stahlkugel (2 m ∅, 9 cm Wanddicke) für die Besatzung; größte Tauchtiefe (1953) 3150 m. Mit der Weiterentwicklung »Trieste« tauchten J. Piccard und D. Walsh (1960) 10916 m tief.

Bathysonde, in der Meeresforschung verwendete elektron. Messeinrichtung zur Bestimmung u. a. von Dichte, Temperatur, Salzgehalt und Strömung.

Bathysphäre, 1934 von O. Barton und W. Beebe gebaute, an einem Kabel hängende stählerne Kugel zur Tiefseeforschung; größte erreichte Tiefe (1948) 1370 m.

Batalha: Kirche des Kloster Santa Maria da Vitória (14.–16. Jh.)

Batik [malaiisch] *der* auch *die,* aus Indonesien stammende Stofffärbetechnik, wobei auf die Stellen, die farbfrei bleiben sollen, heißes Wachs aufgegossen wird. Nach dessen Erkalten wird der Stoff kalt gefärbt und danach das Wachs im heißen Spülbad abgelöst. Für jede Farbe ist ein gesonderter Arbeitsgang erforderlich. Durch Sprünge im Wachs entsteht ein reizvolles, farbiges Geäder.

Batik: Wayang-Figuren und Ornamente (Stoffarbeit aus Java; 19./20. Jh.)

B. A. T. Industries p. l. c. [biːeɪ'tɪː 'ɪndəstrɪz 'pʌblɪk 'lɪmɪtɪd 'kʌmpənɪ], London, brit. Mischkonzern (Tabakwaren, Finanzdienstleistungen, Versicherungen), gegr. 1902 als British-American-Tobacco Co. Ltd., seit 1976 jetziger Name.

Batist [frz.] *der,* sehr feines [Baumwoll]gewebe in Leinwandbindung.

Batista y Zaldívar [-i sal'diβar], Fulgencio, kuban. Politiker, *Banes (Prov. Camagüey) 16. 1. 1901,

†Marbella (Spanien) 6. 8. 1973; herrschte nach dem Sturz von Präs. G. Machado y Morales (1933) in Kuba mit diktator. Mitteln; Präs. 1940–44, 1952–58; durch F. Castro Ruz gestürzt.

Batman, Prov.-Hptst. in der SO-Türkei, 148 000 Ew.; Mittelpunkt der türk. Erdölförderung, Pipeline nach Iskenderun.

Batman ['bætmən; engl. »Fledermausmann«], Titelfigur einer 1939 gestarteten Comicstripserie; auch Fernsehserien und Spielfilme.

Baton Rouge ['bætn 'ru:ʒ], Hptst. des Staates Louisiana, USA, am Mississippi, 235 000 Ew.; zwei Univ.; Erdölraffinerie, petrochem. Industrie.

Batrachomyomachie [grch. »Froschmäusekrieg«], fälschlich Homer zugeschriebene Parodie der »Ilias«, die im Stil des hohen Epos Kämpfe zw. Fröschen und Mäusen schildert.

📖 Glei, R.: *Die B. Synopt. Edition u. Kommentar. Frankfurt am Main 1984.*

Batschka *die* (serbokroat. Bačka), ungar. Bácska), Landschaft zw. unterer Theiß und Donau, in der Wojwodina (Jugoslawien), kleiner Teil in Ungarn; Weizen-, Mais-, Zuckerrüben-, Sonnenblumenanbau. Größte Städte sind Novi Sad und Subotica. – Nach den Türkenkriegen im 18. Jh. wurde die B. mit Deutschen, bes. aus SW-Dtl. (Donauschwaben), später auch Magyaren, Serben und Slowaken besiedelt. 1920 (Vertrag von Trianon) kam der größte Teil zu Jugoslawien, nur ein Sechstel blieb bei Ungarn. 1941–45 von Ungarn besetzt; 1945 Vertreibung der Deutschen (rd. 200 000).

Battambang, Prov.-Hptst. in NW-Kambodscha, 39 000 Ew.; Univ.; Reis-, Gemüse-, Juteanbau; Flughafen.

Battani (Mohammed ibn Djabir al B., mlat. Albategnius), arab. Astronom, *in oder bei Harran vor 858, †bei Samarra 929; verfasste astronom. Tafeln, führte astronom. Bestimmungen durch und förderte die Trigonometrie.

Battelle Memorial Institute [bə'tel mɪ'mɔ:rɪəl 'ɪnstɪtju:t], eine von dem amerikan. Industriellen Gordon Battelle (*1883, †1923) gestiftete, 1929 gegr. Einrichtung für Vertragsforschung u. a. für Physik und Chemie, Metallurgie und Werkstoffkunde in Columbus (Ohio); seit 1953 besteht in Frankfurt a. M. das **Battelle-Institut e. V.**

Batzen der Bischöfe von Konstanz (Vorder- und Rückseite; nach 1510)

Battement [bat'mã, frz.] *das, Ballett:* Bez. für Bewegungen, bei denen das Spielbein aus einer geschlossenen Position weg- und wieder zurückgezogen wird.

Battenberg, Name eines 1314 erloschenen hess. Grafengeschlechts aus der Stadt Battenberg (Eder), Landkr. Waldeck-Frankenberg; Prinzentitel (seit 1858) der Nachkommen des Prinzen Alexander von Hessen-Darmstadt aus seiner Ehe mit der poln. Gräfin Julie von Haucke. – Ludwig Alexander von B. (*1854, †1921) war brit. Admiral; er erhielt 1917 den Namen **Mountbatten** und die Würde eines Marquess of Milford Haven. (→Alexander 1)

Batterie [frz.] *die,* **1)** *Militärwesen:* die der Kompanie entsprechende Einheit bei der Artillerie und der Flugabwehrtruppe.

2) *Musik:* frz. Bezeichnung für Schlagzeug sowie für Trommelwirbel und Signale.

3) *Technik:* i. w. S. die Zusammenschaltung mehrerer gleichartiger Geräte (Stromquellen, Kondensatoren, Öfen u. Ä.), i. e. S. Bez. für alle galvan. Elemente, die auf elektrochem. Wege eine elektr. Spannung erzeugen und eine Leistung abgeben können. Im Ggs. zum →Akkumulator verlaufen die chem. Reaktionen bei B. **(Primärzellen, Primärelemente)** nicht umkehrbar, d. h., sie können nicht wieder aufgeladen werden. Handelsübl. B. bestehen aus zwei Elektroden, zw. denen sich eine mit Quellmitteln eingedickte Elektrolytlösung befindet **(Trocken-B.),** umgeben sind sie von einem auslaufsichernden Stahlmantel (»leak-proof«). Weit verbreitet sind: Kohle-Zink-Zelle (Leclanché-Element), Alkali-Mangan-Zelle, Quecksilberoxidzelle, Silberoxidzelle, Lithiumzelle.

Batteriehaltung, Legehennenhaltung, bei der die Tiere in ein- oder mehrstöckigen Käfiganlagen **(Legebatterien)** gehalten werden. Fütterung, Entmistung, z. T. auch Einsammeln der Eier erfolgen automatisch. Die B. wird zunehmend als nicht tiergerecht kritisiert.

Batthyány ['bɔtja:ni], Lajos (Ludwig) Graf von, ungar. Staatsmann, *Preßburg 14. 2. 1806, †Pest (heute zu Budapest) 6. 10. 1849; wurde am 17. 3. 1848 Präs. des ersten ungar. Ministeriums; wegen angebl. Hochverrats hingerichtet.

Battuta [italien.] *die, Musik:* Taktschlag; **a battuta,** (wieder) im strengen Takt.

Batu Khan, Mongolenfürst, *um 1205, †Saraj 1255; Enkel Dschingis Khans, unterwarf 1237–40 die russ. Fürstentümer, verwüstete 1241/42 Polen, Schlesien (Schlacht bei Liegnitz) und Ungarn; herrschte über die →Goldene Horde, zuletzt von der von ihm 1254 gegründeten Residenz Saraj nahe der Wolgamündung aus.

Batumi, Hptst. der Rep. Adscharien in Georgien, 137 500 Ew.; inmitten subtrop. Vegetation, Kurort an der kaukas. Schwarzmeerküste; Delphinarium, Museen; Maschinen-, Schiffbau, chem. Ind., Teefabriken; Erdölraffinerie und -ausfuhr (Pipeline von Baku); im benachbarten Seebad **Seljony Mys** botan. Garten. – B., eine grch. Gründung **(Bathys),** gehörte seit Anfang des 17. Jh. zur Türkei und kam 1878 an Russland.

BAT-Wert, Abk. für **b**iologischer **A**rbeitsstoff**t**oleranzwert, →MAK-Wert.

Batzen [frühnhd. »Klumpen«] *der,* alte Scheidemünze (4 Kreuzer, in der Schweiz: 10 Rappen).

Bau, *Jägersprache:* von Raubwild, Murmeltier und Wildkaninchen bewohnte Erdhöhle mit den Röhren (Gängen) und dem Kessel (Hauptraum).

Bauabnahme, → Bauüberwachung.

Bauakustik, Lehre von der Schallausbreitung in Gebäuden in Form von Luft- und Körperschall; befasst sich mit Messverfahren zur Beurteilung des Schallschutzes von Bauteilen und der Entwicklung von Bauelementen mit hohem Schallschutz.

Baubetreuungsvertrag, Geschäftsbesorgungsvertrag, in dem der Baubetreuer sich verpflichtet, im Namen und für Rechnung des Bauherrn die Planung, Durchführung und Abrechnung des Bauvorhabens zu übernehmen. Die gewerbl. Baubetreuung ist erlaubnispflichtig (§ 34 GewO). Zum Schutze der Käufer gilt die Makler- und Bauträger VO i.d.F. v. 7. 11. 1990. **Bauträger** ist dagegen, wer das Bauvorhaben im eigenen Namen durchführt, um es z.B. »schlüsselfertig« zu übergeben.

Baubiologie, ökologisch orientierte Architekturrichtung. Ihre Ziele sind eine die Gesundheit fördernde Umweltgestaltung und Bautechnik, z.B. durch Verwendung von natürl. Baumaterialien wie Holz und Lehm.

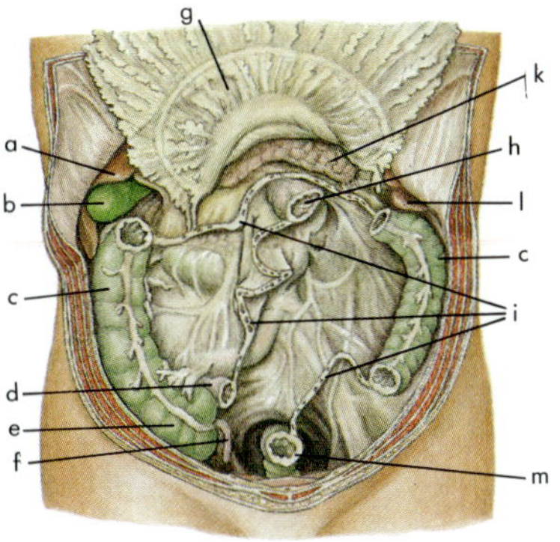

Bauch: Einblick in die Bauchhöhle: a Leber, b Gallenblase, c Dickdarm, d Endteil des Dünndarms (terminales Ileum), e Blinddarm, f Wurmfortsatz, g großes Netz (hochgeklappt), h Zwölffingerdarm, i Schnittkanten des Gekröses, k Bauchspeicheldrüse (Pankreas), l Milz, m Mastdarm (Rectum)

Bauch (Abdomen, Venter), beim Menschen und den aufrecht gehenden Tieren der vordere, untere, bei den übrigen Wirbeltieren der hintere, untere Teil des Rumpfes, in dessen Innerem sich die vom → Bauchfell umkleideten B.-Eingeweide befinden (→ Bauchhöhle). Die B.-Muskulatur, die wesentl. Bestandteil der B.-Decke ist, betätigt die → Bauchpresse und dient zum Rumpfbeugen.

Bauchdeckenspannung, reflektorische, unwillkürl. Anspannung der Bauchdeckenmuskulatur infolge entzündl. Bauchfellreizung, z.B. bei Blinddarmentzündung und Magenwanddurchbruch; wichtiges Symptom akuter Baucherkrankungen.

Bauchfell (Peritonaeum, Peritoneum), glatte, feuchte Haut, die die Innenwand der Bauchhöhle und die Oberfläche der meisten Baucheingeweide überkleidet. Das B. bildet einen in sich geschlossenen Sack (Bauchhöhle), in den die Eingeweide eingesenkt und durch Doppelblätter des B. (Gekröse) mit der Bauchwand verbunden sind. Der größte Teil des Darmes ist von einer mit Fett durchsetzten B.-Tasche (großes Netz) bedeckt.

Bauchfellentzündung (Peritonitis), Entzündung des Bauchfells durch Krankheitserreger, die z.B. bei einem Magendurchbruch (Magengeschwür) in die Bauchhöhle gelangen **(akute B.).** Am gefährlichsten ist die **allg. B. (diffuse B.),** bei der plötzlich heftiger Leibschmerz, Fieber, Erbrechen, Darmlähmung, Puls- und Atembeschleunigung auftreten und die Bauchmuskeln sich stark spannen. Bei der **örtl. B. (lokalen B.)** ist die Entzündung auf einen kleinen Teil der Bauchhöhle begrenzt. Die Behandlung erfolgt durch operative Beseitigung des Entzündungsherds, Antibiotika und Infusionstherapie.

Bauchganglienkette (Bauchmark), Teil des Zentralnervensystems der Gliedertiere; paarweise an der Bauchseite gelegene Nervenknoten (Ganglien), durch Nervenstränge längs und quer miteinander verbunden (Strickleiternervensystem).

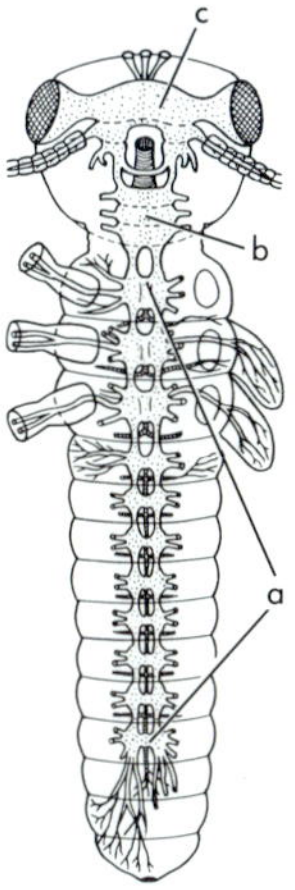

Bauchganglienkette eines Insekts (Ventralansicht); a eigentliches Bauchmark, b Unterschlundganglion, c Oberschlundganglion (Gehirn)

Bauchhoden, Form des → Kryptorchismus.

Bauchhöhle, beim Menschen und bei Säugetieren der durch das Zwerchfell von der Brusthöhle abgetrennte Raum; enthält die Verdauungs-, Ausscheidungs- und Fortpflanzungsorgane.

Bauchhöhlenschwangerschaft, eine Form der → Extrauteringravidität.

Bauchi ['baʊtʃi:], Hptst. des Bundesstaates B. in Nigeria, 62 000 Ew. (vorwiegend Hausa); Handelszentrum am O-Rand des Josplateaus (früher B.-Plateau); Fahrzeugmontagewerk, Bahnstation.

Bauchmark, die → Bauchganglienkette.

Bauchpilze (Gastromycetes), Ständerpilze mit geschlossenen, meist oberirdisch wachsenden Fruchtkörpern, z.B. Bovist, Erdstern und Tintenfischpilz.

Bauchpresse, Kontraktion aller Bauchmuskeln sowie der Beckenbodenmuskeln und des Zwerchfells zur Erhöhung des Druckes innerhalb der Bauchhöhle; führt zur Entleerung des Darmes und der Harnblase oder zur Austreibung des Kindes während der Geburt.

Bauchredner (Ventriloquist), jemand, der imstande ist, mithilfe der Kehlkopfmuskulatur und des Gaumensegels Worte hervorzubringen, ohne den Mund zu bewegen, sodass der Eindruck entsteht, die Stimme käme aus dem Bauch.

Wolf Stefan Traugott Baudissin

Baudouin I., König der Belgier

Bauchspeicheldrüse (Pankreas), aus exokrinem (äußere Sekretion) und endokrinem (innere Sekretion) Teil aufgebaute Drüse; liegt beim Menschen im oberen Abschnitt der Bauchhöhle vor der Wirbelsäule und passt sich hinter dem Magen zw. Zwölffingerdarm und Milz ein. Der exokrine Teil bildet für die Verdauung notwendige Substanzen. Der Ausführungsgang (Ductus pancreaticus) mündet zus. mit dem Gallengang in den Zwölffingerdarm. Die inselartig in das exokrine Drüsengewebe eingelagerten endokrinen Zellhaufen **(Inselorgan, Langerhans-Inseln)** gehören zum Inkretsystem und produzieren für den Stoffwechsel der Kohlenhydrate notwendige Hormone, die A-Zellen das →Glucagon, die B-Zellen das →Insulin. – Krankheiten der B. sind: **B.-Entzündung (Pankreatitis),** bei der es zu einem plötzlich einsetzenden, ausgedehnten Untergang von Drüsengewebe **(akute B.-Entzündung)** mit abakterieller Entzündung infolge »Selbstverdauung« der Bauchspeicheldrüse (tox. Enzymopathie) kommt; häufigste Ursachen sind Gallensteine und Alkoholmissbrauch; schweres Krankheitsbild mit heftigen Leibschmerzen, Erbrechen, Darmlähmung und Kreislaufreaktionen. Die **chron. B.-Entzündung** ist ein langfristig schwelender, fortschreitender Entzündungsprozess, am häufigsten infolge Alkoholmissbrauchs; Kennzeichen sind u.a. Oberbauchschmerzen, Verdauungsstörungen und Gewichtsverlust. Zu den **B.-Geschwülsten (Pankreastumoren),** die i. Allg. erst spät entdeckt werden, zählen die Inselzelladenome und der relativ häufige B.-Krebs (Pankreaskarzinom).

Bauchspiegelung, *Medizin:* die →Laparoskopie.

Bauchtanz, Tanz des oriental. Kulturbereichs, der durch Rollen des Beckens oder rhythmisch kontinuierl. Bewegungen der Bauchmuskeln ausgeführt wird; meistens von Frauen getanzt. Urspr. wohl dem Fruchtbarkeitskult entstammend, ist der B. seit dem 19. Jh. v.a. als Schautanz bekannt.

Bauchwassersucht (Aszites), Flüssigkeitsansammlung in der freien Bauchhöhle, am häufigsten bei Stauung im Pfortaderkreislauf und bei Bauchfellerkrankungen.

Baucis (Baukis), →Philemon und Baucis.

Baud [baʊt, boːt; nach J. M. E. Baudot, *1845, †1903] *das,* Einheitenzeichen **Bd,** Einheit der Nachrichtentechnik für die Schrittgeschwindigkeit in der Telegrafen- und Fernschreibtechnik (1 Bd = 1 bit/s). Die übertragenen Signale setzen sich aus Schritten (d.h. Zustandsänderungen bei zwei mögl. Zuständen) zusammen, z.B. das Internat. Telegrafenalphabet Nr. 2 (→Fernschreiber) und das →Morsealphabet.

Baudarlehen (öffentliches B.), zinsloses oder niedrig verzinsl. Darlehen von Bund, Ländern und Gemeinden, auch nach dem Lastenausgleichsgesetz, bes. im Rahmen des sozialen Wohnungsbaus, gewährt. Umfang, Rangfolge, Zins- und Tilgungsbedingungen richten sich nach den Vorschriften des Wohnungsbau-Ges. (i.d.F. v. 19. 8. 1994), den Wohnungsbauförderungsbestimmungen der Länder sowie den Satzungen kommunaler Gebietskörperschaften.

Baude [tschech. bouda], allein stehendes Gebirgshaus, Berggasthof, bes. im Riesengebirge.

Charles Baudelaire (Porträtfotografie von Nadar, 1855)

Baudelaire [boˈdlɛːr], Charles, frz. Dichter, Kunstkritiker und Essayist, *Paris 9. 4. 1821, †ebd. 31. 8. 1867; wurde v.a. durch seinen Gedichtband »Les fleurs du mal« (1857, dt. »Die Blumen des Bösen«) bekannt, der von der Spannung zw. Ideal, geistiger Würde, Schönheit und Kreatürlichkeit, Verdammnis und Melancholie lebt. B. stellt die Suche nach sich selbst und dem Absoluten (»spleen«) in der Liebe, in Drogen, im Fantastischen, Schönen und Bösen in makelloser Schönheit der Form dar. Er war Vorläufer des →Symbolismus. Weitere Werke sind »Die künstl. Paradiese« (1861), »Kleine Prosagedichte« (hg. 1869), »L'art romantique« (Aufsätze, 1869), »Journaux intimes« (hg. 1909).

📖 Ross, W.: *B. u. die Moderne. Porträt einer Wendezeit. München u.a. 1993.* – Pichois, C. *u.* Ziegler, J.: *B. A. d. Frz. Göttingen 1994.*

Baudissin, 1) Wolf Heinrich Graf von, *Kopenhagen 30. 1. 1789, †Dresden 4. 4. 1878; arbeitete an der Shakespeare-Übersetzung von Schlegel und Tieck mit.

2) Wolf Stefan Traugott Graf von, Generalleutnant, *Trier 8. 5. 1907, †Hamburg 5. 6. 1993; leitete seit 1951 in der Dienststelle Blank, später bis 1958 im Bundesministerium der Verteidigung die Abteilung »Innere Führung«. Er war an der Entwicklung der Grundsätze der →Inneren Führung maßgeblich beteiligt. 1963–67 hoher Funktionär bei der NATO, 1971–84 Direktor des »Instituts für

Friedens- und Sicherheitspolitik« an der Univ. Hamburg.

Baudouin I. [bo'dwɛ̃, frz.] (fläm. Boudewijn I.), König der Belgier (seit 1951), * Schloss Stuyvenberg (bei Brüssel) 7. 9. 1930, † Motril (Prov. Granada, Spanien) 31. 7. 1993; Sohn Leopolds III., ⚭ seit 1960 mit Doña Fabiola de Mora y Aragón.

Bauelement, 1) *Bautechnik:* konstruktives Einzelteil eines Bauwerks, z. B. Decken-, Wand- oder Treppenteil, das maßhaltig vorgefertigt wird und mit anderen B. auf der Baustelle möglichst ohne Nacharbeit verbunden werden kann.

2) *Elektrotechnik* und *Elektronik:* Einzelteil mit eng tolerierten Kennwerten zum Aufbau elektr. Netzwerke, Schaltungen und Geräte (bes. Widerstand, Kondensator, Spule, Relais, Schalter, Steckverbinder, Schwingquarz, Diode, Transistor, Thyristor, Elektronenröhre, integrierter Schaltkreis). Die B. werden u. a. eingeteilt in passive (ohne Verstärkung) und aktive (mit Verstärkung) Bauelemente.

Bauer [ahd. giburo, eigtl. »Mitbewohner«], **1)** (Landwirt) Eigentümer oder Pächter eines landwirtsch. Betriebes, der i. d. R. von den Familienmitgl. und heute ohne fremde Arbeitskräfte bewirtschaftet wird und aus dem der überwiegende Teil des Familieneinkommens stammt. Nach der Nutzfläche teilt man die Betriebe in groß- (20–100 ha), mittel- (5–20 ha) und kleinbäuerliche (2–5 ha) ein. Heute unterscheidet man v. a. nach dem Erwerbscharakter zw. Voll-, Zuerwerbs- und Nebenerwerbsbetrieben.

Bauer 1): Die Votivbronze eines »Pflügers aus Arezzo« gibt Zeugnis vom bäuerlichen Leben (5. Jh. v. Chr.; Rom, Museo Nazionale di Villa Giulia)

Die → Agrarpolitik der EG beeinflusst die Wirtschaftstätigkeit der B. im EG-Bereich erheblich.

Geschichte: Die Anfänge der bäuerl. Kultur lassen sich in Vorderasien bis ins 7. Jt. v. Chr. zurückverfolgen; aus den voll ausgebildeten Ackerbauern und Viehzüchterkulturen (8. Jh. v. Chr.) entwickelten sich die ersten Hochkulturen (→ Alter Orient). Die grch. und röm. Kultur hatte bäuerl. Wurzeln, doch wurde das röm. Bauerntum durch Großbetriebe mit Sklavenarbeit zurückgedrängt und später zum schollengebundenen Kleinpächtertum (→ Kolonat). Das freie Bauerntum der Germanen (mit Privateigentum) wurde im Früh-MA. im Raum des fränkischen Reiches und später in England weitgehend in die Organisationsform der → Grundherrschaft einbezogen; so wurden im 8./9. Jh. die meisten B. »halbfreie« (»hörige«) Pächter oder »Unfreie«, von denen viele aber später erbl. Besitztitel erhalten konnten. Im Hoch-MA. wurden mit dem Übergang der Grundherrschaft an das aufkommende Rittertum auch die meisten freien Bauern deren Abhängige. Diese wurden dann (im 12. Jh.) als eigener Stand (rustici) zusammengefasst. Wirtsch. selbstständiges Freibauerntum konnte sich v. a. in Schweden, in Tirol und in der Kernschweiz halten; in Südeuropa herrschte ein Pachtsystem. In Osteuropa und Ostmitteleuropa wurde unter Ausdehnung der → Gutsherrschaft der Bauernstand bis zum 18. Jh. zur Personal- oder, wie in Ostelbien, »Real«-Leibeigenschaft von »Untertanen« herabgedrückt. Die → Bauernbefreiung des 18./19. Jh. schloss die Aufhebung der Leibeigenschaft und Ablösung der bäuerl. Grundlasten ein (Frankreich 1789, Preußen 1807–50, Russland 1861). Im Industriezeitalter suchte das Bauerntum sich durch Genossenschaften, Interessenverbände und Bauernparteien zu behaupten.

Volkskunde: Während der Gegenreformation richtete die kath. Kirche ihr Andachtswesen auf die B. aus, sie erhielten z. B. eigene Wallfahrten und Schutzpatrone (Isidor und Notburga). Das geistl. Volksschauspiel wurde gepflegt, Volksbrauch und -kunst religiöser Prägung gefördert. Im 18. Jh. entwickelte sich eine vielseitige bäuerl. Dorfkultur (Volkskunst, -tracht, B.-Möbel, B.-Schmuck).

2) Figur im → Schachspiel.

Bruno Bauer

Bauer, 1) Bruno, evang. Theologe und polit. Publizist, * Eisenberg (Thüringen) 6. 9. 1809, † Rixdorf (heute als Neukölln zu Berlin) 15. 4. 1882; seit 1834 Privatdozent für Theologie in Berlin, seit 1839 in Bonn. Anfänglich orthodoxer Hegelianer und Kritiker von D. F. Strauss, wandte er sich dann dem Linkshegelianismus zu. 1842 verlor er wegen seiner scharfen Bibelkritik und des Bestreitens der Historizität Jesu die Lehrerlaubnis und wurde später radikaler Atheist. Seine Schrift »Christus und die Cäsaren« (1877) wurde über K. Marx und F. Engels bedeutsam für den marxist. Sozialismus, den B. selbst ablehnte, und Nietzsches Religionskritik.

2) Gustav, Politiker (SPD), * Darkehmen (heute Osjorsk, Gebiet Kaliningrad) 6. 1. 1870, † Berlin 16. 9. 1944; Gewerkschaftsführer; Juni bis Aug. 1919 MinPräs., Aug. 1919 bis März 1920 Reichskanzler (unterzeichnete den Versailler Vertrag).

Bauernhaus

1

2

| **1** Gulfhaus auf der Halbinsel Eiderstedt | **2** norddeutsches Bauernhaus in Mittelkirchen, Altes Land

Wolfgang Bauer

3) Josef Martin, Schriftsteller, *Taufkirchen (Vils) 11. 3. 1901, †Dorfen (Kr. Erding) 15. 3. 1970; schrieb Bauern- und zeitgeschichtl. Romane (»So weit die Füße tragen«, 1955).

4) Otto, österr. Politiker, *Wien 5. 9. 1881, †Paris 4. 7. 1938; ein Hauptvertreter des →Austromarxismus; 1918/19 Staatssekretär des Auswärtigen; nach dem sozialdemokrat. Februaraufstand (1934) emigriert.

5) Wolfgang, österr. Schriftsteller, *Graz 18. 3. 1941; schrieb v. a. Dramen: »Magic Afternoon« (1965), »Change« (1969), »Gespenster« (1974), »Magnetküsse« (1976), »Memory-Hotel« (1980) sowie das Drehbuch für »In Zeiten wie diesen« (1984); erhielt 1994 den Großen Österr. Staatspreis.

Bauernbefreiung, die Lösung der Bauern aus allen herrschaftl. Bindungen durch die Agrarreformen des 18. und 19. Jh.; sie umfasste die persönl. Befreiung aus der Leibeigenschaft oder Erbuntertänigkeit, die Grundentlastung, d. h. die Auflösung der →Grundherrschaft oder →Gutsherrschaft, die Aufhebung der Gerichtsherrschaft, die Ablösung des Zehnten u. a. herrschaftl. Berechtigungen.

In Preußen bahnten schon Friedrich Wilhelm I. und Friedrich d. Gr. die B. an; Stein hob durch das Edikt vom 9. 10. 1807 die Gutsuntertänigkeit sämtl. Bauern auf; 1811 und 1816 wurde unter Hardenberg die Ablösung der Gutsherrschaft für die Groß- und Mittelbauern verordnet; zum Abschluss der Gesetzgebung kam es 1850. – In Österreich hob Kaiser Joseph II. bereits 1781 die Leibeigenschaft auf, während die bäuerl. Lasten erst durch das Gesetz vom 7. 9. 1848 beseitigt wurden. Auch in den anderen dt. Staaten war der Ablösungsprozess 1848 beendet.

In England hatten die Bauern schon seit dem Ende des MA. die persönl. Freiheit erlangt. – In Frankreich hob die Nationalversammlung am 4. 8. 1789 alle persönl. und sachl. Abhängigkeiten der Bauern entschädigungslos auf. – In Dänemark und Schleswig-Holstein wurde die B. (nach Vorläufern) 1788 vom Staat begonnen. – In Kurland, Livland und Estland führte die dt. Ritterschaft die B. (nach Vorläufern im 18. Jh.) von 1804 bis zur Mitte des 19. Jh. durch. – In Russland erließ Alexander II. am 3. 3. 1861 ein Manifest, durch das die 23 Mio. Leibeigenen die persönl. Freiheit erhielten. – In Ungarn begann die B. 1853/54, in Rumänien 1864.

📖 DIPPER, CHR.: *Die B. in Deutschland 1790–1850. Stuttgart u. a. 1980.* – ESCHMENT, B.: *Die Große Reform? Die Bauernreform von 1861 in Rußland in der vorrevolutionären Geschichtsschreibung. Münster u. a. 1994.*

Bauerndichtung, die dichter. Darstellung bäuerl. Lebens. Im 13. Jh. entstanden neben dem ersten dt. Bauernepos »Meier Helmbrecht« (1250) die Gedichte Neidharts von Reuental und seiner Nachahmer, die den groben, unhöf. Bauern in Ggs. zum höfisch erzogenen Ritter stellen. Verspottung des Bauern aus bürgerl. Standesgegensatz heraus bringt das Fastnachtsspiel des 15. Jh.; mehr derb humoristisch wird der Bauer im Schwank des 16. Jh. (v. a. bei Hans Sachs) dargestellt. Die Idyllen des 18. Jh. von Maler Müller und J. H. Voss geben realist. Züge aus dem bäuerl. Leben wieder und leiten zu Dorfgeschichte und -roman des 19. Jh. über (J. Gotthelf, K. Immermann, G. Keller, B. Auerbach, F. Reuter, L. Anzengruber u. a.). Ende des 19. Jh. und Anfang des 20. Jh. beginnen Naturalismus und Heimatkunst bäuerl. Milieu zu schildern (P. Rosegger, W. von Polenz, L. Thoma, H. Löns, F. Stavenhagen, K. Schönherr, R. Billinger, Lena Christ, P. Dörfler, J. Oberkofler, K. Waggerl u. a.). Hohen Rang hat die B. der skandinav. Länder (B. Björnson, K. Hamsun, O. Duun, M. Andersen Nexö, G. Gunnarsson), auch die der Flamen (S. Streuvels), der Polen (W. S. Reymont) und Russen (I. S. Turgenjew). Im frz. Sprachbereich traten

3

4

| **3** Schwarzwaldhaus bei Gutach | **4** oberdeutsches Einheitshaus bei Au im Bregenzer Wald, Österreich

nach George Sand, H. de Balzac u. a. C. Ramuz und J. Giono, im italien. G. Verga und I. Silone hervor. Das chines. Bauerntum schilderte Pearl S. Buck.

📖 ZIMMERMANN, P.: *Der Bauernroman. Stuttgart 1975.* – BAUR, U.: *Dorfgeschichte. Zur Entstehung u. gesellschaftl. Funktion einer literar. Gattung im Vormärz. München 1978.* – HOFMANN, TESSA: *Das Bauernthema in der sowjetruss. Prosa der 20er Jahre. München 1983.*

Bauernfeld, Eduard von, österr. Schriftsteller, *Wien 13. 1. 1802, †ebd. 9. 8. 1890; schrieb witzig-elegante Konversationsstücke.

Bauerngerichte (Dorfgerichte, Heimgerichte), mittelalterl. Gerichte auf dem Land, die von einem **Bauermeister** (Heimbürgen) als Vors. und fünf bis sechs **Bauerngenossen** als Beisitzern abgehalten wurden; sie entschieden bes. über Flurangelegenheiten.

Bauern-, Gewerbe- und Bürgerpartei, früherer (1918–71) Name der →Schweizerischen Volkspartei.

Bauernhaus, die Wohn- und Wirtschaftsstätte des Bauern (im Ggs. zum städt. →Bürgerhaus); sein Baumaterial war v. a. von der Umgebung abhängig. In Nadelwaldgebieten bot sich Holz zum **Blockbau** an. Die Dächer waren meist mit Schindeln gedeckt. Wo Laubwälder mit Eichenbeständen vorherrschten, setzte sich das B. aus **Fachwerk** durch mit Ständern aus Eichenholz und Gefachen aus Lehmflechtwerk u. a. Material; das Dach wurde bei genügendem Getreideanbau oft mit Stroh gedeckt. In den Übergangsbereichen vom Nadel- zum Laubwald zeigt sich häufig der **Bohlenständerbau,** bei dem die Gefache aus waagerechten Bohlen bestehen. In den durch die Kulturentwicklung waldarm gewordenen Gebieten wurden schon früh Steine (meist Bruchstein) genutzt. In regenarmen Gebieten dient Lehm als Baumaterial, mitunter in Form luftgetrockneter Ziegel, so im Innern der Iber. Halbinsel, in Nordafrika, Vorder- und Mittelasien, im mittleren und nördl. China und in entsprechenden Gebieten Amerikas.

Bei der Raumaufteilung der B. können Wohn- und Wirtschaftsgebäude getrennt oder in einem Gebäude untergebracht sein. Fehlt für die Anordnung der einzelnen Gebäude eine besondere Regel, handelt es sich um **Haufenhöfe** (z. B. in den Alpen, in Skandinavien, z. T. auch in der Normandie); mitunter erfolgt eine Anordnung der Gebäude um zwei Höfe (Wohnhof mit Wohnhaus, Küche, Speicher; Viehhof mit Ställen u. a.), was als **Zwie-, Paar-** oder **Ringhof** bezeichnet wird. Von den Haufenhöfen heben sich die geregelten Hofanlagen ab, die in Form von **Zweiseit-, Dreiseit-** oder **Vierseithöfen** erscheinen.

Den Hofanlagen aus mehreren Gebäuden steht der Mehrzweckbau, das **Einheitshaus** (auch **Einhaus** gen.) gegenüber, bei dem sich die Mehrzahl der Wohn- und Wirtschaftsräume unter einem Dach befinden. Diese Häuser treten zunächst mit zwei Ständerreihen auf, die das Dach tragen; zw. Ständern und Wand befinden sich die Kübbungen, die zum Aufstallen des Viehs dienen **(Kübbungshaus).** Im oberen Wesergebiet erscheint das längs geteilte Einheitshaus als **Vierständerhaus.**

Als Sonderform hat sich im 16. Jh. in den niederdt. Marschen das **Gulfhaus** (der **Haubarg** auf der Halbinsel Eiderstedt) entwickelt. Bei ihm ist die frühere Mitteldiele in ein Seitenschiff verwiesen; der Raum innerhalb des zentralen Ständervierecks (Gulf) dient der Stapelung der Getreideernte.

📖 *Denkmalgeschützte Bauernhäuser, bearb. v.* U. STARK. *Stuttgart ³1993.*

Bauernkarpfen, die →Karausche.

Bauernkrieg, der Aufstand der Bauern und einiger Städte Süd- und Mittel-Dtl.s 1524/25; Höhepunkt einer Krise der spätmittelalterl. feudalen Ordnung, die sich seit dem 14. Jh. in zahlr. bäuerl. Unruhen u. a. in der Schweiz, in Oberschwaben, in Württemberg (Aufstand des Armen Konrad 1514), in Österreich sowie in den Verschwörungen des →Bundschuh am Oberrhein (zw. 1493 und 1517) manifestierte. Die Bauern forderten, u. a. in den »Zwölf Artikeln«, das alte Recht und Herkommen anstelle des neuen röm. Landrechts, Einschränkung ihrer Lasten und Dienste, Aufhebung der Leibeigenschaft, Freiheit der Jagd und des Fischfangs, Pfarrerwahl durch die Gemeinde, z. T. auch eine Neuordnung des Reichs unter Einschränkung der landesfürstl. Gewalt. Die Reformation förderte den Ausbruch. Der Aufstand breitete sich anfangs rasch aus, bes. in Schwaben, Franken, Thüringen, der Schweiz und Österreich; die bedeutendsten Führer waren Wendel Hipler (in Franken), Michael Gaismair (in Tirol), Thomas Müntzer (in Thüringen), auch Ritter wie Florian Geyer und Götz von Berlichingen. Die Fürsten warfen den Aufstand überall blutig nieder, so in Süd-Dtl. durch den Schwäb. Bund unter Georg Truchseß von Waldburg (»Bauernjörg«), in Thüringen durch die Schlacht bei Frankenhausen (15. 5. 1525). Luther hatte sich anfangs bemüht zu vermitteln, erklärte sich aber 1524 gegen die Aufständischen. Die marxistisch orientierte Forschung versteht den B. im Zusammenhang mit der Reformation als Höhepunkt einer »frühbürgerl. Revolution«.

BLICKLE, P.: *Die Revolution von 1525. München ^{3}1993. – Der dt. B., hg. v.* H. BUSZELLO *u. a. Paderborn u. a. ^{3}1995.*

Bauernkrieg

Die »Zwölf Artikel der Bauernschaft in Schwaben« vom März 1525 greifen auf reformatorisches Gedankengut zurück, so im ersten Artikel, in dem die Bauern das Recht der freien Pfarrerwahl durch die Gemeinde fordern:
Derselbe erwählte Pfarrer soll uns das heilige Evangelium lauter und klar predigen, ohne jeden menschlichen Zusatz, Lehre und Gebot. Denn wenn uns der wahre Glaube stets verkündigt wird, gibt uns das eine Ursache, Gott um seine Gnade zu bitten, uns denselben wahren Glauben vor Augen zu halten und ihn in uns zu festigen. Denn wenn seine Gnade nicht in uns eingeprägt wird, so bleiben wir stets Fleisch und Blut, das dann zu nichts nütze ist, wie deutlich in der Schrift steht, dass wir allein durch den wahren Glauben zu Gott kommen könnten und allein durch seine Barmherzigkeit selig werden müssen.

Bauernlegen, die Einziehung bäuerl. Stellen durch den Gutsherrn; auch die Einziehung wüst gewordener Bauernstellen, seit dem 15./16. Jh. in England, im östl. Dtl. und bes. im östl. Mitteleuropa.

Bauernmalerei, Bez. des Expressionismus bes. für volkstüml. Hinterglasmalerei, Votivbilder, bemalte Bauernmöbel u. a.

Bauernmöbel, volkstüml. Gebrauchsmöbelstücke, wurden im späten MA. mit dem Entstehen eines eigenen Tischlergewerbes gebräuchlich. Sie beharrten oft längere Zeit in dem einmal gefundenen Stil und bildeten landschaftstyp. Erscheinungen aus, z. B. Barockformen in Niederdtl., flächige Bemalung auf Weichholz in Franken, Schwaben, Bayern und Österreich sowie Schnitzdekor bei Hartholz.

Bauernparteien, die polit. Zusammenschlüsse der Bauern, bes. der Klein- und Mittelbauern, die sich seit der Mitte des 19. Jh. v. a. in vielen Teilen Europas ausbildeten. In Dtl. waren die Bauernorganisationen parteipolitisch nicht gebunden, so der →Bund der Landwirte, nach 1945 in der Bundesrep. Dtl. der →Deutsche Bauernverband e. V. und die →Deutsche Landwirtschafts-Gesellschaft e. V. Durch den polit. Umbruch im SO und O Europas 1989/91 entstanden in einigen Ländern die unter kommunist. Herrschaft aufgelösten B. wieder neu; auch in Nordeuropa spielen sie – jetzt meist unter dem Namen Zentrum – noch eine maßgebl. Rolle.

Bauernregeln, volkstüml., oft gereimte Merksprüche zur Wettervorhersage für bestimmte Tage (Lostage) sowie Ernteweissagung u. Ä.; sie beruhen z. T. auf lokalen Wetterbeobachtungen.

Bauerntheater, Aufführungen bäuerl. Laienspieler sowie die von diesen oder von Berufsschauspielern aufgeführten Mundartspiele (→Bauerndichtung); seit dem 16.–17. Jh. entwickelt; Stil und Bau sind i. d. R. einfach, die Charaktere sind typisiert, die Handlung zielt oft auf derbe Pointen; heute oft im Dienste des Fremdenverkehrs. →Passionsspiele, →Volksschauspiel.

Bauernverband, →Deutscher Bauernverband e. V.

Bauersfeld, Walther, techn. Physiker und Ingenieur, *Berlin 23. 1. 1879, †Heidenheim an der Brenz 28. 10. 1959; war leitender Mitarbeiter der Firma Zeiss in Jena, entwickelte das Zeiss'sche Projektionsplanetarium und machte Erfindungen zur Kinotechnik, Photogrammmetrie und angewandten Mechanik.

Baufinanzierung, Beschaffung und Einsatz der für Bauvorhaben erforderl. Geldmittel. Dazu zählen Kapitalmarktmittel (Hypotheken von Pfandbriefinstituten, [Bau-]Sparkassen, Kreditbanken), öffentl. Mittel, Arbeitgeberdarlehen, →Baukostenzuschüsse, Eigenkapital. Die B. ist abhängig von der Art des Bauvorhabens (Wohngebäude, gewerbl. Bauten, öffentl. Bauten u. a.), dem Bauträger oder Bauherrn (öffentl. Hand, gewerbl. Wirtschaft, privater Einzelbauherr u. a.), der Ertragskraft und Risikoempfindlichkeit der jeweiligen

Bauinvestitionen, der Kapitalmarktsituation, dem Umfang der Ersparnisse u.a. Die B. dient zur Deckung der Kosten des Baugrundstücks (Erwerbs- und Erschließungskosten) und der Baukosten.

Bauforderungen, geldwerte Ansprüche der Bauunternehmer und Bauhandwerker für die Ausführung eines Bauwerks. Für B. kann Bestellung einer Sicherungshypothek an dem Baugrundstück verlangt werden, bei noch unvollendeten Werken für einen der geleisteten Arbeit entsprechenden Teil der Vergütung (§648 BGB; Ges. über die Sicherung von B. vom 1. 6. 1909).

Baugenehmigung (Bauerlaubnis, Baukonzession), die bei Errichtung, Veränderung oder Abbruch eines Bauwerks erforderliche schriftl. Erklärung der Baubehörde, dass dem beabsichtigten Bauvorhaben nach dem jeweils geltenden öffentl. Recht keine Hindernisse entgegenstehen. Die B. ist in den Landesbauordnungen geregelt. Das B.-Verfahren beginnt mit dem Bauantrag und endet, abhängig von der Rechtslage, mit dem Erteilen der B. in Form des Bauscheins. Die B. kann mit Auflagen und Bedingungen verbunden werden. Neuerdings stellen die Landesbauordnungen vermehrt bestimmte Baumaßnahmen baugenehmigungsfrei und beschränken sich z.T. auf Anzeigepflichten. Gegen die B. können nachbarrechtsgeschützte Nachbarn bei Verletzung ihrer Rechte Klage erheben.

Baugenossenschaften (Wohnungsbaugenossenschaften), Unternehmen, die zwecks Vermietung oder Verkauf Wohnungen für die Genossenschaftsmitglieder bauen. Die B. entstanden ab 1860, um auf dem Wege der solidar. Selbsthilfe Wohnungen bes. für die Arbeiter zur Verfügung zu stellen. Mit Aufhebung der Gemeinnützigkeit 1990 entfielen für die B. Steuerbefreiungen, aber auch die daran geknüpften Bindungen hinsichtlich Geschäftskreis, Baupflicht, Preisbindung, Offenheit des betreuten Personenkreises.

Baugesetzbuch, Kodifikation des Baurechts in Dtl. i. d. F. v. 27. 8. 1997. Im B. sind die vorher im Bundesbau-Ges. und im Städtebauförderungs-Ges. enthaltenen Vorschriften zusammengefasst und z.T. geändert worden. Das B. will u.a. das Städtebaurecht auf die gegenwärtigen und zukünftigen Aufgaben ausrichten, eine Verwaltungsvereinfachung erzielen und den Umwelt- und Denkmalschutz verbessern. Es enthält z.B. Bestimmungen über die →Bauleitplanung, die Regelung der baul. und sonstigen Nutzung, die Entschädigung, die Bodenordnung (Umlegung, Grenzregelung), die Enteignung, die Erschließung, städtebaul. Sanierungs- und Entwicklungsmaßnahmen und das gerichtl. Verfahren in Baulandsachen.

Baugewerbe (Bauwirtschaft), der das Bauhaupt- und Ausbaugewerbe sowie das Bauhilfsgewerbe umfassende Wirtschaftszweig. Zum **Bauhauptgewerbe** zählen Hochbau und Tiefbau (einschl. Straßenbau), Zimmerei, Dachdeckerei, Stuckateurgewerbe, Gipserei, Verputzerei sowie Spezialbau. Das **Ausbaugewerbe** umfasst Gas-, Wasser- und Elektroinstallation, Glaser-, Maler- und Tapeziergewerbe, Fliesenleger- sowie Ofensetzergewerbe. Zum **Bauhilfsgewerbe** gehören Gerüstbau, Fassadenreinigung und Gebäudetrocknung.

Baugruppe, aus →Bauelementen in einem elektr. oder elektron. Gerät aufgebaute Einheit, z.B. bestückte Leiterplatten, Verstärker, Netzteile.

Bauhaus (Staatliches Bauhaus), Schule mit Werkstätten für gestaltendes Handwerk, Architektur und bildende Künste, gegr. 1919 von W. Gropius in Weimar, 1925 als **Hochschule für Gestaltung** nach Dessau verlegt, 1932 nach Berlin, 1933 aufgelöst. Am B. lehrten die Architekten W. Gropius und L. Mies van der Rohe, die Maler J. Itten, W. Kandinsky, L. Feininger, P. Klee und O. Schlemmer, der Bildhauer G. Marcks u.a. Es setzte sich immer mehr ein reiner Funktionalismus durch. Vom B. gingen nachhaltige Wirkungen auf die Kunstpädagogik, die moderne Architektur, Wohnraumgestaltung und Industrieform aus. 1961 wurde in Darmstadt das B.-Archiv gegründet (Sitz seit 1971 Berlin), 1976 beherbergte das rekonstruierte Bauhaus in Dessau zunächst das »Wiss.-kulturelle Zentrum B.« und ab 1984 das »Bildungszentrum B.«; 1987 erfolgte die Zusammenfassung beider Institutionen zum B. Dessau. 1994 wurde die Stiftung B. Dessau gegründet.

📖 GROHN, C.: *Die B.-Idee. Entwurf, Weiterführung, Rezeption. Berlin 1991. – Das B. Selbstzeugnisse von Meistern u. Studenten, hg. v.* F. WHITFORD. *A. d. Engl. Stuttgart 1993. – B.-Ideen 1919–1994. Bibliografie u. Beiträge zur Rezeption des Bauhausgedankens, Beiträge v.* C. BIUNDO *u.a., hg. v.* A. HAUS. *Berlin 1994.* BILDTAFEL S. 470f.

Bauherr, derjenige, der selbst oder durch Dritte ein Bauvorhaben im eigenen Namen durchführt, insbesondere über seine Gestaltung entscheidet und es finanziert; im Bauvertragswesen der Auftraggeber.

Bauherrenmodell, Form der Kapitalanlage im Wohnungsbau, die durch Ausnutzung von Steuervorteilen überdurchschnittl. Kapitalerträge verspricht. Aufwendungen mindern dabei als Werbungskosten das steuerpflichtige Einkommen bzw. die Umsatzsteuer.

Bauhinia [nach dem schweizer. Arzt J. Bauhin, *1541, †1613] *die,* trop. Gattung der Hülsenfrüchtler, z.T. Schlingsträucher mit wellig gebogenen Stämmen (»Affentreppen«).

Bauhin-Klappe [nach dem schweizer. Anatomen C. Bauhin, *1560, †1624], Schleimhautfalte zw. Dünn- und Dickdarm, die einen Rückfluss des Darminhalts in den Dünndarm verhindert.

Bauhaus

Funktionalität und Materialgerechtigkeit bedingen Schönheit und Stil eines Produktes bzw. eines Bauwerks; diese Auffassung des Bauhauses beeinflusste die moderne Architektur und das moderne Industriedesign

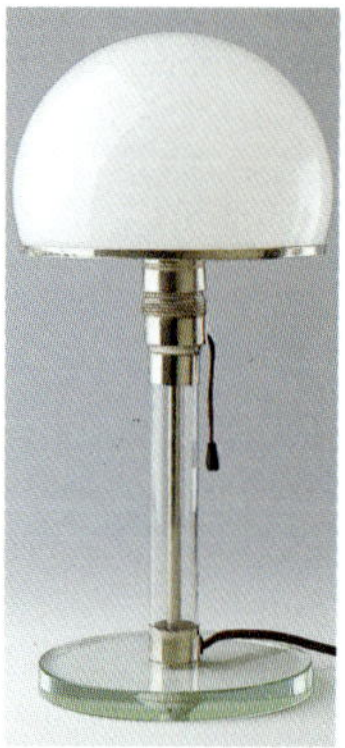

| 1

| 2

| 3

| **1** Glaslampe von Wilhelm Wagenfeld (1923/24; Berlin, Bauhaus-Archiv, Museum für Gestaltung) | **2** Gerrit Thomas Rietfeld, »Blau-Rot-Stuhl« (1918; München, Die Neue Sammlung) | **3** Oskar Schlemmer, »Bauhaustreppe« (1932; New York, Museum of Modern Art) | **4** Bauhaus von Walter Gropius in Dessau (1925/26)

Bauhütte, mittelalterl. Werkstattverband der an einem Kirchenbau arbeitenden Steinmetzen und Maurer. Sie waren an eine Hüttenordnung gebunden, zur Geheimhaltung der Kunstregeln verpflichtet und frei von allen Verpflichtungen gegenüber der Gemeinde. In **B.-Büchern** wurden Baupläne, typisierte Figuren, Ornamente u. a. festgehalten (berühmt das B.-Buch von Villard de Honnecourt). Aus dem 12. Jh. ist eine **Baubrüderschaft** in Südfrankreich bezeugt. In Dtl., wo sich die B. im 13. Jh. ausbreiteten, war die **Straßburger B.** führend. Mit der Reformation begann ihr Verfall, 1731 wurden sie aufgelöst. Ihre Bräuche und Sinnbilder übernahmen z. T. die Freimaurer.

Bauingenieur [-inʒeˈnjøːr], Ingenieur, dessen Aufgabe vorzugsweise Ingenieurbauwerke und -anlagen im Stahl-, Stahlbeton-, Holz-, Industrie-, Brücken-, Wasser-, Straßen- und Verkehrsbau umfasst, daneben auch städtebaul. Aufgaben.

Baukastensystem, Methode zum Aufbau von komplizierten techn. Systemen mithilfe einfacher »Bausteine«, deren Herstellung, Überprüfung und Austausch bes. wirtschaftlich sind und die durch Kombinationsmöglichkeiten eine hohe Funktionsflexibilität des Gesamtsystems und eine wirtschaftlich optimale Anpassung an die Aufgabenstellung ermöglichen.

Baukeramik, Erzeugnisse aus gebranntem Ton, mit oder ohne Glasurüberzug, als Ziegeleierzeugnis (Mauer-, Decken-, Dachziegel, Klinker, Dränrohre, Terrakotten), als Steingut und Steinzeug (Wand- und Bodenfliesen, Spaltplatten, Kanalisationsrohre) und als Porzellan (Sanitärkeramik). – Schon die altoriental. Kunst verwendete plastisch geformte Ziegelsteine am Bau sowie Fayenceplatten, ornamentierte Kacheln und farbige Reliefziegel (Babylon, Susa). In Griechenland und Etrurien gingen keram. Firstziegel, Traufplatten und Metopen der Ausführung dieser Bauteile in Marmor voraus. Eine hohe Blüte erreichte die B. in der islam. Kunst, in der norddt. Backsteingotik und im 15. Jh. in Florenz (farbig glasierte Reliefs von L. und A. della Robbia). Zu den hervorragendsten Werken in Dtl. gehört die Fassade des Fürstenhofes in Wismar (Mitte 16. Jh.). In der Form der Wandverkleidung durch Fliesen erreichte die B. noch eine späte Blüte im 17. und 18. Jh. in den Niederlanden. In der modernen Architektur werden großformatige keram. Platten zur Fassadenverkleidung verwendet.

Baukindergeld, Regelung im Einkommensteuerrecht, mit der der Erwerb von selbst genutztem Wohneigentum durch Familien mit Kindern gefördert werden soll. Das B. beträgt je Kind 600 DM, 750 DM oder 1 000 DM, je nachdem, ob das Wohnobjekt vor 1990, im Jahre 1990 oder nach 1990 erworben wurde; es wird acht Jahre lang von der Steuerschuld abgezogen. Im Rahmen der Wohneigentumsförderung trat ab dem 1. 1. 1996 an seine Stelle eine Kinderzulage von 1 500 DM.

4

Baukis (Baucis), → Philemon und Baucis.

Baukostenzuschuss, Geld- oder sonstige Leistungen des Mieters an den Vermieter zum Neubau, Wiederaufbau, Ausbau und zur Instandsetzung von Gebäuden. Man unterscheidet **verlorenen B.** (keine Anrechnung auf die Miete vereinbart) und **abwohnbaren B.** Der verlorene B. (unzulässig bei Sozialwohnungen) ist grundsätzlich zurückzuzahlen, soweit er nicht durch die Dauer des Mietverhältnisses als getilgt anzusehen ist (Ges. vom 21. 7. 1961). Der B. ist heute weitgehend durch Mieterdarlehen und Mietvorauszahlungen ersetzt.

Baukunst, die → Architektur.

Bauland, Muschelkalkhochfläche zw. Odenwald und Taubergrund, Bad.-Württ., 135–450 m ü. M.; Grünlandwirtschaft und Getreideanbau (z. T. auch Dinkel zur Grünkernherstellung).

Baulast, in einigen dt. Ländern vorgesehene, freiwillig von einem Grundstückseigentümer übernommene baurechtl. Verpflichtung zur Einhaltung besonderer Bauvorschriften, z. B. des Gebäudeabstandes (Bauwich); wird in das **Baulastenverzeichnis** eingetragen.

Bauleistungen, die zur Herstellung oder Instandhaltung eines Bauwerkes erforderl. Bauarbeiten (Baulose), einschl. Lieferung von Baustoffen und Bauteilen; techn. und rechtl. Regelungen enthält die **Verdingungsordnung für B.** (VOB).

Bauleiter, nach den Bauordnungen der Länder der vom Bauherrn mit der Überwachung und Ausführung eines Bauwerkes nach der Bauvorbereitung Beauftragte. Er ist den Aufsichtsbehörden verantwortlich.

Bauleitplanung, nach dem Baugesetzbuch die Vorbereitung und Leitung der baul. und sonstigen Nutzung der Grundstücke in einer Gem., um die städtebaul. Entwicklung zu ordnen. Sie erfolgt durch die Bauleitpläne, d. h. den → Flächennutzungsplan und den → Bebauungsplan.

Baulinile (früher Bauflucht), in einem Bebauungsplan festgesetzte Linie, auf der die Bauten errichtet werden müssen, um einen einheitl. Abstand oder ein einheitl. Bild zu erzielen. Hiervon zu unterscheiden sind die **Baugrenze,** die eine Bandbreite der zulässigen Bebauung markiert, und die **Bebauungstiefe,** die von der Straßengrenze an berechnet wird.

Baum, 1) *Botanik:* ausdauerndes Holzgewächs mit ausgeprägtem Stamm und einer Krone aus beblätterten Zweigen **(Kronen-B., Wipfel-B.)** oder aus großen Blättern (**Schopf-B.,** z. B. Palmen, Baumfarne). Die höchsten B. sind der kaliforn. Mammutbaum (bis 130 m) und der austral. Rieseneukalyptus (bis 150 m). Man unterscheidet **immergrüne B.** und **laubwerfende B. (laubwechselnde B.).** Baumformen im Obst- und Gartenbau sind Hochstamm mit 1,8–2 m, Halbstamm 1,2–1,4 m, Viertelstamm oder Meterstamm 0,8–1 m, Busch-B. 60–80 cm, Zwergformen und Spindelbüsche bis 40 cm Stammhöhe. Zierformen sind Pyramiden, U-Formen, Fächerspaliere, Schnur-B. u. a.; Hängeformen heißen auch »Trauer-B.«. – Zur religiösen Bedeutung → Baumkult.

📖 MITCHELL, A. *u.* MORE, D.: *Taschenführer Bäume. A. d. Engl. Augsburg 1991. – Bäume der Welt.*

Bauhütte

Von dem französischen Baumeister Villard de Honnecourt aus dem 13. Jahrhundert stammt das einzige aus dem Mittelalter erhaltene gebliebene Bauhüttenbuch (um 1235), eine im Lauf vieler Jahre auch auf Reisen durch Frankreich, Deutschland und Ungarn zusammengetragene Mustersammlung von Zeichnungen. Sie betreffen die Baukunst (u. a. Grund- und Aufrisse von Chören und Türmen, Maßwerk von Fenstern und Fensterrosen, auch Baumaschinen), die Zimmermannskunst (z. B. verschiedene Konstruktionsmöglichkeiten von Dachstühlen) und die Bildhauerei (Portalfiguren, Evangelienpult, Chorgestühl u. a.). Außerdem enthält das Buch Zeichnungen von Menschen und Tieren sowie Versuche, diese in geometrische Systeme einzupassen.
Dieses Bauhüttenbuch zeigt, dass eine mittelalterliche Bauhütte nicht nur ein organisatorischer Zusammenschluss von Steinmetzen an einem Bau war, sondern dass ihr Entwurf und Ausführung der Gesamtkonzeption einer Kathedrale sowie deren Ausgestaltung als künstlerisches Ganzes oblagen. Die 33 erhaltenen Blätter dieses Bauhüttenbuches befinden sich heute in der französischen Nationalbibliothek in Paris.

Baum 1): Verschiedene Wuchsformen

Eine Enzyklopädie, hg. v. B. HORA *u. a. A. d. Engl. Stuttgart* ^{2}*1993.*

2) *Datenverarbeitung:* Datenstruktur bei hierarch. Beziehungen und rekursiven Objektstrukturen; dient u.a. zur Lösung von Zählproblemen in der Kombinatorik (→Entscheidungsbaumverfahren).

3) *Mathematik:* zusammenhängender kreisfreier Graph, der mindestens zwei Knotenpunkte enthält.

4) *Schifffahrt:* jedes stärkere Rundholz, Stahl- oder Aluminiumrohr in der Takelage, z.B. Ladebaum.

5) *Textiltechnik:* an der Webmaschine eine Vorrichtung, auf der die Kettfäden (Kett-B.) oder das fertige Gewebe (Zeug-B.) geführt werden.

Baum, 1) Gerhart, Politiker (FDP), *Dresden 28. 10. 1932; 1972–78 parlamentar. Staatssekretär, 1978–82 Bundesinnenminister.

2) Vicki, österr. Schriftstellerin, *Wien 24. 1. 1888, †Los Angeles 29. 8. 1960; schrieb v.a. Romane (z.T. in engl. Sprache): »Stud. chem. Helene Willfüer« (1929), »Menschen im Hotel« (1929), »Vor Rehen wird gewarnt« (1951).

Baumann, 1) Hermann, Ethnologe, *Freiburg im Breisgau 9. 2. 1902, †München 30. 6. 1972; arbeitete bes. über Probleme der afrikan. Kulturgeschichte und der systemat. Mythenforschung.

2) Oskar, österr. Forschungsreisender, *Wien 25. 6. 1864, †ebd. 12. 10. 1899; erforschte 1885 mit O. Lenz den Kongo; bereiste 1892/93 das Land der Masai und Ruanda und erkundete den Kagera.

Baumaschinen, alle im Hoch-, Tief- und Ingenieurbau (Brücken-, Eisenbahn-, Straßen-, Erd-, Tunnel-, Grund- und Wasserbau) benutzten maschinellen Hilfsmittel; im Erdbau: Bagger, Planierraupen, Straßenhobel, gleisgebundene und geländegängige Transportgeräte, Bodenverdichtungsgeräte; im Straßenbau: Erdbaumaschinen, Bodenverdichtungsgeräte, Splittstreuer, Deckenfertiger; im Eisenbahnbau: Gleishebe-, Gleisrück-, Gleisstopf-, Gleisbaumaschinen, Schotterräummaschinen; im Tunnelbau: Bohrgeräte, Schaufellader, Schrapper, Schildfräsen, Pressen; im Grundbau: Bohrer, Pumpen, Rammen, Pfahlzieher, Taucherglocken; im Ingenieur- und Hochbau: Krane, Förderbänder, Bauaufzüge, Rüttler, Stampfer, Geräte zur Materialaufbereitung (Brecher, Sieb-, Waschanlagen, Mischer).

Baumberge, mehrere Höhenrücken im westl. Münsterland, NRW, im Wester Berg 186 m ü. M.; aufgebaut aus Sandstein und Mergel der Oberen Kreide; bewaldete Hänge.

Baum der Reisenden, Art der Bananengewächse, →Ravenala.

Baumeister, Willi, Maler, *Stuttgart 22. 1. 1889, †ebd. 31. 8. 1955; Schüler von A. Hoelzel, begann mit den konstruktivist. »Mauerbildern« (seit 1919), wendete sich ab 1930 freieren Wachstumsformen zu (»Ideogramme«, »Eidosbilder«), nahm ab etwa 1942 in steigendem Maße archaische und exot. Anregungen (»Gilgamesch«) auf und gelangte schließlich zu visionären Bildern (»Monturi«, »Montaru«).

Willi Baumeister: Zwei Laternen (1955; Köln, Sammlung Gutbrod)

Bäumer, Gertrud, Schriftstellerin, *Hohenlimburg (heute zu Hagen) 12. 9. 1873, †Bethel (heute zu Bielefeld) 25. 3. 1954; war führend in der dt. Frauenbewegung tätig, gab mit Helene Lange die Zeitschrift »Die Frau« heraus (1893–1944), ferner das »Handbuch der Frauenbewegung« (5 Bde., 1901 ff.); schrieb histor. Romane und Biographien (»Adelheid. Mutter der Königreiche«, 1936; »Otto I. und Adelheid«, 1951).

Baumfarne, baumförmige Farne aus den Familie Dicksoniaceae und Cyatheaceae in trop. Regenwäldern, mit bis 10 m hohem Stamm. B. waren an der Bildung der Kohle beteiligt.

Baumgarten, Alexander Gottlieb, Philosoph, *Berlin 17. 6. 1717, †Frankfurt (Oder) 26. 5. 1762; Schüler von C. Wolff; wurde durch seine Einteilung der Philosophie und seine philosoph. Begriffssprache einflussreich. Er begründete die wiss. Ästhetik in Dtl.; schrieb: »Metaphysica« (1739); »Aesthetica«, 2 Bde. (1750–58).

Baumgrenze, klimabedingte (Kälte, Trockenheit u.a.) äußerste Grenzzone, bis zu der einzelne Bäume wachsen können, in den Alpen etwa bei 1900 bis 2400 m ü. M. (etwa 100 m oberhalb der →Waldgrenze).

Baumhaar, Pflanzenfaser, →Tillandsie.

Baumhaus, v.a. in Ozeanien verbreitete Variante des Pfahlhauses, bei der Bäume in die Konstruktion einbezogen werden.

Baumholder, Stadt im Landkr. Birkenfeld, Rheinl.-Pf., im W des Pfälzer Berglandes, 4300 Ew.; Garnisonsstandort mit großem Truppenübungsplatz.

Baumkult, Verehrung von Bäumen, Baumgruppen oder heiligen Hainen, die sich bei vielen Völkern (z. B. auch bei Ägyptern, Germanen, Griechen, Indern und Slawen) findet; sie gilt den Bäumen selbst (Baum des Lebens, Weltenbaum) und den in ihnen vermuteten Gottheiten.

Baumläufer (Certhiidae), Familie kleiner, an Bäumen kletternder Singvögel mit rindenfarbener Oberseite und Stützschwanz. Das Nest wird in Spalten oder hinter loser Baumrinde gebaut.

Baumringchronologie, die →Dendrochronologie.

Baumsarg, 2–3 m langer Sarg aus einem längs gespaltenen, ausgehöhlten Baumstamm, erstmals in der späten Jungsteinzeit nachgewiesen, häufig in der frühen Bronzezeit Europas.

Baumschläfer, ein Nagetier, →Schlafmäuse.

Baumschule, 1) *Forstwirtschaft:* Pflanzkamp (→Kamp).

2) *Gartenbau:* Betriebsform zur Anzucht von Freilandgehölzen, oft auch von Stauden.

Baumschutz, als Teil des Umweltschutzes die Erhaltung und Pflege einzelner Bäume oder Baumgruppen, bes. in Baugebieten, u. a. auf der Grundlage des Baugesetzbuchs, von Verordnungen und kommunalen B.-Satzungen.

Baumstachelbeere (Carambola), trop. Obst des Baumes Averrhoa carambola mit gelben, gurkenähnl. Früchten; das Fruchtfleisch schmeckt süß bis leicht sauer.

Baumstachler (Baumstachelschweine, Erethizonthidae), Familie 30–80 cm langer amerikan. Nagetiere; nachtaktive, dem Baumleben angepasste Pflanzenfresser.

Baumsterben, →Waldsterben.

Baumwachs, Masse zum Wundverschluss an Holzgewächsen nach Schnitt und Veredlung.

Baumwachteln (Odontophorini), amerikan. Hühnervögel ohne Sporn; werden in den USA als Jagdwild gezüchtet.

Baumwanzen (Schildwanzen, Pentatomidae), Fam. der Landwanzen, meist bräunlich oder grün. Einige B. saugen Früchte aus und geben ihnen ihren üblen Geruch, so die olivenbraune, 10–12 mm lange **Beerenwanze** (Dolycoris baccarum); andere Arten leben räuberisch von Insekten.

Baumwollbaum, Sammelbez. für Bäume mit Kapselfrüchten, deren Samenhaare als Faserrohstoff dienen, z. B. Kapok, Wollbaum.

Baumwolle, die Samenhaare mehrerer Arten der Baumwollpflanze (Gossypium), Nutzpflanze der Tropen und Subtropen; ein strauchiges Malvengewächs mit lappigen Blättern, weißen, elfenbeinfarbigen, blassrosa bis purpurnen Blüten und aufspringenden Kapselfrüchten. Der Anbau der B. ist nur möglich zw. 41° n. Br. und 28° s. Br. Etwa 8–9 Monate nach der Anpflanzung springen die walnussgroßen Fruchtkapseln auf, aus denen die schneeweißen Samenhaare (die B.) hervorquellen. Gepflückt werden sie mit der Hand, mit rechenartigen Geräten oder mit fahrbaren Maschinen, die mit vielen Saugarmen ausgerüstet sind (Vakuumpflücker), oder mit sich drehenden Spindeln, die die Fasern erfassen und eindrehen (Spindelpflücker). Nach der Ernte wird die B. zum Trocknen gelagert und dann in Entkernungsmaschinen (Egreniermaschinen) von den Samenkernen befreit, unter hohem Druck zu Ballen gepresst und in Jutesäcke verpackt. – Zur Beurteilung der B.-Qualität spielen der Feinheitsgrad, die Farbe, v. a. aber die Faserlänge (der Stapel) eine Rolle. Man unterscheidet gewöhnlich: **kurzstapelige B.** (Faserlänge unter 22 mm), **mittelstapelige B.** (22–29 mm) und **langstapelige B.** (über 29 mm); diese Fasern sind ein wichtiger Textilrohstoff, sie kommen in die →Spinnerei. Die kurzen Grundfasern der Samen (Linters) dienen als Rohstoff für die Zellstoffind. und die Chemiefaserherstellung. Aus den **B.-Samen** wird Speiseöl gewonnen. Die ausgepressten Samenreste (Samenschalen und Ölkuchen) dienen als Düngemittel und als eiweißreiches Kraftfutter für Wiederkäuer.

Vicki Baum

Gertrud Bäumer

Wirtschaft: Die Weltproduktion an B.-Fasern (entkernt) betrug 1994 53,27 Mio. t. Die bedeutendsten Exporteure sind die USA, China, Pakistan und Indien; wichtigste Importstaaten sind Japan, Hongkong, Italien und Deutschland.

Baumwolle: Anbau und Erzeugung der Hauptproduzentenländer

Land	Fläche (in 1 000 ha)		Ernte (in 1 000 t)	
	1991	1994	1991	1994
China	6539	5053	16989	12750
USA	5245	5394	10118	11252
Indien	7695	7670	5035	6886
Pakistan	2881	2822	6532	4050
Usbekistan	1720	1538	4646	3935
Türkei	577	570	1401	1594
Brasilien	1830	1178	2076	1359
Griechenland	230	379	601	1037
Ägypten	358	303	791	830
Welt	34957	31118	60463	53265

Geschichte: Älteste Reste von B.-Geweben (etwa 3000 v. Chr.) wurden bei Ausgrabungen in Indien gefunden. Auch die amerikan. Völker kannten die B. lange bevor sie durch die Araber in Europa eingeführt wurde. Über Spanien und Italien (Venedig) drang sie seit dem 13. Jh. nach N vor. Augsburg wurde hier Mittelpunkt der B.-Verarbeitung (Barchentherstellung). Ihren großen Aufschwung nahm die B.-Industrie mit der Erfindung der

Baumwolle: Unreife (oben) und reife, geöffnete Kapsel (unten)

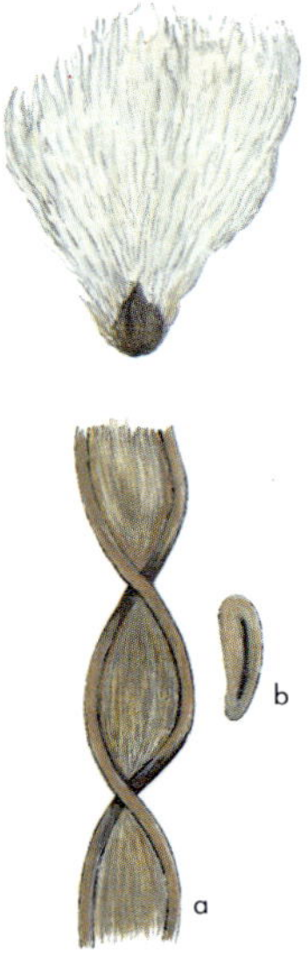

Baumwolle: Samen mit Samenhaaren (oben) und Samenhaar (unten); a Aufschnitt, b Querschnitt

Spinnmaschine im 18. Jh. zuerst in England, dann in Frankreich und Deutschland.

📖 STROMER VON REICHENBACH, W.: *Die Gründung der Baumwollindustrie in Mitteleuropa. Wirtschaftspolitik im Spätmittelalter. Stuttgart 1978.* – HOBHOUSE, H.: *Fünf Pflanzen verändern die Welt. Chinarinde, Zucker, Tee, B., Kartoffel. A. d. Engl. München 19.–21. Tsd., ⁴1996.*

Baumwollsamenöl (Cottonöl), fettes, halbtrocknendes Öl aus den Samen der Baumwolle; wird als Speiseöl sowie in der Margarine- und Seifenherstellung verwendet.

Baunatal, Stadt im Kr. Kassel, Hessen, 26 800 Ew.; Zweigwerk des Volkswagenwerkes. – B. entstand 1964–72 durch Zusammenschluss von sieben Gemeinden; es ist seit 1966 Stadt.

Baunormen, in Dtl. die vereinheitlichten Festlegungen nach DIN für Bauteile und Baustoffe, für Planung, Entwurf, Vorbereitung und Ausführung der baul. Anlagen sowie für den Bautenschutz.

Bauopfer, früher weit verbreitete Sitte, dass in einen Neubau zur Abwehr künftigen Unheils Lebewesen (Tiere, seltener Menschen) oder Gegenstände (Lebensmittel, Wertgegenstände) in das Fundament eingemauert werden mussten.

Bauordnungsrecht (Bauaufsichtsrecht, Baupolizeirecht), die öffentlich-rechtl. Vorschriften, die die Voraussetzungen für Errichtung, Änderung und Abbruch von baul. Anlagen bestimmen. Das B. ist Landesrecht (Landesbauordnungen).

Bauphysik, die physikal. Grundlagen der Bautechnik; untersucht Baustoffe und -konstruktionen bes. bezüglich der Durchlässigkeit von Wärme, Schall, Feuchtigkeit und Luft.

Bauplastik, bildner. Gestaltungen, die im Zusammenhang mit einem Bauwerk geschaffen wurden; sie zeigt weit über das Dekorative hinaus Sinn und Zweck des Bauwerks und seiner Teile und erscheint so, auch als tragendes Glied, im Giebelfeld, an Portalen und Wänden sowie in Nischen.

Baupolizei, rechtlich veraltete, noch umgangssprachliche Bez. für die Bauaufsichtsbehörden (→ Bauordnungsrecht).

Baur, 1) Erwin, Genetiker und Botaniker, *Ichenheim (heute zu Neuried, Ortenaukreis) 16. 4. 1875, †Müncheberg 2. 12. 1933; Direktor des Kaiser-Wilhelm-Instituts für Züchtungsforschung in Müncheberg (seit 1938 »Erwin-Baur-Institut«); war bes. als Pflanzengenetiker tätig.

2) Ferdinand Christian, evangelischer Theologe, *Schmiden (heute zu Fellbach) 21. 6. 1792, †Tübingen 2. 12. 1860; seit 1836 Prof. in Tübingen, führte die historisch-krit. Methode in die neutestamentl. Forschung ein. B. verstand die Gesch. des Urchristentums als dialekt. Entwicklung vom Judenchristentum des Petrus (Gesetzeskirche) über das Heidenchristentum des Paulus (Geistkirche) zur vorläufigen Synthese der frühkath. Kirche.

Baurecht, die Gesamtheit der Vorschriften über das Bauen. Zum B. zählen im objektiven Sinne das **öffentl. B.,** v. a. das landesrechtlich geregelte → Bauordnungsrecht, ferner das Bauplanungsrecht und das Recht der Baubodenordnung, beide normiert im Baugesetzbuch. Es wird ergänzt durch die VO über die baul. Nutzung der Grundstücke. Im **privatrechtl. B.** ist v. a. das Nachbarrecht (BGB, Landesnachbarrechtsges.) zu beachten. Für den Bauvertrag sind die Bestimmungen über den Werkvertrag maßgebend. In subjektiver Hinsicht ist B. das durch Art. 14 GG geschützte Recht des Einzelnen auf baul. Nutzung seines Grundstücks. In *Österreich* ist das B. landesgesetzlich in Bauordnungen geregelt. In der *Schweiz* ist das B. Gegenstand kantonaler Bestimmungen, die zunehmend durch Bundesrecht überlagert werden. Im Zivilrecht ist das B. eine Dienstbarkeit, die dem Berechtigten die Befugnis gibt, auf fremdem Boden ein Bauwerk zu errichten (Art. 779–779 l des ZGB).

Bausch, Pina, Tänzerin und Choreographin, *Solingen 27. 7. 1940; ausgebildet in Essen an der Folkwang-Hochschule und New York; übernahm 1973 die Leitung des Balletts der Wuppertaler Bühnen (seitdem »Tanztheater Wuppertal«). P. B. ist eine bed. Vertreterin des Newdance in Deutschland.

Bausparkasse, Spezialkreditinstitut, das aufgrund von Bausparverträgen durch nachrangige Hypotheken gesicherte Darlehen zum Zweck der Baufinanzierung gewährt. Der zw. der B. und dem Bausparer abgeschlossene **Bausparvertrag** gilt für eine bestimmte Bausparsumme (Vertragssumme), die aus dem vom Bausparer aufzubringenden Sparguthaben (i. d. R. 40 % der Vertragssumme), das jährlich verzinst wird, und dem Bauspardarlehen (i. d. R. 60 % der Vertragssumme) besteht. Durch die Leistung von Sparbeiträgen erwirbt der Bausparer den Anspruch auf Gewährung eines vonseiten der B. unkündbaren Bauspardarlehens. Die Vertragssumme wird nach Ablauf der Mindestsparzeit (meist 18 Monate) und dem Erreichen des Mindestsparguthabens (Leistungszahl) zugeteilt. Das Darlehen, das steuerlich begünstigt ist, muss in monatl. Raten zurückgezahlt werden. Nach der Bausparförderung besteht Wahlmöglichkeit zw. Steuerbegünstigung nach § 10 EStG und Gewährung einer an eine bestimmte Einkommensgrenze gebundenen staatl. Bausparprämie (→ Wohnungsbauprämie). Bausparverträge unterliegen keinen Zinsschwankungen, womit sie die Baufinanzierung von Konjunkturentwicklungen unabhängiger machen und damit i. A. die Konjunkturentwicklung stabilisieren. Dafür muss der Bausparer für die Dauer der Rückzahlung des Bauspardarlehens i.d.R. mit höheren monatl. Belastungen rechnen als bei einem Hypothekarkredit.

Die B. entstanden in Großbritannien (1775) und in den USA (1831). In Dtl. fasste die Bausparbewegung erst 1885 mit der Gründung der Bielefelder »B. für Jedermann« durch F. von Bodelschwingh Fuß. 1924 wurde die erste private Einrichtung, die →Bausparkasse Gemeinschaft der Freunde Wüstenrot gemeinnützige GmbH, und 1929 die erste öffentlich-rechtl. B. gegründet.

🕮 LAUX, H.: *Die Bausparfinanzierung. Heidelberg* [6]*1992.*

Bausparkasse Gemeinschaft der Freunde Wüstenrot gemeinnützige GmbH, Abk. **GdF,** älteste dt. Bausparkasse; gegr. 1924, Sitz Ludwigsburg. – In Österreich besteht die **Bausparkasse Gemeinschaft der Freunde Wüstenrot registrierte Genossenschaft mbH** als größte und älteste (gegr. 1929) österr. Bausparkasse mit Sitz in Salzburg.

Bausperre, →Veränderungssperre.

Baustahl, Sammel-Bez. für unlegierte oder niedrig legierte Stähle mit charakterist. Zugfestigkeit und Streckgrenze, die als Konstruktionswerkstoff in der Bautechnik (z.B. zur Bewehrung) in Form von Profilen, Stäben und Flachstahl verwendet werden.

Bauxit: Förderung wichtiger Förderländer (in Mio. t)

Land	1985	1990	1992	1994
Australien	31,8	41,4	39,9	42,2
Guinea	14,0	16,2	16,0	14,4
Jamaika	6,2	10,9	11,4	11,6
Brasilien	5,8	9,9	9,4	8,7
China	2,6	3,7	6,7	6,5
Indien	2,3	5,3	4,5	4,8
Russland	6,4*)	7,5*)	4,6	3,6
Kasachstan	–	–	3,0	2,4
Welt	89,6	113,8	110,5	111,5

*) Ehemalige Sowjetunion.

Baustoffe, Sammelbegriff für Stoffe zur Fertigung von Bauteilen und Bauwerken. Natürl. B. werden aus natürl. Vorkommen gewonnen, u.a. Bauholz, Kies, Sand, Naturstein, Lehm. Künstl. B. werden aus Rohstoffen durch Wärme- oder chem. Behandlung hergestellt, z.B. Stahl, Zement, Glas, Keramik (→Baukeramik).

Bautasteine, bis 6m hohe, oft inschriftlose Gedenksteine in Skandinavien aus der jüngeren Bronze- und bes. der Völkerwanderungs- und Wikingerzeit.

Bautechnik, Teilgebiet der Technik, das sich mit dem Bauen auf der Grundlage angewandter Naturwissenschaften (u.a. Statik, Baustoffkunde und -forschung, Bodenmechanik, Vermessungstechnik) befasst.

Bautenschutz, Maßnahmen zum Schutz von Bauwerken und Baustoffen gegen schädliche chemische und physikalische Einflüsse, v.a. durch →Dämmstoffe und →Sperrstoffe.

Bauträger, →Baubetreuungsvertrag.

Bautzen, 1) Landkreis im RegBez. Dresden, Sachsen, 955 km², (1996) 162500 Ew. (darunter Sorben).

2) (sorb. Budyšin), Krst. von 1), in der Oberlausitz, Sachsen, auf einer Granitplatte über dem Spreetal, 44800 Ew.; große Kreisstadt, Sitz des Sächs. Oberverwaltungsgerichtes; Zentrum der Sorben mit Inst. für sorb. Volksforschung, Museum für sorb. Gesch. und Kultur, Dt.-Sorb. Volkstheater. Die Ind. umfasst Bau von Schienenfahrzeugen und Einrichtungen der Kommunikationstechnik, graf. Gewerbe. – B. hat ein reizvolles Stadtbild mit der Ortenburg (ausgebaut um 1000, 1483–86 und 1645–48), dem Reichenturm, der Alten Wasserkunst (1496–1558), alten Bürgerhäusern und Kirchen (Dom St. Peter, erbaut 1220–1497, seit 1980 Konkathedrale des Bistums Dresden-Meißen). – B., das alte **Budissin,** liegt auf german. Siedlungsboden; um 600 wanderten hier die slaw. Milzener ein. 1002 erstmals als **Budis(s)in** erwähnt (dt. Name erst im 15. Jh. belegt), kam es 1031 endgültig in dt. Hand und wurde Hauptort der Oberlausitz. Mit dieser fiel B. 1320 an Böhmen und 1635 an Kursachsen. 1945–50 bestand in B. ein sowjet. Internierungslager des NKWD/MHD, 1950–90 eine Haftanstalt des Staatssicherheitsdienstes der DDR für polit. Gefangene.

Ferdinand Christian Baur

Pina Bausch

Bauüberwachung, Kontrolle der Ausführung genehmigungsbedürftiger Bauvorhaben durch die Bauaufsichtsbehörden. Zur B. gehört i.w.S. auch die **Bauabnahme** (Roh- und Schlussabnahme), über die ein Abnahmeschein ausgestellt wird.

Bauweise, Verfahren und Methode der Bauausführung, z.B. im Stahlbetonbau die Schüttbauweise; im Städtebau die Anordnung der Bebauung eines Geländes, z.B. offene oder geschlossene Bauweise.

Bauwich *der,* der durch Bauordnungen im Interesse von Licht und Luft geregelte Abstand der Gebäude zueinander.

Bauwirtschaft, →Baugewerbe.

Bauxit [nach dem ersten Fundort Les Baux in Südfrankreich] *der,* Gemenge von Tonerdemineralen (Aluminiumoxide und -hydroxide, z.B. Hydrargillit und Diaspor), oft durch andere Minerale verunreinigt (Rotfärbung durch Eisenverbindungen), das den wichtigsten Rohstoff für die Aluminiumgewinnung darstellt. B. findet auch für die Herstellung von Schleifmitteln, feuerfesten Ziegeln, zur Schmierölraffination und als Katalysatorträger Verwendung. Die bedeutendsten Förderländer sind (1994) Australien, Guinea und Jamaika.

Hinweise für den Benutzer

1. Reihenfolge der Stichwörter

Als Stichwörter gelten die fett gedruckten Begriffe, die am Anfang der Artikel stehen. Ihre Einordnung erfolgt nach dem Alphabet. Alphabetisiert werden alle fett gedruckten Buchstaben, auch wenn das Stichwort aus mehreren Wörtern besteht. Dabei werden Umlaute (ä, ö, ü) wie einfache Vokale eingeordnet, z.B. folgen aufeinander **ägäische Sprache, Aga Khan, Agamemnon.** Buchstaben mit diakritischen Zeichen werden behandelt wie Buchstaben ohne diese Zeichen; unterscheiden sich jedoch mehrere Stichwörter nur durch ein diakritisches Zeichen oder durch einen Umlaut, so wird das Stichwort mit Zusatzzeichen nachgestellt, z.B. **Abbe, Abbé.** Unterscheiden sich mehrere Stichwörter nur durch Groß- und Kleinschreibung, so steht das kleingeschriebene Stichwort voran.

Gibt es für einen Sachverhalt mehrere Begriffe oder Bezeichnungen, so stehen diese in runden Klammern hinter dem Stichwort.

Gleich lautende Stichwörter mit unterschiedlicher Bedeutung (z.B. in verschiedenen Sachgebieten) werden zu einem Artikelkomplex zusammengefasst. Dabei steht vor jeder Bedeutung eine Ziffer und das Sachgebiet, dem diese Bedeutung zuzuordnen ist. Nebenstichwörter, die nur für eine Bedeutung gelten, werden in runden Klammern dem entsprechenden Artikelabschnitt vorangestellt, z.B.

Anpassung, 1) *Elektrotechnik:* ...
2) *Physiologie:* (Adaptation) ...
3) *Soziologie:* (Adjustment) ...

Gleich lautende Hauptstichwörter werden in der Reihenfolge: Sachstichwörter, geographische Namen, Personennamen angeordnet. Gleich lautende Personennamen erscheinen in der Reihenfolge: biblische Personen, Herrscher, Päpste, Vornamen (mit Zusatz), Nachnamen.

Vornamen mit Zusatz werden unter dem Vornamen eingeordnet, z.B. **Adam, Adam von Bremen, Adam,** Adolphe.

2. Schreibung

Die Schreibung richtet sich nach der Duden-Rechtschreibung. Fachausdrücke aus der biologischen und zoologischen Systematik sowie chemische und medizinische Fachausdrücke werden so geschrieben, wie sie die jeweilige Nomenklatur vorschreibt. Abweichungen hiervon berücksichtigen die Gemeinsprache.

Bei der Schreibung von Wörtern aus fremden Sprachen werden die in den jeweiligen Sprachen verwendeten diakritischen Zeichen und Sonderbuchstaben verwendet, sofern keine eindeutschende Schreibung üblich ist.

Wörter aus Sprachen mit nichtlateinischer Schrift erscheinen in einer der Aussprache der Wörter oder dem allgemeinen Sprachgebrauch angepassten Umschrift (Transkription).

Beim Arabischen hat sich keine einheitliche Transkription für den allgemeinen Gebrauch durchgesetzt, daher sind einige Buchstaben und Zeichen unterschiedlich wiedergegeben. Es werden auch regionale und dialektbedingte Formen berücksichtigt, ebenso englische Schreibungen, wenn sie sich eingebürgert haben.

Stichwörter aus dem Chinesischen werden im Allgemeinen in der amtlichen chinesischen Lateinschrift (Pinyin-Transkription) angegeben.

Die Schreibung russischer Namen erfolgt nach den Transkriptionsregeln, die in der Übersicht »russisches Alphabet« beim Stichwort »russische Schrift« dargestellt sind.

3. Betonung und Aussprache

Fremdwörtliche oder fremdsprachliche Stichwörter sowie Eigennamen erhalten als Betonungshilfe einen Punkt (Kürze) oder einen Strich (Länge) unter dem betonten Laut.

Die getrennte Aussprache von üblicherweise zusammen gesprochenen Lauten wird durch einen senkrechten Strich angezeigt, z.B. **Ais|chylos, Lili|e.**

Weicht die Aussprache eines Stichwortes von der deutschen ab, so wird in der dem Stichwort folgenden eckigen Klammer die korrekte Aussprache in phonetischer Umschrift angegeben. Diese folgt dem Internationalen Lautschriftsystem der Association Phonétique Internationale. Die verwendeten Zeichen sind:

a = helles a, dt. Bl*a*tt, frz. p*a*tte
ɑ = dunkles a, dt. w*a*r, engl. r*a*ther
ã = nasales a, frz. gr*a*nd
ʌ = dumpfes a, engl. b*u*t
β = halb offener Reibelaut b, span. Ha*b*anera
ç = Ichlaut, dt. mi*ch*
ɕ = sj-Laut (stimmlos), poln. *S*ienkiẹwicz
ð = stimmhaftes engl. th, engl. *th*e
æ = breites ä, dt. *Ä*ther
ɛ = offenes e, dt. f*e*tt
e = geschlossenes e, engl. *e*gg, dt. B*ee*t
ə = dumpfes e, dt. all*e*
ɛ̃ = nasales e, frz. f*i*n
ɣ = geriebenes g, span. Tarra*g*ona, niederländ. *G*ogh
i = geschlossenes i, dt. W*ie*se
ɪ = offenes i, dt. b*i*tte
ĩ = nasales i, port. *I*nfante
ʎ = lj, span. Sevi*ll*a

- ŋ = ng-Laut, dt. Ha*ng*
- ɲ = nj-Laut, Champa*gn*er
- ɔ = offenes o, dt. K*o*pf
- o = geschlossenes o, dt. T*o*r
- ɔ̃ = nasales o, frz. b*on*
- ø = geschlossenes ö, dt. H*ö*hle
- œ = offenes ö, dt. H*ö*lle
- œ̃ = nasales ö, frz. parf*um*
- s = stimmloses s, dt. wa*s*
- z = stimmhaftes s, dt. *s*ingen
- ʑ = zj-Laut (stimmhaft), poln. *Zi*elona Gora
- ʃ = stimmloses sch, dt. *Sch*uh
- ʒ = stimmhaftes sch, Gara*ge*
- θ = stimmloses th, engl. *th*ing
- u = geschlossenes u, dt. K*u*h
- ʊ = offenes u, dt. b*u*nt
- ũ = nasales u, port. At*um*
- u̯ = unsilbisches u, poln. Złoty
- v = stimmhaftes w, dt. *W*ald
- w = halbvokalisches w, engl. *w*ell
- x = Achlaut, dt. Kra*ch*
- y = geschlossenes ü, dt. M*ü*tze
- ɥ = konsonantisches y, frz. S*u*isse
- : = bezeichnet Länge des vorhergehenden Vokals
- ˈ = bezeichnet Betonung und steht vor der betonten Silbe, z. B. ˈætlı = Attlee

4. Angaben zur Grammatik

Hinter fremdwörtlichen und eingedeutschten fremdsprachlichen Substantiven steht in kursiver Schrift der Artikel zur Bezeichnung des Geschlechts (Genus). Diese Angabe entfällt bei zusammengesetzten Substantiven; man findet sie jeweils beim einfachen Begriff (Simplex).

5. Angaben zur sprachlichen Herkunft

Werden bei einem Stichwort Angaben zur sprachlichen Herkunft (Etymologie) gemacht, so stehen sie nach dem fett gedruckten Stichwort in eckiger Klammer, gegebenenfalls hinter der phonetischen Umschrift. Ausführliche etymologische Angaben werden gebracht, wenn sie zum Verständnis des Stichworts beitragen. Sie fehlen in der Regel bei reinen Verweisstichwörtern, bei Eigennamen, den deutschstämmigen Wörtern sowie bei zusammengesetzten Wörtern, deren Teile als selbstständige Stichwörter erscheinen. Bei Wortfamilien wird die Etymologie nur bei demjenigen Stichwort angegeben, das am ehesten als repräsentativ für die Wortfamilie gelten kann.

6. Datierung

Bei Daten vor Christus entfällt der Zusatz »v. Chr.«, wenn die Abfolge von zwei Jahreszahlen diese Tatsache deutlich erkennen lässt (z. B. 329–324). Daten im ehemaligen Geltungsbereich des julianischen Kalenders (Datierung nach dem »alten Stil«) werden nach dem gregorianischen Kalender (nach »neuem Stil«) angegeben.

7. Angaben zu fremdsprachlichen Autoren

Bei übersetzten Werken wird nur der übersetzte Titel mit dem Erscheinungsjahr der Originalausgabe zitiert. Nicht übersetzte Titel erscheinen in der Originalsprache. Bei Werken aus entlegeneren Sprachen (Finnisch, Ungarisch, Arabisch, Japanisch usw.) wird anstelle des Originaltitels eine wörtliche deutsche Übersetzung angegeben, sofern der Titel nicht in deutscher Übersetzung vorliegt.

8. Weiterführende Literatur

Bei zahlreichen Stichwörtern werden am Schluss des Artikels nach dem Zeichen 🕮 Hinweise auf weiterführende Literatur gegeben. Dabei werden sowohl ältere Standardwerke als auch neuere Literatur berücksichtigt. Die angeführten Titel sind in der Regel chronologisch angeordnet, beginnend mit dem frühesten Erscheinungsjahr.

9. Verweisungen

Verweisungen sollen helfen, den Inhalt des Lexikons allseitig zu erschließen. Der Pfeil (→) fordert auf, das dahinter stehende Wort nachzuschlagen, um weitere Auskunft zu finden. Hinweise auf Bilder, Karten und Übersichten stehen ohne Verweisungspfeil.

10. Abkürzungen

Außer den im Abkürzungsverzeichnis aufgeführten Abkürzungen können die Adjektivendungen ...lich und ...isch abgekürzt werden sowie Einheiten mit allgemein bekannten Einheitenzeichen (wie km für Kilometer, s für Sekunde).

Das Hauptstichwort wird im Text des jeweiligen Artikels mit seinem Anfangsbuchstaben wiedergegeben. Bei Stichwörtern, die aus mehreren Wörtern bestehen, wird jedes Wort mit dem jeweils ersten Buchstaben abgekürzt.

Die Abkürzungen und Anfangsbuchstaben der Hauptstichwörter gelten auch für flektierte Formen (z. B. auch für Pluralformen) des abgekürzten Wortes. Bei abgekürzten Stichwörtern, die aus Personennamen oder Namen von geographischen Objekten bestehen, wird die Genitivendung nach dem Abkürzungspunkt wiedergegeben.

Benennungen und Abkürzungen der biblischen Bücher können der Übersicht »Bücher der Bibel« beim Stichwort »Bibel« entnommen werden.

Abkürzungen

Abg.	Abgeordnete(r)
ABGB	Allgemeines Bürgerliches Gesetzbuch
Abh(h).	Abhandlung(en)
Abk.	Abkürzung
Abt.	Abteilung
a. d.	aus dem
AG	Aktiengesellschaft
ags.	angelsächsisch
ahd.	althochdeutsch
Ala.	Alabama
Alas.	Alaska
allg.	allgemein
Anh.	Anhang
Anm(m).	Anmerkung(en)
AO	Abgabenordnung
Ariz.	Arizona
Ark.	Arkansas
Art.	Artikel
ASSR	Autonome Sozialistische Sowjetrepublik
A. T.	Altes Testament
Aufl(l).	Auflage(n)
Ausg(g).	Ausgabe(n)
Ausst.-Kat.	Ausstellungskatalog
ausschl.	ausschließlich
Ausw.	Auswahl
Bad.-Württ.	Baden-Württemberg
Bd., Bde.	Band, Bände
bearb.	bearbeitet
bed.	bedeutend
begr.	begründet
ben.	benannt
ber.	berechnet
bes.	besonders
Bev.	Bevölkerung
Bez.	Bezeichnung; Bezirk
BGB	Bürgerliches Gesetzbuch
Bundesrep.	Bundesrepublik
Dtl.	Deutschland
bzw.	beziehungsweise
Calif.	Kalifornien
Colo.	Colorado
Conn.	Connecticut
Cty.	County
d. Ä.	der (die) Ältere
dargest.	dargestellt
D. C.	District of Columbia
DDR	Deutsche Demokratische Republik
Del.	Delaware
Dep.	Departamento
Dép.	Département
dgl.	dergleichen, desgleichen
d. Gr.	der (die) Große
d. h.	das heißt
Distr.	Distrikt
d. J.	der (die) Jüngere
DM	Deutsche Mark
Dr(n).	Drama, Dramen
dt.	deutsch
Dtl.	Deutschland
ebd.	ebenda
EG	Europäische Gemeinschaft
ehem.	ehemalig; ehemals
eigtl.	eigentlich
Einf.	Einführung
einschl.	einschließlich
erw.	erweitert
Erz(n).	Erzählung(en)
EU	Europäische Union
europ.	europäisch
evang.	evangelisch
Ew.	Einwohner
f., ff.	folgende..., folgende
FH	Fachhochschule
Fla.	Florida
fortges.	fortgesetzt
Forts.	Fortsetzung
frz.	französisch
Ga.	Georgia
Gatt.	Gattung
geb.	geborene(r)
Ged(e).	Gedicht(e)
gegr.	gegründet
Gem.	Gemeinde
gen.	genannt
Gen.-Gouv.	Generalgouverneur
Gen.-Sekr.	Generalsekretär
Ger.	Gericht
Ges.	Gesetz
Gesch.	Geschichte
ges. Werke	gesammelte Werke
GG	Grundgesetz
ggf.	gegebenenfalls
Ggs.	Gegensatz
gleichbed.	gleichbedeutend
GmbH	Gesellschaft mit beschränkter Haftung
Gouv.	Gouverneur; Gouvernement
grch.	griechisch
Ha.	Hawaii
Hb.	Handbuch
hebr.	hebräisch
Hg.	Herausgeber(in)
HGB	Handelsgesetzbuch
hg. (v.)	herausgegeben (von)
hl., Hl.	heilig; Heilige(r)
Hptst.	Hauptstadt
Hwb.	Handwörterbuch
Ia.	Iowa
i. Allg.	im Allgemeinen
Id.	Idaho
i. d. F. v.	in der Fassung von
i. d. R.	in der Regel
i. e. S.	im engeren Sinn
Ill.	Illinois
Ind.	Indiana; Industrie
Inst.	Institut
internat.	international
i. w. S.	im weiteren Sinn
Jb.	Jahrbuch
Jg.	Jahrgang
Jh.	Jahrhundert
jr.	junior
Jt.	Jahrtausend
Kans.	Kansas
Kap.	Kapitel
kath.	katholisch
Kfz	Kraftfahrzeug
KG	Kommanditgesellschaft
Kom(n).	Komödie(n)
Kr.	Kreis
Krst.	Kreisstadt
Kt.	Kanton
Kw.	Kunstwort; Kurzwort
Ky.	Kentucky
La.	Louisiana
lat.	lateinisch
Lb.	Lehrbuch
Lfg(g).	Lieferung(en)
Lit.	Literatur
luth.	lutherisch
Lw.	Lehnwort
MA.	Mittelalter
Mass.	Massachusetts
math.	mathematisch
max.	maximal
Md.	Maryland
MdB	Mitglied des Bundestags
MdEP	Mitglied des Europäischen Parlaments
MdL	Mitglied des Landtags
MdR	Mitglied des Reichstags
Me.	Maine
Meckl.-Vorp.	Mecklenburg-Vorpommern
Metrop. Area	Metropolitan Area
Metrop. Cty.	Metropolitan County
mhd.	mittelhochdeutsch
Mich.	Michigan
min.	minimal
Min.	Minister
Minn.	Minnesota
MinPräs.	Ministerpräsident
Mio.	Million(en)
Miss.	Mississippi
Mitarb.	Mitarbeit
Mitgl.	Mitglied
Mithg.	Mitherausgeber
mlat.	mittellateinisch
mnd.	mittelniederdeutsch

n. n. e.	mehr nicht erschienen
Mo.	Missouri
Mont.	Montana
Mrd.	Milliarde(n)
N	Nord(en)
Nachdr.	Nachdruck
nat.	national
nat.-soz.	nationalsozialistisch
n. Br.	nördliche Breite
N. C.	North Carolina
n. Chr.	nach Christi Geburt
N. D.	North Dakota
Ndsachs.	Niedersachsen
Nebr.	Nebraska
Neuaufl.	Neuauflage
Neuausg.	Neuausgabe
Nev.	Nevada
NF	Neue Folge
ngrch.	neugriechisch
N. H.	New Hampshire
nhd.	neuhochdeutsch
niederdt.	niederdeutsch
N. J.	New Jersey
nlat.	neulateinisch
N. Mex.	New Mexico
NO	Nordost(en)
NÖ	Niederösterreich
Nov(n).	Novelle(n)
Nr.	Nummer
N. R.	Neue Reihe
NRW	Nordrhein-Westfalen
N. S.	Neue Serie
N. T.	Neues Testament
NW	Nordwest(en)
N. Y.	New York
O	Ost(en)
o. Ä.	oder Ähnliches
oberdt.	oberdeutsch
Oh.	Ohio
OHG	Offene Handelsgesellschaft
o. J.	ohne Jahr
Okla.	Oklahoma
ö. L.	östliche Länge
OLG	Oberlandesgericht
OÖ	Oberösterreich
o. O.	ohne Ort
op.	Opus
Ordn.	Ordnung
Oreg.	Oregon
orth.	orthodox
österr.	österreichisch
Pa.	Pennsylvania
PH	Pädagogische Hochschule
Pl.	Plural
Präs.	Präsident
Prof.	Professor
prot.	protestantisch
Prov.	Provinz
Pseud.	Pseudonym
R(e).	Roman(e)
rd.	rund
ref.	reformiert
Reg.	Regierung
RegBez.	Regierungsbezirk
RegPräs.	Regierungspräsident
Rep.	Republik
rev.	revidiert
Rheinl.-Pf.	Rheinland-Pfalz
R. I.	Rhode Island
RSFSR	Russische Sozialistische Föderative Sowjetrepublik
S	Süd(en)
S.	Seite
Sa.-Anh.	Sachsen-Anhalt
Samml.	Sammlung
s. Br.	südliche Breite
S. C.	South Carolina
Schlesw.-Holst.	Schleswig-Holstein
S. D.	South Dakota
Sekr.	Sekretär
Sg.	Singular
SO	Südost(en)
sog.	so genannt
SSR	Sozialistische Sowjetrepublik
St.	Sankt
Staatspräs.	Staatspräsident
stellv.	stellvertretende(r)
Stellv.	Stellvertreter(in)
StGB	Strafgesetzbuch
StPO	Strafprozessordnung
svw.	so viel wie
SW	Südwest(en)
Tb(b).	Taschenbuch, Taschenbücher
teilw.	teilweise
Tenn.	Tennessee
Tex.	Texas
TH	Technische Hochschule
Thür.	Thüringen
Tl., Tle.	Teil(e)
Trag(n).	Tragödie(n)
Tsd.	Tausend
TU	Technische Universität
UA	Uraufführung
u. a.	und andere(s), unter anderem
u. Ä.	und Ähnliches
u. a. T.	unter anderem Titel
überarb.	überarbeitet (von)
übers.	übersetzt
Übers.	Übersetzung
UdSSR	Union der Sozialistischen Sowjetrepubliken (Sowjetunion)
u. d. T.	unter dem Titel
u. M.	unter dem Meeresspiegel
ü. M.	über dem Meeresspiegel
Univ.	Universität
urspr.	ursprünglich
USA	Vereinigte Staaten von Amerika
usw.	und so weiter
Ut.	Utah
u. v. a.	und viele(s) andere
v.	von
Va.	Virginia
v. a.	vor allem
v. Chr.	vor Christi Geburt
verb.	verbessert
Verf.	Verfasser
versch.	verschieden(e)
Verw.	Verwaltung
VerwBez.	Verwaltungsbezirk
vgl.	vergleiche
VO	Verordnung
Vors.	Vorsitzende(r)
Vorw.	Vorwort
VR	Volksrepublik
Vt.	Vermont
W	West(en)
Wash.	Washington
Wb.	Wörterbuch
wirtsch.	wirtschaftlich
Wis.	Wisconsin
wiss.	wissenschaftlich
Wiss.(en)	Wissenschaft(en)
w. L.	westliche Länge
W. Va.	West Virginia
Wwschaft	Woiwodschaft
Wyo.	Wyoming
zahlr.	zahlreich
z. B.	zum Beispiel
ZGB	Zivilgesetzbuch
ZK	Zentralkomitee
ZPO	Zivilprozessordnung
zsgest.	zusammengestellt (von)
z. T.	zum Teil
Ztschr.	Zeitschrift
zus.	zusammen
zw.	zwischen

★ geboren
† gestorben
⚔ gefallen
∞ verheiratet
→ siehe
📖 weiterführende Literatur
® Warenzeichen (steht bei fett gesetzten Wörtern. – Siehe auch Impressum)

Infokästen

Bei zahlreichen Stichwörtern stehen farbige Infokästen mit zusätzlichen Informationen, wie sie sonst normalerweise im Lexikon nicht vorkommen.

Diese Infokästen enthalten im oberen Teil jeweils ein Symbol, das eine grobe Zuordnung zu Fachgebieten erlaubt. Jedem Symbol ist eine Farbe zugeordnet, die auch bei allen Tabellen, Übersichten und Grafiken aus diesem Fachgebiet wiederkehrt.

Wirtschaft, Recht

Literatur, Sprache

Geographie

Botanik, Zoologie, Medizin

Naturwissenschaften und Technik

Geschichte, Archäologie, Religion, Mythologie

Alltag, Sport, Spiele

bildende Kunst, Architektur, Musik